KB160761

10th Edition

POWER MANUAL SERIES

의사국가고시 | 레지던트시험 | 내과 전문의시험 준비를 위한

Korea Medical Licensing Examination | 신장내과, 내분비내과

POWER

Internal Medicine

3

Nephrology, Endocrinology

군자출판사

파워 내과 03

(Power Internal Medicine 10th ed)

첫째판 1쇄 발행 | 1999년 9월 30일
다섯째판 1쇄 발행 | 2003년 4월 15일
여섯째판 1쇄 발행 | 2005년 9월 15일
일곱째판 1쇄 발행 | 2007년 3월 17일
여덟째판 1쇄 발행 | 2011년 3월 25일
아홉째판 1쇄 발행 | 2013년 1월 15일
열째판 1쇄 발행 | 2020년 3월 16일
열째판 2쇄 발행 | 2022년 7월 13일
열째판 3쇄 발행 | 2023년 1월 31일

저 자 신규성
발 행 인 장주연
출판기획 김도성
책임편집 안경희
표지디자인 김재욱
발 행 처 군자출판사(주)
등록 제4-139호(1991. 6. 24)
본사 (10881) **파주출판단지** 경기도 파주시 회동길 338(서패동 474-1)
전화 (031) 943-1888 팩스 (031) 955-9545
홈페이지 | www.koonja.co.kr

ISBN 979-11-5955-546-6
979-11-5955-449-0(세트)
정가 40,000원
세트 185,000원

머리말

7년 만에 파워내과의 10번째 개정판이 나오게 되었습니다. 3~4년 전에 나왔어야 하는 개정판이 이렇게 늦어진 점에 대해 우선 깊은 사과를 드립니다. 그동안 대부분의 질병에서 진단과 치료에 큰 변화가 있었고, 특히 감염 부분은 수많은 새로운 항생제와 더불어 병원체의 분류에서도 제법 변화가 있었습니다. 예전보다 훨씬 많은 정성과 시간을 들이다보니 페이지가 많이 늘어나고 출간도 늦어지게 되었습니다.

최근의 시험 경향을 보면 실제 환자 진료 상황을 표현한 문제해결형 문제가 대부분을 차지하며, 진단 및 치료에서 가장 중요한 부분을 답으로 요구하는 경우가 많습니다. 이는 공부할 때도 각 질병에 대한 단편적 암기보다는 관련된 여러 질병과 진단기법, 치료법들에 대해 잘 이해하고 있어야 쉽게 해결할 수 있습니다. 반대로 많은 문제풀이를 통해 질병에 대한 이해를 높일 수도 있지만, 결국에는 체계적으로 정리하면서 기억하고 있어야 시험 대비는 물론 환자를 진료할 때도 도움이 됩니다. 파워내과는 그러한 체계적 정리에 도움을 주기위해 만들어져 왔고, 점점 첨단화되면서 방대해진 내용들을 쉽게 찾아보며 공부할 수 있도록 정리했습니다. 수많은 연구 결과, 가이드라인, 전문교과서들을 참고하고 일부는 거의 메타분석 수준의 노력도 늘여가며 우리나라 실정에 맞는 가장 업데이트된 지식을 실었습니다. 최근에는 NGS, 표적치료제의 확대 보급, CAR-T세포 치료 등 진단과 치료에서 획기적인 발전이 있었습니다. 또한 올해 전 세계를 뒤흔들고 있는 COVID-19, 그 전까지 대부분의 병원에서 골칫거리였던 CPE 등 최신 감염관련 문제를 포함하여, 시험에 많이 나오지는 않더라도 그런 중요한 분야의 소개에 많은 지면을 할애했습니다. 의사국가고시만을 목표로 간략히 정리하고 넘어가면 오히려 제대로 이해하기 어려운 내용들도 많기 때문에, 내과전문의시험 수준까지 충분히 대비할 수 있도록 심도 깊게 정리했습니다.

내과는 임상의학의 밑바탕이 되는 가장 중요한 과목이므로 열심히 공부해놓으면 다른 과목들의 학습에도 큰 도움이 될 것입니다. 다만 인공지능, 원격의료, 해묵은 의료수가문제, 워라밸 등에 따라 내과를 지원하는 학생이 크게 줄어든 것은 가슴 아픈 현실입니다. COVID-19 등 점점 심각해지는 감염병들, 고령화 사회에 따른 만성질환의 증가, 기타 환경 사회적인 많은 문제들을 앞에 두고 뿌리 깊은 복지부 적폐 공무원들과도 대결해야하는 의사의 현실은 고달프지만, 묵묵히 환자를 위해 노력하는 것만이 의사의 소명일 것입니다.

정신없이 살다 보니 기쁜 일도 있었지만 슬픈 일도 많았고, 어느덧 파워내과도 20년째를 맞이하게 되었습니다. 그동안 부족한 이 책으로 공부해주신 많은 분들께 깊은 감사드립니다. 끝으로 이번 개정판이 나오기까지 애써주신 군자출판사의 장주연 사장님과 김도성 차장님을 포함한 모든 직원들께도 감사를 드립니다.

2020년 8월 14일

신 규 성

■ **파워내과의 활용분야**

1. 내과학의 처음 입문에서 완성까지 학습의 방향을 제시
2. 의사국가고시의 기초 준비에서 마지막 정리까지 완성
3. 내과 전문의시험, 레지던트 선발시험, 각 의대의 시험 등 준비
4. 전공의, 공중보건의, 군의관, 타과 전문의 등의 최신 내과 지견 update
5. 치과의사, 한의사, 약사, 전문간호사 등 의료인의 내과계 지식 학습

■ **안내**

1. 여러 시험에 출제가 되었거나 출제 가능성이 높은 부분들은 ★, !, **굵은 글자**, 밑줄 등으로 중요 표시를 하였으니 학습할 때 꼭 확인을 하시기 바랍니다.
2. 내과전문의 1차 시험에도 대비하기 위해 일부 자세한 부분도 있으니 학생 수준에서는 그냥 참고만 하고 넘어가셔도 괜찮습니다.
3. 각종 약자는 별책의 약자풀이 편을 참고하시기 바랍니다. 약자나 용어는 대한의협 및 각 학회에서 사용되는 것과 실제 임상에서 통용되는 것을 함께 사용하여 학습의 편의를 도모하였습니다.
4. 책의 오류, 오자, 개선해야할 부분 등이 있으면 군자출판사(admin@kooja.co.kr)로 문의를 해주시면 감사하겠습니다. 책의 발전에 도움을 주신 순서대로 10분을 선정하여 다음 개정판을 증정하도록 하겠습니다.

■ 파워내과의 본문에는 네이버(NHN)의 나눔글꼴이 사용되었습니다.

목차
contents

3권 (신장 · 내분비)

POWER Internal Medicine 10th

[신장내과]

[내분비내과]

신장 내과

1
서론

신장의 구조

• 무게 : 120~150 g
• 크기 : 11×6×2.5 cm (한국-길이 : 9~12 cm), 대개 왼쪽이 조금 더 큼
• 위치 : T12~L3, 후복벽, 대개 왼쪽이 더 위에 위치
• 구성
  - 피질(cortex) ; 바깥쪽, 약 1 cm 두께
  - 수질(medulla) ; 안쪽, 8~18개의 pyramids로 구성 (pyramids의 base는 corticomedullary junction에 위치하고, apex는 renal pelvis로 뻗어서 papilla를 형성)

• nephron (생리학적 기본단위) : 80~120만개
  - glomerulus (renal corpuscle) → 제 7장 참조
  - tubules
  - juxtaglomerular apparatus

  * juxtaglomerular cell (JG cell) : afferent arteriole의 세포가 분화된 것, renin 합성 & 분비

• renal vasculature ; renal artery → segmental A. → interlobar A.
  → arcuate A. (pyramids의 base를 따라 주행) → interlobular A. → afferent arterioles
  → glomerular capillary → efferent arterioles → peritubular capillary networks
  ⋯→ 이중 juxtamedullary glomeruli에서 나온 혈관은 vasa recta를 형성
  (countercurrent multiplication system에서 중요한 기능을 함)

생리학

1. 신장의 기능

(1) urine formation : 수분·전해질 균형, 노폐물 분비
(2) blood formation : erythropoietin 합성
(3) 혈압 조절
  - 혈압↓ → Na^+ retention, renin-angiotensin-aldosterone activation
  - 혈압↑ → Na^+ excretion, prostaglandin 분비

(4) skeletal formation : vitamin D 합성

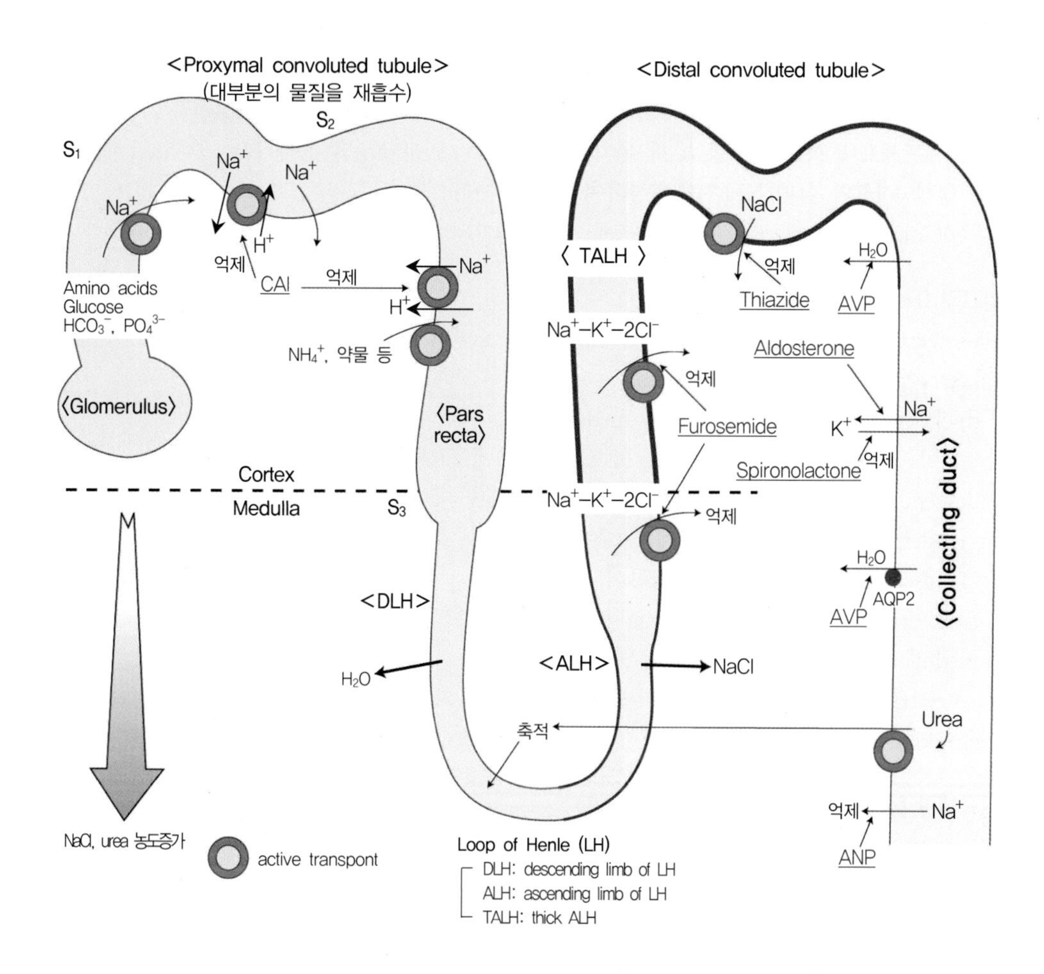

2. Urine formation

- ultrafiltration : glomerulus에서 150~180 L/day
- reabsorption : 99% 재흡수, 1%만 체외로 배설 (약 1.8 L/day)

(1) 근위세관 (proximal tubule, PT)

- 3부분으로 구성
  - PCT (proximal convoluted tubule) : S_1, S_2 → 대부분의 재흡수 담당
  - pars recta : S_3 → 유기산/염기 분비(배설) ; 이뇨제, 약물, 독소 등
- glomerular filtrate의 60~70%가 bulk reabsorption 됨 (압력 및 삼투압차에 의해)
- Na^+ 재흡수에 따른 삼투압 경사로 water도 재흡수됨 … aquaporin 1 [AQP-1] channels을 통해
- Na^+-H^+ exchanger type 3 (NHE-3) (→ CAI에 의해 억제됨)
  - Na^+ 재흡수
  - H^+ 배설 → <u>bicarbonate (HCO_3^-)의 90% 재흡수</u> ; lumen에서 H^+와 HCO_3^-가 결합하여 H_2CO_3 형성 → carbonic anhydrase에 의해 H_2O와 CO_2로 분리 → CO_2는 세관세포내로 확산됨 → 세포내에서 다시 HCO_3^-로 되어 혈액으로 재흡수됨

- glucose, amino acid, citrate, lactate, acetate, phosphate 등 중요 영양소의 대부분도 재흡수됨
  … Na^+-coupled active transport (Na^+-dependent co-transporters)에 의해
- 용질 재흡수의 주요 추진력은 basolateral membrane에 위치한 Na^+,K^+-ATPase임
  (→ 세관세포내 Na^+ 농도를 낮게 유지 → luminal membrane을 통해 Na^+ 및 fluid 재흡수)
- NH_3 생산 : H^+와 함께 NH_4^+를 형성하여 배설됨 → H^+의 배출
  (특히 metabolic acidosis, hypokalemia 시에 증가)

(2) 헨레고리 (Henle's loop)

- 여과된 NaCl의 25%, water의 15%를 재흡수 (→ 소변이 hypotonic 해짐)
- countercurrent multiplication system
  ① thick ascending limb (TAL)에서 medulla 내로 Na^+의 능동적 재흡수
  : Na^+-K^+-$2Cl^-$ co-transporter-2 (NKCC2)에 의해 (→ loop diuretics에 의해 억제됨)
  ② descending & ascending limb에서의 permeability 차이
  ┌ descending limb : water에 대하여 permeable (∵ AQP-1 풍부)
  └ ascending limb : Na^+에 대하여 permeable
  ③ collecting duct에서 재흡수된 urea가 medulla에 축적
  ⇨ medullary interstitium을 높은 삼투압으로 유지★
  (→ collecting duct에서 요농축이 일어나는 환경 제공)
- Tamm-Horsfall protein 분비

(3) 원위곡세관 (distal convoluted tubule, DCT)

- 소량(5%)의 NaCl 재흡수 : Na^+-Cl^- co-transporter (NCC) (→ thiazide에 의해 억제됨)
  → 소변 희석됨 (DCT 말단부를 제외하고는 water에 impermeable)
- Ca^{2+}도 능동적으로 재흡수됨 - PTH에 의해 조절
- 여러 hormone의 영향으로 수분 및 전해질의 미세한 조절

(4) 집합(세)관 (collecting tubule & duct, CD)

- 소변의 최종 Na^+ 농도 및 농축 정도를 결정하는 부위
- AVP의 영향으로 뇨의 농축 정도가 결정됨 (DCT 말단부 ~ collecting duct)
  - AVP↑ → water permeability 증가 → water 재흡수↑ → 요농축
  - aquaporin (AQP) 2 : AVP (vasopressin)에 의해 조절되는 water channel
    (→ mutation시 nephrogenic DI 발생)
- Na^+ 재흡수 (Na^+ channel) & K^+ 배설 (K^+ channel)
  - aldosterone에 의해 촉진됨 (→ aldosterone antagonist에 의해 억제됨)
  - epithelial Na^+ channel (ENaC) (→ amiloride와 triamterene에 의해 억제됨)
- H^+ 배설 및 HCO_3^- 재생산 : 뇨로 H^+를 배설하기 위해서는 완충제가 필요 (e.g., HPO_4^{2-}, NH_3)
- urea 재흡수 → medullary interstitium의 높은 삼투압 유지에 기여

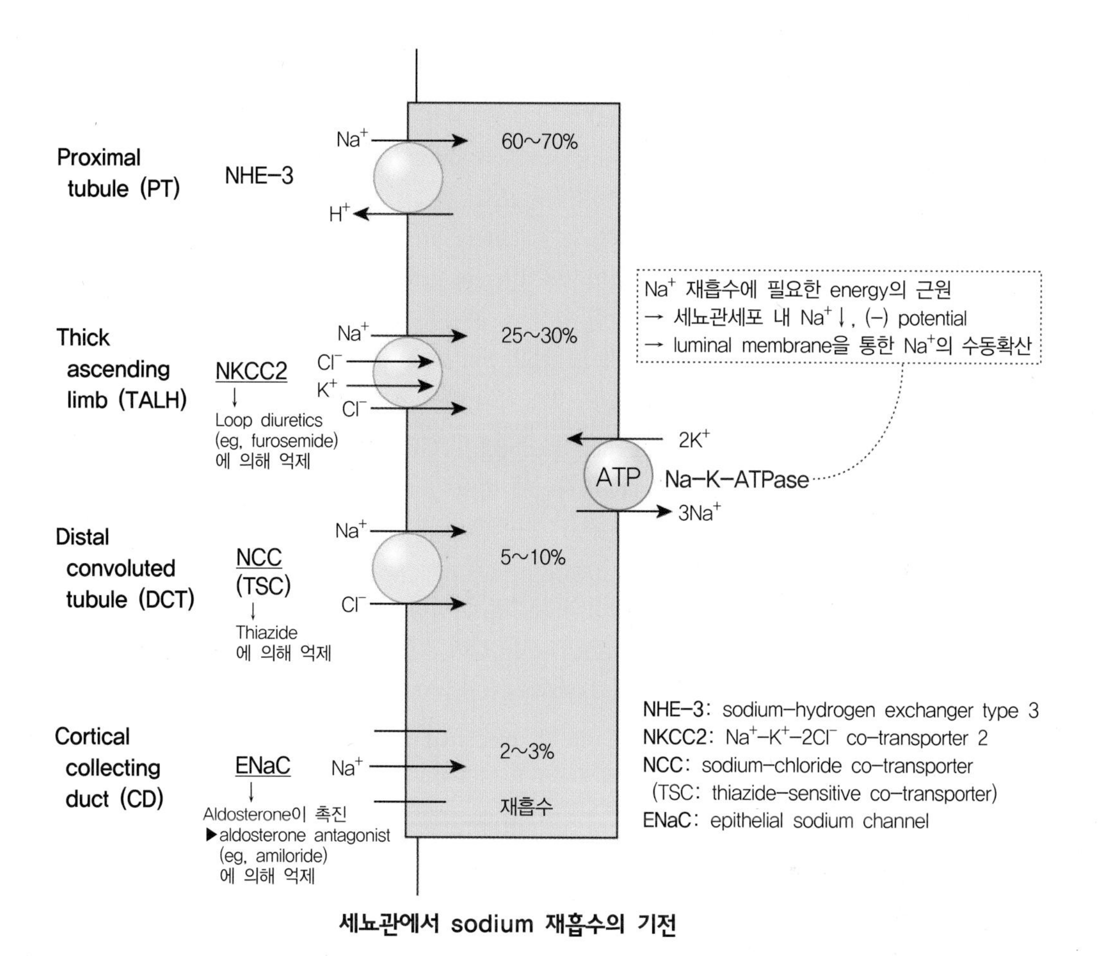

세뇨관에서 sodium 재흡수의 기전

3. Renal blood flow (신혈류)

- 신장은 심박출량(CO)의 약 20~25%를 받음
  → 매분 약 1.0~1.2 L의 blood (약 600 mL의 plasma)가 신장을 통과함
  - 75~85% ⇨ cortex
  - 15~25% ⇨ medulla

  (renal papilla [pelvis신우]로 가는 혈액은 1%에 불과함)
- 사구체를 통과하면서 plasma의 약 20% (120 mL/min)가 여과됨 … GFR
- filtration fraction (FF, 여과율) = GFR/RPF = 120/600 = 0.2
  (RPF: renal plasma flow)

* nephron (신장의 기능적 단위)
; glomerulus → PT → Henle's loop → DCT → CD (⋯▸ calyx → pelvis)
(Henle's loop는 medulla까지 내려갔다가 올라옴)

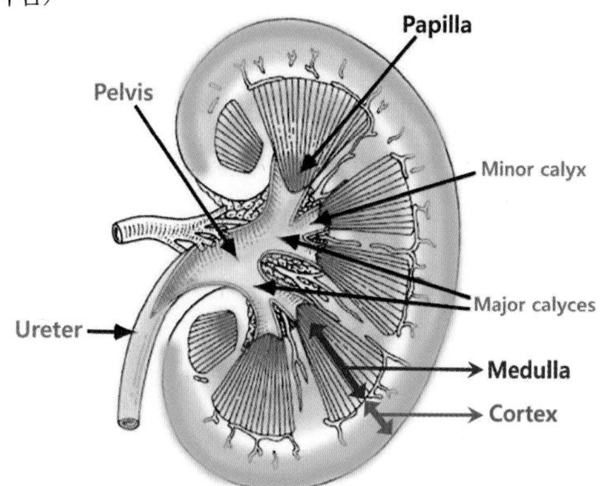

■ Renal blood flow (RBF) 및 glomerular filtration (GFR)의 자동조절(autoregulation)

(1) 근육조절기전(myogenic mechanism)

- afferent arteriole[수입세동맥]의 autonomous vasoreactive (myogenic) reflex
- 전신 혈압의 갑작스런 변화로부터 사구체 보호!
  - 혈압(renal perfusion pr.)이 상승하면 afferent arteriole 수축 → RBF & glomerular pr.↓
  - 혈압(renal perfusion pr.)이 떨어지면 afferent arteriole 이완 → RBF & glomerular pr.↑

    신장에서 혈관확장물질 합성 & 분비↑ ↗

    ; PGE_2 (prostacyclin), kallikrein, kinins, nitric oxide (NO) 등
- 전체 자동조절 반응의 약 50% 담당, 반응속도 매우 빠름(3~10초 이내)

(2) 세뇨관사구체되먹임(tubuloglomerular feedback, TGF)

- macular densa[치밀반점] (TALH~DCT 사이에 존재) : tubular NaCl 및 flow rate를 감지
  - distal tubule의 NaCl or flow rate↑ → afferent arteriole의 수축 유도 → GFR↓
  - distal tubule의 NaCl or flow rate↓ → afferent arteriole의 이완 유도 → GFR↑
- 근육조절기전과 함께 자동조절 반응의 대부분을 담당, 반응속도는 약간 느림(~30-60초)
- angiotensin Ⅱ와 reactive oxygen은 TGF를 강화 / NO는 억제 / furosemide는 차단시킴

  (∵ macular densa는 NKCC2를 통해 tubular NaCl을 감지) NKCC2 억제 ↵

(3) efferent arteriole[수출세동맥]의 angiotensin Ⅱ-mediated vasoconstriction

: 신혈류 감소시 afferent arteriole의 renin-secreting granular cells에서 renin 분비

→ angiotensin Ⅱ↑ ↳ macular densa 근처에 위치 : juxtaglomerular apparatus

→ efferent arteriole 수축 → glomerular hydrostatic pr.↑ (→ GFR↑), RBF↓

* volume 변화가 심한 병적인 경우에는 자동조절만으로는 부족해 다른 신경호르몬도 관여함

- volume⬇ → 교감신경↑, renin↑ → RAAS 활성화 → 혈관 수축, 수분과 염분 재흡수↑

  ↳ ADH (vasopressin)↑ → volume & 혈압 상승 ↵
- volume⬆ (e.g., 심부전) → ANP↑ (교감신경 및 RAAS와 반대 작용) → 염분 배설↑

4. 신장의 내분비학적 기능

(1) 신장에서 생산되는 hormones

; renin, erythropoietin, $1,25(OH)_2D_3$, prostaglandins, kinins

(2) 신장에 작용하는 hormones

; renin-angiotensin-aldosterone system, AVP, PTH, ANP (atrial natriuretic peptide), prostaglandins, bradykinin, EDRF (NO), endogenous digitalis-like hormones ...

신장관련 검사

1. 소변검사(urinalysis, U/A)

(1) 검체 및 검사방법

- 아침 첫 소변 ; 특히 nitrate, protein, 현미경검사, 세균배양검사 등에 좋다 (∵ 농축뇨)
- 24시간 요의 보존법
  ① 냉장 ; creatinine, protein 검사시
  ② 냉동 ; urobilinogen, bilirubin, porphobilinogen
  ③ 화학 보존제
    - sodium fluoride ; glucose
    - boric acid ; estrogen, estriol
    - toluene, benzoic acid, phenol 등 ; 세균 증식 억제
  ④ pH의 조절
    - pH↓ (HCl) ; catecholamine, VMA, 5-HIAA, amino acids
    - pH↑ (acetic acid, sodium carbonate) ; porphyrin, porphobilinogen, δ-ALA
- 물리학적 성상검사 ; 색 및 혼탁도, 냄새, 요량(정상 성인 1200~1500 mL/day), 삼투압, SG 등
- 요화학적 선별검사 ; **요시험지봉**(dipstick, reagent strip) 검사
- 요침사 현미경검사(**요검경**) ; RBC, WBC, epithelial cells, 세균, 원주, 결정 등을 관찰
- **자동요분석기**(automated urinalysis) ; 요화학검사 and/or 현미경검사를 자동화한 장비로
  현미경검사는 flow cytometry and/or 세포 영상분석 방법을 이용하여 분석함
  c.f.) Sysmex® UF 장비의 참고치 ; RBC<20/μL, WBC<25/μL, bacteria<2,000/μL
  (→ 병원에서는 대개 기존 단위[~/HPF]로 환산하여 보고함)

(2) 단백뇨(proteinuria)

- 정의 : 대개 urinary protein >150 mg/day (albumin >30 mg/day)
- 정상 소변내 protein의 종류
  ① albumin (20~60%) → 사구체 질환의 marker (정상일 때는 소변 단백의 약 20% 차지)

  > - 정상 사구체는 작은 구멍과 음전하로 인해 large proteins의 대부분과 세포들을 여과시키지 않음
  > - Albumin에 대해 사구체는 불완전한 장벽임 (∵ albumin 3.6 nm, 사구체 구멍 4 nm)
  >   ⇨ 다양한 양의 albumin이 사구체 여과장벽(filtration barrier, GBM)을 통과한 뒤,
  >   근위 세뇨관에서 megalin & cubilin receptors에 의해 세뇨관세포 내로 재흡수되어 분해됨
  >   ⇨ 정상적으로 평균 8~10 mg/day의 albumin만 소변으로 배설됨
  > - 이 과정은 주로 cationic proteins을 위한 것이라, albumin에 대해서는 제한적임
  >   → 사구체 질환으로 albumin의 GBM 통과가 조금만 증가해도 albuminuria가 발생함

  ② 면역단백질 (15%)
  ③ 세뇨관에서 분비 (40~50%) ; Tamm-Horsfall protein (↗ 모든 urinary casts의 matrix를 형성함 (정상일 때 약 50% 차지)), glycoprotein, IgA, urokinase 등
- dipstick test : 반정량적 검사, 주로 albumin을 검출 (대개 10~15 mg/dL까지 검출 가능)
  * 단점
    ① 낮은 농도의 albumin (microalbuminuria)은 잘 검출 못함!
    ② albumin 이외의 protein (e.g., globulins, BJ protein)은 잘 검출 못함

③ 소변의 농축 정도에 따라 변화

④ false (+) or (−)가 많음

┌ false (−) ; 희석뇨, globulin, Bence Jones protein, mucoprotein
└ false (+) ; 농축뇨, alkaline urine (pH>8), gross hematuria, pyuria, 정액/질분비물, ammonium 화합물(e.g., penicillin, sulfonamides, tolbutamide), 방부제, 세정제 ...

• sulfosalicylic acid (SSA) test ; 모든 protein을 검출할 수 있음, 반정량적이라 역시 한계는 있음
  예) dipstick (−) & SSA (+) → light chain (BJ protein)일 가능성이 높음

Quantification of proteinuria (KDIGO, 2012)

Albuminuria	Dipstick	단백농도 (mg/dL)	24시간 albumin (mg/day)	ACR* (mg/g = mg/g Cr)	24시간 단백 (g/day)	PCR* (mg/g = mg/g Cr)
Normal ~mildly increased	(−) ~ trace	<10 10~19	<10 10~29	<10 10~29	<0.15	<150
Moderately increased (Microalbuminuria)	trace ~ 1+	10~20 ≥30	30~300[a]	30~300[b] (3~30 mg/mmol)	0.15~0.5	150~500 (15~50 mg/mmol)
Severely increased** (Clinically significant)	2+	≥100	300~2200	300~2200 (30~220 mg/mmol)	0.5~3.0	500~3000 (50~300 mg/mmol)
Nephrotic-range	3~4+	≥300 ~1000	>2200	>2200	>3.0	>3000

* spot urine Protein/Creatinine Ratio (PCR) : 24시간 요단백과 상관관계 좋음 ┐ CKD 환자의 평가에 이용됨
  Albumin/Creatinine Ratio (ACR) : 특히 dipstick 음성인 DM 환자에서 권장 ┘ (ACR이 더 예민해서 선호됨)

** clinically significant proteinuria → CKD 환자에서 progressive renal failure를 시사함

(a) 보통의 dipstick test는 낮은 농도의 albumin을 잘 검출 못하기 때문에 microalbuminuria는 대개 음성으로 나옴!

(b) 정확히는 남자 20~200 mg/g (2.5~25 mg/mmol), 여자 30~300 mg/g (3.5~35 mg/mmol)

− Dipstick test는 반정량이라 각 단계의 구분이 명확하지는 않고, 제조사별로도 차이가 있음
− Protein과 albumin의 상관성은 부족함 ; 보통 proteinuria가 심해질수록 albumin 비율이 높아짐 (20~40% → 60~90%)
− 과거의 microalbuminuria는 (30~300 mg/24h, spot 20~200 mg/L) moderately increased albuminuria로, 과거의 macroalbuminuria는 (>300 mg/24h, >200 mg/L) severely increased albuminuria로 불림

* moderately increased albuminuria (과거 microalbuminuria)
 - 정상보다 증가했지만 일반적 dipstick test로는 검출되지 않는 소량의 albumin만 배설되는 경우
 - 검사는 24hr 소변보다는, 간편하고 상관성이 좋은 spot urine ACR (uACR) 방법이 선호됨
   → 면역학적 방법(e.g., immunoturbidimetry[권장], ELISA)으로 정량측정
   (대개 자동화학분석기를 사용함, ACR 검사용 dipstick test도 screening용으로 나오지만 정확도는 떨어짐)
 - 원인 ; diabetic nephropathy 초기, HTN 초기, GN 초기(특히 혈뇨 or RBC cast 동반시)
   → 조기의 사구체 손상의 지표로 사용

• functional (transient) proteinuria : 신장질환 없이 일시적으로 proteinuria가 발생한 것
 - 성인 남자의 약 4%, 여자의 약 7%에서 발견, 대개 <1 g/day
 - 예 ; 흥분, 고열, 운동, 몹시 덥거나/추운 곳에 노출, CHF, norepinephrine IV 등

• postural (orthostatic) proteinuria : 기립시에만 단백뇨가 나타나는 것
 - 진단 : 시간대별 요단백 정량 분석
   ┌ 낮에 서서 활동하는 12시간 동안의 urine protein >150 mg/dL
   └ 밤에 누워있는 12시간 동안의 urine protein <75 mg/dL → 정상이어야 됨!

- 청소년기에 흔함 (약 2~5%에서), 80%는 일시적, 30세 이상은 드묾
- proteinuria : 대개 <1 g/day (일부는 훨씬 높을 수도 있음), selective, glomerular
- 치료 : observation (예후 매우 좋음)

단백뇨(dipstick) 양성시의 evaluation

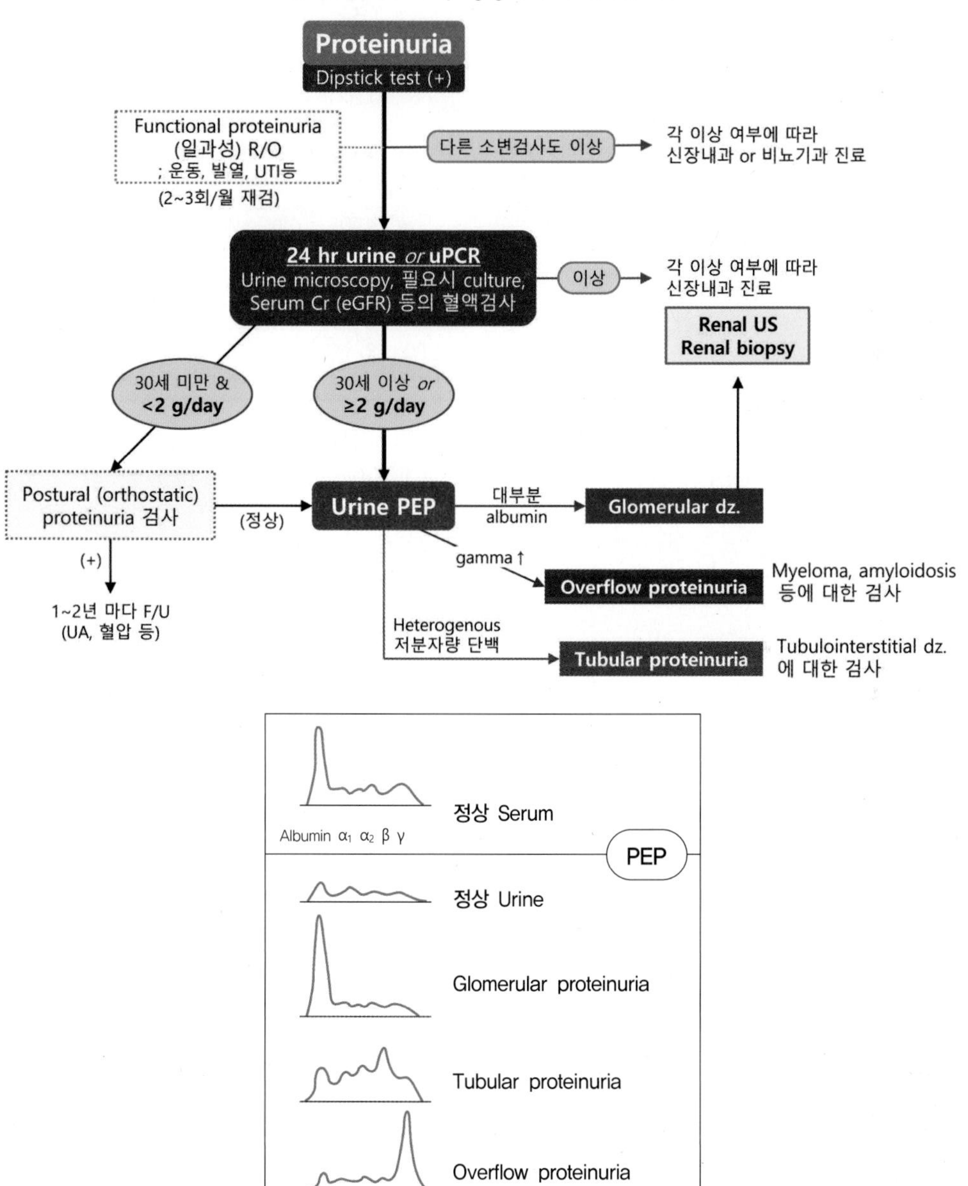

- 2 g/day 이상의 심한 proteinuria or 소변검사에서 hematuria나 사구체 질환이 의심되는 소견이 동반된 경우는 renal biopsy도 고려!
- nephrotic-range proteinuria (>3.0 g/day, protein/Cr >3.0 g/g)
  → primary glomerular dz. or plasma cell dyscrasia (multiple myeloma)

단백뇨의 분류 ★

종류	기전	양(g/day)	분자량 (kDa)	예
1. Overflow (Abnormal proteins)	재흡수 능력을 초과해서 과다 생산된 비정상 단백의 filtration 증가	다양 (>0.2~10)	Low (<40)	Bence Jones proteinuria (multiple myeloma), Myoglobinuria, Hemoglobinuria
2. Glomerular Selective	정상 혈장 단백의 retention의 장애 (GBM 손상)	>3	65 (albumin)	Minimal-change nephrotic syndrome
Nonselective		>3~5	High (>68)	Glomerulonephritis, Diabetic nephropathy
3. Tubular	정상적으로 여과된 작은 단백을 재흡수하지 못해 (α, β-globulins)	<2	Low (<40)	Interstitial nephritis, Drugs (e.g., TC), Heavy metals
4. Hemodynamic	Filtration 증가 & 재흡수 감소	<1~2	다양 (20~68)	Transient proteinuria, CHF, Fever, Seizures, Exercise

- selective proteinuria : 주로 albumin의 배설이 증가 (→ steroid에 잘 반응)
  (∵ GBM의 (-) charge의 소실로 인해) 예) MCD (minimal change dz.)

$$* \text{ Selectivity index} = \frac{\text{IgG clearance}}{\text{transferrin clearance}} \text{ or } \frac{\text{IgG clearance}}{\text{albumin clearance}}$$

- highly selective (<0.1)
- non-selective (>0.2)

→ index 낮은 게 high selective임

- nonselective proteinuria : glomerular capillary wall의 심한 손상으로 발생 (거의 모든 plasma proteins의 배설이 증가), tubulointerstitial damage 동반 위험↑ (→ steroid에 반응↓)
  예) diabetic nephropathy, FSGS
- <u>overflow proteinuria</u> (abnormal low-MW proteins↑)
  - 세뇨관의 재흡수 능력 이상으로 저분자량 단백질의 배설이 증가되어 발생
  - 예 ; plasma cell dyscrasia (κ or λ light chain → dipstick test에서는 음성일 수 있음) (Bence Jones protein ; free light chain), amyloidosis, hemoglobinuria (e.g., PNH), myoglobinuria (e.g., rhabdomyolysis), pancreatitis (amylase), leukemia (lysozyme) ...

(3) 혈뇨(hematuria)

- microscopic hematuria의 기준 : RBC ≥3개/HPF (HPF : 현미경 400배)
- dipstick blood test : sensitivity는 좋으나, specificity가 낮다
  - false (+) ; myoglobinuria (e.g., rhabdomyolysis), hemoglobinuria, bacterial peroxidase (UTI)
  - false (-) ; ascorbic acid (소변내), captopril

  c.f.) 소변내 ascorbic acid (vitamin C) 증가시 dipstick test에서 false (-)로 나올 수 있는 검사
  ; heme (RBC), glucose, bilirubin, nitrite, leukocyte esterase
- 간헐적 혈뇨
  - 젊은층 : 생리, 발열, 감염, 알레르기, 외상, 운동 등이 원인
  - 노인층 : 약 2.5~8%에서 요로계 암 발견

Dipstick blood	Microscopic RBC/HPF
Negative	0
Trace	1~10
Small (1+)	3~30
Moderate (2+)	10~50
Large (3+)	20~200 (many*)

시험지봉검사의 blood와 요검경검사의 RBC는 시험지봉 제조사별, 요침사(sediment) 제작과정, 검사자별 차이 등으로 인해 상관성은 떨어짐. 또한 위양성/위음성도 많으므로 옆의 표는 참고로만..

*Many의 기준: ≥30~50/HPF

Red or Brown urine을 보이는 환자의 평가

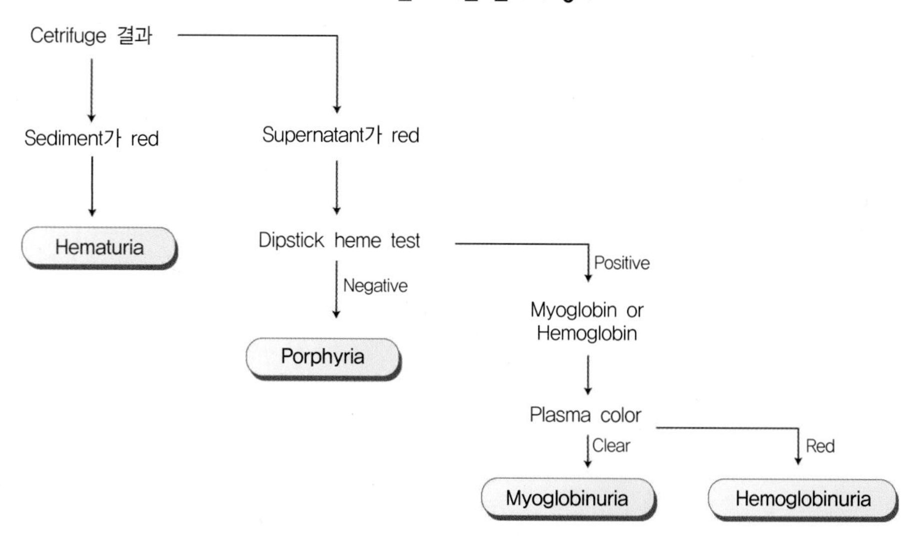

	단백뇨	Heat & acetic acid test	소변현미경 검사	원심분리한 소변의 색	원심분리한 혈청의 색	혈청 CK
Hematuria	0~4+	0~4+	RBC (+)	Clear	Clear	N
Hemoglobinuria	0~1+	0	Negative	Red-brown	Pink	N
Myoglobinuria	0~1+	0	Negative	Orange-red	Clear	↑

* hematuria 이외에 소변이 붉게 나올 수 있는 경우

① myoglobinuria (e.g., rhabdomyolysis) or hemoglobinuria (e.g., PNH)

② drugs ; rifampin, sulfamethoxazole, phenazopyridine, ibuprofen, phenytoin, levodopa, nitrofurantoin, quinine ...

③ 음식 ; 사탕무우, 다양한 식용색소 등

④ acute intermittent porphyria

⑤ severe obstructive jaundice (bile pigment), urate ...

- 배뇨 초기의 혈뇨 → 방광 이하(요도)에서의 출혈을 의미
- 배뇨 말기의 혈뇨 → 방광 삼각부/경부, 전립선에서의 출혈을 의미
- 배뇨 내내 일정한 혈뇨 → 신장 (사구체성 혈뇨)

• 우선은 glomerular origin 인지 아닌지를 밝혀야 됨! ★

	Glomerular	Non-glomerular
Gross urine color	Dark red, brown	Bright red
Three tube test	계속 같은 색	색 서로 다를 수 있음
Clot 형성	−	+
RBC 원주(cast)	+ (specificity 97%)	−
RBC 형태	Dysmorphic	Isomorphic
RBC 크기	크기 다양	크기 일정
단백뇨 동반	+	−

− distal tubule의 pH, osmolality 변화에 의해서도 dysmorphic RBC가 나타날 수 있음

• 현미경하 RBC 형태 검사 ; dysmorphism, cast 봄 (가장 우선!)

- dysmorphic RBC : 형태가 불규칙하거나 크기가 작아진 것 (정상적으로 나올 수도 있음)
- isomorphic RBC : 정상적인 모양 & 크기의 RBC (정상인에서는 보이지 않아야 됨
  → 적은 수라도 보이면 stone, tumor 등에 대한 검사 필요)

⇨ 사구체성 혈뇨를 의심하는 dysmorphic RBC % 기준 : 20%(specificity ↓)~40%(sensitivity ↓)

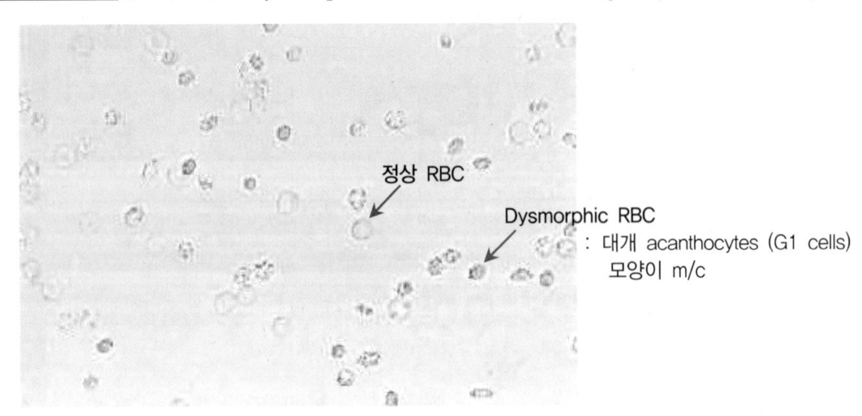

Hematuria의 흔한 원인

	<40세	>40세
Renal	Glomerular ; **IgA Nephropathy, TBM**, Alport syndrome, 기타 GN Interstitial ; Intersitial nephritis Infection (PN) ; **세균, virus, 진균**, TB Physical ; **결석, 외상**, Hypercalciuria/nephrocalcinosis Structural ; Cysts (PKD), Medullary sponge kidney Vascular/ischamic ; Papillary necrosis, Sickle cell disease/trait, Infarction, AV fistula/malformation	**Malignancy** Infarction (RVT, RAE) 결석
Ureter	**결석**, 협착, Malignancy	Malignancy
Bladder	**Cystitis** (주로 여성), Urethritis, Prostatitis, TB, Schistomiasis, Malignancy, 결석, 협착, Radiation	**Malignancy** UTI, BPH
기타	운동, 기립성, 항응고제, 출혈성질환	

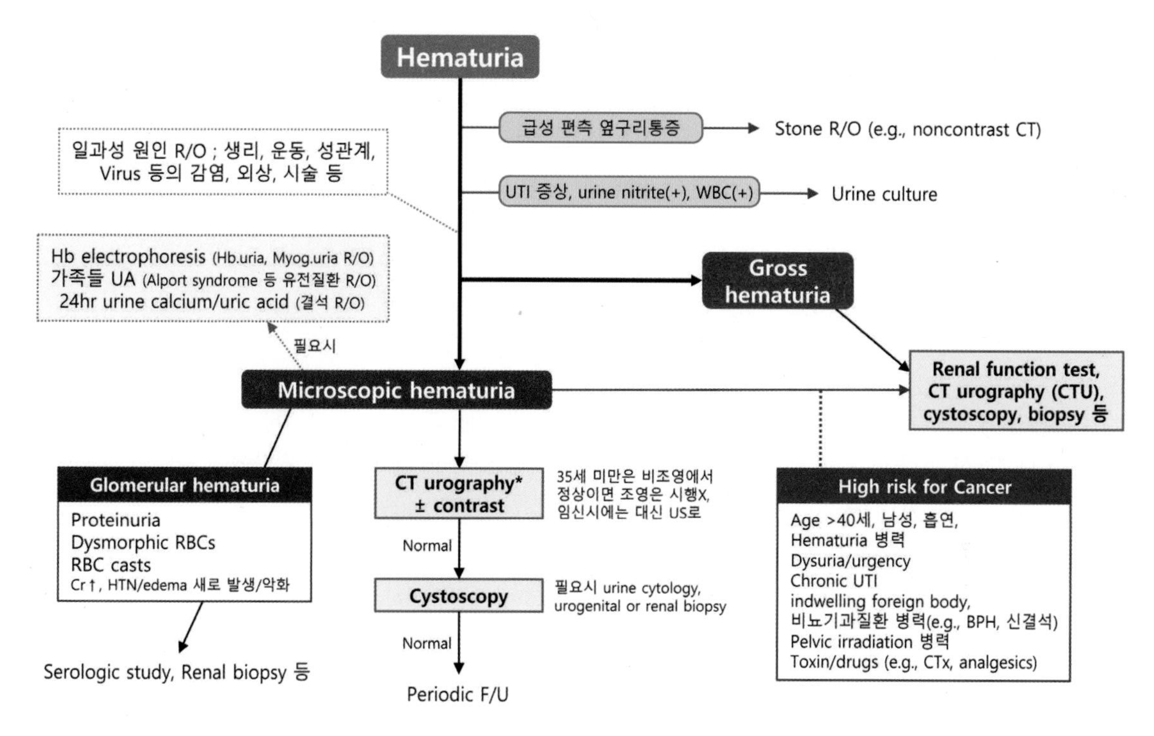

- Gross hematuria (macrohematuria)는 좀 더 적극적인 검사가 필요함
- IVP보다 **CT urography (CTU)**가 작은 종양과 결석 발견 정확도가 훨씬 높아 초기 영상검사로 선호됨*
  (MR urography [MRU]는 결석을 발견 못함)
- US : 상부 요로 검사에서 CTU와 IVP의 중간 정도 정확도를 보임
  (일부에서는 비용 문제로 암 진단에 CT보다 US + cystoscopy를 먼저 권장하기도 함)
- Retrograde pyelography : 대개 전신/수면 마취하에 시행, CT 조영제가 금기인 경우 고려
- Urine cytology : 50세 이상에서 CT or US & cystoscopy가 정상이면 시행
- Virtual cystoscopy (VC) : CT or MR, noninvasive, 정확도는 US와 cystoscopy의 중간 정도

- hematuria + pyuria + bacteriuria ⇨ UTI → culture
- hematuria + dysmorphic RBC or RBC cast + proteinuria (>500 mg/day) ⇨ 거의 GN
- isolated hematuria : cells, casts, proteinuria 등을 동반하지 않는 단독 hematuria
  - 흔한 예 ; stone, neoplasm, TB, trauma, prostatitis, hypercalciuria
  - isolated glomerular hematuria ; IgA nephropathy, hereditary nephritis,
    thin basement membrane dz. (→ 모두 renal biopsy 필요)

(4) 요당(glucose)

- 여러 당중 glucose에 대한 specificity가 높음
- 위음성 ; 요중 과량의 vitamin C or ketone 존재, levodopa, phenothiazines ...
- 소변 glucose만 양성인 경우의 원인 (혈당은 정상이면서)
  ① 요당 검사의 false (+) : 여러 다양한 약물에 의해 가능하지만, 드묾
  ② benign glycosuria : 대부분 self-limited, 치료할 필요 없음
  ③ tubular dysfunction (e.g., Fanconi syndrome, cystinosis, Wilson disease)

(5) 케톤(ketone)

- 체내에서 지방 분해가 증가하면 ketone 생성↑ (e.g., insulin이나 탄수화물 섭취 부족시)
- ketone ; 대략 acetone 2%, acetoacetate 20%, β-hydroxybutyric acid (βHBA) 78%로 구성
  ↳ 휘발↑ ↳ urine dipstick에서 검출 (nitroprusside 비색법) ↳ 세뇨관재흡수
- (+) ; DKA, AKA (alcoholic ketoacidosis), N/V/D, 탈수, 운동, 발열성 질환, 금식, 고지방식, 저탄수화물식이, 급성 췌장염, hyperthyroidism, 선천성 대사이상 등
  (c.f., 생리적으로 성인보다 소아에서 ketosis 발생하기 더 쉬움)
  - false (-) ; 공기에 노출, 검사 지연(→ 즉시 검사 권장, 최소한 2시간 이내), 산성 뇨
  - false (+) ; 심한 착색, levodopa, cephem계 약물, sulfhydryl (-SH) 함유 약물 (e.g., cystine, zzathioprine, mercaptopurine)
- 혈액에서 βHBA를 검출하는 POCT는 있지만, 소변은 아직 없고 DKA 진단에는 혈액이 유용함

(6) pH

- 정상 범위 : 4.5~8 (아침 pH <5.0)
- 증가 (알칼리성뇨) ; 신질환, alkalosis, 구토, 요소분해 세균의 요로감염, 야채등 알칼리성 음식 섭취
- 감소 (산성뇨) ; acidosis, 심한 설사, 고열, 탈수증, 육류등의 산성식 섭취

(7) 아질산염(nitrite)

- 요로감염을 (간접적으로) screening하는 빠르고 효과적인 검사 (sensitivity < specificity)
- 세균에 의해 nitrate → nitrite ; *E. coli, Klebsiella, Proteus, Staphylococcus, Pseudomonas*
- 아침 첫 소변으로 검사해야 (4시간 이상 저류되어야 나타남)
- 양성 반응 : 30초 내 분홍색으로 변함 (bacteria >10^5/mL일 때)
- PPV는 낮고 NPV는 높음 (but, 음성이라고 해도 세균감염을 배제할 수는 없음)
- 위음성 ; nitrate를 환원 못하는 세균 (e.g., Enterococcus), nitrate 부족 식이, 방광에서 소변이 4시간 이상 충분히 저류×, 요비중 증가

(8) bilirubin & urobilinogen

- 요 bilirubin ; 혈중 conjugated bilirubin의 농도를 반영 → (+)면 간 질환 evaluation
  - false (+) ; 일부 약물의 대사물(e.g., rifampin, high-dose chloropromzine)
  - false (-) ; 빛에 오래 노출(∵ biliverdin으로 변환), 다량의 vitamin C or nitrite
- 요 urobilinogen ; 담즙으로 배설된 conjugated bilirubin을 장내 세균이 분해하여 만들어짐
  → 10~20%는 장에서 재흡수되고, 일부가 소변으로 배설됨 (참고치: negative ~ trace)
  - false (+) ; sulfonamides, azo계 약물(e.g., phenazopyridine)
  - false (-) ; 빛에 오래 노출(∵ urobilin으로 변환)

	Urine bilirubin	Urobilinogen	기전	예
Prehepatic	−	+	Heme 파괴, 장에서 재흡수↑	용혈, hematoma의 흡수, 급성 간염, 변비, bacterial overgrowth
Hepatic	+	+/−	간실질의 질환	간경변, 간염 (심하면 장내로 배설×)
Posthepatic	+	−	담도폐쇄	담석, 담낭암, 췌장암

→ 1권 II-2장 참조

(9) leukocyte esterase (LE)

- nitrite처럼 요로감염의 screening으로 이용 (역시 PPV는 낮고 NPV는 높음)
- neutrophil과 monocyte의 azurophil granules에 있는 esterase를 검출 (WBC가 파괴되도 검출됨)
- WBC 10개/μL 이상이면 (+), 발색 정도가 WBC count와 비례하지는 않음
  - false (+) ; 농축뇨, 질염, 결핵, virus 감염, steroid 사용
  - false (-) ; 요 비중/당/단백이 높은 경우, vitamin C, cephalexin, TC, GM, nitrofurantoin

(10) 고름뇨/농뇨(pyuria)

- 정의 : WBC >2개/HPF (남성) , >5개/HPF (여성)
  (leukocyte esterase dipstick test는 sensitivity & specificity 떨어짐)
- 무균성 농뇨(sterile pyruia)의 원인 (소변배양 음성)
  - *C. trachomatis, U. urealyticum, M. hominis, M. tuberculosis,* fungus
  - 항생제 치료 중인 최근 발생한 세균성 요로감염
  - glucocorticoid, cyclophosphamide, 신이식후 거부반응, 급성 열성 질환, 임신, 외상, 요로결석, 신결석, anatomic defects (e.g., ureteral stricture), VUR, prostatitis
  - interstitial nephritis, lupus nephritis, polycystic dz., perinephric abscess
  - contamination

(11) 기타 세포

- 상피세포(epithelial cells)
  - 정상 : <2개/HPF (남성), <10개/HPF (여성)
  - squamous epithelial cells : 주로 질과 요도에서 유래, 여성에서 흔함
  - transitional epithelial cells : 방광, 하부요로에서 유래
    (→ 많이 나오고 핵의 불균형이 있으면 종양을 의심)
  - renal epithelial cells : viral infection (e.g., CMV), ATN
- eosinophiluria : urine WBC의 5% 이상
  ⇨ 원인 ; drug-induced allergic interstitial nephritis, atheroembolic AKI, prostatitis, RPGN, bladder ca. ...
  c.f.) NSAIDs, ampicillin, rifampicin, IFN-α 등에 의한 allergic interstitial nephritis에서는 lymphocyte가 주

(12) 원주(casts)

- 신세뇨관에서 protein으로부터 형성된 translucent, colorless gels
- 정상에서는 매우 적게 존재 (신질환시 또는 심한 운동 후에 증가할 수)
- 소변내 단백질이 증가하거나 pH가 낮아지면 casts 형성 증가
- cast matrix (다른 casts의 matrix가 되는 것)
  - hyaline casts (유리원주 = bland, benign, inactive urine sediment) : LM에서는 투명 (위상차현미경에서 잘 보임), 소변이 농축되었을 때 형성됨 (주로 Tamm-Horsfall protein)
  → 농축뇨(prerenal AKI), 운동, fever, CHF, diuretic therapy

- waxy casts (납양원주) : nephron의 obstruction과 oliguria를 의미, tubular inflammation & degeneration과 관련
  → CKD, renal allograft rejection (broad 해지면 renal failure casts라고도 불림 ; ESRD)
- inclusion casts
  - granular casts (과립원주) : glomerular & tubular dz. 때 보임
    → pyelonephritis, viral infections, lead poisoning, renal allograft rejection (coarsely granular casts → renal papillary necrosis)
  - fatty casts (지방원주) : 황갈색의 globular lipid 포함
    → heavy proteinuria 때 흔히 보임 (nephrotic syndrome)
- pigmented casts
  - Hb (blood) casts : yellow~red → 흔히 glomerular dz. 때 RBC casts와 동반되어 나타남
  - myoglobin casts : red brown, myoglobinuria와 동반 → acute muscle damage, AKI
- cellular casts (세포원주)
  - erythrocyte (RBC) casts → acute GN, IgA nephropathy, lupus nephritis, subacute bacterial endocarditis, renal infarction, tubulointerstitial dz.
  - leukocyte (WBC) casts → pyelonephritis, interstitial nephritis, lupus nephritis, NS, TID
  - renal tubular epithelial cell casts (상피원주) → ATN, viral dz. drugs, heavy metal poisoning, ethylene glycol, salicylate intoxication
  - mixed cellular casts : 한 cast 내에 둘 이상의 cell types 존재시
- broad casts : 정상 casts보다 직경이 2~6배 큰 casts, distal collecting duct 내의 tubular dilatation or stasis를 시사 → CKD의 특징 (poor Px.)
- bacterial casts (세균원주) : pyelonephritis 때 보임

(13) 결정(crystals)

- 임상적으로 중요한 의미는 없음
- 정상 acid urine에서 보이는 crystals
  - urates (sodium, potassium, ammonium) crystals : small brown spheres
  - uric acid crystals : 매우 다양한 모양, 노란색(무색~적갈색)
    → 많이 보이면 nucleoprotein turnover의 증가를 의미 (e.g., leukemia나 lymphoma의 CTx.)
  - calcium oxalate crystals : small, colorless, 정8면체 (편지봉투 모양)
    → 많이 보이면 severe chronic renal dz., ethylene glycol or methoxyflurane toxicity를 시사, 요로결석의 원인도 가능
- 정상 alkaline urine에서 보이는 crystals
  - triple phosphate crystals : 다양한 크기, 무색, 프리즘 모양
  - calcium phosphate crystals : 쐐기 모양의 프리즘, 얼음 조각면 비슷
  - calcium carbonate crystals : 아주 작고, 무색, 과립상 or 아령 모양
  - ammonium urates : 황갈색, 타원형/구형에 바늘이 나있는 모양

- 비정상 crystals
  - 항상 환자의 약물 복용을 확인해봐야
  - cystine crystals : 무색, 6각형, refractile
    (uric acid crystals과 감별 해야 : cystine은 polarize 안하고 uric acid는 함)
  - tyrosine crystals : 무색~황갈색, 바늘모양의 깨끗한 silky 모양 → 조직변성, 괴사시 나타남
  - leucine crystals : 황갈색, 구형, 농축된 줄무늬, tyrosine과 흔히 동반 → 심한 간질환
  - cholesterol cyrstals : 투명, 4각형 판 모양, 한 개 이상의 모서리가 잘려 나간 것 같거나 베어낸 것 같은 모양 → renal dz., NS, 기타 신장에 지방형성이나 침착시 보임
  - bilirubin crystals : 황갈색 과립이나 바늘뭉치 모양
  - hemosiderin crystals : 선명한 적갈색 과립, iron 염색(+) → 용혈, 수혈부작용, gas gangrene
  - sulfonamide (solfadiazine) crystals : 모양/색 다양 → 신장결석 유발 가능, 신세뇨관에 손상
  - ampicillin (high dose)
  - radiographic media (meglumine diatrizoate)

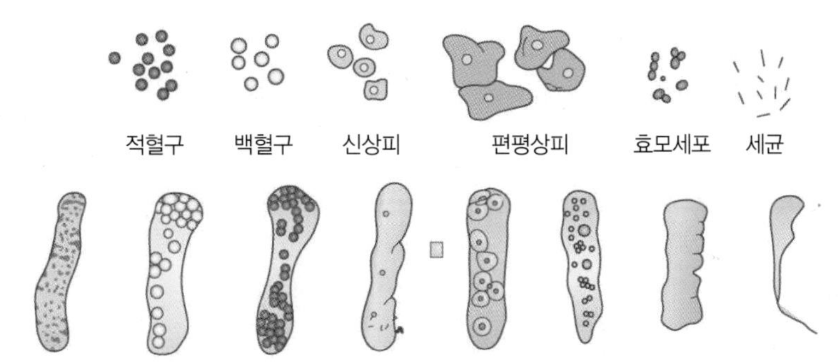

1. Calcium oxalate
2. Uric acid 및 urate
3. Phosphate
4. Calcium carbonate
5. Calcium sulphate
6. Cyatine
7. Leucine
8. Tryosine

2. 신기능검사(renal function test)

(1) 사구체여과율(GFR, glomerular filtration ratio)

- 정의 : 어떤 물질이 1분간 소변으로 배설되는 정도를 그 물질을 포함한 혈장의 부피로 표시한 것
- 정상치 : 150~180 L/day (100~120 mL/min)
- 연령에 따른 변화 : 1~2세까지 증가, 이후 일정, 40대부터 서서히 감소
  (매년 약 1 mL/min/1.73m^3 씩 감소, 70세면 평균 70 정도)
- GFR 측정에 이용되는 물질 ; inulin, creatinine, urea, mannitol, thiosulfate, ^{125}I-iothalamate, ^{99m}Tc-DTPA, ^{51}Cr-EDTA, cystatin C ...
  - inulin : 가장 정확하지만, 환자에서 계속 주사해야하고 고비용으로 실제 사용에는 곤란
  - creatinine clearance : 24시간 소변수집이 필요하므로 번거롭고 자주 시행 곤란, 오차 많음

$$C_{Cr} = \frac{U_{Cr} \times UV}{P_{Cr}}$$

- C_{Cr} : creatinine clearance (mL/min) ≒ GFR
- U_{Cr} : urine creatinine 농도 (mg/dL)
- UV : urine volume (mL/min) ⇠ mL/day를 1440으로 나눔
- P_{Cr} : plasma creatinine 농도 (mg/dL) (단위들을 정확히 일치시키는 것이 중요!)

- C_{urea} : GFR을 과소평가(underestimation) 함 (∵ 세뇨관에서 재흡수)
- C_{Cr} = glomerular filtration (GFR) + tubular secretion (약 10%)
  ⇨ GFR을 과대평가(overestimation) 함 (GFR이 10 mL/min이 될 때까지)
  - 연령이 증가함에 따라 GFR은 조금씩 감소되지만 근육량 감소(Cr 생산↓)로 P_{Cr}은 거의 일정하게 유지됨
    (즉, 노인은 실제 GFR보다 C_{Cr}이 높게 나타남 → eGFR 필요)
  - 근육량 감소(e.g., 영양실조, 만성질환, 장기간 steroid 투여) → GFR의 변화와 무관하게 C_{Cr}을 감소시킴
  - cimetidine, trimethoprim, pyrimethamine, dapsone → creatinine의 세뇨관 분비를 억제하여 C_{Cr}을 감소시킴
  - 상온에서 소변 방치 → creatine이 creatinine으로 변환되어 U_{Cr}이 증가하여 C_{Cr}이 overestimation 됨

- 혈중 creatinine level만 이용한 추정 사구체여과율(estimated GFR, eGFR) 계산 … 선호
  ① CG (Cockcroft-Gault) Cr equation (1976년)

$$: C_{Cr} = \frac{(140 - \text{나이}) \times \text{체중(lean body weight: kg)}}{72 \times P_{Cr}\ (\text{mg/dL})} \quad (\times 0.85\ :\text{여성})$$

  ② MDRD (Modification of Diet in Renal Disease) Cr equation (1999년)
  : eGFR (mL/min/1.73m^2) = $186 \times (P_{Cr})^{-1.154} \times (\text{나이})^{-0.203}$ (×0.742 :여성) (×1.21 :흑인)

  ③ CKD-EPI (CKD Epidemiology Collaboration) Cr equation (2009년)
  : eGFR (mL/min/1.73m^2) = $141 \times \min(S_{Cr}/\kappa, 1)^{\alpha} \times \max(S_{Cr}/\kappa, 1)^{-1.209} \times 0.993^{Age}$
  (×1.018 : 여성) (×1.159 :흑인)

  * min = The minimum of S_{Cr}/k or 1, max = The maximum of S_{Cr}/k or 1
    κ = 남성 0.9 / 여성 0.7, α = 남성 -0.411 / 여성 -0.329

  - CG 공식보다 MDRD 공식이 더 정확하여 널리 이용되었으나, 최신의 CKD-EPI가 더 정확함
  - MDRD ; GFR이 거의 정상인 환자에서 underestimation하여 CKD로 overdiagnosis 가능
  - CKD-EPI ; GFR이 정상 or 경미하게 감소되었을 때 실제 GFR을 보다 정확히 반영함
  - GFR 60 이상일 때는 MDRD의 정확성이 떨어지고, 60 미만일 때는 CKD-EPI와 거의 비슷함

c.f.) serum/plasma Cr (P_{Cr}) 이용의 단점 : 실제보다 GFR을 과대평가할 수 있음

(1) 조기 신기능의 이상을 반영 못할 수 있음

(2) 체격(근육량)에 따라 정상 범위가 다름

(3) 음식, 약물, 운동, 검체보관 등의 영향을 받을 수 있음

(4) 안정된 상태에서만 신기능을 반영 (GFR이 급격히 변할 때에는 제대로 반영 못함)

- GFR이 감소되는 경우
  ① glomerular capillary 내 압력 (P_{GC})의 감소 예) 저혈압, shock
  ② Bowman space's (tubule) 내 압력 (P_{BS})의 증가 예) 요로 폐쇄
  ③ glomerular capillary 내 (plasma) oncotic pressure의 증가
  예) severe volume depletion, multiple myeloma
  ④ renal (glomerular) blood flow의 감소 예) hypovolemia, heart failure
  ⑤ 한외여과계수(K_f)의 감소 : permeability and/or total filtering surface (nephron)의 감소
  예) glomerulonephritis, renal failure
  ⑥ 폐쇄성 질환 예) 전립선 비대증

- GFR의 감소에 따라 체내에 축적되는 물질의 차이
  ① **type A** : urea, creatinine … 주로 사구체 여과에 의해서만 배설됨
    - GFR이 감소함에 따라 혈중 농도가 비례해서 증가
    - 보통 GFR이 **50%** 감소할 때까지는 정상 범위 유지
  ② type B : phosphate, urate, K^+, H^+, Mg^{2+}
    - GFR의 감소에 따라 세뇨관 분비 증가 or 재흡수 감소로 배설
    - GFR이 **25%** 이하로 감소할 때까지도 정상 혈중 농도 유지
  ③ type C : Na^+, Cl^-, water
    - GFR 감소에 반비례하여 분획 배설이 증가
    - GFR이 10% 이하로 감소될 때까지도 정상 혈중 농도 유지

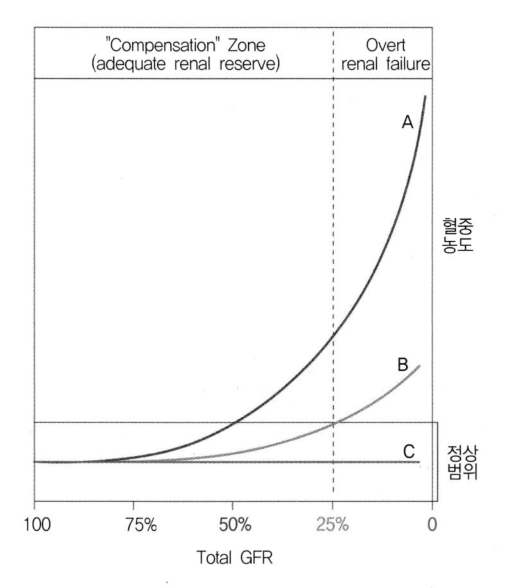

- cystatin C
  - 체내 유핵세포에서 일정하게 분비됨
    (but, 나이, 성별, 흡연, 근육량, 흡연, DM, 염증 등의 영향은 받음)
  - 사구체에서 자유롭게 여과된 뒤 근위세관에서 모두 재흡수됨
    (소변에서는 정상적으로는 검출 안 되며, 근위세관 손상 시에는 나타날 수 있음)
  - 혈중 cystatin C 농도는 GFR의 영향만 받으므로 혈중 Cr 농도보다 신기능을 더 잘 반영함
    → 경도의 신기능 감소, 24시간 소변 채집이 어려울 때, 신이식후 경과관찰 등에 유용
  - 신질환이 없는 고령에서 심혈관질환 및 신질환의 예후 인자로도 유용함

But) 나이, 성별, 인종이 반영되는 공식(CKD-EPI cystatin C, 2012)으로 이용해보면 Cr보다 우수하지는 않음
⇨ CKD-EPI Creatinine-Cystatin Equation (2012)은 더 정확함 → CKD, GFR 평가에 확진용으로 이용 가능
$eGFR = 135 \times \min(S_{Cr}/\kappa, 1)^{\alpha} \times \max(S_{Cr}/\kappa, 1)^{-0.601} \times \min(Scys/0.8, 1)^{-0.375} \times \max(Scys/0.8, 1)^{-0.711} \times 0.995^{Age} \times 0.969$ [if 여성] $\times$ 1.08 [if 흑인]
[S_{Cr} = mg/dL, Ssys = mg/L, κ = 0.7 (여성) or 0.9 (남성), α = −0.248 (여성) or −0.207 (남성)]

(2) RPF (renal plasma flow)

- PAH (para-aminohippuric acid)를 이용 : 사구체에서 여과되고, 이때 여과되지 않은 PAH도 모두 세뇨관에서 분비되므로 → 신장으로 온 PAH는 모두 배설된다

- $RPF = \dfrac{U_{PAH} \times UV}{P_{PAH}} = C_{PAH}$ (600~700 mL/min)

- RBF (renal blood flow) $= \dfrac{RPF}{1 - Hct}$ (1100~1300 mL/min)

(3) BUN/Cr ratio

- BUN : 단백질과 아미노산의 최종 산물 (→ 식사와 관련), 전신 체액량 상태를 잘 반영
- Cr : 근육 대사의 산물 (→ 항상 일정량 발생, 식사와 관련×), 신질환을 직접적으로 반영
  - daily Cr excretion ; 남자 20~25 mg/kg, 여자 15~20 mg/kg
- 정상 ; BUN 7~21 mg/dL, Cr <1.5 mg/dL, BUN/Cr 10:1~12:1

BUN/Cr 증가 (>10:1)	1. Urea 생성 증가 ; 고단백 식이, 위장관 출혈, 용혈, 고열, Sepsis/catabolic states, Catabolic drugs (e.g., steroids, TC) 2. Effective circulating volume 감소 Volume depletion (prerenal azotemia), CHF, Cirrhosis with ascites, Nephrotic syndrome 3. Obstructive uropathy
BUN/Cr 감소 (<10:1)	1. Urea 생성 감소 ; 저단백 식이, 기아, 간질환(e.g., LC) 2. Creatinine 생성 증가 ; rhabdomyolysis, 심한 경련/운동 3. Creatinine 신장에서 배설 감소 ; trimethoprim, cimetidine, pyrimethamine, dapsone 등 4. Volume expansion ; SIAD, Iatrogenic 5. CKD with dialysis

* BUN/Cr 정상 ; 신실질 손상 (e.g., ATN)

3. 영상검사

(1) 단순촬영(simple abdomen, KUB)

- 신장의 모양, 크기 평가
  - 크기 감소 : CKD
  - 크기 증가 : 염증, 폐쇄, cystic dz.
- X-ray 상 보이는 신결석 : calcium, Mg^{2+}, ammonium, phosphate, cystine, struvite stones

(2) 초음파(ultrasonography, US)

- 방사선 및 조영제를 사용하지 않으므로 가장 쉽게 이용 가능
- 이용
  - 신장의 크기 측정 (ARF ↔ CKD 감별)
  - hydronephrosis, polycystic kidney dz. 등의 발견, solid/cystic mass의 감별
  - guide needles
  - 신장 혈관 및 resistive index의 평가 (Doppler US)

(3) 경정맥요로조영술(intravenous urography, IVU) ≒ IVP (Intravenous pyelography)

- 조영제 주사 후 5분, 15분, 25분에 촬영, 필요시 추가 촬영
- 이용
  - 성인의 pyelonephritis
  - 신장의 형태와 크기, pelvicaliceal system의 형태
  - 신결석의 발견과 localization
  - cyst, tumor, 기타 비뇨기계의 선천성 기형
- 금기 (∵ 조영제 때문) - 보통 serum Cr 2 mg/dL 이상이면 권장 안됨
  - AKI의 발생 위험시 (예; 탈수, 유효순환혈장량 감소)
  - CKD (serum Cr >2.5~3 mg/dL)
  - multiple myeloma, DM, 노인

(4) 전산화단층촬영(CT)

- IVP나 US에서 이상 소견시 이용, 신장 주위 장기의 변화도 관찰 가능
- unenhanced spiral CT → 요로결석 진단의 first choice! (모든 종류의 결석 발견 가능)
- 조영증강(CE) CT : 신기능 장애 환자에서는 주의
  → mass 평가 (신세포암 : 불규칙한 조영증강 / 단순낭종 : 경계 분명, 조영증강×)
- CT urography (CTU) : hematuria의 evaluation에 1st choice (기존의 IVP보다 훨씬 정확함), 결석 이외의 원인도 있으므로 noncontrast & contrast-enhanced (CE) 모두 시행 권장
- CT angiography (CTA) → 신동맥 협착 등 혈관 평가에 유용

* MRI/MRA : 조영제를 사용하지 않는 것이 장점

(5) 역행성신우조영술(retrograde pyelography, RGP)

: IVU에서 이상 소견은 있으나 확실한 진단이 어려울 때 이용, IV 조영제 금기인 경우에도 유용

(6) 신혈관조영술(renal angiography)

- 이용
  - 신동맥 협착(atherosclerosis, fibrodysplasia)
  - AV malformation, aneurysm, vasculitis, thrombosis
  - renal mass의 평가

- 조영제를 사용하고 invasive한 것이 단점이지만, 치료에도 이용 가능 (e.g., stenting)
- venography → renal vein thrombosis, renovascular HTN시 혈액 채취 (renin 측정)

(7) renal scan (renography)

- GFR, renal blood flow, renal anatomy, relative renal function 평가, obstruction 발견 등에 이용
- 주로 hydronephrosis, renovascular HTN, 신이식후 신기능 평가 등에 이용
- ^{99m}Tc-DTPA : 사구체에서 여과되고 재흡수는 안됨 → GFR 측정에 이용
- ^{99m}Tc-MAG3 : 주로 renal tubule로 분비되고, 일부는 사구체에서 여과됨
  → 신장 혈관 평가에 이용, RPF 평가, renovascular HTN의 진단 (captopril renogram)
- ^{99m}Tc-DMSA : tubules에 결합 → functional renal mass 평가, 신장 피질의 형태 관찰

4. 신장생검(renal biopsy)

: US/CT-guided percutaneous biopsy (최근엔 transjugular approach도 가능)

(1) 적응증 ★

AKI	급격히 진행하는 경우, 회복이 안 되고 4주 이상 지속되는 경우, 정확한 원인을 모르는 경우, 확진 안 된 전신질환에 동반된 AKI
CKD	신장 크기*가 거의 정상인 unexplained CKD (*정상: 9~12 cm 길이)
단백뇨	성인의 NS (nephrotic syndrome), 소아에서 steroid-저항성 NS (∵ 처음 진단된 NS는 steroid에 반응 좋음), Acute nephritic syndrome, RPGN, 신기능 저하나 혈뇨를 동반한 moderate unexplained proteinuria
혈뇨	신기능 저하, 고혈압, 신이식 공여자 등에서 하부 요로 이외의 원인 의심시, IgA nephropathy, 유전성 GBM 질환(e.g., Alport syndrome), TBM 등에서 예후 판정을 위해 or 가족의 진단 R/O을 위해
농뇨	신기능 저하를 동반한 unexplained pyuria
세뇨관장애	정확한 원인을 모르는 unexplained 세뇨관장애
DM	Atypical course인 경우에만 다른 원인을 R/O하기 위해 고려! ; 지속적 혈뇨, 활성 요침사, 갑자기 C_{Cr} 감소, 갑자기 NS 발생, 심한 단백뇨 (신기능은 정상이면서), microvascular Cx이 없을 때
전신질환	SLE, Goodpasture's syndrome, vasculitis, amyloidosis, granulomatosis with polyangiitis (Wegener's granulomatosis) 등의 전신질환에서 ; 단백뇨, 혈뇨, 신기능장애 등 신장 침범의 소견이 있을 때 요침사, 신기능의 급격한 감소, NS 등 발생시 신기능 저하 & 신장 크기 정상인 경우 신기능 회복의 가능성 평가 위해 Lymphoproliferative dz.에서 신장이 커지면서 신기능이 저하되었을 때
신장이식	이식 후 거부반응이나 원래 질환의 재발 의심시(renal failure)

(2) 금기

① uncorrected bleeding disorder (→ absolute C/Ix)
② severe uncontrolled HTN
③ sepsis, active UTI, renal infection
④ renal aneurysm, hydronephrosis, congenital anomaly
⑤ solitary or ectopic kidney, horseshoe kidney
⑥ ESRD, atrophic kidney, bilateral small kidney
⑦ 비협조적인 환자, 심한 비만

(3) 합병증

① 출혈 (거의 대부분의 환자에서 발생하나, 대개 저절로 멈춤)
- microscopic hematuria (m/c), gross hematuria (<10%)
- 급격하고 저혈압이 동반되면 renal angiography + coil embolization 시행 (심하면 수술도)

② perirenal hematoma (대부분 작고 저절로 소실됨)
③ AV fistula (대부분 무증상, 2년 이내 자연 소실됨)
④ 그 외 매우 드문 합병증 ; aneurysm, infection, rupture ...
⑤ HTN 악화

임신과 신장

1. 해부학적 변화

- 무게, 크기(약 1 cm) 증가 → 분만 뒤 크기 감소를 parenchymal loss로 오인하지 말아야!
- 약 90%에서 우측 신장에 hydronephrosis 발생 (∵ sigmoid colon에 의한 자궁의 dextrorotation)
- collecting system (pelvis, calyx, ureter)의 확장 ※ → obstructive uropathy로 오인하지 말아야

2. 생리학적 변화

- 심한 혈관 확장 → GFR 및 RPF (renal plasma flow) 30~50% 증가 : blood volume 증가 전부터 증가 (GFR : first trimester에 최고, RPF : midgestation에 최고), filtration fraction (GFR/RPF)↓
- 혈청 Cr, BUN 감소 (∵ 생산은 그대로인데 GFR 증가로) → Cr >0.8 mg/dL, BUN >13 mg/dL 이상이면 신기능의 저하를 의심해야!
- protein, amino acids, glucose, calcium, uric acid, 수용성 vitamin 등의 urinary excretion 증가 ※
  - but, 임신중 proteinuria가 정상이라는 뜻은 아님 (1+ 라도)

  ┌ 임신시 정상 proteinuria <300 mg/day (c.f., 비임신시엔 <150 mg/day)
  └ 2 g/day 이상인 경우 → 사구체 병변을 의심해야

(※ → 요로감염증가)

3. 수분과 전해질 변화

- total body water 6~8 L (plasma volume 1.1~1.6 L) 증가
  * RBC mass 20~30% 증가하지만 혈액량이 더 많이 증가하여 Hb은 1~2 g/dL 감소
- sodium retention (900~1000 mEq) → apparent hypervolemia, mild edema
- 임신부의 volume receptor는 정상으로 감지
- osmoregulation의 변화 → serum osmolality 5~10 mOsm/kg 감소, sodium 5 mEq/L 감소 (∵ resetting of osmoreceptor system)
- 구갈기전과 AVP 분비의 threshold 감소, AVP의 대사 증가, placental vasopressinase 분비 → transient DI 일으킬 수 있음
- serum potassium 정상, total calcium 감소 (ionized calcium은 정상)

4. 산염기 평형

- mild metabolic acidosis
- renal HCO_3^- threshold 감소 → 혈청 HCO_3^- 4~5 mmol/L 감소 (평균 22 mmol/L)
- Pco_2 감소 (평균 30 mmHg) → Pco_2가 40 mmHg이면 폐환기능의 이상을 고려

5. 혈압조절

- 평균 동맥압 : 임신 초기부터 중기까지 평균 약 10 mmHg 감소
  (∵ 말초혈관저항 감소 > plasma volume 증가)
  → renin-angiotensin-aldosterone system (RAS) activation & aldosterone↑
- 이완기 혈압 : 약 10~15 mmHg 감소
  (정상) ┌ 2nd trimester <75 mmHg
  └ 3rd trimester <85 mmHg → 이 범위 이상은 고혈압을 의심해야
- CO 증가 ; 임신 24주 이전에는 SV 증가, 이후에는 HR 증가로 인해
- <u>항고혈압제</u> ; methyldopa, hydralazine, CCB (3rd trimester) 등이 안전
  - ACEi, ARB, nitroprusside 등은 금기
  - β-blocker (후반기에는 사용可), thiazide (임신 전부터 사용했던 경우 계속 사용可)

6. 신장 질환과 임신

- CKD (특히 ESRD) → infertility rate↓, IUGR, 미숙아/저체중아, 조산, preeclampsia, polyhydramnios (엄마 혈액의 BUN↑ → fetal diuresis↑) ...
- CKD 환자에서는 임신에 따른 정상 GFR↑ 없음 → 신기능 악화 위험
- mild CKD <u>(serum Cr <1.4 mg/dL)</u> & 정상 혈압 → 임신 성공률 양호
- serum Cr 1.4 mg/dL 이상일 때 임신을 하면 신기능 저하가 더 심해짐
- CKD 환자가 임신시 proteinuria, HTN 등도 악화됨
- diabetic nephropathy → perinatal morbidity & mortality↑, preeclampsia↑
- 임신중 ACEi/ARB는 금기 (∵ fetal vascular perfusion & renal function↓ → oligohydramnios, severe fetal renal dysfunction, growth retardation, pul. hypoplasia, limb contractures ...)

7. 신장이식 이후의 임신

- 신장이식 6개월 이후에는 대개 fertility rate 회복됨
- 임신 전 serum Cr 1.5 mg/dL 이하이고 1st trimester를 무사히 지나면 90%에서 임신 성공
- 임신 전 serum Cr 1.5 mg/dL 이하이면 대부분 임신으로 인한 이식 신장 기능 악화는 없음
- 임신 20주 이후에는 혈압 상승 경향, 25~40%에서 HTN & preeclampsia 발생
  (일반인보다 preeclampsia 발생률 4배)
- 사용하면 안 되는 약물 ; tacrolimus, sirolimus, MMF, polyclonal Ab, OKT3, statins, ACEi/ARB
- 비교적 안전하여 잘 쓰이는 약물 ; steroid, cyclosporine, azathioprine (고용량은 기형 위험) 등

이뇨제(diuretics)

1. Carbonic anhydrase inhibitor (CAI)

- 약제 : acetazolamide
- proximal tubule에서 Na^+, HCO_3^-, Cl^-, H_2O 재흡수를 억제하여 Na^+, HCO_3^-, Cl^-, H_2O의 배설을 촉진, 이뇨와 동시에 경미한 metabolic acidosis를 일으킬 수 있음 (urine alkalinization)
- 이뇨 효과가 매우 약하므로 체액과다나 부종 조절의 일차적 선택 약제로 사용하지는 않음
- 사용 ; metabolic alkalosis가 동반된 edema, 녹내장(→ 안압↓), 뇌압 상승, 고산병 예방 등

2. Loop diuretics

- 약제 ; furosemide (Lasix) (m/c), bumetanide, ethacrynic acid, torasemide
- Henle's loop의 ascending limb의 NKCC2 (Na^+-K^+-$2Cl^-$ co-transporter-2)를 억제
  → Na^+ 재흡수 감소 (수동적으로 재흡수되는 calcium의 재흡수도 감소 → 소변으로 calcium 배설 증가)
- 여과된 Na^+의 25%까지 배설시킬 수 있는 가장 강력한 이뇨제, 임상에서 가장 많이 사용!
- GFR도 증가시켜, GFR 40 mL/min 이하인 신부전 치료에도 사용 가능
- 부작용 ; hypokalemia, hypomagnesemia, hypocalcemia, metabolic alkalosis, hyponatremia (드묾), 심한 경우 체액량 감소, hyperuricemia, hyperlipidemia, glucose intolerance, acute interstitial nephritis, ototoxicity (↙ free water clearance 증가)
- 사용 ; HF/LC/NS 등에 의한 부종, hypercalcemia, SIADH (hypertonic saline과 함께)

3. Thiazide 계 이뇨제

- 약제 ; hydrochlorothiazide (m/c), chlorothiazide, chlorthalidone, indapamide, metolazone
- distal tubule의 Na^+-Cl^- co-transporter (NCC, Na^+ 재흡수)를 억제
  ↳ 능동적 calcium 재흡수가 주로 일어나는 곳 (thiazide는 distal & proximal tubule에서 calcium 재흡수를 촉진함)
- Na^+ 배설을 3~5% 정도까지 증가시킬 수 있음
- GFR 40 mL/min 이하인 경우 단독으로는 이뇨 효과 없어짐 (GFR 조금 감소된 경우에도 용량 높여야 됨)
  ↔ metolazone (신기능 저하시에도 효과적!, 반감기 길 → 병용요법으로 흔히 사용됨)

- 부작용 ; hyponatremia, hypokalemia, metabolic alkalosis, hypercalcemia (hypocalciuria), hypomagnesemia, hyperuricemia, hyperlipidemia, glucose intolerance (혈당↑), 성기능 장애
- 사용 ; 고혈압 치료, CHF에 동반된 부종(fluid retention)의 치료, hypercalciuria에 의한 요로 결석 (∵ NCC 억제에 따라 이차적으로 Ca^{2+} channel 활성화 → Ca^{2+} 재흡수 증가), nephrogenic DI
- GFR이 40 mL/min 이하로 떨어지면 효과 감소 → 진행된 신부전 환자는 loop diuretics 사용 → loop diuretics 내성 발생 시에는 metolazone을 병합 → 그래도 반응 없으면 투석

4. Potassium-sparing diuretics

- collecting duct에 작용, aldosterone 기능 차단, Na^+ channel 차단
  - aldosterone antagonist : spironolactone
  - epithelial Na^+ channel (ENaC) 억제 : amiloride, triamterene
- 부작용 ; hyperkalemia (특히 신기능 저하시 위험)
  - spironolactone ; metabolic acidosis (∵ aldosterone에 의한 H^+ 배설을 차단), gynecomastia, libido 감소, 불규칙한 월경
- 사용 ; 다른 강력한 이뇨제와 병용하여 hypokalemia 방지
  - spironolactone ; 심하지 않은 부종 (e.g., LC), hypokalemic alkalosis에서 K^+ 보존 위해
  - amiloride, triamterene ; Liddle's syndrome (ENaC 활성 과다)

5. V_2 receptor antagonist

- collecting duct의 vasopressin (V_2) receptor 차단 → AVP의 작용을 억제 → free water 배설 ↑
- 사용 ; 부종이 동반된 hyponatremia, SIAD

	Primary Effect	Secondary Effect	Complications
Ⅰ. *Proximal Diuretics*			
Acetazolamide	↓ Na^+/H^+ exchange	↑K^+ loss, ↑HCO_3^- loss	Hypokalemic hyperchloremic acidosis
Metolazone*	↓ Na^+ absorption	↑K^+ loss, ↑Cl^- loss	Hypokalemic alkalosis
Ⅱ. *Loop Diuretics*			
Furosemide (Lasix®) Bumetanide, Torasemide, Ethacrynic acid	↓ $Na^+:K^+:2Cl^-$ absorption	↑K^+ loss, ↑H^+ secretion, ↑Ca^{2+} loss	Hypokalemic alkalosis Hypocalcemia Hyperuricemia
Ⅲ. *Early Distal Diuretics*			
Thiazide & Thiazide-like Metolazone	↓ $Na^+:Cl^-$ absorption	↑K^+ loss, ↑H^+ secretion, ↓Ca^{2+} loss	Hypokalemic alkalosis Hypercalcemia, Hyperuricemia Hyponatremia, Hyperglycemia
Ⅳ. *Late Distal Diuretics*			
Aldosterone antagonists Spironolactone Non-aldo. antagonists Amiloride, Triamterene	↓ Na^+ absorption	↓K^+ loss, ↓H^+ secretion	Hyperkalemic acidosis

*주로 distal tubule에서 Na^+ 재흡수를 억제하며, proximal tubule에서도 Na^+ 재흡수를 억제함 (신부전시에도 효과적)

주요 신장질환의 임상양상

주요 증후군	주요 임상양상
Acute nephritis (e.g., PSGN, RPGN)	Hematuria, RBC casts, dysmorphic RBCs, azotemia, oliguria, edema, HTN
Nephrotic syndrome (NS) (e.g., FSGS, MGN, MCD, MPGN)	Proteinuria (>3.0 g/day), hypoalbuminemia, edema, hyperlipidemia, lipiduria
Asymptomatic urinary abnormalities (AUA)	Hematuria, proteinuria (nephrotic range 이하), sterile pyuria, casts
Tubulointerstitial disease (TID)	전해질 이상, polyuria, nocturia, mild proteinuria, 다양한 정도와 양상의 renal failure
Acute (or rapidly progressive) kidney injury (AKI)	Anuria (<100 mL/day), oliguria (<400 mL/day), 며칠 사이에 GFR이 현저히 감소
Chronic kidney disease (CKD)	Azotemia (3개월 이상), uremic Sx과 sign 지속, renal osteodystrophy의 Sx과 sign, 양쪽 신장의 크기 감소, broad casts, waxy casts
Urinary tract infection (UTI)	Pyuria, WBC casts, bacteriuria (>10^5 colonies/mL), 기타 infectious agent 발견, frequency, urgency, bladder tenderness, CVA tenderness, fever
Renal stones	Renal colic, hematuria, 이전의 stone Hx
Urinary tract obstruction	Azotemia, oliguria, anuria, polyuria, nocturia, urinary retention, urinary stream 속도 감소, large prostate, large kidneys, flank tenderness, 소변 후에도 방광이 빵빵
HTN	Systolic/diastolic HTN, proteinuria

2 수분 및 전해질 장애

개요

1. Body fluid

참고치와 단위 변환 factors

	참고치 (plasma)	단위 변환
Na^+	135~145 mEq/L	23 mg = 1 mEq
K^+	3.5~5.0 mEq/L	39 mg = 1 mEq
Cl^-	98~107 mEq/L	35 mg = 1 mEq
HCO_3^-	22~28 mg/L	61 mg = 1 mEq
Ca^{2+}	8.5~10.5 mg/dL	40 mg = 1 mmol
Phosphorus	2.5~4.5 mg/dL	31 mg = 1 mmol
Mg^{2+}	1.8~3.0 mg/dL	24 mg = 1 mmol
Osmolality	280~295 mosm/kg	…

Total body water – TBW (체중의 %)

연령	남자	여자
18~40세	60%	50%
40~60세	60~50%	50~40%
60세 이상	50%	40%

	ICF	ECF
주양이온	K^+	Na^+
주음이온	유기인 단백질	Cl^- HCO_3^-

■ **Total body fluid** : 체중의 60%
- ICF (2/3) : 체중의 40%
- ECF (1/3) : 체중의 20%
  - interstitial fluid (3/4) : 체중의 15% → 현저하게 증가되면 부종(edema)
  - blood (1/4) : 체중의 5% (total body fluid의 1/12)
    - arterial blood (15%)
    - venous blood (85%) : total ECF volume 조절에 중요

■ 흔히 사용하는 수액 1 L 투여시 체내 분포 (증가되는 혈장량)

	ICF-ECF 분포		혈장 분포 (ECF의 1/4)	증가되는 혈장량
	ICF (2/3)	ECF (1/3)		
5% DW	○○	○	1/12	83 mL
0.9% NS		●●●	1/4	250 mL
Half saline	○	◑●	1/6	167 mL
Colloid			◎◎◎	1000 mL*

* 실제로는 투여한 양의 60~80%만 증가됨 (∵ 일부 모세혈관 밖으로 빠져나감)

- 5% DW 1 L → 혈관내로 들어간후 dextrose는 바로 이용되고, water는 TBW에 분포됨,
  혈장량은 TBW의 1/12이므로 1000 mL ×1/12 = 83 mL 증가
- 0.9% normal saline 1 L → 혈관내로 들어간 후 ECF에 분포됨,
  혈장량은 ECF의 1/4이므로 1000 mL ×1/4 = 250 mL 증가
- half saline 1 L → NS 1/2 + water 1/2 → [NS 500 mL ×1/4 = 125 mL]
  + [water 500 mL ×1/12 = 42 mL] = 167 mL 증가
- 20% albumin 100 cc (혈중 albumin 4 g/dL인 환자의 경우)
  → albumin 4 g/dL = 4%, 20% albumin 투여시 20%가 4%로 희석되면서 혈장량은 5배로 증가됨 (500 cc) - normal saline 2 L 투여와 유사한 효과
  - CKD나 CHF 환자에서는 과다하게 혈관내로 수분을 끌어들여 폐부종을 유발할 수 있으므로 주의해서 사용해야 됨

* 5% DW가 plasma volume expander로서는 가장 효과 적음

■ 위장관액의 전해질 구성 성분 및 분비량

	전해질 구성 성분 (mmol/L)				양(L/day)
	Na^+	K^+	Cl^-	HCO_3^-	
타액	10	30	10	30	1~2
위액	60	9	90	0	2
담즙(쓸개즙)	150	10	110	40	0.6~1.2
소장 분비액	100	5	100	20	2~3
대장 분비액	40	100	15	60	다양
경구 섭취					2~3
땀	30~50	5		50	
설사	25~50	35~60	20~40	30~45	

* **췌장(이자)액** : 하루 약 1~3 L 분비됨, osmolality, Na^+, K^+ 등은 혈장과 거의 동일하지만, 혈장에 비해 HCO_3^-의 농도가 매우 높고(알칼리성), 따라서 상대적으로 Cl^-는 낮음

- 장관 분비액은 2가 양이온(Ca, Mg, Zn, Cu)도 풍부함
  → steatorrhea, high bowel fistula, prolonged suction 등 때 소실 증가
- 소장으로 유입되는 총 9 L/day의 섭취 수분 + 위장관 분비액 중 50%는 공장(jejunum), 40%는 회장(ileum), 10%는 결장(colon)에서 흡수됨

- 땀으로 인한 수분 손실이 가장 hypotonic → hypernatremia 발생 위험
- 심한 설사 → K^+와 HCO_3^- 손실이 심하므로 이를 고려하여 수액요법 시행

* 정상 성인에서 수분 배출의 경로와 양 (2600 mL/day)
  ① 소변 : 1500 mL/day
  ② 피부 : 600 mL/day
  ③ 폐 : 400 mL/day
  ④ 대변 : 100 mL/day

참고: 수액요법의 실제

1. 개요

(1) 목적

- 치료목적 ; 수분 및 전해질 불균형 교정, 영양 공급
- 보충요법 ; 경구 섭취를 전혀 못하거나 현저히 부족한 환자

(2) 정맥 수액 투여

- 시간당 투여 양 (mL/hr) = drops/minute × drop factor
  - drop factor (낙하지수) : 각 수액세트에 따라 정해짐, 일반적으로 4
  - 예 ; 6초에 한 방울 → 10/min ×4 = 40 mL/hr (→ 40 ×24hr = 24시간에 약 1 L)

2. 정상인에서 수액 및 전해질의 필요량

(1) 수분(water)

- 정상적으로 30 mL/kg 필요 → 매일 약 <u>2 L (+ 추가 손실량)</u>
- 체온이 1 ℃ 증가할 때마다 약 15%씩 요구량 증가

(2) 전해질

- 나트륨(Na^+) : 약 100 mEq (5.9 g NaCl)
- 칼륨(K^+) : 약 60 mEq (4.5 g KCl)
- 마그네슘 : 약 8~20 mEq (1~3 g $MgSO_4$)

(3) 칼로리

- 외부에서 칼로리 공급이 없는 경우, 인체는 체내 단백을 대사하여 에너지원으로 사용
  → 매일 80 g 이상의 단백질이 소실됨
- 체내 단백 소실을 방지하기 위해 외부에서 에너지원을 공급해야 함

3. 수액제의 종류

(1) 식염수

- 등장성(생리) 식염수(isotonic/physiologic/normal saline, N/S) : 0.9% NaCl
  - volume loss의 경우 주로 사용

- 154 mEq의 Na^+와 154 mEq의 Cl^- 함유 → Na^+는 체액과 비슷한 농도이나, Cl^-는 고농도이므로, 다량 투여시 hyperchloremic metabolic acidosis 유발 위험

• 고장성 식염수(hypertonic saline) : 3% 또는 5% NaCl
  - 주로 hyponatremia를 치료하기 위해 사용
  - 너무 빨리 주입하면 폐부종이나 뇌손상이 발생할 수 있음

• 저장성 식염수 : 1/2 (half), 1/3, 1/4 saline

(2) 탄수화물을 포함한 수액제

• 5% DW (dextrose in water) [D5], 10% DW, 10% fructose in water 등

• 칼로리 공급 + water 공급 (→ 투여량의 ⅔는 ICF로 가므로 너무 많이 투여하면 안 됨)
  ↳ dextrose 1 g ⇒ 3.4 kcal, 5% DW에는 dextrose 50 g 함유, 하루 요구량을 만족하려면 성인은 5% DW 약 3L 필요 (but, 실제로는 enteral/parenteral nutrition을 주로 사용함)

• fructose : insulin 없이도 대사됨 (→ 간기능 저하, 수술후, DKA 등)

• 주입 속도 : 0.5 g/kg/hr 이하
  - 너무 빨리 주면 당뇨(glycosuria) 발생
  - 10% DW 1 L의 경우 3시간 이상에 걸쳐 주입
  - 20% DW는 가능하면 말초혈관을 피하고 중심정맥으로 공급

* 5% DW 용액의 pH는 4~5정도 낮으므로 thrombophlebitis 유발 가능
  → 불필요한 IV는 피하고, 3일 마다 갈아주어야 됨

(3) Ringer 용액 및 하트만 용액

• Ringer 용액 (triple chloride 용액) : NaCl, KCl, $CaCl_2$를 혼합하여 전해질 조성이 체액과 유사

• 하트만 용액 (lactated Ringer's solution, Hartmann's solution) : Ringer 용액 + lactate

• 대부분 생리식염수와 치환되어 사용할 수 있고, 전해질 조성이 체액과 유사하여 흔히 사용됨, 특히 metabolic acidosis 시 선호됨
  (but, 심한 metabolic acidosis에서는 saline + $NaHCO_3$ 사용이 바람직)

흔히 사용되는 수액의 성분

	Na^+ (mEq/L)	K^+ (mEq/L)	Ca^{2+} (mEq/L)	Cl^- (mEq/L)	Glucose (g/L)	Osmolality (mOsm/L)
Plasma	140	4.5	4.8	102	0.8~1.0	285
0.9% NaCl (Normal saline, NS)	154			154		308
0.45% NaCl (1/2 NS, Half saline)	77			77		154
D5 (5% dextrose in water, 5% DW)					50	252
D5 NS (5% DS)	154			154	50	560
D5 1/2 NS	77			77	50	435
D5 NaK2 (1/2 NS + KCl 20 mEq)	77	20		97	50	426
SD 1:2 (0.3% 1/3 NS)	51.3			51.3	33.3	360
SD 1:3 (0.225% 1/4 NS)	38.5			38.5	37.5	280
SD 1:4 (0.18% 1/5 NS)	30.8			30.8	40	271
Lactated Ringer's solution	130	4	3	109		275

(4) 콜로이드성 용액 (colloid solutions)

- 예 ; 전혈, 혈장, packed RBC, 알부민, dextran, HES (hydroxyethyl starch)
  (c.f., crystalloid solutions ; N/S, Ringer's lactate 등)
- 주입 후 대부분 혈관내에 존재 → 혈관내 용적 증가에 효과적, 주로 shock 등이 있을 때 사용
- 단점
  ① 과민반응 발생 위험
  ② 혈관내 용적이 지나치게 증가되면 폐부종 발생 위험
- albumin 용액 ; 5%, 20% 용액이 흔히 사용
  - 간/신장질환 등으로 albumin 농도가 크게 감소되어 유효 혈관내용적의 감소가 심한 경우 사용
  - 용액 100 mL 중에는 약 16 mEq의 Na^{+}이 들어있으므로, 다량을 사용하는 경우에는 주의
  * albumin은 부종 치료에 효과적이지 않은 경우가 더 많고, 예후에도 영향을 미치지 않으며, 주로 비필수 아미노산으로 구성되어 있으므로 영양제라고 할 수는 없음
- dextran ; 고분자의 탄수화물로 Dextran 70, Dextran 40 등이 있음
  - 출혈, 화상 등에 의한 shock에서 혈관내 용적 증가에 유용
  - 부작용 ; 과민반응, 다량 사용시 혈소판 기능 저하
- mannitol ; 삼투성 이뇨제로 주로 사용됨
  - 신혈류 증가 → 사구체 여과율 증가 → 다량의 이뇨 발생
  - AKI의 예방/치료에 유용
  - 전신 부종이 일반 이뇨제에 듣지 않는 경우 초기 이뇨 촉진
  - 안압, 두개내압이 높은 경우에도 치료제로 사용됨
  - 부작용 ; 다량 사용시 water excess, 용적 과다 발생할 수

(5) 영양 수액제 (parenteral nutrition)

- 기아 상태의 환자, 처음 2~3일은 탄수화물과 전해질을 주로 공급
- 그 이상의 기아에는 단백의 공급이 필요
  - 대부분 아미노산 용액, 1~1.5 g/kg/day 공급
  - 간기능이나 신장기능이 저하된 경우는 각별히 유의해야
  - 산염기 평형 이상이 생기지 않는 가 감시해야 됨
- Fat emulsion 용액 ; 장기간 기아 상태에 사용
  - 5일 이상 기아시 필수지방산을 공급할 수 있음
  - 투여 ; 첫 15분간은 1 mL/min (10% 용액) 또는 0.5 mL/min (20% 용액)을 초과하면 안됨, 하루 총 2.5 g/kg 이하로
  - 부작용 ; 과민반응, 고지혈증, overloading syndrome, 간비대 등

2. Osmolality (삼투질 농도)

(1) osmolality (삼투질 농도, 오스몰랄 농도)

: 1 kg의 water (용매)에 포함된 삼투질(osmolytes, particles [용질])의 수 (mOsm/kg)

c.f.)

- osmolarity (오스몰 농도) : 1 L의 solution (용액)에 포함된 osmolytes의 수 (mOsm/L)
- tonicity (장력) : 두 구획(compartment) 사이의 유효 삼투질(effective osmoles) 농도의 차이
- osmotic pressure (삼투압) : 저장성(hypotonic) 구획에서 고장성(hypertonic) 구획으로 용매(물)가 이동하려는 힘, 대략 1 mOsm/kg의 삼투질 농도는 20 mmHg의 삼투압을 갖게 됨

(2) plasma osmolality (P_{osm})

• 정상범위 : 285~295 mOsm/kg

$$\text{Calculated osmolality} = 2 \times [Na^+] + \frac{\text{glucose}}{18} + \frac{\text{BUN}}{2.8}$$

- 단위
  - Na^+ : mEq/L
  - glucose, BUN : mg/dL

$$\text{Osmolar gap} = \text{measured osm.} - \text{calculated osm.}$$

- 정상 : <10~15 mOsm/kg
- 증가되는 경우 (>15~20 mOsm/kg)
  ① Na^+이 가짜로 낮게 측정된 경우 (pseudohyponatremia)
  ; hyperlipidemia, hyperproteinemia
  ② unmeasured solutes의 증가 ; mannitol, ethanol, methanol, ethylene glycol
  (methanol과 ethylene glycol은 anion gap도 같이 증가)

* urine osmolality의 정상범위 : 300~900 mOsm/kg (24hr: 500~800 mOsm/kg)

(3) effective osmolality (유효 삼투질 농도, E_{osm})

• 정의 : effective osmoles에 의해 형성된 삼투압
- effective osmoles : Na^+, Cl^-, K^+ 같이 주로 ECF or ICF 내에 국한되어 존재하며 water의 이동을 유도하는 것

• $E_{osm} = 2 \times [Na^+] + \frac{\text{glucose}}{18}$

• ECF의 volume, osmolality를 조절함으로써, 간접적으로 ICF의 volume도 조절할 수 있음
• Na^+ balance는 ECF volume을 결정하고 (volume deficit or edema 등), water balance는 osmolality (tonicity)를 조절하여 ICF의 양을 결정한다!
• urea : 세포막을 자유롭게 통과하므로 수분이동에 영향이 없음 (ineffective osmole)
→ 검사 상 measured osmolality는 높게 나오지만 hypertonic으로 해석하면 안됨

	체액량(volume) 조절	Osmolality 조절
Stimulus	effective arterial volume	P_{osm} (tonicity)
Sensors	carotid sinus, atrium renal afferent arteriole	hypothalamus의 osmoreceptor
Effectors	renin-angiotensin-aldosterone sympathetic system ANP	AVP thirst mechanism
Effect	pressure natriuresis U_{Na} 배설 조절	U_{osm} 조절 (요농축정도) 수분섭취조절

■ 장력(tonicity) 변화에 대한 세포의 반응

- ECF의 Na^+ 농도가 증가하면 ECF로 세포 내의 물이 빠져나가는 것을 막기 위해 세포 내의 삼투질 농도를 높이려는 반응이 일어남 ("osmotic adaptation")
- 초기에는 세포막을 통한 K^+, Na^+의 이동에 의해 형성
- 이후에는 organic solutes를 세포 내에 축적하여 이루어짐
  ↳ myo-inositol, betaine, taurine, sorbitol, glutamine 등
  - myo-inositol, betaine, taurine → 각각 Na/myo-inositol co-transporter (SMIT), Na/Cl/betaine co-transporter (BGT1), Na/Cl/taurine co-transporter (TauT)에 의해 세포 내로 능동적으로 운반됨
  - sorbitol → aldose reductase (AR)에 glucose로부터 생산됨
  - 이러한 반응은 SMIT, BGT1, TauT, AR 등의 유전자가 공통으로 갖고 있는 cis-element, 즉 tonicity responsive enhancer (TonE)에 TonEBP (TonE binding protein)가 결합되어 시작됨
    ↳ 세포 밖이 고장성 때 activity↑, 저장성 때는↓

3. Water (H_2O) 대사의 조절 기전

(1) thirst mechanism : 수분 섭취를 조절

- thirst receptor : hypothalamus의 preoptic area와 stria terminalis에 위치
- 유발요인
  ① P_{osm} >290 mOsm/kg → osmoreceptor 자극
  ② 체액량 감소 : 심한 ECF volume 감소시 angiotensin II에 의해 thirst receptor 자극
  (mild volume deficit에서는 갈증 안 느낌)
  ③ anticipatory drinking

(2) ADH (AVP, arginine vasopressin) : 수분(water) 배설을 조절

- 생산 : posterior pituitary (AVP 분비에는 baroreceptor보다 osmoreceptor가 더 민감함)
- osmoreceptor : hypothalamus의 supraoptic, paraventricular nuclei에 위치
- 분비자극요인
  ① P_{osm} : 역치 이상의 P_{osm} 상승은 AVP level을 "직선적"으로 상승시킴
  (P_{osm}이 2% 정도 상승하면 AVP 분비 자극)

② hypovolemia : volume 감소는 AVP 분비를 "기하급수적"으로 상승시킴,
8% 이상의 심한 ECF volume 감소는 P_{osm}의 변화와 관계없이 AVP 분비를 자극함
(P_{osm}이 저하되더라도 체액량 감소가 지속되면 AVP 상승은 지속 → hyponatremia 발생)
③ 기타 ; pain, nausea, stress, hypoxia, drugs (e.g., vincristine, cyclophosphamide, TCA 등)
(glucose는 아님!)

- 작용
  ① 신장 (V_2 receptor) → water 재흡수 ↑
  ② 혈관평활근 (V_{1A} receptor) → 혈관수축 → 유효 혈관내 용적 유지

(3) free water clearance

- 정의 : 단위 시간당 신장이 배설하는 solute-free water의 양

$$\text{Free water clearance} = UV - Cosm = UV\left(1 - \frac{U_{osm}}{P_{osm}}\right)$$

– osmolar clearance (C_{osm}) = $\dfrac{U_{osm} \times UV}{P_{osm}}$

- 등장성뇨 : $C_{osm} = UV$
- 수분 과다시 희석뇨 : $UV > C_{osm}$
- 수분 부족시 농축뇨 : $UV < C_{osm}$

- free water clearance는 true hyponatremia의 감별진단에 유용하게 사용될 수 있음

4. Sodium (Na^+) 대사

(1) 체내 Na^+의 분포

- ECF의 가장 주된 양이온 (ECF 총삼투질 농도의 90~95%)
- 체내 총 Na^+ 양 → ECF의 volume을 결정
- plasma Na^+ 농도 → ECF volume과 무관, water 대사에 의해 조절 ("tonicity")
- edema : interstitial space의 Na^+ 증가

(2) 체액량(Na^+)의 조절기전

① effective arterial blood volume (유효동맥용적) … 중요!
: ECF 중 혈관내에 존재하며 효과적으로 조직으로 관류되는 체액량
- arterial system의 fullness : 심박출량, 말초동맥저항에 의해 결정
- abdvanced LC : 말초동맥 확장이 심해서 체내 volume이 아무리 많아도 effective arterial blood volume 감소 → water 배설 ↓ → ascites
- 가장 잘 반영하는 검사 지표 ; **urinary fractional Na^+ excretion (FE_{Na})**

$$\text{Fractional excretion of } Na^+ (FE_{Na}) = \frac{U_{Na} \times P_{Cr}}{P_{Na} \times U_{Cr}} \ (\times 100,\ \%)$$

② baroreceptors
- high pr. : aorta, carotid sinus, juxtaglomerular apparatus, LV
- lower pr. : RA, LA, liver

③ 조절기전

(a) 전신혈액학적 조절 : 교감신경계 자극 (즉각적)

- 정맥계 혈관 수축
- 심근수축, 심박동수 증가 → 심박출량 증가
- 전신 동맥혈관 수축
- renin-angiotensin 분비 증가 ★

(b) 신장의 Na^+ 재흡수 및 배설 조절

- glomerulo-tubular balance
- peritubular capillary force
- 교감신경계
- angiotensin Ⅱ ⇨ 신장의 Na^+ & water 재흡수 촉진 (배설 감소)
  - 직접 proximal tubule에서 Na^+ 재흡수 촉진
  - 부신피질에서 aldosterone 분비를 자극하여 Na^+ 재흡수 촉진
  - efferent arteriole 수축 → GFR↑ → tubular Na^+ 재흡수 촉진
- aldosterone ⇨ collecting duct에서 Na^+ 재흡수 촉진
  * *aldosterone escape* : aldosterone에 며칠 동안 노출되면 volume expansion이 지속되어 proximal tubule에서의 Na^+ 재흡수가 감소되어 "pressure natriuresis" 발생
    - aldosterone에 장기 노출되어도(e.g., primary aldosteronism) HTN의 정도는 제한됨
    - ANP에 의해 매개 (HF, NS, LC 등에서 ANP 효과를 잃으면 심한 Na^+ 저류 발생)
- ANP (=ANF) : hypervolemic state에서 Na^+ retention과 혈압 상승 억제
  - GFR↑ (→ Na^+ & water 배설↑), Na^+ 재흡수 억제 (→ Na^+ 배설↑), renin 분비 억제
  - angiotensin Ⅱ의 혈관수축 작용 차단 → arteriolar & venous dilation
  - BNP : ANP와 작용 비슷, 심실 이완기압 상승시 심실에서 분비됨
  - natriuretic peptide (ANP/BNP)는 edema 발생을 예방할 정도로 많이 상승되지는 않으며, edematous state에서는 ANP/BNP 작용에 저항성도 생김

c.f.) ACE inhibitor : angiotensin Ⅰ → angiotensin Ⅱ로의 전환을 억제
- 신장의 efferent arteriole 확장 → GFR↓ → Na^+ & water 재흡수 감소 (배설 증가) (hypovolemia 환자에서는 glomerular perfusion 감소로 ischemic injury 위험↑)
- 단순한 혈압강하 효과 외에도 여러 가지 심혈관계 합병증을 예방하는 장기보호 효과도 있음
- 초기에는 급격하게 angiotensin Ⅱ↓ (but, 시간이 지나면 점차 정상화됨 : ACE escape)
- angiotensin Ⅱ가 생성되는 다른 경로까지 차단하지는 못하기 때문
- 내피세포 의존성 혈관확장제인 bradykinin의 대사를 억제하기 때문에 혈압강하 효과 지속됨

c.f.) **renin inhibitor (aliskiren)** : renin의 active site에 결합하여 angiotensinogen에 결합하는 것을 억제 → angiotensinogen이 angiotensin Ⅰ으로 전환되는 것을 억제

5. 부종(edema)

• 정의 : interstitial fluid volume의 증가
• 병인
① Starling forces↑ : 혈관 내의 hydrostatic pr.↑, interstitial fluid의 colloid oncotic pr.↑
- 정맥압↑ → 모세혈관압↑ 예) CHF, 정맥 or 림프관 폐쇄
- 혈장의 colloid oncotic pr.↓ 예) hypoalbuminemia, 간질환, 단백소실, 심한 catabolism
② 모세혈관 손상 : capillary endothelium 손상 → permeability↑ → 혈장 단백 누출
- 예 ; drugs, virus, bacteria, thermal or mechanical trauma, hypersensitivity, immune injury
- inflammatory edema는 대개 nonpitting, localized, 다른 염증소견(e.g., 홍반, 압통) 동반
③ effective arterial volume↓ (m/c) → Na^+ & water retention 예) CO↓, 전신혈관저항↓
④ renal Na^+ retention (전신 부종 발생에 중요) : renal blood flow↓ → RAA system 활성화
⑤ 기타 관여 인자
- AVP (vasopressin) → water 재흡수↑ → total body water↑
- endothelin : 심부전 때 증가 → renal vasoconstriction, Na^+ retention, edema에 기여
- natriuretic peptides (ANP/BNP)

부종의 임상적 원인
1. **정맥/림프관 폐쇄**
2. **심부전(CHF)**
3. **신부전** : renal Na^+ & water retention
4. **Hypoalbuminemia** : 소실↑(NS, protein-losing enteropathy) or 합성↓(간질환, 영양결핍)
5. **간경변** : hypoalbuminemia, effective arterial volume↓, RAA 활성화, renal Na^+ retention 등이 관여
6. **약물** ★
NSAIDs, Cyclosporine → renal vasoconstriction
혈압강하제 ; 직접혈관확장제(hydralazine, clonidine, methyldopa, guanethidine, minoxidil, diazoxide), CCB, α-blocker, thiazolidinediones, sympatholytics (methyldopa)
스테로이드 (신장의 Na^+ 재흡수 촉진) ; glucocorticoids, anabolic steroids, estrogens, progestins
Growth hormone, OKT3 (anti-CD3 Ab), IL-2 (모세혈관 손상) ...

• 치료 ; 원인 교정 (m/i), 염분 섭취 제한 (심하면 수분도 제한), 운동요법, 침상안정(supine) 등
↳ 원인 약물, hypoalbuminemia, 심부전, 신부전 등 R/O
• 일반적인 치료로도 조절되지 않으면 이뇨제 사용
- 대개 oral loop diuretics (e.g., furosemide)를 선호 (LC 환자는 spironolactone과 병용 권장)
- NS (loop diuretics가 세뇨관에서 albumin과 결합되어 불활성화) 및 신부전 환자 → 이뇨제 용량↑
- 효과 없으면 → 용량↑ → 투여 횟수↑ *or* 심하면 IV로 투여 (특히 급성 심부전/폐부종)
→ 작용부위가 다른 이뇨제 추가 (대개 thiazide 계 이뇨제) or
이뇨제 교체(e.g., furosemide → bumetamide) 등
→ 반응 없는 advanced heart or renal failure 환자는 dialysis or ultrafiltration 고려

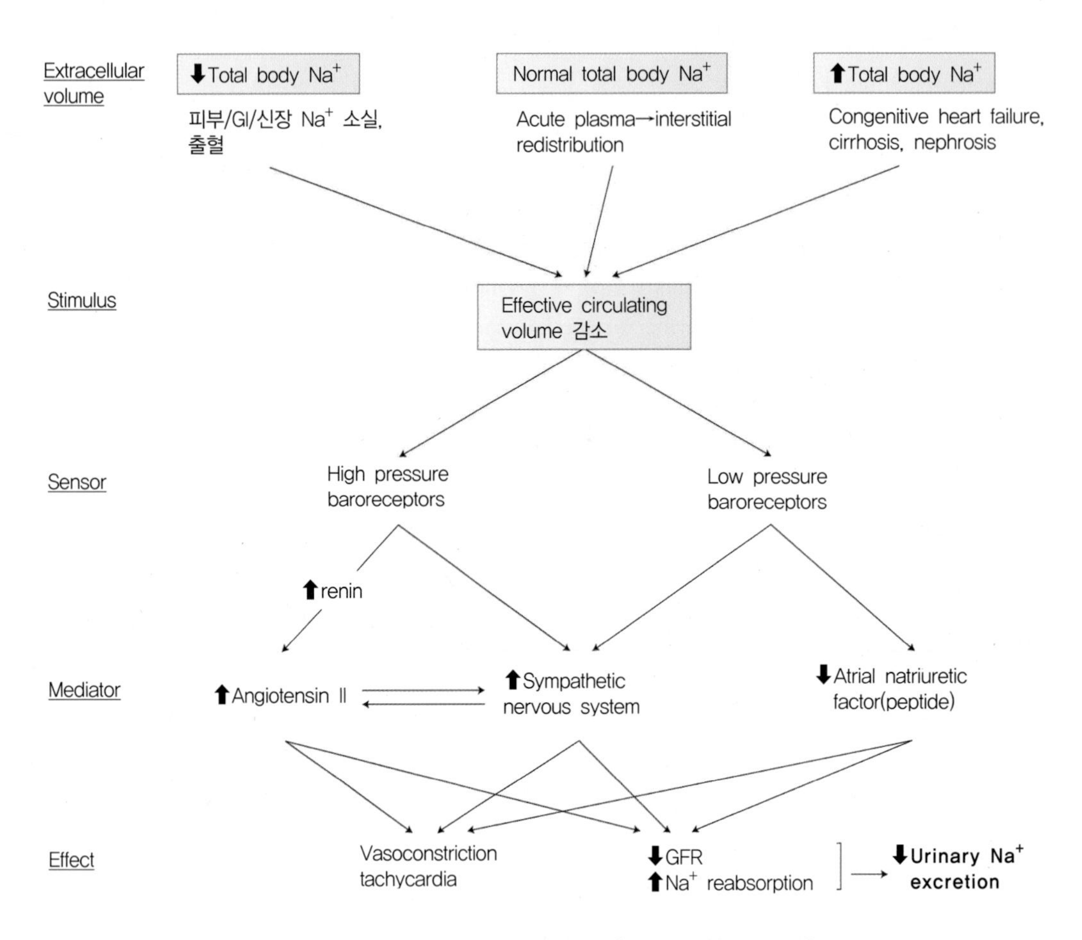

Hypovolemia에 대한 심혈관계와 신장의 반응

HYPOVOLEMIA

1. 정의

- volume depletion : Na^+과 water가 함께 부족한 상태
- dehydration : pure water depletion (→ hypernatremia)

2. 임상양상

(1) Sx. ; thirst, weakness, muscle cramps, headache, anorexia, N/V

(2) sign ; orthostatic hypotension (m/i), orthostatic PR ↑, JVP 감소, 점막 건조, 액와부 습도 감소, skin turgor 감소, sweating 감소, oliguria

(3) blood ; Hct↑, protein↑, BUN↑, Cr↑, Na^+↓or N or↑

(4) urine concentration ; SG↑, osmolality↑, Na↓, Cl↓, mild proteinuria

3. 원인

Renal Losses	Extrarenal Losses
Hormonal Deficit Central DI Aldosterone 결핍 Addison's disease Hyporeninemic hypoaldosteronism Renal Deficits Specific Tubular Nephropathies ; Renal tubular acidosis, Bartter's syndrome, Nephrogenic DI, Diuretics abuse, Postobstructive diuresis Excessive Filtration of Nonelectrolytes ; Osmotic diuresis (e.g., 고단백식이, mannitol) Generalized Renal Disease: CKD, Interstitial nephritis	Hemorrhage Cutaneous Losses Sweating (수분소실 > Na소실) Burns GI Losses (m/c) Vomiting Diarrheal disorders GI fistulas Tube drainage

External fluid loss 없는 circulatory compromise의 원인
Ⅰ. Cardiac Output 감소 AMI, CHF, Pericardial tamponade Ⅱ. Vascular Capacitance 증가 Septic shock Cirrhosis Ⅲ. Vascular → Interstitial Fluid Shifts (Redistribution) (1) Hypoalbuminemia NS, LC, Malnutrition, Cytokine-mediated (2) Plasma albumin 정상 (capillary leak) Acute pancreatitis, Bowel infarction, Rhabdomyolysis, Noncardiogenic pulmonary edema (ARDS)

4. 병태생리

* volume depletion시의 보상기전
  - ① 혈압과 심박출량의 유지
    - renin, catecholamine 분비 증가
    - 교감신경계 activation : 발한억제, thirst 증가, salt 섭취 촉진, afferent a. 수축 (→ GFR↓)
  - ② 신장에서의 Na^+ 및 체액 소실 억제
    - secondary hyperaldosteronism → Na^+ 재흡수↑, K^+ 배설↑(→ hypokalemia)
    - AVP (vasopressin) 분비 증가 → water 재흡수↑
    - ANP (=ANF) 분비 감소 → Na^+ 배설↓
    - peritubular capillary force의 상승
    - 신장내 혈관저항의 상승, 신장내 hormones의 변화 (e.g., prostaglandin)
  - ③ 혈장량 보존 : Starling 법칙에 따른 체액의 이동
  - ④ 기타 : thirst mechanism

* angiotensin II의 작용

① 강력한 vasoconstrictor (NE보다 더 강력)

→ vascular tone 증가, 신장혈관수축(→ Na^+ 배설 억제)

② aldosterone 분비 자극 → Na^+ 재흡수 촉진

(직접 proximal tubule에도 작용하여 Na^+의 재흡수를 촉진시키기도 함)

③ thirst center 자극

5. 치료

- mild한 경우는 경구섭취로 교정 가능
- 순환장애를 동반한 경우 normal saline (0.9%) 정주 (∵ ECF 보충)
- 치료 적절도 판정 - orthostatic hypotension이 가장 sensitive!

HYPERVOLEMIA

1. 정의

: total body water의 증가, 보통 total body Na^+의 증가도 동반 (→ edema, HTN)

2. 원인 및 병태생리

Volume excess의 원인

Effective circulating volume 감소 (edema)	Effective circulating volume 증가
Disturbed Starling Forces 전신 정맥압 상승 ; Rt-HF, constrictive pericarditis 국소 정맥압 상승 ; Lt-HF, vena cava obstruction, portal vein obstruction ... Oncotic pressure 감소 ; NS, albumin 합성 감소 Combined disorders ; LC	*Primary Hormone Excess* Primary aldosteronism Cushing's syndrome SIAD *Primary Renal Sodium Retention* Renal failure

3. 임상양상

(1) 체중증가 ; 가장 예민하고 믿을만한 징후

(2) 부종 ; 2~4 kg의 체액이 저류될 때까지는 대개 나타나지 않는다

(3) 호흡곤란, 빈맥, 경정맥 확장, 간경정맥 반사, 폐검사상 수포음, 청진상 S_3

4. 치료

(1) 원인 질환의 치료

(2) Na^+ 섭취의 제한

(3) 이뇨제

HYPONATREMIA

1. 개요

- 정의 : plasma Na^+ <135 mEq/L
- 입원환자에서 비교적 흔하게 볼 수 있음 (10~15%)
- 증상
  - mild ; 식욕부진, 두통, 오심, 구토, 쇠약감
  - moderate ; 인격변화, 근육경축, 근육쇠약감, 정신착란, 운동실조
  - severe ; 기면, 반사저하, 경련, 의식저하, 혼수, 사망
  - Na^+ 120 mEq/L까지는 대개 나타나지 않지만, 감소속도가 빠르면 더 높은 농도에서도 발생 가능
- 신경학적 증상이 있거나 Na^+ <110 mEq/L면 응급치료 필요

2. 원인 및 감별진단

- 필요한 검사 ; serum osmolality, serum glucose, urine osmolality/Na^+/K^+
- serum osmolality를 먼저 측정! (∵ ECF tonicity는 주로 Na^+에 의해 결정됨)
  → serum osmolality가 낮지 않으면 반드시 pseudohyponatremia, dilutional hyponatremia를 R/O!
  c.f.) pseudohyponatremia R/O을 위해서는 검체 희석과정이 없는 direct (undiluted) ISE 기법으로 전해질을 측정하는 혈액가스장비 등으로 재검해보는 것이 더 정확함 → 뒷부분 참조
  (or serum total lipids와 protein 값을 보고도 추정 가능함)
- 대부분은 serum osmolality가 낮다 (hypotonic hyponatremia)
  → 신장은 희석된 소변을 최대한 배설하려고 함
  (urine : osmolality <100 mOsm/kg, SG <1.003, Na^+ <25 mEq/L)
  ↳ primary polydipsia, malnutrition, reset osmostat 등에서 나타남
  ↳ salt 섭취↓↓ ; "beer potomania" (맥주에는 단백과 염분이 매우 적음)
  - 이러한 반응이 안 나타나면 free water excretion의 장애를 의미 (∵ AVP)
- U_{Na} 측정 중요
  - extrarenal loss : U_{Na}↓ (<20 mEq/L)
  - renal loss : U_{Na}↑ (>20 mEq/L)

c.f.) acid-base status 및 serum potassium level에 따른 hyponatremia 원인

Acid-base status	Potassium status		
	Hyperkalemia	Normokalemia	Hypokalemia
Metabolic acidosis	Renal failure Adrenal insufficiency		Diarrhea
Metabolic alkalosis			Vomiting Diuretic therapy
Normal pH (7.35~7.45)		SIADH Compulsive polydipsia Cortisol deficiency Hypothyroidism	

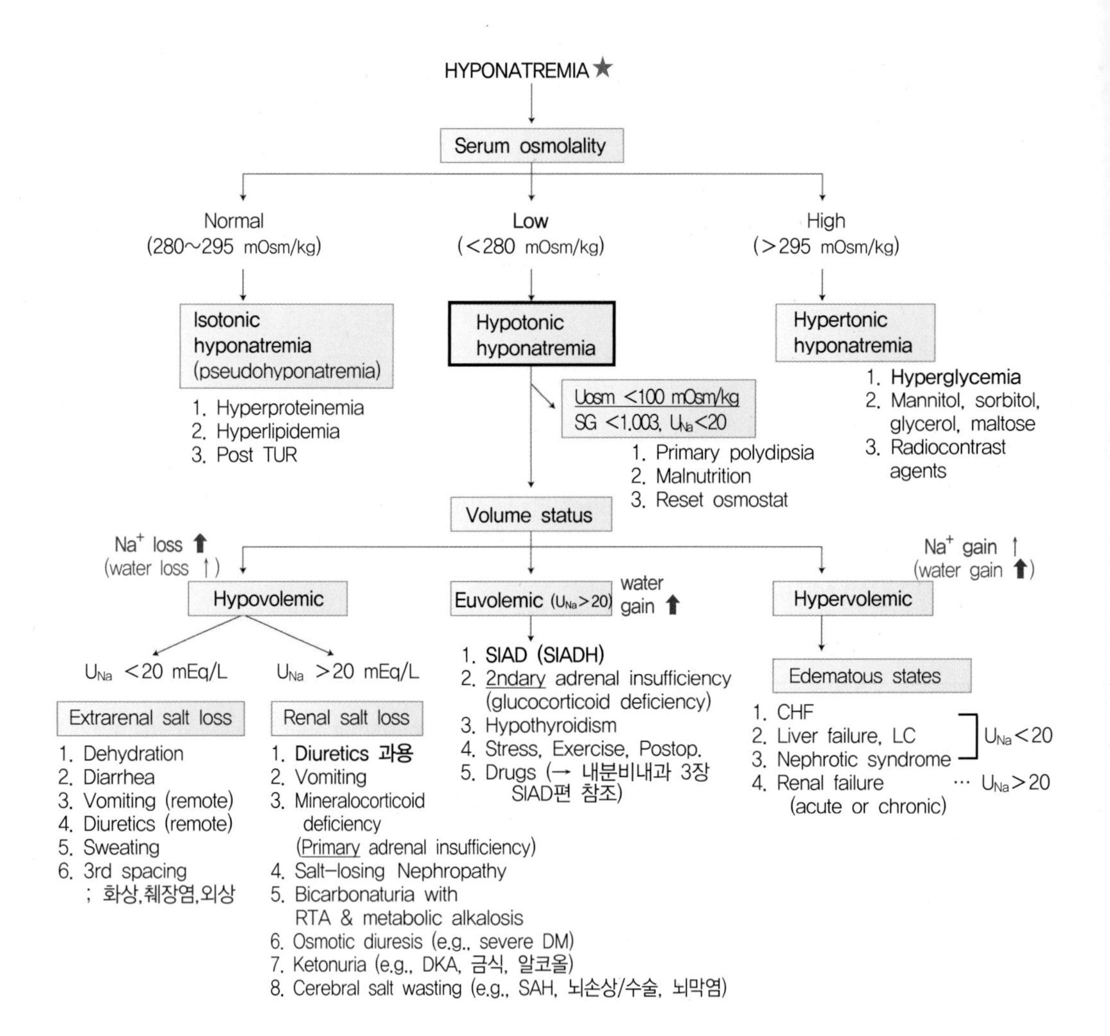

3. Isotonic hyponatremia

• pseudohyponatremia (electrolyte exclusion effect전해질배제효과)

 – plasma water 부분 Na^+ 농도는 정상이지만, solid (protein, lipid) 부분이 크게 증가되면 검체를 희석하는 검사에서는(e.g., indirect [diluted] ISE) water 부분이 상대적으로 더 많이 희석되어 실제보다 Na^+ 농도가 낮게 측정되는 현상 … laboratory artifact 임

 – 예 ; 심한 hypertriglyceridemia (e.g., TPN, pancreatitis, DKA), obstructive jaundice (∵ cholesterol ⇈), hyperproteinemia (e.g., multiple myeloma : 대개 >10 g/dL일 때)

 – plasma osmolality 검사는 정상이고 calculated osmolality는 감소되어 osmolar gap ↑

- 일반적인 전해질검사는 자동화학분석기에서 indirect ISE (ion-selective electrode)로 검사하는데 다량의 고이온강도 희석액에 의한 dilution 영향으로 전해질 농도가 실제보다 낮게 나오는 electrolyte exclusion effect가 나타날 수 있음
- Direct ISE 기법으로 전해질을 측정하는 장비는 (e.g., blood gas analyzer) 검체 희석 과정이 없으므로 이런 전해질 배제효과가 안 나타남 ⇨ pseudohyponatremia 의심시에는 direct ISE로 Na^+ 농도를 확인하는 것이 더 정확 *or* 장비가 없으면 보정으로 추정 ; Plasma water content (%) = 99.1 − (0.1×total $lipid_{[g/L]}$) − (0.07×$protein_{[g/L]}$)

c.f.) Osmolality는 다른 전용 장비로 검사함 (보통 freezing point depression osmometer를 이용)

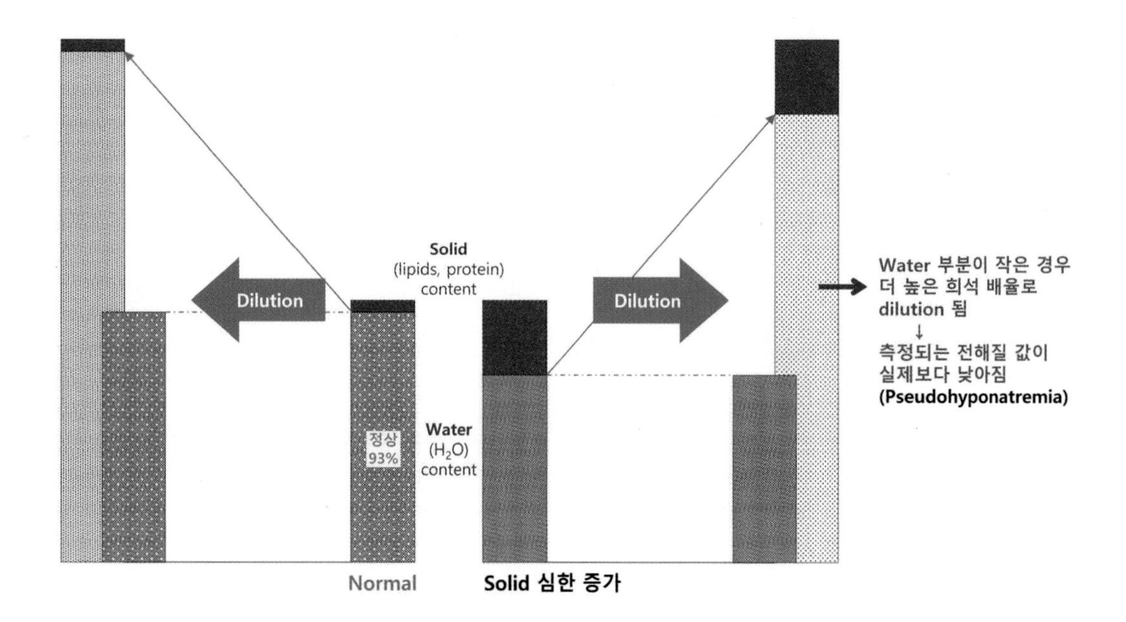

- 전립선/방광암의 TUR, 자궁경, 복강경 등의 시술시 sodium-free irrigation solution이 흡수되어 dilutional (isotonic or slightly hypotonic) hyponatremia가 발생할 수도 있음

4. Hypertonic hyponatremia

- ECF에 Na^+ 이외의 effective solutes 축적으로 ICF의 water가 ECF로 이동되어 Na^+이 희석된 것 ("dilutional" hyponatremia) ; glucose, mannitol, IVIG 등
- hyperglycemia (m/c 원인) : glucose 100 mg/dL 상승시 Na^+ 1.6 mEq/L 감소

5. Hypotonic hyponatremia (m/c)

(1) Hypervolemic (type I) hypotonic hyponatremia

- 원인 (primary Na^+ gain < water gain) : sodium-retaining, **edema**-forming states ; edematous condition (CHF, LC, NS), ARF or ESRD (CKD)
- 수분배설 장애, total body water↑↑ & sodium↑, edema 동반
- effective circulating volume 감소 (e.g., CHF, LC, NS) → AVP↑ → hyponatremia
- urine Na^+ <20 mEq/L (이뇨제 복용시는 증가)
- 신부전 ; effective circulating volume 증가 때문 (dilutional hyponatremia), urine Na^+ >20
- 치료
  ① underlying dz. 교정
  ② moderate water restriction (<1~2 L/day), Na^+ restriction (1~3 g/day)
  ③ diuretics (thiazide 이외의)
  ④ hypertonic saline : 위험하므로 보통은 금기이나, severe hyponatremia (<120 mEq/L) or CNS Sx (e.g. coma)시에는 diuretics와 함께 소량 사용할 수도 있음 (→ 투석 고려)

  c.f.) isotonic saline은 금기 (∵ serum Na^+ 1 mEq/L만 증가하면서 edema를 더욱 악화시킴)

(2) Hypovolemic (type II) hypotonic hyponatremia

- 원인 (primary Na^+ loss) ⋯ total body sodium↓↓ & water↓
  - renal sodium loss → ECFV↓ → AVP↑ → water 재흡수↑ & U_{Na}↑(>20 mEq/L)
  - extrarenal loss (체액 loss → AVP↑) + 저장성 수액 (or 맹물 섭취) → U_{Na}↓ (<20 mEq/L)
- 임상소견으로 volume depletion이 불확실할 때는 BUN, Cr 측정이 도움! (특히 BUN이 증가)
- 치료
  ① isotonic normal saline (N/S) or lactated Ringer's solution
  ② mineralocorticoid 결핍시 (주로 aldosterone) ⇨ sodium balance 유지, aldosterone 보충

* *Diuretics-induced hyponatremia* ; m/c 원인, 대부분 thiazide diuretics, 대개 1~2주 뒤 발생
- distal tubule에서 소변 희석 방해 & Na^+ 배설↑ → ECFV↓ → AVP↑ → water retention
  (↳ 증가된 Na^+가 collecting duct에서 재흡수되면서 K^+ 분비↑(hypokalemia) → 갈증 유발 → 수분 섭취↑)
- hypokalemia 심하면 transcellular ion exchange (K^+가 세포 밖으로 나오고, Na^+이 세포내로 들어감)
- 치료 ; 이뇨제 중단, hypokalemia시 K^+ 보충

(3) Euvolemic (type III) hypotonic hyponatremia

- 원인 : primary water gain (secondary Na^+ loss) ⋯ 엄밀히는 살짝 hypervolemic 상태임
  ① SIAD가 m/c → 내분비내과 3장 참조!!
  ② hypothyroidism : CO & GFR↓, AVP↑ 때문
  ③ secondary (ACTH-dependent) adrenal insufficiency (aldosterone은 거의 정상임! → euvolemic)
    - cortisol deficiency (→ 직간접적으로 AVP 분비↑)
    - mineralocorticoid deficiency도 관여 가능
- total body water↑, sodium은 별 변화 없음, urine Na^+ >20 mEq/L
  (↔ primary polydipsia, malnutrition 등에서는 urine Na^+ <20, osmolality <100, SG <1.003)
- 치료
  ① CNS Sx.이 있거나 Na^+ 농도가 110 mEq/L 미만일 때 (SIAD에서 증상 발생이 흔함)

  Hypertonic (3% or 5%) saline + Furosemide

  Required Na^+ = (목표 Na − P_{Na}) × 체중(kg) × 0.6 (여자는 0.5)

  - Na^+ 농도 교정 속도 : 0.5~1 mEq/L/hr
    - acute hyponatremia : 2 mEq/L/hr & 24시간 동안 12 mEq/L 이하
    - chronic hyponatremia : 0.5 mEq/L/hr & 24시간 동안 8 mEq/L 이하
  - 첫 48시간에는 Na^+ 130 mEq/L를 넘지 않도록 함
  → 너무 빨리 교정하면 "central pontine myelinolysis" 등의 brain damage 발생 위험
  - furosemide : high AVP level에도 불구하고 free water 배설 촉진
  - 증상이 있거나 심한 hyponatremia에서 isotonic N/S은 금기 (∵ serum Na^+ 오히려 증가)

  ② 증상 없을 때 ; 수분 제한(0.5~1 L/day), isotonic N/S + furosemide, demeclocycline
  ③ vasopressin antagonists (~vaptan) ; 신장에서 free water clearance를 증가시킴
  → SIAD 및 hypervolemic hyponatremia (CHF or LC에 의한)에서 효과적
  ④ underlying dz. 교정

■ Osmotic demyelination syndrome (ODS, ODMS) [과거 central pontine myelinolysis (CPM)]

- severe hyponatremia 환자에서 hyponatremia의 빠른/과잉 교정 **2~6일 이후**에 신경증상 발생 (Na^+ <120 mEq/L, 대부분 ≤105) ↳ 뇌세포의 osmotic **shrinkage** 발생
  - hyponatremia가 급격히(e.g., 몇 시간 이내) 발생했던 경우보다는 서서히 발생했던 경우 호발
  - hyponatremia 기간은 알 수 없는 경우가 많기 때문에 보통 chronic hyponatremia로 가정함
- 임상양상 ; 행동이상, 근력저하, dysarthria, dysphagia, 사지마미(locked-in syndrome), 의식저하
- 진단 : 고위험군에서 hyponatremia가 빨리 교정된 경우 임상적으로 의심
  ① MRI : 증상 발생 수일~수주 뒤 나타남 (초기에는 정상 일 수 있음) → 의심되면 재검
    - T2-weighted 및 FLAIR 영상 ; basal pons의 high-signal density (조영증강×, 대칭적)
    - DWI에서 high-signal density & ADC (apparent diffusion coefficient)에서는 dark
      (↳ diffusion-weighted imaging) → conventional MRI보다 조기 진단 가능
  ② CT (MRI보다는 별로) : pons가 검게 나옴
  ③ 부검 : basal pons의 염증 없는 demyelination (axon과 nerve cells은 상대적으로 보존됨)
- 특별한 치료법이 없으며 사망률 높음(~10%), 예방이 중요(e.g., hyponatremia 서서히 교정)
- 적극적인 대증치료(e.g., oxygenation, serum Na^+ relowering), 일부는 완전 회복도 가능

ODS (osmotic demyelination syndrome) 발생 고위험군
간이식 (간부전에 의한 hyponatremia가 간이식 후 갑자기 교정됨에 따라)
영양실조, 특히 알코올 중독에 의한
Hypokalemia
Thiazide를 복용중인 고령 여성
Hypoxia
이전의 cerebral anoxic injury
Serum Na^+ ≤105 mEq/L
DI 환자가 갑자기 DDAVP 치료 중단

참고: 급성 뇌부종의 고위험군
Thiazide를 복용중인 고령 여성
정신 문제로 인한 polydipsia
수술 후 가임여성, 소아, 마라톤 선수
Hypoxia

HYPERNATREMIA

1. 개요

- 정의 : plasma Na^+ >145 mEq/L
- hyponatremia보다는 드물다
- 지속적인 중증의 hypernatremia는 영아나 의식불명 환자와 같이 갈증을 느끼더라도 스스로 수분 섭취를 못하는 경우나, 드물게는 구갈기전의 장애가 있는 환자에서나 발생
- hypernatremia에 대한 뇌세포의 방어기전
  - 뇌세포 내에서 idiogenic osmoles 합성
  - Na^+와 Cl^-가 뇌세포 내로 이동 → 세포의 탈수 최소화

2. 원인/분류

Hypernatremia의 원인
1. Impaired thirst Coma Primary hypodipsia (hypothalamic osmoreceptors의 손상) Essential hypernatremia
2. Excessive water losses (hypotonic loss) Renal (m/c) ; Central DI, Nephrogenic DI, loop diuretics, osmotic diuresis (e.g., DKA, NKHC, mannitol IV, 고단백식) Extrarenal ; Sweating, osmotic diarrhea, insensible loss 증가 (e.g., 발열, 운동, 더위에 노출, 심한 화상, 기계적 환기)
3. Combined disorders Coma + hypertonic NG feeding
4. Adrenal hyperfunction Cushing's syndrome, primary aldosteronism

① pure water loss (m/c) 예) DI (→ 내분비내과 참조), insensible loss (skin, lung)

② water & Na^+ loss

예) excessive sweating (땀은 염의 농도가 낮으므로), osmotic diarrhea, osmotic diuresis

(c.f., secretory diarrhea에서는 plasma Na^+ 정상 or 감소)

③ Na^+ excess 예) adrenal hyperfunction, Na^+ 과다 섭취 (e.g., $NaHCO_3$ solution IV)

④ thirst mechanism의 장애

3. 임상양상

- thirst, weight loss, tachycardia, hypotension, oliguria
- CNS 이상 소견 (severe hyperosmolality시) ; 정신착란 등 정신장애, 연축, 경련 등 신경근육 자극성 증가, 혼미, 혼수 (∵ 뇌세포의 탈수 때문)

4. 치료

- hypernatremia의 교정은 천천히! → 1 mEq/L/hr (10 mEq/L/day)를 넘지 않도록 한다 (∵ 급격히 교정하는 경우 ECF osmolality 감소로 뇌부종 발생할 수 있음)

$$\text{Water deficit (L)} = \underline{\text{total body water}} \times \frac{[\text{현재 } Na^+] - 140}{140}$$

total body water = [체중 × 0.6 (여자는 0.5)]

- insensible water loss = 10 mL/kg/day도 보충
- central/nephrogenic DI 환자에서는 daily ongoing free water loss도 보충해야 됨

$$C_eH_2O = \frac{UV\ (1 - U_{Na} + U_K)}{P_{Na}}$$

C_eH_2O : electrolyte free water clearance
UV : urine volume

(1) hypovolemic hypernatremia
① severe hypovolemia : 우선 0.9% NS로 신속히 ECF를 보충 (→ 이후 half saline)
② mild hypovolemia : 1/2 (0.45%) saline, 1/4 saline, 5%DW
(2) euvolemic hypernatremia : water drinking or 5%DW
(3) hypervolemic hypernatremia : 5%DW + furosemide (loop diuretics)
(4) central/nephrogenic DI의 추가적 치료 → 내분비내과 참조

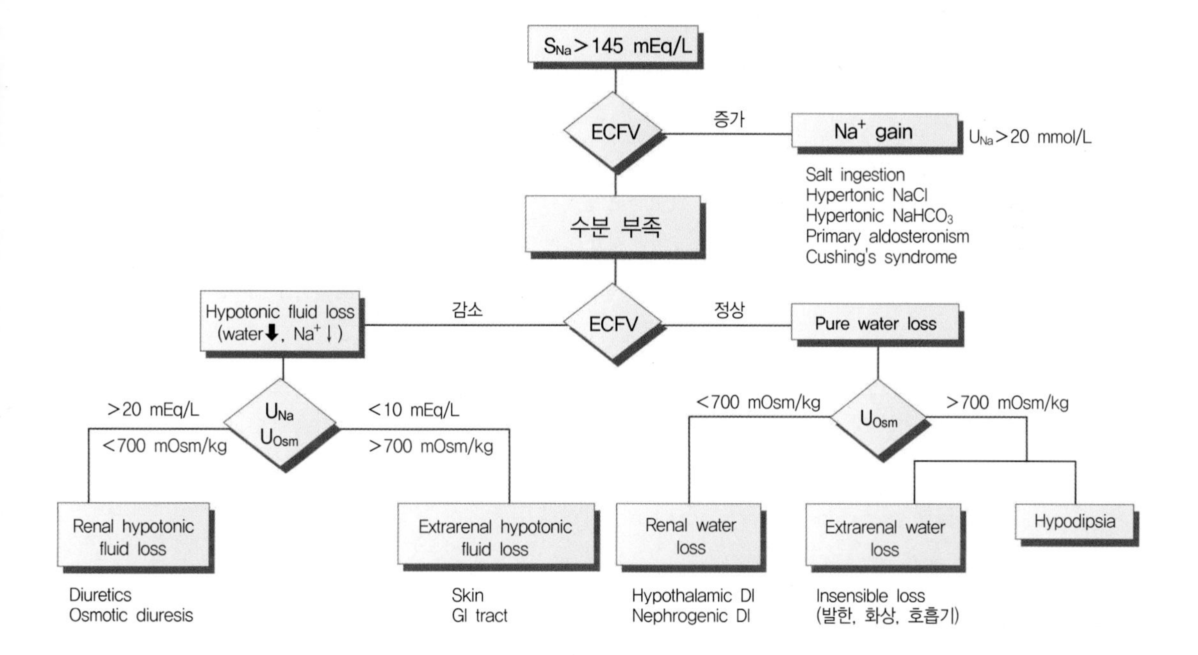

Potassium의 정상 대사

1. Potassium 분포 (세포내 이동)의 조절

: 체내 potassium의 98%는 세포 내(ICF)에 존재함 (주로 근육)

(1) ECF → ICF shifts (ECF의 K^+ 감소) : 주로 세포막의 Na^+-K^+-ATPase에 의해 조절

① insulin (m/i) : 특히 DKA, HHS 환자에게 exogenous insulin 투여시 현저함 (단순 overdose에서는 드묾)

② β_2-agonistic activity ↑ : Na^+-K^+-ATPase 및 Na-K-2Cl (NKCC1) cotransporter 활성화

③ alkalosis (ECF H^+ ↓) : 세포내 H^+가 세포외로 이동 → 대신 ECF의 일부 Na^+와 K^+가 세포내로 이동

- metabolic alkalosis는 다른 흔한 hypokalemia의 원인들에서도 흔하게 동반됨
  (e.g., 이뇨제, 구토, hyperaldosteronism)
- serum K^+가 낮을수록 renal HCO_3^- 재흡수를 촉진하여 metabolic alkalosis 유지에도 중요

④ aldosterone

⑤ blood cells의 갑작스런 증가 : 증가된 세포내로 K^+ shift ↑ (e.g., leukemia)

(2) ICF → ECF shifts (ECF의 K^+ 증가)

① acidosis

pH 변화에 따른 serum K^+의 변화

	△pH	△[K^+] (mEq/L)
Metabolic acidosis		
Mineral (HCl)	↓0.1	↑0.7
Organic (ketoacidosis or lactic acidosis)	↓0.1	0
Respiratory acidosis	↓0.1	↑0.1
Metabolic alkalosis	↑0.1	↓0.3
Respiratory alkalosis	↑0.1	↓0.2

Organic acids에 의한 metabolic acidosis에서는 K^+ 증가하지 않음

Respiratory acidosis/alkalosis의 K^+에의 영향은 미미한 편임

- pH 0.1 감소시 K^+ 0.6~0.7 mEq/L 증가
- pH 0.1 증가시 K^+ 0.2~0.4 mEq/L 감소

② hyperosmolality : water가 세포내에서 ECF로 나와 → cellular shrinkage
→ 세포내 K^+ 농도 ↑ → K^+도 수동적으로 ECF로 나옴
예) hyperglycemia, mannitol, 방사선조영제 투여

③ α-agonist, β-blocker

④ 운동 (α-adrenergic activity ↑), glucagon

2. 신장에서의 K^+ 배설 조절

신장에서 K^+ 배설(분비)을 촉진시키는 요인
Mineralocorticoids 증가 (e.g, aldosterone)
Na^+의 collecting duct로의 운반 증가 (m/i)
Distal tubule로의 fluid flow 증가
Nonreabsorbable solutes의 배설 증가
Metabolic & respiratory alkalosis
Hyperkalemia, loop diuretics, thiazide

* Aldosterone의 작용
① Na^+ channel ↑ → Na^+ 재흡수 ↑
② Na^+-K^+-ATPase 수 & 활성 ↑
③ K^+ channel ↑ → K^+ 배설 ↑

HYPOKALEMIA

1. 정의

: plasma K^+ <3.5 mEq/L

2. 원인

Ⅰ. Deficient (dietary) intake ; 장기간 금식, K^+ 없는 IV fluid

Ⅱ. K^+의 intracellular shift⬆ (redistribution)

1. Insulin
   ; Exogenous insulin (특히 DKA, HHS 환자에서), 급성 포도당 부하, 영양실조 환자에게 탄수화물 과잉공급
2. β-adrenergic activity 증가
   ① 외인성 ; β_2-agonist (기관지확장제, 자궁수축억제제), 종합감기약(e.g., pseudoephedrine, ephedrine), α-antagonist ...
   ↳ ritodrine
   ② 내인성 ; 스트레스, 알코올 금단현상, 두부 손상, AMI, delirium tremens
   ③ Downstream stimulation of Na^+-K^+-ATPase (overdose시) ; theophylline, caffeine
3. Alkalosis (metabolic or respiratory)
4. Blood cells의 갑작스런 증가(e.g., leukemia), 채혈 후 실온에서 오래 방치시
5. Anabolic state ; Vitamin B_{12}, folic acid (→ RBC 생산↑), GM-CSF (→ WBC 생산↑), TPN
6. 기타 ; Hypokalemic periodic paralysis, thyrotoxicosis, 저체온증, barium toxicity, pseudohypokalemia

Ⅲ. Renal loss … chronic hyperkalemia 원인의 대부분!

① Distal flow & distal Na^+ delivery 증가
; 이뇨제 (CAI, loop, thiazide 등), osmotic diuresis, salt-wasting nephropathy

② K^+ 배설 증가

1. Mineralocorticoid 과다
   ① Primary aldosteronism
   ② Secondary aldosteronism ; malignant HTN, renin 분비 종양, reanl artery stenosis, hypovolemia
   ③ Glucocorticoid excess ; Cushing's syndrome, exogenous steroids, ectopic ACTH production
   ④ Licorice, chewing tobacco, carbenoxolone
   ⑤ Congenital adrenal hyperplasia, Bartter's syndrome, Gitelman's syndrome
2. 비흡수성 음이온의 distal delivery 증가
   ; type 2 (proximal) RTA, vomiting, NG suction, leukemia, DKA, penicillin 계열 항생제, glue-sniffing (toluene abuse)
3. 기타 ; classic type 1 distal RTA, Liddle's syndrome, amphotericin B, hypomagnesemia

Ⅳ. GI loss ; 구토, 설사, laxative 남용, villous adenoma, VIPoma, fistulas, ureterosigmoidostomy, NG suction

- acute hypokalemia의 m/c 원인 ; 구토 or 설사
- chronic hypokalemia의 m/c 원인 ; thiazide or loop 이뇨제

- ECF → ICF shift에 의한 경우는 체내 총 K^+ 양에는 변화 없이, acute hypokalemia 발생
- GI fluid loss에 의한 hypokalemia는 사실은 주로 renal K^+ loss 때문
  (∵ volume depletion & metabolic alkalosis → kaliuresis 촉진, aldosterone↑)
- thyrotoxic periodic paralysis (TPP)
  - 20~40세의 동양인 남자환자에서 발생 (thyrotoxicosis의 10%에서)
  - 치료 ; K^+ 투여, thyrotoxicosis의 교정
  - 예방 ; β-blocker (acetazolamide는 도움 안 됨)

- hypokalemic periodic paralysis (HOKPP)
  - 임상양상 ; 주로 사춘기/젊은 남성에서, weakness or paralysis의 반복
  - 원인 ; skeletal muscle calcium or sodium channel의 mutation (임상양상은 비슷함)
    - type Ⅰ (90%) : AD 유전, calcium channel gene (*CACNA1S*) mutation
    - type Ⅱ (10%) : sodium channel gene (*SCN4A*) mutation
  - 유발인자 ; insulin 투여 (특히 DKA 치료시), uncontrolled hyperglycemia, β_2-agonist, 고탄수화물 또는 고염분 식이, 심한 운동 후 휴식중
  - K^+ (oral KCl이 선호됨) ; 급성 치료에 사용, 예방에는 사용 안함!
  - 예방 ; 운동 이후 저탄수화물식, 저염식
    (type Ⅰ → <u>acetazolamide</u>, dichlorphenamide, triamteren, spironolactone)

3. 임상양상

: K^+가 2.5~3.0 mEq/L 이하가 되면 증상 발생

(1) neuromuscular

- <u>muscle weakness (특히 하지의)</u>, fatigue, muscle cramps, 손발저림
- constipation, paralytic ileus
- severe hypokalemia (<2.5 mEq/L) → flaccid paralysis, hyporeflexia (DTR↓), tetany, respiratory paralysis, rhabdomyolysis

(2) cardiac

- arrhythmia : atrial & ventricular premature beat, bradycardia, PSVT, AV block, VT ...
- EKG
  ① low T wave
  ② prominent U wave
  ③ ST depression
  ④ PR prolongation
  ⑤ QRS widening
  ⑥ AV block, cardiac arrest

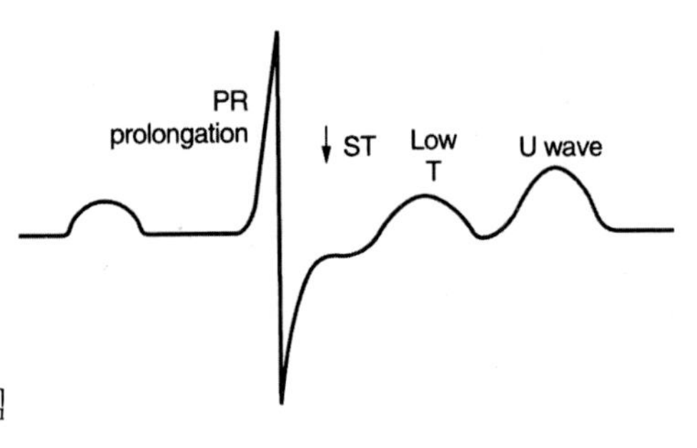

- hypokalemia는 digitalis toxicity를 증가시킴

(3) kidney

- 대부분 가역적 → K^+ replacemnt시 정상화

① 신혈류(RPF)와 GFR 감소
② 뇨 농축능의 저하 (∵ AVP에 대한 반응 저하 때문에) → polyuria, polydipsia
③ NH_3 생성 증가 → metabolic alkalosis (HCO_3^- 재흡수도 증가)
④ Na^+ retention (NaCl 재흡수 증가)
⑤ hypokalemic nephropathy (1개월 이상 지속시) ; 근위세뇨관 상피세포의 vacuolization, interstitial fibrosis, tubular atrophy & dilation, renal cyst 형성

(4) endocrine

; aldosterone 저하, renin 증가, insulin 감소(→ glucose intolerance)

4. 진단 ★

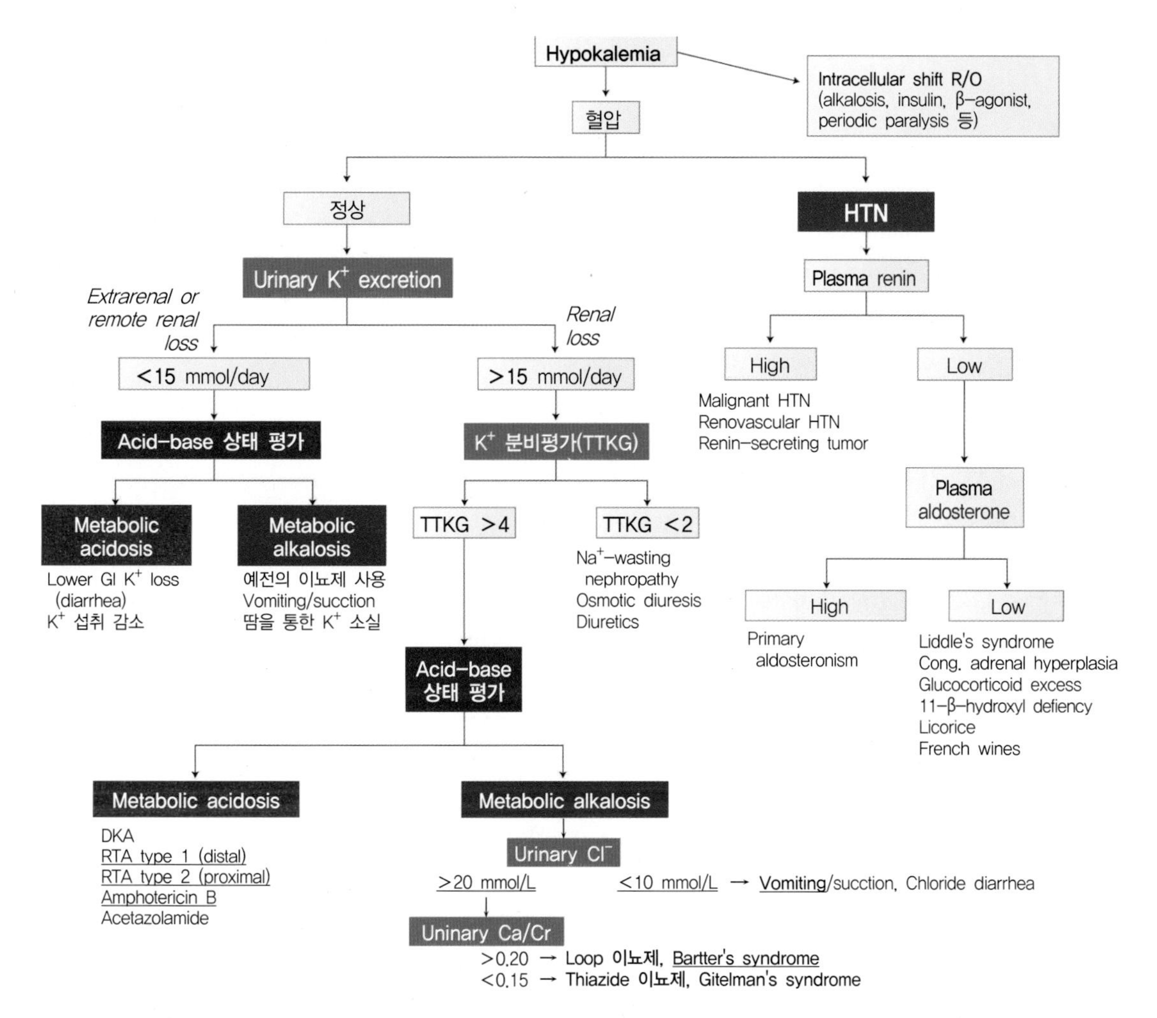

* Hypokalemia의 원인은 우선 병력으로 쉽게 유추됨(e.g., 구토/설사, 혈압, 약물, 가족력 등)

■ TTKG (transtubular K^+ concentration gradient)

- 정의 = $\dfrac{\text{cortical collecting duct (CCD) 내의 } K^+ \text{ 농도}}{\text{peritubular capillaries (plasma) 내의 } K^+ \text{ 농도}}$

$$TTKG = \frac{U_K/P_K}{U_{osm}/P_{osm}} = \frac{U_K \times P_{osm}}{P_K \times U_{osm}}$$

⇨ >4 : distal tubular K^+ secretion 증가에 의한 renal K^+ loss를 의미

- TTKG 사용에 있어서의 가정

  ① medullary collecting duct (MCD)에서는 solutes의 재흡수가 안 일어남

  ② MCD에서는 K^+가 분비되거나 재흡수되지 않는다

  ③ terminal CCD의 osmolality를 안다

- TTKG를 임상적으로 사용하기 어려운 경우
  ① 요 삼투질 농도가 혈장 삼투질 농도보다 낮은 경우
  ② distal nephron에서 K^+가 평형에 도달할 시간 여유가 없는 경우 (i.e., 요량이 너무 많은 경우)

5. 치료

(1) chronic hypokalemia, 응급상태가 아닌 경우 (EKG 정상, K^+ >2.5 mEq/L)
  → oral potassium replacement (e.g., KCl tablet, 오렌지쥬스)

(2) IV potassium (KCl)
- 적응증
  ① cardiac or neuromuscular dysfunction (응급상태)
  ② arrhythmia, digitalis toxicity
  ③ severe hypokalemia (<2.0 mEq/L)
  ④ 경구로 섭취가 불가능할 때
  ⑤ DKA의 회복기
- 투여 용량
  ┌ 속도 20 mEq/hr 이하 (예외 ; ventricular arrhythmia, paralysis)
  │ 농도 40 mEq/L 이하 (central vein은 60 mEq/L 이하)
  └ 하루 200 mEq 이하
  - severe deficiency인 경우 40 mEq/hr까지 줄 수도 있으나, 이 경우는 EKG, serum K^+, 요량, pH 등을 close monitoring 해야 됨
- 반드시 normal (isotonic) saline으로 희석하여 주입 (∵ dextrose solution은 초기에 insulin에 의한 K^+의 세포내 이동으로 hypokalemia를 악화시킬 수 있음)
- 심한 조직손상 (e.g., surgical stress or trauma) 환자의 첫 24시간 내 및 oliguria 환자에는 투여하지 않는 것이 좋다

* K^+ replacement에도 반응이 없는 경우는 <u>magnesium deficiency</u>를 고려!
- magnesium deficiency가 hypokalemia를 일으키는 기전
  ① 근육의 Na^+,K^+-ATPase activity 억제 → K^+ influx↓ → 2ndary kaliuresis
  ② distal nephron에서 ROMK channels 억제↓ → K^+ efflux (배설)↑
    (distal nephron 세포내 Mg^{2+} : apical membrane의 <u>ROMK</u>에 결합하여 K^+ efflux 억제)
    [renal outer medullary potassium channel]
- hypokalemia 환자는 magnesium deficiency 동반이 흔함
  (∵ distal nephron 장애의 다수에서 K^+ & Mg^{2+} wasting이 모두 발생)

HYPERKALEMIA

1. 정의

: plasma K^+ >5.5 mEq/L

2. 원인

Ⅰ. K^+의 extracellular shift

조직손상 ; 근육압박, rhabdomyolysis, 외상, 화상, 운동, TLS, 대량 수혈, 용혈, 내부 출혈 ...
Drugs ; succinylcholine, lysine, arginine, EACA, digitalis, fluoride 중독, β-blocker
Acidosis (특히 inorganic acids)
Hyperosmolality ; hyperglycemia, mannitol 투여, 방사선 조영제 사용
Insulin deficiency
Hyperkalemic periodic paralysis (추위, 감염, 금식, 운동, 전신마취 등에 의해 유발)

Ⅱ. Inadequate K^+ excretion

Distal flow 감소 ; GFR 감소 (AKI, CKD), 유효순환혈장량 감소 (CHF, LC)
RAA axis 억제 ; ACEi, ARB, renin inhibitor (aliskiren) → 병용시 위험 더욱 증가
Aldosterone antagonist (spironolactone, eplerenone, drospirenone)
ENaC blocker (amiloride, triamterene, trimethoprim, pentamidine)
Primary adrenal insufficiency ; Addison' s dz., HIV, CMV, TB, heparin, LMWH
Hyporeninemic hypoaldosteronism ; tubulointerstitial diseases, DM, NSAIDs, COX-2 inhibitor, β-blocker, cyclosporine, tacrolimus, pseudohypoaldosteronism type II
Renal resistance to mineralocorticoid
Tubulointerstitial disease ; SLE, amyloidosis, sickle cell anemia, obstructive uropathy
Pseudohypoaldosteronism type I (mineralocorticoid receptor or ENaC의 결함)
Type 4 RTA ; DM, tubulointerstitial disease
Cl^- 재흡수 증가 (chloride shunt) ; Gordon's syndrome, cyclosporine

Ⅲ. Excessive K^+ intake

High K^+ diet, K^+ supplements
K^+ 농도가 높은 수액의 사용 (e.g., TPN)

Ⅳ. Pseudohyperkalemia (artifact) ★

검체의 용혈(hemolysis) : 적혈구 내 K^+가 빠져나옴
채혈시 과다 운동/clenching : 근육세포에서 K^+가 빠져나옴
→ 채혈시 주의, 압박대(tourniquet) 없이 채혈 or 1~2분 이하로

채혈 후 검사까지 시간 지연
Erythrocytosis (e.g., PV)
Thrombocytosis (e.g., ET)
Leukocytosis (e.g., leukemia)
→ Plasma로 재검하면 serum에서보다 낮게 나옴* or blood gas analyzer로 재검(whole blood)

Cell fragility ↑ (e.g., CLL에서 smudge cells ↑)
K^+를 포함한 항응고제 사용 (e.g., K-EDTA)
IV fluid contamination
Familial pseudohyperkalemia (드묾) ; hereditary stomatocytosis, hereditary xerocytosis
↳ red cell anion exchanger (AE1, *SLC4A1* gene) mutations에 의한 적혈구막 투과성 변화로 hemolytic anemia, extracellular K^+ leak 등 발생 가능

*보통 전해질검사는 serum에서 시행됨 : 항응고제가 없는 tube에 채혈 → 응고가 일어난 뒤 serum 분리 → serum 분리 전까지의 시간 동안 세포 파괴 or 세포 내 K^+이 빠져나옴(특히 혈소판에서 심함)

- acute hyperkalemia의 m/c 원인 ; renal failure, acidosis
- chronic hyperkalemia의 m/c 원인 ; 신장에서 K^+ 분비를 감소시키는 약물, renal tubular disorder

3. 임상양상

- 대개 6.5 mEq/L 이상에서 증상 발생
- cardiac arrhythmia (m/i) → EKG 시행!
- ascending muscular weakness → flaccid quadriplegia, respiratory paralysis
- sensory와 cranial nerve는 정상
- 말초혈관저항↓ → 저혈압

* EKG

① peaked T wave
② PR prolongation, bradycardia
③ P wave 낮아지면서 소실
④ QRS widening
⑤ sine wave (biphasic QRS-T complexes)
⑥ ventricular fibrillation & asystole

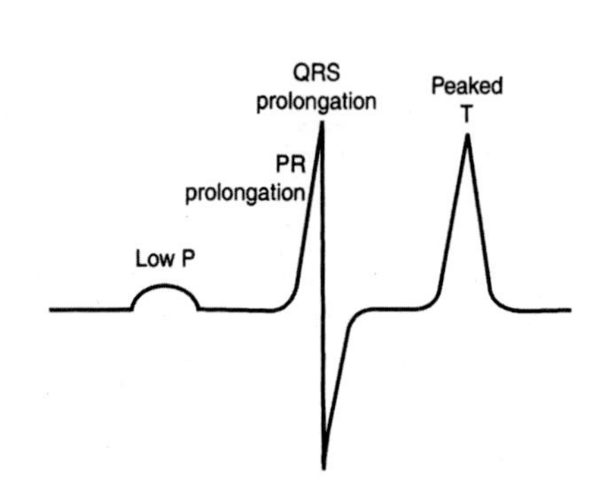

4. 진단

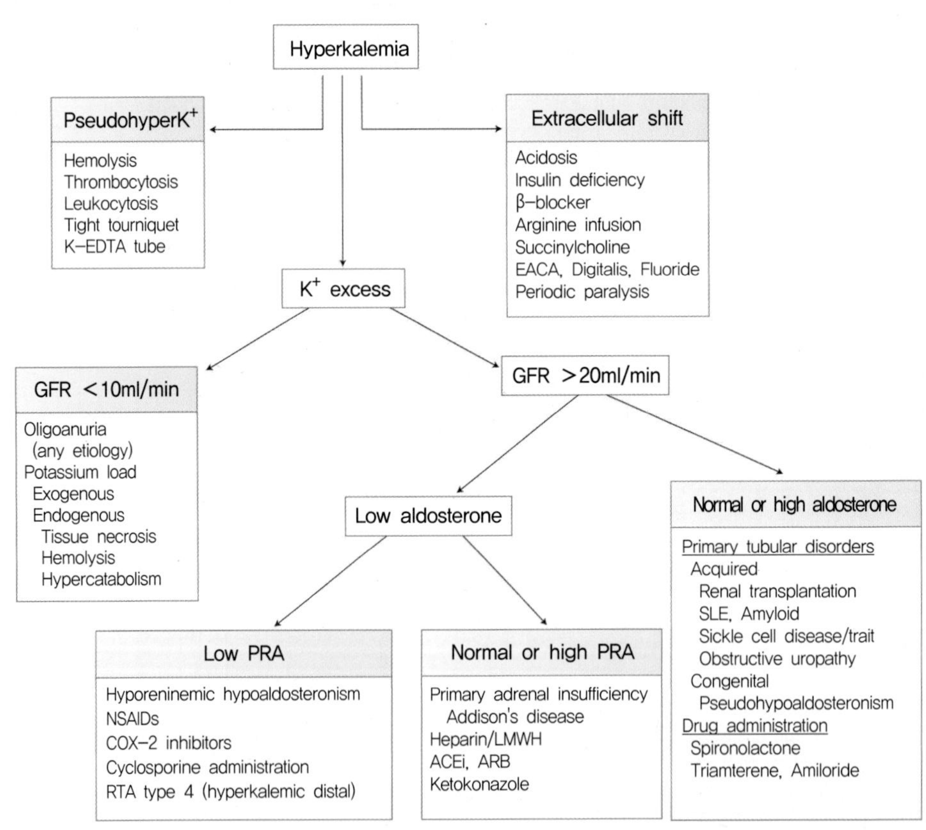

- pseudohyperkalemia가 비교적 흔하므로, 임상적으로 hyperkalemia가 의심되지 않으면 우선은 재검 (e.g., 용혈 방지를 위해 조심스럽게 채혈, serum 대신 plasma or blood gas analyzer로 재검)

- 신장의 K^+ 배설 장애시 (urine K^+ <40 mEq/day) → urine electrolytes 검사
- urine Na^+ <25 mEq/L ⇨ distal Na^+ delivery 감소가 원인
  → 0.9% NS로 volume replacement or furosemide로 치료
- TTKG 계산 (→ hypokalemia 부분 참조)
  - TTKG >8 ⇨ distal/tubular flow 감소 ; 말기 신부전(GFR ≤20), 유효순환혈장량 감소
  - TTKG <5 ⇨ distal K^+ 분비 감소
    → mineralocorticoid (e.g., 9α-fludrocortisone) 투여에 대한 신장의 K^+ 배설 반응 평가
      - TTKG ≥8 (K^+ 배설 증가) ⇨ hypoaldosteronism → renin (PRA), aldosterone 측정
      - TTKG <8 (K^+ 배설 안됨) ⇨ tubular (aldosterone) resistant hyperkalemia
        - distal Na^+ 재흡수의 장애 (→ salt wasting, hypotension, renin↑, aldosterone↑)
          ; pseudohypoaldosteronism, K^+-sparing diuretics, trimethoprime, pentamidine
        - distal Cl^- 재흡수 증가 (Cl^- shunt) (→ volume↑(HTN), renin↓, aldosterone↓)
          ; Gordon's syndrome, cyclosporine, distal (type 4) RTA

* aldosterone 감소에 의한 hyperkalemia는 대부분 mild (섭취 증가, 신부전, extracellular shift, K^+ 배설억제 약물 등과 동반되어야 severe hyperkalemia 발생)

5. 치료

: 혈중 K^+ (P_K) 6 이상이면 치료 시작, 7 이상이면 치명적이므로 즉시 응급치료 시행

(1) 급성기 치료 (emergency Tx)

종류	작용기전	Onset	Duration	용법
Calcium gluconate*	세포막에 대한 K^+ 작용을 antagonize (심장전도이상 방지)	1~2분	30~60분	10% calcium gluconate 용액 10 mL을 2~3분간 정주
Insulin + glucose	K^+의 세포 내로의 이동 촉진	10~20분 (peak 30~60분)	4~6시간	RI 10~20 units IV + 50% glucose 25~50 g IV
Albuterol (β_2-agonist)	K^+의 세포 내로의 이동 촉진	30분 (peak 90분)	2~6시간	Nebulized albuterol 10~20 mg in 4 mL N/S, 10분 이상 inhalation
Bicarbonate	K^+의 세포 내로의 이동 촉진	몇 시간	주입 시간	$NaHCO_3$ 150 mEq in 1 L 5% DW 2~4시간 동안 IV

- 실제 체내에서 제거되는 K^+ 양은 없음, 여러 치료법을 병용하면 P_K 감소에 더 효과적!
- calcium gluconate
  - 적응 : 저혈압, 심전도 변화 → 혈압이 안정되고 QRS widening이 없어질 때까지 투여
  - bicarbonate와 같은 line으로 투여하면 calcium carbonate 침착 발생 위험 (→ 다른 line으로)
  - digoxin의 심장독성을 악화시키므로 digoxin 복용 중인 환자는 20~30분에 걸쳐 서서히 정주
- β_2-agonist : ESRD 환자의 ~20%에서는 효과 없음 (→ 반드시 insulin과 병용)
- bicarbonate
  - 장시간 (4~6시간) 주입해야 P_K 감소 효과 → 급성기 치료로 단독으로는 사용 금기
  - metabolic acidosis에서 유용 → CKD 환자는 serum HCO_3^-를 거의 정상으로 유지하면 좋음
  - 투석 받는 신부전 환자에서는 짧은 시간 주입하면 효과 없음

(2) 만성기 치료 : K^+를 체외로 제거

종류	작용기전	Duration	용법	체내에서 제거되는 K^+ 양
Loop diuretics (± thiazide) (신기능이 정상일 때)	Renal K^+ excretion 증가	2~3시간 (onset 15분)	Furosemide, 40~160 mg IV or orally with/without $NaHCO_3$ 0.5~3 mEq/kg/day	Variable
Cation-exchange resin: Sodium polystyrene sulfonate (SPS)	Ion exchange resin이 K^+에 결합 → 대장에서 K^+ excretion 증가	1~3시간 (onset >2시간) (peak ~14시간)	Oral: 15~30 g in 33% sorbitol (50~100 mL) Rectal: 50 g in 33% sorbitol	약 0.1 mEq/g
Hemodialysis (가장 빠르고 효과적)	Extracorporeal K^+ removal	48시간	Blood flow ≥200~300 mL/min Dialysate $[K^+]$ = 0	200~300 mEq
Peritoneal dialysis	Peritoneal K^+ removal	48시간	Fast exchange, 3~4 L/h	200~300 mEq

- emergency Tx.만 하면 K^+가 ECF로 재분포되므로 K^+를 체외로 제거하는 치료도 병행해야 됨
- sodium polystyrene sulfonate in sorbitol (SPS, Kayexalate®) : 장관 내에서 Na^+을 K^+로 교환함
  - 신기능 저하 and/or RAAS inhibitors 사용 환자에서 유용
  - intestinal necrosis 부작용이 가장 문제 … 고위험군 ; 수술, ileus, 장폐쇄, 장염, IBD, opiates
  - calcium polystyrene sulfonate (Kalimate®) : serum Na^+ 증가가 없어 염분제한 환자에서 유용
- 새로운 GI cation exchangers (intestinal potassium binders) : SPS보다 부작용 적어 선호됨
  - patiromer (Veltassa®) : 대장에서 Ca^{2+}를 K^+로 교환함
  - sodium zirconium cyclosilicate (ZS-9) : 장관 내에서 Na^+ & H^+를 K^+ & NH_4^+로 교환함
- 혈액투석 : 내과적 치료에 반응이 없거나, 투석이 필요한 신부전 환자에서 시행
- 복막투석 : 혈액투석보다 K^+ 제거 속도가 매우 느리므로, severe hyperkalemia에서는 사용×
- 기타 ; K^+ 섭취 제한, K^+ 배설 억제 약물 중단(e.g., NSAIDs), RAAS inhibitors 용량↓ 등

기타 전해질 장애

Hypercalcemia의 원인
1. 섭취 or 흡수의 증가 Milk-alkali syndrome Vitamin D or vitamin A excess
2. 내분비질환 Primary hyperparathyroidism (adenoma, hyperplasia, carcinoma) Secondary hyperparathyoidism (renal insufficiency, malabsorption) Acromegaly Adrenal insufficiency
3. 종양 (보통 primary hyperparathyroidism보다 심함) PTH-related proteins을 분비하는 종양 (ovary, kidney, lung) Bone metastasis (local osteolysis) Lymphoproliferative disease (multiple myeloma 포함) Prostaglandins과 osteolytic factors 분비
4. 기타 Thiazide, Sarcoidosis, Paget's disease of bone Hypophosphatasia Immobilization Familial hypocalciuric hypercalcemia Renal transplantation의 Cx Iatrogenic

→ 내분비내과 5장, 혈액종양내과 15장 참조

Hypocalcemia의 원인
1. 섭취 or 흡수의 감소 Malabsorption Small bowel bypass, short bowel Vitamin D 결핍 (흡수 감소, 25-hydroxyvitamin D or 1,25-dihydroxyvitamin D의 생성 감소
2. 소실 증가 Alcoholism Chronic renal insufficiency Diuretics (furosemide, bumetanide)
3. 내분비질환 Hypoparathyroidism (genetic, acquired; including hypomagnesemia) Pseudohypoparathyroidism Medullary carcinoma of the thyroid에서 calcitonin 분비
4. 급성 췌장염
5. 생리적인 원인 Alkalosis Serum albumin 감소와 관련되어 Vitamin D에 대한 end-organ response 감소 Hyperphosphatemia ; tumor lysis, rhabdomyolysis, AKI ... Aminoglycoside antibiotics, mithramycin, plicamycin, loop diuretics, foscarnet, calcitonin

→ 내분비내과 5장 참조

Hypomagnesemia

1. 개요

- Mg^{2+} (hidden ion) ; K^+, Ca^{2+} 때문에 그 중요성이 간과되나, ICF의 2nd m/c 양이온임
  - total body Mg은 약 25 g (15 mmol/kg) → 약 60%는 뼈에 존재, 나머지 대부분은 ICF에 존재
  - 약 1% 만 ECF에 존재 → serum Mg 1.7~2.4 mg/dL = 0.7~1.0 mmol/L, 1.5~2.0 mEq/L
    (c.f., Mg의 원자량은 24.3이므로 1 mmol = 2 mEq = 2.4 mg)
- 섭취량은 약 140~360 mg/day, 30~40%가 흡수됨 (주로 소장에서)
  - 거의 모든 음식에 존재 → Mg deficiency는 대개 기저질환의 존재를 시사함
  - vitamin D → Mg의 흡수를 촉진 (~70%까지)
- 신장 ; serum Mg level 조절에 m/i, 대략 흡수되는 양 만큼 배설됨 : ~100 mg/day (4 mmol/day)
  - 여과된 Mg의 95~97%가 재흡수됨 (20%는 PT에서, 60%는 cTAL에서, 5~10%는 DCT에서)
  - PTH는 cTAL에서 Mg 재흡수 촉진 / hypercalcemia or hypermangnesemia는 Mg 재흡수 억제
- Mg deficiency의 유병률 ; 일반 병동 환자의 10~20%, ICU 입원 환자의 60~65%

* Mg^{2+} 결핍은 Ca^{2+}이나 K^+ 결핍을 동반하는 경우가 많으며 이때 Mg^{2+} 결핍을 치료하지 않으면 hypocalcemia나 hypokalemia도 교정되지 않는다

┌ hypermagnesemia, severe & prolonged hypomagnesemia → PTH의 분비↓
└ hypomagnesemia → end-organ의 PTH에 대한 반응을 방해함

⇨ hypocalcemia

2. 원인

1. 섭취 or 흡수의 감소 (m/c)
장기간 금식, 영양실조, 알코올중독 (alcoholics의 30%에서 발생)
흡수장애(지방변), 급성 췌장염, 만성구토/설사, 완하제(laxative) 남용
Prolonged GI suction, Small bowel bypass, Inadequate parenteral nutrition (Mg^{2+} content↓)
Vitamin D 결핍, PPIs, Intestinal hypomagnesemia with secondary hypocalcemia (*TRPM6* mutation)

2. Renal loss 증가
Inherited Hypomagnesemia ; Gitelman's syndrome, Bartter's syndrome,
Familial hypomagnesemia with hypercalciuria and nephrocalcinosis (*FHHNC*, claudin-16 or 19 mutation),
AD isolated hypomagnesemia (*FXYD2* mutation), AR isolated hypomagnesemia (*EGF* mutation),
Renal malformations and early-onset DM (HNF1-beta mutation) ...
후천성 세뇨관장애 ; TID, ATN의 회복기(diuretic phase), Postobstructive diuresis, 신장이식
Hyperaldosteronism, Hyperparathyroidism, Hyperthyroidism, SIAD
Hypercalcemia, Phosphate depletion, Chronic metabolic acidosis,
Volume expansion, Uncontrolled DM, 알코올중독
약물 ; 이뇨제(loop, thiazide), AG, amphotericin B, cisplatin, cyclosporine, ethanol, foscarnet, pentamidine,
EGF receptor Ab (cetuximab, panitumumab, matuzumab) ...

3. 기타
Intracellular redistribution ; DKA 회복기, Insulin therapy & refeeding, Catecholamines,
Respiratory acidosis의 교정
Bone formation 가속 ; Postparathyroidectomy (hungry bone syndrome), Vitamin D 결핍의 치료,
Osteoblastic metastasis
대량수혈, 임신(3기)/수유, Acute intermittent porphyria ...

3. 증상/진단

- 대부분 무증상, serum Mg <1.2 mg/dL (1 mEq/L) 때부터 증상 발생
- 전해질 이상 ; refractory hypokalemia (40%), refractory hypocalcemia (22%), hypophosphatemia (30%), hyponatremia (27%)
  (hypokalemia, hypocalcemia – 동반되어 있거나, Mg def.의 결과로 발생)
- 심장 증상 ; arrhythmia, digitalis toxicity↑, Torsades de pointes
- muscle weakness
- 신경증상 ; (+) Chvostek & Trousseau sign, tremor, fasciculations, tetany ...
- 진단 ; serum Mg level, 24hr urine Mg excretion, fractional excretin of Mg (FE_{Mg}), parenteral Mg loading test ...

4. 치료

- mild, asymptomatic ⇨ oral magnesium salts ($MgCl_2$, MgO, $Mg[OH]_2$), 설사 발생에 주의
- severe or symptomatic (<1 mEq/L) ⇨ IV로 투여, 50 mmol/day (100 mEq Mg^{2+}/day)
  - $MgCl_2$ (염화마그네슘)이 선호됨, 신기능 저하시에는 infusion rate 50~75% 낮춤
  - $MgSO_4$ (황산마그네슘) : sulfate anions이 Ca과 결합하여 hypocalcemia 악화 위험
- potassium, calcium, phosphate 등의 결핍 동반 여부도 반드시 확인하여 교정해야 됨
- vitamin D 결핍의 동반도 흔함 → vitamin D or 25(OH)D 보충
  (1,25$(OH)_2$D는 PTH를 억제하여 세뇨관에서 Mg의 재흡수를 방해할 수 있으므로 안됨)

3
산염기 장애

개요 (분석순서)

1. primary (or main) disorder 결정 (metabolic or respiratory 인지)
   ⇨ blood pH, HCO_3^-, Pco_2 값으로

2. compensatory response의 정도를 계산하여 mixed acid-base disorder의 존재 여부를 확인

Disorder	Primary Defect	Compensatory Response	Compensation 정도★	Compensation 한계치
Respiratory				
Acidosis				
Acute	↑ Pco_2	↑ HCO_3^-	$= \Delta Pco_2 \times 0.1$	30 mEq/L
Chronic	↑ Pco_2	↑ HCO_3^-	$= \Delta Pco_2 \times 0.4$	45 mEq/L
Alkalosis				
Acute	↓ Pco_2	↓ HCO_3^-	$= \Delta Pco_2 \times 0.2$	17~18 mEq/L
Chronic	↓ Pco_2	↓ HCO_3^-	$= \Delta Pco_2 \times 0.5$	12~15 mEq/L
Metabolic				
Acidosis	↓ HCO_3^-	↓ Pco_2	$= \Delta HCO_3^- \times 1.3$ or $(1.5 \times HCO_3^-) + 8$	10 mmHg
Alkalosis	↑ HCO_3^-	↑ Pco_2	$= \Delta HCO_3^- \times 0.7$	55 mmHg

3. **음이온차**(anion gap, AG) 계산 (→ high-AG, normal-AG acidosis의 흔한 원인 확인)
   - high-AG MA ; ketoacidosis, lactic acidosis, renal failure, toxins
   - normal-AG MA ; 위장관을 통한 bicarbonate loss, RTA

4. high-AG MA ⇨ 중탄산염 감소량과 AG 증가량 비교 ($\Delta AG/\Delta HCO_3^-$), Osmolar gap 계산
   ① $\Delta AG/\Delta HCO_3^-$ 1~2 → simple high-AG metabolic acidosis (MA)
   ② $\Delta AG/\Delta HCO_3^-$ >2 (HCO_3^-가 덜 감소됨) → metabolic alkalosis (or respiratory acidosis)도 동반
   ③ $\Delta AG/\Delta HCO_3^-$ <1 (HCO_3^-가 더 감소됨) → normal-AG acidosis (or respiratory alkalosis)도 동반

5. 환자의 임상양상과 비교하여 확인

ABGA 정상치 : pH 7.36~7.44, PaO_2 80~100, $PaCO_2$ 35~45 (40), $[HCO_3^-]$ 21~28 (24) mEq/L

생리적 영역에서의 arterial pH와 H^+ 농도의 관계

pH	$[H^+]$, nmol/L	pH	$[H^+]$, nmol/L
7.8	16	7.3	50
7.7	20	7.2	63
7.6	26	7.1	80
7.5	32	7.0	100
7.4	40	6.9	125
		6.8	160

pH = $-\log 10[H^+]$
↳ power of hydrogen

*Henderson-Hasselbalch equation

$$pH = 6.1 + \log \frac{[HCO_3^-]}{[H_2CO_3]}$$

↳ $0.03 \times pCO_2$

$$[HCO_3^-] = 24 \times \frac{PaCO_2}{[H^+]}, \quad [H^+] = 24 \times \frac{PaCO_2}{[HCO_3^-]}$$

H_2O + CO_2 ↔ H_2CO_3 ↔ H^+ + HCO_3^-
이산화탄소 탄산(carbonic acid) 중탄산염(bicarbonate)

* arterial pH는 혈액내 CO_2:HCO_3^- 상대적 비율의 영향을 받음 (HCO_3^-는 m/i ECF buffer)
  - 당과 지방을 분해하는 과정에서 CO_2가 생성됨, 단백질 대사는 다양한 산들을 생성함
  - 폐포호흡 : 체내에서 만들어진 CO_2의 대부분을 배출하는 역할
  - 신장 : 소변으로 H^+를 배출하고 HCO_3^-를 재흡수하는 역할 (주로 근위세뇨관에서)

c.f.) • ABGA 검사 : pH, pCO_2, pO_2를 직접 측정하고 $[HCO_3^-]$, base excess는 기계에서 계산됨
• total CO_2 content : 정맥혈에서 대개 전해질 검사기계(ISE)로 측정함
= HCO_3^- (94%), dissolved CO_2 (5%), carbonic acid, carbonic ion, 단백에 결합된 CO_2 등을 모두 포함 → 대략 tCO_2 ≒ HCO_3^-라고 보면 됨

대사성 산증 (Metabolic acidosis)

- 혈중 HCO_3^-의 감소와 H^+의 증가로 acidemia가 발생한 상태
- 보상성 과호흡으로 $PaCO_2$는 감소됨

1. 병태생리

(1) acid load에 대한 신체의 반응

① 체액(ECF)에서 HCO_3^-에 의한 완충작용
② 세포내 완충작용 : H^+가 세포내로 이동
→ H^+-K^+ exchange 기전에 의해 K^+는 세포외로 이동 (plasma K^+↑)
③ 신장의 작용 (urine acidification) : NH_3 생산을 증가시켜 H^+를 배설 (NH_4Cl의 형태로) → HCO_3^- 재생산 (H^+ 하나의 배설은 HCO_3^- 하나의 생산과 같다)
④ 호흡성 보상작용 (hyperventilation) → Pco_2↓

(2) **혈장 음이온차(anion gap, AG)** ··· metabolic acidosis 감별의 first step!!

• Na^+ + unmeasured cation = HCO_3^- + Cl^- + unmeasured anion

$$\text{Anion Gap} = \text{unmeasured anion} - \text{unmeasured cation} = [Na^+] - ([HCO_3^-] + [Cl^-])$$

• 정상치 : 8~12 mEq/L (mmol/L) 검사실 및 개인별로 다를 수 있음

↳ 현재 ISE 기법으로는 Cl^-가 과거보다 높게 측정되므로 3~10 mEq/L (평균 6 mEq/L)

unmeasured anions : (−)charged albumin, phosphate, sulfate, lactate 및 그 외의 organic acids
unmeasured cations : Ca^{2+}, Mg^{2+}, K^+, globulin

① high AG acidosis (= normochloremic metabolic acidosis) : HCO_3^- ↓, Cl^- 정상

• 대개 다량의 organic acids가 첨가되거나 생산이 증가 되어 발생
(organic acid의 H^+는 HCO_3^-와 결합하여 제거됨)
⇨ unmeasured anion 증가 ⇨ AG 증가 (AG이 증가된 만큼 HCO_3^- 감소가 있는 것이 보통)
예) severe renal failure → organic acids의 배설 장애
DKA → ketone bodies (acetoacetate, β-hydroxybutyrate) 생성

• 드물게 unmeasured cations (e.g, Ca^{2+}, Mg^{2+}, K^+)의 감소, albumin의 증가 때도 발생

* serum osmolar gap (= measured osm. − calculated osm.) [정상 10~15 mOsm/kg]

$$\text{Calculated osmolality} = 2 \times [Na^+] + \frac{glucose}{18} + \frac{BUN}{2.8}$$

- ≥20 증가시 unmeasured, osmotically active substance 증가를 의미 (대개 intoxication)
; ethanol, methanol, ethylene glycol, propylene glycol, mannitol, 조영제 등
- DKA, lactic acidosis, renal failure에서도 약간은 증가 가능
- isopropyl alcohol : osmolar gap은 증가하지만, 보통 high-AG acidosis은 안 일으킴

② normal AG acidosis (= hyperchloremic metabolic acidosis) : HCO_3^- ↓, Cl^- ↑ ··· 더 흔하다!

(a) alkali loss 예) GI HCO_3^- loss (diarrhea)
(∵ 소장과 췌장의 분비액은 다량의 HCO_3^- 를 함유)
→ HCO_3^--Cl^- exchange 기전에 의해 감소된 HCO_3^- 만큼 Cl^- 증가

(b) 신장의 urine acidification 장애 예) RTA
→ 신장에서 HCO_3^-가 소실되어도, Cl^- 흡수가 촉진 → 10장 RTA 부분 참조!

(c) dilutional acidosis : isotonic (0.9%) saline을 급속히 투여하면 Cl^- 농도 증가와
HCO_3^- 농도 감소에 의해, mild hyperchloremic acidosis 발생

③ **AG이 감소하는 경우**

(a) unmeasured cations 증가 (e.g., hypercalcemia, hypermagnesemia)
(b) abnormal cations 증가 (e.g., lithium) or cationic Ig 첨가 (e.g., plasma cell dyscrasia)
(c) albumin 감소 (e.g., NS, 간질환, 영양실조, 흡수장애)
**hypoalbuminemia 환자는 AG을 계산할 때 정상 albumin 농도로 보정해줘야 됨!
⇨ 정상(4.5 g/dL)에서 1 g/dL 감소할 때마다 AG 2.5 mmol/L씩 감소되므로 더해줌
(d) albumin의 (−) charge 감소 (e.g., acidosis)
(e) hyperviscosity, severe hyperlipidemia (→ Na^+, Cl^-이 실제보다 낮게 측정됨: pseudo~)

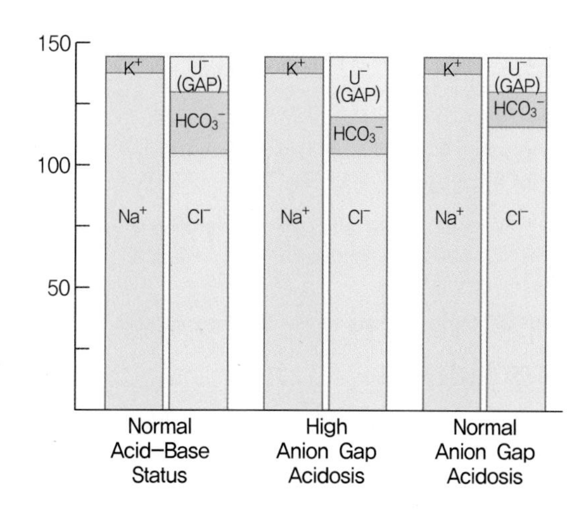

(3) 소변 음이온차(urine anion gap, UAG)

Urine AG = ($[Na^+]$ + $[K^+]$) − $[Cl^-]$

- 신장의 urine acidification (NH_4^+ 배설) 능력을 반영 ($NH_3 + H^+ + Cl^- \rightarrow NH_4Cl$로 배설)
- 정상 : (+) (unmeasured anions > unmeasured cations)
- hyperchloremic metabolic acidosis의 감별 (renal ↔ nonrenal)에 이용 ★
  ↳ UAG이 (+)일수록 신장에서 산H^+ (NH_4^+−Cl^-) 배설이 안 되는 것임
  ① **non-renal** : GI HCO_3^- loss (e.g., diarrhea), urine acidification 능력은 정상
    → metabolic acidosis에 대한 정상 반응으로 NH_4Cl 배설이 증가되었음!
    → urine Cl^- > Na^+ + K^+ → urinary AG (−) : 대개 −30 ~ −50
  ② **renal** : CKD or RTA, NH_4^+ 배설 장애 (inappropriate renal HCO_3^- loss)
    → urinary AG (+) or 0

2. 원인 ★

■ high AG acidosis의 원인 감별진단 순서

① drug/toxin 섭취의 병력, respiratory alkalosis (∵ salicylates) 동반여부 파악
② osmolar gap도 증가된 경우 → ethanol, methanol, ethylene glycol, propylene glycol
③ DM (DKA) R/O ; ketone (+)
④ alcoholism (alcoholic ketoacidosis) R/O ; β-hydroxybutyrate↑
⑤ 신부전 R/O ; uremia의 증상, BUN/Cr 측정
⑥ 소변의 calcium oxalate crystals (+) → ethylene glycol intoxication
⑦ lactate가 증가될 수 있는 원인 파악 (e.g., 심부전, 저혈압, shock, leukemia, cancer, drug/toxin)

ANION GAP 증가 (High-AG MA)
Ⅰ. Acid 생산 증가 Ketoacidosis ; diabetic (DKA), alcoholic, starvation Lactic acidosis (m/c) ; 순환/호흡부전에 이차적으로(∵ hypoxia), 감염, drugs/toxins 등 Intoxication ; salicylates, AAP, ethylene glycol, propylene glycol, methanol, paraldehyde, phenformin, iron, INH, amphetamines, CO, cocaine, toluene, valproic acid ... Ⅱ. 신부전(uremic acidosis) : 신기능 감소가 매우 심한 경우 여러 organic acids의 축적으로 발생 (↔ stage 3~4 CKD [GFR 15~60]에서는 normal-AG acidosis가 발생함) → 5장 참조
ANION GAP 정상 (Normla-AG or Hyperchloremic MA)
Ⅰ. GI bicarbonate 상실 ⇨ urine AG negative Diarrhea Small bowel or external pancreatic drainage Ureterosigmoidostomy, jejunal loop, ileal loop Drugs ; calcium chloride (→ acidifying agent), magnesium sulfate (→ diarrhea), cholestyramine (→ blie acid diarrhea) Ⅱ. Renal tubule의 장애 Type 1 (distal) or 2 (proximal) RTA : hypokalemia 동반 → 10장 참조 Drugs ; amphotericin B, ifosfamide, acetazolamide, topiramate ... Type 4 RTA (hypoaldosteronism) : hyperkalemia 동반 Mineralocorticoid deficiency (e.g., DM) or resistance Distal nephron으로의 Na^+ 운반 감소 Ammonium excretion 장애 Tubulointerstitial dz. Drug-induced hyperkalemia (+ renal insufficiency) K^+-sparing diuretics (e.g., amiloride, spironolactone, triamterene), Cyclosporine, tacrolimus, trimethoprim, pentamidine NSAIDs, ACEi, ARB, renin inhibitor ... Ⅲ. 기타 HCl 생성 ; ammonium chloride, cationic amino acids (lysine HCl, arginine HCl), parenteral hyperalimentation Bicarbonate 소실 ; ketosis with ketone excretion Expansion acidosis ; rapid saline administration Hippurate, Cation exchange resins

■ **Lactic acidosis** ··· m/c high-AG MA

- type A (hypoxic) lactic acidosis (m/c)
  - tissue hypoperfusion (hypoxia)에 의한 L-lactate의 생산 증가 때문
  - lactate : pyruvate > 10 : 1
  - 예 ; hypovolemia, cardiogenic shock (e.g., AMI), pulmonary dz., sepsis, severe anemia, CO or cyanide poisoning (∵ 산소 요구량과 공급의 국소적인 불균형 때문에)
- type B lactic acidosis (metabolic causes) : hypoperfusion이 없이 발생한 경우
  - lactate : pyruvate = 10 : 1
  - 예 ; 악성종양, 알코올중독, 간부전, 신부전, 심한 감염, 심한 운동, DM, AIDS, seizure, drugs (e.g., β-agonist [IV epinephrine], biguanide [metformin], ethanol, methanol, salicylate, isoniazid, nucleoside reverse-transcriptase inhibitors [NRTIs], propofol 등)
- Dx ; plasma lactate (lactic acid) >4 mmol/L (정상치: 0.5~1.5 mmol/L)
  - NaF(적혈구에 의한 glycolysis 억제) tube로 채혈 후 plasma로 검사 (enzymatic colorimetric method)

- 전혈로 blood gas analyzer (POCT)에서도 측정 가능
- Tx ; 기저질환의 빠른 치료가 m/i
  - $NaHCO_3$ 투여 ; 매우 심한 경우에만(pH<7.1) ⇨ pH ~7.2, HCO_3^- ~12 까지만 목표로 함
    ↳ CO_2에 의한 심근기능↓, hypernatremia, fluid overload, HTN, overshoot alkalosis 위험
  - 혈액투석은 tissue hypoperfusion을 악화시킬 수 있으므로 도움 안됨

* D-lactic acid acidosis (드묾)
  - 소장에서 흡수 안 된 탄수화물이 colonic bacteria에 의해 D-lactate로 대사되어 발생
    ↳ jejunoileal bypass, short bowel syndrome, IBD, 장폐쇄 등에서 탄수화물 섭취시
  - 기타 DKA, propylene glycol intoxication 등에도 발생 가능
  - 대부분의 lactate 검사는 L-lactate만 측정하고, D-latate는 특수한 검사가 필요함
    → 대개 high-AG acidosis 및 임상양상으로 진단
  - Tx ; $NaHCO_3$, 경구 항생제, 탄수화물 제한, fluid (Ringer's lactate는 금기)

■ Alcoholic ketoacidosis (AKA)
- ketone의 생성 증가와 다양한 혈당치를 보임 (DM이 없으면서)
- 전형적으로 폭음, 구토, 기아 후에 발생
- Tx ; saline과 glucose 투여로 즉시 호전됨 (5% dextrose in N/S)
  - hypokalemia, hypophosphatemia, hypomagnesemia 등의 동반도 흔하므로 교정
  - hypophosphatemia는 입원 12~24시간 뒤 현저해짐, glucose 투여로 악화될 수 있음
    (→ 심하면 rhabdomyolysis or respiratory arrest 발생 위험)

■ Methanol or ethylene glycol (부동액) intoxication
- toxic alcohol은 주로 그 대사산물인 다양한 organic acids에 의해 독성이 나타남
- Tx ; alcohol dehydrogenase (ADH)를 억제하여 독성 대사물 형성을 방지하는 것이 중요
  - saline, osmotic diuresis, $NaHCO_3$, thiamine & pyridoxine supplements 등
  - fomepizole (4-methylpyrazole) IV : ADH inhibitor
  - ethanol IV : 다른 alcohol보다 ADH 친화력 10배 강함, 혈중 농도 100~200 mg/dL 유지
  - 혈액투석 : pH <7.3 *or* osmolar gap >20 mOsm/kg일 때

■ Propylene glycol intoxication
- 일부 IV drugs 및 화장품의 용매로 사용됨 ; lorazepam [Ativan®], diazepam, phenytoin, pheno/pentobarbital, nitroglycerin, etomidate, enoximone, TMP-SMX 등
- 발생 위험인자 (원인 약물의 지속적인 or 과량 투여)
  ; ICU 입원, CKD, CLD, 알코올 중독, 알코올 금단 치료, 임신
- 간에서 ADH에 의해 lactic acid로 대사됨 → high-AG acidosis (보통 mild), osmolar gap↑
- Tx ; 원인 약물 중단 (반감기가 짧아 금방 회복됨), acidosis 심하면 fomepizole

■ Salicylate (e.g., aspirin) intoxication
- 직접 respiratory center를 자극하기도 함
  → 초기 증상은 respiratory alkalosis (나중에 metabolic acidosis 발생)
- Tx ; gastric lavage, activated charcoal, $NaHCO_3$[탄산수소나트륨] 등

■ **Pyroglutamic acid acidosis (5-oxoprolinemia)**

- AAP 과다 or 만성적인 복용시 발생 가능 (여성, 영양실조, 만성질환자, 중환자, 신기능↓ 등에서)
- chronic glutathione deficiency 때문 (acute AAP overdose와는 다름), osmolar gap은 정상
- Tx ; AAP 중단, $NaHCO_3$, *N*-acetylcysteine

■ **Starvation ketosis**

- relative insulin deficiency & glucose excess → fatty acid mobilization↑
  → 간에서 keto acids로 산화 → mild high-AG metabolic acidosis 발생
- HCO_3^-가 18 mmol/L 이하로 떨어지는 심한 acidosis는 거의 없음
  (∵ ketone body가 췌장에서 insulin 분비 자극 → lipolysis↓)

3. 임상양상

- 호흡곤란, 호흡증가 (∵ 호흡성 보상기전)
- 신경증상 ; 기면, 경련, 혼수 (resp. acidosis에 비해서는 덜 심함)
- chronic acidosis (골 완충계가 H^+를 처리) → osteopenia, 소아에서는 성장장애
- lean body mass 감소, 근위축, 근력저하
- pH 7.0~7.1 이하시 ventricular arrhythmia 발생, 심근 수축력↓

4. Severe acidosis의 부작용

1. 심혈관계 부작용
- 심근 수축력 장애
- 세동맥 확장, 정맥 수축, blood volume의 centralization
- 폐혈관 저항 증가
- CO, 동맥압, 간 및 신혈류 감소
- Re-entry arrhythmia, VF 발생 위험 증가
- Catecholamines에 대한 심혈관계 반응성 약화

2. 호흡기 부작용
- Hyperventilation, 호흡근 약화, 호흡곤란

3. 대사성 부작용
- 대사 요구량 증가
- Insulin resistance
- Anaerobic glycolysis 억제
- Adenosine triphosphate synthesis 감소
- Hyperkalemia
- 단백질 분해 증가

4. CNS 부작용
- Metabolism & cell-volume regulation 억제
- 둔감, 혼수

* hyperkalemia : 주로 inorganic acidosis (i.e., normal-AG acidosis)에서 발생
  - organic acids (e.g., lactic acid)에 의한 산증은 보통 K^+의 변화가 없다
    (예외 ; DKA - insulin 결핍으로 인해 hyperkalemia 발생)

5. 치료

(1) 기저 질환의 치료

(2) acute alkali replacement

- severe acidosis (pH <7.1~7.2 or HCO_3^- <10 mEq/L)일 때 $NaHCO_3$ IV로 투여
- 치료 목표 ; pH 7.2 (정상까지 높이지는 않는다!)
- bicarbonate deficit (투여량) = (목표[HCO_3^-] - 현재[HCO_3^-]) × 체중 × 0.5
  - * 목표[HCO_3^-] = 24×현재[$PaCO_2$]/[H^+], pH 7.2에서의 [H^+]는 63
    → 목표[HCO_3^-] ≒ 0.4×현재[$PaCO_2$] (pH 7.2를 기준으로 [HCO_3^-] 목표를 정함!)
  - * pH가 7.2 이상이면 목표[HCO_3^-]를 그냥 15 mEq/L로 함
- 보통 $NaHCO_3$ 50~100 mEq를 30~45분 동안 투여한 뒤 ABGA 시행 후 재평가
- plasma K^+가 정상이라면, 실제 total body K^+는 부족한 상태임 (∵ acidosis의 보상을 위해 세포내 K^+가 ECF로 나왔기 때문) → acidosis 교정시 반드시 K^+도 보충해 주어야 함!
- metabolizable anion (e.g., β-hydroxybutyrate, acetoacetate, lactate)이 축적된 DKA, lactic acidosis 같은 경우는 기저질환 교정에 따라 anion이 대사되므로 alkali 투여에 신중해야 됨

(3) chronic alkali replacement

- RTA ; oral sodium citrate and/or potassium citrate
  ↳ 빠르게 bicarbonate로 대사됨
- CKD ; uremic acidosis (high-AG) 및 stage 3~4의 normal-AG MA에서 alkali 투여 필요
  - oral sodium bicarbonate ($NaHCO_3$ tablets) or sodium citrate
    c.f.) Shohl's solution (sodium citrate + citrate) : 위장관 가스 형성이 적어 선호됨
  - oral calcium citrate, calcium acetate, or calcium carbonate
    (∵ bone의 calcium carbonate가 산 중화 buffers로 사용되어 bone loss 발생)

대사성 염기증 (Metabolic alkalosis)

* 혈중 HCO_3^-의 증가로 alkalemia가 발생한 상태, 보상성 기전 (호흡 저하)으로 P_{CO_2} 는 증가됨

1. 원인

Saline-Responsive : ECF contraction (U_{Cl} <10~15 mEq/L)	Saline-Unresponsive (U_{Cl} >20 mEq/L)
체내 bicarbonate content 증가 1 GI alkalosis Vomiting or NG suction (HCl 소실) Intestinal alkalosis ; villous adenoma, chloride diarrhea 2 Renal alkalosis Diuretics (distant) : 장기간 투여시 K^+ & H^+ 분비↑ Edematous state Posthypercapnic alkalosis 재흡수가 잘 안되는 anion의 therapy ; carbenicillin, penicillin, sulfate, phosphate 3 Exogenous alkali $NaHCO_3$ (e.g., baking soda) Citrate, lactate, gluconate, acetate → bicarbonate로 대사됨 대량수혈(citrate), antacids, Milk-alkali syndrome *체내 Bicarbonate content 정상* Contraction alkalosis : edematous 환자에서 loop or thiazide diuretics 사용	1 **혈압 정상~↓** (ECFV 감소 가능) Bartter's syndrome, Giltelman's syndrome Magnesium 결핍, 심한 potassium 결핍 Hypercalcemia & hypoparathyroidism 금식 이후 탄수화물 섭취(refeeding alkalosis) Lactic acidosis or ketoacidosis에서 회복 Diuretics (recent) : acutely ECFV↓ (contraction alkalosis) 2 **고혈압 동반** (ECFV 증가) Endogenous mineralocorticoids excess High-renin ; renal artery stenosis, accelerated HTN, renin-secreting tumor, estrogen therapy Low-renin Primary aldosteronism Adrenal enzyme deficiency (11β/17α-hydroxylase) Cushing's syndrome/disease Liddle's syndrome (ENaC mutation, aldosterone은 정상) Exogenous mineralocorticoids ; 감초(licorice), carbenoxolone, 전자담배(smokeless tobacco)

* Vomiting이나 이뇨제(loop, thiazide)에 의한 volume depletion이 m/c 원인임

2. 병태생리

- alkalosis를 발생시키는 원인과, 유지시키는 기전이 필요
- metabolic alkalosis는 urinary Cl^- (saline 반응성, volume status)에 따라 크게 2가지로 분류!
- alkalosis에서는 HCO_3^- 배설 증가에 따라 Na^+의 배설도 증가하므로, extracellular volume status를 아는데 urinary Cl^-가 더 정확 (but, 최근에 diuretics를 사용한 경우에는 volume contraction에도 불구하고 urinary Na^+ & Cl^-↑)

(1) saline-responsive metabolic alkalosis (더 흔함)

- 특징 : volume contraction, hypokalemia, urinary Cl^-↓ (<10~15 mEq/L)
- vomiting or NG suction의 예에서는 위산(HCl)의 소실에 의해 alkalosis가 발생되고, volume contraction (∵ Cl^- loss)에 의해 alkalosis가 유지됨 (∵ 신장에서 Na^+, Cl^-, HCO_3^- 재흡수↑)
  → "paradoxical aciduria" 발생 가능 (∵ aldosterone↑→ distal H^+ secretion↑)
- hypokalemia의 발생기전
  ① distal tubule의 HCO_3^-↑ → lumen 내의 (−) charge↑ → K^+ 배설↑
  ② alkalosis → K^+의 intracellular shift ↑
  ③ volume depletion → secondary aldosteronism
  * K^+ level이 2 mEq/L 이하로 떨어지면 saline unresponsive 해짐 (→ KCl엔 반응)

- chronic hypercapnea (Pco_2↑)시 보상작용으로 HCO_3^- 증가
  → mechanical ventilation등에 의해 Pco_2가 빠르게 감소할 경우 HCO_3^-는 계속 높은 상태로 존재하여 alkalosis 발생 (특히 hypovolemia 동반되어 있는 경우)
- distal nephron으로의 salt delivery 증가 (loop diuretics 사용시)
  → salt를 재흡수하기 위해 H^+ 배설 ↑
  (diuretics는 volume contraction과 K^+ depletion에 의해서도 metabolic alkalosis 일으킴)

(2) saline-unresponsive metabolic alkalosis

- urinary Cl^-↑ (>20 mEq/L)
- severe K^+ depletion (<2 mEq/L)
  : 세포내 H^+ 농도↑ → renal tubular cell 내의 H^+ 농도도↑ → H^+ 분비↑ & HCO_3^- 재흡수↑
- mineralocorticoid excess (HTN, ECFV↑) : distal tubule에서 H^+ 분비↑ → HCO_3^- 재흡수↑

* Milk-alkali syndrome : absorbable alkali (antiacids, milk)의 과도한 섭취
  → hypercalcemia에 의한 renal insufficiency 발생 (GFR↓)
  → HCO_3^- 배설장애 → metabolic alkalosis

3. 증상

- hypovolemia에 의한 증상 (saline-responsive에서)
- hypocalcemia (∵ protein (albumin) charge의 변화로 인한 Ca^{2+} 감소로)
  → Chvosteck's sign, Trousseau's sign, tetany, 감각이상
- hypokalemia → 근육마비, 다뇨, 야뇨증
- 심혈관계 이상 & EKG 이상, 호흡저하 (∵ 호흡성 보상), 기면, 혼돈, 경련

4. 치료

- 원인을 제거하고, alkalosis를 유지하는 기전을 교정
- 치료의 적응 ; severe alkalosis (pH >7.6), 증상 有, 기저 심폐질환 有

(1) saline-responsive metabolic alkalosis

① isotonic saline (+ KCl) : 대개 saline 및 KCl의 투여로 alkalosis 교정됨
   (신장에서 H^+ 배설 억제 및 HCO_3^- 배설 촉진)에 효과적
   - c.f., 링거액의 lactate는 간에서 HCO_3^-로 분해되어 alkalosis 악화 가능
② 신기능 장애시 → dialysis
③ 부종이 있는 경우 → K^+-sparing diuretics (spironolactone),
   심하면 HCl IV or carbonic anhydrase inhibitor (acetazolamide)
④ posthypercapnic → acetazolamide

(2) saline-unresponsive metabolic alkalosis

① mineralocorticoid excess의 원인 제거 (수술 등)
② ACEi (1° hyperreninemia) or spironolactone (1° hyperaldosteronism)
③ pH >7.7 or [H^+] <20 → H^+ 투여 필요 (HCl IV, oral NH_4Cl)

호흡성 산증 (Respiratory acidosis)

1. 원인

Acute	Chronic
Airway obstruction Aspiration of foreign body or vomitus Laryngospasm, Generalized bronchospasm Obstructive sleep apnea	**Airway obstruction** COPD (bronchitis, emphysema)
Respiratory center depression General anesthesia, Sedative overdosage Cerebral trauma or infarction Central sleep apnea	**Respiratory center depression** Chronic sedative overdosage Primary alveolar hypoventilation Obesity-hypoventilation syndrome (Pickwickian syndrome) Brain tumor Bulbar poliomyelitis
Circulatory catastrophes Cardiac arrest, Severe pulmonary edema	
Neuromuscular defects High cervical cordotomy, Botulism, tetanus Guillain-Barré syndrome Myasthenia gravis의 crisis Familial hypokalemic periodic paralysis Hypokalemic myopathy, Polymyositis Drug or toxin (e.g., curare, succinyl choline, aminoglycosides, organophosphorus)	**Neuromuscular defects** Polymyositis Multiple sclerosis Muscular dystrophy Amyotrophic lateral sclerosis Diaphragmatic paralysis Myxedema Myopathic disease
Restrictive defects Pneumothorax, Hemothorrax, ARDS Flail chest, Severe pneumonitis	**Restrictive defects** Kyphoscoliosis Fibrothorax Hydrothorax Interstitial fibrosis Prolonged pneumonitis 횡격막 운동 감소 (예; 복수) 비만
Mechanical hypoventilation	
Increased CO_2 production with fixed minute ventilation High-carbohydrate intake 포함한 TPN Sorbent-regenerative hemodialysis	

- compensation
  - acute : cellular buffering 기전에 의해 HCO_3^- ↑ ($= \Delta Pco_2 \times 0.1$) … 몇 분~시간 이내
  - chronic : 신장의 보상작용에 의해 HCO_3^- ↑ ($= \Delta Pco_2 \times 0.4$) … 3~5일 걸림
    - ↳ HCO_3^- 재흡수 및 H^+ 배설

2. 증상

- $PaCO_2$의 갑작스런 상승 ; 불안, 호흡곤란, 착란, 정신병, 환각, 혼수 ...
- chronic hypercapnia ; 수면장애, 기억장애, 주간 졸림증, 인격변화, 협조장애, 운동장애(tremor, myoclonic jerks asterixis) ...
- IICP 비슷한 증상 ; 두통, 유두부종(papilledema), 비정상 반사, 국소 근력약화 (∵ CO_2의 혈관확장 작용 상실에 따른 혈관수축 때문)
- 신장 ; NH_3 생산 및 H^+ 배설 증가, 근위 세뇨관에서 $NaHCO_3$ 재흡수 증가, NaCl 재흡수는 감소

3. 치료

- 기저질환 치료와 적절한 환기가 중요
  (Pco_2 >65 mmHg → mechanical ventilation 고려)
- chronic respiratory acidosis에서 hypoxia의 급격한 교정은 호흡저하를 유발할 수 있으므로 주의

호흡성 염기증 (Respiratory alkalosis)

1. 원인

① Hypoxia
　흡입 산소분압 감소, 고지대, V/Q mismatch, 저혈압, 심한 빈혈

② CNS-mediated disorders
　Hyperventilation syndrome
　신경질환, CVA (infarction, hemorrhage)
　감염(e.g., sepsis), 외상, 종양, 간부전, 고온 노출
　Pharmacologic & hormonal stimulation
　　; Salicylates, Nicotine, Xanthines, Pregnancy (progesterone)
　Metabolic acidosis에서의 회복기

③ **폐질환** ; ILD, 폐렴, 폐색전증, 폐부종

④ Mechanical overventilation

- ICU 환자에서 m/c 산염기장애 – chronic respiratory alkalosis
- mechanical ventilation 중인 환자에서 흔하게 발생

2. 증상

- 신경증상 ; 어지러움등의 뇌혈류 감소 증상 및 감각 이상
- 초기에는 CO↓ → 후기에는 말초혈관저항↓ & CO↑
- hypocapnia → 유기산 생산 증가에 따른 AG 증가 가능

* $PaCO_2$가 빠르게 감소하는 경우 (acute hypocapnea)
  ① hypoxemia가 없어도 cerebral blood flow 감소
  　→ dizziness, confusion, seizure 발생 가능
  ② 전신마취나 기계호흡중인 환자에서는 CO, BP도 감소 가능
  ③ 심장질환을 가진 환자에서는 arrhythmia 발생 가능

3. 치료

: 기저질환의 치료

혼합형 산염기장애 (Mixed acid-base disorders)

- 처음부터 두 가지 이상의 단순형 산염기장애가 동시에 혹은 속발하여 발생 or 단순형 산염기장애에 대한 정상적 보상기전이 일어나지 않을 때 발생
- $[HCO_3^-]$, $PaCO_2$의 실측치가 보상(compensatory response) 예상치에 맞지 않거나, 산염기지도에서 단순 산염기장애의 영역을 벗어날 때 복합형 산염기장애를 의심할 수 있음

Disorder	Primary Defect	Compensatory Response	Compensation 정도★	Compensation 한계치
Respiratory				
Acidosis				
Acute	↑ Pco_2	↑ HCO_3^-	$=\Delta Pco_2 \times 0.1$	30 mEq/L
Chronic	↑ Pco_2	↑ HCO_3^-	$=\Delta Pco_2 \times 0.4$	45 mEq/L
Alkalosis				
Acute	↓ Pco_2	↓ HCO_3^-	$=\Delta Pco_2 \times 0.2$	17~18 mEq/L
Chronic	↓ Pco_2	↓ HCO_3^-	$=\Delta Pco_2 \times 0.5$	12~15 mEq/L
Metabolic				
Acidosis	↓ HCO_3^-	↓ Pco_2	$=\Delta HCO_3^- \times 1.3$ or $(1.5 \times HCO_3^-) + 8$	10 mmHg
Alkalosis	↑ HCO_3^-	↑ Pco_2	$=\Delta HCO_3^- \times 0.7$	55 mmHg

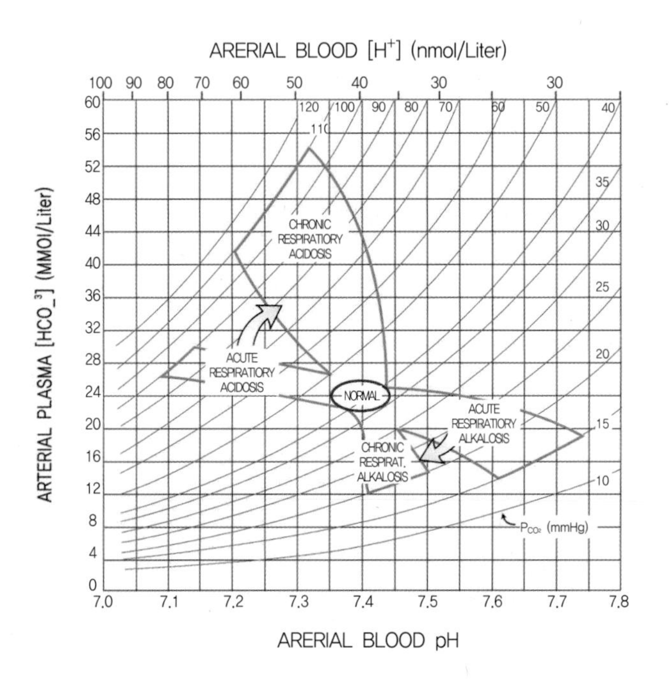

Mixed acid-base disorders의 원인
Ⅰ. Metabolic acidosis + Respiratory acidosis Cardiopulmonary arrest Severe pulmonary edema Salicylate + sedative overdose Pulmonary disease에서 renal failure or sepsis 동반시 DKA 초기에 vomiting 동반시 Severe gastroenteritis에서 vomiting & diarrhea 동반시
Ⅱ. Metabolic aidosis + Respiratory alkalosis Salicylate overdose Sepsis Combined hepatic & renal insufficiency 최근의 폭음
Ⅲ. Metabolic alkalosis + Respiratory acidosis Chronic pulmonary disease (chronic resp. alkalosis)에서 아래를 동반시 (pH는 대개 정상, Pco_2 ↑, HCO_3^- ↑) *1.* Diuretic therapy *2.* Steroid therapy *3.* Vomiting *4.* Ventilator에 의한 hypercapnia 감소
Ⅳ. Metabolic alkalosis + Respiratory alkalosis (심한 alkalosis, Pco_2 ↓, HCO_3^- ↑) Pregnancy with vomiting Diuretics 치료 받는 chronic liver disease Bicarbonate & ventilator로 cardiopulmonary arrest 치료시
Ⅴ. Metabolic acidosis & Metabolic alkalosis 다음 질환에서 vomiting 동반시 ; Renal failure, DKA, Alcoholic ketoacidosis

	Serum Anion Concentrations		
	HCO_3^-	Cl^-	AG
Simple Disorders			
Hyperchloremic acidosis	↓	↑	N
High-AG acidosis	↓	N	↑
Metabolic alkalosis	↑	↓	N
Mixed Disorders			
Metabolic alkalosis + High-AG acidosis	N, ↑, ↓	↓	↑
High-AG acidosis + hyperchloremic acidosis	↓	↑	↑
Metabolic alkalosis + hyperchloremic acidosis	N	N	N

- 병력이 진단에 중요
- 치료는 원인질환의 교정이 우선이지만, 한 가지 장애만 교정 때에는 pH가 더욱 악화될 수 있으므로 주의해야 한다
- anion gap이 25 mEq/L 이상이면, HCO_3^-가 정상/증가라도, metabolic acidosis가 존재함을 강력히 시사

■ 임상적으로 흔한 혼합형 산염기장애의 예

(1) Metabolic acidosis + Respiratory acidosis

- $[HCO_3^-]$↓ + Pco_2↑ → pH↓↓
- metabolic acidosis가 있는 상태에서는 $PaCO_2$가 많이 증가되지 않아도 respiratory acidosis가 동반되고 있음을 놓쳐서는 않되고, 반대로 respiratory acidosis에서는 $[HCO_3^-]$가 많이 감소되지 않아도 metabolic acidosis가 없다고 할 수 없다
- 동맥혈 $PaCO_2$는 실제 환자의 CO_2 양에 비해 낮게 나타나는 경우가 많으므로 주의해야 됨 (→ mixed venous blood Pco_2가 정확하게 반영)

< 예 >

- 심폐정지, 심한 폐부종, 일부 약물중독
- 만성신부전에서 호흡부전이 합병할 때
- metabolic acidosis에서 심한 hypokalemia (→ 호흡근 마비)가 동반될 때 (예; RTA, DKA의 치료도중 or 설사가 동반)

< 치료 >

- 빨리 pH를 최소한 7.1 이상 올림 ; $NaHCO_3$ (Bivon) 주사, 호흡보조
- 폐부종 환자 → 이뇨제, 산소, morphine

(2) Metabolic acidosis + Respiratory alkalosis

- $[HCO_3^-]$↓, $PaCO_2$↓ (pH의 변화는 적을 수)
  - $PaCO_2$: 단순한 metabolic acidosis를 보상하는 정도 이상으로 감소
  - $[HCO_3^-]$: 단순한 respiratory alkalosis를 보상하는 정도 이상으로 감소

< 예 >

- 대부분 심각한 기저질환을 가짐
- 패혈증, 심한 간질환, 광범위한 화상(특히 sulfamylon으로 치료시), 폐부종, 폐-신장 증후군 (e.g., Goodpasteur's syndrome, Wegener's granulomatosis), acetate 혈액투석
- 부분적으로 교정된 metabolic acidosis : metabolic acidosis는 일부 교정되어 plasma $[HCO_3^-]$는 다소 증가하지만, HCO_3^-의 뇌간질로의 확산이 더디므로, 환기는 여전히 높은 상태(respiratory alkalosis)를 지속
- salicylate 중독 ; AG 증가, 호흡중추자극(→ respiratory alkalosis)

< 치료 >

- 원인 질환의 교정
- 너무 빨리 $[HCO_3^-]$를 올리면 심한 alkalosis를 초래 → plasma $[HCO_3^-]$를 정상으로 회복시키는데 목표를 두지 말고, pH를 보아가며 $NaHCO_3$를 투여를 조정

(3) Metabolic acidosis + Metabolic alkalosis

- 서로간의 효과가 상쇄되어 진단이 어려움
- 정확한 병력 청취 및 AG 증가가 진단에 도움
- high AG +
  ① plasma $[HCO_3^-]$가 ↑ or 정상
  ② AG의 증가정도보다 $[HCO_3^-]$의 감소정도가 작을 때 진단 가능 : $\Delta AG > \Delta HCO_3^-$

< 예 >

- high-AG metabolic acidosis (예; 신부전, DKA, lactic acidosis) + vomiting ★
- overshoot metabolic acidosis : DKA or lactic acidosis에서 산혈증을 교정하기 위해 투여한 $NaHCO_3$가 과다 or 나중에 ketone or lactate가 대사되면서 생기는 HCO_3^-가 합쳐져서 발생
- 심한 위장염에서 구토와 설사가 함께 있는 경우에는 metabolic alkalosis + normal AG metabolic acidosis가 발생

(4) Metabolic alkalosis + Respiratory acidosis

- $[HCO_3^-]$↑, $PaCO_2$↑ (pH는 정상으로 보이는 경우가 많음)
- metabolic alkalosis가 높은 $PaCO_2$의 정상 회복을 저해하거나, $PaCO_2$ 상승을 조장할 수 있으므로 이 혼합형의 발견은 매우 중요함
- $[Cl^-]$는 대개 낮아져 있다 (Cl^--responsive metabolic alkalosis)

< 예 >

- 주로 만성 호흡기질환(CO_2 retention)과 이의 합병증으로 발생
  (respiratory acidosis가 먼저 → 그 후 metabolic alkalosis 발생)
  - 합병증의 예 ; 구토(예; theothylline의 부작용), 이뇨제(hypovolemia), Cl^- 결핍(예; 저염식이, 식욕부진), NG tube를 통한 위액의 흡인
- post-hypercapneic metabolic alkalosis : 만성 respiratory acidosis 환자에서, 기계호흡 등으로 환기를 갑자기 증가시키면 $[HCO_3^-]$ 감소보다 $PaCO_2$가 먼저 빨리 감소하므로, 당분간은 metabolic alkalosis와 부분적으로 교정된 respiratory acidosis가 공존하게 됨
- metabolic alkalosis가 먼저 → 그 후 respiratory acidosis가 발생하는 경우
  ; 심한 hypokalemia를 동반한 metabolic alkalosis 환자에서 hypokalemia에 의한 호흡근마비로 respiratory acidosis가 합병

(5) Metabolic alkalosis + Respiratory alkalosis

- $[HCO_3^-]$의 증가 or $PaCO_2$의 감소에 대한 충분한 보상이 이루어지지 않아 심한 alkalosis가 발생
- 입원 환자에서 흔히 발생

< 예 >

- metabolic alkalosis (예; 구토, 위액 흡인, 링겔액이나 bicarbonate 투여, 이뇨제나 steroid 투여, 알칼리성 제산제 투여, citrate가 포함된 혈액의 대량 수혈)
  + respiratory alkalosis (예; 너무 높은 환기량의 기계호흡 계속, 저산소증 또는 mechanoreceptor를 자극하는 폐질환, 간질환, CNS 질환, shock, 통증)
- 만성 respiratory acidosis 환자 : 과다한 기계호흡으로 respiratory alkalosis 초래, 보상반응으로 증가되어 있던 $[HCO_3^-]$는 빨리 낮아지지 않아 metabolic alkalosis 발생
- 임신 초반의 심한 구토 : hormone 효과에 의한 과호흡(respiratory alkalosis)
  + 구토에 의한 metabolic alkalosis 동반
- 울혈성 심부전 : 과호흡에 의한 respiratory alkalosis + 이뇨제 과량 투여에 의한 hypovolemia or hypokalemia (metabolic alkalosis) 동반

< 치료 >

- 높은 pH를 빨리 낮추어야 함
- hypovolemia, Cl^- 결핍, K^+ 결핍 → N/S or KCl을 포함한 수액으로 교정

- 위급한 상태 → HCl, arginine hydrochloride, 혈액투석
- [HCO_3^-] 이뇨 유도 → acetazolamide

(6) Triple acid-base disorders

- metabolic acidosis + metabolic alkalosis + respiratory acidosis or alkalosis
- $PaCO_2$와 [HCO_3^-]는 조금 변하면서, pH는 크게 변화할 수 있음

< 예 >

- lactic acidosis or DKA의 metabolic acidosis + 구토에 의한 metabolic alkalosis + 패혈증이나 간질환에 의한 respiratory alkalosis
- 이뇨제를 과량 사용하고 있는 폐부종 환자 : 이뇨제에 의한 metabolic alkalosis + 조직 저산소증에 의한 lactic acidosis + 과환기에 의한 respiratory alkalosis

■ Base excess (BE) or deficit

- 혈액의 산염기 완충작용의 상태를 파악하는데 도움 (metabolic component)
- 구하는 법
  - ① $PaCO_2$ variance = [$PaCO_2$ − 40]에서 소수점을 왼쪽으로 두자리 옮김
  - ② predicted pH (“호흡성” pH)
    - $PaCO_2$ > 40 이면 → 7.4 − 1/2×$PaCO_2$ variance
    - $PaCO_2$ < 40 이면 → 7.4 + $PaCO_2$ variance
  - ③ [측정한 pH − predicted pH]×2/3 에서 소수점을 오른쪽으로 두자리 옮김
    - base excess : 측정한 pH > predicted pH
    - base deficit : 측정한 pH < predicted pH
- base excess/deficit
  - 5 mmol/L 이내 → 균형적인 산염기 완충 상태
  - 10 mmol/L 이상 → 비정상적인 완충 상태
- extracellular (ECF) bicarbonate deficit의 계산 = base deficit × 체중(kg) × 1/4
  - 10 mmol/L 미만의 base deficit는 치료하지 않는다
  - sodium bicarbonate ($NaHCO_3$)를 투여해야 할 때는, 계산량의 1/2을 먼저 투여하고, 약 5~10분 뒤에 ABGA를 측정하여 향후 치료방향을 결정

4 급성 신손상(Acute kidney injury, AKI)

개요

1. 정의

- 과거 ARF에서 AKI로 용어가 바뀐 이유 ; failure는 대개 말기 신손상을 뜻함, ARF는 가벼운 신손상을 포함하지 못함, 일반인은 renal보다는 kidney라는 단어에 친숙함
- 정의 : 신기능의 급격한 저하로 serum BUN, creatinine (Cr) 등이 상승하는 것
  ⇨ serum Cr [sCr] 0.3 mg/dL (2일 이내) or 50% (7일 이내) 이상 상승
  or oliguria (6시간 이상 urine output <0.5 mL/kg/hr … 주로 prerenal AKI에서)
  [25~50%는 non-oliguric AKI 임] (c.f., anuria = urine output <100 mL/day)
- 대부분은 가역적(reversible)임
- 유병률 ; 입원 환자의 5~7% (ICU 입원 환자의 15~30%), community-acquired AKI는 1% 미만

AKI의 정의/진단기준 및 staging

분류	RIFLE ΔsCr↑ *or*	 ΔGFR↓	Stage	AKIN ΔsCr↑	KDIGO ★ ΔsCr↑	*or* – 공통 Urine output (UO)
Risk	>50% (1.5배)	>25%	I	>50% *or* ≥0.3 mg/dL	>50% (7일 이내) *or* ≥0.3 mg/dL (2일 이내)	<0.5 mL/kg/hr (>6시간 지속)
Injury	>100% (2배)	>50%	II	>100%	>100%	〃 (>12시간 지속)
Failure	>200% (3배)	>75%	III	>200% *or* >0.5 증가하여 4.0 이상으로 되거나 RRT가 필요한 경우	>200% *or* >0.5 증가하여 4.0 이상으로 되거나 RRT 시작한 경우	〃 (>24시간 지속) *or* anuria (>12시간)
Loss	신기능소실(RRT) 4주 이상					
ESRD	ESRD 3개월 이상					

RIFLE – Acute Dialysis Quality Initiative (ADQI) Group (2004년)
AKIN – Acute Kidney Injury Network (2007년)
KDIGO (Kidney Disease: Improving Global Outcomes) – Acute Kidney Injury Work Group (2012년)
sCr: serum Cr, GFR: glomerular filtration rate, ESRD: end-stage renal disease, RRT: renal replacement therapy

c.f.) staging system의 단점
① 심할수록(stage↑) 예후는 나쁘지만(mortality↑), 상관성이 높지는 않음
② AKI stage (sCr)와 GFR의 관련성이 낮음
③ sCr 상승(ΔsCr)의 기준이 기저값(baseline)이지만 대부분의 환자는 알 수 없음
④ sCr의 상대적인 변화치(ΔsCr)가 기준이라, 심한 경우에는 sCr 절대 값 변화 확인이 더 빠를 수 있음
⑤ sCr과 소변량(UO)의 관련성이 낮음 (∵ UO은 체액 상태 및 약물의 영향을 받기 쉬움)

2. 병인/분류

(1) Prerenal AKI (40~70%) - m/c (community-acquired AKI에서 더 많음)

- renal hypoperfusion ⇨ intra-glomerular pr.↓ → GFR↓ → 재흡수↑ → 요량↓
- 신장 자체의 구조적인 변화(손상)는 없음!, 세뇨관 기능 유지됨
- blood flow가 회복되면 신기능은 금방 회복됨 (but, 장기 지속시 ischemic ATN 발생 위험)

(2) Intrinsic renal AKI (25~40%)

- 신장의 구조적인 손상으로 인해 발생 (조직학적 변화 수반)
- vasculitis, glomerulonephritis, interstitial nephritis 등의 원인을 R/O하면, 대부분 ATN이 원인 (ischemia나 toxin에 의한 tubular cells damage)
- 원인 질환이 개선되어도 신기능은 서서히 회복됨

(3) Postrenal AKI (<5%)

: urinary tract의 acute obstruction으로 인해 발생

신전성(Prerenal) AKI

1. 원인

(1) True hypovolemia

① 출혈, 화상, 탈수
② GI fluid loss ; 구토, 설사, surgical drainage
③ renal fluid loss ; 이뇨제, osmotic diuresis (e.g., DM), hypoadrenalism, nephrogenic DI
④ extravascular space로 fluid sequestration ; 췌장염, 복막염, 외상, 화상,심한 hypoalbuminemia

(2) Effective hypovolemia : effective arterial blood volume의 감소 (distributive shock)

: 총체액량은 감소 안 됨 (aldosterone↑ → urinary K^+ 증가/정상)

① low cardiac output state ; 심부전, 심근병증, 심장판막질환, 심낭질환, 부정맥, 폐고혈압, 폐색전증, (+) pressure ventilation, sepsis ...
② renal/systemic vascular resistance ratio 증가
- systemic vasodilatation ; sepsis (ATN도 일으킴), 항고혈압제, anesthesia, anaphylaxis
- renal vasoconstriction ; sepsis 초기, hypercalcemia, norepinephrine, epinephrine, calcineurin inhibitors (e.g., cyclosporine, tacrolimus [FK506]), amphotericin B
- LC with ascites (hepatorenal syndrome) → 소화기내과 참조

(3) Renal hypoperfusion & 신장의 자동조절능(autoregulation) 장애

- 기전 : renal hypoperfusion시 정상적인 efferent arteriole의 수축 반응을 억제
- 예 ; cyclooxygenase inhibitors (NSAIDs), ACEi, ARB, cyclosporine → 1장 앞부분도 참조

(4) Hyperviscosity syndrome (드묾)

; multiple myeloma, macroglobulinemia, polycythemia

2. Renal hypoperfusion에 대한 신장의 반응

- Na^+ & water를 강력히 재흡수 ⇨ urine osmolality↑ (>500 mOsm/kg),
  urine Na^+ 농도↓ (<20 mEq/L), FE_{Na}↓ (<1%)
- tubular flow rate↓ → urea의 back diffusion↑ → BUN/Cr↑ (>20)
- GFR을 유지하기 위한 보상반응(autoregulation) → 1장 앞부분도 참조
  ① autonomous vasoreactive (myogenic) reflex → afferent arteriole 이완
  ② PGE_2 (prostacyclin), kallikrein, kinins, NO 등의 신장내 합성↑ → afferent arteriole 이완
  ③ renin↑ → angiotensin Ⅱ → efferent arteriole 수축, Na^+ 재흡수↑
  ④ tubuloglomerular feedback (TGF) : macular densa에서 tubular NaCl 및 flow rate를 감지하여 저하되면 (일부 NO를 통해) → afferent arteriole 이완
  ⇨ 어느 정도(systolic BP 약 80 mmHg)까지는 보상반응(autoregulation)을 통해 GFR 유지 가능

3. Prerenal AKI가 발생하기 쉬운 경우

- 적은 renal hypoperfusion 상태에서도 GFR을 유지하지 못하고 prerenal AKI 발생 위험↑
- 신장 혈관의 동맥경화(e.g., 고령, HTN) → afferent arteriole의 이완 힘듦
- CKD에서 보상성 hyperfiltration 단계 (afferent arteriole이 이미 이완되어 있음)
- prerenal AKI를 일으킬 수 있는 drugs
  ① NSAIDs : renal PG 합성 억제 → afferent arteriole 이완 억제 (수축) → GFR↓
    - 정상인에서는 GFR을 감소시키지 않음
    - 동맥경화성혈관질환(>60세), CKD, volume depletion (e.g., LC, NS, CHF) 환자에서는 AKI 유발 가능 → 9장도 참조
  ② ACEi/ARB : angiotensin Ⅱ의 작용 억제 → efferent arteriole 수축 억제 (이완) → GFR↓
    - renal hypoperfusion시 angiotensin의 정상적인 efferent arteriole의 수축 반응을 억제
    - AKI 발생 위험인자 ; renal artery stenosis (severe atherosclerosis), CHF, hypovolemia, sepsis, NSAIDs, cyclosporine, tacrolimus 등과의 병용
    - 특히 angiotensin에 의한 high perfusion pressure에 의존적인 bilateral renal artery stenosis나 unilateral stenosis of solitary kidney 환자의 6~23%에서 ACEi/ARB 쓰면 AKI 발생
  ③ **calcineurin inhibitor (e.g., cyclosporine, tacrolimus)** : 작은 혈관의 수축을 일으킴

신성(Intrinsic renal) AKI

1. 급성세뇨관괴사(acute tubular necrosis, ATN) : >90%

(1) Ischemia-associated ATN

- prerenal AKI의 모든 원인이 ischemic ATN을 일으킬 수 있음
  ; 심혈관계 수술, 외상, 출혈, 탈수, septic shock, 산과적 합병증(e.g., abruptio placentae, postpartum hemorrhage) ... 뒤에 흔히 발생

- 실질적으로 prerenal AKI와 같은 spectrum으로 더 심한 허혈 또는 다른 요인이 게재되어 신실질(renal tubular epithelial cells)의 손상도 초래된 것임

허혈(ischemia)에 가장 취약한 세뇨관 부위 ★
① proximal tubule의 S_3 segment (pars recta, medullary portion)
② mTALH (medullary portion of thick ascending limb of Henle's loop)

- outer medulla 부위는 정상 상태에서도 산소 분압이 낮음, 대부분의 혈류는 cortex에
- 심하면 신피질(cortex)까지 손상을 받으며, 비가역적인 손상도 가능

- ischemic ATN의 자연경과(phase)
  ① initiation (몇시간 ~ 며칠) : GFR 감소 … 원인
    (a) renal blood flow 감소 → glomerular ultrafiltration pr.↓
    (b) tubular epithelium의 손상으로 인한 shed cells과 necrotic debris가 tubule을 막음
    (c) 손상된 tubule을 통해 glomerular filtrate가 역류
  ② extension : GFR 계속 감소
    - ischemic injury 및 inflammation 지속
    - endothelial damage (→ vascular congestion)도 기여
  ③ maintenance (1~2주) : GFR 낮은 상태로 유지됨, urine output 최저, uremic Sx 발생 가능
  ④ recovery : GFR이 서서히 정상으로 회복
    - tubular epithelial cells repair & regeneration
    - 심한 diuretic phase가 합병될 수도 있음
- FE_{Na}는 대개 1% 이상 / LC or CHF에 합병된 경우나 nonoliguric ischemic ATN의 일부 (ATN이 덜 심하고 ischemia는 지속되는 경우)에서는 1% 이하일 수도 있음
- prerenal AKI와의 감별은 fluid 투여 뒤 반응이 가장 정확 → sCr 변화 없으면 ischemic ATN

(2) Sepsis-associated AKI

- severe sepsis 환자의 50% 이상에서 AKI 발생 (대부분 ATN), 사망률 크게 증가
- 병인 ; 전신 동맥확장("distributive shock" → renal plasma flow[RPF]↓ ; 초기에는 FE_{Na} <1%), 초기에는 efferent arteriole 확장 and/or 신장혈관수축 (→ GFR↓), microvascular injury, renal tubular injury, inflammation, mitochondrial dysfunction, interstitial edema 등

(3) Nephrotoxin-associated AKI

: 대부분 다른 위험인자 공존시 발생위험 증가
(e.g., 고령, CKD, true or effective hypovolemia, 다른 toxins과 동시에 노출)

1 exogenous toxins

- direct toxicity : 여러 항생제, 항암제, 유기용매 등에 의해 발생
  (e.g., AG, amphotericin B, acyclovir, vancomycin, cisplatin, carboplatin, ifosfamide, foscarnet, pentamidine, cidofovir, sulfonamides, MTX, cyclosporine, tacrolimus, bevacizumab, ethylene glycol, HMG-CoA reductase inhibitors, AAP)
  - nonoliguric AKI (∵ 요농축능 장애도 동반), 노출 기간이 m/i, 대개 5~7일 이후 sCr 상승
- intrarenal vasoconstriction : radiocontrast agent, calcineurin inhibitors (e.g., cyclosporine)
  - prerenal AKI와 비슷 (FE_{Na} <1%, oliguria ...)
  - endothelin-1이 중요한 역할 (혈관내피세포에서 분비되어 신혈관과 mesangial cells을 수축시킴)

• amphotericin B, calcineurin inhibitors : direct toxicity + intrarenal vasoconstriction
↳ type 1 (distal) RTA, polyuria, hypomagnesemia, hypocalcemia, non-AG MA
• ifosfamide : hemorrhagic cystitis (혈뇨), type 2 RTA (Fanconi 증후군), polyuria, AKI/CKD

2 endogenous toxins

- calcium (hypercalcemia) → intrarenal vasoconstriction, volume depletion
- heme pigments : myoglobin (rhabdomyolysis), Hb (혈관내 용혈, 대개 급성 수혈부작용 때)
- crystals : uric acid (tumor lysis syndrome), oxalate
- Bence Jones proteins (light chains) : multiple myeloma

• 특히 hypovolemia나 acidosis 상태 때 AKI 발생 위험 증가
• AKI의 발생 기전 ; intrarenal vasoconstriction, tubular epithelial cells에 direct toxicity, intratubular obstruction (crystalluria or paraproteins에 의한) 등

■ Rhabdomyolysis (횡문근융해/가로무늬근융해)

• 근육의 손상으로 다량의 근세포 내용물(e.g., myoglobin)이 유리되어 ATN 초래
↳ nonprotein heme pigments에 의해
• 원인

1. 근육 손상/허혈 ; 외상(e.g., 집단구타), 동맥질환, 근육압박, 장기간 부동, hypothermia, hyperthermia, burn, electrical injury
2. 근육 탈진 ; seizure 지속, 심한 운동, heat stroke
3. Toxins ; alcohol, heroin, cocaine, amphetamine, ecstasy, phencyclidine, toluene, CO, snake bite
4. Drugs ; antihistamines, salicylates, fibric acid derivatives, statins, zidovudine, azathioprine, amphotericin B, TCA, lithium, theophylline, caffeine
5. Metabolic disorders ; hypokalemia, hypophosphatemia, hyperosmolality, hyophospharylase or phosphofructokinase deficiency, severe hypothyroidism, PM/DM, DKA, NKHC (HHS) ...
6. infections ; viral (e.g., influenza, HIV, coxackie, EBV), bacterial (e.g., *Legionella, Francisella, S. pneumoniae, Salmonella, S. aureus*), fungal (e.g., *Candida, Aspergillus*)

• AKI의 병인 ; intrarenal vasocontriction, direct proximal tubular toxicity, distal nephron lumen 폐쇄 (myoglobin/Hb이 Tamm-Horsfall protein과 결합되어 침착, 특히 산성뇨에서)
• 임상양상 ; 근육종창, 통증, 요량 감소, gross red urine, AKI (15~50%에서, oliguria/anuria)
- 상당수에서 전형적인 증상/징후를 보이지 않는 경우가 많으므로 진단에 주의
- AKI 발생 위험↑ ; dehydration, sepsis, acidosis, ischemia
• 검사소견
- serum myoglobin↑, CK↑ (CK-MM isoenzyme↑), LD↑, K, Ph 등 근세포 내 내용물↑
- Cr ⬆ (BUN/Cr↓), FE_{Na} <1% (진행되면 >1%)
- 혈중 myoglobin : CK보다 빨리(1~3시간 이내) 상승하나 반감기가 짧아(2~3시간) 금방 (24시간 이내) 정상화됨 (∵ 분자량이 작아 신장에서 빨리 배설됨)
- hyperkalemia : 근세포 내에서 유리 + GFR 감소와 metabolic acidosis에 의해 더욱↑
- hyperphosphatemia (→ calcium phosphate 축적 유발) → hypocalcemia (초기에)
→ 진행되면 hypercalcemia (∵ 근세포의 calcium 다시 유리, 2ndary hyperparathyroidism)
- metabolic acidosis, hyperuricemia, hyponatremia, volume contraction ...
- myoglobinuria ; 커피색 소변(serum myoglobin이 매우 높을 때만 보임), 시험지봉(dipstick)검사에서 blood 양성이지만 현미경검사에서는 RBC 수 정상!
- 요침사 ; reddish-gold (dark brown) pigmented granular casts
- ^{99m}Tc-MDP bone scan : 근육에 uptake 증가 (→ 진단과 F/U에 중요)

- 치료 : 특이적인 치료법은 없고, 신손상 방지를 위한 일반적인 치료
  - ① 강력한 수액공급 (m/i) : N/S 1~2 L/hr, 빨리 시행해야 신손상 예방 가능
    - ⇨ desired diuresis : urine output 200~300 mL/hr 유지
    - – loop diuretics (e.g., furosemide) : 수액공급으로도 urine output이 달성되지 않을 때
    - – mannitol : 효과가 불명확하므로 일상적 사용×, 매우 심한 경우 고려(CK >30,000 U/L)
      - diuresis를 증가시켜 세뇨관내 heme pigment 축적 및 cast 형성 감소, free radical scavenger로도 작용
      - oliguria/anuria시에는 금기, plasma osmolar gap 증가하거나(>55) desired diuresis 달성 못하면 중단
        → 부작용으로 plasma osmolality ↑ (→ 폐부종), hyponatremia, metabolic acidosis, 신기능↓ 위험
  - ② urine alkalinization (e.g., 75 mmol/L $NaHCO_3$ + 0.45% saline) : urine pH >6.5 유지
    - ⇨ tubular injury & cast 형성 예방에 효과적일 수 있지만, metabolic alkalosis 유발 or hypocalcemia 악화 위험 (반드시 수액 공급 & urine output 달성 이후에 투여!)
  - ③ renal failure 발생시 → HD (다른 원인에 의한 AKI보다 초기에 HD 필요)
  - ④ 회복기에는 hypercalcemia 발생 위험이 있으므로 symptomatic/severe hypocalcemia or severe hyperkalemia 이외에는 calcium 투여 안함!
  - ⑤ 구획증후군(compartment syndrome)이 의심되면 근막절개술(fasciotomy) 고려
- 다른 원인에 의한 AKI보다 mortality 높다

■ Contrast-induced AKI (contrast-induced nephropathy, CIN) ★

- 0~13%에서 발생 (고위험군에서는 ~75%)
- 위험인자 ; 고령, CKD, GFR <60 mL/min/1.73m^2, proteinuria, DM (신기능이 저하된 경우에만), CHF, liver failure, hypovolemia, multiple myeloma, 신독성 약제의 동시 투여 등
  (특히 기저 신질환 및 multiple myeloma가 CIN 발생 위험 및 severity 높음)
  - – 조영제의 용량 : PCI > CT
  - – 조영제의 osmolality : iso- < low- < high-osmolar agents 순으로 CIN 발생위험↑
    - low-osmolal agents (1세대 조영제보다는 낮지만 혈장보다는 높음, 500~850 mOsm/kg)
      ; nonionic agents (iohexol, ioversol, iopamidol), ionic agent (ioxaglate)
    - iso-osmolal agent (혈장과 osmolality 같음, 290 mOsm/kg) ; iodixanol이 유일
- 병인 : 여러 기전이 관여하여 ATN 발생
  - ① ischemia-hypertonicity에 의한 신장내혈관수축 (endothelial cells에서 분비한 endothelin-1이 관여)
  - ② cytotoxic tubular damage ; 직접 or oxygen-free radicals 생성을 통해
  - ③ 조영제 침착에 의한 일시적인 tubular obstruction
  - ④ anaphylaxis with hypotension
- 임상양상 (dose-related toxicity) : prerenal AKI와 비슷 (FE_{Na} <1%, oliguria)
  - – 조영제 투여 후 24~48시간 이내에 sCr 상승 시작, 3~5일 이내에 peak (대개 mild)
    (↔ 대부분의 tubular toxins은 1~2주 이후에 AKI 발생!)
  - – 보통 5~7일 이내에 신기능은 빨리 회복됨 (가역적!)
  - – 전형적 ATN의 요침사 보일 수(e.g., muddy brown granular casts, epithelial cell casts)
- 예방조치 ; 위험인자가 있는 경우 시행 (신기능이 거의 정상인 사람은 CIN 발생 위험 낮음)
  - – 가능하면 조영제를 안 쓰는 검사로 대치하거나, 조영제의 용량을 최소화
  - – iso- (iodixanol) or low-osmolal agents (ioversol, iopamidol) 사용
  - – 검사 전 충분한 hydration (normal saline) (± isotonic bicarbonate)이 m/g

- AKI 발생 위험을 높이는 약물(이뇨제, mannitol, NSAIDs) 중단 (ACEi/ARB는 근거 부족)
- *N*-acetylcysteine (NAC)의 예방적 투여는 효과 없음 → 사용×
- 조영제 사용 이후의 prophylactic hemofiltration or hemodialysis도 효과 없음

■ Aminoglycoside 계열의 항생제

- 약 10~30%에서 발생, 용량 및 투여기간과 관련 → 감염내과도 참조
- 신독성 발생 위험인자
  ① 고령, 여성, 기저신질환, sepsis
  ② ECF 용적감소, 저혈압, 간질환(hepatorenal syndrome)
  ③ hypokalemia, hypocalcemia, hypomagnesemia
  ④ amphotericin B, cephalosporin, cisplatin, cyclosporine 등의 병용
  ⑤ 최근의 AG 투여, AG 용량↑, 투여기간 >3일
- 병태생리 및 임상양상 ; 사구체에서 여과된 뒤 신 피질에 축적됨
  ① 주된 손상부위 ; 근위세뇨관(→ glycosuria, aminoaciduria, enzymuria,proteinuria 등)
  → ATN (AKI) : GFR↓
  ② 원위세뇨관 손상도 동반 가능 ; 요농축능 저하 → 다뇨(polyuria),
  전해질 소실 → hypokalemia, hypocalcemia, hypomagnesemia
- 항생제 사용 약 7일 후 ATN (AKI) 발생 (non-oliguric type)
  → 약제 사용을 중단하면 대부분 회복이 가능 (3주 이내에)
- neomycine, gentamicin 등이 가장 신독성 심함 (SM이 가장 약함)
- cisplatin 및 carboplatin도 AG와 비슷한 양상의 신독성을 보임

■ Uric acid nephropathy (요산염 신병증)

- 원인 ; tumor lysis syndrome, hemolysis, rhabdomyolysis, epileptic seizure
- 병인 ; uric acid에 의한 collecting duct와 distal renal vasculature의 폐쇄
- 임상양상 ; oliguric AKI (reversible)
  - 혈청 uric acid level↑ (AKI 발생을 예측할 수는 없음)
  - 소변 ; uric acid or urate crystals
- 진단 ; 소변의 uric acid/creatinine >1.0
- 치료 → 혈액종양내과 16장도 참조
  ① 충분한 수액공급, 소변의 알칼리화($NaHCO_3$ → 이미 AKI 발생했으면 사용×)
  ② rasburicase, allopurinol (모두 사용할 수 없으면 febuxostat)
  ③ HD or hemofiltration
  ④ uricosuria를 일으키는 약물 금지 (e.g., 방사선 조영제)

■ Acute phosphate nephropathy (APhN)

- 대장내시경 전처치제의 일종인 oral sodium phosphate (OSP) 사용 후 발생한 AKI (드묾)
- 병인 ; tubular injury, tubular & interstitial calcium phosphate deposition
- 위험인자 ; 고령, 여성, CKD (GFR↓), 탈수, 위장관질환, 간질환, 심혈관질환(e.g., HTN), DM, ACEi/ARB, 이뇨제, 과도한 OSP 용량, 짧은 시간에 OSP 복용 등
- 예방 ; OSP 사용 전후 충분한 hydration, 고위험군에서는 OSP 대신 다른 하제 사용

2. 기타 원인 (<10%)

(1) 토리(사구체) 또는 신장미세혈관계의 질환

- glomerulonephritis, vasculitis
- **thrombotic microangiopathy** (HUS, TTP, 항암제 등), malignant hypertensive nephrosclerosis, DIC, radiation nephritis, antiphospholipid antibody syndrome, SLE, scleroderma, preeclampsia ...

(2) 신장 혈관의 폐쇄

- 신동맥 폐쇄 ; atherosclerotic plaque, embolism, thrombosis, dissecting aneurysm, vasculitis
- 신정맥 폐쇄 ; thrombosis, compression

■ Atheroembolism (cholesterol crystal embolism)에 의한 신장손상 (Atheroembolic AKI)

- atherosclerotic plaque가 파열되면서 유리된 cholesterol crystal이 여러 기관의 소~세동맥을 폐쇄함으로써 발생하는 다발성 전신질환
  ↓
  물리적 폐색(모양이 불규칙해서 thromboembolism처럼 전형적인 경색 증상은 드묾) + 혈관의 염증반응
- 위험인자 ; 고령, 남성, 흡연, DM, HTN 등 동맥경화의 위험인자와 동일
- 유발원인 ; angiography/angioplasty 이후 호발, 큰 동맥의 수술, 드물게 항응고제 사용 이후 or 자연발생
- 25~50%에서 신장손상 동반 ; acute (1~2주 이내 sCr↑) or subacute 경과 (몇 주 이후 sCr↑)–더 흔함
- 신장손상을 의심할만한 특이적인 증상은 없음 → 다른 전신증상 파악
  ; livedo reticularis, blue toe syndrome, palpable purpura, retinal plaques, mesentery (e.g., GI bleeding) 등
- 검사소견 ; complement↓, eosinophilia, eosinophiluria, proteinuria 등
- 특별한 치료법 없음, 심혈관질환의 이차예방(e.g., statins, aspirin, 혈압/혈당 조절)
- 신장손상은 대개 비가역적으로 예후 나쁨 → 11장도 참조

(3) 사이질콩팥염/간질신장염(interstitial nephritis)

- allergic ; antibiotics (e.g., β-lactams, sulfonamides, quinolones, rifampin), cyclooxygenase inhibitors (NSAIDs), diuretics, captopril, PPI ... → 9장 참조
- infection ; bacterial (e.g., APN, leptospirosis), viral (e.g, CMV), fungal (e.g., candidiasis)
- infiltration ; lymphoma, leukemia, sarcoidosis
- inflammation (nonvascular) ; Sjögren's syndrome, TID with uvetitis

(4) intratubular deposition & obstruction

- endogenous ; myeloma proteins, uric acid (TLS), oxalate
- exogenous ; acyclovir, ganciclovir, methotrexate, indinavir

(5) renal allograft rejection

신후성(Postrenal) AKI

- 원인 : urinary tract obstruction
  ① ureteric[요관] (bilateral obstruction) ; calculi, blood clot, sloughed renal papillae, cancer, external compression (e.g., retroperitoneal fibrosis, neoplasia, abscess), 수술 중 손상
  ② bladder neck (m/c) ; 전립선질환(e.g., BPH, cancer, infection), neurogenic bladder, anticholinergics, calculi, cancer, blood clot

③ urethra[요도] ; stricture, congenital valve, phimosis, Foley catheter의 폐쇄
④ 하복부 쪽의 수술 or RTx의 과거력

- 병인 : intratubular pr.↑ → Bowman's space pr.↑ → afferent arteriole 확장 (→ GFR 보존)[일시적]
  → intrarenal vasoconstriction (∵ angiotensin II, thromboxane A2, vasopressin↑, NO↓)
  → glomerular ultrafiltration coefficient↓ & 지속적인 intratubular pr.↑ → GFR↓
- 대부분 적절한 치료로 쉽게 회복될 수 있는 가역적 변화이므로 빠른 진단 및 원인 파악이 중요함
- 전립선 질환이 m/c 원인 (증상 ; nocturia, frequency, hesitancy)
  ① DRE, urethral catheterization
  ② US (→ hydronephrosis, bladder 팽창), post-void residual bladder volume 측정 등
- 검사소견
  - 초기 ; hypertonic urine (osmolality↑), urine sodium↓, FE_{Na}↓, BUN/Cr↑
    ↳ prerenal AKI와 혼동될 수 있음
  - 며칠 뒤 ; isotonic urine, FE_{Na}↑

임상양상

1. 신부전기

- 요량의 감소 (핍뇨기) : 평균 10~14일 지속
- 수분과다 (부종) or 수분부족 (비핍뇨성 신부전이나 이뇨기의 수분공급 부족시)
- 전해질/산염기 이상 ; hyperkalemia, metabolic acidosis, hyperphosphatemia, hypocalcemia, hypermagnesemia 등이 흔함
  - hyperkalemia, hyperphosphatemia, hypocalcemia : rhabdomyolysis, hemolysis, TLS 등
  - metabolic acidosis (대개 AG↑) → hyperkalemia 및 다른 원인에 의한 acidosis (e.g., DKA, sepsis, respiratory acidosis)를 악화시킬 수 있음
  - low AG acidosis : multiple myeloma에서 unmeasured cationic proteins 증가로
  - hypocalcemia의 원인 ; calcium phosphate의 전이성 침착, vitamin D-parathyroid axis 이상
  - 과도한 hypotonic crystalloid or isotonic extrose solution 투여시에는 hyponatremia도 발생 가능
- anemia : 급격히 발생하지만, CKD에 비해 심하지는 않다 (보통 mild)
  - 기전 ; erythropoiesis↓, 출혈, 용혈, 투석, 혈액 희석, RBC 수명↓ 등 multifactorial
  - 심한 경우 ; 출혈, 용혈, multiple myeloma, thrombotic microangiopathy)
- eosinophilia ; allergic interstitial nephritis, atheroembolic dz., polyarteritis nodosa, CS vasulitis
- 심장폐 이상 ; HTN (15~25%), arrhythmia, pericarditis, pericardial effusion, pul. edema
- 신경계 이상 ; 요독증 or 전해질 이상 때문
- 소화기계 이상 ; anorexia, N/V, paralytic ileus, GI bleeding (10~30%)
- 감염 (50~90%에서 발생, m/c 사인) ; 외상, 수술, 침습적 시술 등에 따른 피부/점막 방어의 장애, 영양 불량, 요독증에 의한 면역저하 등이 원인

★ serum Cr이 24~48시간 이내에 급격히 상승하는 경우 ; renal ischemia, atheroembolism, 조영제

2. 회복기 (recovery phase)

- renal parenchymal cells (특히 tubular epithelial cells)이 재생/회복되어 GFR이 서서히 손상 이전으로 상승하는 시기
- severe diuretic phase 합병 가능 (요 농축능 장애) - 원인
  ① 저류되어 있던 salt, water, solutes의 배설
  ② 이뇨제 사용 지속
  ③ GFR의 회복에 비해 tubular epithelial cell function (solute & water 재흡수)의 회복이 지연
- hypernatremia도 합병 가능 (∵ hypotonic urine loss)

진단

1. AKI와 CKD의 감별

- 일단 신부전이 발생하면 AKI인지 CKD의 급성 악화인지 감별이 우선
- 과거에 sCr 상승된 병력이 있거나 최근의 baseline sCr을 알면 가장 정확
- 병력이 없거나 모르는 경우 CKD를 시사하는 소견 (→ 다음 장 참조)
  ① US상 양측성 신장 크기 감소, cortical thinning 등
  ② anemia, neuropathy, 2ndary hyperparathyroidism (Ph↑, Ca↓), renal osteodystrophy ...
- sCr이 연속적으로 크게 상승되고 있으면 AKI

2. AKI의 원인 (prerenal, renal, postrenal) 파악

(1) Volume status의 파악

- prerenal AKI와 CHF는 같이 hypotension, oliguria, low urine Na^+ 소견을 보이나, 치료는 정반대이므로 감별에 유의

  - hypovolemia (AKI) ; 갈증, 피부 및 점막 건조, 피부긴장도 감소, 겨드랑이 땀 감소, 기립성 저혈압(e.g., 어지러움), 빈맥, JVP (CVP) 감소, 요량 및 체중의 점진적 감소
  - hypervolemia (CHF) ; gallop rhythm, 심비대, JVP 상승, rales, 늑막 삼출, 복수, 간울혈 ...

(2) Postrenal AKI의 R/O

- AKI의 정확한 진단을 위해 우선 postrenal AKI (obstruction)를 R/O해야 됨!
  - 임상양상 ; abdominal (suprapubic) or flank pain, palpable bladder 등
  - bladder catheterization ⇨ 상부-하부 요로폐쇄의 감별
  - US : 모든 환자는 우선 US로 obstruction을 R/O 해야됨
  - CT (stone 의심시 choice!), MRI, renal scan ...
- postrenal AKI는 생화학적 검사로는 진단할 수 없다

(3) Intrinsic renal AKI의 단서 파악

- 자세한 병력, 약물 복용력 확인
- 전신적인 질환의 단서가 되는 징후 찾기 등

■ Prerenal AKI와 intrinsic renal AKI의 감별 ★★

	Prerenal	Intrinsic renal
Plasma BUN/Cr ratio	>20	<10~15
U_{Cr}/P_{Cr}	>40	<20
$U_{urea\ nitrogen}/P_{urea\ nitrogen}$	>8	<3
U_{osm}/P_{osm}	>1.3	<1.1
Urine specific gravity (SG)[비중]	>1.020	<1.010
Urine osmolality (mOsm/kg)	>500	<350
Urine sodium [U_{Na}] (mEq/L)	<20	>40
FE_{Na} (%) – m/g!	<1 (흔히 <0.1)	>2
FE_{urea} (%)*	<35	>35
Renal failure index (RFI)	<1	>1
요침사(urinary sediment)	Hyaline (benign, bland, inactive) casts	"Muddy brown" granular casts, Epithelial cell casts

* FE_{urea} : 이뇨제를 사용한 환자에서는 FE_{Na}보다 약간 더 유용함

- FE_{Na}와 RFI가 가장 sensitive!
  (c.f., metabolic alkalosis에서는 prerenal AKI 발견에 FE_{Na}보다 FE_{Cl}이 더 sensitive!)

- $$FE_{Na} = \frac{\text{배설량}(UV \times U_{Na})}{\text{여과부하}(GFR \times P_{Na})} = \frac{U_{Na} \times P_{Cr}}{P_{Na} \times U_{Cr}} (\times 100,\ \%) = \frac{\text{Na clearance}}{\text{Cr clearance}}$$

- $$RFI = \frac{U_{Na} \times P_{Cr}}{U_{Cr}}$$ (∵ FE_{Na}중 P_{Na}는 거의 일정)

* FE_{Na}의 예외 ★

Prerenal AKI에서 FE_{Na}가 >1%인 경우	Intrinsic renal AKI에서 FE_{Na}가 <1%인 경우	
이뇨제를 투여 받고있는 경우	Severe Renal Vasoconstriction	Vascular Inflammation
기저 만성신질환(CKD)에 의한 salt-wasting	간경변(hepatorenal syndrome), CHF	Acute glomerulonephritis
일부 salt-wasting syndrome	Norepinephrine, dopamine, burn, sepsis (초기)	Acute vasculitis
Adrenal insufficiency	NSAIDs, ACEi/ARB, 방사선조영제에 의한 AKI	신이식 거부반응
Bicarbonaturia	Rhadomyolysis, hemolysis, uric acid nephropathy	
	Afferent arteriole의 질환 (e.g., TTP, scleroderma)	
	Acute bilateral ureteral obstruction	

c.f.) postrenal AKI에서는 FE_{Na} ≥1%, BUN/Cr >20

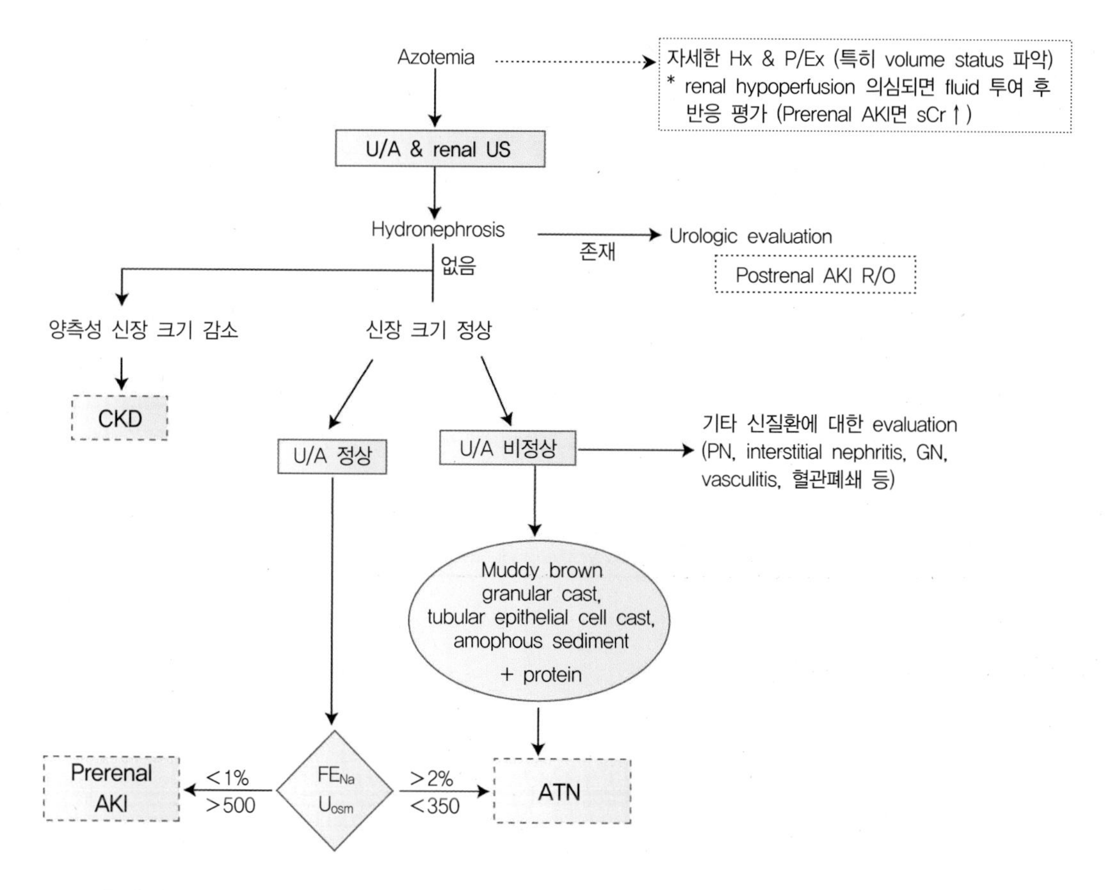

3. 소변검사

- urine flow에 의한 감별
  ① complete anuria (완전 무뇨)
    - bilateral complete urinary obstruction
    - diffuse cortical necrosis (분만후 호발)
    - bilateral renal artery occlusion / vein thrombosis
    - RPGN (HTN, mild proteinuria, rapid Cr ↑↑(1~2 mg/dL/day))

  ② 요량의 변동(fluctuation) 심할 때 ; intermittent/partial obstructive uropathy
- U/A & urine sediment : AKI의 원인 파악에 중요한 단서를 제공하지만, sensitivity & specificity가 부족하므로 임상양상과 함께 판단
- hyaline casts (= bland, benign, inactive urine sediment) : LM에서 투명하게 보임, 주로 Tamm-Horsfall protein으로 구성, cells 없음 → prerenal AKI의 특징
- "muddy brown" granular casts, tubular epithelial cell casts
  → ATN의 특징 (ischemic or nephrotoxic AKI), 20~30%에서 발견 (진단에 필수적은 아님), mild tubular proteinuria (<1 g/day) 동반 흔함

  c.f.) broad (granular) casts → CKD의 특징
- proteinuria (>1 g/day) → 사구체질환 or myeloma 의심
- nephrotic-range proteinuria (>3.0 g/day) → GN, vasculitis, interstitial nephritis (특히 NSAIDs)

• 요비중(SG)↑ → prerenal AKI (urine concentration)

요침사 소견에 따른 AKI의 원인	
정상 (or few RBC/WBC or Hyaline casts)	Prerenal, Postrenal, Arterial thrombosis/embolism, Preglomerular vasculitis, HUS/TTP, Sclerodermal crisis
RBCs, RBC casts	GN, Vasculitis, Malignant HTN, TMA (e.g., HUS/TTP, DIC)
WBCs, WBC casts	Interstitial nephritis, GN, Pyelonephritis, Allograft rejection, 악성종양의 신장 침범
Renal tubular epithelial (RTE) cells, RTE casts, Pigmented casts	ATN, Tubulointerstitial nephritis, Acute allograft rejection, Myoglobinuria, Hemoglobinuria
Granular casts	ATN, GN, Vasculitis, Tubulointerstitial nephritis
Eosinophiluria	Allergic interstitial nephritis, Atheroembolic dz., PN, Cystitis, GN
Crystalluria	Acute uric acid nephropathy, Calcium oxalate (ethylene glycol intoxication), Drugs/toxins (e.g., acyclovir, indinavir, sulfadiazine, amoxicillin)

4. 신생검(renal biopsy)

• prerenal과 postrenal AKI를 R/O 한 뒤 intrinsic AKI의 원인을 잘 모를 때 고려
• ischemic or nephrotoxic ATN 이외의 원인이 의심될 때 유용
예) GN, vasculitis, HUS, TTP, allergic interstitial nephritis ...
• ischemic ATN의 병리소견
- 세뇨관 상피의 patchy & focal necrosis
- 기저막으로부터 세포의 박리
- casts에 의한 세뇨관 폐쇄
- WBC 침윤 : vasa recta에 흔함

5. Biomarkers

(1) Functional markers

• BUN & Cr ; GFR의 functional marker, 신장 실질 손상의 진단에는 부족함, 느리게 상승
• oliguric AKI에서 IV furosemide 투여 후 urine output <200 mL/day → severe AKI로 진행↑
• 요침사에서 tubular epithelial cells and/or granular casts↑ → AKI의 악화 및 severity↑와 관련
• urine cystatin C↑ : sCr보다 우수, 세뇨관 기능(재흡수) 장애 반영, 높은 농도는 poor Px.

(2) Structural markers

• KIM-1 (kidney injury molecule-1) : type 1 transmembrane protein, 근위 세뇨관에 분포
- 정상에서는 발현되지 않고, 신장의 허혈성 손상시 세뇨관에서 발현되어 소변으로 배출됨
- ischemic or nephrotoxic (e.g., cisplatin) injury 직후 urine KIM-1 빠르게 상승
(AKI에 매우 sensitive & specific)
- AKI 이외에 fibrosis, RCC, polycystic kidney dz. 등 때도 상승

- NGAL (neutrophil gelatinase associated lipocalin = lipocalin-2, sidercalin)
  - neurophils의 과립 및 근위 세뇨관에서 발현, 신장의 급성 손상(ATN) 및 염증 이후 발현↑
  - ischemic or nephrotoxic (e.g., cisplatin) injury 직후 plasma or urine NGAL 빠르게 상승
  - AKI의 조기 진단 및 severity/Px. 예측에 유용, ELISA or POCT kit로 측정
- cell-cycle arrest proteins ; tissue inhibitor of metalloproteinases-2 (TIMP-2) + insulin-like growth factor-binding protein 7 (IGFBP7)
  - AKI 발생 예측 & 조기 진단에 KIM-1, NGAL, L-FABP, IL-18, CyC 등 보다 더 정확함
  - 2가지를 동시에 측정하는 POCT 검사 (TIMP-2×IGFBP7) [Nephrocheck®] 2014년 FDA 허가

Plasma proteins	GFR 감소	Plasma cystatin C (CyC)
	Tubular reabsorption 장애	Urinary cystatin C, α_1-/β_2-microglobulin, Clusterin, Retinol-binding protein
Tubular injury proteins	세뇨관 손상 때 upregulation	KIM-1, NGAL, Netrin-1, Cystatin C
	세뇨관 세포 손상시 유리	L-FABP, NAG, α-GST, π-GST, NHE3, ALP, LD
	염증세포에 의해 분비	IL-18, TNF, MMP2, PAF, MCP-1

GST, glutathione S-transferase; L-FABP, liver-type fatty acid-binding protein; MCP, monocyte chemotatic peptide; MMP, matrix metalloproteinase; NAG, N-acetyl-β-D-glucosaminidase; NHE, sodium(Na)-hydrogen exchanger; PAF, platelet activating factor

AKI 원인 감별의 diagnostic clues 예

	기전	U/A	임상양상
Prerenal	Hypovolemia	Hyaline casts, no RBC/WBC, FE_{Na}↓	체중↓, postural hypotension
	Ineffective arterial volume	Hyaline casts, no RBC/WBC, FE_{Na}↓	체중↑, edema, BP ↓or N
	Arterial occlusion	Hyaline casts, rare~many RBCs	때때로 flank, low back pain
Renal	Vascular	Granular casts, proteinuria, RBCs & WBCs	Vasculitis의 전신증상, HTN
	Glomerular	RBC casts, granular casts, RBCs, WBCs, proteinuria	Systemic illness, HTN
	Tubular (ATN)	Granular casts, tubular cells, RBCs, WBCs	Hypotension, sepsis
Postrenal	Ureteral obstruction	WBCs if infected, crystals or RBCs	Flank pain (서혜부로 전파)
	Urethral	WBCs & RBCs	Urethral pain
	Venous occlusion	Proteinuria, hematuria	때때로 flank pain

치료

1. 교정가능한 원인의 제거

- 신혈류를 감소시키는 원인 교정 및 nephrotoxic drugs 중단 (e.g., NSAIDs, AG, 방사선조영제)
- **prerenal** → BP와 vascular volume 회복 (수액 공급)
  - 소실된 체액의 종류에 따라 replacement fluid를 결정
    ① hemorrhage → packed RBCs + isotonic (0.9%) saline
    ② plasma loss (e.g., burn, pancreatitis) → isotonic saline
    ③ urinary or GI fluid loss → hypotonic (e.g., 0.45%) saline (심한 경우는 isotonic saline)
  - potassium, bicarbonate도 필요하면 적절히 보충
- **intrinsic** : ischemic or nephrotoxic ATN은 특별한 치료법은 없음
  - acute GN or vasculitis → glucocorticoid, alkylating agent, plasmapheresis
  - malignant hypertensive nephrosclerosis → 철저한 혈압 조절이 매우 중요
  - scleroderma에 의한 HTN & AKI → ACEi
- **postrenal** → urologic evaluation, bladder catheterization ⋯▸ 14장 폐쇄요로병증 참조

2. 보존적 치료

- hypovolemia는 계속 신기능 악화에 기여하므로 반드시 교정 : 대부분 isotonic saline 투여
  - hypovolemia 교정 뒤, 일반적으로 salt & water는 소실량만큼만 보충함
    ; intake = urine output + 500 mL (insensible loss)
  - acute pancreatitis, rhabdomyolysis, tumor lysis syndrome 등은 더 많이 투여 (+ diuretics)
  - distributive shock (e.g., sepsis, anaphylaxis, liver failure, burn) 환자는 hypovolemia 교정 이후 혈역학적 안정 유지를 위해 vasopressors (e.g., NE, dopamine, vasopressin)가 필요할 수도 있음
  - anuria or 폐 부종(volume overload)이 뚜렷하면 fluid therapy는 금기 (→ RRT)
- hypervolemia (e.g., pulmonary edema : AKI 때는 폐혈관투과성↑)
  - salt (1~2 g/day) & water (<1 L/day) 제한
  - loop diuretics (e.g., furosemide, bumetanide) ± thiazide (반응 없으면 중단하고 RRT 고려)
    ⇨ **urine output↑** : AKI의 예후가 호전되는 증거는 없지만, 일부에서 투석 필요성 감소 효과
  - ultrafiltration or dialysis : 이뇨제 등에 반응 없는 심한 hypervolemia 때 고려
  - dopamine (low-dose) : prerenal AKI는 일시적으로 도움 될 수 있지만, intrinsic AKI는 효과×
- hyponatremia
  - free water intake 제한 (<1 L/d)
  - hypotonic IV solutions (e.g., 5% DW) 금지
- hypernatremia → water, IV hypotonic saline, isotonic dextran-containing solutions
- hyperkalemia
  - dietary K^+ intake 제한 (<40 mmol/day), K^+ supplements & K^+-sparing diuretics 중단
  - calcium gluconate, glucose & insulin, sodium bicarbonate, inhaled β-agonist
  - ion-exchange resins (e.g., sodium polystyrene sulfonate, kayexelate)

- hyperphosphatemia
  - dietary phosphate intake 제한 (대개 <800 mg/day)
  - oral phosphate binders (calcium carbonate, calcium acetate, sevelamer, aluminum hydroxide)
- hypocalcemia (증상을 동반한 심한 경우에만 치료) ; calcium carbonate, calcium gluconate
- hypermagnesemia ; Mg^{2+}-containing antacids 중단
- hyperuricemia ; 대개 경미하여 (<15 mg/dL) 치료는 필요 없음! (예외: tumor lysis syndrome)
- metabolic acidosis
  - HCO_3^- <15 mmol/L (or pH <7.2)인 경우에 치료
    → oral or IV sodium bicarbonate (Cx ; hypervolemia, metabolic alkalosis, hypocalcemia, hypokalemia)
  - but, 치료가 요구될 정도면 대부분 며칠 이내에 응급 투석이 필요하게 됨
- 영양 : 총열량섭취는 20~30 kcal/kg/day, 가능하면 경구로 공급
  - AKI 환자는 대개 protein energy wasting (catabolism)으로 malnutrition (→ mortality ↑) 위험
  - protein intake ; 0.8~1.0 g/kg/day (noncatabolic AKI 환자),
    1.0~1.5 (RRT 환자), 1.7 (catabolic & RRT 환자, 매우 심하면 ~2.5까지도)
  - carbohydrate intake ; >100~120 g/day (뇌의 최소 필요량)
  - RRT 환자는 반드시 미량원소(e.g., 아연, 구리, 셀레늄) 및 수용성 비타민도 공급
- 감염 : 예방이 최우선
  - IV or urinary catheters 및 기타 invasive devices는 세심하게 관리
  - 예방적 항생제 사용은 도움 안됨!
- anemia → 수혈 / EPO는 효과 없음 (∵ delayed onset, BM resistance)
- uremic bleeding (∵ platelet dysfunction) → desmopressin (DDAVP), estrogens, cryoprecipitate
  → 오래 지속되거나 심하면 투석 필요
- GI bleeding 예방 ; PPI or H_2-blocker
  ↳ acute interstitial nephritis (AIN)를 유발할 수도 있으므로 주의
- venous thromboembolism (VTE) 예방도 중요
  - VTE risk 평가 이후에 예방조치 필요하면 UFH (unfractionated heparin) 권장
  - LMWH 및 factor Xa inhibitors는 severe AKI 환자에서는 약동학을 예측할 수 없으므로 금기
    ↳ enoxaparin 30 mg/day : anti-Xa level monitoring 하에는 가능 (목표 0.2~0.4 U/mL)

3. 투석요법(dialysis, RRT$_{\text{renal replacement therapy}}$)

- 신기능이 회복될 때까지 신장을 대체하는 역할 (지지요법)
- absolute indication ★
  ① 심한 uremic Sx & sign ; encephalopathy, seizures, 출혈경향, serositis (pericarditis, pleuritis), sensory or motor neuropathy, enteropathy (A/N/V) ...
  ② hypervolemia (e.g., pulmonary edema)
  ③ hyperkalemia (K^+ >6.5 mEq/L)
  ④ acidosis (pH <7.2, HCO_3^- <10 mEq/L)
  (②~④: 보존적 치료에 반응 없거나 매우 심할 때)

* progressive azotemia (BUN >100, Cr >8~10, C_{Cr} <0.1) → 보통 경험적으로 시행함

- uremic Sx.은 C_{Cr}이 0.1~0.15 mL/min/kg 이하로 떨어질 때 발생
- 투석의 필요성은 plasma creatinine level보다는 C_{Cr}에 따라 결정해야 함
  → 제일 중요한 것은 환자의 uremic Sx.의 정도
- 투석요법의 종류
  ① 혈액투석(HD)
    (a) intermittent HD (IHD) : 보통 3~4 hr/day, 3~4회/주 … 오랫동안 AKI의 TOC였음
      - 수분/노폐물 제거는 가장 빠르지만, 짧은 시간만 가능하고 저혈압 발생 위험
      - 혈역학적으로 불안정한 AKI 환자에는 사용 어려움
    (b) prolonged intermittent renal replacement therapy (PIRRT) : 보통 6~12 hr/day, 3~7회/주
      - slow low-efficiency HD (SLED) or extended daily dialysis (EDD)로도 불림
      - IHD의 단점을 보완하기 위해 속도를 낮추고 시간을 늘린 것, IHD~CRRT의 중간 특성
      - 혈역학적으로 불안정한 severe AKI 환자에 유용 (특히 다량의 fluid therapy 지속시)
      - CRRT 대비 장점 ; 휴식기에 활동 및 시술 가능 / 단점 ; 전문인력이 계속 감시 필요
  ② 지속적 신대체요법(continuous renal replacement therapy, CRRT) – m/c
    - 종류 ; continuous venovenous hemofiltration (CVVH), continuous venovenous hemodialysis (CVVHD), continuous venovenous hemodiafiltration (CVVHDF) 등 → 6장 참조
    - 체외로 나가는 혈액량↓, flow rate↓ → HD보다 환자의 혈압에 미치는 영향이 작음
    - 단위시간당 수분/노폐물 제거 양 적음 → plasma osmolality 변화 적음 → IICP 환자에서 유용
      ↳ 24시간 시행하므로 최종적으로 제거되는 수분/노폐물 제거 양은 HD보다 많음
    - 혈역학적으로 불안정한 severe AKI 환자에서 가장 유용
  ③ 복막투석(PD) : HD or CRRT가 불가능한 상황에서만 고려
    (과거 혈역학적으로 불안정시 사용했었지만, 수분/노폐물 제거가 느리므로 권장 안됨)
- AKI의 치료 효과는 IHD, PIRRT, CRRT 간 의미 있는 차이는 없음!
  → 환자의 상태, 병원 시설/인력, 의사의 숙련도, 비용 등에 따라 선택
- 적절한 투석 강도는 아직 불확실함 (격일보다는 daily HD가, low-dose CRRT보다는 high-dose CRRT가 더 효과적이라는 주장도 있지만, 생존율 향상은 불확실함)

회복

- 일반적으로 ATN에 의한 oliguric AKI는 빨리 회복됨 : 보통 3주 정도
  (대개 5~15일 정도의 투석요법 필요)
- 신기능의 회복이 늦어지는 경우는 ATN 이외의 다른 원인을 고려 ; diffuse cortical necrosis, RPGN, renal emboli, renal vasculitis, renal artery occlusion, superimposed volume depletion ...
- 일단 AKI에서 회복되면 대부분은 정상 신기능을 유지
- but, 약 50%는 subclinical 신장 손상이 남음, 10~20%는 유지 투석 필요, 약 5%는 ESRD로 진행
- 비가역적으로 신기능이 감소될 위험이 높은 경우 ; 고령, 여성 baseline GFR↓, baseline sCr↑, hypoalbuminemia, 동반질환(e.g., HTN, HF), 퇴원시 sCr↑ 등

예후

- severe AKI의 ICU 입원 중 단기 사망률 40~60%, 퇴원 후 장기 사망률 23%
  - 지난 30년간 사망률 감소가 크게 없고 약간만 감소했음 (∵ 기저질환의 severity 증가)
  - prerenal & postrenal AKI가 intrinsic renal AKI보다 예후 좋음 (사망률 <10%) (예외 ; cardiorenal, hepatorenal syndrome)
  - intrinsic renal AKI는 경과 예측이 어렵고, 예후 나쁨 (사망률 30~80%, 약 50%)
- 주 사망원인 ; 감염, 기저질환의 악화, 전해질 이상, 출혈, 심폐부전
  - AKI 자체가 아니라 대개 기저질환의 후유증으로 인해 사망
  - 원인에 따른 사망률 ; sepsis 60~90%, 외상/대수술 60%, toxin ~30%, 산과적 합병증 ~15%
- 예후가 나쁜 경우
  ① 고령, 심한 기저질환(e.g., sepsis), multiple or nonrenal organ failure (e.g., ARDS, 간부전), thrombocytopenia, hospital-acquired AKI
  ② serum Cr >3 mg/dL (sCr level이 높아질수록 사망률은 훨씬 더 높아짐)
  ③ oliguria (<400 mL/day) [↔ nonoliguric AKI가 예후 더 좋음]

예방

- ischemic or nephrotoxic AKI는 특별한 치료법이 없기 때문에 예방이 매우 중요
- ischemic AKI의 많은 경우는 충분한 수액공급으로 예방 가능
- nephrotoxic AKI는 약물 투여량을 줄이면 예방 가능
- 신질환 발병의 위험이 있는 환자 (e.g., true or effective hypovolemia, renovasuclar HTN)에서는 NSAIDs 사용을 피하고, 이뇨제, ACEi/ARB, vasodilator 등은 필요시에만 조심스럽게 사용
- cisplatin, streptozotocin 같은 항암제 사용시엔 충분한 수액공급
- 거대 종양의 항암제 치료시 allopurinol 등의 전처치로 요산배설을 감소시킴
- high-dose MTX, rhabdomyolysis → forced alkaline diuresis
- acetaminophen-induced renal injury 예방 → *N*-acetylcysteine
- heavy metal nephrotoxicity 예방 → dimercaprol
- ethylene glycol intoxication → ethanol

- mannitol, loop diuretics, low-dose dopamine, fenoldopam, natriuretic peptides, N-acetylcysteine 등은 AKI 예방 효과 없음
- 수술 전 statin 투여 : 과거에는 AKI 예방에 효과적으로 봤으나 (∵ lipid↓, plaque 안정화, 항염증효과), 최근 연구 결과 효과 없고 일부에서는 AKI↑ 위험
- activated protein C (APC) : sepsis 환자에서 신장혈류 개선으로 AKI 예방 효과를 기대했었으나, 심각한 출혈 합병증으로 퇴출되었음

5
만성 신질환콩팥병 (Chronic kidney disease, CKD)

개요

1. 정의/분류

• 만성 신질환(CKD) : 신장손상(kidney damage) or 신기능(GFR) 감소가 <u>3개월</u> 이상 지속되는 것

(1) 신장손상(kidney damage) ; 병리학적 이상, 영상검사의 이상, 신장이식, 단백뇨(albuminuria), 신장손상의 biomarkers, 비정상 요침사(urine sediment), 세뇨관장애에 의한 전해질 이상 등

(2) 신기능(GFR) 감소 ; <60 mL/min/1.73m^2

(c.f., GFR은 30~50%까지 감소해도 무증상 & 신기능 유지 → 이 이하로 감소하면 azotemia 발생)

• NKF (National Kidney Foundation) <u>KDOQI</u> (Kidney Disease Outcomes Quality Initiative) 분류 (2002년)

CKD의 분류/병기(staging) – KDOQI

Stage	GFR* (mL/min/1.73m^2)	빈혈	고혈압	5YSR	조치
1. GFR이 정상 or 증가된 신장손상	≥90	4%	40%	81%	원인 및 동반질환의 진단/치료, 진행 늦춤, 심혈관계 위험인자 감소
2. GFR이 약간 감소된 신장손상	<90 (60~89)	4%	40%	81%	+ 진행속도 평가
3. GFR의 중등도 감소	<60 (30~59)	7%	55%	76%	+ 합병증 평가 및 치료
4. GFR의 심한 감소	<30 (15~29)	29% 고인산혈증 20%	77%	54%	+ 신대체요법 준비
5. 신장기능상실(ESRD)	<15 or 투석중	69% 고인산혈증 50%	>75%	<40%	+ 신대체요법 시작

* GFR은 CG (Cockcroft–Gault) or MDRD의 추정사구체여과율(eGFR) 공식을 이용함

CG: $C_{Cr} = \dfrac{(140 - \text{나이}) \times \text{체중(lean body weight: kg)}}{72 \times P_{Cr}\ (\text{mg/dL})}$ (×0.85 :여성) … 유일하게 손으로 계산 가능!

MDRD : $\text{eGFR (mL/min/1.73m}^2) = 186 \times (P_{Cr})^{-1.154} \times (\text{나이})^{-0.203}$ (×0.742 :여성) (×1.21 :흑인)

c.f.) chronic renal failure (CRF) : nephron이 비가역적으로 크게 감소된 것 ⇨ CKD stage 3~5

- 질소혈증(azotemia) : 질소대사산물인 BUN, Cr 등이 혈중에 저류(축적)되는 것
- 요독증(uremia) : 신장으로 배출되어야할 uremic toxins의 체내 축적 및 그에 의한 임상증후군
- 말기신부전(ESRD) (≒ kidney or renal failure) : GFR이 정상의 15% 이하로 감소하여 신대체요법이 필요한 경우 ⇨ CKD stage 5

• KDIGO (Kidney Disease Improving Global Outcomes) 분류 (2012년) ★
; 원인, GFR, albuminuria에 의한 범주 및 위험도(risk)/예후 분류

				Albuminuria stage		
				A1	A2	A3
				정상~약간 증가	중등도 증가	심한 증가
			ACR mg/g (mg/mmol)	<30 (<3)	30~300 (3~30)	>300 (>30)
			AER (mg/day)	<30	30~300	>300
			PER (mg/day)	<150	150~500	>500
GFR stage (mL/min/1.73m²)	G1	정상~증가	≥90		1	2
	G2	약간 감소	60~89		1	2
	G3a	약간~중등도 감소	45~59	1	2	3
	G3b	중등도~심한 감소	30~44	2	3	3
	G4	심한 감소	15~29	3	3	≥4
	G5	신장기능상실	<15	≥4	≥4	≥4

(Box 내 숫자는 권장 monitoring 주기: 회/year)

eGFR은 **CKD-EPI** Cr equation (2009) or CKD-EPI Cr-Cystatin equation (2012) 권장 → 1장 참조!
ACR (albumin-to-Cr ratio), AER (albumin excretion rate), PER (protein excretion rate)
↳ 24hr urine보다, 아침 첫 spot urine으로 ACR 검사 권장 (가능하면 여러 번)

*Risk : Low | Moderate | High | Very high

(Low → 다른 신장손상의 marker가 없으면 no CKD)

• 역학 (우리나라, 2017년)
- 추정 CKD 유병률 9% (성인의 약 1/9), CKD로 진료 받은 환자 약 20만명 (인구의 약 0.4%)
- 지속적으로 증가 추세 (연평균 8.7%↑), 60세 이상에서 급격히 증가
- 남:여 = 57:43 (남자가 약간 더 많음)
- 위험도(risk)에 따른 비율 ; low 92%, moderate 6.3%, high 1.1%, very-high 0.6%

2. 병태생리/병리

(1) initiating mechanism : 원인에 따름(e.g., toxin, immune complex, 염증, 유전자 이상)
(2) progressive mechanism : 원인에 관계없이 nephrons (renal mass) 감소 ~ ESRD까지의 진행 기전
① 남아있는 nephrons (사구체)의 보상성 hyperfiltration (혈류↑, 여과압력↑, 용적↑)
- hemodynamic injury : 사구체 비후, podocyte[발세포] injury/loss, FSGS 등의 병리소견을 보임
- 어느 정도 GFR을 유지하지만, 결국엔 보상(적응)에 실패함
- 관여인자 ; RAAS 활성화 (→ angiotensin Ⅱ), reactive oxygens, albumin, endothelin-1 등
↳ nonhemodynamic injury (염증 및 섬유화)도 매개
(e.g., renin → TGF-β↑/ angiotensin Ⅱ → 세포 증식, collagen 생산)
② proteinuria : 원인 질환에 의한 사구체 손상 or 보상성 hyperfiltration에 의해 단백뇨↑
- 단백뇨 자체가 사구체와 세뇨관 손상도 촉진함 ; mesangial toxicity, tubular overload & hyperplasia, 여러 염증물질 및 염증물질이 부착된 albumin, 염증반응 유도 등에 의해
- 따라서 단백뇨를 조절하면 CKD의 진행을 늦추고 부종 등의 증상호전에도 도움

③ cytokine bath ; IL-1, MCP-1, RANTES, IFN-γ, TNF-α, 여러 proteases 등
(monocyte chemoattractant protein)

④ 염증세포의 침윤 ; MCP-1 및 여러 chemokines에 의해 monocytes 등의 염증세포 침윤 발생

⑤ **epithelial-mesenchymal transition (EMT)** : renal (or tubular) epithelial cells이 염증 자극에 지속적으로 노출되면 섬유모세포(fibroblast)로 전환되는 것 → 신장 섬유화(scar)
- 촉진 ; TGF-β (m/i), EGF, FGF-2, FSP (fibroblast-specific protein)-1
- 억제 ; HGF (hepatocyte growth factor), BMP (bone morphogenetic protein)-7

⑥ fibrosis & glomerulosclerosis

3. 원인

Chronic kidney disease (CKD)의 원인	
DM (m/c, 44%) ; type 2 (41%), type 1 (3.9%) HTN (27.2%) : vascular diseases Subclinical primary glomerular dz.에서 HTN 동반 전신동맥경화성질환의 일환 Hypertensive nephrosclerosis Renal artery stenosis Glomerulopathies Primary glomerular diseases (8.2%) ; FSGS, MPGN, IgA nephropathy, Membranous nephropathy Secondary glomerular diseases ; Amyloidosis, Heroin abuse nephropathy, Post infectious glomerulonephritis, Collagen vascular diseases, Sickle cell nephropathy	Tubulointerstitial diseases (3.6%) Drug hypersensitivity Heavy metals Analgesic nephropathy Reflux/chronic pyelonephritis Idiopathic Hereditary or cystic diseases (3.1%) Polycystic kidney disease Medullary cystic disease Alport syndrome Obstructive nephropathies Prostatic disease Nephrolithiasis Retroperitoneal fibrosis/tumor Congenital

(1) 위험인자

- 당뇨병, 고혈압, 고령, 자가면역질환, 신질환의 가족력, AKI의 과거력 ...
- 신장손상 ; 단백뇨, 비정상 요침사, 구조적인 요로계 이상(e.g., VUR)
  c.f.) reflux nephropathy (소아때 반복성 UTI 병력, 신장 크기 비대칭/scar) 의심시에는 VCUG 검사 고려
  (but, CKD가 될 때까지 VUR은 대부분 호전됨 / 남아있는 VUR을 치료해도 신기능은 호전 안됨)

(2) 유전자 이상

- CKD의 원인
  ① ADPKD (m/c)
  ② Alport syndrome (hereditary nephritis, X-linked dominant 유전 등 → 7장 참조)
- ESRD로의 진행 예측
  ① ACE gene의 insertion/deletion polymorphism
  - cardiovascular dz.의 위험인자이기도 함
  - homozygous deletion (D/D) variant ; endogenous ACE activity 최대,
    CKD 악화 위험 최고 → ACEi 치료가 효과적

  ② angiotensinogen gene, angiotensin receptor
  → intraglomerular HTN이 지속적인 신손상에 중요함을 시사

Uremic syndrome의 병태생리

1. 요독물질(uremic toxins)의 체내 축적

- 신기능 감소(GFR↓)에 따라 신장으로 정상적으로 배출되지 못해 축적
- CKD에 의한 대사 및 호르몬 변화에 의해 축적

단백질과 아미노산의 대사물 ; Urea (소변 배설 총 질소의 80% 차지) 등
Guanidine 화합물 (urea 다음으로 많은 단백대사물) ; creatinine, guanidinsuccinic acid (→ platelet factor Ⅲ 억제 → platelet dysfunction)
Urate 및 nucleic acid의 대사물
Advanced glycation end-products
Ligand-protein binding의 억제 물질
Glucuronoconjugates & aglycones
Somatomedin과 insulin 작용의 억제 물질
Peptides 호르몬들 ; PTH가 m/i

- 주로 단백질과 아미노산의 대사물 (∵ 대부분이 신장을 통해서 배설)
  - 식욕저하, N/V, 두통, 피로 등을 유발하는 것으로 추정됨
  - urea : 단독으로는 독성 강하지 않음, 다른 uremic toxin들의 혈중 농도를 간접적으로 반영
- peptides hormones : 신장에서 배설↓, 분해↓, 대사변화 등으로 인하여 PTH, FGF-23, insulin, glucagon, steroid hormones (e.g., vitamin D, sex hormones), prolactin 등의 혈중농도가 증가하는데 이들 모두가 요독소로 작용함 (PTH가 m/i)
- 중분자물질(middle molecules) : 과거에는 300~2,000 dalton으로 봤으나, European Uremic Toxin Work Group (2003년)에서는 500~60,000 dalton으로 정의함
- 단백결합물질와 중분자물질은 투석으로 잘 제거되지 않아 CKD 환자에서 더 중요함

Uremic toxins의 분류

Small water-soluble compounds	Protein-bound solutes	Middle molecules
<500 dalton	크기는 다양	>500 dalton
urea, creatine, ammonia, asymmetric dimethylarginine (**ADMA**), creatinine, guanidine, guanidino acetic acid, guanidino butyric acid, hypoxanthine, methylguanidine, myoinositol, uric acid, oxalate, trimethylamine-N-oxide (**TMAO**), xanthine, hypoxanthine	advanced glycation end products (**AGEs**), cresols (**p-cresol, p-cresyl sulfate**), CMPF*, 3-deoxyglucosone, hippuric acid, homocysteine, **indole-3-acetic acid, indoxyl sulfate, kynurenine**, kynurenic acid, leptin, melatonin, phenol, **phenyl acetic acid**, quinolinic acid	adrenomedullin, ANP, **β_2-microglobulin**, β-endorphin, CCK, complement factors, endothelin, FGF-23, **ghrelin**, ILs, leptin, retinolbinding protein, prolactin, PTH, TNF 등

*CMPF ; 3-carboxy-4-methyl-5-propyl-2-furanpropionic acid

2. Systemic inflammation

- CKD가 심해질수록 (특히 ESRD가 될수록) 염증반응도 심해짐 (∵ uremia, cytokines↑, oxidative stress, carbonyl stress, protein-energy wasting, 감염↑, 투석 등)
- MIAC (malnutrition, inflammation, atherosclerosis, calcification) syndrome 발생에 중요
  ↳ advanced CKD 환자의 혈관질환 및 심장위험 증가에 기여

- CRP, IL−6, ferritin 등의 acute−phase reactants (APR) 상승
- albumin, transferrin (TIBC), fetuin 등의 negative−APR 감소

3. Cellular function에의 영향

- cell membrane을 통한 ion transport의 장애 → intracellular Na^+↑, K^+↓
  → transcellular electrical potential↓
- Na^+−K^+−ATPase activity↓

진단

1. CKD와 true AKI의 감별 (우선)

■ CKD 진단에 도움이 되는 소견 (AKI와의 감별점) ★

① GFR 감소 : 3개월 이상
② 요독증상(uremic Sx.) : 3개월 이상
③ 양측 신장 크기의 감소(<8.5 cm) → renal US
④ renal osteodystrophy (secondary hyperparathyroidism)
 ; hyperphosphatemia, hypocalcemia, PTH↑, ALP↑
⑤ uremic neuropathy
⑥ moderate~severe normocytic normochromic anemia (↔ AKI는 대개 mild)
⑦ U/A ; inactive sediment, broad casts, proteinuria
(oliguria는 아님!)

■ 신장의 크기가 정상 or 증가되는 CKD

; diabetic nephropathy (증가), RPGN, malignant nephrosclerosis, obstructive uropathy, multiple myeloma, amyloidosis, polycystic kidney dz., HIV−associated nephropathy, scleroderma

2. CKD의 원인 파악

- 병력이 중요 − 주요 원인 질환의 임상적 특징 예

> 1. 당뇨병성 신질환 (m/c) ; 당뇨 병력, 단백뇨, 당뇨병성 망막증
> 2. 고혈압 ; 혈압↑, 요검사 정상, 고혈압의 가족력
> 3. 사구체 질환 ; nephritic or nephrotic 임상양상
> 4. 낭종성 신질환 ; 요로계 증상, 비정상 요침사, 영상검사 이상
> 5. 세뇨관간질성 신질환 ; UTI의 병력, 역류, 장기간의 약물 복용,
>   요로계 영상검사 이상, 세뇨관기능 이상 (요농축 장애, 요검사 이상)

- 중요한 drugs Hx ; 진통제, NSAIDs, gold, penicillamin, 항생제, 항바이러스제, PPI, lithium, ACEi
- heavy proteinuria (>3 g/day) → NS, DM, malignant HTN, collagen vascular dz., amyloidosis 등의 사구체병변을 시사

• RBC or RBC cast → RPGN, proliferative GN, malignant HTN, 전신질환에 의한 GN 등을 시사
• WBC, fine + coarse granular casts → interstitial nephritis 시사 (→ 신독성 약물 조사)
• 영상검사 ; US (m/g), 필요시 CT, MRI 등 (조영제를 사용하는 검사는 가능하면 피해야 됨)

* 특히 진단을 놓치지 않도록 주의가 필요한 질환
① bilateral renovascular ischemic dz. ; revascularization 치료로 신기능 향상 가능, ACEi 주의
→ Doppler US, CT, MRA 등
② analgesic-associated chronic tubulointerstitial dz. ; 약 중단하면 신기능 크게 향상
→ CT (papillary calcification & necrosis)

3. 신생검(renal biopsy)

• 적응 ; 신장 크기가 거의 정상이고, 원인질환의 가역(reversible) 가능성이 있고, biopsy 이외의 방법으로 진단이 어려울 때 (대개 early-stage CKD에서나 고려)
• tubulointerstitial scarring의 정도 - ESRD로의 진행 예측에 m/g 소견
• 금기 ; bilateral small kidney, polycystic kidney dz., uncontrolled HTN, urinary tract or perinephric infection, 출혈경향, 호흡곤란, 심한 비만

임상양상 및 합병증

1. 수분 및 전해질 이상

(1) Na^+ (sodium)

• Na^+ level은 GFR이 10 mL/min까지 감소되어도 잘 유지됨 (∵ 정상 nephron에서 Na^+ 배설↑)
• ESRD에서는 Na^+ retention or salt-losing nephropathy 생길 수 있음
① sodium retention → ECF volume↑, HTN, edema, pulmonary congestion, cardiomegaly ...
② sodium wasting (드묾) : salt-losing nephropathy
예) pyelonephritis, medullary cystic dz, hydronephrosis, obstructive nephropathy, interstitial nephritis, milk-alkali syndrome...
• 대부분의 stable CKD 환자는 total body sodium & water가 약간 증가되어 있음 (∵ sodium intake > excretion), ECF는 현저하게 증가×, hypernatremia는 드물다
┌ water 과잉 섭취 → hyponatremia, weight gain 발생/악화
└ sodium 과잉 섭취 → CHF, HTN, ascites 발생/악화
• 치료
① ECF volume이 증가된 경우 : Na^+ 섭취 제한 + loop diuretics
→ 반응 없으면 loop diuretics 증량 or metolazone 추가
→ 반응 없으면 (GFR <5~10 mL/min/1.73m^2) 대개 투석 필요
② ECF volume이 감소된 경우 : 조심스럽게 수액(N/S) 보충
③ salt-losing nephropathy : Na^+ 보충 / ④ hyponatermia : water 제한

(2) Hyperkalemia

- 신기능이 감소되어도 보상작용의 증가로 (∵ aldosterone에 의해 신장 배설, 위장관에서의 배설) distal flow만 유지되면 K^+ 배설은 거의 정상을 유지함 / total body K^+은 저하됨 (ICF내 K^+↓)
  ⇨ 대개 말기에 (GFR <10 mL/min) hyperkalemia 발생 (증상 발생은 5 mL/min 이하)
- CKD 환자에서 조기 hyperkalemia 발생의 유발인자
  ① 경구섭취↑(e.g., 녹즙), 세포에서 유리↑ (e.g., rhabdomyolysis, tumor lysis syndrome, 단백 분해, 용혈, 수혈, 출혈, 외상, 수술, 전신마취, 운동)
  ② ICF에서 ECF로 shift ; metabolic acidosis, insulin deficiency, nonselective β-blockers
  ③ distal nephrons의 K^+ 배설 감소
    - hyporeninemic hypoaldosteronism ; diabetic nephropathy, TID
    - 주로 distal nephron을 침범하는 신질환 ; obstructive uropathy, sickle cell nephropathy
    - aldosterone↓ ; ACEi/ARB, direct renin inhibitors, NSAIDs & COX-2 inhibitors
    - K^+-sparing diuretics (e.g., spironolactone, amiloride, eplerenone, triamterene), oliguria
- 치료
  ① K^+ 섭취 제한 : 50~77 mEq/day (2~3 g/day)
  ② K^+ 함유 수액/약물, hyperkalemia 유발 요인/약물(e.g., hypovolemia, NSAIDs) 등 회피/교정
    - ACEi/ARB : 장점(CKD 진행 지연)이 더 크므로 감량 및 kaliuretic diuretics 병용 먼저
    - metabolic acidosis → alkali 보충
  ③ kaliuretic diuretics (e.g., thiazide or loop diuretics) : 소변으로 K^+ 배설 증가
  ④ GI K^+-binding agents (e.g., SPS [Kayexalate®], patiromer, ZS-9) : 장으로 K^+ 배설 증가
  ⑤ intractable hyperkalemia (드묾) → 투석의 적응
  ⑥ severe hyperkalemia → calcium gluconate, insulin + glucose, alkali, albuterol (β_2-agonist)

* hypermagnesemia, hyperamylasemia, hypertriglyceridemia, mild carbohydrate intolerance 등은 치료를 필요로 하지 않는다

* 드물게 hypokalemia도 나타날 수 있음
  - 원인 ; K^+ 섭취 크게 감소, 과도한 이뇨제 사용, GI loss, primary renal K^+ wasting (e.g., Fanconi syndrome, RTA type 1/2, 기타 tubulointerstitial diseases)
  - GFR이 더 감소하면 결국엔 hyperkalemia가 발생

(3) Metabolic acidosis (MA)

- CKD **중기** : GFR 40~50 mL/min 이하가 되면 functioning nephrons의 감소로 인해 total ammonia 생산(excretion) 저하 (각 nephrons 당 ammonia 생산은 증가하지만)
  → 소변으로 H^+ 배설 감소 → **H^+ retention** → ECF에서 중화 (tissue buffers, bone의 완충작용)
  ⇨ hyperchloremic (normal-AG) metabolic acidosis & hyperkalemia : 대개 mild (pH >7.35)
  - titratable acid (주로 phosphoric acid) 생산(excretion) 저하도 MA 발생에 기여함

  > * Bicarbonate 생산은 주로 ammonia excretion과 titratable acid excretion에 의해 이루어짐
  > ↳ acid load를 완충(H^+를 소변으로 배출) ↳ 대개 ammonia 이외의 산을 의미함

  - hyperkalemia 동반시 ammonia 생산은 더욱 감소 (→ hyperkalemia 치료시 acidosis도 호전됨)
  - diabetic nephropathy, TID, obstructive uropahty 등은 초기(CKD stage 1~3)에도 type 4 RTA (aldosterone↓)에 의해 hyperchloremic normal-AG MA & hyperkalemia 발생 가능

- ESRD에 가까워져도 동반질환(e.g., diarrhea, RTA)이 없으면 bone의 완충작용으로 serum bicarbonate는 15~20 mEq/L 정도를 유지함 (→ bone에서는 renal osteodystrophy를 유발)
- **말기** : ESRD가 되면 organic acids (phosphate, sulfate, urate, hippurate 등)의 retention도 발생
  ⇨ high-AG metabolic acidosis

Chronic Metabolic Acidosis에 의한 영향
Bone turnover (resorption)↑, Muscle protein catabolism↑, CKD progression 전신염증↑, TG↑, Corticosteroids & PTH↑ (2ndary hyperparathyroidism 악화) Insulin 및 GH에 대한 저항성 (c.f., EPO는 관련×) 갑성선호르몬 이상 (갑성선호르몬들의 감소, 갑성선호르몬에 대한 저항성) 심근수축력↓(→ CHF), 저혈압, 권태감

⇨ MA 치료 (alkali 보충)로 호전됨

- 치료 : serum bicarbonate (HCO_3^-) 20~23 mEq/L 이하면 alkali 보충 필요
  ⇨ serum HCO_3^- 정상(23~29* mEq/L) 유지 권장 (*높으면 사망률이 증가되는 연구도 있어 불확실함)
  ① oral sodium bicarbonate or sodium citrate : sodium overload 위험
  ↳ aluminum-containing antacids 복용시엔 금기
  ② calcium citrate, calcium acetate, or calcium carbonate
  ③ veverimer (nonabsorbable sodium-free oral HCl binder) : GI에서 HCl 제거에 효과적 (연구 중)
  ④ 투석 환자에서는 투석액의 bicarbonate 농도를 높이는 방법도 가능

(4) Hyperuricemia

- GFR이 20% 이하일 때 발생, gout 발생은 드물다
- uric acid 15 mg/dL 미만이면 대개 치료할 필요 없음 / gout 발생하면 치료 (allopurinol)

2. CKD-MBD (mineral & bone disorder)

* **CKD-MBD의 정의** : 다음 중 하나 이상
(1) 칼슘(Ca), 인(Ph), PTH, FGF23, vitamin D 등의 대사 이상
(2) 뼈 이상 (bone turnover, mineralization, volume linear growth, or strength)
(3) Extraskeletal calcification

- 신성골형성장애/골이영양증(renal osteodystrophy) 용어는 뼈의 형태학적 변화에 사용

■ 병태생리 - Ca, Ph, PTH, FGF-23, vitamin D 등의 대사 이상

(1) Secondary Hyperparathyroidism

Secondary hyperparathyroidism 발생에 기여하는 인자 ★
1. Hyperphosphatemia (∵ GFR 감소에 의한 인산염 배설 감소) 2. Hypocalcemia (ionized Ca^{2+}↓), metabolic acidosis 3. Vitamin D (1,25(OH)₂D, calcitriol) 생산 장애 및 저항성 4. Fibroblast growth factor 23 (FGF-23) 증가 5. 부갑상선에서 vitamin D receptors (VDRs), calcium-sensing receptors (CaSRs), FGF receptors (FGFR) 및 Klotho 등의 발현 감소 (↳ FGF의 co-receptor로 FGFR:Klotho complex로 작용) 6. PTH에 대한 skeletal resistance (골 저항) 7. Autonomous parathyroid hyperplasia 8. 신장의 PTH의 분해 및 배설 감소

- CKD-BMD의 m/i 특징, 보통 CKD stage 3부터 발생 시작, GFR이 감소할수록 증가

- GFR↓ ⇨ serum phosphate↑ → PTH↑, FGF-23↑ → 신장에서 Ph 재흡수↓(배설↑)
  ↳ serum Ca^{2+}↓↗ ↳ 신장에서 calcitriol 합성↓ → serum Ca^{2+}↓
  ⇨ 보상기전으로 serum Ph & Ca^{2+}은 어느 정도 정상범위를 유지함 ("trade off hypothesis")
- PTH↑ ; osteoblast & osteoclast activity↑(→ serum Ca^{2+}↑), ALP↑ 등 → 뒷부분 참조
  - CKD에서는 PTH에 대한 skeletal resistance도 발생 → PTH 더욱↑
  - parathyroid nodular hyperplasia or adenoma도 발생 가능

(2) Hyperphosphatemia

- 인(Ph) : 체내에서 85%는 Ca-Ph 결합체로 뼈에 존재, 1% 정도만 ECF에 존재
- advanced renal failure의 특징, GFR이 20~30 mL/min 이하로 감소되면 발생 시작
  (그 전까지는 FGF-23 및 PTH 증가에 의한 보상작용으로 대개 정상 범위를 유지함)
- secondary hyperparathyroidism의 주요 원인임
  ① 간접적으로 유발 (∵ 신장에서 $1,25(OH)_2D$ 합성↓, serum Ca^{2+}↓)
  ② 직접 PTH 분비를 자극
- 심혈관계 사망률 증가와 관련 / hyperphosphatemia 및 hypercalcemia → 혈관/판막 석회화↑
- 석회화 정도는 연령 및 Ph↑ 정도와 비례, PTH↓ 및 low-turnover와 관련
  (∵ low-turnover 환자는 섭취한 Ca을 뼈가 이용 못해 연조직과 혈관에 침착↑)

(3) Hypocalcemia

- 발생기전 ; ① hyperphosphatemia → 뼈로 calcium 유입↑, calcium phosphate가 연조직에 침착
  ② PTH에 대한 skeletal resistance
  ③ 신장의 vitamin D 합성↓ → 장에서 Ca^{2+} 흡수 감소
- CKD 환자에서 흔하며 secondary hyperparathyroidism을 유발하는데 기여
- serum Ca^{2+}↓ → 부갑상선의 CaSRs에서 감지 → PTH 분비 자극

(4) vitamin D [$1,25(OH)_2D_3$, 간단히 $1,25(OH)_2D$, calcitriol] 결핍

- GFR↓ (renal mass↓) → 25(OH)D 재흡수↓, 1α-hydroxylase↓(25(OH)D ▷ $1,25(OH)_2D$↓)
  → $1,25(OH)_2D$↓ (active form)
  ↳ 사구체에서 여과된 뒤 근위 세뇨관에서 megalin receptor에 의해 재흡수됨
  ($1,25(OH)_2D$↓ → 신장의 megalin 발현↓ → vatamin D 결핍 더욱 악화)
- CKD stage 3 or 더 일찍부터 감소, ESRD 때는 매우 낮음 (∵ 주로 FGF-23↑ 때문)
- secondary hyperparathyroidism 발생에 기여 (∵ Ca^{2+}↓, PTH gene transcription 억제의 감소)
- 골격계의 PTH에 대한 sensitivity도 감소시킴
- severe hyperplastic parathyroid에서는 vitamin D receptor도 매우 감소됨 (down regulation)

(5) Fibroblast growth factor 23 (FGF-23)

- CKD 초기부터 증가 (주로 osteocytes에서 분비됨)
- serum phosphate level을 정상으로 유지하도록 작용
  ① 신장에서 phosphate 재흡수 억제 → phosphate 배설↑ PTH↑
  ② PTH 분비 자극 → 역시 신장에서 phosphate 배설↑ ↑
  ③ 신장의 1α-hydroxylase 억제 → $1,25(OH)_2D$ 합성↓ → 위장관에서 Ph & Ca 흡수↓
- FGF-23↑ : LVH의 독립적인 위험인자, CKD/투석/신이식 환자에서 사망률↑
  → serum phosphate level이 정상이라도 치료가(e.g., Ph 섭취제한) 필요함을 시사

■ 뼈질환의 조직학적 분류 (renal osteodystrophy, ROD)

(1) High-turnover osteodystrophy (PTH ↑) : osteitis fibrosa cystica[낭성섬유뼈염]

- persistent **secondary hyperparathyroidism**에 의해 발생 (CKD stage 2~3부터 발생 시작)
- bone formation ↑, osteoid (unmineralized bone) ↑, subperiosteal bone resorption (m/c 영상소견), bone & BM fibrosis (endosteal peritrabecular fibrosis), 말기에는.. bone cysts 형성, 때때로 출혈성 병변으로 인한 brown tumor 등 ↳ osteitis fibrosa cystica
- severe hyperparathyroidism의 임상양상 ; bone pain & fragility, brown tumors, compression syndromes, EPO resistance (일부 BM fibrosis 때문) 등

* PTH 자체도 요독물질로 작용하여 심근 섬유화, CAD, LVH, muscle weakness, 비특이적 전신 증상 등을 일으킴

(2) Adynamic bone disease (ABD)

- low-turnover osteodystrophy, 증가 추세 (특히 DM 및 노인에서)
- 투석 환자에서는 m/c ROD (PD 환자의 60%, HD 환자의 36%에서 발생)
- 병인 (PTH의 과도한 억제) : PTH ↓ → bone turnover 감소 (osteoclast & osteoblast 감소) → 뼈의 Ca 이용 감소 → bone formation 속도 매우 느려짐, hypercalcemia → total bone volume 감소, osteoid 정상(~↓), mineralization defect는 없음
- 위험인자 ; vitamin D (e.g., calcitriol) or Ca-함유 phosphate binders 과다복용 (m/c), steroid, 고령 or DM (부갑상선기능↓), 투석액의 Ca 농도↑(요즘엔 드묾), aluminum (요즘엔 드묾)
- 임상양상 ; 무증상이 흔함, bone pain, 골절↑, 혈관/심장 석회화↑, 드물게 tumoral calcinosis (관절 주위 연부조직에 Ca이 침착된 것 ↲)
- ALP는 정상
- 치료 ; 적절한 PTH level 회복 … 위험인자 교정(e.g., vitamin D↓, Ca-함유 Ph binders↓ 등)

(3) Osteomalacia (골연화증, renal richets)

- low-turnover osteodystrophy, mineralization defect → 유골(osteoid) ↑
- 원인 ; aluminum 과잉에 의한 뼈 축적 (m/i), vitamin D 결핍/저항, metabolic acidosis, Ph ↓
- aluminum 제제 사용 감소에 따라 최근엔 드묾

(4) Mixed uremic osteodystrophy

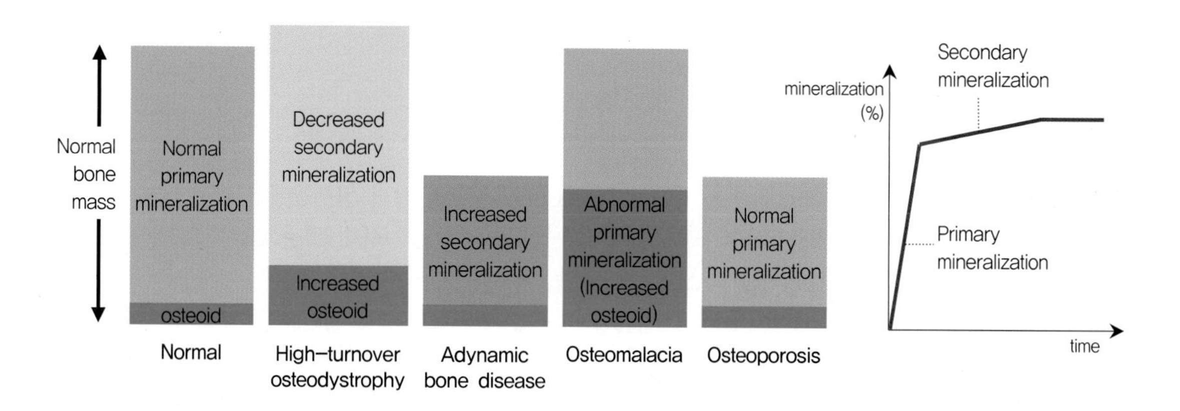

■ 기타 임상양상

(1) β_2-microglobulin-derived ($A\beta_2M$) amyloidosis (dialysis-associated amyloidosis)
- 장기간 투석 받은 환자에서 발생 (주로 투석 5년 이후에)
- 원인 ; 배출되지 못한 β_2-microglobulin이 뼈와 관절에 축적되어 발생
- 증상 ; carpal tunnel syndrome (m/c), hands의 tenosynovitis, shoulder arthropathy, bone cysts, cervical spondyloarthropathy, cervical pseudotumors
- 진단 ; X-ray (carpal bone과 femoral neck의 cyst), US, CT
- 치료 ; high-flux hemodiafiltration, hemofiltration (NSAIDs, steroid, PT 등은 별 효과×)

(2) osteoporosis : 활동 감소, Ca 결핍, 단백 고갈, 고령/폐경 등 때문
　c.f.) chronic acidosis는 CKD 환자의 골질환 발생에 큰 기여는 안함

(3) osteosclerosis → "rugger jersey spine" (vertebra 상하연의 골밀도 증가)

(4) metastatic calcification ; subcutaneous, articular, periarticular tissues, myocardium, eyes, lungs

(5) vascular calcification
- ESRD에서 흔함 (모든 형태의 ROD에서 가능하나, 특히 ABD와 관련), 주로 동맥에 발생
- CAD, LVH, CHF 등의 심혈관질환 증가와 관련 → 사망률↑
- 투석 환자에서는 젊은 연령에서도 심한 혈관(특히 coronary artery) 석회화 발생 가능
- 판막 석회화는 주로 AV 및 MV에 발생 (mitral annular calcification → 사망률↑)
- 특별한 치료법은 없음 → 적절한 Ca & Ph balance 유지

■ 심혈관 석회화(vascular calcification)의 병인
- 중막(media) 석회화 : 혈관평활근세포의 osteoblast-like cells로의 분화 (Ph↑, Ca↑, PTH↑에 의해 유도), 및 전신/국소 염증에 의해 발생
- 내막(intima) 석회화 : atherosclerosis에 의한 석회화, 고령에서 흔함
- 위험인자 ; hyperphosphatemia, hypercalcemia, positive Ca & Ph balance (e.g., Ca-함유 Ph binders), 고령, 투석 기간, low PTH (low bone turnover), vitamin D 결핍/과잉, DM, dyslipidemia
- 만성 염증은 혈관 석회화 (폐쇄성 혈관질환)를 유발 & 악화시킴
  ; fetuin-A ↓ → Ca-Ph crystals 침착↑ → 혈관 석회화↑ (특히 hyperphosphatemia 동반시)
  　└ chaperone protein (석회화 억제인자), negative-APR이기도 함

혈관석회화 촉진인자	혈관석회화 억제인자
Uremia, PTH↓(or↑)	MGP (matrix Gla protein)
Hyperphosphatemia	BMP (bone morphogenic protein)-7
Hypercalcemia	Magnesium
BMP-2, RANKL	Pyrophosphate
만성 염증	Fetuin-A, Klotho
Activin A, FGF-23(?)	Osteopontin
Warfarin (└ MGP 활성화 억제)	Osteoprotegerin (실제 역할은 불확실함, ↑&↓ 모두 혈관석회화와 관련)

c.f.) 뼈의 Ca 이용이 감소되어도 혈관 및 연조직의 석회화 증가 ; ABD (PTH↓), 골다공증

(6) calciphylaxis : 대부분 2ndary hyperparathyroidism을 동반한 말기 신부전에서 발생, 증가 추세
- 말초 혈관(중막)의 급격한 석회화 → 혈류장애 → skin necrosis (특히 하지/발, 복부, 유방), livedo reticularis, 장기의 허혈성 손상 (→ 사망)
- 원인 (multifactorial) ; severe 2ndary hyperparathyroidism, vitamin D, oral calcium 제제 (phosphate binder), steroid, iron 과잉, aluminum toxicity, protein C 결핍, warfarin ...

■ 진단 및 monitoring

• 혈액검사 : serum Ca, Ph, PTH (골다공증 표지자는 routine으로 검사할 필요는 없음)

권장 검사 및 monitoring 주기

검사 \ CKD	Stage 3 (GFR <60)	Stage 4 (GFR <30)	Stage 5 (GFR <15)
Ph, Ca	6~12개월 마다	3~6개월 마다 (CKD-BMD 치료 중 or 검사 이상 환자는 더 자주)	1~3개월 마다
PTH	기저치와 CKD 진행 상태에 따라 검사 고려	6~12개월 마다 (CKD-BMD 치료 중이면 더 자주)	3~6개월 마다
ALP	–	12개월 마다 (PTH 상승한 경우 더 자주)	12개월 마다
25(OH)D*	12개월 마다 (PTH 상승했거나 vitamin D 치료 중이면 6개월 마다)		

* 25(OH)D (or calcidiol) : 1,25$(OH)_2$D의 비활성 전구체로, 대부분 vitamin D-binding protein (DBP)에 결합되어 있음. 혈중 vitamin D의 99.9%를 차지하므로 체내 vitamin D 상태를 잘 반영함

• 영상검사 : ESRD에서는 routine으로 필요 없음 (∵ PTH보다 sensitivity 떨어짐)
  - unexplained bone pain/fractures 시에는 고려
  - 혈관/판막 석회화 파악이 필요할 때는 CT, lateral abdominal X-ray, echocardiography 고려

• 골밀도검사 : CKD-MBD 증거 and/or 골다공증 위험인자 존재시 시행 → 골절 위험성 평가

• bone biopsy : 치료방침 결정을 위해 renal osteodystrophy의 확진이 필요할 때만 고려

■ CKD-MBD의 치료

• serum Ph, Ca, PTH, vitamin D의 연속 측정값 (변화양상)에 따라 치료 결정 (단일 값×)

• <u>hyperphosphatemia</u> : Ph의 점진적/지속적 상승시 **Ph 감소 치료** 시작 (Ph <u>정상 범위</u>면 치료×)
  (KDOQI 3.5~5.5 mg/dL, KDIGO 2.5~4.5 mg/dL, 일본 3.5~6.0 mg/dL, 우리 2.4~**5.0** mg/dL)

• PTH가 점진적/지속적으로 상승하면 교정가능인자인 Ph, Ca, vitamin D 등 평가
  - 교정가능인자의 치료에도 불구하고 150~200 pg/mL (UNL의 약 2.3~3배) 이상 or severe hyperparathyroidism이면 calcitriol or active vitamin D analog 치료 권장!

> Hyperparathryoidism을 너무 과도하게 치료하면 (PTH level을 너무 낮추면) ABD 발생이 증가되므로 serum PTH level은 **150~300** pg/mL (stage 5) (70~110 : stage 4) 정도로 약간 높게 유지해야 됨
> 투석 환자는 serum PTH level을 UNL의 2~9배로 유지 권장

  - hypercalcemia 예방을 위해 투석액 Ca 농도는 1.25~1.50 mmol/L (2.5~3.0 mEq/L) 권장

① 인(Ph) 섭취 제한 : 800~1000 mg/day (17 mg/kg^{IBW}/day) 이하로 제한
  - 식이제한으로는 불충분하면 oral phosphate binders 투여
  - hyperphosphatemia 치료는 renal osteodystrophy와 신부전의 진행 예방 효과

② **oral phosphate-binding agents** : 장내에서 인과 결합하여 흡수 방지, 식사<u>중/직후</u> 복용
  - Ca-함유 Ph binders ; calcium carbonate[탄산칼슘] or calcium acetate[초산칼슘]
    ↳ hypercalcemia 발생 가능 (특히 low-turnover bone dz. [ABD] 환자에서) → 투여량 제한
  - <u>Ca-비함유 Ph binders</u> ; sevelamer (Renagel, Renvela), <u>lanthanum</u> (Fosrenol)
    ↳ hypercalcemia 부작용 없어 선호되지만 비쌈　　↳ Cx ; 드물게 뼈/간에 축적, GI 폐쇄
    → 혈관 석회화가 동반된 경우에는 Ca-비함유 Ph binders 권장!

- 기타 ; sucroferric oxyhydroxide (Velphoro), ferric citrate, nicotinamide, tenapanor, aluminum hydroxide (aluminum toxicity 발생 위험으로 잘 안 씀, 단기간만 사용)
- 투석 환자는 투석을 통한 Ph 제거, 투석액의 aluminum 오염방지 등도 시행

③ active **vitamin D (calcitriol)** : PTH 분비를 직접 억제 + Ca^{2+}↑를 통해 간접적으로 억제
- hyperphosphatemia가 조절된 후에도 hyperparathryoidism이 지속되면 사용
- 장에서 Ca & Ph 흡수 증가로 Ca↑ and/or Ph↑ 발생 위험 (Ph↑ 때에는 사용 금지)
- **calcitriol analogues (e.g., paricalcitol)** : calcitriol과 효과 같으면서 Ca↑, Ph↑ 발생 위험 적음

c.f.) inactive vitamin D 보충제 (e.g., cholecalciferol, ergocalciferol) : PTH 억제 치료로는 사용×, vitamin D 결핍 환자에서 고려

④ **calcimimetics (CaSR**[calcium-sensing receptor] **agonists) ; cinacalcet, evocalcet**

┌ 부갑상선의 CaSRs에 작용하여 Ca에 대한 sensitivity를 증가시킴 → PTH, Ca, Ph 등을 낮춤
└ 혈관의 CaSRs를 통해서는 혈관석회화 억제 작용 (∵ MGP↑, BMP-2↓ 등)

- hyperparathyroidism의 새로운 치료제로 PTH를 효과적으로 낮춤, 다른 치료에 반응 없으면 고려
- hyperphosphatemia와 hypercalcemia가 모두 동반된 경우 유용
- Cx ; <u>hypocalcemia</u>, N/V 등의 GI 증상 (→ 자기 전에 투여하면 도움)
  ↳ close Ca monitoring이 필요하므로 외래 환자에서는 어려울 수 있음

⑤ 부갑상선절제술(parathyroidectomy) : 위 치료들에 반응 없으면 고려 (→ 생존율↑)

(1) 내과적 치료에 반응 없는 <u>symptomatic</u> severe hyperparathyroidism (지속적으로 PTH >800 pg/mL)
Hypercalcemia & refractory hyperphosphatemia
Bone pain and/or fractures, severe muscle weakness, pruritus
Calciphylaxis (calcific uremic arteriolopathy) 등
(2) 내과적 치료에 반응 없는 asymptomatic severe hyperparathyroidism (지속적으로 PTH >1000 pg/mL)
↳ 대개 동반질환이 적은 65세 미만에서 고려

3. 심혈관계 이상

* CKD 환자의 m/c 사망원인 (투석/신이식 환자 사망 원인의 약 50% 차지)
  - CKD 단계에 따라 일반인에 비해 cardiovascular dz. 위험 10~200배 증가
  - CKD stage 5 환자의 30~45%는 advanced cardiovascular dz.를 가지고 있음
  - 투석을 시작하게 되면 증상에 관계없이 모든 환자는 심장초음파검사를 받아야 됨
* 심혈관질환 중 관상동맥질환(CAD)은 일반인(>50%)보다 적은 부분을 차지함 (<20%)
  - atherosclerosis에 추가로 다른 기전이 더 관여 ; 혈관 석회화, 중막(media) 비후(→ 벽 두께↑), endothelial dysfunction 등 → "<u>arterial stiffness</u>" → pulse pr.↑ → HF, stroke, MI 위험↑
    (↳ pulse wave velocity로 측정)
  - 투석 환자는 AMI 보다는 부정맥, CHF에 의한 사망이 더 많음
    (그래도 atherosclerosis에 의한 IHD 위험은 일반인보다 훨씬 높음)

(1) 고혈압

- CKD와 ESRD의 m/c Cx., 심실비대 및 renal failure의 진행을 더욱 촉진
- 원인 및 악화인자
  ① 체액증가 : <u>Na^+ & water retention</u> (chronic ECFV overload) … 주된 원인
  ② RAAS 활성화 (renin↑→ secondary hyperaldosteronism), 교감신경계 활성화

③ anemia, 혈액투석시 AV fistula → CO↑
④ ESA (erythropoiesis-stimulating agent) 투여
• 치료 (목적 : CKD의 진행 지연, 심혈관질환 및 뇌졸중 예방)
① volume control : sodium & water 제한, diuretics
② antihypertensive drug ; ACEi or ARB 우선
- hyperkalemia 발생 위험으로 흔히 kaliuretic diuretics (e.g., metolazone) 병용
- 반응 없으면 CCB or β-blocker도 추가 가능 (K^+-sparing diuretics는 가능한 피함)
• 목표 혈압 : <140/90 mmHg
c.f.) CVD/CKD 고위험군은 (e.g., <u>proteinuria</u> ≥1 g/day) <u><130/80</u> mmHg
• HTN의 치료는 신기능 악화를 방지하는데 protein restriction 만큼 중요함!

c.f.) HTN이 없으면 → salt-wasting nephropathy, 항고혈압제 치료, volume depletion, poor LV function 등을 시사

* 후기 CKD 환자에서는 HTN보다 저혈압이 예후 더 나쁨
(투석 환자에서의 "반대현상" : 전형적 위험인자인 HTN, dyslipidemia, obesity 등이 없는 경우 예후 더 나쁨 → malnutrition-inflammation 상태를 의미)

(2) 허혈성 심혈관질환

• CKD는 허혈성 심혈관질환의 주요 위험인자임 (GFR↓ 및 proteinuria 모두 위험을 증가시킴)
• 전통적(traditional) 위험인자 ; 고령, HTN, hypervolemia, dyslipidemia, hyperhomocysteinemia, sympathetic overactivity 등 ⋯▸ CKD 초기에 중요
• <u>CKD (uremia)-관련 위험인자</u> ; hyperphosphatemia, hyperparathyroidism, calcium load↑, 심혈관 석회화, FGF-23↑, 전신 염증, 영양실조, proteinuria, anemia, sleep apnea 등
• 기타 허혈성 심질환의 악화인자 ; LVH, microvascular dz., HD (hypotension, hypovolemia)
(NS에 의한 dyslipidemia, hypercoagulability도 폐쇄성 혈관질환을 촉진함)
• CKD 환자에서는 ischemia 없이도 troponin이 증가된 경우가 많음 → 연속 측정이 중요
• 치료 (일반인에 비해 전통적 위험인자의 치료 효과는 약함)
① 혈압 및 혈당의 조절 (→ 뒤의 치료 부분 참조)
② dyslipidemia ⋯ CKD stage 3~4 (eGFR 15~59)는 dyslipidemia의 risk-enhancing factor임
- 치료시 target LDL level은 고려 안함, LDL level monitoring도 권장 안됨
(∵ LDL level과 예후와의 관련성 부족, 염증/영양상태의 영향, 측정 오차 등)
- 40~75세, LDL 70~189 mg/dL, 10-year ASCVD risk ≥7.5%, 투석 중이 아닌 CKD
⇨ moderate-intensity statin therapy ± ezetimibe 치료 권장
- 투석이 필요한 CKD 환자는 statin 치료 효과 無 → 새로 시작× (기존에 사용 중이면 계속)
- severe hypertriglyceridemia (≥500 mg/dL) → 치료적 생활습관개선 권장
(fibric acid derivatives는 근거가 부족해 이제는 권장×, TG ≥1000이면 사용 고려, statin과의 병용은 금기)
③ antiplatelet therapy ; 금기가 없으면 low-dose aspirin
④ 금연, IBW 유지, 신체활동 등
c.f.) hyperhomocysteinemia : CKD 환자에서 folate와 vitamin B 등으로 homocysteine level을 낮추어도 심혈관질환 risk 및 사망률 감소 효과는 없음

(3) 심부전(heart failure)

- 위험인자 ; LVH (초기부터 발생, ESRD에는 약 75%에서 동반), cardiomyopathy, myocardial ischemia
  + CKD-관련 위험인자(e.g., Na^+ & water retention(volume overload), anemia, sleep apnea)

> c.f.) CKD에 의한 심근의 변화 ; myocyte hypertrophy, myocyte dysfunction, Interstitial fibrosis↑, capillary density↓, LV mass↑, serum troponin level↑

- advanced CKD 환자에서는 "low-pressure pulmonary edema"도 발생 가능
  - volume overload 없이도 발생 가능, PCWP는 정상 or 약간 증가
  - 원인 ; uremia에 의한 alveolar capillary membrane의 permeability 증가
  - 호흡곤란, CXR에서 박쥐 날개 모양의 폐부종 ⋯ 투석 치료에 반응

(4) Pericarditis

- ESRD에서 발생 가능, 적절한 투석 치료 시에는 드묾, fluid overload 시에도 발생↑
  (투석을 시작하는 환자보다, 투석이 부족하거나 잘 안 지키는 환자에서 발생 위험↑)
- 증상 ; fever, pericardial pain (누울 때, 호흡시 심해짐), friction rub, diffuse ST elevation
- pericardial effusion도 발생 가능 ; viral보다 혈성 심낭액 흔함 (but, cardiac tamponade는 드묾)
- 치료 ⋯ uremic pericarditis는 응급 투석의 적응임
  ① intensive hemodialysis / heparin은 사용 안함 (∵ hemorrhagic effusion 발생↑)
  ② pericardial drainage : 투석이 효과 없거나, 반복 재발되거나, 심하면 (tamponade 의심되면)
  ③ pericardiocentesis : 빠르게 진행하는 중간 크기의 effusion에서만 고려
  ④ 모두 실패한 경우에는 수술 고려 (pericardiotomy or pericardiectomy)
- non-uremic pericarditis도 발생 가능 ; viral, malignant, TB, autoimmune, post-MI, minoxidil

4. 혈액학적 이상

(1) Anemia

- CKD stage 3부터 발생 증가, stage 4면 매우 흔해짐(33~67%), ESRD에서는 대부분 발생
- 대부분 normocytic normochromic anemia
  (IDA가 합병되면 microcytic hypochromic anemia일 수도 있음)
- 원인
  ① relative erythropoietin (EPO) deficiency (m/i)
    - 신장에서 생산 감소 (주원인!) : 대개 CKD stage 4 이상에서
    - uremic toxin에 의한 BM에의 EPO 작용 억제
    - EPO inhibitor 존재
  ② iron deficiency (folate or vitamin B_{12} deficiency는 드문 편)
  ③ chronic inflammation (AOI) : iron 이용 장애, hepcidin↑ (→ serum iron↓)
  ④ severe hyperparathyroidism (→ BM fibrosis)
  ⑤ RBC 수명 감소 (circulating inhibitor)
  ⑥ blood loss (∵ 출혈 경향, HD, 잦은 채혈 등 때문)
  ⑦ microangiopathic hemolysis
  ⑧ 동반질환 ; hemoglobinopathy, hypo/hyperthyroidism, 임신, AIDS, 자가면역질환, 면역억제제

• 임상양상 ; 조직 산소화↓, CO↑ → 심실 확장/비대 (→ 심부전), host defense↓(감염↑), 인지력↓, 소아의 성장장애 ...

• 치료

- 치료 목표 : Hb 10.0~11.5 g/dL (c.f., KDIGO guideline : Hb 10~11 g/dL)
- CKD 환자는 Hb을 완전히 정상화하는 것은 (Hb >13 g/dL) 금기임!! (∵ ESA 부작용)

① ESA (erythropoiesis-stimulating agent) - m/g!

(1) Recombinant human erythropoietin (rHuEPO) (**Epoetin-α**, β 등) : 1세대 ESA → 2~3회/주 투여
(2) **Darbepoetin-α** (Aranesp® 등) : 2세대 ESA, hyperglycated rHuEPO (epoetin-α), epoetin보다 반감기/작용시간 김 → 1~2주 간격 투여
(3) Continuous erythropoietin receptor activator (**CERA**) (Mircera®) : 3세대 ESA, pegylated epoetin-β, 반감기 매우 김 → 2~4주 간격 투여

- **적응 : Hb <10 g/dL** (c.f., nondialysis 환자는 GFR 30 mL/min/1.73㎡ 미만이어야 보험 인정)
- IV보다 피하주사(SC)가 더 좋음 (∵ 10~50% 요구량 감소 효과)
- 적정 치료 속도 : 4주간 Hb 1~2 g/dL 상승

* EPO에 의해 erythropoiesis가 촉진되면 iron이 많이 필요하므로, EPO 투여 전 iron status가 적절한지 반드시 확인해야 됨! (serum iron, TIBC, ferritin 측정)

- transferrin saturation <20%, ferritin <100[PD]~200[HD] ng/mL이면 iron 투여!
- transferrin saturation >50%, ferritin >800 ng/mL이면 중단

■ ESA 치료의 부작용

(1) HTN (20~30%) ; 혈관내피세포의 EPO receptor 활성화, Hct↑ 등 때문 용량/투여간격과 무관
(2) thromboembolism ; HD 환자에서는 vascular access의 혈전 형성↑ 등
⇨ cardiovascular events (e.g., MI), stroke 발생 위험↑
c.f.) hypertensive encephalopathy (→ seizures) ; 혈압이 빠르게 상승하면 드물게 발생 가능 (주로 과거 target Hb이 높았던 시절에, 2~17%), 현재는 ESA 미사용 환자와 의미 있는 차이 無
(3) 악성종양의 악화 가능
(4) PRCA (매우 드묾) ; EPO에 대한 Ab 형성 때문, 주로 epoetin-α 사용 환자들에서 발생
(5) 신장질환의 진행이 빨라질 수도 있음

➜ C/Ix ; 악성종양(특히 치유가 가능한 경우), stroke, 조절되지 않는 HTN

■ ESA에 반응이 없는 경우 (→ 빈혈의 다른 원인 R/O)

ESA 용량 불충분, Non-adherence
Absolute iron 결핍, Vitamin B_{12} or folate 결핍
Hypothyroidism, ACEi/ARB
감염/염증 ··· Hepcidin↑ (→ 장세포, 대식세포, 간세포에서 iron이 유리되는 것 억제 → serum iron↓)
Underdialysis, 출혈/용혈, Hyperparathyroidism, PRCA
악성종양, 영양실조, Hemoglobinopathy (e.g., sickle cell anemia, thalassemia), 골수 질환

② iron, folate, vitamin B_{12} 등의 보충

↳ - nondialysis or PD 환자 : oral iron (e.g., ferrous sulfate) → 복용 못하면 IV로
- HD 환자 : 투석 중에 IV iron 투여 (c.f., active infection 시에는 IV iron 연기)

③ transfusion : ESA에 반응이 없는 증상 있는 환자에서만 수혈

↳ 부작용 ; EPO↓, 수혈전파성 감염, hemosiderosis, 과민반응, alloAb↑(→ 이식 방해)

④ dialysis로도 교정됨

(2) 출혈경향(bleeding tendency)

- 원인 ; 혈소판 기능장애 (m/i), 파괴 증가, platelet factor Ⅲ 감소, prothrombin 제거 감소
- 임상양상 ; 수술 창상 출혈, menorrhagia, GI 출혈, hemorrhagic pericarditis, ICH, subdural hematoma ...
- BT 연장, PT & PTT는 정상, platelet count는 대개 정상임
- 혈소판 기능장애의 치료 : active bleeding이 있거나 수술 예정이면
  ① DDAVP (desmopressin), IV conjugated estrogens, ESA, cryoprecipitate 등
    - FFP는 volume overload 위험이 있으므로 피함
    - 혈소판 수혈은 일반적으로 권장 안됨 (∵ 수혈 되어도 uremia에 의한 기능장애 발생)
  ② 적절한 투석 실시 (→ uremia 환자의 약 2/3에서 BT 약간 교정됨)
  ③ 빈혈 교정 (→ 혈소판 기능장애 호전에 도움) ; ESA, transfusion

ESA가 Uremic bleeding tendency를 호전시키는 기전
혈중 적혈구 양 증가 → 혈소판이 좀더 vascular endothelium에 가까워짐 Reticulated (metabolically active) 혈소판 증가 혈소판 aggregation 증가 혈소판 signaling 호전 (→ 자극에 대한 반응 향상) Hb에 의한 nitric oxide 포집 증가 → 혈소판 adhesion 증가

* CKD 환자는 thromboembolism 위험도 높음 (특히 nephrotic-range proteinuria 환자에서)
- 개별적으로 필요한 경우에만 항응고제(e.g., UFH) 사용
- LMWH : 사용을 피하거나, factor Xa activity monitoring 하에 저용량으로 사용
- warfarin : 혈관 석회화를 악화시킬 수 있으므로, 석회화 의심시 사용 중단 & 약제 교체

* WBC count는 대부분 정상임 (or 염증에 의해 증가 가능)
- uremia 및 혈액투석에 의한 WBC 기능장애 → cellular immunity↓(→ 감염↑)
- 혈액투석 중에는 일시적으로 WBC count 감소 가능
- ESRD 환자 일부는 mild lymphocytopenia 발생 가능 (c.f., 감염 위험은 다른 ESRD 환자와 비슷함)

5. 소화기계 및 영양 이상

(1) CNS 이상에 의해 ; anorexia (m/c), N/V, hiccups
  (→ 단백 제한이 증상 호전에 유용하지만, 영양결핍이 발생되지 않도록 주의)

(2) 요독성 구취(uremic fetor) : 타액에서 urea가 ammonia로 분해되어 오줌 비슷한 냄새가 남
  (불쾌한 금속 맛도 흔히 동반됨)

(3) gastritis, PUD, mucosal ulceration → 복통, N/V, 위장관 출혈

(4) constipation : calcium 및 iron 제제 복용시 악화

(5) gastroparesis (DM 환자에서), diverticulosis (특히 polycystic kidney dz. 환자에서), pancreatitis

(6) **단백질 에너지 소모(protein-energy wasting, PEW)** : malnutrition 대신하여 사용 권장
- advanced CKD 환자에서 흔함 → 신대체 요법의 적응!
- 원인 ; 섭취↓ (주로 anorexia 때문), 장 흡수 및 소화 장애, insulin 등의 호르몬에 대한 저항성, metabolic acidosis 및 염증 (→ 단백 분해↑) 등

• CKD stage 3면 반드시 malnutrition에 대한 평가 시작!
  - 식사력, edema-free body weight, serum albumin, pre-albumin, cholesterol, urinary protein nitrogen appearance (PNA = protein catabolic rate[PCR]), 피부주름 두께, 팔 중앙근육 둘레 등
  - DEXA로 제지방체중(lean body mass) 측정이 흔히 이용됨
  - serum albumin : 낮으면 사망률↑, 간편하기는 하지만 (-)APR이기도 해 변동이 많음

6. 신경-근육 이상

(1) CNS 이상 증상 (CKD stage 3부터 발생)
  ① 초기 ; 경미한 기억 및 집중력 장애, 수면 장애
  ② 중기 ; 흥분성 증가 → 딸꾹질, 경련, 근수축,
  ③ 말기 ; asterixis (flapping tremor), myoclonus, chorea, 경련, 혼수 ...

(2) peripheral neuropathy (CKD stage 4부터 발생)
  • sensory → motor / 하지 → 상지 / distal → proximal 등의 순서로 침범
  • stocking-glove sensory neuropathy (m/c)
  • **restless leg syndrome (RLS)** : ESRD 환자의 20~40%에서 발생
    - 수면/휴식시 발이 저리고 아파서 가만히 있을 수 없는 증상, distal이 더 심함,
    - 불면증, 불안, 경미한 우울증 등도 흔히 동반 (신경학검사나 EMG는 대개 정상)
    - 수면부족, alcohol, caffeine, 흡연, 만성 폐질환, 혈관 질환, IDA 등이 증상을 악화 가능!
    - 운동하면 호전, 투석이나 신이식으로도 호전됨
    - Tx ; benzodiazepines, dopamine agonists (ropinirole, pramipexole), $\alpha_2-\delta$ ligands (e.g., gabapentin enacarbil, pregabalin, gabapentin), opioids (오남용 위험 & 내성 유발), carbamazepine 및 levodopa (내성이 빨리 발생) ...
  • motor 침범 ; 근력 약화, DTR 소실

(3) 치료 : RRT (투석, 신이식)
  • sensory 이상 발생 즉시 투석 시작 (∵ 늦으면 motor 이상으로 진행)
  • 대부분의 증상이 호전되지만, 경미한 비특이적 이상은 지속 가능 (→ 신이식으로 모두 호전 가능)

7. 내분비-대사 이상

(1) pituitary, thyroid, adrenal gland 기능은 비교적 정상

(2) 주로 reproductive organ을 침범
  • 男 : plasma testosterone↓, libido 감소, impotence, oligospermia, germinal cell dysplasia
  • 女 : estrogen↓, menstrual irregularity, amenorrhea, infertility, pregnancy loss
    (→ dialysis 해도 성공적인 임신은 어렵다)
  • 강력한 투석 or 신장이식으로 많은 경우에서 호전 or 정상화 가능

(3) glucose intolerance
  • 원인 : insulin 작용에 대한 peripheral resistance (m/i) ⋯ metabolic acidosis 등 때문
  • 대부분의 uremia 환자에서 혈중 insulin level 증가 (∵ 신장에서 분해 및 배설 감소로)
  → DM 환자는 insulin 및 경구혈당강하제(SGLT2i, DPP-4i 포함) 용량 감량 필요
    (c.f., metformin과 sulfonylureas는 GFR이 1/2 이하로 감소되면 금기)

- 일부 ESRD 환자에서는 hypoglycemia도 발생 위험 (∵ renal gluconeogenesis↓, insulin↑)
- 경미한 glucose intolerance는 치료 필요 없음 → 뒤의 치료 부분도 참조

(4) lipid metabolism ; TG↑, HDL↓, cholesterol 정상 (→ premature atherosclerosis↑)
(말기 ESRD 때는 total cholesterol 및 LDL도 증가됨)

(5) hypothermia

* 신장에서 peptide hormones (e.g., PTH, insulin, glucagon, GH) 분해/배설 감소로 혈중 level↑

8. 피부 이상

anemia → 창백
hemostasis 장애 → 반상출혈, 혈종
calcium-phosphate 침착 & PTH↑ → 소양증, 표피박리
색소성 대사산물(urochrome) 침착 → 노란색 피부

- 소양증(pruritus)
  - hyperparathyroidism, calcium-phosphate 침착, IDA 등도 원인이 될 수 있음
  - Tx ; 투석 치료로 호전 안 됨! (hyperphosphatemia 치료, EPO, 보습제, topical steroids, antihistamines, UV 등이 도움이 될 수 있음)
- uremic (urea) frost : 땀에 포함되어 있던 고농도의 urea가 수분이 증발된 뒤 피부에 하얀 가루로 남는 것으로 생선비린내가 남
- 피부석회증 : 딱딱한 결절들 (serum Ca × phosphate >70 이면 발생)
- **nephrogenic systemic fibrosis** (NSF, 이전의 nephrogenic fibrosing dermopathy)
  - MRI 조영제인 gadolinium과 관련 (GFR 감소로 신장에서 배설되지 못해)
  - advanced CKD or AKI 환자에서 발생 가능 (2.5~5%에서), 간 질환 동반시 발생 위험↑
  - 대칭적인 피부(특히 팔, 다리) 침범이 특징 (폐, 심근, 근육 등에도 fibrosis 발생 가능)
    ↳ 손목~상완½, 발목~대퇴부½ 부위
  - 진단 ; 임상양상, ^{18}F-FDG PET, skin biopsy (e.g., spindle cells↑↑, thick collagen bundles)
  - 치료 ; 특별히 효과적인 치료법은 없음 (photopheresis, UV-A1, plasmapheresis 등 시도 가능), 모든 환자에서 강력한 물리치료 권장 (joint contractures에 의한 장애 예방/호전을 위해)
  - 예방이 중요 ; CKD stage 3 (GFR 30~59) 환자는 gadolinium 노출 양을 최소화, CKD stage 4~5 (GFR <30) 환자는 가능한 노출을 피함 (꼭 필요하면 촬영 직후 혈액투석)

9. 기타

- edema (하지의 pitting edema ~ pul. edema까지 다양), fatigue, weakness, malaise, anorexia 등
- 요 농축능의 장애 (초기에 발생) ; polyuria, nocturia, thirst
  (CKD의 가장 초기 단계는 renal reserve의 감소)
- 요 희석능의 장애 (후기에 발생)

치료

- 근본적인 치료는 신이식 (신기능의 70~80% 정도 회복 가능)
- 불가능한 경우 신대체요법 : HD, PD (신기능의 20~30% 유지 가능)

• 전체적인 예후(survival)는 지속적으로 향상되고는 있음 (투석 환자도 예후 향상되고 있음)
• CKD stage 3 (eGFR <60 mL/min/1.73m²)부터 기대 수명이 의미 있게 감소함
  ; stage 3 이상은 일반인 대비 사망률 약 3.5배↑, stage 5 (ESRD)는 약 6배 이상↑
• m/c 사인 : 심혈관질환

참고: 연령별 CKD stage에 따른 기대 수명 (미국, 2013)

Age	일반인	CKD stage 3a	CKD stage 3b	CKD stage 4	CKD stage 5	
					투석	이식
30	45~50	28~34	20~22	13~15	13~14	34~36
40	36~40	24~29	14~17	9~10	10~11	26~29
50	27~31	18~22	10~13	7~8	7~8	19~21
60	20~23	13~17	8~11	5~6	5~6	13~15
70	12~15	8~11	6~8	3~4	3~4	9~11

1. CKD 진행의 지연 (악화인자의 교정)

• 악화인자를 반드시 찾아 교정해서, ESRD로의 진행을 지연시켜야 됨!

(교정가능한) 신기능의 악화 요인

1. HTN (m/i)
2. Nephrotic proteinuria
3. ECF volume 감소
   Absolute ; 이뇨제 과다 사용, GI fluid loss, dehydration
   Effective ; low CO, renal hypoperfusion + atheroembolic dz, LC + ascites, NS, CHF
4. Urinary obstruction (→ bladder catherization, renal US 시행)
   Tubular ; uric acid, Bence Jones protein ...
   Post-tubular ; prostatic hypertrophy, papillary necrosis, ureteral stones
5. Infections ; sepsis, UTI
   (특별한 원인이 발견되지 않는 급격한 신기능 감소시 반드시 urine culture 시행)
6. Drugs & toxins ; AG, NSAIDs, diuretics (volume depletion), 방사선조영제, lead, alcohol, opiate, caffeine, smoking ...
7. Metabolic ; DM, dyslipidemia, hypercalcemia, hyperphosphatemia, hypokalemia, 비만
8. 기저 질환의 악화 또는 활성화 (e.g., lupus, vasculitis)
9. 기타 ; Hypoadrenalism, Hypothyroidism, 고단백 식이(→ 신기능 악화 및 proteinuria↑)

* 교정 불가능한 악화 요인 ; 연령, 인종, 유전적 요인, renal mass 소실

• 신기능의 악화를 예방할 수 있는 치료
  ① 고혈압 치료 ┐→ hyperfiltration injury 완화
  ② 저단백 식이 ┘
  ③ DM 환자에서 엄격한 혈당 조절
  ④ 고지혈증의 치료

CKD의 단계별 치료 전략

Stage	GFR* (mL/min/1.73m²)	조치	혈액/소변검사 간격
1.	≥90	고위험군 선별/관리, 원인 및 동반질환의 진단/치료 심혈관계 위험인자 관리	매년
2.	60~89	+ 진행속도 평가(단백뇨, eGFR), 적극 치료로 회복 유도	
3.	30~59	+ ESRD로의 진행 지연 ; HTN, DM, 단백뇨, 지질 조절 등 합병증 평가 및 예방/치료	3개월
4.	15~29	+ ESRD 준비 교육, 신대체요법 준비	1개월
5.	<15 or 투석	+ 신대체요법 시작	

(1) HTN은 철저히 치료!

• 신기능의 악화를 지연시킴

- intraglomerular HTN & hypertrophy↓ → nephron 손상 지연
- proteinuria↓ → renoprotective effect

• 조절 목표 혈압 : <140/90 mmHg (DM 환자 <140/85 mmHg)

⇨ 단백뇨(albumin >30 mg/day)가 발생하면 **<130/80** mmHg

• 항고혈압제의 선택

① **RAAS inhibitors** : 신기능 악화 지연에 m/g, DM & non-DM CKD 환자 모두에서

- ACEi, ARB, direct renin inhibitor (aliskiren) : 신장보호 효과 있으며, 모두 효과는 비슷함
- RAAS 억제 → efferent arteriole 확장 → intraglomerular pr.↓ & proteinuria↓
- ACEi + ARB 병용, ACEi/ARB + aliskiren 병용 : 단백뇨는 더 낮출 수 있지만, AKI, hyperkalemia, 심질환 등의 위험이 증가되므로 병용 금지
- 부작용 ; Cr 상승 (GFR↓), hyperkalemia, 심한 기침 & angioedema (ACEi) 등

  *치료 초기의 Cr 약간(<30~35%) 상승은 대개 몇 개월 이내에 안정화됨 → 투약 계속!

  ⇨ 치료시작 및 용량조절 1~2주 이내에 serum Cr, K^+ 검사 (고령 환자는 정기적으로)

  - K^+ ≤5.5 mEq/L & Cr 약간 상승은 ACEi/ARB 치료 계속
  - hyperkalemia (>5.5) → K^+ 제한, 이뇨제(e.g., furosemide), bicarbonate 등

  → Cr이 많이 상승하거나 severe hyperkalemia시에는 ACEi/ARB 중단

② non-DHP CCB ; dilitazem, verapamil (→ 심장 전도장애 환자에서는 금기)

- 부작용 등으로 ACEi/ARB를 사용하지 못할 때 2nd choice (edema 없는 환자에서)
- 단백뇨 감소 및 신장보호 효과 우수 (c.f., DHP-CCB는 효과 검증이 부족하므로 권장×!)
- 투석으로 제거되지 않으므로 투석환자에서 용량조절이 필요 없음

③ **diuretics** : edema/hypervolemia (Na^+ & water retention) 시 ± ACEi/ARB와 병용
↳ 효과↑

- 신기능의 저하로 대개 높은 용량이 필요함
- eGFR <30 ml/min에서는 thiazides의 효과가 떨어지므로 loop diuretics가 권장됨
- loop diuretics ; furosemide, torsemide (작용기간이 긴 장점) 등

  → 효과 없으면 thiazides (e.g., metolazone) 추가 (∵ 작용 부위가 다름)

④ aldosterone antagonists ; spironolactone or eplerenone
- 다른 항고혈압제들에 반응 없을 때 고려, 단백뇨 감소 및 심장보호 효과도 있음
- Cx ; 신기능 저하, hyperkalemia (특히 ACEi/ARB와 병용시) → K^+ 정상 이하에만 사용
↳ eGFR 30 ml/min

⑤ β-blockers ; 다른 약제대비 mortality↑, CAD or 부정맥의 치료에만 사용

- 염분 제한(→ 많은 항고혈압제의 효과↑) 및 생활습관개선도 수행

(2) Protein 제한

- 신기능의 악화를 지연하는데 다소 도움, metabolic acidosis 및 요독물질 감소에 도움
- CKD 4 (eGFR <30 mL/min/1.73m²)부터 0.8 g/kg/day로 제한 권장 (1.3 g/kg 이상은 피함)
  - 지나친 단백섭취 제한은 오히려 영양실조 위험 증가로 장기 예후 더 나쁨
  - protein-energy malnutrition 시에는 0.9 g/kg/day, NS 환자는 제한 안함

Stage	eGFR (mL/min/1.73m²)	Protein (g/kg/day)
1, 2	≥60	제한 안함
3	<60	제한 안함
4, 5	<30	0.8
투석	-	≥1.2 (HBV ≥50%)

- 50% 이상은 EAA가 풍부한 고급(high biologic value^HBV) 단백 권장 ; 계란, 고기, 생선, 우유 등
- 충분한 칼로리 공급이 이루어지는 상태에서 영양결핍이 발생하지 않는 범위 내로 이루어져야 함 (∵ 부족하면 endogenous protein catabolism↑) ⇨ 권장 총열량 35 kcal/kg/day
- DM 환자도 단백의 과다한 섭취나 제한(e.g., 0.8 g/kg/day 이하)는 피함
- 투석 환자는 단백소실이 증가하므로 섭취를 증가시킴 (e.g., HD 1.2, PD 1.3 g/kg/day)
- low protein diet를 통해 얻는 이익

① 신질환의 진행을 늦출 수 있음 (신혈류 감소 → proteinuria 감소)
② 요독증(uremia)의 정도를 줄일 수 있음
③ phosphate의 섭취를 줄일 수 있음 (→ hypocalcemia 방지)
④ metabolic acidosis를 줄일 수 있음

c.f.) 이유
(1) 여분의 protein은 체내에서 저장되지 않고, urea 등의 질소대사물로 분해됨
(2) protein-rich 식품은 H^+, PO_4^{3-}, sulfate 등도 많이 함유

(3) 당뇨병의 조절

- diabetic nephropathy : CKD의 m/c 원인, 예후 나쁨 (∵ 심혈관계 질환↑)
- 철저한 혈당 조절 : type 1 & 2 DM 모두에서 신장질환(단백뇨) 발생 및 진행 감소

⇨ HbA_{1C} 7% (투석전 CKD), 공복 혈당 80~130 mg/dL, 수면중 평균 혈당 110~150 mg/dL
↳ 더 낮게 엄격한 조절은 권장× (∵ 대혈관합병증 발생 차이 없고, 저혈당/사망률↑ 위험)

* 투석중인 CKD 환자 ; 젊고(≤50세) 주요 동반질환이 없는 환자는 HbA_{1C} 7~7.5%, 고령 or 심각한/여러 질환 동반시 HbA_{1C} 7.5~8%로 더 높게 유지 권장

• 신기능(GFR) 저하에 따라 insulin 및 많은 경구혈당강하제의 용량도 감량이 필요함

Class	Drug (Stage / eGFR)	CKD 3a <60	CKD 3b <45	CKD 4 <30	CKD 5 <15
1세대 Sulfonylurea	Chlorpropamide 등	×	×	×	×
2세대 Sulfonylurea	Glipizide, Gliclazide	○	○	○	○
	Glyburide (Glibenclamide)	△	△	△	△
	Glimepiride	○	△	△	×
Meglitinides	Repaglinide, Mitiglinide	○	○	○	△
	Nateglinide	○	○	○	×
α-glucosidase inhibitor (α-Gi)	Acarbose*, Miglitol*	○	○	△	△
	Voglibose	○	○	△	△
Biguanides	Metformin	≤1 g/day	△	×	×
Thiazolinedione	Pioglitazone, Rosiglitazone	○	○	○	○
Incretin mimetics (GLP-1 receptor agonists)	Exenatide	○	△	×	×
	Lixisenatide	○	○	△	×
	Liraglutide, Dulaglutide	○	○	○	○
DPP4 inhibitor	Linagliptin, Gemigliptin, Teneligliptin	○	○	○	○
	Evogliptin	○	○	○	
	Anagliptin	○	○	△	△
	Sitagliptin	○	△	△	△
	Alogliptin, Saxagliptin, Vildagliptin	△	△	△	△
SGLT2 inhibitor	Empagliflozin 등	○	△	×	×

*sCr >2 mg/dL (or C_{Cr} <25 mL/min)면 권장× / ○: 감량 필요없음, △: 주의 or 감량, ×: 금지

• metformin : CKD 환자에서 lactic acidosis 유발 가능하지만 드묾, GFR <60이면 신기능을 자주 (3~6개월마다) monitoring하며 사용, <45이면 주의 (새로 시작은×), <30이면 중단

• sulfonylurea 중에서는 소변으로 대사되지 않는 glipizide(투석시도 안전), gliclazide(투석시엔 주의)가 권장됨

• thiazolidinediones (e.g., rosiglitazone, pioglitazone) : 일부 신장보호 및 혈압 강하 효과가 있음, 간에서 대사되므로 용량조절은 필요 없지만, 부작용으로 salt & water retention을 증가시켜 hypervolemia/edema를 악화시키고 cardiovascular event 위험을 높일 수 있으므로 주의 필요

• SGLT2i, DPP4i[일부], GLP-1 agonists[일부] 등 : 혈당강하 효과 외에 독립적인 신장보호 효과도 있음

> 특히 SGLT2 inhibitor는 신장 및 심장 보호효과가 우수함
> : 근위세뇨관(SGLT2)에서 glucose 재흡수를 억제함 → glycosuria로 배출됨 → 혈당↓
> ↳ glucose 재흡수의 90% 담당, type 2 DM 환자에서 발현 증가
> ⇨ 원위세뇨관으로 Na 전달↑ → tubuloglomerular feedback (TGF)에 의해 afferent arteriole 수축 → GFR↓ → hyperfiltration에 의한 신장 손상 억제
> ∴ diabetic nephropathy 발생 및 악화 감소, albuminuria 악화 감소 / 심혈관질환에 의한 사망률도 감소

• 말기 신부전 환자는 insulin 치료가 우선 권장됨

• 혈압(대부분의 type 2 DM 환자에서 동반)의 조절도 중요 → ACEi/ARB (혈압 정상이면 권장×)

• microalbuminuria (GFR↓에 선행, 신질환 및 고혈압/심혈관계 합병증과도 관련) → ACEi/ARB

■ **신장 손상 및 CKD 진행/치료반응의 monitoring**

① estimated GFR (eGFR) → 1장 참조!

② proteinuria (albuminuria) ⇨ 조절 목표 : <1000 mg/day (PCR 500~1000 mg/g Cr)

- 24-hr urine collection : gold standard
- spot urine albumin/Cr ratio (ACR) or protein/Cr ratio (PCR) : 간편해서 더 선호됨

- 의의 ; GFR 감소 속도에 대한 추가 정보 제공 (albuminuria가 심해질수록 GFR 감소↑), 심혈관질환 위험↑, 신기능 상실 지속, albuminuria 감소되면 심혈관질환 및 CKD 진행↓
- "clinically significant" proteinuria = ACR ≥300 mg/g Cr → ACEi/ARB 치료의 적응! (DM 환자에서는 microalbuminuria [ACR >25 (여자는 35) mg/g]부터 의미 있음)
- microalbuminuria : GFR↓보다 선행, 모든 DM 환자에서 검사 권장 (→ 1회/년 이상), 명백한 단백뇨로 진단된 환자에서는 검사 필요 없음
- 단백뇨가 매우 심한 NS 환자는 50~60% 감소 & <3.5 g/day 목표
- IgA nephropathy 환자는 신손상 진행위험이 높으므로 <500 mg/day 목표

③ $1/P_{Cr}$: 신기능의 저하를 F/U 하는데 유용 → 3개월에 1회 이상 plasma Cr 측정 권장

- 투석 필요 시기의 예측
- 원래 질병 경과에 의한 것인지, 악화요인 때문에 더 빨리 진행된 것인지를 감별 가능 (직선의 기울기가 갑자기 급해지면 악화인자에 의한 급격한 진행을 의미)

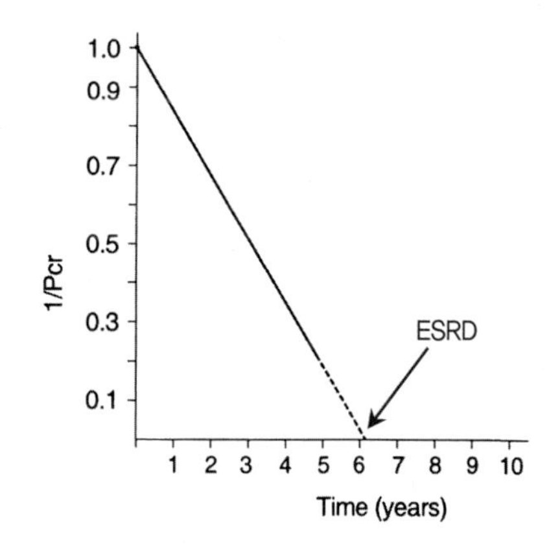

3. 식이요법 및 일반적 관리

(1) **protein 제한** (m/i)

(2) 적절한 에너지 공급 : protein-sparing (anticatabolic) effects
⇨ 30~35 kcal/kg/day (예; 체중 70 kg → 하루 2100~2450 kcal)

(3) Na^+ 제한 : edema, CHF, HTN 등 total body Na^+가 증가된 경우에만
⇨ NaCl 5 g/day (sodium 2 g/day)

(4) K^+ 제한 (콩, 두부, 감자, 고구마, 줄기/뿌리 채소, 참외, 커피, 초콜릿 등에 多)

] 너무 엄격히 할 필요 없다. 지나치게 하면 오히려 위험

- 대개 말기에 (GFR <10 mL/min) 50~77 mEq/day (2~3 g/day)로 섭취 제한
- ACEi/ARB 치료 중이거나 다른 hyperkalemia 위험인자가 있는 경우에는 좀 더 일찍 (GFR <30 mL/min) 제한 시작

(5) 인(phosphorus) 제한 (견과류, 고기, 오징어, 굴, 계란, 치즈, 콩류, 탄산음료 등에 多)
- 고인산혈증이 진행 중이거나 지속될 때만 800~1000 mg/day (17 mg/kg^{IBW}/day) 이하로 제한
  ↳ serum phosphorus >4.5~5.5 mg/dL (CKD stage 4 이후엔 대부분 발생)
- GFR <25 (sCr >5)면 식이제한으로는 불충분하므로 phosphate binders도 투여 → 앞부분 참조

(6) magnesium 제한
- 식사 이외의 Mg 섭취는 피한다
- CKD시 magnesium-containing antacids or laxatives 금기

(7) calcium 섭취 증가 (e.g., calcium carbonate)
(8) 수분섭취 = 전날 요량 + 불감소실량 (500 mL/day)
(9) vitamins 보충 ; B, C, folate (D는 renal osteodystrophy시에)

c.f.) malnutrition의 지표
- serum albumin (<3.8 g/dL)
- prealbumin (<18 mg/dL)
- transferrin (<180 μg/dL)

4. 각 장기별 합병증의 예방/치료

→ 앞의 임상양상 및 합병증 부분 참조

투석치료로도 호전되지 않는 합병증 ★	
Hypertriglyceridemia, Lp(a)↑, HDL↓	Accelerated atherosclerosis
성장 및 발달 지연	Vascular calcification
불임 및 성기능 장애	Renal osteodystrophy
무월경(amenorrhea)	Lymphocytopenia
소양증(pruritus)	Splenomegaly
수면장애, 두통, 근육경련, 근육병증	β_2-microglobulin 관련 amyloidosis

5. 신대체요법 (투석, 신이식)

- 절대적 적응(absolute Ix)
  ① pericarditis or pleuritis
  ② progressive uremic encephalopathy (e.g., confusion, asterixis, seizures)
  ③ 치료에 반응하지 않는 neuropathy (e.g., muscle cramping, RLS), 영양실조
  ④ 교정 가능한 원인에 의한 것이 아니고 저단백식이에 반응하지 않는 N/V, anorexia
  ⑤ uremia가 원인인 임상적으로 심각한 출혈 경향
  ⑥ 내과적 치료에 반응하지 않는 fluid & electrolyte 이상
  ; volume overload (e.g., 폐부종), metabolic acidosis, Na↓, K↑, Ca↑/↓, Ph↑ 등
- pericarditis/pleuritis, seizures, 심한 출혈 등은 urgent Ix.임!
- severe uremia가 발생하기 전 or eGFR 8~15 mL/min/1.73m^2 정도인 조기에 신대체요법을 시작(early-start)하는 것이 late-start (e.g., eGFR <7~10)보다 survival이 더 향상되지는 않음
  → but, early-start가 선호됨!
  (∵ 투석 시술에 따른 문제↓, eGFR 10 이하로 떨어지면 금방 uremic Sx 발생)

6. CKD 환자에서 약물 사용시 주의사항

- 신장으로 주로 배설되는 약물은 CKD 환자에서는 배설이 지연되고 혈중에 축적되어 독성 효과가 나타나며, 신장 자체를 손상시킬 수 있으므로 신기능에 따라 용량 또는 투여간격을 조절해야 됨 (e.g., aminoglycoside 계열 항생제는 100% 신장으로 배설, 단백 결합률 5% 미만)
- 일부 약물은 CKD에서 uremic toxins or binding site 변화에 의해 (or hypoalbuminemia 때문에) unbound (free) form이 증가되어 실제 측정값보다 더 높은 효과 및 독성을 나타낼 수 있음 (e.g., furosemide, metolazone, ceftriaxone, DC, phenytoin, diazepam, valproic acid, warfarin)
- 흔히 사용되는 항생제의 용량 조절 예 → 감염내과 Ⅰ-2장도 참조

Marked Reduction	Moderate Reduction	Minor or No Reduction	절대 금기
Amikacin	Amoxicillin	Amphotericin B (GFR 10 이하일 때만 감량)	Bacitracin
Aztreonam	Ampicillin	Cefaclor	Chlortetracycline
Cefadroxil	Carbenicillin	Cefixime	Nitrofurantoin
Cefotaxime	Cefazolin	Cefoperazone	
Cefotetan	Cephaloridine	Cefotaxime	
Cefoxitin	Cephalothin	Ceftriaxone	
Ceftazidime	Ciprofloxacin	Cephalalexin	
Ceftizoxime	Cloxacillin	Chloramphenicol	
Cefuroxime	Co-trimoxazole (TMP-SMX)	Clindamycin	
Flucytosine	Dicloxacillin	Doxycycline	
Gentamicin	Methicillin	Erythromycin	
Kanamycin	Moxalactam	Isoniazid	
Netilmicin	Norfloxacin	Ketoconazole	
Oxytetracycline	Oxacillin	Lincomycin	
Piperacillin	Penicillin G	Mezlocillin	
Streptomycin	Ticarcillin	Miconazole	
Tetracyline		Nafcillin	
Tobramycin		Rifampin	
Vancomycin			

- 많은 항바이러스제, 항고혈압제, 항부정맥제도 대부분 신장에서 대사/배설되므로 용량 조절 필요
- 진통제
  - AAP, codeine, pentazocine ; 용량 조절이 필요 없고 안전
  - meperidine ; 독성대사산물 축적, 발작 유발 → 장기간 사용 금기
  - morphine ; 사용 가능하나 호흡억제 효과에 주의
  - salicylates ; 혈소판 기능장애 및 위장관 자극
  - NSAIDs ; 신혈류량 감소 및 GFR 감소, HTN 및 hyperkalemia 악화 가능하므로 주의 (specific COX-2 inhibitors도 마찬가지), 특히 ACEi/ARB나 이뇨제와 병용시 위험

6
신대체 요법(Renal replacement therapy, RRT)

■ 투석 방법(HD-PD)의 선택

복막투석이 선호되는 경우	혈액투석이 선호되는 경우
소아 및 작은 청소년, 고령 심혈관계질환 (예; CAD, PAD, 심부전, 저혈압) 출혈성 경향 or 출혈 상태 심한 빈혈, 최근의 두부/심장 수술 혈관 확보가 어려운 환자 (예; DM 환자, 말초혈관질환) 여행의 자유를 많이 필요로 하는 환자 가정에서의 투석을 원하는 경우	심한 비만, 요통 환자, 최근의 복부 수술 복강내 유착 (과거 여러 번의 복부수술) 탈장 환자, 다낭성신질환(ADPKD) 심한 염증성 장질환, 임신 심한 폐질환 (폐기능 저하) 책임감이 적고 위생관념이 부족한 환자(noncompliance) 간병인이 없는 노인, 시력 장애, 정신과적 질환 No residual renal function

* 우리나라 현황 (2018년)
- RRT를 시작하는 ESRD의 원인 질환 ; DM (48.8%), HTN (19.8%), GN (7.7%)
- PD보다 HD가 약 12배 더 많이 이용됨, 신환은 약 20배 (HD의 비율 계속 증가 추세)
- HD의 vascular access ; AV fistula (77%), AV graft (15%), catheters (8%)
  ↳ Lt. 하완(43%), Lt. 상완(21%), Rt. 하완(7%), Rt. 상완(5%)
- PD의 종류 ; CAPD (61%), APD (39%, 계속 증가 추세)

■ 예후

- 투석 환자의 사망률 : 일반인의 6~8배, 연령이 증가할수록 증가
- 생존율은 지속적으로 향상되어 왔음
  ↳ 특히 복막투석이 크게 향상됨 (∵ 잔여 신기능 오래 유지, 감염 합병증↓, 경험 축적)
- 투석 시작 후 약 3.5년까지는 복막투석의 생존율이 훨씬 우수하고, 그 이후에는 비슷함
- 투석 시작 후 초기 사망률 → 6주째에 최고

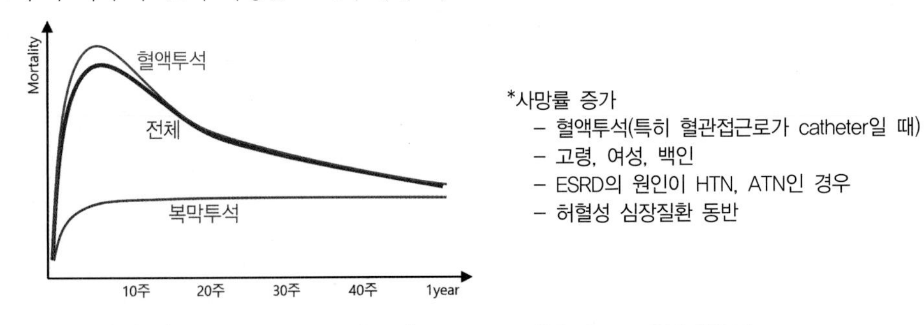

- 원인 질환에 따른 5YSR ; DM (32%) < HTN (38%) < GN (48%)
- 사인 ; 심혈관질환(m/c: MI, SCD, storke 등), 감염(2nd m/c)

혈액투석(Hemodialysis, HD)

1. 원리

① 확산(diffusion) : 반투막 사이의 농도차에 의한 **용질**의 수동적 이동 … HD의 주기전
→ 작은(<500 Da) 수용성 물질의 제거에 효과적 ; urea, Cr, Ph, uric acid 등

② 한외여과(ultrafiltration) : 투석막을 경계로 한 수압 차이에 의해 **수분**이 이동하여 제거되는 것

③ 대류(convection) … hemofiltration or hemodiafiltration의 주기전
: 물 분자가 ultrafiltration에 의해 투석막을 통과할 때 **용질**들도 함께 이동하여(solvent drag) 제거되는 것 (물질의 크기에 큰 영향을 받지 않음)
→ 큰(>500 Da) 물질 제거에도 효과적 ; β_2-microglobulin, albumin, bilirubin, cytokines 등

* 흡착(adsorption) : 특수한 투석막에 물질이 흡착되어 제거되는 것 … hemoperfusion의 주기전
  - 일반적인 HD로 잘 제거되지 않는 지용성 highly protein-bound toxins 제거에 효과적
    예) paraquat 중독, sepsis의 cytokines (polymyxin B, polystyrene divinylbenzene copolymer)
    ↳ 다른 약물들은 high-flux HD 권장 (∵ 효과 빠르고 부작용 적음)
  - 부작용 ; 혈소판 감소(m/i), hypocalcemia, hypoglycemia, 일시적 WBC↓ (저혈압은 드묾)

분자량에 따라 물질이 제거되는 기전

분류 (MW: dalton)	예 (분자량)	효과적인 제거 기전
Small (<500)	Urea (60), Cr (113), Ph (95), K, Na, uric acid (168), glucose (180), amino acids	**Diffusion**, Convection
Middle (500~5000)	Vitamin B_{12} (1355), PAF, vancomycin, inulin	Convection
High (5000~50000)	β_2-microglobulin (11800), myoglobin, IgG, TNF, IL-6, IL-8, IL-1β, heparin	Convection, Adsorption
Large (>50000)	Albumin (66000), Hb	Convection, Adsorption

c.f.) middle molecules : 과거에는 300~2000 dalton (= g/mol)으로 봤으나, European Uremic Toxin Work Group (2003년)에서는 500~60000 dalton으로 정의하였음

2. HD의 종류 및 구성

① conventional HD

② high-efficiency HD : 저유량(low-flux) 혈액투석막 (작은 구멍) 이용, 투석기 표면적↑, 혈류량↑
→ 작은(저분자량) 물질의 제거에 효과적 (e.g., urea)

③ high-flux HD : 고유량(high-flow) 혈액투석막 (큰 구멍) 이용, 투석양↑, 투석시간↓
→ 수분과 중분자량 물질의 제거에 효과적 (e.g., β_2-microglobulin, vitamin B_{12})
↳ albumin 보다는 작고 urea 보다는 큼

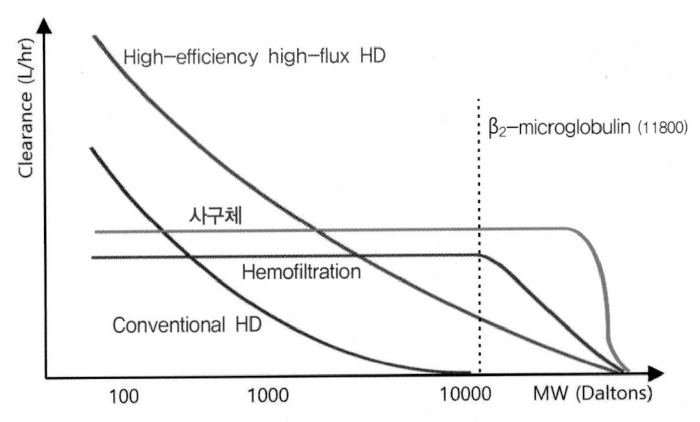

용질의 분자량별 제거 능력(clearance profile)

* 필수 구성요소
(1) dialyzer (투석기/투석막)
(2) dialysate (투석액) : 500~800 mL/min (혈액과 반대 방향)
(3) blood delivery system (혈액전달체계) : 250~450 mL/min
(투석 효율은 혈류 속도, 투석액 속도, 투석막 특성 등의 영향을 받지만 정비례 관계는 아님)

* 투석막(dialyzer membrane)의 생체적합성(biocompatibility)
: 투석막이 환자의 complement system을 활성화시키는 정도
(a) 합성막 : polysulfone 등, 생체적합 … 현재 거의 대부분 사용
(b) cellulose : 생체부적합 → complement 활성화 ; 알레르기반응, 면역변화, hypoxemia, transient neutropenia, 조직손상, anorexia, inflammation 등 유발 가능

3. 장점

① 더 효과적 (특히 urea등 저분자량의 물질 제거시) ⇨ AKI와 ESRD에서는 대개 HD를 이용함
② short time, 급속한 혈장 용질 조성 변화와 과잉체액을 보다 빨리 제거 가능
③ lift cycle interruption이 최소화

4. 단점

① 체액과 용질 균형의 변화가 빠름 → 혈역학적으로 불안정한 환자에게는 사용하기 어렵고, 저혈압, 근경련, 투석불균형 증후군 등이 발생 가능
② 체외 순환회로에서의 혈액응고를 막기 위해 항응고제(heparinization) 필요
③ vascular access를 위한 invasive procedure 필요

5. 혈관 접근로 (vascular access)

(1) AV fistula (AVF, 동정맥루) – m/c

• 수술시기 ; C_{Cr} <25 mL/min, serum Cr >4 mg/dL, 1년 이내에 HD 시작이 예상될 때

- 위치 – nondominant arm에 시행 ; 손목의 radial–cephalic AVF (Brescia–Cimino fistula) 우선 (∵ 합병증과 중재술 비율 가장 낮음), 손목이 어려우면 상완에 시행(e.g., brachial–cephalic)
- 장기 개통율(patency)이 가장 좋음
- maturation 시간이 필요하므로 수술 후 3~4개월 (최소한 1개월) 동안은 사용 금지
- 효과적인 투석을 위해서는 혈류량 300 mL/min 이상이 좋다
- 폐쇄 및 감염 위험 가장 낮음 (단점 ; 미성숙에 의한 1차 실패율이 높음)
- stenosis와 thrombosis는 정맥 쪽에서 더 호발

* 이상적인 AVF maturation의 조건("rule of 6s")
 ; 혈류 >600 mL/min, 정맥 직경 >6 mm, 피부에서 6 mm 이내

* AVF/AVG의 중재술(angioplasty) 적응 ; AVF 미성숙, 혈류↓(<600 mL/min), 정맥압↑, thrombosis, 투석 효율↓, 재순환율 증가, 천자 곤란, 투석 후 지혈시간 연장, P/Ex 이상 등

c.f.) 중심정맥폐쇄(central vein stenosis)
- Sx ; 혈관 접근로를 가진 팔의 만성적인 부종/통증/감각이상, 표피 정맥 확장, 우회 정맥 발달
- risk factors ; 이전의 central venous catheter 유치 and/or 감염, 기타 transvenous wires, brachiocephalic vein의 외부 압박(e.g., lymphoma, hyperthyroidism, aneurysm, fibrosis)
- Dx ; digital subtraction angiography, CT, MRI
- Tx ; balloon angioplasty with stent insertion

(2) AV graft (AVG, 인공혈관)

- polytetrafluoro ethylene (PTFE) 같은 인공혈관을 이용하여 동맥과 정맥 사이를 연결
- maturation 시간이 짧다 (2~3주 미만)
- 이용되는 경우 (AV fistula가 일차적으로 권장됨)
  ① 환자의 의뢰가 늦어져 AV fistula의 성숙 시간 부족
  ② 잦은 채혈로 인해 환자의 정맥이 이미 손상/폐쇄된 경우
  ③ DM 환자 (microvascular dz.) 증가
  ④ 시술이 AV fistula보다 더 쉬움
- 합병증(e.g., thrombosis, infection) 발생↑ → 실패율은 AV fistula보다 높다

(3) double–lumen catheter (도관)

- 급하게 투석이 필요하거나 (e.g., AKI), AV fistula/graft 불가능/실패시 이용
- 위치 ; 대부분 internal jugular vein을 선호 (몇 주간 사용 가능)
  - subclavian vein : 활동하기 편하고 flow도 우수하지만, 합병증(stenosis)이 가장 많아 선호×
  - femoral vein : 감염 발생률이 높아 3일 이상 사용 불능
- catheter tip은 caval atrial junction or SVC에 위치시킴
- polyurethan 재질
  - 장점 ; 체온에서 부드러워져 혈관벽의 손상 감소
  - 단점 ; 소독용 alcohol에 취약

6. 혈액투석시의 일반적 치료

① protein 섭취는 약간만 제한 (1.2 g/kg/day) (c.f., CAPD : 1.3 g/kg/day)
② salt, K^+ 강력히 제한
③ monitoring ; clinical well-being (영양상태 포함), BUN, serum electrolyte (Ca^{2+}, Ph 포함)
④ predialysis : serum HCO_3^- > 20 mEq/L
⑤ 혈액투석만으로는 적절한 혈중 phosphorus level 유지에 부족하므로 Ph 섭취 제한, Ph-binding agents, vitamin D 등도 고려
⑥ 수용성 vitamins (B, C, folic acid) 보충 : 투석 중 소실되므로
⑦ iron (∵ 투석 때마다 계속 소량의 blood 소실)
⑧ erythropoietin (ESA)

* ESRD 환자는 대개 매주 9~12시간을 3회로 나누어 HD를 시행함 (보통 하루 3시간, 3회/주)

7. 혈액투석의 적절도 평가

(1) URR (urea reduction ratio)[요소감소비] = PRU (percent reduction of urea)

- 측정이 용이하고, 분자량이 작아(60 dalton) 투석으로 잘 제거되어 urea를 이용
- $\frac{\text{투석전 BUN} - \text{투석후 BUN}}{\text{투석전 BUN}} \times 100(\%)$ … 1회 투석 동안의
- acceptable : 최소 65% 이상 (target : 70% 이상 유지 권장)
- Kt/V와의 연관성이 좋음, urea 제거율뿐 아니라 생성률도 파악 가능(→ 단백 섭취량 평가)

(2) Kt/V

Kt/V [K = 투석기의 urea clearance rate (L/hr), t = 투석시간(분), V = 요소분포용적(L, 체중의 약 55%)]

K (투석막 요소 제거율) : 혈류속도, 투석액속도, 투석기효율(K_oA) … 보통 제조사 값의 80%가 유효 제거율임

- spKt/V (single-pool urea kinetic modeling)로 측정 (매월 정기적으로 측정할 것을 권장)
  - acceptable : 최소 1.2 이상 (target : 1.4 이상 유지 권장)
  - Daugirdas 공식 : 투석중의 urea 생성 및 용적 감소 보정, 간편하고 정확해서 많이 이용됨

$$spKt/V = -\ln(R - 0.008 \times t) + (4 - 3.5 \times R) \times UF/W$$

ln (LN) : 자연로그(natural logarithm)
R : $BUN^{\text{투석후}}/BUN^{\text{투석전}}$ (= 1 − URR)
t : 투석 시간[time] (hours)
UF : 한외여과(ultrafiltration) 용적(L)
W : 투석후 체중[weight](kg)

- eKt/V (equilibrated Kt/V) : urea rebound를 보정하기 위해 투석 30~60분 뒤 BUN을 직접 측정하거나 예측 공식으로 보정한 것 (∵ 투석 직후 평형 전의 BUN은 Kt/V 과대평가 가능) → 특히 large Kt/V 일 때 투석량(적절도)을 잘 반영
- Kt/V가 낮을 때의 조치 → 1회 투석시간 (T) 연장, 혈류속도 (K) 증가

c.f.) 기타 : 영양상태(단백섭취) 평가 등

- PCR (protein catabolism rate) or protein nitrogen appearance (PNA)
  - $\frac{\text{투석전 BUN - 이전의 투석후 BUN}}{\text{투석 사이의 기간}}$ → 투석 사이 기간에 BUN의 상승(appearance) 정도 파악 (실제로는 프로그램 or 복잡한 공식을 이용해 구함)
  - protein catabolism (환자의 영상상태)을 반영 ⇨ acceptable : 1~1.2 g/kg/day 이상
- serum albumin >4.0, K^+ <5.0, bicarbonate >22, iPTH 60~150 등

8. 합병증

(1) 투석 중 저혈압 (intradialytic hypotension, IDH)

- m/c acute Cx (5~30%)
- 원인 ; 과도한 한외여과(ultrafiltration), 혈관/자율신경 반응 장애, 좌심실 기능장애, 체액량 부족, osmolar shift, 항고혈압제 과용, 음식 섭취, 투석액 온도↑, 투석액 Na^+ 농도↓, 투석기에 대한 알레르기반응, acetate buffer (→ 혈관확장 및 심장억제 효과) 포함 투석액 ...
  (↳ 현재는 투석액 buffer가 대부분 acetate에서 bicarbonate로 바뀌어서 괜찮음)
- 위험인자 ; DM, 고령, 여성, 투석시간↑, 투석전 낮은 혈압, 비만(BMI↑)
- 다른 원인으로 MI, cardiac tamponade, sepsis, allergy, 출혈 등을 꼭 R/O해야 됨
- 치료 : Trendelenburg position, 한외여과(ultrafiltration) 감소/중단, IV volume replacement (N/S, hypertonic glucose, 5% dextrose, albumin 등), 산소 공급 등

저혈압(IDH) 자주 발생하는 환자의 예방조치	
1st-line	목표 건체중(dry weight) 재산정 ; bioelectric impedance, vena caval ultrasound 등 이용 투석전 4~6시간에는 항고혈압제를 복용하지 않음 투석전 및 투석 중 음식 섭취 금지 투석 간 체중 증가 제한 ; Na 섭취 제한 (∵ 체중 증가 → ultrafiltration 양도 증가됨) 투석액의 Ca ≥2.25 mEq/L, Mg ≥1.0 mEq/L (∵ 낮으면 투석 중 저혈압↑)
2nd-line	심장 요인 확인/치료 ; CHF, IHD, 부정맥 등 (특히 심낭질환) 투석액의 온도를 낮춤 ; 35~36.5℃ (→ hemodynamic stability 향상) 투석시간↑ ; 1회 투석시간↑ and/or 투석횟수↑ (→ 한외여과 및 단위 시간당 volume 감소 목적) 한외여과(ultrafiltration)를 먼저하고 투석을 나중에 시행, ultrafiltration profiling (초기에 더 많이 제거)
3rd-line	예방적 약물 투여 ; midodrine (selective α_1-blocker), L-carnitine, setraline 등 ↳ 15~30분전 경구 투여 / Cx ; piloerection, urinary retention, supine HTN 투석 방법 변경 ; hemodiafiltration or PD
기타	빈혈의 교정 ; ESA로 목표치까지 (→ 심기능 향상) *High-Na (>140 mEq/L) 투석액 or Na modeling (high-Na 농도로 투석을 시작한 뒤 점차 감소) ↳ 혈장 삼투압을 높여 저혈압을 예방 /but, Na 부하에 따른 부작용으로 권장 안됨

* 혈류속도(blood flow rate) 감소는 저혈압(IDH)의 예방/치료에 도움 안됨!

(2) 투석 중 고혈압

- HTN 환자는 매우 흔하고 투석 중 혈압 상승도 가능, 심혈관계 사건/사망률 증가와 관련
- 치료/예방 ; volume control, 투석 시간 and/or 횟수↑(→ volume removal↑), dry weight 재산정, 항고혈압제(β-blocker), ESA를 IV로 투여 받던 환자는 SC로 투여 등

(3) 근육경련(muscle cramps)

- 5~20%에서 발생 (투석기의 volume 및 Na^+ 농도 조절로 발생 빈도는 감소하였음)
- 다리(m/c), 팔, 손에서 발생, 투석을 조기 중단해야 하는 원인의 약 15% 차지
- 원인 ; 잘 모르지만 투석 후반부에 호발하는 것을 보면 주로 ECFV↓ and/or osmolality↓ 관련 (plasma volume↓, hypoNa, tissue hypoxia, hypoMg, carnitine 결핍, serum leptin↑ 등)
  - 위험인자 ; 고령, non-DM, 불안증, PTH↓, CK↑
  - 유발인자 ; 저혈압, hypovolemia, 투석간 체중↑↑(→ 과도한 한외여과), 투석액 Na↓
- 치료 ; plasma osmolality↑ (hypertonic saline, mannitol, 50% DW 등 모두 효과적), 저혈압도 동반된 경우는 midodrine
  ↳ Na 증가가 없어 더 좋음 (non-DM에서)
- 예방 ; 투석간 체중증가 최소화 (투석 중 제거되는 volume↓), 저혈압 예방, 투석액 Na^+ 농도↑, stretching, massage, carnitine 보충, vitamin E 등 (quinine은 TMA 유발 위험으로 ×)

(4) 투석기에 대한 anaphylactoid reactions

- 생체비적합 cellulose 투석막에서 생체적합 합성 투석막(e.g., polysulfone)으로 대치되면서 빈도↓
- type A : 멸균에 사용되는 ethylene oxide에 대한 IgE-mediated 과민반응, 투석 시작 직후 발생, 증상이 심하면 steroid or epinephrine 투여
- type B : 비특이적인 가슴/허리 통증, 보체 활성화 및 cytokine 분비 때문, 투석 계속하면 호전됨

(5) 투석불균형 증후군(dialysis disequilibrium syndrome, DDS)

- 기전 : 혈액투석을 high-flux, large surface area, 과도하게 하는 경우 혈액중의 요소, 전해질, pH 등의 급격한 교정으로 혈액 삼투압이 낮아져 수분이 세포 내로 이동하여 세포 부종 발생, 특히 뇌부종이 문제 (처음 투석하는 환자, 투석량이 갑자기 증가된 환자에서 호발)
- 위험인자 ; young age, severe azotemia, dialysate Na↓, 기저 신경질환(e.g., stroke, SDH, head trauma, malignant HTN)
- 증상 ; 의식저하, 두통, N/V, confusion, seizure, arrhythmia, coma
- D/Dx ; CVA, 대사 이상(e.g., hypoglycemia), 저혈압, 부정맥, 뇌신경질환 ...
- 대개는 self-limited (완전 회복에는 며칠 소요)
- 심각한 경우에는 즉시 투석 중단, 23% saline or hypertonic mannitol 12.5 g 투여
- 예방
  - 조기에 RRT 시작, 처음에는 target urea reduction (URR)을 30% 이내로 제한
  - 순차적 투석(sequential dialysis), 짧게(≤2시간) 자주 투석, blood flow rate↓, surface area↓
  - bicarbonate 투석액, Na^+ 농도가 높은 투석액 사용하다가 서서히 농도를 낮춤
  - mannitol이나 anticonvulsants의 예방적 사용은 권장 안 됨

(6) 출혈 및 응고장애

(7) vascular access와 관련된 합병증

- infection (m/c 원인균 : *Staphylococcus aureus*) → 폐의 septic embolism도 발생 가능
- stenosis, thrombosis → limb ischemia (steal syndrome) : 수술 후 언제라도 발생 가능 (1~8%)
  - 위험인자 ; graft, DM, atherosclerosis, 고령, 이전의 vascular access 등
  - 중심 정맥 협착 여부도 R/O해야 됨

(8) 공기색전증(air embolism)
- 증상 ; agitation, cough, dyspnea, chest pain
- 치료 ; 100% O_2, 좌측와위(→ 공기가 우심실에 머무르게 함)

(9) 혈액투석과 관련된 유전분증(amyloidosis)
- β_2-microglobulin의 침착이 원인 (→ 앞 장 CKD 편 참조)
- 치료 : high-flux HD (고분자량 물질 제거에 용이), hemofiltration

(10) 투석 치매(dialysis dementia)
: aluminum이 CNS에 축적되어 발생하는 진행성의 치매 증후군

* *Aluminum intoxication*
- 만성신부전 환자에서
  ① 투석액(특히 HD에서)의 aluminum 오염 (→ 최근엔 無) or
  ② aluminum 함유 제제 (e.g., 제산제, phosphate binder) 섭취 등으로 인해 발생
- acute dementia (encephalopathy)
- aluminum-induced osteomalacia : unresponsive & severe osteomalacia
- microcytic hypochromic anemia
- 확진 : bone biopsy → aluminum에 대한 특수 염색 (혈중 aluminum level은 가치 없다)
- 치료
  ① aluminum 및 phosphate 제한
  ② hyperphosphatemia의 치료에 $Al(OH)_3$ 대신 calcium carbonate 사용
  ③ deferoxamine (chelating agent) with high-flux dialysis

■ 장기간 투석을 받는 환자에서 발생하는 새로운 문제들
① dialysis dementia, or aluminum intoxication
② accelerated atherosclerosis syndrome
③ acquired cystic disease
④ hemodialysis-related amyloidosis

■ 지속적신대체요법(Continuous renal replacement therapy, CRRT)

(1) 개요
- 장점 (intermittent HD보다 좋은 점)
  ① 혈역학적으로 안정 (m/i) → 혈역학적으로 불안정한(e.g., 저혈압 위험) 환자도 시행 가능
  ② 큰 분자량의 노폐물 제거도 가능
    - heparin, insulin, myoglobin 등의 큰 분자는 HD에서는 거의 제거되지 못하나 hemofiltration에서는 효과적으로 제거됨 (phosphate도 잘 제거됨)
    - toxin 제거에도 유리 (e.g., sepsis 환자에서 cytokines의 제거를 통한 치료 효과 기대 가능)
  ③ 지속적으로 한외여과가 일어나므로 HD보다 훨씬 많은 양의 수분/용질 제거 가능
  ④ 생화학적 이상의 "점진적" 교정 ; HD와 달리 urea, Cr, Ph가 동일한 속도로 제거됨

⑤ 뇌압에 미치는 영향이 적어 IICP 환자에서도 안전하게 사용 가능
⑥ 체액량 조절에 효율적 → 영양공급 및 수액/약물 투여 용이
⑦ HD보다 기계가 간단하고 사용하기 편리

- 특히 유용한 경우
  ① intermittent HD로 hypervolemia, uremia, acidosis 등의 조절 실패시
  ② 환자가 intermittent HD를 견디지 못할 때 (e.g., 저혈압)
  ③ PD가 불가능할 때 (e.g., 복부 수술)
- 단점
  ① prolonged immobilization & anticoagulation 필요 (→ 외상/수술 환자는 사용 어려울 수 있음)
  ② 수분평형 상태를 주의 깊게 감시해야 (ICU에서나 가능)
  ③ synthetic dialysis membrane에 혈액이 장기간 노출됨

(2) Continuous arteriovenous hemodialysis (CAVHD)
- 환자의 동맥 혈압에 의해 blood flow 결정 (혈액펌프가 필요 없음)
- very slow dialysate flow rate (→ 체외 응고 위험), high-efficiency dialyzer 사용
- 단점 ; 큰 동맥에 큰 catheter를 사용하는데 따른 부작용 → 현재는 이용 안함

(3) Continuous venovenous hemodialysis (CVVHD)
- arterial access 필요 없음 (venous access는 덜 위험하고 쉬움)
  ; 대개 internal jugular or femoral vein에 double-lumen catheter 사용
- 혈액펌프를 사용 (대개 150~180 mL/min 속도), diffusive clearance, 투석액만 사용
  → CAVHD보다 "clearance rate"를 높일 수 있음
- CAVHD보다 장점이 많기 때문에 현재는 대부분 CVVH or CVVHDF를 이용함

(4) CVVH (CVV hemofiltration)
: CVVHD에서 dialysis 과정(diffusive clearance)이 생략되고 hemofiltration (convective clearance)만 시행되는 형태, 보충액만 사용
  ↳ 큰(>500 Da) 물질의 제거에도 효과적

(5) CVVHDF (CVV hemodiafiltration)
: dialysis와 filtration 방법이 결합된 hybrid 형태, 투석액과 보충액 모두 사용, 가장 효과적

(6) SCUF (slow continuous ultrafiltration)
- hemofiltration만 시행해 수분만 제거하는 것 (투석액과 보충액 모두 사용 안함), 별로 이용 안됨
- 대개 (심한 신부전은 없는) 심부전에 합병된 refractory edema 환자에서 이용

* 신장 이외의 CRRT 적응증 ; sepsis 및 기타 염증질환, ARDS or 폐부종, cardiopulmonary bypass, CHF, crush syndrome, severe metabolic acidosis (pH<7.1), hyperkalemia (K^+>6.5 mmol/L), progressive severe dysnatremia (Na>180 or<115), hyperthermia (>39.5℃), drug overdose 등

CRRT에서 molecular transport mechanism

	Ultrafiltration	Diffusion	Convection	Adsorption
CVVHD	○	○		○
CVVH	○		○	○
CVVHDF	○	○	○	○

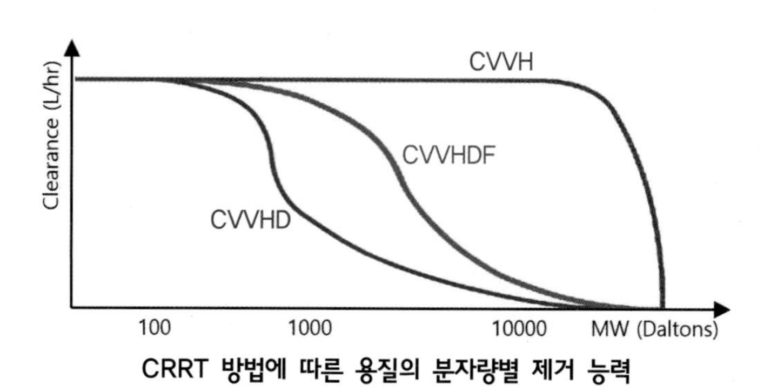

CRRT 방법에 따른 용질의 분자량별 제거 능력

복막투석(Peritoneal dialysis, PD)

1. 원리

: 약 1.5~3 L의 복막 투석액(dialysate)을 주입하고 몇 시간 저류 후 배액함

① 확산(diffusion) : 반투막(복막 모세혈관)을 통해 농도가 높은 곳에서 낮은 곳으로 용질 이동

② 삼투현상(osmotic pr.) : 투석액은 혈액보다 훨씬 높은 농도의 삼투성 물질(e.g., glucose) 함유

⇨ 혈액의 수분이 삼투압차로 인해 복강으로 빠져 나옴 (한외여과, ultrafiltration^UF^)

→ glucose가 혈액으로 역확산되기 때문에 저류시간에 따라 삼투압 차이는 감소됨

→ 한외여과량은 투석 초기에 가장 많고 시간이 지날수록 감소됨

c.f.) 혈액투석 : 정수압 차이에 의해 ultrafiltration 발생 → 혈액투석기에서 일정한 정수압 유지 가능 → 투석 동안 일정한 한외여과량 유지

③ 대류(convection) : ultrafiltration으로 수분이 복강액으로 빠져 나올 때 전해질과 노폐물도 함께 빠져나옴 (요독 물질 제거에는 convection보다 diffusion^확산^이 더 많이 관여함!)

* 투석액의 삼투성 물질(osmotic agents)

(1) 저분자 물질 ; glucose (dextrose) - m/c (∵ 저렴, 안전, 오랜 사용 경험), amino acids

↳ 60~80%가 복강에서 혈중으로 흡수됨 → 여러 대사성 부작용

(2) 고분자 물질 ; icodextrin (glucose polymer → 더 효과적인 ultrafiltration), polypeptides

↳ 20~35%만 흡수됨, 장기간 저류 가능, 복막 투과성 증가된 경우도 효과적

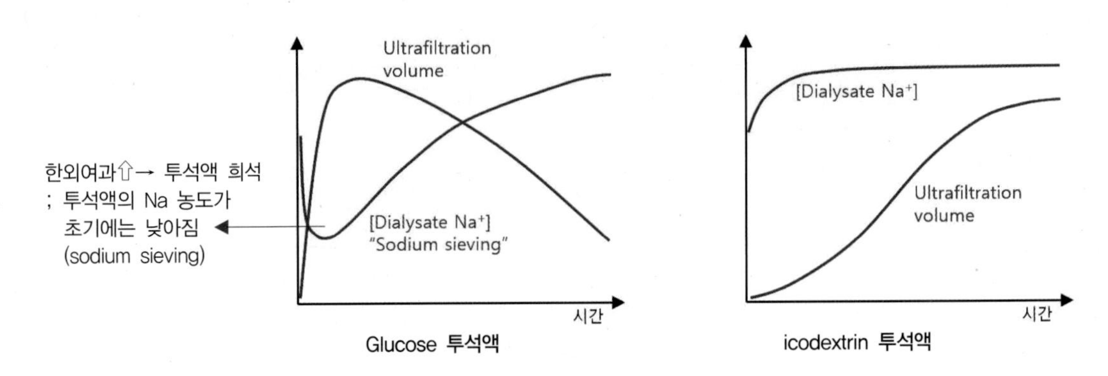

* dual/multi-chambered PD bag (성분별로 bag을 구분한 뒤 사용할 때 혼합)
- glucose degradation products (GDPs) 감소 : A bag (pH↓ → GDP↓) + B bag (pH↑ buffer)
  ↳ glucose-함유 투석액의 열소독 or 보관 중 발생 증가 → 복막 손상/섬유화, 잔여신기능↓
- buffer로 bicarbonate 사용 가능 : A bag (bicarbonate 함유) + B bag (calcium 함유)
  ↳ 가장 좋지만 보관 중 탄산칼슘(calcium carbonate, $CaCO_3$)을 형성해 침전되는 문제

* capillary endothelium의 구멍 종류
(1) large pores : venular interendothelial gaps, 큰 용질의 이동에 관여 (e.g., protein, Ig)
(2) small pores (거의 대부분을 차지) : endothelial cells 사이의 틈, 작은 용질의 이동에 관여 (e.g., urea, Cr, glucose)
(3) ultrasmall pores : aquaporin (AQP1), ultrafiltration의 ~50% 차지, water만 통과 가능
→ water와 Na^+ 이동의 불일치 발생 (dialysate Na^+↓, plasma Na^+↑ : "sodium sieving")
; ultrafiltration은 PD 초기 1시간 동안에 최대로 발생하여 투석액의 Na^+↓,
1시간 이후는 ultrafiltration 크게 감소 & Na^+ diffusion으로 투석액의 Na^+↑ 시작
→ sodium sieving은 ultrafiltration이 많을수록 커짐
(e.g., low transport, 짧은 dwell time, 투석액의 tonicity↑)

2. 복막투석의 방법

(1) 지속적 왜래 복막투석(continuous ambulatory PD, CAPD)

- 가장 기본 (과거 m/c), 하루 3~4회 투석액 교환 (수동으로), 1회 주입량은 대개 1.5~2.5 L
- 장점 ; 야간 활동이 자유로움, middle molecules 제거에 유리, 저렴 / 단점 ; 주간에 불편함
- DAPD (daytime ambulatory or automated PD) : 낮에만 투석액을 시행

(2) 자동복막투석(automated or automatic PD, APD)

- 기계(automated cycler)에 의해 자동으로 투석액이 주입/배출되는 것
- CCPD (continuous cycling PD) : 밤에 8~10시간 동안 5~15 L (3~4회 교환)의 투석을 하고, 낮에는 복강 내에 남아있는 약 2 L의 투석액을 저류한 채 생활(wet day) ↔ CAPD의 반대
  - 충분한 한외여과량 및 투석적절도를 얻을 수 있어 m/c APD
  - 야간에는 기계와 연결되어 있어 활동이 곤란
- NIPD (nocturnal intermittent PD) : 밤에만 8~10시간 동안 투석을 하고 (4~10회 교환), 낮에는 복강을 비운 채로 생활 (dry day)

- 기계적 합병증(e.g., 복부팽만감, 탈장) 적음, 복막의 기능 손상 적음
- 투석시간↓ → 잔여신기능이 없으면 불가능 / 잔여신기능이 남아있는 환자의 초기 투석에 유용

• tital PD : 투석액 일부를 남겨둔 채 자주 교환함, 투석액 교환 시간↓, 주입초기/배액말기 복통↓
• 장점 ; 자주 교환 가능(→ 용량↑, high transport에서 한외여과량↑), 저분자 물질의 청소율 우수, 복막염↓, 복강내 압력↓(→ 탈장↓), 주간에 자유로움 (삶의 질 향상)
• 단점 ; 잔여 신기능의 빠른 감소, 주로 밤에만 짧은 투석액 저류 시간으로 인한 나트륨 체현상 (ultrafiltration↑ → sodium sieving↑ → hypernatremia) … 실제로는 CAPD와 별 차이 없음

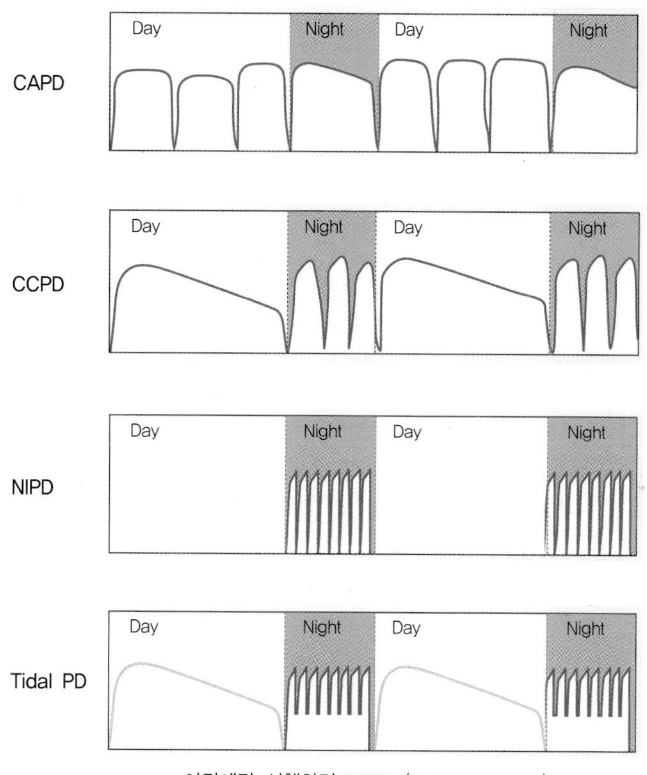

야간에만 시행하면 NTPD (nightly tidal PD)

3. 장점

① 혈액투석에 비하여 분자량이 큰 중간분자량 물질을 제거할 수가 있어서 요독증의 증상이 덜함
② 지속적인 투석 상태 → 혈중 요소치가 거의 일정하게 유지됨 / 투석간 체액량의 변동이 없음
→ 체액량이 거의 일정 수준으로 유지됨 ← 잔여 신기능이 오랫동안 보존됨
③ slow clearance rate → less cardiovascular stress → 혈역학적 불안정 환자에서 유리
(c.f., 심혈관계 질환에 대한 예후는 PD or HD 어느 한쪽이 더 좋다고 할 수는 없음)
④ 항응고제와 vascular access가 필요 없음
⑤ DM 환자에서는 dialysate에 insulin을 첨가하여 혈당조절도 가능
⑥ K & Ph의 지속적인 배출 → HD에 비해 식사 자유로움 → 영양상태 양호
⑦ 말초 신경염이 HD에 비해 호전, 빈혈 호전, 대개의 환자가 쾌적감을 느낌, 자가 치료 가능

- 경비 : 전체적으로 드는 경비는 혈액투석과 비슷함
- 치료의 효과(장기 예후)도 PD와 HD 비슷 (but, 고령, DM, 동반질환 등에서는 PD가 사망률 높음)
- 초기(약 ~3.5년까지) 생존율은 PD가 높음

4. 단점

① 혈액투석에 비해 물질교환이 비효율적, 긴 치료 시간
② extensive abdominal surgery나 pulmonary dz.시는 사용할 수 없다
③ scleroderma, vasculitis, malignant HTN, peritoneal dz.시는 투석의 효과가 감소
④ peritonitis에 걸리기 쉽다 (∵ CAPD의 최대 문제!)
⑤ 혈액투석 때보다 꽤 큰 물질도 통과 → 단백질(albumin), 비타민, 아미노산 등의 소실 증가
⑥ 투석액의 glucose가 흡수되어 혈당에 영향 or 대사장애 유발 가능 → 비만, 고지혈증(특히 TG↑)
(↳ DM 환자에서는 insulin 요구량 증가)
⑦ low-turnover bone dz. (e.g., ABD) 발생 위험 더 높음
⑧ 의료인과의 접촉 감소로 인한 고립감 발생 가능

* 복막 투석액의 생체 부적합 요소 ; pH↓, osmolality↑, glucose↑, lactate, 당 분해 산물

5. 복막투석의 적절도 평가

(1) 요소 제거율: 요소 동력학 지표 (urea kinetic parameter)

- 24시간 동안 사용된 투석액과 소변을 모아서 계산
  - weekly Kt/V_{urea} (PD에서 Kt = $V_{dialysate}$ × D/P urea)
  - weekly C_{Cr} (creatinine clearance) → Kt/V에 비해 추가적인 이득이 없어 권장 안 됨
    (c.f., APD의 경우에만 weekly C_{Cr} >45~50 L/week/1.73m^2 권장)
- target 기준 ; weekly Kt/V_{urea} >1.7 (복막 + 신장)
- Kt/V가 낮을 때의 치료 ⇨ exchange volume↑, exchange 횟수↑, 투석액의 tonicity↑

(2) 복막평형검사 (peritoneal equilibration test, PET) ★

- 복막을 통한 Cr 청소율과 포도당 흡수율을 측정하는 검사
- 방법 ; 2.5% glucose 투석액 2 L를 주입한 후, 4시간 뒤에 D (dialystate) Cr, P (plasma) Cr, D_4 glucose와 교환 시작 전의 D_0 glucose를 측정하여 복막 이동능(투과성)을 분류

Transport	D/P Cr	D_4/D_0 glucose	Ultrafiltration	Clearance
High	>0.81	<0.26	Poor	Adequate
High average	0.65~0.81	0.26~0.38	Adequate	Adequate
Low average	0.5~0.65	0.38~0.5	Good	Adequate
Low	<0.5	>0.5	Excellent	Inadequate

– D/P Cr = Dialysate Cr/Serum Cr
– D_4/D_0 glucose = 4시간 후의 dialysate glucose 농도/시작 전의 dialysate glucose 농도

c.f.) modified PET : 4.25% glucose 투석액을 사용

• high (rapid) transport

┌ D/P Cr ↑ : 혈중 Cr이 투석액으로 빨리 빠져나옴 → urea와 Cr 평형에 빨리 도달
└ D_4/D_0 glucose ↓ : 투석액의 glucose가 혈중으로 빠르게 흡수되어 삼투압 경사가 빨리 소실되어 평형을 이루고 한외여과량도 감소됨 (poor ultrafiltration)

• PET의 임상적 이용

① PD의 종류 선택, 용량 조절 (e.g., high transport → 짧게 자주 시행, auto-cycler 권장)
② 복막 기능의 평가
③ 급성 복막 손상의 진단
④ inadequate ultrafiltration의 원인 진단
⑤ inadequate solute clearance의 원인 진단
⑥ 어떤 용질의 D/P 계산
⑦ early ultrafiltration failure 진단
⑧ 전신질환에 의한 복막의 영향 평가

■ Peritoneal membrane transport의 분류/치료방침

(1) high (rapid) transport (15%)

• 원인 ; peritonitis, inherently hyperpermeable membrane, 장기간의 PD
• 노폐물 제거는 가장 많이(빨리) 되지만 단백 소실도 가장 많음, 적절한 체액 유지 어려움
• PD 방법 선택 ; dwell time ↓, frequency ↑ ⇨ APD (NIPD, DAPD) or icodextrin 투석액

(2) average transport

┌ high average (50%) ⇨ NIPD, CAPD
└ low average (25%) ⇨ high-dose CAPD, high-dose CCPD

(3) low (slow) transport (10%)

• 원인 ; adhesion, peritoneal sclerosis
• ultrafiltration ↑ ↑ → sodium sieving ↑ (sodium removal ↓)
• PD 방법 선택 ; dwell time ↑, 투석액의 양 ↑ ⇨ high-dose CCPD (or HD)

■ 한외여과 장애(ultrafiltration failure[UFF], membrance failure)

• 복막을 통한 수분 이동(ultrafiltration) 감소로 수분 배출 불충분 → 부종 악화, 사망률 ↑
• 정의 : 4시간 PET 뒤 한외여과량 <400 mL (4.25% glucose 용액) [2.5% 용액 <200 mL]
• 발생 ↑ ; peritonitis 반복, 장기간 PD (>2년), 고농도 glucose 투석액, DM, β-blocker
• D/P sodium curve의 initial decrease 상실
(정상 : D/P sodium curve에서는 초기 한외여과 ↑ 로 initial decrease 보임)
• type 1 UFF (m/c) ; very rapid/high solute transport → 삼투압 차 금방 소실 → 수분 배출 ↓
⇨ 투석액 저류 시간 ↓, 교환 ↑ (e.g., APD), icodextrin 투석액 사용, 일정기간 PD 중단
→ 모두 실패하면 혈액투석(HD)으로 전환
• type 2 UFF ; aquaporins 기능 장애 → isolated water transport ↓
• type 3 UFF ; sclerosis or adhesions로 인한 복막 유효 표면적 ↓ → solute & water transport ↓
⇨ type 2 & 3는 특별한 치료방법이 없음 → HD로 전환

6. 합병증

(1) 복막염(peritonitis) – m/c

- 투석액 교환시 무균적 조작을 하지 못해서 발생하는 경우가 대부분
- 다른 형태의 복막염과 달리 피부의 세균이 주원인
- 원인균 (거의 다 세균, 주로 single organism)
  - 대부분 G(+)균 ; CoNS (e.g., *S. epidermidis*, m/c), *S. aureus*, *Streptococci*, *Enterococci* (e.g., VRE), GNB (e.g., *Pseudomonas*), fungi (매우 드묾, 주로 *Candida*) ...
  - 여러 장내세균 or G(+)/(–) 중복감염시에는 다른 복강내 병변 동반 의심
- 복막의 투과성이 증가되어 단백 소실이 증가됨 (>10 g/day)
- 진단 (다음 3가지 중 2가지 이상 존재시)
  ① 복막자극(peritoneal inflammation) 징후 ; 발열, 복통/압통
  ② 투석액 ; 혼탁, WBC >100/μL & neutrophil >50% (최소 2시간 저류 후)
  ③ 투석액 ; 그람염색이나 균 배양검사에서 세균 검출
  ↳ 대부분 음성 ↳ 80~95%에서 양성 (투석액 50 mL을 원심분리한 뒤 침전물로 배양)
- 치료 ; 사망률 2~6%
  ① 즉시 경험적 항생제 투여 : G(+)/(–)에 대응, 균이 동정되면 감수성 있는 항생제로 교체
  - 1세대 cepha. (e.g., cefazolin) [or MRSA 의심시 vancomycin]
    \+ 3세대 anti-pseudomonal cepha. (e.g., ceftazidime) [or AG, aztreonam] 복강내 투여
  - 복강내 투여가 더 효과적, 심한 경우에는 IV 항생제도 추가
  - 48시간 이내에 호전되지 않으면 cell count & culture를 반복
  - 균이 동정되지 않으면 경험적 항생제 투여를 유지하고, 총 2주를 넘기지 않음
  - *Pseudomonas* → cefazolin 중단, ceftazidime + AG (or ciprofloxacin, pipercillin 등)
  ② 투석액 복강 세척 (→ 복통 완화) : 심한 복통 or 매우 혼탁한 투석액일 경우만 1~2회 시행
  ③ fibrin clot (매우 혼탁한 투석액)으로 도관 협착 우려시 투석액에 heparin도 섞음
  ⇨ 대부분 위의 치료로 신속히 호전됨 (예외 ; *Pseudomonas*, 혐기성균, 진균)
  ④ catheter 제거의 적응 (약 20%는 catheter 제거가 필요하게 됨)

> Refractory peritonitis : 감수성 있는 항생제로 5일간 치료에도 반응이 없는 경우
> Relapsing peritonitis : 치료 완료 후 4주 이내에 동일 균에 의한 감염 발생
> Recurrent peritonitis : 치료 완료 후 4주 이내에 다른 균에 의한 감염 바랭
> Refractory exit-site & tunnel infection : 도관의 피부출구/피하통로 감염 3주 이상 지속
> 배양 음성이고 증상이 4일 이상 지속될 때
> 복강내 농양이 합병, 장파열로 인한 복막염
> 진균성 or 결핵성 복막염 (multiple 세균 감염은 아님!)

c.f.) 새로운 catheter의 재삽입
- Relapsing peritonitis → 투석액이 깨끗하면 기존 catheter 제거와 동시에 시행 가능
- Refractory peritonitis, 진균성, 다른 복강내 병변 → 기존 catheter 제거 후 최소 3~4주 뒤에 재삽입 (catheter 제거 후 최소 2주 이상 oral or IV 항생제 치료)

- PD의 catheter 교환 시스템 ; double-bag과 Y-set systems 만이 복막염 발생 감소에 효과적
- 복막염 예방을 위한 예방적 항생제 사용 (위내시경은 필요 없음)
  - 대장내시경 ; 투석액을 비우고 ampicillin + AG (e.g., tobramycin) IV
  - 발치 시술 ; 2시간 전에 oral amoxicillin

(2) 복막염 이외의 catheter 관련 감염

- 피부출구(exit-site) or 피하통로(tunnel)의 감염
- *S. aureus*가 대부분 (*S. aureus*와 *Pseudomonas*는 복막염을 흔히 동반함)
- 치료
  - G(+)균 → oral cloxacillin or 1세대 cepha → 균 동정/감수성 결과에 따라 조절
    → 1주 후에도 호전되지 않으면 rifampin (rifampicin) 추가
  - G(−)균 → oral ciprofloxacin → 균 동정/감수성 결과에 따라 조절
    → 1주 후에도 호전되지 않으면 AG or ceftazidime, cefepime, piperacillin, imipenem 등 추가
  - 항생제 치료는 출구 외형이 정상으로 보일 때까지 최소 2주간 치료 (*Pseudomonas*는 3주)
  - 3주간의 적절한 항생제 치료에도 호전되지 않거나 복막염 동반시는 catheter 제거
    (예외 ; coagulase-negative *Staphylococcus* − 항생제에 잘 반응)
- 예방 ; mupirocin 연고 → 피부출구 및 코에 (∵ nasal carriage)

(3) Pleural effusion (hydrothorax, pleuroperitoneal leak)[투석액의 흉강 누출]

- 복강내 압력↑로 투석액이 횡격막의 미세 결손 or lymphatics를 통해 pleural space로 이동
- 대개 PD 초기에 발생, 대부분 <u>우측</u>에 발생, 무증상~호흡곤란, 투석 배액양↓(ultrafiltration↓) ...
  (hypertonic dialysate : 복강내 압력↑ → 증상 악화)
- 진단 ; 흉수검사(e.g., glucose↑, transudate), 투석액 조영제 CT (<u>CT peritoneography</u>, CTP),
  MR peritoneography (CTP와 정확도는 비슷하나 gadolinium 부작용), peritoneal scintigraphy
- 치료 ; <u>PD 일시 중단</u> (→ 필요시 HD 시행), thoracentesis, pleurodesis, VATS, thoracotomy 등
  ↳ 자연치유 되어 PD 재시작 가능은 1/2 미만 (small volume, supine position시 재발↓)
  (but, 대부분의 환자는 결국 HD로 전환하게 됨)

* 지속적인 PD를 받고 있는 환자에서 발생한 pleural effusion의 원인
; volume overload, heart failure, infection (결핵, empyema 등), malignancy,
uremic pleural effusion, pleuroperitoneal leak (peritoneal dialysate의 누출)

(4) 투석액의 internal leak

- inguinal or abdominal hernia를 합병할 수 있음
- 진단 ; 투석액 조영제 CT (CTP), MR peritoneography, peritoneal scintigraphy 등
- 치료 ; hernia 없으면 PD 일시 중단 (필요시 HD), low-volume, supine, APD, dry-day PD 등
  (hernia도 합병된 major leak는 surgical repair)

(5) Encapsulating peritoneal sclerosis (EPS)

- 복막의 염증에 의한 복막 비후 및 섬유화(유착) → ultrafiltration failure, bowel encasement

PD-관련 위험인자	기타 위험인자	
PD duration (m/i) : 8년 이후 ↑	Inflammatory conditions	Gastrointestinal disease
Severe peritonitis (특히 *S. aureus*, *Pseudomonas*, fungus)	SLE, Sarcoidosis	Hepatic ascites
High transport status (ultrafiltration↓)	Familial Mediterranean fever	Intraabdominal malignancy
Dialysate ; glucose↑, acetate buffer	Exposure	Reproductive organs의 질환
Chlorhexidine disinfectant	<u>β-blockers</u>, calcineurin inhibitors	Luteinizing thecoma
Plasticizers	Talc, Asbestos,	Endometriosis
	Intraperitoneal CTx	Ventriculoperitoneal shunt

- PD를 중단한 이후에도 발생 가능 ; repeated peritonitis, ultrafiltration failure, 신장이식 후 (c.f., EPS가 신장이식의 금기는 아님)
- 감염 이외에 가장 무서운 PD의 합병증, 드묾(0.5~2.5%에서 발생), 사망률 35~50%
- 임상양상 : 서서히 진행하며 무증상이 흔함, 대개 5년 이후 발생, 심한 복막염 병력 多
  - 초기 (비특이적 증상) ; A/N/D, 간헐적 복통, 체중↑, blood-tinged dialysate/ascites
  - 후기 (ileus/복막유착, 심하면 flank GI obstruction) ; 심한 복통, 구토, 복부종괴 ...
- 대개 임상양상 + CT로 진단 (laparotomy/laparoscopy는 위험해서 거의 안 쓰임)
- 치료 ; tamoxifen + steroid 3~4개월 이상 (→ survival↑)
  - 일부에서는 복막 휴식 or PD 일시 중단 고려 (일부는 영구 중단 & HD로 전환도 필요)
  - TPN은 경구 섭취가 불가능하거나 영양실조가 발생한 경우에만 시행
  - 유착에 의한 acute obstruction → mechanical obstruction처럼 수술적 치료

(6) 대사 합병증

- 투석액의 glucose 흡수↑ → hyperglycemia, 체중증가, insulin resistance, dyslipidemia
- hyponatremia (∵ fluid overload, 낮은 투석액 Na^+ 등) → Tx ; 투석액의 Na^+를 약간 높임
- protein loss & malnutrition

신장 이식 (kidney transplantation, kt)

1. 개요

- 신장 이식은 대부분의 ESRD 환자에서 TOC임 (∵ 투석보다 생존율↑, 삶의 질 향상)

		1년 생존율	5년 생존율
신장이식	생체 공여자	98.4%	96.2%
	사체 공여자	96.2%	92.2%
투석	혈액투석	94.7%	72.6%
	복막투석	95.5%	68.3%

- 신장이식 후 사망률은 처음 1년이 가장 높음 (고령일수록 더 높음), 생체 공여자가 생존율 더 높음!
- 면역검사/치료의 발전으로 현재 acute rejection은 드물지만, 대부분 다양한 정도의 만성 합병증은 발생함(e.g., interstitial fibrosis, tubular atrophy, vasculopathy, glomerulopathy)

신장이식의 절대 금기	신장이식의 상대적 금기
Reversible renal failure 활동성 감염 활동성 악성종양 약물중독자 심한 정신질환자 지시에 잘 따르지 않는 환자 기대 수명이 짧은(<1년) 환자	고령(절대적 연령 기준은 없지만 대략 65세 이상이면 심사숙고), 비만, 정신질환 HIV, HBV, HCV 감염(과거 절대 금기였으나 항바이러스 치료의 발전으로 일부 가능) 심한 심혈관/폐/간 질환, 활동성 궤양, 뇌졸중, 악성종양(2~5년 관찰 뒤 이식 가능) 신이식후 재발률이 높은 질환 ; MPGN (특히 type II), FSGS, MN, IgA nephropathy Severe hyperparathyroidism (parathyroidectomy 이후 이식 가능) Primary oxalosis (신장-간 동시이식) Systemic amyloidosis (심장을 침범한 경우엔 사망률이 높아 신장이식 곤란) Anti-GBM dz., SLE, vasculitis, TMA 등 (activity가 낮아져 치료가 필요 없으면 가능)

* ABO or HLA 부적합 및 PRA 양성은 과거 금기였으나 현재는 탈감작치료 등으로 이식 가능

생체 신장 공여자의 금기 사항 ★

절대 금기	상대적 금기
신장 손상의 증거; GFR <80 mL/min/1.73m2, Proteinuria and/or Hematuria 심각한 신장/비뇨기계 질환, 신장석회증, 재발성/양측성 신장 결석 고혈압(≥140/90 mmHg, 조절되지 않거나 복합 약물치료 필요, 표적장기손상 有) 당뇨병, 전파 가능한 감염질환(e.g., HBV, HCV, HIV), 활동성 악성종양 인지장애, 조절되지 않는 정신질환, 약물중독자 수술이 곤란한 만성질환(e.g., 심한 심혈관/폐/간 질환), 임신	18세 이하, 65세 이상 비만: BMI ≥35 kg/m^2 신기능 저하는 없는 소변검사 이상 (evaluation 이후 일부 가능) 잠복결핵 (e.g., PPD 양성)

- 전파/재발 가능성 있는 악성종양의 과거력도 제외함 ; melanoma, choriocarcinoma, hematologic malignancies, monoclonal gammopathy, 고환암, 유방암, 폐암 등
- 완치되고 전파/재발 가능성이 매우 낮은 악성종양은 case-by-case로 공여 가능 (e.g., 자궁경부암, 피부암)
- AD polycystic kidney dz. (ADPKD) 환자의 가족 → 30세 이후에 영상검사에서 신장 낭종이 없으면 공여 가능

2. 면역

(1) Lymphocytes

- kidney allograft rejection의 핵심
- B lymphocytes : circulating antibody 생성 (→ hyperacute rejection을 일으킴)
- T lymphocytes : cell-mediated immunity (→ acute cellular rejection을 일으킴)
- helper (CD4+) T cells : 이식된 조직의 foreign antigen을 처음 인식하여 cytokines을 분비, 다른 cytotoxic T & B lymphocytes의 성장과 분화를 유도

  ┌ 직접인식 ; 이식 초기, donor APCs (dendritic cells)의 HLA Ag & donor MHC 분자(I → CD8, II → CD4 cell) 인식
  └ 간접인식 ; 이식 후기, recipient APCs의 HLA Ag & donor MHC 분자를 인식
- IL-2 : 활성화된 T-cell (주로 Th1 cell)에서 분비되어 T & B cells, macrophage 등을 활성화시킴

(2) HLA (human leukocyte antigens, MHC)

	Class I	Class II
항원	HLA-A, B, C	HLA-DR, DQ, DP
분포	모든 유핵세포와 혈소판 (RBC엔 無)	B cells, activated T cells, macrophages, dendritic cells, 미성숙 조혈세포, 혈관내피세포
기능	CD8+ cytotoxic T cells과 상호작용	CD4+ helper T cells과 상호작용

- HLA 유전자는 6번 염색체 단완에 위치
- genetics : group으로 유전됨
  - 형제간에는 ┌ 2-haplotype matches (25%)
    │ 1-haplotype matches (50%)
    └ 0-haplotype matches (25%)
  - 친부모와 자식은 항상 1-haplotype matches (50%)
- 보통 장기이식시 HLA-A, HLA-B, HLA-DR 3개의 유전자좌를 검사함 (모두 적합하면 6/6)
  - 검사의 해상도(resolution) 수준

    예) HLA-A*02 (= HLA-A2) … 저해상도 ; 혈청학적 수준

    HLA-A*02:01~ … 고해상도 ; 대립유전자 수준(allele level)
  - HLA의 심한 다형성 때문에 비혈연간에는 대립유전자 수준의 적합한 공여자 찾기 매우 어려움
- HLA 모두 일치해도 약 5%에서는 거부반응 발생 (∵ non-HLA Ag에 대한 prior sensitization)

c.f.) 장기이식에서 ABO와 HLA matching의 필요성

	신장	간, 심장, 폐	췌장	조혈모세포	각막
ABO	○	○	○	×	○
HLA	×*	×	×*	◎	×

*HLA가 일치할수록 생존율이 증가하지만, 필수는 아님 (탈감작 후 이식 가능)
**But, ABO 불일치도 탈감작(desensitization) 후 이식을 많이 하는 추세임

3. 면역검사(histocompatibility tests)

(1) ABO 혈액형

- ABO Ag : RBC 외에 혈관내피세포(AMR에서 중요), 신장, 간, 췌장, 폐 등에도 존재함
- O형 → A, B, AB형 / A or B형 → AB형 등에는 공여 가능(compatible) : 수혈과 동일 (O형 : universal donor, AB형 : universal recipient)
- ABO 불일치(incompatible) : anti-ABO Ab가 해당 Ag을 공격하면 hyperacute rejection 가능
  ↳ 탈감작(desensitization) 치료 후 이식 가능 (절대적 금기 아님!!), 장기 예후도 거의 차이 없음
  - 대개 ABO isoagglutinin titer ≤1:128~256이면 탈감작 후 ≤1:8로 감소하면 이식 시행
  - 순응(accommodation) : 이식 이후에 새로 만들어지는 anti-ABO Ab들이 이식된 신장을 공격하지 않는 것 (첫 2~3주 동안만 Ab titer를 낮게 유지하면 이후는 거의 문제 안됨)

  c.f.) HLA와 ABO 모두 불일치면 보통 이식이 권장되지 않으나, 일부 기관에서는 시행 가능
- Rh 항원은 이식 조직에서 표현 안 됨 (문제×)

(2) HLA typing (Ag matching)

- HLA-A, -B, -DR 각 2개씩 총 6 Ag으로 계산 (중요도: DR > B > A> C)
- 5YSR 비교 ; LRD [living-related donor] (6 Ag 모두 일치) > living unrelated donor
  > LRD (3/6 Ag 일치) > cadaver (6 Ag 모두 일치) > cadaver (3/6 Ag 일치)
  > LRD (0/6 Ag 일치) > cadaver (0/6 Ag 일치)
- 6 Ag이 모두 불일치해도 이식의 금기는 아님!! (∵ 면역억제제의 발달)
- 검사법 (점점 혈청검사에서 분자검사로 대치되고 있음)
  ① 혈청학적(Ag) 검사 : complement-dependent cytotoxicity (CDC) 원리를 이용
  ② 분자생물학적(DNA) 검사 ; PCR을 이용하여 HLA gene을 증폭시킨 뒤 여러 기법으로 판별
  - PCR-SSO (sequence specific oligonucleotide) 등 … Luminex®를 많이 사용함
  - 최근에는 sequencing or NGS의 사용도 증가추세 (더 고해상도)

(3) HLA Ab 검사

- 타인의 HLA Ag에 감작되면 anti-HLA Ab를 갖게 됨 (약 30%) ; 수혈, 임신, 이전의 이식 등
- 대부분의 anti-HLA Ab는 IgG Ab임 (c.f., autoAb는 IgM Ab)
- DSA (donor specific Ab) : 환자(recipient)의 anti-HLA Ab 중 donor HLA Ag과 반응하는 Ab (넓은 의미로는 HLA 이외의 Ab도 포함)
  → PRA 검사에서 동정된 Ab 중 donor Ag과 반응하는 것 or HLA 교차시험 (+)일 때를 의미

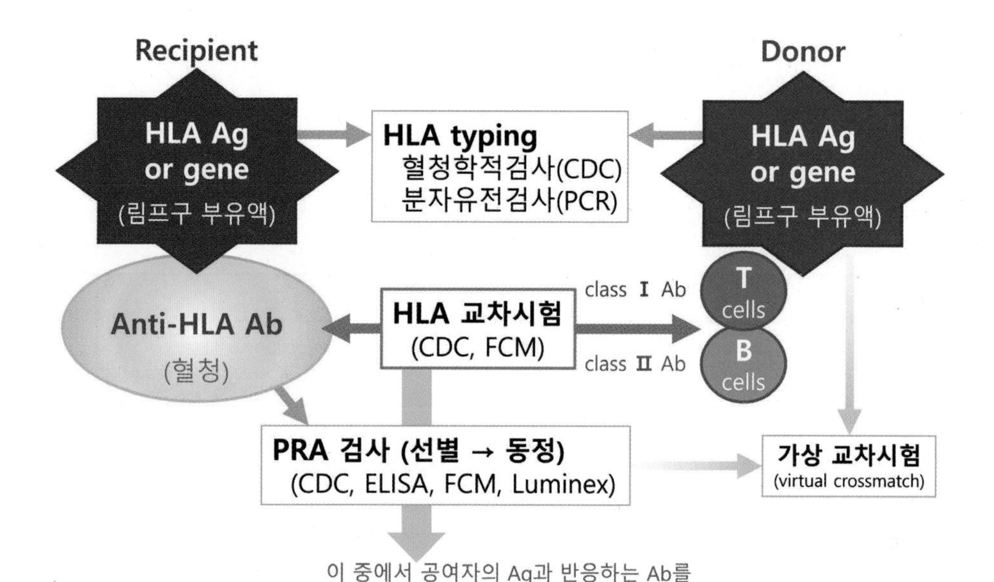

- PRA (panel reactive Ab) test (≒ HLA Ab screening & identification test)
  - 환자 혈청에서 HLA Ab 존재 유무를 검출하고, 존재하면 그 종류를 동정하는 검사
    ⇨ 적합한 공여자를 찾을 가능성 (이식 대기 시간) 예측, 면역위험도 분류(→ 억제치료 강도)
  - PRA % (HLA sensitization 정도)가 낮을수록 이식 성적이 좋음
  - 이식 예정 환자는 정기적으로 PRA screening 검사 필요
  - virtual crossmatch : 동정된 환자의 HLA Ab와 공여자들의 HLA Ag을 비교해보는 것
  - 검사법
    ① CDC (과거) : HLA를 아는 수십 명의 림프구로 구성된 패널 이용, 반응 림프구 %로 표시
      (≤10% : non-sensitized, 11~50% : sensitized, >50% : highly sensitized)
    ② solid-phase assay ; flowcytometric multiplex immunoassay (Luminex®)가 주로 사용됨
      (1) pooled Ag beads (screening)
      (2) single Ag beads (SAB) assay : 가장 정확한 Ab 동정 및 반정량MFI도 가능해 선호됨
        ┌ HLA-DQ, DQA, DPA, DPB 및 MICAMHC class I chain-related Ag A 항체도 검출 가능
        └ calculated panel reactive antibody (cPRA), virtual crossmatch 등에 적용
          ↳ 동정된 항체와 반응이 예상되는 HLA Ag의 빈도% (국가/민족마다 다름)
            c.f.) 미국 ; cPRA 80% 이상은 고위험군, 30% 이상이면 탈감작 치료 고려
        → 이식 이후 DSA (de novo 포함) monitoring에도 사용됨

- HLA crossmatch (XM) test교차시험 : donor lymphocytes + recipient serum을 반응시켜봄
  - donor Ag에 대한 환자의 preformed DSA (anti-HLA Ab)를 검출하는 최종적인 방법
  - 목적 : 초급성거부반응(hyperacute rejection) 예측 및 기타 면역학적 위험 항체의 검출
  ┌ T lymphocyte XM (+) ⇨ class Ⅰ (HLA-A, B, C) IgG Ab 존재
  │ → hyperacute rejection 발생 위험 → 이식의 상대적 금기
  └ B lymphocyte XM (+) ⇨ anti-class Ⅱ (HLA-DR) Ab … class Ⅰ보다 중요도는 떨어짐
    → titer가 높지 않으면 이식의 금기는 아님 (재이식 환자에서는 이식 위험인자로 작용)

- 검사법 (CDC → FCXM으로 대치되는 추세)
  ① CDC XM (과거) ; NIH 법 (기본), AHG (anti-human Ig) 법 (민감도↑) 등
  ② flowcytometry (FCXM) ; CDC 방식보다 민감도 & 특이도↑, IgG와 IgM Ab 구별 가능, T와 B lymphocytes를 분리하지 않고 시행 가능 (∵ multi-color FCM로 구별 가능)
- HLA Ab 이외에 IgM Ab, autoAb, non-HLA Ab (e.g., MICA)에 의해서도 XM (+) 가능
- SAB (virtual crossmatch)는 음성이었지만 이식 전 crossmatch에서는 양성으로 나올 수도 있음

SAB (PRA)	CDC XM	FCXM	
+	+	+	High DSA, **hyperacute rejection** 고위험
+	−	+	Moderate DSA, non-complement-fixing DSA
+	−	−	Low DSA, 오래전 SAB 검사 시행, 공여자에 없는 HLA에 대한 Ab, SAB 검사 위양성 (검사전 오류, 기술적 요인 등)
−	+	+	Non-HLA IgG Ab, SAB 검사에는 없는 type에 대한 Ab, 오래전 SAB 검사 시행 (새로운 DSA 발생, DSA titer 증가), 약물간섭(e.g., rituximab, ATG, alemtuzumab, IVIG), SAB 검사 위음성 (e.g., inhibitors, low-level anti-HLA Ab)
−	+	−	IgM Ab (anti-HLA or non-HLA)
−	−	+	Low-level IgG non-HLA Ab, SAB 검사 위음성

* XM(+)/HLA incompatible ⇨ 이식 전 탈감작 치료를 통해 DSA를 미리 제거한 뒤 이식 가능!
  - 탈감작 치료 ; IVIG, plasmaphersis (or immunoadsorption), rituximab (anti-CD20) 등
  - XM(-)/HLA compatible 이식보다는 AMR, rejection, graft loss, 사망률 조금 증가
    - SAB(+) & XM(-) → graft loss 및 사망률 HLA compatible 경우와 비슷
    - XM(+) → HLA compatible보다 graft loss 1.65~1.8배, 사망률 1.32~1.51배
  - 그럼에도 불구하고 탈감작 후 이식하는 이유 ; 고도로 감작된 환자는 적합한 공여자 찾기가 매우 어려움, XM(-) 공여자를 찾을 때까지 이식이 지연되는 것보다는 survival 우수

4. 수술방법

- renal arteriography : living donor에선 반드시 시행
- 이식할 신장의 보존
  ① 사체신 ; UW (university of Wisconsin) solution, 4℃ (→ 48시간까지 가능)
  ② 생체신 ; Ringer's lactate solution, 4℃
- recipient의 후복막강(iliac fossa)에 kidney allograft를 위치시킴
- anastomosis
  - donor renal artery → recipient hypogastric artery
  - donor renal vein → recipient iliac vein
  - donor ureter → recipient bladder

5. 면역억제요법

(1) 유도 면역억제요법(induction)

- 목적 : 이식 초기에 강력한 면역억제로 early acute rejection 예방
  (+ 이후 유지요법에서 부작용이 심한 calcineurin inhibitor 및 steroid의 사용 최소화)

저위험군	고위험군 ★
첫 번째 신이식 & Low PRA <10%, HLA mismatch 없음 & Donor : living donor (연령 15~35세) CIT (cold ischemia time) <12시간 생리기능 정상	두 번째 신이식 (3개월 이내에 첫 이식이 실패) High PRA (>10%), ABOi (ABO incompatible), HLA mismatches, HLA-XM(+) Donor CIT (cold ischemia time) >24시간 or 60세 이상 or HTN을 가진 50세 이상 or 신생검에서 glomerulosclerosis >20%
Basiliximab (anti-IL2-R) + 표준면역억제요법*	rATG* + 표준면역억제요법*

* Methylprednisolone (수술 1일 후부터 감량) + MMF + CNI
** HLA incompatible 이식 ⇨ 이식 당일 Alemtuzumab 1회 IV, 1~2주 뒤 IVIG + Rituximab

- lymphocyte-depleting agents
  - anti-thymocyte globulin[ATG] ; rabbit ATG (rATG, Thymoglobulin®), equine ATG (Atgam®)
    : polyclonal Ab로 rATG가 acute rejection 예방 및 graft survival에 가장 우수함
  - alemtuzumab (anti-CD52) ; rATG 사용 못하는 경우 (e.g., WBC <2000, platelet <75,000, rATG에 대한 allergy 병력, 토끼와 밀접한 접촉력) *or* HLA incompatible 이식에서 고려
    (CD52 : B cells, T cells, NK cells, macrophages, 일부 과립구 등 여러 면역세포에 존재)
- non-depleting agents : IL-2 receptor (activated T cells에서만 발현됨) Ab (anti-CD25)
  - basiliximab (Simulect®), daclizumab (Zenapax®)
  - 저위험군에서는 acute rejection 예방 효과 동일하면서, 부작용 적음 (치료로 사용하지는 않음)
  - rATG 사용 못하는 고위험군에서도 고려(e.g., WBC <2000, platelet <75,000, hypotension)

(2) 유지 면역억제요법(maintenance)

3제요법 : Calcineurin inhibitor (tacrolimus) + Antimetabolite (MMF) ± Steroid (prednisone)

- 원칙 : 작용기전이 다른 약제를 병합 → 효과↑, 부작용↓ (특히 CNI에 의한 신독성이 문제)
  c.f.) 면역억제의 발달로 acute rejection은 크게 감소되었으나, 만성 부작용이 문제
- 일반적으로 acute rejection 위험이 높은 이식 초기에는 고용량으로 유지하다가, 점차 감량
- **calcineurin inhibitor (CNI)** ; cyclosporine, tacrolimus
  ① cyclosporine A (CsA) → 대부분 tacrolimus로 대치되었음
  - 기전 : calcineurin pathway 억제 ("calcineurin inhibitor") → helper T cells에서 IL-2 합성 억제 (but, TGF-β 합성은 촉진) → T cells 증식 억제
  - steroid와 병용하면 서로의 용량을 줄이는 (double block) 효과
  - 부작용 (최고치보다 최저치가 toxicity와 관련, BM suppression은 거의 없음)
    ; nephrotoxicity (m/i), HTN & sodium retention, cholesterol↑, hepatotoxicity, hirsutism, gingival hyperplasia, tremor, hyperglycemia (DM), hyperkalemia ...

② tacrolimus (과거 FK506)

; 기전과 신부작용은 cyclosporine과 비슷함, cyclosporine보다 더 효과적인 편이라 선호됨!

- hirsutism, gingival hyperplasia, HTN → cyclosporine에서 더 흔함
- new-onset DM after transplant (NODAT), 신경 독성(e.g., 두통, tremor), alopecia, dyspepsia, vomiting, diarrhea 등 → tacrolimus에서 더 흔함!

Calcineurin inhibitor (CNI) nephrotoxicity

- 위험인자 ; 고용량, 고령의 donor, 신독성 약물 병용(특히 NSAIDs), volume depletion, 이뇨제 등
- 주로 CYP3A4에 의해 대사되고 therapeutic index가 좁으므로 약물 상호작용에 주의 → 자주 monitoring
  (CYP3A4 억제 → CNI 혈중 농도↑, P-gp 억제 → CNI 신장내 농도↑)

CNI	
농도⬆	Antifungal agents (Ketoconazole, Fluconazole, Itraconazole, Voriconazole), Antibiotics (EM, Clarithromycin, Metronidazole), HIV protease inhibitors, non-DHP CCB (Verapamil, Diltiazem), Methylprednisolone, Cimetidine, Metoclopramide, Fluvoxamine, Allopurinol, Amiodarone ...
농도⇩	Rifampin, Rifabutin, Phenytoin, Carbamazepine, Phenobarbital, Caspofungin, Sirolimus, Ticlopidine, Alcohol, 임신 ... (→ acute rejection 증가 위험)

- 임상양상
  (1) acute nephrotoxicity : afferent arterioles의 acute vasoconstriction 때문 (prerenal AKI와 비슷)
    - 갑자기 sCr↑(신이식 후 신기능의 회복 지연), 용량과 비례, 감량/중단시 대개 가역적
    - 이식 환자에서는 acute rejection과 감별 어려움 → biopsy와 CNI 감량/중단 후 신기능 호전으로 진단!
    - biopsy ; acute arteriolopathy and tubular vacuolization (rejection 소견은 無)
  (2) chronic nephrotoxicity : CNI에 의한 혈역학적 변화 + 세뇨관상피세포에 대한 독성 때문
    - sCr의 점진적 상승, 단백뇨 악화, HTN 악화, 대개 비가역적 (신이식 후 graft failure의 2nd m/c 원인)
    - biopsy ; obliterative arteriolopathy, ischemic collapse, glomerular scarring, tubular vacuolization, glomerulosclerosis, focal tubular atrophy & interstitial fibrosis (→ "striped" fibrosis)
    - 용량에 관계없이 발생 가능하지만 고용량시 좀 더 일찍 발생
  (3) thrombotic microangiopathy (TMA) : CNI에 의한 혈관내피세포 손상 때문
  (4) 전해질/산염기 이상 ; hyperkalemia, hyperuricemia, metabolic acidosis, Ph↓, Mg↓, hypercalciuria
- 예방/치료 (CNIs에 노출 최소화)
  (1) CNIs 감량/중단
  (2) 다른 면역억제제로 대치 ; mTORi or belatacept

* 면역억제치료로 발생한 **고지혈증** 치료를 위해 statin을 병용하는 경우가 많은데 Lovastatin, Atorvastatin, Simvastatin 등은 CYP3A4에 의해 대사되므로 cyclosporine과 병용시 혈중농도 및 독성 증가 위험 (e.g., LFT↑, myopathy-rhabdomyolysis) ⇨ 상호작용이 적은 Fluvastatin or Pravastatin 권장

- **antimetabolites** (anti-proliferative agents)
  ; azathioprine, MMF, enteric-coated mycophenolate sodium (EC-MPS)

① azathioprine (Imuran®) : 과거의 m/c 면역억제제 (→ 대부분 MMF 등으로 대치되었음)
- 기전 : lymphocyte 분열/활성화 억제 (DNA 및 RNA 합성 억제)
- 부작용 ; BM suppression, jaundice, anemia, alopecia / 간에서 대사됨 (신장과 관련×)
- allopurinol과 함께 투여시는 용량을 1/3로 줄여야 됨
  ↳ xanthine oxidase (→ azathiprine 분해) 억제

② mycophenolate mofetil (MMF, Cellcept®)
- azathioprine과 기전 비슷하면서 부작용은 적음 (더 선택적으로 lymphocytes에 작용)
- 장점 ; BM suppression 적고, rejection 예방/치료 효과 더 뛰어남, allopurinol과 병용 가능
- 부작용 ; 경미한 위장장애 (e.g., diarrhea, cramps) → 용량 줄이거나 EC-MPS로 대치

• glucocorticoid (e.g., prednisone) : 면역억제치료의 중요 보조제
  - 기전 : monocyte-macrophage system의 IL-6와 IL-1 분비 억제, 염증반응 억제
  - 부작용 ; 상처 치유 장애, 감염↑, DM, 여드름, 수분축적, Cushing's syndrome, bone necrosis
  - 부작용 감소를 위해 일부 저위험군에서는 steroid-free 요법도 시행함
• mTOR inhibitor (mTORi) ; sirolimus (과거 rapamycin), everolimus
  - tacrolimus와 구조적으로 유사하지만 기전은 다름, graft 및 환자 survival은 차이 없음
  - 기전 : 세포내 신호전달 pathway 중 mTOR에 결합하여 IL-2 등의 cytokines이 T cells을 자극하는 것을 억제함 → T cells의 증식 억제 (calcineurin pathway와 무관)
  - cyclosporine, tacrolimus, MMF 등과 병용 가능
  - Kaposi's sarcoma (면역억제치료 받는 이식환자에서 호발)를 억제시키는 효과도 있음
  - 부작용 ; WBC↓, hypercholesterolemia
• belatacept (CD80/86-CD28 costimulation blocker)
  - CTLA-4의 extracellular domain과 IgG1의 Fc fragment의 fusion protein
    ↳ T cells의 CD28과 상동성을 가지지만 CD28과 달리 T cells을 억제하는 기능
  - antigen presenting cells (APCs)의 costimulatory ligands (CD80 & CD86)에 결합하여 APCs과 T cells의 CD28의 결합을 방해함 → T cells anergy & apoptosis
  - CNI보다 신장/심혈관 부작용은 적지만, acute rejection과 lymphoproliferative disorders 많음

* mTORi or belatacept는 nephrotoxicity, TMA 등으로 CNI를 복용 못하는 경우 주로 사용함

(3) 임신과 면역억제제

FDA preg. category	Drugs (임신시 금기 ; MMF, sirolimus)
B	Basiliximab, Prednisone
C	ATG, Alemtuzumab, Methylprednisolone, Cyclosporine, Tacrolimus, Sirolimus, Belatacept
D	Azathioprine, MMF

• CNIs ; 대개 안전, 태아의 혈중 농도는 엄마의 약 1/2, 기형 발생 위험은 일반인과 거의 비슷함
  - preeclampsia 및 low birth weight 위험은 증가
  - 임신 중 CNIs 용량은 20~25% 증가 필요 (∵ 분포용적↑, CYP3A4 activity↑)
• azathioprine ; category D이지만 대개 안전 (∵ 태아에는 독성 대사를 유도하는 효소가 적음), 골수억제는 발생 가능하지만 엄마 WBC >7500/mm^{3}이면 드묾
• steroids ; 안전 (90% 이상이 태반에서 대사되어 태아로의 전달은 10% 이하), 드물게 태아의 부신부전 발생 가능, 엄마는 HTN 및 PROM 발생 위험 증가
• MMF ; category D이며 금기 → 임신 6주 전에 중단
• sirolimus ; category C이지만 자료가 부족해 금기 → 임신 6주 전에 중단
• 모유 수유는 안전함 (∵ 자궁 내보다 노출 농도 훨씬 낮음)
• 신장이식을 받은 여성은 대개 이식 1~2년 뒤에 임신이 권장됨 (1~2년 이내에는 graft loss↑)

c.f.) 임신 가능의 조건 ; 이식 후 1년 이상 양호한 신기능의 유지, 쉽게 조절되는 HTN, proteinuria (≤mild), serum Cr <2 mg/dL, 요로확장 소견 無, prednisone <15 mg/day, azathioprine <2 mg/kg/day, 분만을 견딜 수 있는 신체조건

6. 거부반응(rejection)

(1) Hyperacute rejection (hyperacute AMR)

- 이식수술 중 ~ 수술 후 수시간 내에 발생 (요즘엔 이식전 면역검사/전처치의 발달로 거의 없음!)
- 기전 : 환자의 preformed anti-HLA Ab or anti-ABO Ab → 이식신의 혈관내피세포를 공격
- 임상양상 : 신장이 청색으로 변함, 무뇨/핍뇨, Doppler US에서 신장으로 가는 혈류가 안 보임
- biopsy : 사구체와 모세혈관의 미세혈전, 염증세포 침윤, 세뇨관 괴사 등
- Tx : heparin, plasmapheresis (거의 실패) → 결국 이식된 신장을 다시 떼어내는 것 뿐

(2) Acute T cell-mediated rejection[TCMR] (acute cellular rejection)

- 이식 후 1주일 ~ 3개월 이내에 발생 (1~3주에 m/c), 면역억제제의 발달로 크게 감소(<10%)
- 급성 거부반응 : acute allograft dysfunction의 주요 원인, TCMR과 AMR로 나뉨 (공존도 가능)
- TCMR의 기전 : 공여 신장 세포에 대한 cellular immunity → renal tubular injury
  - ∵ primary activation of T cells
    - CD4+ T cells : class Ⅱ (HLA-DR) Ag에 반응
    - CD8+ T cells : class Ⅰ (HLA-A, -B) Ag에 반응
- 위험인자 ; pre-sensitization (DSA+), PRA↑, XM(+), HLA 불일치, ABO 불일치, 소아, 흑인, cold ischemia time↑, delayed graft function (DGF), 2회 이상의 이식 (이전의 거부반응)
- 임상양상 ; 갑작스런 신기능 감소 (sCr↑, 요량↓), fever, swelling, pain, tenderness, BP↑ 등
  ⇨ 면역억제제의 발달로 최근엔 대부분 증상이 없음! (sCr↑ or proteinuria 뿐)
- Dx
  - renal Doppler US, CT 등 (비특이적) → 혈류이상, 폐쇄병변 등 다른 질환을 R/O!
  - biopsy (gold standard) : 세뇨관과 간질의 lymphocytes 침윤 (tubulitis, arteritis)

  c.f.) donor-derived cell-free DNA (dd-cfDNA) level ; AMR > TCMR > 정상(<1%)
- D/Dx ; ATN, CNI nephrotoxicity, vascular thrombosis, 요관 폐쇄, 급성 감염 등
- Tx ① 고용량 steroid pulse (methylprednisolone 0.5~1.0 g/day, 3~5일간 IV) → 70% 반응
  ② steroid pulse에 반응이 없거나 심한 경우(Banff grade Ⅱ~Ⅲ)
    (a) rATG (thymoglobulin) : 1.5~3 mg/kg/day, 7~14일간 IV *or*
    (b) alemtuzumab (anti-CD52) : 30 mg 1회 IV, rATG 사용 못하는 경우(→앞부분 참조)
    c.f.) OKT3 (anti-CD3) : 초기에는 각광을 받았으나, 부작용(CRS, 감염) 및 반복 투여시 항체 발생에 의한 효과 감소로 다른 약제들로 대치되었음
  ③ 기존 면역억제치료의 강화 (e.g., tacrolimus 용량↑, sirolimus 추가/대치)
  ⇨ 반응 없으면 biopsy 재검 (acute humoral rejection 등 다른 원인 R/O)

* mixed acute rejection (TCMR + AMR)의 치료
  ; steroid pulse, plasmapheresis, IVIG, rATG 등

* 잠재성 거부반응(subclinical rejection) : sCr↑ 없이 biopsy에서만 거부반응의 소견을 보이는 것, 만성 거부반응으로 이어질 수 있지만, 치료 효과/예후는 논란 (기존 면역억제치료의 강화 정도)

(3) Acute antibody-mediated rejection[AMR/ABMR] (acute humoral rejection)

- 신이식의 3~30%에서 발생, acute rejection의 12~37% 차지
- chronic AMR↑ 및 graft loss↑와 관련, TCMR보다 예후 나쁨!

Active (acute) AMR의 진단기준	
1. 조직소견	미세혈관 염증, Intimal/transmural arteritis, TMA, acute tubular injury (다른 원인이 없는)
2. 혈관내피세포와 항체의 반응	Peritubular capillary에 linear C4d 침착*, moderate 이상의 미세혈관 염증, Molecular markers (e.g., ENDAT expression)
3. 혈청 DSA	anti-HLA Ab (e.g., Luminex SAB assay), anti-ABO Ab, 기타 non-HLA Abs

* C4d 음성이어도 나머지 기준이 합당하면 AMR로 간주함 (C4d-negative AMR)

- Tx (existing DSAs 제거 및 Ab를 생산하는 B cells or plasma cells 박멸이 목표)
  - 1st line ; steroid pulse, plasmapheresis, IVIG, anti-CD20 (rituximab) 등의 병합요법
  - 2nd line ; bortezomib (proteasome inhibitor), eculizumab (anti-C5 → MAC 생성 억제)
    ↳ differentiated plasma cells의 apoptosis 유도

(4) Chronic rejection (≒ chronic allograft nephropathy, CAN[만성이식신병증])

- 이식 3~6개월 이후 나타나는 이식신의 기능적/형태적 손상 증후군
- chronic allograft dysfunction의 m/c 원인 (정의, 용어, 진단기준들이 명확하지는 않음)
- 원인
  - 면역학적 ; HLA-mismatch, acute rejection, hyperimmunization ...
  - 비면역학적 ; glomerular hyperfiltration & hypertrophy, delayed graft function, CNIs, 고령, 신실질질환의 병발, HTN, hyperlipidemia, proteinuria ...
- 임상양상 (서서히 진행하는 신기능 소실) ; sCr↑, proteinuria↑, BP↑
- 진단(biopsy, 신장 전체를 침범) ; interstitial fibrosis & tubular atrophy (IF/TA), arterial fibrosis & intimal thickening, glomerular capillary walls thickening
- D/Dx ; original renal dz. (e.g., GN)의 재발, de novo GN 발생, hypertensive nephropathy, CNI nephrotoxicity, 2ndary FSGS, RAS, BK-induced nephropathy 등
- Tx : 확립된 치료법은 없음 (면역억제제의 강화/변화는 대개 효과 없음)
  - CNI 감량/중단 or cyclosporine ↔ tacrolimus 변경, azathioprine ↔ MMF 변경 등 고려
  - chronic AMR (e.g., C4d 침착, DSA+)의 경우는 acute AMR 비슷하게 치료
  - 기타 ; 혈압조절(e.g., ACEi/ARB), statins, vitamin D 보충, metabolic acidosis 교정 등

7. 이식환자의 경과/합병증

(1) Renal allograft dysfunction ★

시기	Allograft dysfunction의 원인(D/Dx)
1주 이내 (= DGF)	Acute tubular necrosis (ATN), Hyperacute rejection, Acute CNI toxicity, Urologic obstruction, Urine leak, Volume contraction, Vascular thrombosis/occlusion (renal artery or vein), TMA
1주~3개월	Acute rejection, CNI toxicity, Volume contraction, Urologic obstruction, Interstitial nephritis, Recurrent dz., Infection (bacterial pyelonephritis, viral infections)
3개월 이후	Chronic allograft nephropathy, CNI toxicity, Recurrent dz., Renal artery stenosis, Delayed acute rejection, Volume contraction, Urologic obstruction, Infections, Post-transplantation lymphoproliferative disorder (PTLD)

- acute renal allograft dysfunction의 정의 (아래 중 하나 이상)
  ① 1~3개월 동안 serum Cr이 기저치보다 25% 이상 상승
  ② 이식 이후 serum Cr 하락×
  ③ proteinuria >1 g/day (→ recurrent or de novo FSGS일 수도 있음 → renal biopsy 시행)
- delayed graft function (DGF) : 이식 첫 1주 이내에 신기능 부족으로 투석이 필요한 경우
  - 대개 이식 후 oliguria가 지속되거나 serum Cr이 하락하지 않는 양상으로 나타남
  - 위험인자 ; 사체 신이식, 건강하지 못한 공여자(e.g., 고령, 심혈관질환), CNI level↑, DSA+
  - 이식신 생존율 감소의 중요 원인이므로 즉시 원인을 감별하는 것이 중요함!
    (a) Foley catheter obstruction R/O → catheter irrigation
      * 갑작스런 anuria는 방광/배뇨관 내의 blood clot이 m/c 원인임
    (b) volume status 파악 → hypovolemia 의심시 fluid challenge (N/S) & IV furosemide
      (hypervolemia 의심시에는 IV furosemide만)
    (c) 발열, 복통/압통 → pyelonephritis 등의 감염 or acute rejection 의심
    (d) calcineurin inhibitor (CNI) 약물 농도 측정
      * acute CNI toxicity : CNI 용량을 줄이면 대개 1~2일 이후 sCr 감소됨
    (e) Duplex/doppler US → vascular thrombosis, hydronephrosis (obstruction), leaks 등 R/O
      ↳ 정상, 말초관류↓, 신피수질구분 소실 등 → renal biopsy 시행 ; rejection, ATN R/O
      * US 정상이고 DSA 음성이면 post-ischemic ATN일 가능성이 가장 높음
    (f) renal biopsy ; sCr 25% 이상 상승 or proteinuria 발생시
- acute tubular necrosis (ATN) … DGF의 m/c 원인
  - allograft의 reversible ischemic damage 때문
  - 대개 3주 이내에 자연 회복됨, CNI 사용시 ATN 기간↑
  - acute rejection과 같이 발생할 수도 있음
- surgical complications ; vascular thrombosis, perinephric hematoma, urinary leak (urinoma), lymphocele, urinary tract obstruction 등 ⇨ renal doppler US, radionuclide renal scan

(2) Glomerulonephritis

① glomerulonephritis의 재발
- MPGN type II (90%), FSGS (50%), HS purpura (38%), IgA nephropathy (35~50%) 등이 재발률 높음
- 이식 후 발생하는 NS의 m/c 원인, chronic rejection과 감별해야 됨

② 새로운 (de novo) glomerulonephritis의 발생
- MGN이 m/c (성인 2%, 소아 9.3%) : 수술 후 1~2년 사이에 발생
- FSGS, anti-GBM dz. ...

(3) 악성종양

- 이식 후 장기 생존 환자가 증가하면서 장기 면역억제에 따른 악성종양이 주요 사인으로 부각됨
- 면역억제 치료중인 환자의 5~6%에서 발생 (일반인의 15~30배, 고령에서는 2배)
- 특히 virus 감염과 관련된 악성종양의 발생이 증가
- 발생 위험은 투여된 면역억제제 총량과 이식 후 경과된 시간에 비례

• 이식 환자에서 훨씬 흔한 종양
① post-transplantation lymphoproliferative disease (PTLD) : 대부분 EBV가 원인
- benign polyclonal B-cells 증식 ~ malignant lymphoma (대개 B-NHL) 까지 다양
- extranodal involvement 많고, 치료에 반응이 안 좋고, 예후 나쁨
② skin & lips의 cancer ③ Kaposi's sarcoma : HHV-8 감염과 관련
④ HPV 관련 ; uterine cervix의 CIS (carcinoma in situ), vagina, penis ...
• 종양 발생시 면역제제제는 감량 권장 (종양 종류에 따라 다름)
예) PTLD 및 Kaposi's sarcoma는 전반적인 감량 및 mTORi로 대치가 효과적

(4) 감염

• 시기별 흔한 감염의 원인
① 이식 1개월 이내 : 주로 수술과 관련된 감염 (대부분 세균), 드물게 공여자의 감염 전파
; 수술부위 상처감염, UTI (주로 Gram 음성균), 세균성 폐렴, HSV, oral candidiasis
② 1~6개월 : 면역억제제에 의한 바이러스 및 기회감염이 대부분
; 바이러스(e.g., CMV, HHV, EBV, HBV, HCV, VZV, RSV, BKV, adenovirus),
진균(e.g., *Aspergillus, Pneumocystis jirovecii*), *Legionella, Listeria, Nocardia, T. gondii* 등
* TMP-SMX 예방치료 ⇨ *Pneumocystis, Listeria, Nocardia, T. gondii* 등의 감염 억제/감소
③ 이식 6개월 이후 : 환자 상태에 따라 감염 위험도 분류
(a) 적합한 신기능군 (70~80%) ; 면역억제제 적게 사용, 일반인과 비슷한 감염
(b) 만성 바이러스 감염군 (약 10%) ; HBV, HCV, CMV, EBV, BKV, papillomavirus 등
(c) multiple rejection & 강한 면역억제군 (약 10%) ; 만성 바이러스 감염 + 기회감염
(e.g., *Pneumocystis, Listeria, Nocardia, Cryptococcus*, coccidioidomycosis, histoplasmosis)
• CMV infection
- 이식 첫 1개월 이내에는 드묾, 때때로 rejection과 동반되거나 혼동될 수 있으므로 주의
- anti-CMV(-) 환자가 CMV(+) 신장 이식시 가장 위험 (사망률 15%), 재활성화도 가능
- tissue invasion은 위장관과 폐에서 흔함, 치료하지 않으면 말기에는 retinopathy도 발생 가능
- Tx ; ganciclovir, valganciclovir → 반응 없으면 foscarnet or cidofovir
• BK polyoma virus (BKV) ; 이식 후 약 7개월 전후에 호발
- 성인의 60~90%에서 보유 (주로 비뇨생식기에 잠복) → 면역억제 치료시 재활성화됨
→ 30~40%에서 BK viuria, 10~20%에서 BK viremia, 1~10%에서 BK nephropathy 발생
(이중 20~40%는 progressive fibrosis & graft loss 발생)
- 재활성화는 면역억제제의 종류보다 전체 면역억제수준과 관련
- 주로 tubulointerstitial nephritis, 대부분 무증상, sCr 상승 & UA 이상 … 거부반응과 유사
- Dx ; real-time PCR (권장, 소변보다 혈액이 BK nephropathy 더 잘 예측), 소변의 decoy cells (비특이적), 조직검사(intranuclear inclusion, focal tubular necrosis, 확진)
- Tx ; 면역억제제 감량! / IVIG (BKV neutralizing Ab 함유), leflunomide, cidofovir 등

(5) 심혈관계 합병증

• 심혈관계질환(e.g., AMI, HF, stroke) ; 신이식 환자의 m/c 사인 (40~55%)
- 대부분 DM 환자에서 발생 (↔ non-DM 환자에서는 감염과 악성종양이 주요 사인)
- 위험인자 ; CNI, glucocorticoid, sirolimus, HTN, dyslipidemia 등

• 고혈압 ; 심혈관계 합병증의 위험인자 및 이식신 기능악화의 주요 원인

신이식 후 고혈압의 원인/위험인자
이식 전 이미 고혈압이 있던 경우, 원래 신장의 존재(native kidney disease), 비만
사체 신이식, 고혈압의 가족력을 가진 공여자의 신장
Delayed and/or chronic allograft dysfunction (rejection)
Renal artery stenosis (RAS)
CNI (cyclosporine, tacrolimus) nephrotoxicity : 전신혈관 및 신혈관 수축 → RAS 활성화

* Steroid는 대부분 용량을 빨리 줄이므로 만성 고혈압의 주요 위험인자는 아님!

• 항고혈압제
  ① CCB (e.g., amlodipine, nifedipine, isradipine) : 면역억제제로 CNI를 사용하는 경우 선호됨
    - CNI에 의한 혈관수축 억제에 ACEi/ARB보다 훨씬 효과적임
    - non-DHP CCB (verapamil, diltiazem)는 CNI와 mTORi의 농도를 높일 수 있으므로 주의
      (c.f., 일부에서는 비싼 면역억제제를 절약하기 위해 일부러 사용하기도 함)
  ② ACEi/ARB : 이식 초기에는 sCr 상승 원인에 혼동을 줄 수 있으므로 금기, 3개월 이후 권장

• 고혈압 치료 목표 : <140/90 mmHg (DM or proteinuria 있으면 <130/80 mmHg)

• renal artery stenosis (RAS)
  - 이식 후 3개월~2년 사이에 호발 (6개월 째 최고), 고혈압 환자의 약 12%에서 차지
  - 임상양상 ; 조절 안되는 고혈압, ACEi/ARB 투여 후 GFR 감소, 이식신 주위 잡음, 폐부종 등
  - Dx ; doppler US, CTA, MRA, arteriography
  - Tx ; percutaneous angioplasty or bypass surgery

• dyslipidemia : 이식 후 약 1/2 이상에서 발생 → CAD 및 이식신 기능장애의 위험 증가

(6) 기타 내과적 합병증

• persistent hyperparathyroidism ; 이식 후 ~50%에서 동반 가능
  - hypercalcemia ⇨ cinacalcet (calcimimetics) → 반응 없으면 subtotal parathyroidectomy
  - hypophosphatemia ; 이식 초기에 흔함, 특히 이식신의 기능이 좋을 때 (∵ 소변으로 Ph 배설)
    ⇨ hyperparathyroidism의 치료, 고인산식이, Ph 보충, vitamin D 등

• hyperkalemia ; 신장 기능이 양호할 때도 약물 등에 의해 호발 가능
  - 위험인자 ; 이식신의 기능부전, CNIs, ACEi/ARB, β-blockers, TMP-SMX 등
  - Tx ; 원인 약물 감량/중단, 반응 없으면 조심스럽게 loop diuretics or mineralocorticoids

• osteoporosis ; 이식 후 6개월에 호발 → 그 전부터 예방적 치료가 중요
  - 이식 후 초기부터 급격히 bone loss 발생
    ↳ 위험인자 ; steroids 및 면역억제제, hyperparathyroidism, vitamin D 결핍, DM 등
  - 이식전 & 이식 2~4주 뒤부터 골밀도검사(DXA), PTH, vitamin D, Ca, Ph 등 측정
  - 일반 osteoporosis (척추 골절이 m/c)와 달리 사지 골절이 더 흔함
  - 예방 ; weight-bearing exercises, steroid 최소화, calcium & vitamin D3 (cholecalciferol) 등

• aseptic/avascular necrosis (osteonecrosis) ; femur head에서 m/c
  - 위험인자 ; 기존의 hyperparathyroidism, steroid (m/i) 및 면역억제제
  - D/Dx ; CNI에 의한 bone pain (드묾, 하지에 심한 통증, MRI에서 통증 부위의 골수 부종,
    CNI 감량 & CCB로 대부분 호전됨)

- new-onset diabetes after transplantation (NODAT, 과거 post-transplantation DM[PTDM])
  - 신이식 후 DM 발생 증가 (이식 몇 개월 이후에 호발)
  - 기전 ; 이식신에 의한 insulin 대사/배설↑ 및 gluconeogenesis↑, 면역억제제의 영향
  - 위험인자 ; 고령, 비만, 흑인, DM의 가족력, GDM 병력, HCV 감염 등

7 사구체질환/토리병

개요

1. 사구체(토리)의 구조

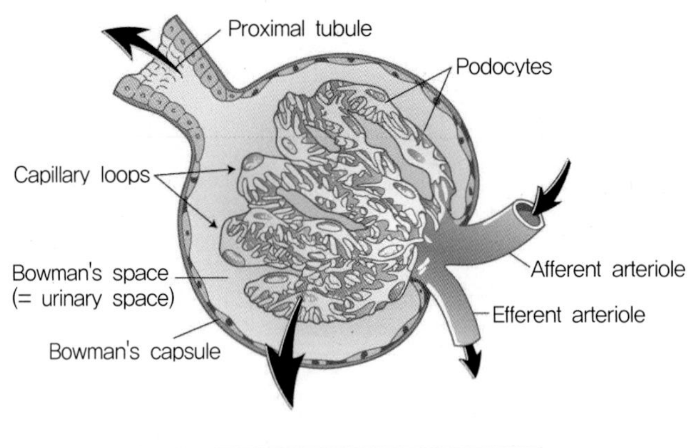

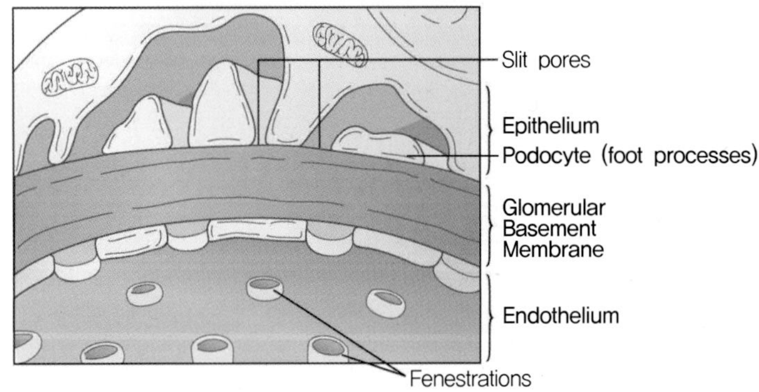

Glomerular capillary membrane (filtration barrier) 단면/구조

* glomerular basement membrane (GBM)

- lamina rara externa (LRE) : heparan sulfate (→ 음전하), entactin, fibronectin, glycoprotein
- lamina densa (LD) : type Ⅳ collagen (GBM의 m/c 성분)
- lamina rara interna (LRI) : laminin

- mesangium과 혈관 사이에는 GBM이 없다

2. 사구체 질환의 용어

(1) LM (light microscopy)

- diffuse / focal → 신장 전체로 보아서
  - diffuse : 전체 사구체 수의 50% 이상을 침범
  - focal : 전체 사구체 수의 50% 미만만 침범

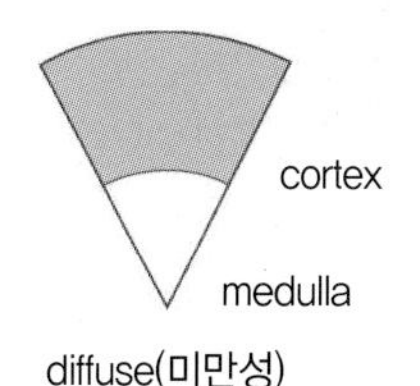

diffuse(미만성)

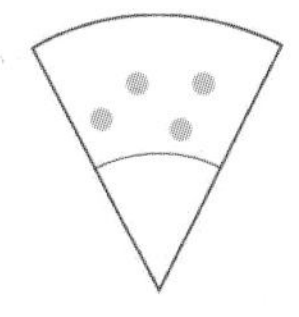
focal(국소, 초점성)

- global / segmental → 한개의 사구체 안에서
  - global : 사구체의 대부분 (50% 이상)을 침범
  - segmental : 사구체의 일부 (50% 미만)에 병변이 국한

global(generalized)
전엽성

segmental(local)
분절성

- proliferative (증식성) : 세포의 수가 증가시
  - 염증세포(WBC)의 침윤
  - 사구체 구성 세포의 증식
  - intracapillary : endothelial cells의 증식
  - endocapillary : mesangial cells의 증식
  - extracapillary : Bowman's space 내의 cells 증식
- crescent : Bowman's space 내 세포의 반달 모양의 축적
- membranous : immune deposit에 의해 GBM이 두꺼워진 것
- sclerosis : homogeneous nonfibrillar extracellular material의 증가
- fibrosis : type Ⅰ, Ⅲ collagens의 침착

(2) EM (electron microscopy)

: immune deposition 위치 및 GBM 병변을 자세히 관찰 가능

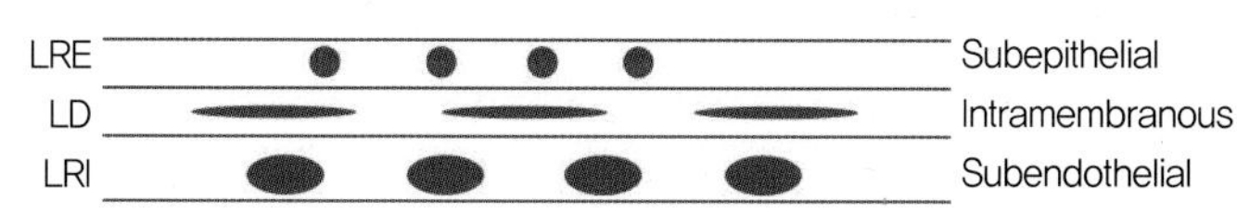

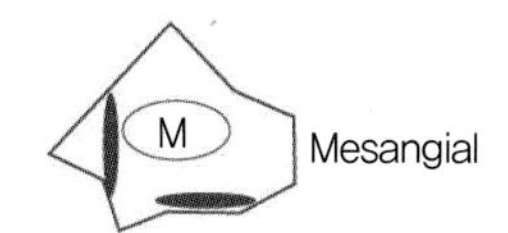

(3) IF (immunofluorescence) study

- granular : circulating IC (immune complex)가 침착
- linear : anti-GBM, anti-TBM dz.에서 Ab.가 침착
- homogenous : IC가 mesangium에 침착

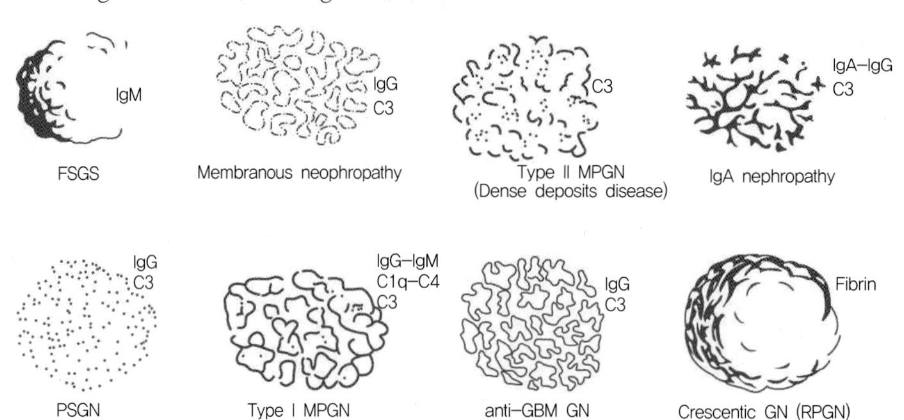

GN의 Immunohistological patterns

■ 손상(침착) 부위

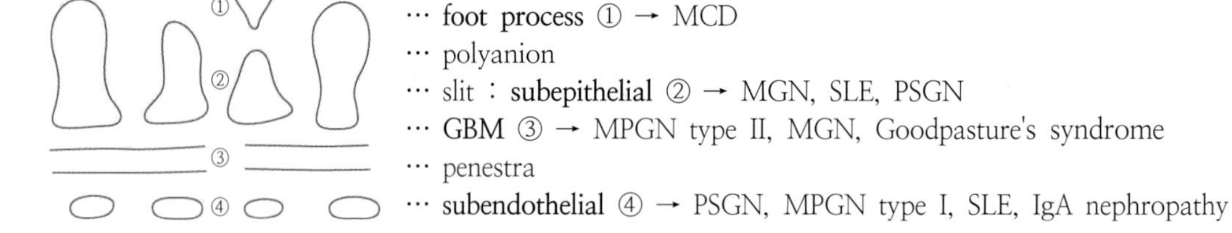

- mesangium → IgA nephropathy, HS purpura, FSGS, SLE, MPGN type I
- subepithelial & subendothelial → SLE, MPGN type II, PSGN

3. 사구체 손상의 기전

(1) 면역학적 기전

① antibody-mediated injury
- Ag-Ab 결합 (Ag은 모르는 경우가 대부분) → 보체 활성화 → 염증세포 침윤 → 사구체 손상
- 사구체 정상 성분이 Ag으로 작용 (in situ IC) ; anti-GBM Ab (e.g., Goodpasture's dz.)
  (target Ag : type Ⅳ collagen의 α3 chain의 NC1 domain)
- circulating immune complex (IC)가 사구체에 침착 ; IgA nephropathy, HS purpura, acute postinfectious GN, MGN, MPGN type I, lupus nephritis 등

c.f.) MPGN type II (dense deposit dz.) : Ig은 거의 없이 alternative complement 경로만 관여

② cell-mediated injury (특히 lymphocytes, macrophages)
; pauci-immune GN, MCD, FSGS, crescentic GN

(2) 비면역학적 기전

; 대사성 손상, 혈역학적 손상, 독성 손상, 이상단백의 침착, 감염, 유전적 손상 등

4. 사구체 질환의 분류

• 사구체질환(glomerulopathy) ≒ 사구체신염(glomerulonephritis)

- primary : 병변이 신장에만 국한되고 다른 특별한 원인이 없는 경우(idiopathic)
- secondary : 전신 질환의 한 부분으로 사구체질환이 발생한 경우

- acute : 수일~수주 사이에 사구체 손상이 발생
- subacute or rapidly progressive : 수주~수개월 사이에 사구체 손상이 발생
- chronic : 수개월~수년 사이에 사구체 손상이 발생

사구체질환의 주요 5 임상양상

Category	혈뇨	단백뇨	고혈압/부종	GFR⇩
1. Asymptomatic urinary abnormalities	±	±	–	–
2. Nephrotic syndrome (NS)	±	++	±	±
3. Acute nephritic syndrome	++	+	+	+
4. RPGN	+	+	+	++(급격히)
5. Chronic glomerulonephritis	±	±	±	++(서서히)

* 같은 사구체질환이라도 임상양상은 다양하게 나타날 수 있음!

대표적인 사구체질환의 현미경 소견

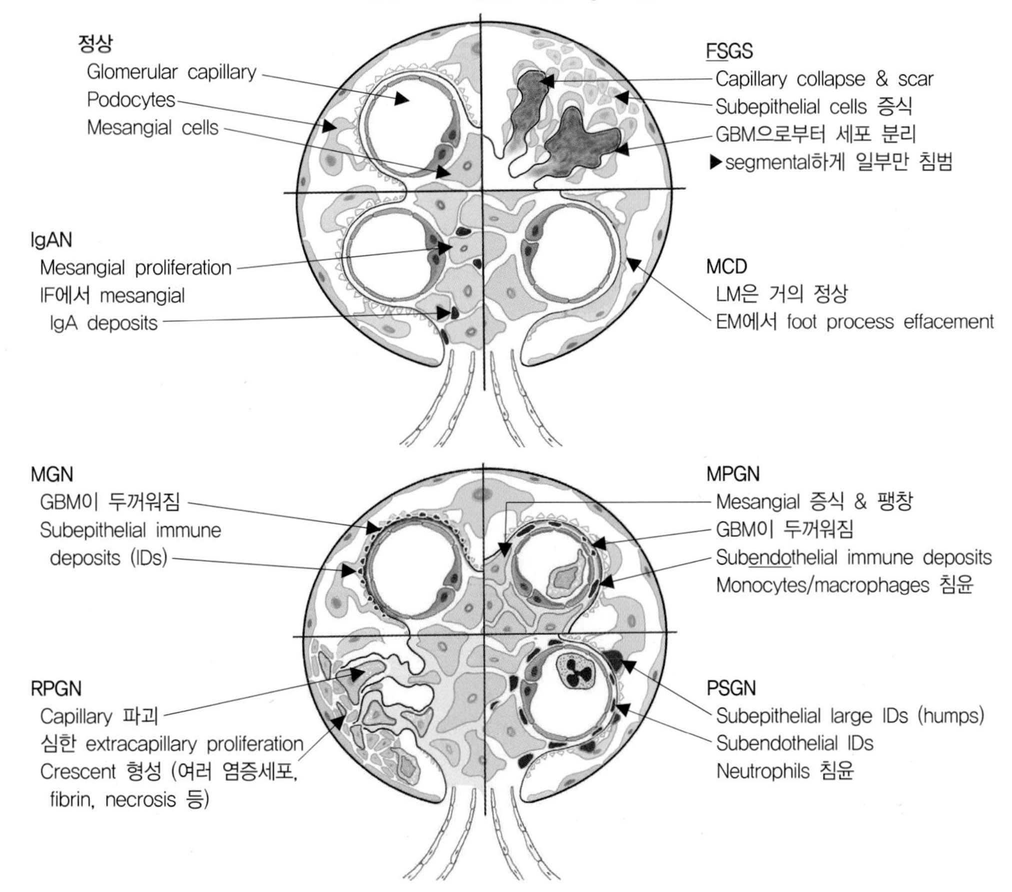

무증상 소변 이상 (Asymptomatic urinary abnormalities, AUA)

AUA의 원인
Hematuria with/without Proteinuria 1. Primary glomerular disease IgA nephropathy – m/c Thin basement membrane (TBM) disease (benign hematuria) MPGN 기타 mesangial proliferation을 일으키는 질환 2. Multisystem or heredofamilial diseases Alport syndrome 및 기타 benign familial hematuria Fabry disease Sickle cell disease 3. Infections ; PSGN의 회복기, 기타 postinfectious GN
Isolated non-nephrotic Proteinuria 1. Benign proteinuria ; transient/functional proteinuria, postural/orthostatic proteinuria 2. Persistent isolated proteinuria → 1장 참조 Glomerular proteinuria ; MCD 등 거의 모든 사구체질환, 전실질환(e.g., DM, amyloidosis) Overflow proteinuria Tubular proteinuria Post-renal proteinuria

1. IgA 신증/신장병 (IgA nephropathy, IgAN)

(1) 개요

- 사구체 mesangium에 IgA가 침착되는 질환, 1968년 Berger와 Hinglais에 의해 처음 보고됨
- 현재 전세계적으로 primary glomerulopathy의 m/c 원인 (15~40%), 진단 증가 추세
- 아시아태평양 지역, 유럽/미국의 백인 등에서 호발 (흑인은 상대적으로 드묾)
- 모든 연령에서 발생 가능하지만, 10~20대에 호발, 남:여 = 2:1 (우리나라는 1:1)
- 대부분은 가족력 없음! / ~10-15%에서는 가족력 존재 (familial IgA nephropathy)

(2) 원인/관련질환

① primary/idiopathic (대부분) ; 원인 모름, 신장에만 국한 or HS purpura의 일부분으로
- renal-limited IgA nephropathy
- HS purpura (IgA nephropathy의 전신적인 형태로 보기도 함, 소아때 주로 발병)

* 다른 사구체질환 ; 일부에서 MCD or membranous nephropathy와 겹쳐서 나타날 수도 있음

② 다른 질환 or 약물에 동반 (→ 대개 실제 사구체질환 발생은 드묾)

만성 간질환 ; alcoholic cirrhosis (m/c), non-alcoholic LC, HBV, schistosomiasis 등 소화기 ; celiac disease, UC, CD 폐 ; sarcoidosis 피부 ; dermatitis herpetiformis 자가면역질환 ; granulomatosis with polyangiitis (Wegener's), ankylosing spondylitis, RA, Reiter syndrome, uveitis 등 기타 ; HIV 감염, monoclonal IgA gammopathy

* 대부분 사구체의 IgA 침착은 관찰되나, 사구체의 염증이나 신기능저하는 거의 없음
(c.f., 정상인의 3~16%에서도 조직검사 상 mesangial IgA deposition이 관찰됨)

* 병인 : 유전적 경향 + 점막감염 or 음식항원 + 면역조절 장애 등에 의해 발병
- serum polymeric IgA1 생산↑ (but, 단순한 IgA 생산↑만으로는 IgAN 발생의 충분조건 아님)
- pathogenic IgA 생산↑ (특정 BM plasma cells에 의해)
  ↳ poorly O-galactosylated polymeric IgA1 (= galactose-deficient IgA1, Gd IgA1)
  → hinge region의 N-acetyl-galactosomine 노출 → autoAb (IgG or IgA1) 생산
  → IgG or IgA1와 결합하여 IC 형성 후 (or 직접) mesangial deposition → 염증 손상
- IgA or IgA-IC 제거 장애 ; hepatic clearance↓, mesangial clearance↓
- 사구체 손상 ; IgA에 의한 mesangial cells 활성화, podocyte 손상, 국소 complement 활성화

c.f.) BMT로 IgAN 전파 가능, IgAN donor 신장을 이식시 IgAN이 사라지기도 함

(3) 임상양상

• 40~50% : URI (pharyngitis)와 동시/직후에 gross hematuria로 발생 (proteinuria 동반도 흔함)
- 소아~청소년 환자에서 흔함, 감기 같은 전신증상 or 옆구리 통증도 잘 동반
- URI 3일 이내에 hematruria 발생 (↔ PSGN : URI 1~3주 뒤에 발생)

• 30~40% : 검사 중 우연히 microscopic hematuria and/or proteinuria로 발견
; 30세 이상 성인에서 흔함, HTN 잘 동반, 20~25%는 결국 gross hematuria 발생

• <10% : nephrotic syndrome (heavy proteinuria) or acute rapidly progressive GN로 발현

• mild hematuria and/or proteinuria가 있었지만 모르고 지내다 ESRD로 진행된 경우도 많음

• 드물게 AKI로 발현 할 수도 있음 (∵ crescentic IgA nephropathy, heavy glomerular hematuria)

• protein excretion : 정상 ~ 약간 증가 (1~2 g/day 이상은 드묾)

• 20~50%에서 serum IgA level 상승 (→ dz. activity 와는 관련 없음!)

• serum complement level은 정상

(4) 진단/병리소견

① LM : 매우 다양 (거의 정상 ~ diffuse mesangial proliferation)

② EM : mesangial dense deposit

③ IF (IF로 확진하는 유일한 GN) : diffuse mesangial IgA deposits
- J chain-containing polymeric IgA1 및 lambda light chains이 주로 침착
- 약 1/3에서는 IgG (± IgM) 침착도 동반 → poor Px
- C3 침착은 90% 이상에서 관찰 (C1q는 거의 없음) → alternative and/or lectin pathways
- 약 1/3에서는 subendothelial capillary wall IgA deposits도 관찰됨

* skin biopsy : dermis-epidermis 경계에 IgA 침착 (15~55%에서)

(5) 치료

• 확립된 치료법은 없음, GFR 정상이고 proteinuria 0.5~1 g/day 미만이면 경과관찰

• 비면역억제치료 : persistent proteinuria (>0.5~1 g/day) & GFR 약간 감소 (빨리 악화×) & renal biopsy에서 mild~moderate 소견 환자 → 신기능 악화 지연
- 목표 : proteinuria <0.5~1 g/day, BP <130/80 mmHg (proteinuria >1 g/day면 <125/75)
- ACEi/ARB : proteinuria & BP 감소 (신장 보호 효과)
- fish oil (>3.3 g/day) : 효과는 확실하진 않지만, 부작용이 없고 심혈관계에는 도움이 되므로 보조적 치료로 사용 가능 (Ix ; 3~6개월의 ACEi/ARB 치료에도 proteinuria >1 g/day)

• 면역억제치료 : active disease & progression 환자
 - 고용량 steroid ; IV methylprednisolone & oral prednisolone 6개월
  or prednisolone 6개월 → proteinuria 감소 및 신기능 보호 효과

> 적응: Hematuria + 다음 중 하나 이상 존재시
> ① serum creatinine (sCr) 상승, GFR 감소
> ② 최대한의 비면역억제치료 이후에도 persistent proteinuria >1 g/day
> ③ renal biopsy에서 active disease (e.g., proliferative or necrotizing changes)
> (sCr의 만성적 상승 or glomerulosclerosis, tubulointerstitial atrophy/fibrosis는 적응 아님)

 - severe/progressive dz. or crescentic RPGN ⇨ 면역억제제 복합요법
  ; steroid + cyclophosphamide, azathioprine, MMF 등 (CNI, rituximab은 권장×)
• 기타 (근거는 부족함) ; tonsillectomy, low-antigen diet, IVIG (→ severe IgA nephropathy), oral targeted-release formulation of budesonide (TRF-budesonide) 등 고려 가능
• ESRD → 신 이식 (약 30%에서 재발하지만, 신기능의 상실은 드묾)

(6) 예후

• 5~30%는 자연관해, 25~30% (최대 ~50%)는 서서히 진행하여 20~25년 뒤 ESRD로 됨, 나머지는 mild hematuria and/or proteinuria 반복되는 경과
• 예후가 나쁜 경우 ★
 ① 신기능 저하 : GFR↓, serum creatinine↑
 ② HTN (>140/90 mmHg) 동반
 ③ 지속적인(>6개월) proteinuria (>0.5~1 g/day)
 ④ episodic gross hematuria가 없을 때 (microscopic hematuria)
 ⑤ 고령에서 발병, 남성
 ⑥ 신장 조직검사상
  (a) severe inflammation ; endo-/extracapillary proliferation (crescent formation), (mesangium을 벗어난) capillary loops의 IgA deposits, mesangial hypercellularity
  (b) chronic fibrosis ; glomerulosclerosis, interstitial fibrosis, tubular atrophy

2. Thin basement membrane [TBM] disease (= benign familial hematuria)

• EM에서 GBM이 얇아진 것이 특징 (LM 및 IF 소견은 정상), 일반인의 5~10%에서도 관찰됨
• IgA nephropathy 비슷하지만 persistent or intermittent asymptomatic microscopic hematuria
 - 일부에서는 dysmorphic RBCs, RBC casts, episodic gross hematuria (<10%)도 발생 가능
 - gross hematuria ; URI 및 IgAN 선행 가능, flank (loin) pain 및 hypercalciuria도 동반 가능
• 가족력 흔함 (30~50%), AD 유전, 소아 때 발현
 ; type Ⅳ collagen α3 or α4 chain gene (*COL4A3* or *COL4A4*)의 mutations
 (→ 추가적인 손상이 관여해야 Alport syndrome[AS]으로 발현)
• Alport syndrome과 달리 신장외 이상, 단백뇨, HTN, 신기능저하 등은 거의 없음! → 예후 양호
 (c.f., 매우 드물게 AS처럼 ESRD로 진행할 수도 있으므로 AS의 일종으로 포함하자는 주장도 있음)
• 치료 ; proteinuria (>0.5~1.0 g/day) 동반시에만 ACEi/ARB

c.f.) isolated hematuria를 주로 나타내는 사구체질환 ; IgA nephropathy, TBM, Alport syndrome

3. Alport syndrome (AS, hereditary nephritis)

(1) 원인/분류

- m/c progressive inherited glomerular disease
- type Ⅳ collagen (→ basement membrane의 주로 collagen 성분) α3, 4, 5 chains의 결함에 의한 사구체, 눈, 귀 등의 기저막(basement membrane) 이상 질환
- 4 forms
  ① X-linked dominant AS (XLAS, "classic AS", 약 85%) ; Xq22-24의 type Ⅳ collagen α5 chain gene (*COL4A5*)의 mutations (몇 백가지 이상, missense mutations이 m/c)
  - 주로 남아에서 발병, 아빠에서 아들로는 유전 안됨 (∵ 정상 Y 염색체만 물려줌)
  - 여자는 거의 다 heterozygote ; 대부분 약간의 hematuria 발생 (신부전 발생은 매우 드묾)

  ② X-linked의 subtype (AS + leiomyomatosis, 드묾) ; *COL4A5* + *COL4A6* genes의 deletions
  - AS 증상 외에 식도, 위, 호흡기, 생식기 등의 광범위한 평활근 증식도 동반

  ③ autosomal recessive AS (ARAS, 약 15%) ; 2q35-37의 *COL4A3* or *COL4A4*의 mutations
  - XLAS와 증상/경과 비슷함, 여자도 남자와 똑같이 심한 classic AS 증상 발생

  ④ autosomal dominat AS (ADAS) ; AS의 5% 미만으로 보였으나 NGS 연구 결과 20~30%
  - *COL4A3* or *COL4A4*의 heterozygous mutations, classic AS보다 경미한 증상
  - 대개 asymptomatic hematuria / 난청, 눈 병변, CKD로의 진행은 드묾 (TBM dz. 비슷)

(2) classic AS의 임상양상

- microscopic hematuria 반복/지속 → 신기능저하, 단백뇨, HTN → 서서히 ESRD로 진행
- 감각신경성 난청 (~60%에서) ; 고주파에서 시작되어 진행되면 음성대역까지 난청 발생
- 눈 병변 ; bilateral anterior lenticonus[원추수정체] (20~30%), recurrent corneal erosions 등

(3) 진단

- AS의 임상양상 (hematuria and/or ESRD의 가족력) + 유전자검사 or 조직검사
- 유전자검사 (가장 정확) ; *COL4A3, COL4A4, COL4A5* genes의 NGS (DNA or mRNA)
- 조직검사 (LM은 거의 정상)
  ① EM : GBM이 얇아짐 → GBM의 variable thickening, thinning, basket weaving, lamination (여러 층을 이루면서 불규칙하게 갈라지고 두꺼워짐; 물에 불어 찌그러진 합판처럼..)
  ② IHC/IF : 신장 or 피부의 기저막에서 type Ⅳ collagen α3, 4, or 5 chains의 결핍 확인
- D/Dx. ; IgA nephropathy, TBM disease ...

(4) 치료/예후

- 특별한 치료법은 없음 ; 고혈압 조절, ACEi/ARB (→ 단백뇨↓, 신기능저하 지연)
- 90%가 40세 이전에 ESRD로 진행 → 투석, 이식 (이식 후 AS 재발은 없음)

4. Isolated non-nephrotic proteinuria

- 증상이나 다른 검사 이상(e.g., hematuria, urine sediment) 없이 non-nephrotic proteinuria (<3 g/day)를 보이는 경우, 정상인의 0.5~10%에서 발견됨 (대부분 검사 중 우연히 발견됨)
- benign isolated proteinuria (>80%) ; idiopathic transient proteinuria, functional proteinuria,

intermittent proteinuria, postural proteinuria 등 → 1장 참조
→ 조직검사는 정상 or 경미한 비특이적 변화, 모두 예후 좋음

- persistent isolated proteinuria (10~15%) → urine PEP, US (proteinuria 심하면 biopsy도 고려)
  - 원인 : 거의 모든 사구체질환 및 세뇨관질환에서 나타날 수 있음
  - 20~40%는 약 20년 뒤 신기능의 감소를 보이나, 예후는 좋은 편 (ESRD는 극히 드묾)

신증후군/콩팥증후군 (Nephrotic syndrome, NS)

1. 정의

- heavy **proteinuria** : nephrotic-range proteinuria (>3.0~3.5 g/day)
- **hypoalbuminemia** (<3.0 g/dL)
- generalized **edema**

- **hyperlipidemia** (hypercholesterolemia), thrombosis도 흔함

2. 임상양상 및 합병증

(1) proteinuria

- 원인 : glomerular filtration barrier (GBM, podocytes, slit membrane)의 permeability 증가로 발생
- NS의 다른 합병증들은 소변으로 여러 단백이 소실됨에 따라 이차적으로 발생
- proteinuria가 심할수록 신기능(GFR) 감소 속도도 빨라짐

(2) hypoalbuminemia

- 원인 ; 소변으로의 소실, 근위세뇨관에서 여과된 albumin의 대사, 체내 albumin의 재분포
- 간에서 albumin 등의 단백 합성은 증가되나, renal loss/catabolism을 따라가지 못해 발생
- 여과된 albumin의 일부는 세뇨관에서 대사되므로 소변으로 배설되는 albumin은 여과량보다 적음
- secondary FSGS (e.g., reflux nephropathy)에서는 hypoalbuminemia가 없거나 경미함

(3) edema의 원인

① underfilling hypothesis : albumin↓ → 혈관내 삼투압(oncotic pr.)↓ → 혈관 외로 fluid 누출 → intravascular volume↓ → renin-angiotensin-aldosterone 활성화, 교감신경계 활성화, vasopressin [AVP]↑, ANP↓ → renal salt & water retention

② primary renal salt & water retention : 호르몬(e.g., ANP)에 대한 신장의 반응성 증가 때문 (renin-angiotensin-aldosterone은 억제되어 있음)

(4) dyslipidemia

- LDL과 cholesterol 증가 : 간에서 apo B 포함 lipoproteins 및 cholesterol 합성 증가 때문 (∵ ① plasma oncotic pr.↓ → 간의 apo B gene 전사 자극, ② lipoproteins catabolism 감소)
- 심한 경우엔 TG와 VLDL도 증가 (∵ 주로 LPL에 의한 VLDL→IDL로의 대사 감소 때문)
- AS와 신질환의 진행 악화, 심혈관 위험이 증가하므로 반드시 lipid-lowering agents로 치료

(5) hypercoagulability (thromboembolism)

- 특히 albumin <2 g/dL or proteinuria >10 g/day 일 때 발생 증가
- 원인 ① 분자량이 큰 factor Ⅴ, Ⅷ, fibrinogen 등의 간 합성 증가 (소변으로 소실×)
  - ② 응고억제인자인 antithrombin Ⅲ, protein C, S 등은 분자량이 작아 소변으로 소실↑
    - ↳ factor Ⅸ, Ⅹ, Ⅺ, thrombin 등이 활성화
  - ③ 혈소판 활성화 & aggregability↑ (∵ vWF↑, thromboxane↑, LDL↑)
  - ④ fibrinolysis 장애 ; plasminogen 활성화 억제 (∵ PAI↑, albumin 감소로 인한 plasminogen-fibrin 결합↓), high-molecular-weight fibrinogen↑
- peripheral arterial & venous thrombosis (특히 DVT, RVT), pul. embolism 발생 증가
- RVT (renal vein thrombosis)
  - Sx ; flank/abdominal pain, Lt-sided varicocele, gross hematuria, proteinuria↑, GFR↓
  - Dx ; CT angiography (1st choice), MR venography (doppler US는 CT/MRI 못할 때에만)
  - MGN, MPGN, amyloidosis 등에서 호발 (~40%) → 11장 참조

(6) 기타 proteins 소실

① thyroxine-binding protein 소실 → TFT 이상 (T_4↓, RT_3U↑) (thyroxine의 투여는 필요 없다)

② cholecalciferol-binding protein 소실 → vitamin D deficiency
  → hypocalcemia & secondary hyperparathyroidism (vitamin D 보충해야)

③ transferrin 소실 → iron-resistant microcytic hypochromic anemia

④ metal-binding protein 소실 → zinc & copper deficiency

⑤ protein malnutrition

⑥ albumin등 많은 약물 결합단백의 소실 → 약물의 pharmacokinetics와 toxicity 변화 가능

* α- & β-globulins은 증가

(7) infection 호발

- 원인 : IgG와 complement의 소변으로의 소실(→ 특히 encapsulated bacteria 감염 위험↑), 부종 조직(→ 세균 침입/증식↑, 국소방어↓), zinc or transferrin 소실, 면역억제치료 등
- 특히 소아에서 호발 (→ 과거 NS의 주 사망원인)
- 흔한 원인균 : *S. pneumoniae* (m/c), *E. coli*, β-hemolytic streptococci 등
- primary peritonitis, 폐렴, 봉와직염(cellulitis), sepsis, meningitis 등

(8) AKI (acute kidney injury)

NS에서 갑작스런 신기능 저하(AKI)의 원인
Volume depletion (e.g., diuretics 남용)에 의한 pre-renal AKI
Volume depletion and/or sepsis에 의한 ATN
Intrarenal edema (nephrosarca)
Bilateral acute RVT (renal vein thrombosis)
MCD에 합병된 crescentric GN (RPGN)
NSAIDs 및 ACEi/ARB에 대한 혈역학적 반응(pre-renal AKI)
약물에 의한 acute allergic interstitial nephritis (특히 diuretics, 감기약, 한약)
UTI, obstruction (urinary tract, vascular), uncontrolled HTN, 전해질 이상, 수술

→ proteinuria와 hypoalbuminemia가 심할수록 발생↑

3. 원인

① Primary (idiopathic) NS
Minimal change disease (MCD) Membranous nephropathy/glomerulopathy (MGN) Focal segmental glomerulosclerosis (FSGS) Membranoproliferative GN (MPGN) Mesangial proliferative glomerulonephritis (IgA nephropathy 포함) 기타 드문 경우 1. Crescentic glomerulonephritis (RPGN) 2. Focal and segmental proliferative glomerulonephritis 3. Fibrillary-immunotactoid glomerulopathy
② Secondary NS
전신질환 ; DM, SLE, amyloidosis, vasculitic-immunologic dz. (e.g., mixed cryoglobulinemia, Wegener's granulomatosis, polyarteritis nodosa, HS purpura, sarcoidosis, Goodpasture's synd.) **감염** Bacterial ; PSGN, syphilis, infective endocarditis, shunt nephritis Viral ; HBV, HCV, HIV, CMV, EBV (infectious mononucleosis) Parasitic ; malaria, toxoplasmosis, schistosomiasis, filariasis **약물** ; gold, mercury, penicillamine, NSAIDs, lithium, captopril, heroin, rifampin **종양** ; lymphoma, leukemia (→ MCD), solid tumors (→ MGN) **유전/대사질환** ; Alport syndrome, Fabry disease, sickle cell disease, congenital (finnish type) nephrotic syndrome, nail-patella syndrome **기타** ; 임신(preeclampsia), 이식거부반응, serum sickness, accelerated hypertensive nephrosclerosis, unilateral RAS, reflux nephropathy, 심한 비만-수면 무호흡증

* 흔한 원인 ; MCD, FSGS, MGN, MPGN, DM, amyloidosis

c.f) 우리나라 성인 사구체질환의 유병률 ↱ 주로 AUA or nephritic syndrome 양상

(1) primary/idiopathic (더 많음) ; IgA nephropathy (49.5%) > MGN (16.6%) > FSGS (12.6%) > MCD (12.2%) > MPGN (3.4%) ... [IgAN 증가, MCD 감소 추세]

(2) secondary ; lupus > DM > HTN ... [diabetic nephropathy 증가 추세]

c.f.) 소아 ; IgAN (28%) > MCD (22%) > FSGS > MPGN ... (MGN은 드묾)

* renal biopsy : 성인에서는 정확한 진단과 치료의 방향을 알기 위하여 필수!
(소아에서는 초기부터 꼭 필요하지는 않다)

4. 일반적 치료

* 일반적(보존적) 치료가 특히 중요한 경우
  ① 면역억제치료에 반응이 나쁜 NS
  ② progressive renal failure
  ③ severe nephrotic complication

(1) 단백뇨의 치료

- ACEi/ARB : intraglomerular pr.↓ → proteinuria↓ & FSGS 발생 예방 → 신질환 진행 지연 (but, GFR↓ 및 hyperkalemia의 부작용 발생 가능 → serum Cr, K^+ monitoring)
- 기타 단백뇨 감소에 효과적인 치료 ; aldosterone antagonist, non-DHP CCB, β-blocker, 혈압 조절, 금연, hyperlipidemia 조절, 체중 조절 등 (단백 제한은 NS 환자에서는 시행×)

* NSAIDs : 일부에서 사구체 혈역학 및 GBM permeability에 변화를 일으켜 proteinurira 감소에 도움이 되지만, 부작용(e.g., AKI, hyperkalemia, salt retention) 위험으로 일반적으로 금기임

(2) 부종의 치료

- 염분섭취 제한 : 약 2 g/day
- 이뇨제 : 대개 loop diuretics를 사용함
  - 효과는 떨어짐 (∵ hypoalbuminemia → 신장으로 약물 전달↓, albuminuria → 세뇨관내 약물 결합↑)
    ↳ 용량↑ or 다른 이뇨제 병용(e.g., thiazide, metolazone)
  - 1 kg/day 이상의 체중 감소는 effective plasma volume 감소 위험으로 권장 안됨
- salt-poor albumin : 대부분 1~2일 뒤 배설되므로 권장 안됨

(3) hyperlipidemia의 치료

- 일반적인 hyperlipidemia와 같이 약물치료 (대개 statins)→ AS 및 신부전 진행 지연 효과
- low-fat diet (but, 효과는 떨어짐), 체중 조절, 운동 등

(4) anticoagulation

- 일반적인 Ix ; thrombosis 진단, serum albumin <2~2.5 g/dL 이하이면서 다음 중 하나 이상 (proteinuria >1 g/day, BMI >35, 혈전색전증의 가족력, CHF, immobilization, 최근의 수술)
- 예방적 항응고제 ; warfarin, LMWH, direct oral anticoagulant (DOAC) 등
  → nephrotic syndrome이 관해되거나 serum albumin이 3.0 g/dL 이상이 될 때까지 투여
- heparin은 더 높은 용량이 필요할 수 있음 (∵ NS 환자에서 antithrombin Ⅲ↓ 흔함)

5. 미세변화신증/최소변화콩팥병증 (Minimal change disease, MCD) (= Nil Disease, Lipoid Nephrosis, foot process disease)

(1) 원인

- primary (idiopathic) : 거의 대부분
- secondary

1. 종양 ; lymphoma (Hodgkin lymphoma, NHL), leukemia, thymoma, RCC, lung ca., mesothelioma
2. 감염 ; HIV (AIDS), HCV, syphilis, *Mycoplasma*, TB, *Echinococcus, Strongyloidiasis*
3. Allergy ; pollens, house dust, insect stings, immunizations
4. 약물 및 중금속 ; NSAIDs (COX-2 inhibitors 포함), ampicillin, rifampicin, cephalosporins, lithium, interferon, D-penicillamine, bisphosphonates (pamidronate), sulfasalazines (mesalazine, salazopyrine), trimethadione
5. 자가면역질환/기타 ; SLE, Fabry disease, IPEX syndrome, HCT 이후
   (IgA nephropathy, HIV nephropathy, polycystic kidney disease 등 다른 신장질환과 동반될 수도 있음)

- 기전 : T cell-mediated cytokine injury
  → glomerular filtration barrier의 (-) charge 소실 및 podocytes 손상
- podocytes의 구조 관련 단백인 nephrin (m/i), podocin, α-actinin-4 등의 mutations도 관여
  ↳ renal filtration barrier (slit diaphragm) 형성에 필수

(2) 임상양상

- 소아 NS의 m/c 원인 (70~90%, 6~8세에 호발), 성인 NS의 10~15%, 남자에서 약간 더 많음
  - 소아 : highly-selective proteinuria (대부분 albumin)
  - 성인 : 대개 non-selective proteinuria (손상이 더 심함을 의미)

- 대부분 부종, 체중증가, severe proteinuria (>10 g/day) & hypoalbuminemia 등이 급격히 발생
  ↳ 심하고 전신적, 누르면 들어가는 오목/함요부종(pitting edema), 복수도 동반 가능
  ↔ 다른 NS (e.g., MGN, FSGS)은 proteinuria가 수주~수개월에 걸쳐 서서히 증가
- 때때로 URI, atopic attack, 예방접종 이후에 발생 가능
- hyperlipidemia, acellular urine sediment 등 (complement level은 정상)
- 신기능의 경미한 감소는(GFR 약 30%↓) 소아와 성인 모두에서 흔함
- 기타 덜 흔한 임상양상

	소아	성인
HTN	5~30%	50%
Microscopic hematuria	20%	33%
Atopy or allergic symptoms	40%	30%
reversible AKI (azotemia)	<5%	20~30%

(3) 진단/병리소견

① LM : 거의 정상
② IF : 대개 정상 (드물게 소량의 IgM과 C3의 mesangium 침착이 있을 수 있음)
③ EM : podocyte (epithelial cell) "foot process"의 전반적 소실(effacement, fusion)

(4) 치료 및 예후

- 소아 일부는 자연 회복도 되지만 (성인은 드묾), steroid에 반응이 좋으므로 모두 치료함!
  - 소아 : NS의 ~90%가 MCD이므로 renal biopsy 없이 치료 시작 (반응이 없으면 biopsy 시행)
  - 성인 : 확진을 위해 renal biopsy 필수!!
- oral steroid (high-dose prednisone)^{only} : 매일 or 격일로, 소아는 대개 8주, 성인은 ~12-16주

> Complete response/remission (CR) : proteinuria <300 mg/day (or 200 mg/gCr)
> Partial response/remission (PR) : proteinuria 50% 감소하여 0.3~3.5 g/day
> Relapse : remission 이후 proteinuria 다시 증가하여 >3.5 g/day
> Frequent relapser : 1년에 3회 이상 재발하는 경우 (10~25%)
> Steroid dependence : remission을 유지하기 위해서는 steroid 치료를 지속해야하는 경우
> Steroid resistance : 16주간의 steroid 치료에도 remission이 안 되는 경우

  - 소아 : 90~95%가 CR됨, 성인보다 치료반응 빠름 (but, 재발이 흔함)
  - 성인 : 약 50%만 CR됨 (→ 20~24주간 더 오래 치료하면 80~85%가 CR됨)
  - 발병처럼 완화(remission)도 급격히 일어남 ; 소변량↑, 부종 호전, 보통 1~2주 내에 CR
- 재발 : 1st remission 이후 매우 흔함 (대부분 1년 이내) ; 소아 70~75%, 성인 50~75%가 재발
  - allergies or infections (특히 virus)에 의해 재발이 유발될 수도 있음
  - 어린 나이에 발병할수록 질병기간(완화-재발 반복)이 긺 (소아 3~10년, 성인 <2년)
  - 빠른 재발, high proteinuria → frequent relapser (긴 질병기간) 가능성↑ (poor Px.)
  - 치료 ; steroid 다시 사용, frequent relapser는 low-dose steroid 6~12개월 or 다른 약제
- steroid에 반응이 없을 때의 원인
  - 다른 진단 ; FSGS, MGN (early stage)
  - steroid-resistant MCD, steroid intolerance/흡수장애, 악성종양(e.g., lymphoma) or 감염 동반

• 다른 면역억제제 ; cyclophosphamide, chlorambucil, azathioprine, MMF, rituximab 등
  - Ix. ; frequent relapser (>3회/년), steroid dependence/resistance, higher dose steroid 필요
  - cyclophosphamide가 재발률이 낮고, 치료기간이 짧아 선호됨
    ↳ 반응 없거나 부작용으로 사용 못하면 → cyclosporine (or tacrolimus) + low-dose steroid
  - cyclophosphamide과 cyclosporine 모두 실패하면 rituximab 권장
• MCD 자체는 CKD로 진행 안함 (but, 일부는 FSGS를 동반 가능 → CKD로 진행할 수도 있음)

(5) 합병증

① infections (특히 G(+)세균) ; 폐렴, 복막염 등 … 주된 사망원인
② thromboembolic events
③ severe hyperlipidemia
④ protein malnutrition
⑤ reversible AKI (면역억제치료로 단백뇨 소실되면 대부분 호전됨, 드물게 혈액투석 필요)
  - 위험인자 ; 고령, 남자, HTN, severe proteinuria (→ 노인에서 AKI와 NS이 공존하면 MCD를 의심)
  - 유발인자 ; ATN, NSAIDs, ACEi/ARB, CIN, excessive diuresis, TID, RVT 등
  - effective arterial blood volume 감소는 대부분 원인이 아님

6. 국소분절 사구체경화증/국소조각 토리굳음증 (Focal and segmental glomerulosclerosis, FSGS)

(1) 개요/원인

• 단일 질환이 아니라 다양한 원인에 의한 clinical-pathologic (FSGS) syndrome
  c.f.) 정상 노화 and/or HTN에 의한 global glomerulosclerosis (GGS)와는 다름
• 병인 ; 여러 원인에 의한 nephron의 소실(→ 보상성 glomerular hypertrophy & hyperfiltration), podocytes의 direct injury 등 (primary FSGS는 아직 정확한 원인은 모름)
• 원인에 따라 예후/치료가 다르므로 정확한 원인을 찾는 것이 중요함!

┌ primary (idiopathic) : 대부분, 2ndary보다 면역억제치료에 반응 좋음
└ secondary : 50% 이상의 nephron이 소실되어야 발생 ⇨ 원인 기저질환을 치료

Systemic diseases or drugs
HIV, HBV, parvovirus, CMV, lymphoma, (c.f., HCV도 드물게 보고됨)
Heroin, analgesics, pamidronate, sirolimus, lithium, interferon ...
Glomerular capillary hypertension의 지속
Congenital oligonephropathies
Oligomeganephronia
Low birth weight (premature birth)
Unilateral renal agenesis (solitary kidney), renal dysplasia ...
Acquired nephron loss
Hypertensive nephropathy
Reflux nephropathy (VUR)
Glomerulonephritis or tubulointerstitial nephritis
Chronic allograft nephropathy
Cholesterol emboli 등의 acute vaso-occlusive processes
Surgical resection, radiation nephritis, ...
기타 ; Obesity, Sickle cell dz., Alport syndrome, Cyanotic congenital heart dz.

- Familial/genetic FSGS : steroid-resistant FSGS의 주요 원인! (특히 소아에서) ⋯→ 뒷부분 참조
  - podocytes, GBM, fenestrated capillary endothelium의 단백의 genetic mutations
  - apolipoprotein L1 (*APOL1*) variants → 흑인에서 chronic hypertensive arterionephrosclerosis

(2) 임상양상

- 소아 NS의 7~10%, 미국 idiopathic NS의 m/c 원인(성인 NS의 약 1/3, 흑인의 1/2), 증가 추세 (primary FSGS는 남자가 약간 더 많음, CKD로의 진행도 남자가 1.5~2배 더 많음)
- MCD인지 알고 steroid 치료를 했는데 효과 없으면 FSGS를 의심!
- full NS (약 2/3) ~ non-nephrotic까지 다양한 정도의 proteinuria로 발현 (대부분 nonselective)
- microscopic hematuria (약 50%에서), RBC/WBC casts
- HTN (30~50%), 신기능 저하 (25~50%, sCr↑) ⋯ MCD보다 약간 더 흔함
- secondary FSGS : 보통 proteinuria와 신기능 저하가 서서히 진행함
  ↳ 흔히 non-nephrotic proteinuria, serum albumin 정상, full NS 적음, edema 드묾 (e.g., obesity-related glomerulopathy [ORG])

(3) 진단/병리소견

① LM : "corticomedullary junction"에서 가장 현저함
- <u>focal</u> segmental sclerosis (extracellular matrix에 의해 사구체 모세혈관이 막힌 것)
  ↳ 병변이 없는 부위(e.g., 표면)에서 biopsy 되면 진단이 안 되거나 MCD로 오진될 수 있음!
- variants (subtypes)
  (1) FSGS NOS (classic FSGS, 42%) : NS or subnephrotic proteinuria
  (2) perihilar (26%) : subnephrotic proteinuria & serum albumin 정상인 경우가 흔함
  (3) cellular (3%) : 모세혈관 내부의 세포 침윤이나 증식, 대개 NS
  (4) tip (17%) : 갑자기 NS 발병, best Px (steroid에 반응 좋고, 신부전으로 진행 위험 낮음)
  (5) collapsing (11%) : severe NS, worst Px (steorid에 반응 안 좋고, 신부전으로 빨리 진행)

② IF : sclerotic segment 부위에 IgM과 C3의 deposits

③ EM
- visceral epithelial cells의 손상
- sclerosis 없는 부위의 podocyte foot process의 effacement ⋯ MCD와 같은 podocytopathy! (MCD의 일부에서 MPGN으로 진행하는 중간 단계로 생각됨)

(4) 치료

- ACEi/ARB ; 반드시 투여, 단백뇨 감소 및 신부전으로의 진행 지연 효과
- 면역억제치료(disease-modifying therapy) ; NS (proteinuria >3.5 g/day)이면서 비가역적 손상의 소견(심한 glomerulosclerosis or interstitial fibrosis)은 없는 환자에서만
  - steroid (e.g., prednisone) : 약 20~45%만 반응, 완전관해되어도 재발이 흔함
  - CNI (cyclosporine or tacrolimus) ± low-dose steroid : 부작용으로 steroid 사용 못할 경우
  - 관해 이후 재발시 ⇨ steroid *or* CNI ± low-dose steroid
  - steroid-dependent/resistant ⇨ CNI ± low-dose steroid
  - 위 치료에 실패 or 독성으로 CNI를 사용 못할 경우 ⇨ MMF ± low-dose steroid
  - 모두 실패시 ⇨ cytotoxic agents, rituximab, ACTH, plasmapheresis, LDL apheresis 등
- 2ndary FSGS는 steroid와 면역억제제가 효과 없음 ⇨ 원인 기저질환을 치료

(5) 예후

- MCD와 달리 자연관해는 매우 드물고(<10%), 예후 나쁨
- 치료 안하면 5~10년 뒤 ESRD로 진행 (신기능의 소실 속도는 단백뇨의 양과 관련)

Primary FSGS의 예후가 나쁜 경우
HTN 신부전(serum Cr↑) 심한 hypoalbuminemia Massive proteinuria (>15 g/day) Renal biopsy : tubulointerstitial fibrosis 동반, collapsing variant 남자, 흑인

- 신이식 후 재발이 흔함(25~40% → 이 중 1/2은 graft loss) → 신이식의 상대적 금기
  - 특히 수술 후 수시간 내에도 나타날 수 있음
  - 재발률이 증가하는 경우
    ① FSGS 발병부터 ESRD까지의 기간이 짧을 때
    ② 발병 연령이 어린 경우
    ③ renal biopsy에서 mesangial hypercellularity
- 2ndary FSGS는 ESRD로의 진행이 더 느리고, 신이식 후 재발률이 낮음

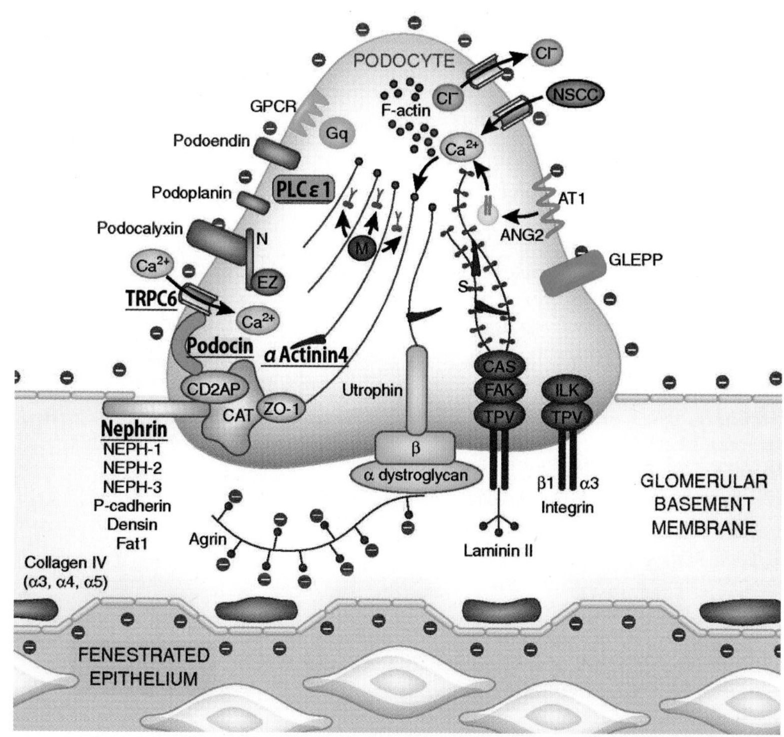

Podocyte, GBM, SD (slit diaphragm)의 미세구조 및 관련 단백

■ 유전성 신증후군 (Genetic/Familial nephrotic syndrome)

유전	질환	유전자	단백	임상양상
AR	Congenital NS of Finnish type (CNF)	*NPHS1*	Nephrin	자궁내 단백뇨 ~ 선천성 NS, 심함, 대개 2년 내 사망
	Steroid-resistant NS (SRNS)	*NPHS2* 일부 *NPHS1*	Podocin Nephrin	단백뇨 양 및 임상양상 다양, 대개 FSGS로 진행
	Isolated diffuse mesangial sclerosis	*PLCE1*	PLCε1	생후 1년 내에 NS 발생, ESRD로 빨리 진행
AD	FSGS type 1	*ACTN4*	α-actinin-4	대개 성인 때 단백뇨 발생, 서서히 ESRD로 진행
	FSGS type 2	*TRPC6*	TRPC6	사춘기~성인 때 단백뇨 발생, 60%는 10년 후 ESRD로 진행
	FSGS type 5	*INF2*	Formin	사춘기~성인 때 단백뇨 발생, 때때로 현미경적 혈뇨 & 고혈압

- 선천성 신증후군 : 생후 3개월 이내에 신증후군이 나타나는 경우, 소아 NS의 약 1% 차지
  (c.f., infantile NS : 3개월 ~ 1년 사이에 발병하는 경우)
  → 대개 steroid와 면역억제제는 효과 없음, 신이식이 완치법
- genetic FSGS : 소아의 대부분은 AR 유전, 청소년~성인은 AD 유전이 더 흔함
- 신장(podocytes) 이외 다른 조직의 이상도 동반하는 syndromal FSGS/SRNS
  (NS을 동반하는 유전 증후군)
  - *WT1, LAMB2, CD151, SCARB, LMX1B*, $tRNA^{Leu(UUR)}$ A3243G mutation 등

■ Fabry disease (Anderson-Fabry disease)
- 원인 : *GLA* gene mutation → α-galactosidase A (α-Gal A)의 결핍 → α-Gal A에 의해 분해되는 globotriaosylceramide (Gb3)가 전신에 축적 (주요 사인은 신장, 심장, CNS 침범)
- 드묾, lysosomal storage dz., XR 유전, 남성이 주로 발생 (여성은 경미한 증상으로 발현 가능)
- Typical Fabry dz. : 주로 소아~청소년기에 증상 발생
  ① angiokeratomas (혈관각화종) ; 붉거나 짙은 푸른색의 피부 발진, 엉덩이/서혜부/배꼽주위에 호발
  ② hypohidrosis (땀저하증) ; 피부 건조, 온도변화와 운동에 약함
  ③ acroparesthesias (사지통증) ; 손/발/사지근위부의 심한 발작성 통증, 몇 분~며칠 지속
  (온도변화, 운동, 피곤, 발열, 스트레스 등에 의해 유발될 수 있음)
  ④ 복통, N/V/D/C, 각막혼탁(cornea verticillata), 결막밑 lymphangiectasis, 청력소실 등
  ⑤ 신장침범 ; proteinuria, isosthenuria, polyuria, polydipsia, 신기능저하 (대개 비가역적) ··· 남성에서 흔함
  ⑥ 심장/뇌혈관침범 ; HTN, LVH, IHD, CHF, arrhythmia, stroke 등
- Atypical (later-onset) Fabry dz. : 20~60대에 증상 발생, α-Gal A activity가 일부 남아있음
  ⇨ 주로 신장, 심장, CNS 침범 양상을 보임
- 진단 ; 가족력, serum (or WBC) α-Gal A activity 측정, *GLA* gene mutation 검사
  (신장이나 심장 조직검사를 통해 우연히 발견되는 경우도 많음)
  - LM : FSGS 비슷
  - EM : 사구체세포(주로 podocytes) 내의 zebra body (or myelin figures) → 소용돌이/얼룩무늬 모양
- 치료 : 평생 enzyme replacement therapy (ERT)
  - agalsidase alfa (Replagal®) or agalsidase beta (Fabrazyme®)
  - 가능한 빨리 시작해야 치명적인 장기 손상을 예방하거나 지연시킬 수 있음
  - 통증 → carbamazepine 등의 항경련제가 도움 (NSAIDs는 효과없고 신독성 위험으로 금기)

- Alport syndrome : type IV collagen genes (*COL4A3, COL4A4, COL4A5*) mutations, familial FSGS의 ~38%, sporadic FSGS의 ~3%에서 동반 가능 ··· 앞부분 참조
- Denys-Drash syndrome (DDS) ; AD 유전, *WT1* gene mutation (WT1), early nephropathy
  (*WT1* gene mutation은 isolated FSGS 환자에서도 발견됨)

- Frasier syndrome ; AD 유전, *WT1* gene mutation, DDS보다 사구체질환은 늦게 발병
- nail-patella syndrome ; AD 유전, *LMX1B* gene mutation (Lmx1b), 25~60%에서 신장 침범 (benign proteinuria ~ NS, ESRD까지 임상양상 다양)
- Pierson's syndrome ; AR 유전, *LAMB2* gene mutation (laminin β_2 chain), 출생 직후 diffuse mesangial sclerosis 발생

7. 막성콩팥병증/막사구체신염/막토리콩팥염 (Membranous nephropathy/glomerulonephritis, MN, MGN)

(1) 병인/원인

: subepithelial immune deposits → complement activation → podocytes injury

- in situ IC 형성 : capillary wall을 통과한 autoAb가 podocyte Ag (or extrinsic Ag)과 결합
- circulating IC가 capillary wall을 통과한 뒤 GBM에 침착

① primary/idiopathic MGN (pMN) : 약 3/4

- anti-podocytes autoAb의 발견으로 자가면역질환이 되었음
- M-type PLA2R (phospholipase A2 receptor, podocytes의 Ag)에 대한 autoAb
  - pMN 환자의 70~80%에서 (+), 다른 사구체질환이나 2ndary MGN은 음성임!
  - 주로 IgG4, 사구체벽을 따라 PLA2R과 함께 침착 (in situ IC 형성)
  - anti-PLA2R titer↑ → poor Px ; 자연관해 드묾, 치료에 반응 안 좋음, 신기능 소실 빠름
- THSD7A (thrombospondin type-1 domain-containing 7A, podocytes의 Ag)에 대한 autoAb
  - pMN의 2~5%에서 (+), anti-PLA2R (-) 환자에서 양성률 더 높음
  - THSD7A Ag or Ab (+) → poor Px (일부는 악성종양과도 관련 → 종양 W/U 필요)
- 15~20%의 환자는 PLA2R 및 THSD7A 모두 음성임 (→ 아직 모르는 Ag/Ab 있음)

② secondary MGN : 약 1/4

1. 감염 ; HBV (특히 소아에서), HCV, syphilis, malaria, schistosomiasis, leprosy, filariasis
2. 자가면역질환 ; SLE, RA, Graves' disease, MCTD, Sjögren's syndrome, Hashimoto's thyroiditis, ankylosing spondylitis, myasthenia gravis, dermatitis herpetiformis, bullous pemphigoid, primary biliary cirrhosis
3. **종양** ; 유방, 폐, 대장, 위, 식도의 암, melanoma, RCC, neuroblastoma
4. 약물 및 중금속 ; NSAIDs (COX-2 inhibitors 포함), gold, mercury, penicillamine, captopril, probenecid
5. 기타 ; DM, sarcoidosis, sickle cell disease, CD, Guillain-Barré syndrome, Fanconi's syndrome, α_1-antitrypsin deficiency ...

- 60세 이상에서는 20~30%가 **악성종양**과 관련 (→ 고령인 경우 반드시 evaluation 해야!)

(2) 임상양상

- 성인 idiopathic NS의 **m/c** 원인 (25~30% 차지), 남:여 = 2:1, 소아는 매우 드묾(<5%)
- 30~50대 이후에 호발, 임상적으로는 MCD와 감별이 힘듦
- 약 80%에서 NS로 발현, 대개 non-selective proteinuria, microscopic hematuria (~50%) (gross hematuria, pyuria, RBC cast는 매우 드묾 : "benign" urinary sediment)
- pMN은 ANA, ANCA, anti-GBM Ab, complement 등의 혈청검사는 정상! (c.f., 드물게 anti-GBM dz.도 합병될 수는 있음)
- 진단시 10~30%에서만 HTN 존재 (→ 신부전이 진행되면 증가)
- NS 중에서 thrombosis 발생률이 가장 높음! (30~50%) ; DVT, PE, RVT

(3) 진단/병리소견

① serum anti-podocytes Ab

- anti-PLA2R Ab : MN 의심 모든 환자에서 시행 권장 (FDA 허가)
  - 신기능 정상이고 biopsy 어려우면 anti-PLA2R (+)시 pMN으로 진단 가능, 예후와도 관련
  - 검사법 ; indirect immunofluorescence assay (IFA), ELISA
- anti-THSD7A : 아직 상용화가 부족하고 FDA 허가 전이지만, 곧 허가될 것으로 예상됨

② LM

- GBM이 전반적으로 두꺼워짐 (초기에는 거의 정상 사구체처럼 보일 수 있음)
- subepithelial immune deposits 사이를 통해 urinary space로 돌출 (PAS 염색시 가장 현저)
  → subepithelial spikes 모양 (silver methenamine 염색) : 햇빛 비치는 모양 … MGN의 특징!
  → 진행되면 서로 합쳐져서 자전거 "chain" 형태로 보임
- inflammation이나 proliferation (e.g., crescent)은 없음

③ 면역염색(IF or IHC)

- GBM을 따라 diffuse granular IgG & C3 침착, foot process 소실
- pMN ; IC 내에 PLA2R or THSD7A Ab and/or Ag (+), 주로 IgG4 침착
- 2ndary MN ; PLA2R & THSD7A Ab/Ag (-), IgG1~2 (→ 종양), IgG1,3 (→ lupus)

④ EM

- GBM 바깥쪽으로 subepithelial electron-dense (immune) deposits
- 진행되면 deposits 사이로 새로운 GBM spikes 자람 → deposits이 완전히 GBM으로 둘러싸임
- mesangial/subendothelial deposits : pMN은 없고, 2ndary MN은 흔함(→ circulating IC 시사)

(4) 치료

- 보존적 치료 (proteinuria 감소가 m/i) ; ACEi/ARB, 혈압조절, hyperlipidemia 조절 (statins), 예방적 anticoagulation (proteinuria가 심하거나 오래 지속되면) 등
- 면역억제치료

Risk for progression	Proteinuria	Cr clearance	5년뒤 CKD로 진행 위험	치료
Low	<4 g/day	정상	<8%	보존적 치료 & F/U
Moderate	4~8 g/day	정상~ 거의 정상	약 50%	6개월의 보존적 치료에도 proteinuria 4 g/day 이상이면 면역억제치료 시행
High	>8 g/day	감소	약 75%	면역억제치료 시행

- steroid + cytotoxic agents/CNIs (e.g., cyclophosphamide, cyclosporine, or tacrolimus)
  ⇨ 30~40%는 완전 관해, 30~50%는 부분 관해됨 (steroid 단독은 효과 적음!)
- 반응 없으면 다른 면역억제제로 교체

- resistant pMN ⇨ rituximab 권장 (60~70%에서 proteinuria 감소, 재발은 적음)
  - 처음부터 rituximab을 사용하나, 다른 면역억제치료 실패 후 사용하나 반응은 비슷함
  - rituximab 치료 후 anti-PLA2R Ab titer 감소는 좋은 반응을 시사
- ESRD시 신장 이식이 효과적이고, 재발률도 낮음
  (c.f., pMN의 재발시에는 serum anti-PLA2R or anti-THSD7A titer도 증가함)
- 2ndary MN ⇨ 원인 기저질환을 치료하면 보통 9~12개월 뒤 NS (proteinuria) 호전됨

(5) 예후/경과

- 소아에서는 자연 관해가 흔하고 예후 좋음 (10YSR >90%)
- 성인의 5~30%는 치료 안해도 5년 뒤 완전 관해됨 (25~40%는 부분 관해)
- 자연 or 치료에 의해 관해된 경우 장기 예후는 좋음 ; 약 2/3는 관해 유지, 20~30%는 재발 (신기능은 정상), 약 10%만 신기능저하 (관해되었던 경우 ESRD로 진행은 드묾)
- 예후가 나쁜 경우 (신기능 저하 위험↑) ⇨ 보다 적극적인 면역억제치료 필요
  ① persistent or severe proteinuria (>8 g/day) : m/i
  ② 신기능 저하(sCr ≥1.5 mg/dL)
  ③ 남성, 고령, HTN, hyperlipidemia
  ④ renal biopsy상 interstitial fibrosis ≥20%
  ⑤ anti-PLA2R Ab and/or Ag↑ (c.f., THSD7A도 poor Px와 관련 있지만, 아직 연구가 부족)
- 급격한 신기능 악화의 원인 ; crescentic GN (RPGN), acute bilateral RVT, hypovolemia, drug-induced renal injury (ATN or acute interstitial nephritis) 등

8. 막증식 사구체신염/토리콩팥염 (Membranoproliferative GN, MPGN) (= mesangiocapillary or lobular GN)

(1) 원인/분류

전통적인 분류 (EM 소견에 따라)	
Type Ⅰ	Subendothelial & mesangial immune deposits (대개 circulating IC의 침착)
Type Ⅱ	GBM을 따라 dense ribbon-like deposits (dense deposit disease) Ig의 침착 없이 주로 alternative pathway의 C3 침착만을 보임
Type Ⅲ	Type Ⅰ MPGN + MGN의 소견 (subepithelial immune deposits), 드묾

* Type Ⅰ & Ⅲ는 Ig 및 classic pathway (C4, C1q, C3)와 terminal pathway의 산물이 침착되고 일부에서는 Ig의 침착 없이 주로 alternative pathway의 C3 침착만을 보임

- 기존 분류의 단점(e.g., type Ⅰ과 Ⅲ가 일부 중복, complement pathway 기전의 중복)에 따라 최근에는 발생기전, IF (immunofluorescence) 소견, 치료방침에 따라 간단히 2가지로 분류함
- [(1)]Immune complex (IC)-mediated MPGN ; 대부분 (기존의 type Ⅰ과 일부 type Ⅲ)
  - chronic antigenemia and/or circulating IC에 의해 발생 → Ig (± C3) 침착
  - classic complement pathway 활성화 동반 흔함 (→ serum C3, C4, CH_{50} ↓)
  - LM/EM : subendothelial & mesangial deposits (자가면역질환에서는 subepithelial deposit도)
  - 원인 : HBV or HCV가 m/c

Idiopathic MPGN (원인을 발견 못했을 때) … 현재는 드묾
Secondary … 대부분
　만성감염 (m/c) ; HBV, HCV, HIV 등의 virus [→ IgM ± IgG, C3, kappa & lambda light chains의 침착], bacterial (subacute endocarditis, shunt nephritis, abscesses), fungus, schistosomiasis, echinococcosis
　자가면역질환 ; SLE (특히 chronic phase), mixed cryoglobulinemia, Sjögren's syndrome, RA
　[↳ "full house" pattern immune deposits; IgG, IgM, IgA, C1q, C3, kappa & lambda light chains 침착]
　Monoclonal gammopathies [→ monoclonal Ig의 침착]
　종양/기타 ; lung, breast, ovary, leukemia, lymphoma, RCC, melanoma, α_1-antitrypsin deficiency

- [(2)]Complement-mediated MPGN ; Ig 침착은 거의 없고, 주로 C3 (or 드물게 C4) 침착
  ① C3 glomerulopathies
    - alternative complement pathway의 dysregulation & persistent activation에 의해 발생
    - IF에서 주로 C3만 침착, EM 소견에 따라 C3-GN과 C3-DDD로 분류함
    * C3-GN (GN with isolated C3 deposits) : mesangium ± capillary wall에 C3 침착
      - 대개 보체조절단백에 대한 autoAb or mutations 때문
        ; monoclonal gammopathies, factor H activity↓, CFHR5 gene mutations (CFHR5 nephropathy) 등
          (c.f., 일부 유전자이상은 atypical HUS와도 관련)
      - NS의 임상양상, C3↓(50% 미만에서), C4 정상, 일부는 C3NeF (+)
      - 일부는 URI 이후 hematuria 발생 가능 (→ PSGN과 감별해야) / ESRD로 진행 가능
    * C3-DDD (MPGN type Ⅱ) : GBM에만 C3 침착, 드묾, 고령에서는 monoclonal gammopathies와 관련,
      대부분 혈중 C3 nephritic factors [C3NeF] 존재(→ C3 convertase 안정화 → C3↓)
  ② C4 glomerulopathies : 드묾, complement lectin pathway의 과활성화가 원인, C3 정상, C4 정상~약간 감소
- MPGN without Ig or complement deposits
  - LM에서 MPGN 비슷한 양상을 보이지만 IF에서 Ig/C3/C4 침착이 없는 경우
  - 원인 ; TMA (TTP, HUS), APS, BMT, scleroderma, transplant glomerulopathy 등

(2) 임상양상

- NS의 5~10% 차지, 6~30세에 호발, 남=여, HBV or HCV 등의 감소에 따라 감소 추세
- 다양한 양상을 보임 ; 대부분 microscopic hematuria는 동반, 50~60%는 NS, 약 30%는 isolated proteinuria, 10~20%는 nephritic syndrome (RBC cast, 신기능↓, HTN) 등
- ~50%에서는 URI 선행
- 50~80%는 HTN 동반, 약 20%는 신기능저하, 약 50%는 10년 이후 ESRD로 진행
- complement (C3, CH_{50}) 감소가 흔함! (~70%에서)

(3) 병리소견

① LM : 증식성(hypercellular) 병변과 GBM의 비후가 특징!
  - mesangial cells의 증식, mesangial matrix의 증가, 혈중 monocytes/macrophages의 침착
    → mesangium의 심한 팽창/widening → mesangial interposition, capillary lumen이 좁아짐
    (mesangial cells 등이 endothelial cell과 GBM 사이로 파고듦)
    → 사구체 소엽 구조가 매우 강조되어 보임 ⇨ PAS 염색에서 mesangial matrix가 잘 염색됨
  - endothelial cells의 증식 → endocapillary walls이 두꺼워져 GBM이 두겹으로 보임
    ("tram tracks") ⇨ silver stain에서 잘 보임 (PAS or Masson's trichrome 염색에서도 보임)
  - GBM의 비후 ; IC and/or complement factors의 침착, mesangial interposition,
    새로운 basement membrane 형성 증가 등 때문

② IF ; capillary walls과 mesangium에 IgG, IgM, C3 등이 불규칙한 과립상(granular)으로 염색됨
  - IC-mediated MPGN ; Ig (polyclonal[감염, 자가면역질환] or monoclonal) ± C3 염색
  - complement-mediated MPGN ; C3 (or C4) 염색 (Ig은 거의 안 보임)

③ EM ; subendothelial capillary walls & mesangial dense deposits
  - tram tracks에서 바깥층이 원래의 GBM, 안쪽은 새로 형성된 기저막 유사 성분 및 내피하공간으로 삽입된 mesangial matrix로 구성됨, 두 층 사이에는 여러 세포, IC, matrix 등이 존재
  - DDD (dense deposit dz.) : GBM의 lamina densa에 electron dense deposits

(4) 치료

- 원인(기저질환) 확인 및 치료가 우선 (e.g., antiviral therapy)
- idiopathic IC-mediated MPGN의 치료
  - NS 없고(proteinuria <3.5 g/day), 신기능/혈압 정상 ⇨ F/U & 보존적 치료(ACEi/ARB 등)
  - NS 有, 신기능 거의 정상 ⇨ ACEi/ARB + steroid (e.g., prednisone)
    (steroid에 반응이 없거나 사용 못하면 CNIs 고려)
  - 신기능 저하 ± NS, crescents 無 ⇨ steroid (e.g., prednisone) → 반응 없으면
    cyclophosphamide 추가 → 반응 없거나 부작용 등으로 사용 못하면 rituximab 고려
  - RPGN ± crescents ⇨ steroid + cyclophosphamide 등
- C3 glomerulopathies (C3-GN or C3-DDD) ; 드물어서 확립된 치료법은 없음
  - proteinuria & HTN ⇨ ACEi/ARB
  - severe proteinuria (>1.5 g/day) or 신기능 저하 ⇨ MMF + steroid 등의 면역억제치료
    (반응 없으면 MMF 중단하고 eculizumab or 다른 면역억제제)
  - RPGN ⇨ steroid + cyclophosphamide (or MMF), plasma exchange,
    or eculizumab (anti-C5 mAb; C3 침착은 C5 활성화도 자주 동반하기 때문)

  c.f.) factor H deficiency (유전적 결합) ⇨ 정기적인 FFP 수혈

(5) 예후/경과

- 자연 관해는 드묾 / 일반적으로 예후는 나쁜 편임
  - idiopathic MPGN은 대개 10년 뒤 15~50%에서 ESRD 발생
  - C3 glomerulopathies는 약 40%에서 ESRD 발생 (C3-GN보다 DDD가 조금 더 나쁨)
- poor Px ; NS, sCr↑, HTN, biopsy에서 crescents/TID (hematuria 정도는 관련 없음)
- 신 이식 후 재발 ; idiopathic MPGN은 20~48% 재발, C3 glomerulopathies는 재발 더 흔함
  (but, 진행이 느리므로 항상 allograft의 premature loss를 초래하지는 않음)

9. Minimal change (MCD) variants

; MCD처럼 LM 소견이 거의 정상인 NS (일부는 독립된 질환으로 보기도 함)

(1) Mesangial proliferative (mesangioproliferative) GN (MesPGN)

- mesangial cell proliferation, 일부에서 IgM deposits 동반 가능 (IgG or IgA는 없음)
- 임상양상 ; isolated hematuria (good Px) ~ heavy proteinuria (10~30%는 신부전으로 진행)

┌ secondary ; IgAN, *P. falciparum* malaria, PSGN 회복기, lupus nephritis (class Ⅱ) 등
└ primary → Tx ; steroid ± cyclophosphamide, cyclosporine, or MMF 등

(2) IgM nephropathy

- mesangium에 현저한 IgM & complement 침착 (MCD, FSGS, MesPGN에서도 동반 가능)
- 50% 미만만 steroid에 반응 → 예후 나쁨

(3) C1q nephropathy

- mesangial proliferation & mesangium에 현저한 C1q 침착 (SLE의 양상은 없음)
- MCD, FSGS 등에 동반될 수 있음 (치료도 동일)

10. Fibrillary GN & immunotactoid glomerulopathy

- 드묾(<1%), 대부분은 fibrillary GN (85~90%)
- 원인 ; 대부분 idiopathic / 감염(HCV, HIV), 종양, 자가면역질환, monoclonal gammopathy 등 (immunotactoid variant → CLL, lymphoplasmacytic lymphoma, MGUS 등 발생 증가)
- 임상양상 ; proteinuria (nephrotic range 흔함), hematuria, HTN, renal insufficiency
- 진단 : renal biopsy
  - LM : mesangial expansion, MGN (GBM 비후, PAS+) ~ MesPGN, MPGN, cresentric GN
  - IF : fibrillary GN은 DNAJB9 (+)
  - EM
    - fibrillary GN : mesangium과 glomerular capillary walls의 불규칙적인 fibrils deposits
    - immunotactoid glomerulopathy : large, thick-walled microtubules의 규칙적인 배열
- 예후 나쁨 (약 1/2에서 2~6년 뒤 ESRD 발생)
- 치료(어려움) ; ACEi/ARB, proteinuria >3.5 g/day or GFR <60이면 rituximab 투여 (crescentic GN → high-dose steroid + cyclophosphamide)
- 신 이식 후 일부 재발 가능하지만 (특히 monoclonal gammopathy에서) 진행은 느림

	Nephritic syndrome	Nephrotic syndrome
발병	갑자기	서서히
부종	++	++++
혈압	⬆	정상
JVP	↑	정상~↓
단백뇨	++	++++
혈뇨	+++	±
RBC casts	존재	–
혈청 albumin	정상~↓	⬇
병리	증식성 GN	비증식성 GN
예	PSGN, RPGN, MPGN, FSGS, fibrillary GN	MCD, MGN, DM, amyloidosis, FSGS, fibrillary GN, MPGN

	Nephritic syndrome	Nephrotic syndrome
MCD	–	++++
MN (MGN)	+	++++
Diabetic nephropathy	+	++++
Amyloidosis	+	++++
FSGS	++	+++
(mesangio)proliferative GN	++±	++
MPGN	+++	++
Acute postinfectious GN	++++	+
Crescentic GN (RPGN)	++++	+

급성 신염/콩팥염 증후군 (Acute nephritic syndrome)

1. Acute nephritic syndrome의 특징

(1) 임상적 특징

① 갑자기 (몇 주 동안에) AKI와 oliguria (<400 mL/day) 발생
② renal blood flow와 GFR의 감소 (azotemia)
③ ECF volume 증가, edema, HTN (∵ GFR 감소에 따른 salt & water retention 때문)
④ nephritic-type active urine sediment ; dysmorphic RBC, RBC cast, WBC
⑥ gross **hematuria** (m/i), pyuria
⑤ sub-nephrotic proteinuria (<3.0 g/day) ; 대개 1~2 g/day

(2) 조직 소견

: proliferative GN

(3) RPGN (= crescentic GN)

- subacute glomerular inflammation으로 급격한 Cr 상승 및 수주~수개월 이내에 ESRD로 진행
- acute nephritic syndrome과 RPGN은 immune-mediated proliferative GN의 한 spectrum 임
  - sudden large Ag load에 대한 급성 면역반응 → acute nephritic syndrome
  - 감작된 환자에서 small Ag load에 대한 subacute 면역반응 → RPGN

2. 원인 / 감별진단

Acute nephritic syndrome (glomerulonephritis)의 원인
Infectious diseases (Postinfectious GN) : m/c
Postsreptococcal GN (PSGN)
Non-streptococcal postinfectious GN
1. Bacterial : subacutre bacterial endocarditis (SBE), syphilis, leprosy, shunt nephritis, pneumococcal pneumonia, typhoid fever, meningococcemia, leptospirosis
2. Viral : HIV, HBV, HCV, infectious mononucleosis, mumps, measles, varicella, vaccinia, echovirus, and coxsackievirus
3. Parasitic : malaria (*P. falciparum*), schistosomiasis, toxoplasmosis
Primary glomerular diseases
IgA nephropathy, MPGN, idiopathic crescentic GN, "pure" mesangial proliferative GN
Multisystem diseases
SLE (lupus nephritis), vasculitis, cryoglobulinemia, HS purpura, Goodpasture's disease
Miscellaneous
Guillain-Barré sydnrome, Wilms's tumor, DTP 백신, serum sickness

* MCD, MGN, diabetic nephropathy, amyloidosis 등은 nephritic syndrome 양상을 거의 안 보임

(1) Renal biopsy … gold standard

① granular deposits → immune complex GN (m/c)
② GBM을 따라 linear deposits → anti-GBM dz.
③ Ig 침착이 없거나 소량 → pauci-immune GN : 대개 ANCA (+)

(2) Serologic markers

① serum C3 level (정상 : 83~177 mg/dL)

Glomerulopathy에서 혈중 complement level ★

감소	정상
Postinfectious GN (PSGN) Idiopathic RPGN Idiopathic MPGN Lupus nephritis Cryoglobulinemia Subacute bacterial endocarditis Visceral abscess Shunt nephritis	IgA nephropathy, HS purpura Membranous nephropathy (MGN) Minimal change NS (MCD) FSGS Anti-GBM disease Pauci-immune RPGN Polyarteritis nodosa Wegener's granulomatosis

② anti-GBM Ab titer

③ ANCA titier

3. 연쇄구균감염후 사구체신염 / 사슬알균감염후 토리콩팥염 (Poststreptococcal glomerulonephritis, PSGN)

(1) 개요

- postinfectious GN (acute endocapillary proliferative GN)의 prototype!
- 전세계적으로 소아 acute nephritis의 m/c 원인 (선진국에선 드묾)
- 후진국에서는 소아(2~14세)에서 호발하지만 어느 연령에서나 발생 가능, 남>여
- 발생↑ ; 고령(>60세), 소아(5~12세), 가족/동거인

(2) 원인

- group A (β-hemolytic) streptococci의 nephritogenic strain의 인후/피부 감염
  (인후염 → M types 1, 2, 3, 4, 12, 25, 49 / 피부감염 → M types 2, 47, 49, 55, 57, 60)
  - 신손상 기전 : immune complex와 complement의 사구체 침착
  - nephritogenic Ag ; nephritis-associated plasmin receptor (NAPlr), streptococcal pyrogenic exotoxin B (SPEB) & zymogen SPEB (zSPEB) 등 → alternate complement pathway 활성화
    ↳ subepithelial hump에서도 발견됨, chemotactic cytokines 생산 자극
- 잠복기 (감염 → 혈뇨 발생) : 인후염 6~10일 (1~3주), 피부감염(impetigo) 2~6주
  (↔ IgA nephropathy : 3~4일)
- 감염 후 1~33%에서 발생

* URI와 관련되어 나타나는 hematuria의 원인
- PSGN ; ASO 양성, complement↓
- IgA nephropathy ; URI와 동시에 hematuria, IgA↑(1/2에서), complement 정상
- MPGN ; complement↓
- acute interstitial nephritis ; 약 복용 2주후 발생, 미열, 피부발진 등의 allergic Sx., eosinophilia

(3) 임상양상

- acute nephritis syndrome ; oliguric AKI (대부분 mild), 심한 경우엔 RPGN 양상도 보임
- 갑자기 발생한 gross hematuria (콜라색 소변), pyuria, proteinuria
- 체액저류에 의한 edema (눈 주위에 현저), HTN (50~90%에서, 정도는 다양)
- encephalopathy (두통, 경련), anorexia, N/V, malaise ...
- renal capsule swelling → flank or back pain
- U/A ; sub-nephrotic proteinuria, RBC↑, RBC cast, WBC ...
  (소아의 5%와 성인의 20%에서는 nephrotic-range proteinuria 동반)
- rheumatic fever가 같이 동반되는 경우는 매우 드묾

(4) 진단 : 다음 3가지 중 2개 이상 ★

① **throat or skin lesion의 배양검사** (10~70%에서 양성)
: nephritogenic M-protein type의 group A (β-hemolytic) streptococci 발견

② **Streptococcal exoenzymes에 대한 Ab.** (1개 이상 양성)
- ASO (anti-streptolysin O) : 30%에서 ↑
  - pharyngeal infection에서 특징적으로 발견 (skin infection시는 드묾)
  - >200 todd titer (수개월간 지속)
- anti-DNAse B (anti-deoxyribonuclease B) Ab : 70%에서 ↑
- AHase (anti-hyaluronidase) : 40%에서 ↑
- ASKase (anti-streptokinase)
- anti-NAD (anti-nicotinamide-adenine dinucleotidase)

* NALPr or SPEB/zSPEB에 대한 Ab.가 가장 좋지만, 아직은 연구용 차원
* 항생제의 조기 사용은 이들 Ab. 형성을 방해하고, 배양검사를 음성으로 만들 수 있음

③ **complement (C3, CH_{50})의 일시적인 감소** (8주 내에 정상화), C4는 정상
- 8주 이상 지속되면 ⇨ MPGN, endocarditis, sepsis, SLE, atheromatous emboli 등 의심
- **정상치 ; C3 83~177 mg/dL, C4 16~47 mg/dL**

(5) 병리소견

[대개는 진단을 위해 신장 조직검사는 필요 없음 (특히 소아는)
biopsy Ix ; NS 동반, GFR <50%, 지속적 sCr↑, 급성기에 C3 정상, 8주 이후에도 C3↓ or HTN 지속(→ MPGN 의심), 반복적 혈뇨(→ IgAN 의심) 등

① LM : diffuse proliferative (exudative) GN (glomerular capillaries 안의 neutrophils 침윤)
② IF : peripheral capillary loops와 mesangium에 IgG와 C3의 diffuse granular deposition
→ "starry sky" appearance (IgG는 일찍 소실되므로, C3만이 남아있는 경우가 많다)
③ EM : <u>subepithelial</u> (主), subendothelial, mesangial dense deposits ("<u>humps</u>")
↳ 매우 특징적 (PSGN에서만 나타남!) (↳ IC가 뭉친 큰덩어리)

c.f.) 세포 증식을 보이는 사구체 질환 ; IgAN, MPGN, PSGN, RPGN, lupus nephritis 등

(6) 치료 : supportive

- 안정, 수분 및 염분 제한, azotemia시엔 단백질도 약간 제한
- loop diuretics (→ 혈압/부종 감소), 항고혈압제 / 드물지만 AKI로 인해 투석이 필요할 수도 있음
- 면역억제치료(e.g., steroid, cytotoxic drugs): 효과 없음
  (nephrotic-range 이상의 proteinuria시는 steroid 쓰면 도움)
- 항생제치료 (penicillin or erythromycin) : 환자 및 동거인 모두에게 시행, 조기에 시행할수록 GN의 발생/전파 예방 및 severity 감소에 도움 (불확실함)

(7) 경과 및 예후

- 대부분 자연 치유됨 (특히 소아) ; 감염의 호전과 동시에 회복 시작, 1주 이내에 이뇨 시작, edema/HTN 호전, 3~4주 이내에 혈청 Cr 정상화, 혈뇨는 6개월 이내에 소실
- 재발은 드물다
- 성인의 약 20% 이상은 1년 뒤에도 proteinuria and/or GFR↓ 지속 (5%는 RPGN 발생 위험)
  → 지속적인 F/U 필요

4. Endocarditis 관련 신질환

① immune complex GN (endocarditis-associated GN)
- 특징적으로 subacute bacterial endocarditis (SBE) 이후에 발생 가능
- complement↓, IC (90%), RF (10~70%)
- subcapsular hemorrhages에 의해 신장이 얼룩(flea-bitten) 모양
- endocarditis가 치유되면 사구체 병변도 따라서 소실됨 (예후 좋다)

② embolic renal infarction

③ septic abscess

④ ATN (∵ septicemia, drug therapy)

⑤ DIC

⑥ antibiotic-induced interstitial nephritis

5. IgA nephropathy

- m/c primary GN → 앞부분 참조
- 급성 신염(acute nephritic syndrome)보다는 무증상 소변 이상(AUA)으로 주로 나타남

급속진행 사구체신염(토리콩팥염)/반월형 사구체신염 (Rapidly progressive GN [RPGN], Crescentic GN)

1. 정의/임상양상

- 며칠 ~ 몇 달 사이에 급격하게 신기능이 악화되는(sCr↑, 핍뇨/무뇨) 사구체 질환을 통칭하며, 병리학적으로는 extensive crescent formation이 특징임, 치료 안하면 대부분 ESRD로 진행
- 피로/부종 같은 비특이적 증상으로 서서히 시작 or 갑자기 severe acute nephritic Sx. 발생
- 발병 전 감기 비슷한 (flu-like) Sx.을 동반할 수도 있음 → acute oliguria, nephritic Sx.
- anti-GBM Ab dz.의 경우 acute nephritic syndrome은 드묾
- U/A 이상 ; dysmorphic RBC, RBC cast, sub-nephrotic proteinuria

2. 분류/원인

병리학적 분류	임상양상		혈청학적 검사			면역형광 현미경 pattern	원인(감별진단) ★
	RPGN	Acute nephritis	C3	anti-GBM	ANCA		
Anti-GBM Ab dz.	<10%	<1%	N	+	–	Linear Ig & C3 침착	**Goodpasture's syndrome** Idiopathic Anti-GBM nephritis MGN (드묾)
Immune complex -mediated dz.	~45%	>70%	⇩	–	–	Granular Ig & C3 침착	Idiopathic proliferative GN, idiopathic crescentic GN, MPGN **Postinfectious GN** (ASO, DNAse) **Lupus nephritis** (ANA, anti-dsDNA) Cryoglobulinemia (cryocrit, HCV) Bacterial endocarditis (echo, culture) Shunt nephritis (Hx, blood culture)
			N	–	–	Granular Ig & C3 침착	**IgA nephropathy**, HS purpura Fibrillary GN Visceral abscess
Pauci-immune dz.	~45%	<30%	N	–	+	Ig/C3 침착 없거나 드묾	Granulomatosis & angiitis (Wegener's) Churg-Strauss syndrome Microscopic polyangiitis (MPA) Renal-limited idiopathic crescentic GN Drugs*
기타			N	–	–	Ig/C3 침착 없거나 드묾	Malignant HTN, HUS/TTP Interstitial nephritis Scleroderma crisis, Toxemia Atheroemboli (일시적으로 C3↓)

* Propylthiouracil, hydralazine, allopurinol, penicillamine, minocycline, rifampicin, levamisole 등

- anti-GBM dz. 환자의 약 20%는 ANCA (+) → good Px.
- MPGN, fibrillary GN or IgA nephropathy 등은 nephritic syndrome이나 RPGN을 합병하는 경우는 드물고, 대개 NS or asymptomatic hematuria를 나타냄
- Vascular injury 동반 ; ANCA(+) vasculitis, HS purpura, cryoglobulinemia, amyloidosis, malignant HTN, scleroderma (progressive systemic sclerosis), HUS/TTP, sickle cell nephropathy 등

- ANCA : pauci-immune GN (e.g., idiopathic RPGN type Ⅲ)의 70~80%에서 (+)
  - anti-proteinase 3 (PR3) ; granulomatosis with polyangiitis (Wegener's)에서 주로 (+)
  - anti-MPO ; microscopic polyangiitis, Churg-Strauss syndrome, drugs에서 주로 (+)
- primary (or idiopathic) RPGN with crescentic GN : 원인을 모르는 immune complex dz. (드묾) or ANCA-negative pauci-immune dz. (<5%)

3. 진단

- 병리소견 … 치료/예후는 원인 질환에 따르므로, 반드시 조기에 renal biopsy 시행
  ① LM : extensive extracapillary proliferation (crescentic GN)
    - Bowman's space 내의 반월형 crescent (전체 사구체의 50% 이상 침범)
    - glomerular capillary wall의 심한 손상 → 손상된 틈으로 혈장과 세포 누출 → 응고 활성화, 염증반응(e.g., IL-1, TNF-α) → Bowman's space가 세포들로 꽉 참
  ② EM : GBM의 disruption
- IC-mediated idiopathic RPGN : C3 감소
- ANCA, anti-GBM Ab → 감별진단에 도움

4. 치료

- 빠른 진단 & 즉각적인 치료가 필수, 원인이 진단되면 원인에 따라 치료
- induction therapy ; steroid (e.g., methylprednisolone "pulses") + cytotoxic agents (e.g., cyclophosphamide, rituximab) ± plasmapheresis
- intensive plasmapheresis ; 특히 anti-GBM Ab dz. (e.g., Goodpasture's dz.)에서 효과적
- anticoagulants (heparin, warfarin) 및 antithrombotic agents (dipyridamole, sulfinpyrazone)
- 대부분 dialysis 필요 (약 1/2에서 발생 6개월 이내에 hemodialysis 필요)
- ESRD ⇨ 신장이식 (이식 뒤 재발도 가능하지만, 전반적인 이식 성적은 다른 질환들과 비슷함)

5. 예후

- 자연치유는 드물며, 치료 안하면 수주~수개월 이내에 비가역적인 ESRD로 진행
- 예후가 나쁜 경우
  ① oliguria나 심한 GFR 감소 (<5 mL/min)
  ② 혈청 creatinine level >6 mg/dL
  ③ 사구체의 85% 이상에서 crescent 형성, fibrous crescent
  ④ anti-GBM Ab dz., 심한 폐 침범 동반
  ⑤ idiopathic, ESR↑↑, 고령
- 전신질환에 수반되어 나타난 경우나 세균 감염 이후에 발생한 경우는 비교적 좋은 예후를 보임

만성 사구체신염/토리콩팥염 (Chronic glomerulonephritis)

1. 개요

- 정의 : 사구체질환이 지속적으로 악화되어 신기능 감소(GFR↓) → ESRD로 진행되는 것을 총칭
  - 모든 사구체질환이 chronic GN으로 진행 가능 (예외 ; uncomplicated MCD, TBM dz.)
  - ESRD의 3rd m/c 원인
- 환자의 약 1/3에서는 GN의 병력이 뚜렷하지 않다
- 임상양상
  ① 우연히 U/A의 이상 (혈뇨, 단백뇨)이 관찰되어 발견
  ② 신기능 이상(sCr↑) 또는 anemia or HTN 같은 신기능 장애 증세들이 서서히 진행되어 발견
  ③ 신기능을 악화시킬 수 있는 infection, drugs 복용 등에 의해 갑작스럽게 신기능이 악화되어 발견

2. 검사소견

- U/A ; 단백뇨, 혈뇨, 적혈구원주, broad cast 등
- 단백뇨의 정도는 NS보다는 경하고, GFR이 감소할수록 단백뇨는 줄어듦
- abdominal US : 양측 신장의 symmetrical contraction
- X-ray : 정상 pelvocalyceal system의 유지
- 2ndary HTN에 의한 신혈관계의 AS 소견 흔하다
- tubulointerstitial inflammation & scarring (→ poor Px.)
- renal biopsy
  - proliferative, membranous, sclerosing 등의 다양한 조합, 다양한 정도의 glomerular scarring
  - cortical tubular atrophy, interstitial fibrosis, interstitial 염증세포 침윤, arteriosclerosis 동반
  - 이미 진행이 많이 되어 원발성 질환을 알 수 없는 경우가 많음 (신장 크기도 작아짐)
  - 치료방향 결정보다는 예후를 알기 위해 시행

3. 치료

- 철저한 혈압조절 (ACEi or ARB)
- 보존적 치료 ; protein 제한, 이뇨제, EPO 등
- 원발성 질환에 따른 특별한 치료가 있는 것은 아님

8
전신질환과 관련된 사구체질환

IMMUNE-MEDIATED MULTISYSTEM DISEASES

1. Lupus nephritis (LN) … SLE의 신장 침범

(1) 개요

- SLE 환자의 60%(성인)~80%(소아)에서 신장 침범 발생, 30~50%는 SLE 진단시에 신장 증상 동반
- 무증상 U/A 이상 ~ nephritic or nephrotic syndrome, CKD까지 다양, 8~15%는 ESRD로 진행
- 발병기전
  ① circulating immune complex [핵 항원 & 자가항체 (주로 DNA & anti-dsDNA)]
  → mesangium 및 subendothelial space에 침착 → complement 활성화, 염증세포 침윤, 응고인자 활성화, cytokines 분비 등 → 사구체 손상
  * 일부에서는 핵 항원(특히 necrotic nucleosomes)이 먼저 subepithelial space에 침착한 뒤 immune complex가 형성되기도 함(in situ IC)
  ② 기타 기전 ; 일부는 antiphospholipid Ab에 의한 thrombotic microangiopathy (TMA, 30%) or ANCA (→ RPGN 양상, 11%)도 관여 가능

(2) 임상양상/진단

- proteinuria (100%), hematuria (80%, 대부분 microscopic), HTN (15~50%)
  ↳ nephrotic syndrome (45~65%) : class Ⅳ, Ⅴ에서 호발
- 신기능 저하 (40~80%), RPGN (10~20%), AKI (1~2%), hyperkalemia (15%) ...
- active urine sediments ; RBC casts (10%), cellular casts (30%) ...
- tubulointerstitial changes (e.g., 염증세포의 침윤, tubular atrophy, interstitial fibrosis)
  : class Ⅲ, Ⅳ에서 가장 심함 (특히 장기간 이환된 환자에서)
- serologic markers → dz. activity를 반영
  ; <u>anti-dsDNA↑</u>, <u>C3↓, C4↓</u>, circulating IC, ESR↑, CRP↑
  (ANA titer는 치료 후 감소하기도 하지만, dz. activity와는 관련 없다!)
- renal dz. activity의 markers ; GFR (serum Cr), proteinuria, urine sediments
- Ⅱ~Ⅴ는 다른 class로의 전환이 흔함 (치료하면 낮은 class로도 가능 → biopsy F/U 등 필요)
  - class Ⅱ, Ⅴ : SLE의 다른 증상보다 먼저 발생할 수도
  - class Ⅲ, Ⅳ : 대개 다른 증상이 나타난 이후에 발생
- atherosclerotic Cx ⬆ ; MI 위험 10~15배 증가 (젊은 여성이 더 위험), CKD에 의해 위험 더↑

- 임상적으로 (SLE 환자에서 proteinuria, hematuria, active urine sediments 발생) 쉽게 LN을 진단할 수 있지만, 확진 및 치료방침 결정을 위해서는 renal biopsy 필요
- renal biopsy의 적응 (∵ severe nephritis 위험)
  ; 지속적인 UA 이상(e.g., active urinary sediment, hematuria, pyuria), 단백뇨 >500 mg/day, 혈청 Cr의 빠른 상승, active serology (anti-dsDNA titer↑, complement↓)

Lupus nephritis (LN)의 분류 … renal biopsy
(ISN/RPS [International Society of Nephrology/Renal Pathology Society], 2004)

Class	임상양상	치료
Ⅰ. Mimimal mesangial LN : LM은 정상, IF에서 mesangial immune deposits	대부분 무증상	필요 없음
Ⅱ. Mesangial proliferative LN : mesangial hypercellularity (proliferation), mesangial matrix 확대, mesangial immune deposits	Active serology (±) Inactive urinary sediment Mild proteinuria (<1 g/day) 혈압 및 신기능 정상	LN 치료는 필요 없음! 신장 외 증상의 조절
Ⅲ. Focal LN (사구체의 50% 미만 침범) A (active lesions) : focal proliferative LN A/C (active & chronic lesions) : focal proliferative & sclerosing LN C (chronic inactive lesions + glomerular scars) : focal sclerosing LN	Active serology (+) Active urinary sediment Proteinuria 증가 (≥1 g/day, 25~33%는 nephrotic-range) HTN 흔함, 다양한 경과 일부는 class Ⅳ로 진행	Active lesion만 치료 - mild ⇨ steroid - severe ⇨ class Ⅳ 와 같이 치료
Ⅳ. Diffuse LN (사구체의 50% 이상 침범) A : diffuse S or G proliferative LN A/C : diffuse S or G proliferative & sclerosing LN C : diffuse S or G sclerosing LN [S or G ; segmental or global]	Active serology (++) 더 심한 신장 침범 Active sediment, HTN Heavy proteinuria (NS 흔함) 신부전(GFR↓) 흔함 <u>예후 가장 나쁨</u> (~30% ESRD로 진행)	Steroid + 면역억제제 (cyclophosphamide or MMF) ACEi/ARB 등
Ⅴ. Membranous LN (diffuse LN보다는 예후 좋음!) : GBM의 광범위한 비후, diffuse subepithelial immune deposits * class Ⅲ/Ⅳ lesions과 공존 가능 (mixed membranous & proliferative dz.)	Active serology (±) Heavy (~mild) proteinuria (NS 흔함) Idiopathic MGN 비슷 ; 50% 자연관해, RVT 등의 <u>thrombosis</u> 흔함 HTN 및 신부전은 일부에서만 동반	Steroid ± 면역억제제 <u>CNI</u> (cyclosporine) 등 ACEi/ARB 등
Ⅵ. Advanced sclerotic LN : 90% 이상의 사구체에서 global sclerosis (오랜 시간 class Ⅲ~Ⅴ가 완화/악화를 반복한 결과)	HTN이 흔하고, 심한 신기능 감소 or ESRD + interstitial fibrosis Inactive urinary sediment	약물치료에 반응 없음 투석(HD) or 신장이식

Lupus nephritis의 조직소견에 따른 임상소견 및 예후

Class	Urinary Sediment Active (%)	Proteinuria (%)	Nephrotic syndrome (%)	Renal Insufficiency (%)	Prognosis: 5YSR (%)
Ⅰ. Normal	0	0	0	0	100
Ⅱ. Mesangial proliferative	<25	25~50	0	<15	>90
Ⅲ. Focal proliferative	50	67	25~33	25	85~90
Ⅳ. Diffuse proliferative	75	>95	>50	>50	60~90
Ⅴ. Membranous	50	>95	60	10	70~90

(3) 치료

- 대개 신 조직 소견(class)을 통해 치료와 예후를 결정
- class Ⅰ, Ⅱ ; 신장 외 증상의 조절이 목표 (→ 예후 좋다)
- **class Ⅲ, Ⅳ (proliferative LN)** ⇨ 면역억제치료
  - induction ; steroid + cyclophosphamide (or MMF) 2~6개월
  - maintenance ; low-dose steroid + MMF (or azathioprine) (∵ induction만 하면 재발↑)
  - 혈압, Cr 정상, subnephrotic proteinuria, necrotizing lesion 無 경우만 steroid 단독 가능
  - CR (신기능 거의 정상, proteinuria ≤0.33 g/day) 되면 예후 매우 좋음 (장기 생존율↑)
- resistant proliferative LN ⇨ MMF or cyclophosphamide 안 썼으면 서로 대치해 steroid와 병합
  - cyclophosphamide/MMF 모두 실패하면 ⇨ rituximab, CNIs (e.g., tacrolimus, cyclosporine, or voclosporin), CTLA4-Ig (abatacept, Orencia®), IVIG 등 고려 or 병합요법
- relapsing proliferative LN
  - mild LN (e.g., 신기능 거의 정상) ⇨ maintenance 안 했으면 시작하거나, 용량 증량
  - moderate~severe LN (active UA, proteinuria↑) ⇨ MMF, cyclophosphamide, rituximab 등
- **class Ⅴ (membranous LN)** ; 경과, 예후, 치료가 다양함
  - subnephrotic proteinuria & GFR 보존 ⇨ steroid or low-dose cyclosporine
  - NS ⇨ steroid + CNI [e.g., cyclosporine] (or MMF, cyclophosphamide, azathioprine)
  - diffuse proliferative LN (classs Ⅳ) 동반시 (poor Px) ⇨ 더 강력한 면역억제치료 필요
- proteinuria (>1 g/day) ⇨ ACEi/ARB, 철저한 혈압조절, 고지혈증조절 등 (∵ 심혈관 위험↑)
- plasmapheresis : 신장 생존율에는 도움 안 됨
- antiphospholipid Ab에 의한 TMA → anticoagulation (INR 3.0 유지), AKI시엔 plasmapheresis
- 치료 중 열이 나면 대개 감염이 원인임

(4) 예후

- 예후가 나쁜 경우 ; 진단시 sCr↑ (>2.4 mg/dL, m/i), heavy proteinuria, HTN, nephritic Sx., severe anemia, thrombocytopenia, hypocomplemententemia, anti-dsDNA↑, 젊음(<24세), 남성, 흑인, 낮은 사회경제적지위, 조직소견(active or chronic lesions) 등

LN의 activity & chronicity index

Active lesions (가역적)	Chronic lesions (비가역적) ★
Endocapillary proliferation	Extensive glomerulosclerosis
Leukocyte infiltration	Interstitial fibrosis
Fibrinoid necrosis, Karyorrhexis	Fibrous crescents
Hyaline thrombi, wire loops	Tubular atrophy
Cellular crescents	
Interstitial inflammation	

▷ acitve or chronic lesions이 많을수록 예후 나쁨 (신부전으로 진행↑)

- 치료에 대한 반응 및 재발의 예측
  ① active urine sediment (RBC/WBC cast)
  ② proteinuria
  ③ GFR (serum Cr)
  ④ serum complement
  ⑤ anti-dsDNA titer

- serologic markers가 치료 중에 정상화되면 좋은 예후를 의미하나, 지속적으로 비정상이라도 반드시 renal dz.의 나쁜 예후를 의미하지는 않음 (특히 active extrarenal manifestation 시에)
- 치료해도 lupus nephritis의 8~15%는 ESRD로 진행함
  - 일반적으로 신부전 상태에 도달하면 extrarenal activity (serologic markers)가 소실되기도 함 (∵ uremia에 의한 면역억제 효과)
  - 신이식 : 대개 inactive dz. 약 6개월 유지 이후 시행, 이식 후 재발은 매우 드묾!
- 사인 ; 심혈관질환 (m/c), 감염 등

* 임신시 : 50% 이상에서 SLE (lupus nephritis) 악화됨, inactive 해질 때까지는 피임 권장
  - 임신 전부터 치료 중인 경우 → cyclophosphamide, MMF, rituximab, ACEi/ARB는 금기
  - steroid, CNIs, azathioprine은 주의하면서 사용 가능

일부 multisystemic diseases의 serologic findings

Disease	C3	C4	FANA	Anti-dsDNA	Anti-GBM	ANCA	Cryo-Ig	circulating IC
SLE	↓↓	↓↓	+++	++	-	±	++	+++
Goodpasture's disease	-	-	-	-	+++	+	-	±
HS purpura	-	-	-	-	-	-	±	++
Polyarteritis	↓↑	↓↑	+	±	+	+++	++	+++
Wegener's granulomatosis	↓↑	-	-	-	-	+++	±	++
Cryoimmunoglobulinemia	↓	↓↓↓	-	-	-	-	+++	++
Multiple myeloma	-	-	-	-	-	-	±	-
Waldenström's macroglobulinemia	-	-	-	-	-	-	-	-
Amyloidosis	-	-	-	-	-	-	-	-

2. Rheumatoid arthritis

- RA에 의한 신장의 직접 침범은 드묾 ; MGN, MesPGN, crescentic GN (rheumatoid vasculitis) 등
- 사구체 손상은 대개 이차적인 원인으로 발생 (특히 RA 치료약물)
  ① secondary (AA) amyloidosis (10~20%)
    - 이중 3~10%에서 NS, 신부전 발생
    - 호발 요인 ; 장기간 이환 (>10년), RF (+), destructive arthropathy
  ② RA 치료 약물들에 의한 사구체 질환

Gold → MGN, MCD, acute tubular necrosis
Penicillamine → MGN, crescentic GN, MCD
NSAIDs → acute tubulointerstitial nephritis (TIN), MCD, ATN
Cyclosporine → chronic vasculopathy, TIN
Azathioprine/6-MP → TIN
Pamidronate → FSGS
TNF-α inhibitors → lupus nephritis 비슷한 양상
Analgesics → renal papillary necrosis

3. 혼합 한랭글로불린혈증 증후군(mixed cryoglobulinemia syndrome, MCS)

(1) 개요/원인

- cryoglobulin : 저온(<37℃)에서 침전이 되고, 온도가 오르면 용해되는 immunoglobulins (Igs)

종류	%	Immunoglobulins: Monoclonal	Immunoglobulins: Polyclonal	기저 질환 (원인)
type Ⅰ	10~15	IgM, IgG, or IgA		Waldenström's macroglobulinemia, Myeloma, MGUS
type Ⅱ	50~60	IgM (mixed)	IgG (mixed)	감염(주로 HCV), Lymphoproliferative dz., 자가면역질환
type Ⅲ	30~40	(mixed)	IgM & IgG (mixed)	Sjögren, SLE, RA 등의 자가면역질환, 감염(주로 HCV)

- 드물게 원인을 모르면 idiopathic MCS (과거 essential mixed cryoglobulinemia[EMC])
- cryoglobulinemia : 혈중 cryoglobulin이 여러 장기를 침범하여 다양한 증상을 나타내는 것 (≒ cryoglobulinemic vasculitis or cryoglobulinemia syndrome).

- 병태생리 : 특정 Ag (e.g., HCV)에 대한 Ab가 형성되고, 이 Ab에 대한 anti-idiotypic Ab 형성
  → 이들 Abs (± Ag, complement) 혼합물(immune complex)이 cryoglobulins을 구성함
- MCS의 대부분은 chronic HCV infection을 동반 (만성 C형 간염의 약 5%에서 MCS 발생)
  ↳ 주로 type Ⅱ, 일부는 type Ⅲ와 관련

(2) 임상양상

- 간비종대, 말초신경염, palpable purpura (주로 하지에), 관절염, Raynaud 현상 등
- 신장 침범 (glomerulonephritis) : 10~30%에서 1~2년 뒤에 발생
  - type Ⅱ, Ⅲ에서 흔함, 50대 이상 여성에서 호발
  - nephrotic-range proteinuria, microscopic hematuria, HTN
  - acute nephritic syndrome (20~30%), oliguric AKI (약 5%)

(3) 검사소견

- serum cryoglobulin (+), RF (+, 대개 high titer)
- complement (C1q, C3, C4, CH_{50}) 감소 : 90%에서 (C4↓ → dz. activity marker!)
- ANA : speckled pattern (+), 일부에서 일시적으로 나타날 수 있음
- ESR↑, CRP↑, anemia, LFT 이상 (50%), EP/IFE에서 M band (+), HCV 등의 virus (+) ...

(4) 병리소견

- 피부 생검 : hypersensitivity vasculitis와 유사
- 신조직 소견 (확진)
  ① LM : diffuse mesangial proliferation or membranoproliferative GN
  ② IF : IgG, IgM, C3 등의 granular deposition
  ③ EM : glomerular capillary 내의 cryoglobulin 침착 (pseudothrombi)

(5) 치료/예후

- 원인질환의 치료 ; HCV (+) → direct acting antivirals[DAA] (e.g., Ledipasvir/Sofosbuvir)
- steroid, cytotoxic agents, plasmapheresis 등의 효과는 불분명
- 일반적으로 예후 및 신장 생존율은 양호한 편 (10YSR 75%), 약 15%는 ESRD로 진행, 약 40%는 나중에 심혈관질환, 감염, 간부전 등 발생 가능

4. Goodpasture's syndrome (anti-GBM Ab dz.)

(1) 개요

- anti-GBM Ab dz. : 사구체 및 폐포 basement membrane의 type Ⅳ collagen의 α3 noncollagenous (NC1) domain [α3(Ⅳ)NC1]에 대한 autoAb (주로 IgG)에 의한 자가면역질환
  c.f.) α345 NC1 hexamer : α3NC1, α4NC1, α5NC1 등의 subunits으로 구성
  → 해리 & 4차 구조의 작은 변화가 생기면 α3NC1과 α5NC1이 노출되어 epitopes가 됨 (e.g., infection, smoking, oxidants, solvents 등에 의해)
  → T cells이 인식하여 α3-IgG(가장 강력)와 α5-IgG autoAb 생성
- anti-GBM nephritis + pulmonary hemorrhage (50~70%) = "Goodpasture's dz./syndrome"
- 신질환은 RPGN (crescentic GN)의 양상 (acute nephritic syndrome은 드묾)
- predisposing factors
  ① 유전요인 ; HLA-DR15 (DRB1*1501)와 DR4에서 발생↑ (DR1, DR7은 발생↓)
  ② 환경요인 ; 시공간적으로 발생이 증가된 보고가 있지만 명확히 원인은 모름
- precipitating factors

자가면역(anti-GBM Ab)	폐 출혈
사구체를 침범하는 systemic small-vessel vasculitis Membranous nephropathy (MN) 신장 결석의 lithotripsy, Urinary obstruction Multiple sclerosis에 대한 alemtuzumab 치료	흡연 Hydrocarbon 호흡기 감염 (원인균은 명확하지 않음) Fluid overload

- 발생(bimodal peak) … 드묾 (백인에서 주로 발생)
  - 젊은 남자에서 호발 (10~30세, 남:여 = 6:1) ; 심한 Goodpasture's syndrome으로 발현
  - 50대 이후 (남:여 = 1:1) ; 주로 isolated GN로 발현 (폐출혈은 드묾)

(2) 임상양상

- 신장 침범 ; hematuria, nephritic urinary sediment, subnephrotic proteinuria, RPGN
- 폐 출혈 (40~60%) : 젊은 흡연자에서 호발, 대개 GN보다 수주~수개월 선행
  - cough, dyspnea, bloody sputum, hemoptysis (→ IDA 동반도 흔함)
  - CXR에서 bilateral hilar & basilar infiltrates, diffusing capacity (DL_{CO})↑↑
  - putum stain : iron을 함유한 macrophages 관찰 가능
  - 증상이 없어 신장 침범이 오래 진행된 (대개 oliguria로 발견) 고령 환자군보다 예후 좋음
- HTN은 드묾 (<20%)

(3) 진단/검사소견

- serologic marker
  ① anti-GBM Ab (collagen Ⅳ의 α3 NC1 domain에 대한) : 90% 이상에서 양성, 예후와 관련
  ② complement : 정상

> ANCA : 10~15%에서 양성 (double-positive), 대개 p-ANCA (anti-MPO), low titer
> (c.f., c-ANCA → extraglomerular renal vasculitis 동반을 의미)
> - vasculitis-associated variant, 임상양상은 vasculitis에 더 가까움 (e.g., rash, arthralgias)
> - anti-GBM Ab titer는 anti-GBM Ab only(+) 환자보다 낮음
> - 과거에는 anti-GBM Ab only(+) 환자보다 치료에 대한 반응이 좋아 예후가 좋다고 봤으나, 전체적인 예후는 비슷함 (신기능 회복 가능성은 더 높지만 재발은 더 흔함→ 유지치료 중요)

- renal biopsy … gold standard (Goodpasture's syndrome 의심시 즉시 시행!)
  - ① LM : focal/segmental necrosis → diffuse proliferative GN (crescentic GN)
    → interstitial nephritis + fibrosis, tubular atrophy로 진행
  - ② IF : anti-GBM Ab (IgG, 드물게 IgA)의 linear ribbon-like deposition
    (70%에서는 C3도 같은 모양으로 분포)
  - ③ EM : nonspecific inflammation (immune deposits은 無)
- lung biopsy ; alveolar hemorrahge, alveolar septum 파괴, hemosiderin-laden macrophages, alveolar capillary basement membranes을 따라 linear IgG 침착

(4) 치료/예후

- 치명적이고 신장소실 위험이 높으므로 강력하게 치료함 (2~3개월)
  - emergency plasmapheresis 8~10회 → anti-GBM Ab 제거
  - 면역억제제 : steroid + cyclophosphamide (or rituximab, MMF) → anti-GBM Ab 합성 억제
- Ix ; 폐 출혈 (신장 손상 정도에 관계없이), 응급 투석이 필요 없는 단계의 신장 침범
  - 폐 출혈이 없는 심한 신장 침범(crescents >50%) 환자는 치료 효과가 적고 부작용이 더 큼
  - very acute dz., ANCA(+), or vasculitis 양상의 신장 침범 환자에서는 치료 고려
- 치료 시작 시점이 예후에 매우 중요함!
  - serum Cr ≤5 mg/dL 때 시작하면 1-year renal survival 90%
  - renal failure가 더 진행되었을 때 시작하면 10%
- F/U ; serial anti-GBM Ab titer (Ab 음전이 안 되면 면역억제치료 더 지속)
- 재발은 드물지 않다 (Ab titer 증가로 예측 가능)
- ESRD → 신이식 (but, 재발 위험 → 이식 전 6개월 이상 anti-GBM Ab를 음성으로 유지)
- 예후가 나쁜 경우 (진단시)
  - ① renal biopsy에서 crescents >50%, advanced fibrosis
  - ② serum Cr >5~6 mg/dL
  - ③ oliguria or 응급 투석 필요

■ 폐와 신장을 동시에 침범하는 질환 (pulmonary-renal syndrome)

① Goodpasture's syndrome
② ANCA(+) small-vessel vasculitis ; granulomatosis with polyangiitis (GPA, Wegener's), microscopic polyangiitis (MPA), Churg-Strauss syndrome
③ immune complex-mediated vasculitis ; SLE, HS purpura, cryoglobulinemia
④ pul. edema가 합병된 heart failure
⑤ hypervolemia와 pul. edema가 합병된 renal failure
⑥ pul. embolism을 동반한 renal vein thrombosis
⑦ infection (e.g., Legionaire's disease)

감염과 관련된 사구체질환

1. HBV infection

- membranous nephropathy^MGN (m/c, 소아>성인), MPGN (소아<성인), polyarteritis nodosa (PAN) 등이 흔한 신장 질환 (기타 mesangial proliferative GN, IgA nephropathy, MCS 등)
- 기전 : viral Ag (HBeAg이 m/c)과 Ab가 결합하여 생성된 IC가 사구체에 침착
- 신조직 소견 : idiopathic MGN or MPGN type Ⅰ/Ⅲ와 똑같음
- 대부분 만성 HBV 감염 상태로 mild~moderate serum aminotransferases 상승을 보임
- serum C3 감소, circulating IC 존재가 흔함
- 대개 nephrotic syndrome으로 발현, HTN과 신부전은 드묾
- 소아는 예후 좋지만 (2/3가 자연관해), 성인의 30%는 5년 이내 신부전 발생, 10%는 ESRD로 진행
- 치료 ; HBV에 대한 antiviral therapy (Ix ; serum HBV-DNA or HBeAg 양성)
  - entecavir, tenofovir AF, besifovir 등 (→ proteinuria↓ 및 신기능 안정화)
  - 면역억제치료(e.g., steroid ± cytotoxic agents)는 효과 없음 (∵ virus 증식↑, 간질환 악화)
    c.f.) 일부 RPGN 및 severe PAN은 antiviral therapy + 면역억제치료 ± plasmapheresis가 도움

2. HCV infection

- MCS (mixed cryoglobulinemia syndrome), MGN, MPGN, PAN, IgA nephropathy, FSGS 등의 신장 질환 동반 가능 … MCS의 대부분이 HCV(+)
- 만성 C형 간염 환자의 ~30%에서 신장 이상 동반
  ; nephrotic syndrome, microscopic hematuria, RBC cast ...
- LFT 이상, C3↓, anti-HCV (+), HCV-RNA (+)
- 치료 ; HCV에 대한 antiviral therapy → direct acting antivirals^DAA (e.g., Ledipasvir/Sofosbuvir)
  - steroid, cytotoxic agents, plasmapheresis 등은 별 효과 없음
  - severe & progressive mixed cryoglobulinemia 및 PAN 환자는 면역억제치료 병행

c.f.) liver cirrhosis
- cirrhotic (hepatic) glomerulosclerosis
  ① mesangial matrix의 확대를 동반한 사구체 비후
  ② glomerulosclerosis (국소적인 사구체 경화)
  ③ 사구체내 면역글로불린, 특히 IgA의 침착
- 사구체내 세포의 증식 유무에 따라 proliferative type과 non-proliferative type으로 구분
- 병태생리 ; hemodynamic injury, immune complex injury (특히 IgA)

3. HIV infection

- FSGS (m/c), MPGN, diffuse proliferative GN (DPGN), mesangial proliferative GN, IgA nephropathy, MCD 등을 동반 가능 (HIV 감염자의 약 10%에서 신장 침범 동반)

- HIV-associated nephropathy (HIVAN) ; m/c, HIV 신장 질환의 약 50%
  - 병인 ; 신장 상피세포의 HIV 감염 및 HIV genes 발현 + 숙주요인(e.g., 유전적 소인)
    → *APOL1* risk allele variants를 가진 흑인에서 호발 (HAART의 발달로 감소 추세)
  - biopsy ; collapsing FSGS, 세뇨관 확장, 심한 간질 염증, EM에서 tubuloreticular inclusions
  - heavy nephrotic-range (nonselective) proteinuria, 초음파상 신장 크기는 정상~↑
  - hematuria와 pyuria는 드물게 동반
  - 다른 NS와 다르게 edema, HTN, hyperlipidemia 등은 드묾
  - 신기능이 빠르게 감소하여 수주~수개월 내에 ESRD로 진행
  - Tx ; HAART (triple therapy), ACEi/ARB, steroid, 투석, 신이식 등
    (c.f., HIV+ ESRD 환자 중 기회감염 병력이 없고, CD4 cell 200 이상이면 신이식 뒤 예후 좋음)
- HIV immune complex kidney disease (HIVICK)
  - target Ag ; HIV p24 (capsid), gp120 (envelope)
  - biopsy ; MGN, MPGN, MesPGN, PSGN, IgAN, lupus-like 등과 비슷해 보일 수 있음
  - 조직형에 따라 치료방침 결정, 예후 다양

4. PSGN

→ 앞 장 참조

이상(파라)단백혈증 (Paraproteinemia)

1. Multiple myeloma 등의 monoclonal gammopathies

	Multiple myeloma (MM)	기타 monoclonal Ig deposition dz.
관련 Ig	IgG, IgA, IgD	–
관련 light chain (LC)	κ (65%) or λ (35%)	LCDD : 대부분 κ Amyloidosis : 대부분 λ
serum LC 농도	>500 mg/dL	<500 mg/dL
Proteinuria	<3 g/day	>3 g/day (NS 흔함)
Hematuria	드묾	LCDD 가끔, Amyloidosis 드묾
신기능 장애	흔함	흔함
고혈압	드묾	LCDD 흔함, Amyloidosis 드묾
Hypercalcemia	흔함	–
Lytic bone lesions	매우 흔함	–
Hypogammaglobulinemia	매우 흔함	드묾
Cytopenias	Anemia 흔함, 때때로 leukopenia 및 thrombocytopenia	드묾

• 사구체(→ 주로 NS), 세뇨관(→ 주로 신기능 저하), 간질 등을 모두 침범 할 수 있음
• acute /subacute kidney injury, CKD, proteinuria (NS), 전해질 이상 등 다양한 임상상양
  ↳ MM 진단시 20~40%의 환자에서 신기능 저하 존재
• MM에서 신기능 저하의 원인
  ① hypercalcemia … light chain cast nephropathy와 함께 신기능 감소의 m/c 원인!
  ② hyperuricemia (urate nephropathy)
  ③ tubulointerstitial lesions … m/c pathologic finding
    ; light chain cast nephropathy[LCCN] (distal tubule 침범, "myeloma kidney"),
      light chain proximal tubulopathy (direct toxic injury), Fanconi syndrome 등
  ④ light chain deposition dz. (LCDD) … 신장의 monoclonal Ig deposition diseases 중 m/c
    - 대부분 κ LC의 침착, AL amyloidosis에 비해 세뇨관 침범이 흔함 (→ 진행성 신기능 저하)
    - 60~100%에서 nodular glomerulosclerosis 보임
  ⑤ amyloidosis (10~15%) → Congo red 염색 : amyloid 결절
  ⑥ 기타 ; PN 등의 감염, dehydration, ATN, cryoglobulinemia,
      약물(e.g., NSAIDs, 조영제, bisphosphonate) ...

■ Light chain cast nephropathy (LCCN, myeloma kidney)
• Ig light chains (LC) 생산량이 많은 MM 환자에서 발생 (but, 다른 monoclonal gammopathy에서도 발생 가능)
• 사구체를 통과한 LC (Bence-Jones protein)이 distal tubule에서 Tamm-Horsfall protein과 응집을 형성
  → obstructing tubular casts, giant cell or foreign body 반응 유발 → tubular rupture → interstitial fibrosis
• 유발인자 ; hypovolemia, hypercalcemia, 감염, 신독성약물(e.g., NSAIDs, ACEi/ARB, 조영제)
• 다른 임상양상 및 진단은 MM과 동일 ; serum & urine PEP/IFE, free LC, BM study 등
  - LC는 urine dipstick에서 검출 안 되므로, 단백뇨 양성이지만 urine dipstick 음성이면 강력히 의심
• 치료 ; 유발인자 교정, MM에 대한 치료
  - serum free LC의 제거 (e.g., plasmapheresis, high-cutoff dialysis) : 근거는 부족하지만 시행하는 편임
    → plasmapheresis 등에도 반응 없으면 다른 원인 확인을 위해 renal biopsy 시행

2. 유전분증/아밀로이드증(amyloidosis)

(1) 원인/분류

: 무정형의 섬유성 단백질(amyloid protein/fibril)이 extracellar matrix에 침착되는 병으로,
  침착되는 amyloid fibril의 종류에 따라 여러 types으로 분류 (30가지 이상 有)

① **AL amyloidosis** (과거 primary amyloidosis) : m/c (68%), plasma cell dyscrasia의 일종
  - plasma cells에서 과다 생성된 monoclonal Ig Light chain[LC] (75%가 λ) fragments의 침착
  - 전신에 침착 가능(주로 심장, 신장, 간, 신경, 연조직, GI 등), 40세 이후 고령에서 호발
  - BM에서 plasma cells 증가, EP/IFE에서 monoclonal LC, 10%는 overt myeloma 동반
    ⇨ MM보다는 LC 양이 적기 때문에 EP에서는 50% 미만만 검출, IFE에서는 약 90%,
      serum FLC (free LC) 검사에서는 거의 다 검출 가능
② **AA amyloidosis** (과거 secondary amyloidosis) : 2nd m/c (12%)
  - APR의 일종인 간에서 과다 생성된 SAA (serum amyloid A) protein의 침착 (주로 신장에)
  - 만성 염증 or 감염성 질환 동반 ; rheumatoid arthritis (RA, m/c 40%), juvenile idiopathic
      arthritis (JIA), ankylosing spondylitis (AS), IBD, psoriatic arthritis, familial Mediterranean
      fever (FMF), 만성 염증, 일부 악성 종양 등
  - poor Px ; serum SAA level↑, serum albumin↓, ESRD, 고령

③ ATTR amyloidosis : transthyretin (TTR = prealbumin) 변형 단백질이 침착(주로 심장, 신경)
- hereditary (familial) ; TTR gene의 mutation, familial amyloid polyneuropathy
- acquired (senile) ; wild-type TTR, 대개 65세 이상 남성

④ Aβ_2M amyloidosis : renal failure type (hemodialysis-associated, 투석에서 거르지 못해)
- β_2-microglobulin의 침착 (주로 synovial tissue와 bone에)

(2) 임상양상

- 비특이적 전신증상 ; 피곤, 체중감소 … AL에서 흔함
- 침범된 장기에 따라 다양 ; 심장, 간, 말초신경, 인두, 비장, 신장, 위장관 등
  (→ restrictive cardiomyopathy, hepatomegaly, macroglossia, colitis ...)
- 신장 침범 (70~90%에서) : 주로 GBM, subendothelium, mesangium 등을 침범
  - nephrotic syndrome (heavy proteinuria)
    - AA의 약 90% (→ 약 20%는 ESRD로 진행)
    - AL의 약 50% (→ 약 40~60%는 ESRD로 진행)
  - HTN (20~25%), 1/2 이상에서 진단시 이미 GFR 감소
  - 신장 크기는 정상~약간 증가, 혈뇨는 심하지 않음, active sediments 거의 없음
- 심장(심근) 침범 ; AL 및 ATTR에서 흔함 (AA에서는 매우 드묾)
  → 주로 diastolic dysfunction (RCM, Rt-HF, low CO, 저혈압 등) … 사망의 주원인
- 위장관 침범 ; AL 및 AA에서 흔함, 일부 amyloidosis에서는 hepatomegaly ± splenomegaly
- peripheral neuropathy ; ATTR의 대부분과 AL의 30%에서 발생 (AA에서는 매우 드묾)
- 근골격계 침범 ; 특히 AL에서 macroglossia[큰혀증], 어깨/무릎/손목/손가락의 관절병 발생
- 혈액 이상 ; 출혈 및 응고검사 이상 (∵ factor X deficiency, 간 침범에 의한 응고인자 합성↓)
- 폐 침범 ; tracheobronchial infiltration (→ 기도폐쇄), persistent pleural effusions, nodules 등
- 피부 증상 ; waxy thickening, easy bruising (ecchymoses), subcutaneous nodules/plaques
  (Valsalva maneuver or 경미한 외상에 의해 유발되는 눈 주위 purpura … 일부 AL의 특징)
- 특정한 amyloid 형을 시사하는 소견 ; macroglossia (→ AL 형), scalloped pupil (→ ATTR 형)

(3) 진단

- 조직검사가 필수 (abdominal fat, rectum, skin, gingiva, BM, liver, kidney 등에서)
  ↳ multi-organ 침범시 권장 (침범 장기가 적으면 해당 부위를 검사)
- amyloid fibril의 공통적인 특징
  ① H&E 염색 : 조직 내 균질한 무정형의 분홍색 물질 침착
  ② 편광현미경 : Congo red 염색 후 apple-green[녹황색] birefringence (+) … gold standard
  ③ EM (X-ray) : β-pleated sheet 형성

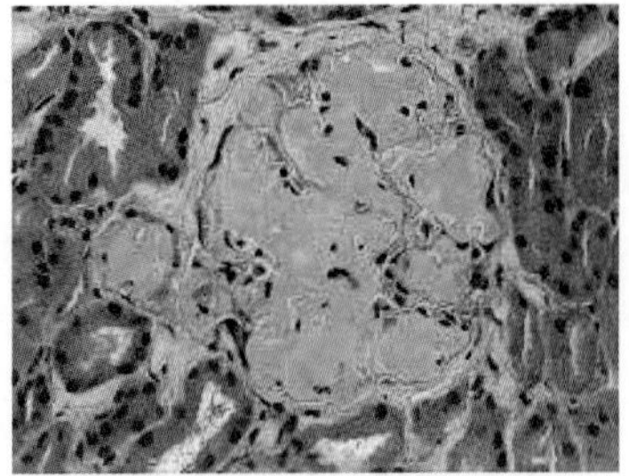
사구체 ; H&E 염색 (amyloid 침착)

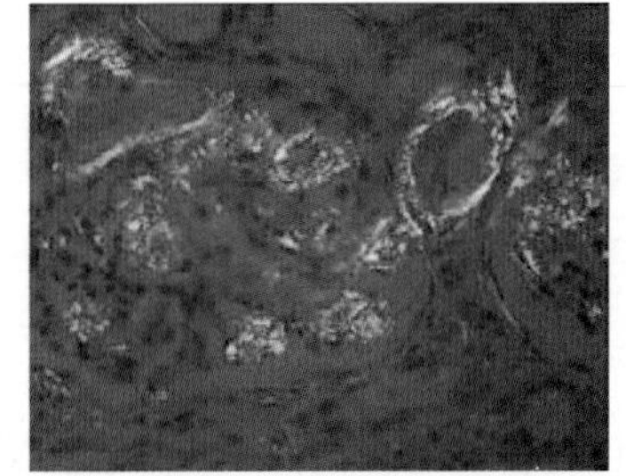
Congo red 염색 (apple-green birefringence)

• amyloid 아형의 진단
  ① 특수염색 ; Congo red (potassium permanganate 처리 후 birefringence 소실되면 AA형)
  ② 면역조직화학염색(IHC) ; fibril typing (민감도는 부족함), AL, AA, ATTR 등 진단에 유용
  ③ EM ; 8~10 nm 폭의 unbranching fibrils (민감도는 높지만, 가용성 제한으로 잘 이용×)
    - immunoEM = IHC + EM, amyloid 축적 확인 및 amyloid fibrils typing, 특이도 높음
  ④ proteomics (축적된 amyloid fibrils의 direct typing) ; amyloidosis 진단에 가장 정확!
      ↳ amino acid sequencing or mass spectroscopy
  ⑤ free light chian (AL 진단) ; PEP/IFE, serum FLC, BM clonal plasma cells (대개 10%)
    - plasma cells의 clonality [κ or λ] 증명 ; FCM, IHC, IF, LC mRNA 동소교잡법 등
    - but, 혈청 light chain 검출만으로는 부족함 (∵ MGUS R/O) → 조직에서 확인되어야

(4) 치료 및 경과

• 확실한 치료법이 없고 예후 나쁨 (치료 안하면 AL은 평균 약 15개월 생존, AA는 AL보다 양호)
• 심장 침범 등으로 전신 상태가 안 좋은 경우가 많아 aggressive therapy 적용 여부는 조심스러움
• AL형 : BM clonal plasma cells을 목표로 multiple myeloma 비슷하게 치료
  ① ASCT 가능 환자 (e.g., C_{Cr} ≥30, troponin T <0.06, BP ≥90 mmHg, 70세 이하 등)
    - high-dose melphalan [200 mg/m^2] 이후 ASCT (HDM/SCT) → ~40%에서 혈액학적 CR
    - BM plasma cells ≥10% or CRAB 있으면 induction therapy 2~4 cycles 먼저 시행
      ⇨ bortezomib-based regimens ; BMD (Bortezomib + Melphalan + Dexamethasone)
         or CyBorD (Bortezomib + Dexamethasone + Cyclophosphamide)
    - but, 장기부전 등으로 인해 이식관련 사망률이 높아 약 1/2에서만 SCT 가능
  ② ASCT 불가능 환자 … 대부분
    - bortezomib (proteasome inhibitor)-based regimens ; CyBorD or BMD
    - R/R ⇨ proteasome inhibitor)-based regimens, immunomodulatory derivatives (IMiDs)-based regimens (e.g., lenalidomide [or pomalidomide] + dexamethasone), mAbs (e.g., daratumumab [anti-CD38]), anti-fibril mAbs or small molecules
• AA형 : 기저 질환에 대한 치료 (→ SAA 생산을 거의 완전히 억제해 관해도 가능)
  - anti-proinflammatory cytokines (IL-1β, TNF-α, IL-6) → 일부 rheumatic disorders
  - colchicine → familial Mediterranean fever (FMF)의 치료 및 예방에 효과적
  - eprodisate : amyloid AA 단백과 glycosaminoglycans의 상호작용 억제 → fibril 형성 방해
     → AA 신기능 저하의 지연 (but, 3상 시험에서는 실패하여 퇴출되었음)
  - amyloid를 제거하는 immunotherapy ; CPHPC, anti-AA mAb … 연구 중
• ATTR형
  - tafamidis [Vyndaqel®] : tranthyretin을 안정화하여 TTR 생성↓, NSAID effect 없음, FDA[2019]
  - diflunisal : TTR stabilizer, NSAID effect 때문에 사용×
  - doxycycline/TUDCA(tauro-ursodeoxycholic acid) : TTR fibrillogenesis 과정 방해
  - patisiran [Onpattro®] : anti-TTR small interfering RNA (siRNA), FDA[2018] 허가
  - inotersen [Tegsedi®] : 간 TTR 생산을 억제하는 antisense oligonucleotide (ASO), FDA[2018]
  - hereditary/familial ATTR amyloidosis → liver transplantation

• ESRD → 투석 및 이식 (다른 원인에 의한 ESRD보다 예후 나쁨)
• 주요 사인 ; 심장 질환 (e.g., 부정맥으로 급사 가능), 신부전, 감염

약물에 의한 사구체 질환

1. MCD (minimal change diseases)
   • 대개 interstitial nephritis 동반
   • 원인 ; NSAIDs, IFN-α, rifampin, ampicillin ...
2. MGN (membranous nephropathy)
   ; penicillamine, gold, mercury, trimethadione, captopril, chlormethiazole ...
3. FSGS (focal segmental glomerulosclerosis)
   ; heroin
4. Pauci-immune necrotizing GN
   ; ciprofloxacin, hydralazine
5. Proliferative GN with vasculitis
   ; allopurinol, penicillin, sulfonamides, thiazides, IV amphetamine
6. RPGN (rapidly progressive GN)
   ; rifampin, warfarin, carbimazole, amoxicillin, penicillamine

■ Diabetic nephropathy

→ 내분비내과 참조

■ HS purpura, systemic necrotizing vasculitis

→ 류마티스내과 참조

9
세뇨관간질성 신질환(Tubulointerstitial renal diseases)

개요

1. 정의

- tubulointerstitial nephritis (TIN) : 주로 세뇨관(요세관, renal tubule)과 간질(사이질, interstitium)을 침범하는 염증성 질환으로 사구체와 신혈관계는 비교적 정상임
  (c.f., secondary tubulointerstitial dz. : 지속적인 사구체 or 신혈관계 손상에 의해 발생된 것)
- 대개 뚜렷한 원인이 있으며, 원인을 제거하면 신기능은 회복됨
- acute TIN은 AKI 원인의 15~20%, chronic TIN은 ESRD 원인의 3~4% 차지

2. 발생기전

- 초기 손상
  - 세뇨관 상피세포에 대한 직접 세포독성 (drug, toxin)
  - 염증 반응에 의한 간접 손상 (전신질환, 면역질환)
- 만성으로의 이행 : 면역반응 조절의 장애, 반복적인 독성물질에의 노출

3. 임상양상(특징)

(1) 신세뇨관 기능장애

Proximal tubule dysfunction	Glycosuria, amino aciduria, phosphaturia, hypokalemia (Fanconi syndrome) Bicarbonaturia (type 2 RTA) Small-MW proteinuria (mild)
Distal tubule dysfunction	요농축능 장애 (→ 다뇨, 야뇨, nephrogenic DI) Sodium wasting, hyperkalemia, type 1 or 4 RTA

- GFR의 감소 정도에 비해 심함
- GFR 감소 ; microvasculature 및 tubules의 폐쇄 때문
- 저분자량의 proteinuria ; proximal tubule의 protein 재흡수 장애
- Fanconi syndrome ; proximal tubule 손상에 의한 glucose, amino acids, phosphate, bicarbonate (→ type 2 RTA) 등의 소실(재흡수 장애), hypokalemia
- polyuria/nocturia, isosthenuria ; medullary tubules 손상에 의한 요농축능 장애

- salt wasting ; distal tubule 손상에 의한 Na^+ 재흡수 장애
- hyperkalemia ; aldosterone resistance를 포함한 potassium 배설 장애 (type 4 RTA)
- hyperchloremic metabolic acidosis (AG 정상) : 비교적 초기에도 호발
  ① ammonia 생산 감소
  ② collecting duct의 acidification 장애 (type 1 distal RTA)
  ③ proximal bicarbonate wasting (type 2 proximal RTA)

(2) 신장 내분비장애

- hyporeninemic hypoaldosteronism ; hyperkalemia, metabolic acidosis
- calcitriol deficiency ; renal osteodystrophy
- erythropoietin deficiency ; anemia

(3) 소변검사 이상

- proteinuria ; 대부분 mild (<1.5 g/day), 주로 저분자량의 tubular proteins (e.g., lysozyme, β_2-microglobulin), 2ndary FSGS 발생시에는 nephrotic-range도 가능
- sterile pyuria, few cell & casts 정도의 경미한 이상 소견
- 원인 질환에 따라 eosinophiluria, WBC casts, hematuria 등도 발생 가능

	Glomerular	Tubulointerstitial
Proteinuria	>3.5 g/day (주로 albumin)	<1.5 g/day (주로 저분자량)
Hematuria	Severe	Mild
Sediment	Numerous	Few
Sodium	Normal	Wasting
Anemia	Moderately severe	Disproportionately severe
Hypertension	80%	50%
Serum Cr.	급격히 상승	다양
Acidosis	Normochloremic (mild)	Hyperchloremic (severe)
Urine volume	Normal	Polyuria

* Edema는 glomerular dz.에서 주로 나타남

* 신장이 toxin injury에 민감한 이유

① 크기에 비해 많은 양의 blood flow를 받음 (→ toxin에 노출이 많다)
② 세뇨관의 transport process → toxin의 신장내 축적 촉진
③ urinary concentrating mechanism
  → medullary & papillary portion에 toxin이 고농도로 축적
④ nephron 내의 상대적으로 acidic pH → toxin의 ionization에 영향
⑤ large glomerular capillary surface area

급성 간질신장염/사이질콩팥염 (Acute interstitial nephritis[AIN], Acute TIN)

1. 개요

- 대부분 약물에 대한 과민반응으로 발생하여, AKI 양상을 보이는 경우가 많음 (≒ acute allergic interstitial nephritis)
- 사이질(interstitium)에 염증세포의 침윤이 두드러짐 (특히 약물에 의한 경우는 eosinophil의 침윤)
- fibrosis는 없고, glomerular vessels은 정상
- 약물의 용량과는 관련 없고, 다시 노출되면 AIN 재발 or 악화 가능

2. 원인

1 **약물 (m/c, 70~75%) ··· DI (drug-induced)-AIN**
1. NSAIDs 및 COX-2 inhibitors
2. **항생제** ; β-lactams, Quinolones, Chloramphenicol, EM, Minocycline, Para-aminosalicylic acid, Polymyxin B, Rifampin, Ethambutol, Isoniazid, Sulfonamides (TMP-SMX 포함), TC, Vancomycin, Linezolid, Minocycline, Acyclovir ...
3. 이뇨제 ; Loop diuretics (furosemide, bumetanide 등), Thiazides, Triamterene
4. 항경련제 ; Phenytoin, Phenobarbital, Carbamazepine, Valproic acid ...
5. Immune checkpoint inhibitors ; Ipilimumab, Nivolumab, Pembrolizumab, Atezolizumab
6. 기타 ; PPI (omeprazole, lansoprazole 등), Cimetidine (다른 H_2-RA는 드묾), Allopurinol, Antipyrene, Azathioprine, Bismuth, Captopril, Clofibrate, Gold, Indinavir, Lenalidomide Mesalazine (5-aminosalicylates), Methyldopa, Probenecid, Sulfinpyrazone ...

2 **감염 (4~10%)**
1. 세균 ; *Streptococcus, Staphylococcus, Legionella, Salmonella, Brucella, Yersinia, Corynebacterium ...*
2. 바이러스 ; EBV, CMV, HIV, Hantavirus, Polyomavirus ...
3. 기타 ; TB, *Leptospira, Rickettsia, Mycoplasma, Histoplasma ...*

3 **자가면역질환 (10~20%)**
Tubulointerstitial nephritis-uveitis syndrome (TINU) (5~10%)
Sarcoidosis, Sjögren's syndrome, SLE, Granulomatous interstitial nephritis, IgG4-related dz.
Anti-tubular basement membrane (TBM) Ab dz.

4 **Acute obstructive disorders**
Light chain cast nephropathy (myeloma kidney) → 앞 장 참조
Acute phosphate nephropathy,
Acute urate nephropathy, Tubulointerstitia

c.f.) AG 계열 항생제는 주로 ATN을 일으키며, 세뇨관기능장애도 동반됨 → 4장 AKI 편 참조

3. 임상양상/진단

- 보통 복용 7~10일 뒤 발생하나(β-lactams), 1일(rifampin) ~ 6-12개월(NSAIDs)까지 다양함
- 신기능의 갑작스런 감소(sCr↑), 수일~수주 만에 신부전(약 1/3은 투석 필요) 발생 가능
- 급성 신부전의 비특이적 증상(e.g., N/V, malaise) or 무증상이 흔함
- allergic Sx.의 동반 (triad) ; fever (27%), skin rash (15%), eosinophilia (23%)
  - 진단에 도움은 되지만, 안 나타나는 경우가 더 많음 (triad 모두는 약 10%에서만)
  - 특히 NSAIDs, PPIs, rifampin 등에서는 다른 약물에 비해 드묾

- 때때로 flank pain (∵ 신장의 팽창으로 인한 renal capsule의 distention 때문)
- HTN과 edema는 드묾, 약 45%에서 경미한 관절통 동반
- 소변양은 핍뇨(약 1/2) ~ 다뇨까지 다양함, FE_{Na}는 대개 >1%, gross hematuria는 드묾(5%)
- U/A ; proteinuria (보통 <1 g/day, NS는 <1%), hematuria 및 pyuria는 약 1/2 이상에서 동반, WBC casts는 흔하지만 RBC casts는 거의 없음, eosinophiluria (>1%)
- 영상검사는 진단에 별 도움 안됨
  - US : 신장 크기는 정상~증가, cortical echogenicity 증가
  - gallium scanning : bilateral uptake 증가 (∵ 염증세포 침윤)
- 조직검사 (확진) : 대개는 필요 없음, 예후가 나쁠 것으로 예상되거나 비전형적인 양상일 때 시행
  - 간질의 부종(interstitial edema) & 심한 염증세포 침윤 (lymphocytes, monocytes, plasma cells, neutrophils, eosinophils 등) ; T cells이 m/c (주로 CD4+ cell), 다음은 monocytes
  - tubulitis : 염증세포가 tubular basement membrane (TBM)을 침범한 것
  - patchy tubule cells necrosis

4. 치료/예후

- 유발 원인 제거 (m/i) : 원인이 되는 약물의 중단 → 대부분은 완전히 신기능을 회복함!
- 단기간의 steroid 치료 : 약물 중단 & 보존적 치료 1주일 이후에도 호전이 없을 때, 신기능 저하가 심하고 급격하여 투석이 필요할 때, biopsy-proven AIN 등에서 고려

절대 적응	상대적 적응
Sjögren's syndrome Sarcoidosis SLE에 의한 interstitial nephritis Tubulointerstitial nephritis with uveitis (TINU) – 성인 Idiopathic & other granulomatous interstitial nephritis	Drug-induced or idiopathic AIN에서 신부전이 급격히 진행 투석 치료가 필요할 때 회복이 느릴 때 신생검에서 AIN으로 확진시 TINU - 소아 회복이 느린 postinfectious AIN

- steroid에 반응이 없거나 사용할 수 없을 때 → MMF (mycophenolate mofetil)
- poor Px (신기능 회복 가능성↓) ; 장기간의(>3주) 신부전, NSAIDs에 의한 AIN, biopsy에서 interstitial granulomas, interstitial fibrosis, tubular atrophy 등의 소견

■ NSAIDs

- 주로 propionic acid 계통의 NSAIDs가 흔한 원인 (e.g., fenoprofen, ibuprofen, naproxen)
- 임상양상 ; NS + AKI가 서서히 나타남, 50세 이상에서 호발
- 혈중 NAG (N-acetyl-β-D-glucosaminase) 증가
- NSAIDs에 의한 **acute interstitial nephritis**의 특징
  ① 다양한 발현 시기 (복용 수주 ~ 6-12개월 ~18개월 뒤 발생)
  ② 신기능이 갑자기 감소 (대개 비핍뇨성 AKI)
  ③ 심한 단백뇨(>3.5 g/day) : 약 3/4에서 nephrotic syndrome 동반 (gross hematuria는 드묾)
  ④ 병리소견 : MCD와 비슷한 변화 (foot process fusion)
  ⑤ allergic Sx. (rash, fever, eosinophilia)은 드묾, edema는 흔함!

- 신장 부작용의 발생 위험이 증가되는 경우 ; 고령, 신장질환의 과거력, 기저 신질환, 체액량 감소 (e.g., 이뇨제의 병용, hypoalbuminemia), 간질환, 심부전, NSAIDs의 장기간 (2주~18개월) 복용
- 치료 : NSAIDs를 중단하면 대부분 호전됨(self-limited)
  - sodium retention (e.g., edema) → 염분 제한
  - hyperkalemia → K^+ 제한
  - AKI or metabolic acidosis → 단백 제한
  * acute interstitial nephritis는 약제를 중단해도 수개월에 거쳐 서서히 회복되며, 약 1/3은 CKD로 진행함 (steroid는 치료에 도움 안됨!)

NSAIDs에 의한 신장과 전해질 이상 (COX-2 inhibitors도 가능)

1. Renal failure (sCr ↑)
   (1) Hemodynamic AKI (reversible ischemia) ; prerenal AKI (m/c), ATN (vasoconstriction)
   - 위험인자 ; 고령, 기저 신질환, sodium depletion, effective arterial blood volume 감소 (e.g., HF, LC), 동맥경화성 심질환, DM, HTN, diuretics 병용 등
   - 투약을 중단하면 대부분 24시간 이내에 완전히 회복됨
   - 보통 단백뇨와 혈뇨는 없음 / 단백뇨 심하면(>1 g/day) NSAID-induced glomerular lesion (minimal change disease or membranous nephropathy) 의심

   (2) Acute interstitial nephritis ; 평균 복용 6개월 뒤에 발생
   - 갑자기 신기능저하, hemodynamic AKI보다 심한 신부전도 발생 가능, 신장외 증상은 드묾
   - 대개 위험인자가 없어 예측 불가능, 일부는 영구적인 renal damage (→ CKD로 진행)도 가능

   (3) Chronic interstitial nephritis (renal papillary necrosis) ; 드묾, AKI or CKD로 발현 가능, 대개 severe dehydration & 고용량 NSAID 복용의 과거력

2. Nephrotic syndrome (proteinuria)
   (1) Minimal change disease (MCD) : 대부분 interstitial nephritis에 동반되어 발생
   (2) Membranous nephropathy (MN) … NSAID-induced MN의 진단기준
   ① 조직검사에서 MN으로 진단되었지만 다른 특별한 원인이 없음
   ② NSAIDs 중단 1~36주 이내에 단백뇨 호전
   ③ 장기간 F/U에서 단백뇨 재발 없음

3. Water retention, hyponatremia
   - 기전 ; renal PG의 vasopressin (AVP) activity 억제 작용↓ (→ free water excretion↓)
     → SIADH 처럼 AVP level이 높거나, hypovolemia 환자의 경우 hyponatremia 발생 가능 (but, clinically symptomatic hyponatremia는 드묾)
   - 노인에서는 thiazide-induced hyponatremia 발생 위험도 증가 가능

4. Sodium retention (edema)
   - 기전 ; Na^+ 재흡수 억제(← renal PG) 감소로 인한 Na^+ retention으로 인해 발생 가능
   - 평상시 renal PG의 Na^+ balance에의 영향은 미미하지만, hypovolemia 때는 중요한 역할을 함

5. Hyperkalemia, metabolic acidosis (type 4 RTA)
   - 기전 ; macula densa PG 억제 → renin 분비 억제 (→ angiotensin II↓ → aldosterone↓)
   - 위험인자 ; renal insufficiency, K^+-sparing diuretics 병용, sodium depletion, ACEi/ARB 병용, DM, HF, 고령 ...

■ Tubulointerstitial nephritis with uveitis (TINU)

- AIN의 5~10% 차지, 원인 모름, 남:여 = 1:3, 평균 15세에 발병
- lymphocyte-predominant interstitial nephritis
  \+ painful ant. uveitis (흔히 양측성, 시력 저하 및 photophobia 동반, 대개는 늦게 발생)
- 발열, 오심, 체중감소, 복통, 관절통 등의 전신증상 + eosinophilia, anemia, LFT↑, sCr↑, ESR↑, sterile pyuria, mild proteinuria, Fanconi syndrome의 양상 ⇨ TINU 의심

• 진단 : 특별한 진단법 없음 ⇨ 다른 uveitis + renal dz. 원인을 R/O
 - sarcoidosis, Sjögren's syndrome, SLE, Wegener's granulomatosis, Behçet's syndrome 등 R/O
 - 자가면역질환의 markers는 음성이 흔하지만, 일부에서는 ANCA/ANA/RF (+), complement ↓
 - renal biopsy ; 보통의 TIN 소견, eosinophilia 및 noncaseating granulomas 흔함
• 소아는 self-limited
• 성인은 재발/반복이 흔함 → 면역억제제에 반응 좋음 (steroid, MTX, azathioprine, MMF 등)

■ Granulomatous interstitial nephritis

• 일부 AIN 환자는 만성/재발의 경과를 밟음 / 약물, 감염(e.g., TB), 자가면역질환 등이 흔한 원인
• renal biopsy ; granulomas와 multinucleated giant cells을 동반한 만성 염증 소견
• 일부는 sarcoidosis의 전신 증상 동반/합병 가능(e.g., hypercalcemia)

■ IgG4-related disease (IgG4-RD)

• IgG4(+) plasma cells의 여러 장기 침범에 의한 질환 ; TIN, autoimmune pancreatitis, sclerosing cholangitis, retroperitoneal fibrosis, chronic sclerosing sialadenitis (Sjögren's syndrome 비슷) 등
• serum IgG4 ↑, 약 30%에서 신장 침범,
• 진단은 침범된 장기의 biopsy [IgG4(+) lymphoplasmacytic infiltration, fibrosis], 치료는 steroid

만성 세뇨관간질신장염 (Chronic tubulointerstitial nephritis[TIN])

• 세뇨관과 간질의 만성적 손상에 의한 비가역적인 섬유화성 변화, 여기서는 primary chronic TIN을 지칭함 [↔ 모든 신장 질환은 (2ndary) chronic TIN 단계를 거쳐서 ESRD로 진행함]
• acute TIN에 비해 서서히 진행하는 경과를 보이고, 원인이 훨씬 더 다양함

Chronic tubulointerstitial nephritis의 원인
1. Acute interstitial nephritis의 지속/진행
2. Nephrotoxins
Drugs : analgesics (phenacetin), cyclosporine, nitrosoureas
Endogenous : hypercalcemia, hyperuricemia, hyperoxaluria, prolonged hypokalemia, cystinosis, Fabry dz.
Heavy metals : lithium, lead, cisplatin, copper, mercury
Metabolic ; hyperuricemia, hypercalcemia ...
Radiation nephritis
3. Neoplasia or paraproteinemias ; multiple myeloma, Waldenström's macroglobulinemia, amyloidosis, cryoglobulinemia, leukemia/lymphoma
4. 면역질환 ; 신이식의 만성 거부반응, SLE, Sjögren's syndrome
5. 유전성 신질환 ; Polycstic kidney dz., medullary cystic dz., medullary sponge kidney
6. Chronic UTO, vesicoureteral reflux (VUR)
7. Chronic bacterial pyelonephritis or Renal tuberculosis
8. Secondary tubulointerstitial dz. (사구체 or 신혈관 질환) ; chronic GN 등
9. 기타 ; DM, CKD, Sickle cell hemoglobinopathies, Vascular diseases

 - urinary tract obsruction (vesicoureteral reflux 포함)이 m/c 원인
 - toxic nephropathy (e.g., 약물, 중금속)가 다음으로 흔함

- 조직소견 : nonspecific → 대개 임상적으로 진단함
  - 간질의 섬유화(interstitial fibrosis), 염증세포 침윤은 lymphocyte와 monocyte 만
  - 광범위한 세뇨관 손상 ; atrophy, luminal dilatation, 세뇨관 기저막 비후
- 특징
  ① 서서히 진행하는 CKD ; GFR 감소, 신장 크기 감소, anemia, renal osteodystrophy ...
  ② 신세뇨관 기능 장애 ; 요농축능 감소 (다뇨, 야간뇨), 염분 소실(salt wasting), hyperchloremic metabolic acidosis, hyperkalemia, distal RTA ...
  ③ U/A ; proteinuria (<1.5 g/day), tubular cast, epithelial cast, WBC cast, sterile pyruia

■ 진통제 콩팥병증(Analgesic nephropathy)

(1) 원인/병인

- 주로 phenacetin이 원인이었으나 (특히 aspirin, caffeine 등과 병용한 경우 호발)
  1983년 퇴출된 이후 analgesic nephropathy는 크게 감소됨
  - 다른 진통제(e.g., AAP, aspirin, NSAIDs)와 nephropathy의 관련성은 불확실함 (근거 부족)
  - but, 진통제의 장기간 사용은 신기능감소(GFR↓)를 유발할 수는 있음
- papillary necrosis와 chronic interstitial nephritis가 핵심 병리기전임
- 유두괴사(papillary necrosis) → 진행되면 괴사된 유두조직의 석회화, 분리이탈(→ pyelography에서 "ring shadow") 가능
- 유두괴사 부위 피질(cortex)의 atrophy & scarring (→ indentation), 정상 cortex 부분은 hypertrophy → 신장이 작아지면서 울퉁불퉁해짐 ("wavy" renal outline)
  ⋯ classic analgesic nephropathy의 특징 (유두괴사 자체는 다른 원인에 의한 것과 구별 힘듦)
- 신부전으로 진행되면 유두괴사가 심해져 신배(calyx)도 불규칙한 모양으로 변형됨
- 과거 미국 ESRD의 2~10%의 원인 (호주는 약 20% 차지)

(2) 임상양상

- 중년 여성에 많다 (만성적인 두통, 관절염 등의 환자)
- 간헐적인 flank pain (∵ papillary necrosis)
- polyuria, nocturia, hematuria, sterile pyuria, mild proteinuria (<1 g/day)
- distal RTA → nephrocalcinosis 발생 가능
- HTN, uremia, UTI의 증상
- anemia (∵ GI bleeding, hemolysis) : 신기능감소 정도에 비해 anemia가 심함
- 이미 신실질에 병변이 있고, 약물을 계속 복용하면 몇 년 내에 ESRD 발생
- heavy analgesic user는 신장요로계의 transitional cell carcinoma 발생↑ (신기능과는 관련×)

(3) 진단

- pyelography (IVP, RGP) : papillary necrosis의 소견
- CT : 신장 크기감소 및 울퉁불퉁한 모양, papillary calcifications (화환 모양)
- papillary necrosis의 다른 원인들을 R/O하면 진단 가능 ; DM, urinary tract obstruction, infection, ischemia (e.g., shock, sickle cell dz.) 등

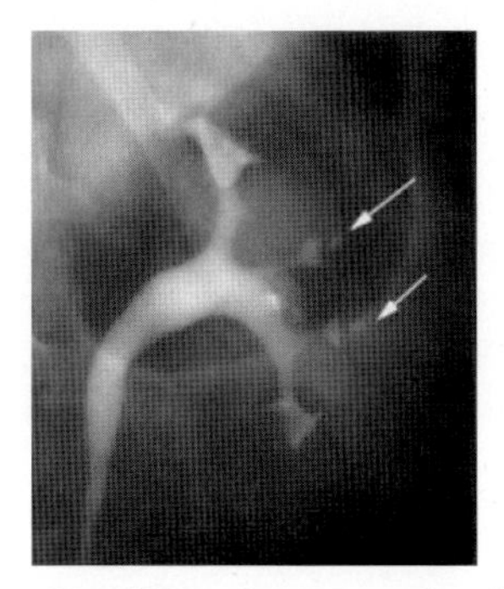

유두 함몰 ▷ "ball-on-tee" 모양
콩팥잔(calyx)의 변형 : 위/아래

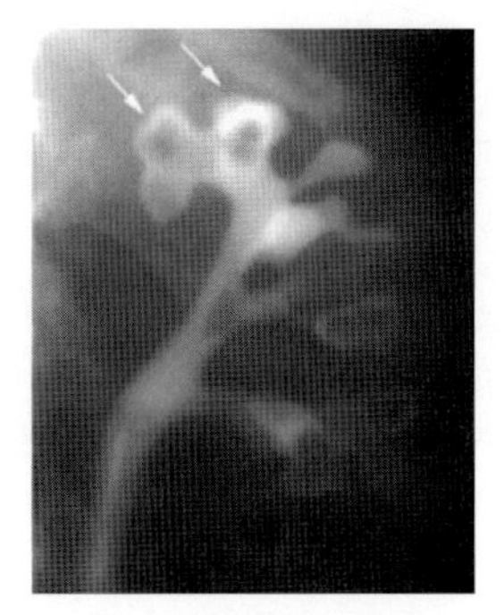

분리되어 떨어진 유두괴사
▷ "ring shadow" 모양

(4) 치료

- analgesics의 복용 중지 → 신기능의 안정화나 호전 가능
- 신기능 저하를 악화시킬 수 있는 UTI, urinary tract obstruction, HTN, 탈수 등은 즉시 치료

■ 납 콩팥병증(Lead nephropathy)

- 주로 proximal tubule에 lead 축적 → chronic interstitial nephritis ; atrophy, fibrosis, scarring
  ↳ hyperuricemia 발생이 특징, 약 50%에서는 acute gouty arthritis 발생
- triad ; 원인을 모르는 CKD, HTN, gout
  - 신기능저하(sCr↑), proteinuria는 드묾, urine sediment는 대개 정상
  - HTN, cardiovascular risk↑도 동반 가능
- lead, δ-aminolevulinic acid, coproporphyrin, urobilinogen 등의 소변으로의 배설↑
- 진단 ; 혈중 lead level↑ (but, 체내 축적량이 많아도 정상일 수 있음),
  소변 lead >0.6 mg/day (→ over toxicity 시사),
  calcium EDTA 주입 뒤 lead excretion↑ 정량검사가 더 정확
- 치료
  ① lead 노출 중단
  ② chelating agent (e.g., calcium EDTA)

* 급성, 고농도 lead intoxication
  - 복통, 빈혈, 말초신경병, 뇌병증 등의 증상
  - Fanconi-type syndrome ; glucosuria, aminoaciduria, renal phosphate wasting 등

■ 방광요관역류(Vesicoureteral reflux, VUR)

- ureters 및 renal pelvis의 확장 → 신장 손상 (reflux의 양과 비례), UTI↑
- chronic tubulointerstitial dz., FSGS 비슷한 사구체 병변, 심한 단백뇨 등 발생
- 확진 : voiding cystourethrography (VCUG)

10
유전성/세뇨관 신질환

낭성신장병/주머니콩팥병 (Cystic kidney disease)

1. 상(보통)염색체 우성 다낭콩팥병/뭇주머니콩팥병 (Autosomal dominant polycystic kidney dz., ADPKD)

(1) 개요

- medulla ~ cortex에 골고루 multiple cysts 발생, 신장 크기가 매우 커짐
  (신실질은 tubular atrophy, interstitial fibrosis, nephrosclerosis 등을 보임)
- AD 유전 (환자의 95%에서 가족력 존재, 발현 정도는 다양) / 일부는 spontaneous mutation
  - ADPKD-1 : *PKD1* gene (→ polycystin-1[PC1]), 16p13 ; 80%, 일찍 발병, 빨리 진행, poor Px
  - ADPKD-2 : *PKD2* gene (→ polycystin-2[PC2]), 4q21 ; 20%, 늦게 발병, 진행 느림
  - 결함 있는 polycystin 단백은 tubular epithelial cells의 분화/부착/신호전달에 이상 초래
- 유병률 1/400~1000 (m/c 유전성 신질환), ESRD의 3~10% 차지, 남:여=1.2~1.3:1
- 우리나라는 투석환자의 2~3%에서 발견됨

(2) 신장 임상양상

- 신낭종에 의한 증상은 대개 30~40대에 나타나기 시작
  - **abdominal or flank pain** (m/c), palpable mass & tenderness
    (mass effect → early satiety, GERD)
  - **hematuria** (30~50%) : cyst 파열 or stone 때문, 특히 외상 이후에 호발
  - mild proteinuria (<2 g/day, NS는 드묾!), polyuria/nocturia (요농축능 장애로)
  - acute pain ; infection/clot/stone 등에 의한 UTO, cysts 파열/출혈 등에 의해 발생
    (c.f., cyst infection : 소변 배양은 음성이 흔하고 혈액 배양만 양성인 경우가 많음)
- 서서히 신기능 감소 → ESRD (40세 이후에 발생, 70세면 60%에서)
  * 조기 CKD 발생의 위험인자 ; HTN, 감염 반복, 흑인, 남성, 진단시 어린 연령,
    심한 단백뇨/혈뇨, *PKD1* (polycystin-1) mutation
- HTN (소아 10~20%, 성인 60~90%, 평균 30세에 발생)
  - cyst expansion에 의한 focal ischemia → RAAS activation 때문
  - 보통 GFR이 크게 감소하기 전에 발생, ESRD로의 진행 가속화
- UTI (20~25%) ; cyst infection or PN, 특히 여성에서 흔함, G(-)균이 m/c
- renal stone (15~20%) : 주로 calcium oxalate와 uric acid stone

- 체액과다(fluid overload)는 드묾! (∵ renal salt wasting 경향 때문)
- 진행되어도 anemia는 드묾 (∵ EPO 분비 증가에 의한 erythrocytosis가 흔함)

(3) 신장외 임상양상/합병증

- **hepatic cysts** (m/c, 50~80%) : 대부분 무증상 & 간기능 정상, 남≒여, 여자가 더 빠르고 심함
  ↳ 드물게 심한 경우에는 통증, 감염, 출혈, 파열, IVC 압박에 의한 부종/복수, 급성 담도염 가능
- **intracranial aneurysm** (ICA[뇌동맥류], 5~20%) : 가장 심각한 합병증!, 일반인보다 4~5배 흔함
  - 파열되면 subarachnoid or cerebral hemorrhage 위험 → 사망 or 신경손상
    ; 일반적인 뇌출혈보다 예후 나쁨 (사망률 35~50%), 회복되어도 50%에서 후유증 남음
  - 출혈 고위험군 ; 파열(뇌출혈)의 과거력, ICA/뇌출혈의 가족력, 1 cm 이상의 aneurysm, 심한 두통, 고위험 직업군(e.g., pilot), 항응고제 복용, 혈역학적 불안정 위험이 있는 수술
  - screening (brain MRA) ; 고위험군에서 권장 (∵ 대부분 작으므로 모두 할 필요는 없음!)
    ⇨ 증상이 없어도 7~10 mm 이상이면 치료(surgery, endovascular techniques)
- other cysts ; spleen, pancreas, lung, ovary, testis (seminal vesicle cysts), thyroid, uterus ...
- **심장판막 이상** (~40%) ; MVP (m/c, 25~30%), MR, AR, TR
- 기타 심장질환 ; LVH, coronary aneurysm/dissection, aortic root & annulus dilatation, aortic aneurysm/dissection, pericardial effusion ...
- **대장 게실** (ESRD에서 ~80%, perforation 위험 높음), abdominal wall & inguinal hernias
- renal cell ca. (매우 드묾) ; 고령의 남성에서 recurrent bleeding시 의심
  (c.f., 투석(ESRD) 관련 acquired renal cysts가 훨씬 RCC와 관련성 큼)

* 사망원인 ; 심장질환(36%), 감염(24%), 뇌신경질환(12%)

(4) 진단

① renal US (screening) : ADPKD의 가족력이 있고 cysts 개수가 진단기준에 맞으면 임상적 진단

Revised Unified Diagnostic Criteria (renal US)	
15~39세	한쪽 or 양쪽 합해서 cysts ≥3개
40~59세	양쪽 신장 각각 cysts ≥2개
≥60세	양쪽 신장 각각 cysts ≥4개

*ADPKD의 가족력이 없는 경우에는 신장 낭종 (양쪽 각각 cysts ≥10개) 및 다른 장기에도 ADPKD의 특징적 소견이 존재할 때 임상적으로 진단

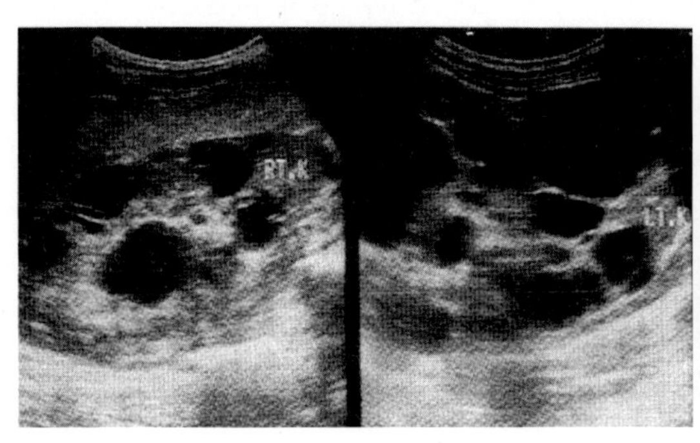

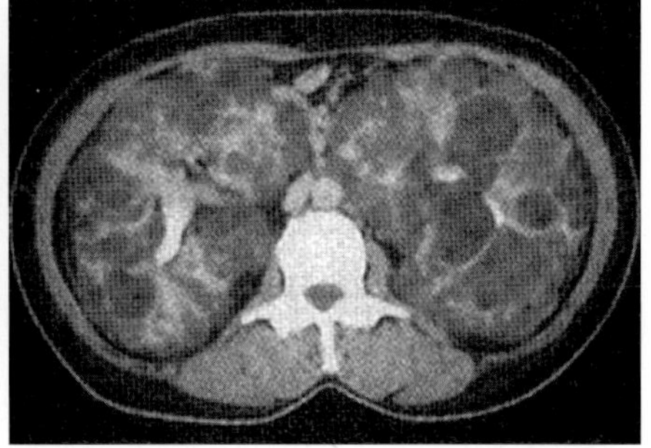

② CT/MRI : 더 sensitive (작은 cyst 발견↑)
  * 40세 이하에서는 US의 음성예측도(NPV)가 약간 낮음(약 86%) → 위음성 위험
    → 확실한 R/O 필요할 때는 CT/MRI 고려 (e.g., 신장을 기증하고자 할 때)
③ 유전자검사(linkage analysis[과거], mutation-based sequencing, targeted NGS) : 영상검사에서 equivocal하거나, 확진이 필요할 때만 시행 (e.g., 영상검사 음성이며 신장 기증을 원할 때)
④ 다른 가족에 대해서도 screening test 시행

(5) 치료

- 신질환의 악화 지연 및 감염 방지가 주된 치료!
  ① 고혈압의 철저한 조절 ; 목표 <140/90 mmHg (office BP <130/80 mmHg)
    - 금기가 없고 GFR 60 이상이면 <u>ACEi/ARB</u> 투여 → cyst growth 속도↓, 심혈관 위험↓
    - ACEi/ARB를 사용하지 못할 때는 CCB, β-blocker, diuretics 등
    - 목표 혈압을 더 많이 낮추어도 그 만큼 효과가 더 증가하지는 않음
  ② 염분(sodium) 섭취 제한 ; <2 g/day (salt <5 g/day) → cyst growth 속도↓, 혈압↓
  ③ 충분한 수분 공급 ; >3 L/day (GFR <30 or hyponatremia 위험이 없으면)
    → urine osmolality↓, plasma vasopressin level↓
- cysts 감염 ⇨ cysts 내로 잘 투과되는 <u>지용성 항생제</u>로 4~6주 치료
  ; quinolones (ciprofloxacin이 m/g), vancomycin, TMP-SMX, chloramphenicol, clindamycin (β-lactam or cepha. 계열은 권장 안됨)
- cysts에 의한 통증 ⇨ 진통제(심하면 마약성으로), 비약물요법(e.g., 냉찜질, 마사지, 침술, 경피 신경전기자극, biofeedback), cyst aspiration, surgical decompression 등
- ESRD ; 일반적인 CKD의 치료 (조기 적출은 시행 안함, 복막투석은 효율이 떨어질 수 있음)
  - 다른 원인에 의한 ESRD보다 투석에 의한 생존율 향상 효과 높음
  - 신이식이 가장 좋지만 가족 공여자는 거의 불가능, 이식 후에도 다른 부위는 합병증 발생 가능
- 신절제술(nephrectomy) ; massive cysts (>40 cm), 신장이식, 재발성 감염, 악성종양 의심 등 때 고려
- cyst growth 억제를 위한 치료법 ⇨ cyst 성장 속도가 빠른 <u>고위험군</u>에서 고려
  ; TKV (total kidney volume)↑, diffuse cysts 등 (→ ESRD로의 진행↑)
  ① <u>tolvaptan</u> ; vasopressin V2 receptor (V_2R) antagonist
    - 기전 : renal cAMP↓ (cAMP : cystic fluid secretion 및 cell proliferation에 관여)
    - 효과 ; 신장 용적 증가속도 약 50% 감소, 통증↓, 신기능 감소 지연
    - Cx ; 소변량 증가 (→ 갈증, 삶의 질↓), 약 5%에서 LFT↑
  ② tolvaptan보다는 효과가 불확실한 치료법들
    - somatostatin analogues (e.g., octreotide-LAR) ; cAMP↓ → 신장과 간 낭종 억제 (but, 신기능 감소 지연 효과가 없고, 부작용이 많음)
    - mTOR inhibitor (e.g., rapamycin) ; 낭종은 억제하지만, 신기능 감소 지연 효과 無
    - 기타(연구중) ; bosutinib (small molecule TKI), anti-miR (microRNA) ...

Multiple symple cysts와 Early ADPKD의 비교

특징	Multiple Simple Cysts	ADPKD
가족력	No	60%
다른 가족에서 cyst 발견	No	90%
성비 (남:여)	1.6~1.8:1	1.2~1.3:1
신장 크기	정상	정상~증가
신장 침범	대개 unilateral (bilateral은 드묾)	대개 bilateral (초기엔 unilateral도 가능)
Cyst 분포	Cortical	Cortical & medullary
Cysts 내 출혈	드묾	흔함
Hepatic cysts	No	50~80%
Intracranial aneurysm	No	5~20%
Mitral valve prolapse	No	25~30%
Hypertension	드묾	60~90%
유전자 이상	No	>95%

2. 보통염색체 열성 다낭콩팥병 (ARPKD)

- AR 유전 (→ 부모는 모두 정상!), 염색체 6p21의 *PKHD1* gene mutation이 원인
  **PKHD1* → fibrocystin (polyductin) 단백 ; 신장의 CD와 TALH, 간의 담관세포에 존재
- 유병률 : 약 1/20,000 (ADPKD보다 훨씬 드묾)
- 신생아기 ; 매우 거대해진 신장, pulmonary hypoplasia, 사망률 ~30%
- 생존한 경우 (늦게 발현된 경우) → 80% 이상이 15세 넘어 생존
  - 대부분 1세 이전에 양측성 복부 종괴로 발견됨, 소아 때 대부분 합병증 발생
  - 양측 신장을 침범, fusiform cystic dilatation, cysts는 대개 1~2 mm (→ 나이 들수록 커짐)
  - 고혈압(75%), 요로감염, 요농축능장애 등이 흔함
  - 서서히 신기능 저하 → 약 1/3은 ESRD로 진행 (15세까지 약 80%만 생존)
  - 약 1/2에서 congenital hepatic fibrosis 동반 ; 간비종대, portal HTN, esophageal varix
    (Caroli syndrome : congenital hepatic fibrosis, intrahepatic bile ducts dilatation)
- US ; bilateral large echogenic kidneys (cysts가 커지면 ADPKD와 감별 어려울 수 있음)
- 치료 ; 보존적 치료뿐(e.g., 호흡보조, RRT)

3. 결절경화증(tuberous sclerosis complex, TSC)

- AD 유전, *TSC1* (→ hamartin) or *TSC2* (→ tuberin) gene의 mutation, 유병률 약 1/10,000
- 전신의 양성종양(e.g., hamartoma) ; 피부(m/c, >90%), CNS, 심장, 신장, 폐, 간, 눈 등
  ① 피부 ; hypopigmented macules, angiofibromas, shagreen patches, fibrous plaques
  ② 뇌 ; glioneuronal hamartomas (cortical tubers), subependymal nodules, giant cell tumors ...
  → 대부분 seizures 발생, 약 1/2 이상은 인지기능 저하와 학습장애를 가짐, 자폐증도 흔함
  ③ 심장 ; rhabdomyoma가 특징적 (→ 1권 참조)

④ 신장 ; 양측성 angiomyolipoma[AML] (70~90%), benign multiple cysts, lymphangiomas
  - Cx ; angiomyolipoma의 출혈에 의한 retroperitoneal hemorrhage, RCC (2~3%),
    CKD (minimal proteinuria, unremarkable urine sediment가 특징 → ESRD로 진행 가능)
  - 치료 ; 4 cm 이상의 angiomyolipoma는 수술/색전술, mTORi (sirolimus) 등
⑤ 폐 ; diffuse interstitial fibrosis (lymphangioleiomyomatosis)
⑥ 눈 (시력은 대개 정상) ; retinal hamartoma, retinal achromic patches, 눈꺼풀의 angiofibroma

* *TSC2/PKD1* contiguous gene syndrome ; *TSC2*와 인접한 ADPKD의 *PKD1* gene이 같이 deletion
  → TSC (e.g., angiomyolipoma) + ADPKD의 임상양상, 조기에 발병 & CKD로 진행

4. Von Hippel-Lindau disease (VHL)

- AD 유전, *VHL* tumor suppressor gene의 mutation, 유병률 1/36,000~46,000
- retina와 CNS의 hemangioblastoma 발생
- pheochromocytoma, RCC (clear cell type) 등 여러 암이 병발 (60세면 약 75%에서 RCC 발생)
- 신장, 췌장, 부고환 등에 흔히 cysts를 동반

5. AD tubulointerstitial kidney dz.[ADTKD] (과거 medullary cystic kidney dz.[MCKD])

- AD 유전, 매우 드묾, medullary cysts는 일부에서만 발생되어 ADTKD로 이름이 바뀌었음
- 원인 gene mutations ; *UMOD* (m/c, uromodulin kidney dz.[UKD]), *REN* (가장 드묾), *MUC1*
- 10대에 신부전이 시작되어 서서히 진행 → 80%는 25~70세에 (평균 54세) ESRD에 도달
- hyperuricemia & gout ; *UMOD*와 *REN*은 조기에 발생, *MUC1*은 늦게 발생
- CKD와 gout의 가족력이 있으면 의심 / 혈뇨와 단백뇨 없고, 요침사도 정상이 특징
- 치료 ; CKD와 gout에 대한 치료(xanthine oxidase inhibitors ; allopurinol, febuxostat)

6. 속질해면콩팥(medullary sponge kidney, MSK)

- sporadic (대부분) or AD 유전, papillary collecting ducts의 확장 및 hypercalciuria가 특징
- 대부분 무증상, 약 10%에서 10~30세에 신결석(renal colic), 혈뇨, UTI 등이 반복되는 합병증 발생 (신결석 환자의 약 20%에서 medullary sponge kidney 발견됨)
- 약 50%에서 신석회화가 관찰됨 (다른 장기는 침범하지 않음)
- 진단 (IVP, 요즘엔 CT urography) ; 확장된 collecting ducts에 조영제가 채워진 꽃다발 모양 ("papillary blush"), medullary nephrocalcinosis … 검사 중 우연히 발견되는 경우도 많음
- 예후 매우 좋고, 대부분 신기능은 정상 유지 (드물게 신결석의 후유증으로 CKD 발생 가능)

7. 단순 콩팥낭종/신낭종(simple renal cyst)

- 신장의 m/c cystic disease, 매우 흔함
- 연령이 증가함에 따라 호발 (40대에 약 5%, 60대면 15% 이상에서 발견됨), 남:여 = 2:1
- 초음파 소견 ; 직경 보통 0.5~1 cm, 경계가 분명한 구형~난원형의 무에코 병변, 후방음영 증가, 벽은 매우 얇음, 대부분은 solitary (일부 multiple, bilateral)

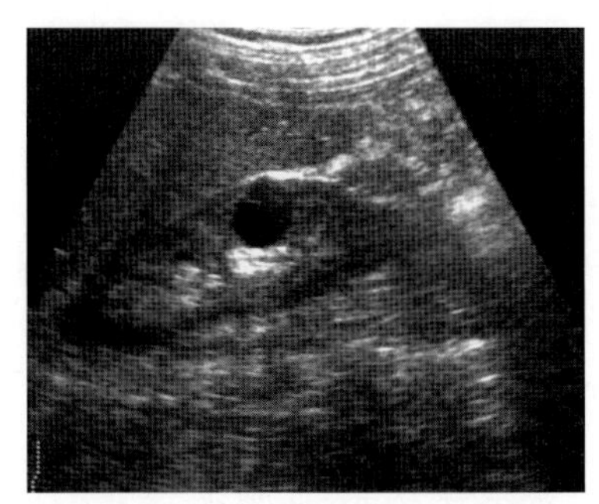

- 대부분 무증상 (드물게 rupture/hemorrhage, hematuria, pain, infection 합병), 신기능 정상
- 치료 : 증상/합병증 없으면 필요 없음! (경과관찰: 초음파 F/U)
  - 증상이 있고 중간 크기(150~500 mL)면 percutaneous aspiration + sclerosis (e.g., alcohol)
    : percutaneous aspiration만 시행하면 대부분 재발, 경화요법을 시행해도 1/3 이상은 재발
  - 500 mL (직경 약 10 cm) 이상이거나 재발시에는 laparoscopic unroofing/marsupialization
  - 심한 합병증이 동반되거나 악성이 의심될 때에만 수술적 절제
  - infected cyst ⇨ 항생제 (치료 어려움), percutaneous or surgical drainage

Bosniak renal cyst classification system

Class	특징	악성화	조치
I	단순 양성 낭종, 무에코, 타원형 모양의 얇고 부드러운 벽	<1%	-
II	<3 cm, 일부 비정상적인 낭성 병변 함유 ; 얇은 격벽(septa), 미세 석회화	<3%	-
IIF	≥3 cm, 이상 소견이 증가된 낭성 병변 ; 두꺼운 격벽, 두꺼운/결절성 석회화	5~10%	F/U 영상검사
III	불균일한 두꺼운 벽, 많이 두꺼운 격벽, 결절성/큰/불규칙한 석회화	40~60%	수술 (수술 위험군 <2 cm은 F/U 가능)
IV	크고 불규칙한 경계, 큰 결절, 고형(solid) 종괴, 연조직 부분의 조영증강	>80%	수술

8. Acquired renal cystic dz.

- 원래 다낭신이 없던 CKD 환자에서 양측 신장에 multiple (4개 이상) cysts가 발생한 것
- CKD 환자의 7%, 투석 환자의 22%에서 발생, 투석 4년 후에는 60~80%에서, 9년 후에는 90% 이상에서 발생 → 투석 기간에 비례하여 발생 증가
- 대부분 무증상
- 합병증 ; 낭종 출혈 (→ 혈뇨, 통증), 낭종 감염, RCC (m/i, 발생률 약 0.9%/yr)
- RCC 발생의 위험인자 ; ESRD의 유병기간 (장기간의 투석), 남성, large cysts, 새로운 증상 발생
  → US로 screening → cysts 발견되면 1년 마다 CT/MRI로 F/U

9. 콩팥황폐증(Nephronophthisis, NPHP)

- 여러 유전자 이상에 의한 chronic TIN로 대개 20세 이전에 ESRD로 진행함, AR 유전
- ESRD 평균 발생 연령에 따른 분류 ; infantile (1세), juvenile (13세), adolescent (19세)
- 대부분 증상은 1세 이후에 발생 : 세뇨관 기능 장애 ⇨ 요 농축 & 산성화 장애
  ; polyuria, polydipsia, acidosis, salt wasting, anemia, 성장지연 (대개 HTN은 없음)
- juvenile NPHP 환자의 15%에서는 신장 외 증상 발생 ; retinitis pigmentosa (m/c) 등
- 진단(US) ; juvenile NPHP – small hyperechoic kidney / infantile NPHP – cysts & large kidney
- 치료 ; 특별한 치료법 없음 (e.g., salt & water 보충 등) / CKD로 진행되면 투석, 신이식 (재발×)

Renal cystic disease의 임상양상

	Simple renal cyst	Acquired renal cystic disease	AD polysyctic kidney dz. (ADPKD)	Medullary sponge kidney (MSK)	AD tubulo-interstitial kidney dz. (ADTKD)
유병률	흔함	투석환자에서 호발	1:1000	1:5000	드묾
유전	–	–	AD	– (드물게 AD)	AD
증상 발생 연령	…	…	30~40	10~30	10~50
신장 크기	정상	감소	증가	정상	감소
낭종의 위치	Cortex & medulla	Cortex & medulla	Cortex & medulla	Collecting ducts	Corticomedullary junction (드묾)
혈뇨	가끔	가끔	흔함	드묾	드묾
고혈압	–	±	흔함	–	–
합병증	–	RCC	UTI, 신결석, 뇌동맥류(5~20%), 간낭종(50~80%)	약 10%에서 신결석, UTI	Hyperuricemia & gout
신부전(CKD)	–	항상	흔함	–	항상

AE, basolateral Anion (Cl^-/HCO_3^-) Exchanger; AQP, aquaporin; AVP-2 (V2) R, Arginine VasoPressin (V2) Receptor;
Barttin = ClC의 β-subunit; BAT, $b^{0,+}$ Amino acid Transporter; CaSR (CaR), Calcium-sensing Receptor;
ClC, Chloride Channel ($2Cl^-/H^+$ exchange transporter); ClC-Kb = basolateral Cl-channel kidney B;
ENaC, amiloride-sensitive Epithelial sodium (Na) Channel; FGF, fibroblast growth factor;
FXYD2 = Na^+-K^+-ATPase의 γ_1-subunit; GLUT, GLUcose Transporter;
GNAS, Guanine Nucleotide binding protein, Alpha Stimulating; MC-R, MineraloCorticoid Receptor;
NaPi-IIc, Sodium-Phosphate cotransporter; NBC, Na^+-HCO_3^-(Bicarbonate) Cotransporter;
NCC (NCCT), thiazide-sensitive Na-Cl Cotransporter; NKCC, Na-K-2Cl cotransporter;
OCRL1 = inositol polyphosphate-5-phosphatase; PHEX, PHosphate-regulating Endopeptidase on the X chromosome (FGF23을 분해하는 효소); ROMK, Renal Outer Medullary potassium (K) channel; SGLT, Sodium GLucose coTransporter;
TRPM, Transient Receptor Potential cation channel subfamily M; URAT, URAte Transporter
WNK, With-No-K(Lys), lysine deficient protein kinase

*Dent disease는 과거 X-linked recessive nephrolithiasis로 불리었음

유전성 세뇨관 장애

질환	변이 유전자	관련 단백	유전	임상양상(예)
Proximal Tubule (PT)				
Hereditary fructose intolerance	*ALDOB*	Aldolase B	AR	과당(fructose) 섭취 후 구토, 성장장애, 간/신부전
Fanconi-Bickel syndrome	*SLC2A2*	GLUT2	AR	글리코겐 축적에 의한 간종대, 다양한 대사장애
AR proximal (type 2) RTA (PRTA)	*SLC4A4*	NBC1	AR	다양한 안과질환을 동반한 PRTA (녹내장, 백내장 등)
Glucose-galactose malabsorption (GGM)	*SLC5A1*	SGLT1	AR	신생아에서 치명적 설사
Familial renal glycosuria (FRG)	*SLC5A2*	SGLT2	AR	고혈당은 없이 지속적인 단독 당뇨(glycosuria)
Dent disease* (type 1) Dent dz.의 60%	*CLCN5*	ClC-5	XR	단백뇨, 칼슘뇨, 신결석(혈뇨) → 중년에 CKD, ESRD
Dent disease (type 2) Dent dz.의 15%	*OCRL1*	OCRL1	XR	+ 경미한 지능저하, 근효소(LDH, CK)↑
Oculocerebrorenal syndrome of Lowe (OCRL), Lowe syndrome	*OCRL1*	OCRL1	XR	백내장, 녹내장, 경련, 정신지체, 근육긴장 저하, 단백뇨, 아미노산뇨, RTA 등 (→ CKD)
Cystinosis	*CTNS*	Cystinosin	AR	유전성 Fanconi's synd.의 m/c 원인, 여러 장기 침범
Cystinuria type A (type I)	*SLC3A1*	rBAT	AR	m/c aminoaciduria, cystinuria (달걀 섞는 냄새),
Cystinuria type B (non-type I)	*SLC7A9*	$b^{0,+}AT$	AR^{불완전}	시스틴 신석/요로결석
Lysinuric protein intolerance (LPI)	*SLC7A7*	$y^{+}LAT1$	AR	V/D, 성장장애, 골다공증, 간비종대 등
Hartnup disease (→ niacin deficiency)	*SLC6A19*	$B^{0}AT1$	AR	광과민성 pellagra-like 홍반, 설사, 치매 등
Hereditary hypophosphatemic rickets with hypercalciuria (HHRH)	*SLC34A3*	NaPi-IIc	AR	비타민D 저항성 rickets, 신장에서 인산염 소모, 골연화증(osteomalacia), 저신장, PTH↓
XR hypophosphatemic rickets	*CLCN5*	ClC-5	XR	비타민D 저항성 rickets, Fanconi syndrome
X-linked hypophosphatemia (XLH)	*PHEX*	PHEX	XD	m/c inherited hypophosphatemic disorder
AD hypophosphatemic rickets (ADHR)	*FGF23*	FGF23	AD^{불완전}	비타민D 저항성 rickets, FGF23 반감기↑
Familial renal hypouricemia (type 1)대부분	*SLC22A12*	URAT1	AR	Hyperuricosuria, 신결석, 드물게 운동유발 AKI
Familial renal hypouricemia (type 2)	*SLC2A9*	GULT9	AR	Hypouricemia 더 심함 (FE_{urate}>100%)
Thick ascending limb of Henle's loop (TALH)				
Bartter syndrome (type 1)	*SLC12A1*	**NKCC2**	AR	성장장애, Hypokalemic metabolic alkalosis,
Bartter syndrome (type 2)	*KCNJ1*	ROMK	AR	Polyuria & polydipsia, 소변 calcium↑~N
Bartter syndrome (type 3)	*CLCNKB*	ClC-Kb	AR	Bartter와 Gitelman의 혼합 표현 양상
Bartter syndrome (type 4) 감각신경난청	*BSND*	Barttin	AR	+ 감각신경난청
Familial hypomagnesemia with (FHHNC) hypercalciuria & nephrocalcinosis	*CLDN16*, *CLDN19*	claudin-16, claudin-19	AR	심한 hypomagnesemia (Mg 투여로 교정 안됨), 신결석/신석회화(→ 신부전), 소변 산성화 장애
Familial hypocalciuric hypercalcemia (FHH)	*CASR*^{비활성화}	CaSR 등	AD	Ca/Cr clearance ratio <0.01, 대개 무증상
Autosomal dominant hypocalcemia (ADH)	*CASR*^{활성화}	CaSR 등	AD	대개는 무증상, 신경근육과민성, 경련
Isolated dominant hypomagnesemia	*FXYD2/ATP1G1*	FXYD2	AD	소변 Mg↑, Ca↓ (매우 드묾, 3 가족만 보고됨)
Distal convoluted tubule (DCT)				
Gitelman syndrome	*SLC12A3*	**NCC**	AR	Hypokalemic metabolic alkalosis, 소변 calcium↓
Familial hypomagnesemia with secondary hypocalcemia (FHSH)	*TRPM6*	TRPM6	AR	장에서 Mg 흡수↓, 근육경련, 강직, 발작
Pseudohypoparathyroidism (PHP) type Ia	*GNAS1*	GNAS (Gs)	AD	Albright hereditary osteodystrophy (AHO) 등
Collecting Duct (CD)				
Pseudohyperaldosteronism (**Liddle syndrome**)	*SCNN1B*, *SCNN1G*	**ENaC의 β, γ subunit**	AD	CD에서 과도한 Na^{+} 재흡수 및 K^{+}, H^{+} loss severe HTN, hypokalemic metabolic alkalosis
Pseudohypoaldosteronism (type 1) AD	*NR3C2*	MC-R	AD	경미한 Na^{+} loss, 저혈압, hyperkalemia, M. acidosis
Pseudohypoaldosteronism (type 1) AR드묾	*SCNN1A/B/G*	ENaC-αβγ	AR	심한 Na^{+} loss 등, 신장이외에 다른 장기도 침범
Pseudohypoald. (type 2) (Gordon synd.)	*WNK1/2* 등	WNK1/2 등	AD	Gitelman과 정반대 양상, HTN, K^{+}↑등 (매우 드묾)
Nephrogenic DI (NDI), X-linked 대부분	*AVPR2*	**$AVP2_{(V2)}$ R**	XR	소변 농축 장애 (다뇨, 다음), ADH에 반응×(저항성)
Nephrogenic DI (NDI), Autosomal 10% 미만	*AQP2*	**AQP-2**	AR/AD	ADH에 대한 신장외 반응은 intact (응고인자 분비 등)
Distal (type 1) RTA (DRTA), AD	*SLC4A1*	AE1	AD	Mild, Hyperchloremic hypokalemic MA, 신결석
Distal (type 1) RTA (DRTA), AR	*SLC4A1*	AE1	AR	Severe, 구토/탈수/성장장애, 1세 이전에 발견

1. Bartter's syndrome

(1) 원인

• thick ascending limb of Henle's loop (TALH)의 ion transport proteins mutation

	변이 유전자	이상 단백
Type 1	*SLC12A1*	Apical loop diuretics-sensitive Na-K-2Cl co-transporter (**NKCC2**)
Type 2	*KCNJ1*	Apical ATP-regulated K^+ channel (**ROMK**)
Type 3	*CLCNKB*	Basolateral Cl^- channel (CLC-Kb)
Type 4	*BSND*	Barttin : CLC-Ka와 CLC-Kb의 필수 subunit, Cl^- channels을 세포표면으로 이동
Type 5	*CASR*	Extracellular calcium ion-sensing receptor (CaSR)

• AR 유전 (type 5만 AD 유전), 드묾($1/10^6$)

c.f.) antenatal Bartter's syndrome (hyperPGE synd.) : 신생아기에 심한 증상으로 발현하는 형태
→ 양수과다(∵ fetal polyuria), 조산, 구토, 설사, 심한 탈수, 성장지연, 신석회화증 등이 특징

(2) 병태생리

① thick ascending limb of Henle's loop (TALH)의 Na^+, Cl^- 재흡수 장애
→ volume depletion → renin-angiotensin-aldosterone system (RAS) 활성화
(secondary hyperaldosteronism)

② aldosterone↑ & NaCl과 water의 distal delivery 증가 → collecting tubules에서 Na^+ 재흡수↑
(ENaC를 통해) → K^+ & H^+ 배설 촉진 → "hypokalemic metabolic alkalosis"

③ hypovolemia, hypokalemia → PGI_2, PGE_2 생산↑ → renin, aldosterone↑

④ angiotensin Ⅱ와 aldosterone의 증가 → renal kallikrein↑ → 혈중 bradykinin↑

⑤ 혈압은 정상~감소
- PGE_2와 bradykinin의 vasodepressor 작용 + angiotensin Ⅱ 상승
- angiotensin Ⅱ에 대한 혈압의 반응성 감소

(3) 임상양상

• 대부분(classic Bartter's syndrome) 2~5세에 증상이 나타나며, 성장장애를 가져올 수 있음
• 특징 ; **hypokalemic metabolic alkalosis**, hypercalciuria, 혈압 N~↓, edema (-)
- weakness & cramps (∵ hypokalemia)
- polyuria/nocturia, polydipsia, 요농축능↓ (∵ hypokalemia-induced nephrogenic DI)
- nephrocalcinosis/renal stone (∵ hypercalciuria) : antenatal form 보다는 드묾
→ chronic TID → CKD로 진행 가능 (but, 투석이나 신이식이 필요한 경우는 드묾)
- 드물게 hypomagnesemia도 나타날 수 있지만 심하지는 않음

• aldosterone↑, PRA↑, urinary chloride >20 mEq/L
• type 3는 Bartter's와 Gitelman's의 혼합 표현 양상을 보임 (∵ TAL와 DCT의 ClC-kb 변이)
• type 4는 sensorineural deafness도 동반 (∵ 내이에도 barttin 단백 존재)
• type 5는 hypocalcemia도 동반

* D/Dx (실제 Bartter's syndrome은 매우 드묾) ; 만성 구토 (urine Cl^-↓), 이뇨제 남용, Mg deficiency

(4) 치료

- 근본적인 치료법은 없고, 대증치료 뿐 (hypokalemia의 교정이 m/i)
- classic Bartter's syndrome은 조기에 발견하여 적절히 치료하면 예후는 좋은 편임

① 평생 K^+ 보충 (필요시 Mg^{2+}도), NaCl 및 K^+의 섭취는 자유롭게

② potassium-sparing diuretics (e.g., spironolactone, amiloride, triamterene)

③ PG 합성억제제 : NSAIDs (indomethacin), COX-2 inhibitors (cerecoxib, rofecoxib)

; PGE_2⬆ 환자에서 renin level을 낮추고 angiotensin Ⅱ에 대한 반응성을 회복하는데 효과적!

(특히 antenatal Bartter's syndrome에 유용), potassium wasting을 감소시키지는 못함

④ ACEi : 일부에서 효과적

	Bartter syndrome (드뭄)	Gitelman syndrome (훨씬 흔함)
결함 부위	Thick ascending limb of Henle (TALH)	Distal convoluted tubule (DCT)
Molecular defect	Furosemide (loop diuretics)-sensitive Na-K-2Cl co-transporter (NKCC2) Apical ATP-regulated K^+ channel Basolateral Cl^- channel 등	Thiazide-sensitive Na-Cl co-transporter (NCC)
유전 양상	AR	AR
Serum K^+	↓↓↓	↓~↓↓
Serum Mg	N~↓	↓↓
Urine Calcium	↑	↓
Urine PGE_2	↑↑	N
요농축능	↓	N
혈압	↓(~N)	N
비슷한 효과	**Furosemide**	**Thiazide**
발병 연령	소아 초기	청소년, 성인
증상	Polyuria, polydipsia, failure to thrive	무증상 or tetany
조직소견	Juxtaglomerular apparatus의 증식	Minimal
NSAIDs에 반응	O	△

2. Gitelman's syndrome

- 과거에는 Bartter's syndrome의 한 변형으로 여겨졌었음, Bartter's보다 훨씬 흔함(1/4,000~40,000) (두 질환을 함께 Bartter-like syndrome으로 분류하기도 함)
- distal convoluted tubule (DCT)의 thiazide-sensitive Na-Cl co-transporter (NCC)의 결함 (*SLC12A3* gene mutation, AR 유전)
  - Na^+, Cl^- 재흡수 감소 → volume depletion & hypokalemia → RAS activation
  - Ca^{2+} 재흡수 증가 → hypocalciuria
- 임상양상 ; **hypokalemic metabolic alkalosis**, salt wasting, 혈압 정상
  - severe hypomagnesemia (∵ renal Mg wasting), hypocalcemia, **hypo**calciuria, 요농축능은 정상
    → Bartter's syndrome과의 차이

- muscle weakness/cramping, carpopedal spasm, tetany
- Bartter's syndrome보다 경미하고 늦게 발병하며, 장기 예후도 좋음

• 치료 ; Mg^{2+} & K^{+} 보충, potassium-sparing diuretics, ACEi 등
  (NSAIDs : PG leve은 정상이므로 대부분 효과 없지만, 일부에서는 효과가 있을 수 있음)

3. Liddle's syndrome (Pseudohyperaldosteronism)

• distal tubule 및 collecting duct의 epithelial (amiloride-sensitive) Na^{+} channel (ENaC)의 β or γ subunits의 결함 (AD 유전, *SCNN1B, SCNN1G* mutations) → ENaC 활성 과다 → aldosterone의 작용이 없는데도 불구하고, 과도한 Na^{+} 재흡수 및 K^{+}, H^{+} loss 발생

• hyperaldosteronism의 임상양상을 보임 (but, renin & aldosterone은 감소되어 있음)
  - early & severe HTN → Bartter's syndrome 등과의 차이
  - hypokalemic metabolic alkalosis (일부에서는 hypokalemia 없이 HTN만으로 나타날 수 있음)

• 치료 ; amiloride or triamterene (ENaC를 block) + low sodium diet
  (but, 다른 이뇨제 및 spironolactone은 효과 없음)

4. Pseudohypoaldosteronism type I

• aldosterone에 반응을 보이지 않는 세뇨관의 장애로 주로 신생아/영아기때 발병

• aldosterone deficiency의 임상양상을 보임 (but, renin & aldosterone은 증가되어 있음)
  ; severe salt wasting (hyponatremia), hyperkalemia, 혈압 정상

유전양상	AD (더 흔함)	AR
변이 유전자	*NR3C2*	*SCNN1A, SCNN1B, SCNN1G*
이상 단백	Mineralocorticoid receptor	ENaC의 α, β, or γ subunits
침범 장기	신장 only	신장, 땀샘, 침샘, 폐, 대장
땀/침의 Na^{+}	N	↑
임상양상	Stress 때 다양한 정도의 salt wasting, hyperkalemia	Hyperkalemia metabolic acidosis, 심한 salt wasting, hyponatremia, 구토, 피부감염, 호흡기감염(cystic fibrosis 비슷)
치료	NaCl 보충 (1~3년간) Carbenoloxone High-dose fludrocortisone	평생 NaCl 보충, K+ 제한, 예방적 항생제 (carbenoloxone 등에는 반응×)
예후	6~8년 뒤 호전, Na 요구량↓	나쁨

5. Pseudohypoaldosteronism type 2 (Gordon's syndrome)

• familial hyperkalemic HTN (FHHt), AD 유전, *WNK1* or *WNK4* mutation
  - *WNK1* mutation → WNK1 overexpression → WNK4의 기능 억제
  - *WNK4* mutation → WNK4의 기능(NCC 및 ROMK 억제) 상실 → transporter overactivity
    → DCT에서 Na^{+}, Cl^{-} 재흡수 증가, K^{+}, H^{+} 분비 감소

• Gitelman's syndrome과 정반대의 임상양상 (청소년 or 성인초기에 발병), 신장기능(GFR)은 정상
  ; low-renin HTN, hyperkalemia, slight hyperchloremic metabolic acidosis
• 치료 ; thiazide (specific NCC inhibitor) → 모든 임상양상 호전됨

6. Fanconi syndrome

선천적 원인 (→ 앞부분 표 참조)	후천적 원인
Cystinosis Wilson's dz. Galactosemia Tyrosinemia Hereditary fructose intolerance Lowe's oculocerebral syndrome	Dysproteinemia ; multiple myeloma, amyloidosis, light-chain proteinuria, Sjögren syndorme Heavy metal toxicity ; lead, cadmium Drugs ; cisplatin, ifosfamide, gentamicin, azathioprine, valproic acid, streptozocin, ranitidine ... 기타 ; NS, 신이식, mesenchymal tumors

• generalized proximal tubular dysfunction으로 인한 임상양상
  - generalized aminoaciduria : 거의 모든 AA가 빠져나가지만 경미해서 특별한 증상은 없음
  - glucosuria : 경미해서 대부분 정상 혈당을 보이고, 체중도 정상임
  - hypophosphatemia : (특히 PTH↑ 및 vitamin D↓도 동반되면) 심한 metabolic bone dz. 발생 (pain, fractures, rickets/osteomalacia, 성장장애 등)

■ metabolic bone dz. (rickets, osteomalacia)의 원인/발생기전
① hypophosphatemia
② proximal tubule에서 1,25$(OH)_2D$ (calcitriol) 생산 감소
③ metabolic acidosis

  - type 2 (proximal) RTA : bicarbonate 재흡수 장애 때문 → metabolic acidosis에 의한 증상
  - natriuresis, kaliuresis (hypokalemia), hypouricemia, low-MW proteinuria ...
  - urinary solute loss↑↑ → osmotic diuresis → polyuria, polydipsia, dehydration
• 치료 : 기저질환의 치료가 우선
  ① bone lesions → phosphate 보충, vitamin D (calcitriol)
  ② acidosis → alkali 보충 (RTA & hypokalemia 시는 K^+를 함유한 alkali로)
  ③ salt & water 섭취는 자유롭게
• aminoaciduria, glucosuria, hypouricemia, low-MW proteinuria는 치료 필요 없음

신세뇨관 산증/콩팥요세관 산증 (Renal tubular acidosis, RTA)

* renal tubules에서 HCO_3^- 재흡수 or acid 배설이 감소되어 acidosis가 발생하는 여러 질환군
  - 혈중 HCO_3^-가 감소된 만큼 신장에서 Cl^-의 재흡수가 증가되어 hyperchloremic metabolic acidosis 발생 (normal anion gap)
  - sulfate와 phosphate 같은 titratable acids의 배설은 정상

1. type 1 (hypokalemic distal) RTA : dRTA, classic RTA

(1) 병인

- distal tubule의 "urine acidification" (acid excretion) 장애
  - H^+ pump 장애 (urine으로의 H^+ 분비↓)
  - H^+의 back diffusion (permeability defect)
- urine pH >5.5 (type 2 RTA보다 acidosis 더 심함)
- urine AG (+) or 0

[정상] distal tubule ; urine acidification 부위
→ 엄청난 H+ 농도차 형성
(blood : urine = 1 : 1000 까지도)

Urine AG = ($[Na^+]$ + $[K^+]$) − $[Cl^-]$

(2) 원인

① primary ; idiopathic, familial (AD, AR-심한증상), sporadic

② secondary (더 흔함)

1. 세뇨관 간질성 신질환 ; 신이식, chronic PN, UTO
2. 유전질환 ; Marfan syndrome, Wilson's dz., Ehlers-Danlos syndrome, medullary cystic dz., osteopetrosis
3. 신석회화 관련 질환 ; hyperoxaluria, hypercalciuria, hyperthryoidism, primary hyperparathyroidism, vitamin D intoxication, milk-alkali syndrome, medullary sponge kidney
4. 자가면역질환 ; 만성 간염, PBC, Sjögren's syndrome, SLE, autoimmune thyroiditis, pul. fibrosis, vasculitis
5. Hypergammaglobulinemia ; MM, amyloidosis, cryoglobulinemia
6. Drug/toxins ; amphotericin B, ifosfamide, cisplatin, AG, analgesics, lithium, toluene
7. 기타 ; LC, AIDS

(3) 임상양상

- metabolic acidosis 훨씬 심하다 (hyperchloremic hypokalemic MA)
- K^+ wating, 요농축 장애 → hypokalemia, polyuria
- 만성적인 acidosis → calcium 재흡수↓ → hypercalciuria, mild 2ndary hyperparathyroidism
- acidosis & hypokalemia → proximal tubule에서 citrate 재흡수 증가 → urine citrate↓
- hyperrcalciuria, urine pH↑, citrate↓ → 신결석(calcium phosphate stone)↑
- chronic acidosis에 의한 bone loss 및 $1,25(OH)_2D_3$ 생산 장애
  → renal rickets나 osteomalacia 발생 가능
- 성장지연이 흔하며 alkali 치료하면 호전됨
- 다른 질환이 합병되면 생명을 위협하는 심각한 acidosis & hypokalemia도 발생 가능

* oral NH_4Cl loading (acute acid challenge) test : 요 산성화능 평가 검사

① 정상 & type 2 RTA : 간에서 NH_3 + HCl 로 대사되어 serum $[H^+]$↑
→ 4~8시간후 urine pH 5.5 이하로 감소

② type 1 RTA : 반응 없음 (urine pH >5.5), low blood pH, $[HCO_3^-]$ <22 mmol/L

(4) 치료

- hypokalemia가 심하면 K^+ 먼저 보충해야 됨 ; potassium citrate[구연산칼륨]
  (∵ alkali 투여시 소변으로 K^+ 분비 증가로 hypokalemia 악화 위험)
- alkali 보충 ; sodium bicarbonate보다는 sodium citrate[구연산나트륨]가 선호됨 (oral)
  e.g.) Shohl's solution (Na citrate, citrate), Polycitra solution (K citrate, Na citrate, citrate)

- 소아 ; 성장지연/골질환 방지를 위해 bicarbonate 1~3 mmol/kg/day에 해당하는 alkali 투여
- 신결석을 동반한 성인 ; 충분한 수분 섭취와 acidosis 교정할 양 만큼의 충분한 alkali 투여

• 대개 장기간 sodium citrate and/or potassium citrate (hypokalemia의 심한 정도에 따라)로 치료

2. type 2 (proximal) RTA : pRTA

(1) 병인

• proximal tubule의 HCO_3^- 재흡수 장애 (감소)
→ distal tubule로 가는 HCO_3^- 양 증가 (재흡수 능력 초과)
→ urine으로 HCO_3^- 소실 증가 (bicarbonaturia)
(혈중 HCO_3^- 20 mEq/L 이상일 때 HCO_3^- fractional excretion 15% 이상으로 증가 ↔ distal RTA는 10% 미만)
→ 혈중 HCO_3^- 감소 (metabolic acidosis) → filtered HCO_3^-의 감소
(혈중 HCO_3^- 15~17 mEq/L로 감소되면 distal tubule의 재흡수 능력만으로 urine acidification 가능: 새로운 평형)
→ bicarbonaturia 소실 & urine pH 정상과 비슷하게 감소(<5.5)

[정상] filtered HCO_3^-의 재흡수
- proximal tubule에서 약 90%
- distal tubule에서 약 10%

• urine AG : (+)
• self-limited 양상 (혈중 HCO_3^-는 14~20 mEq/L로 낮은 상태에서 평형을 유지)

(2) 원인 … Fanconi syndrome과 비슷

① primary ; familial or sporadic
② secondary (더 흔함)

1. 유전질환 ; cystinosis, galactosemia, Wilson's dz., hereditary fructose intolerance, tyrosinemia, glycogen storage dz. type 1, Lowe syndrome
2. Dysproteinemia ; multiple myeloma, amyloidosis, light chain dz., cryoglobulinemia, MGUS
3. Drug/toxins ; acetazolamide, topiramate, ifosfamide, tenofovir, tacrolimus, AG, outdated TC, streptokinase, topiramate, lead, cadnium, mercury ...
4. 간질성 신질환 ; Sjögren syndrome, medullary cystic dz., 신이식 거부반응
5. 기타 ; PNH, malignancy, NS, chronic RVT, vitamin D deficiency or resistance

* Carbonic anhydrase (CA)↓ ; osteopetrosis, acetazolamide, CA II deficiency
(→ Fanconi syndrome 동반 없이 순수한 pRTA만 발생)

(3) 임상양상

• 대부분 "Fanconi syndrome" 양상을 동반한 전반적인 proximal tubule dysfunction 양상으로 발현
• metabolic acidosis는 type 1 RTA에 비해 덜 심하다
• acidosis와 관련되어 성장지연, 식욕부진, 영양결핍, 체액결핍 등 발생 가능
• potassium wasting 및 hypokalemia도 나타날 수 있음
• glycosuria, aminoaciduria, phosphaturia
• hypophosphatemia, calcitriol ($1,25(OH)_2D$)↓ → rickets/osteomalacia 흔함
• hypercalciuria가 어느 정도 있으나 renal stone 형성은 드물다
(∵ urine citrate는 낮지 않으므로 → Ca^{2+}과 결합)

* oral NH_4Cl loading test에 반응 : urine pH 5.5 이하로 감소
* alkali (HCO_3^- IV) loading test에 비정상 반응 : 다른 type의 RTA와 달리
요중 HCO_3^- 배설이 크게 증가됨 (∵ HCO_3^- 재흡수 감소)
→ 혈중 HCO_3^- level이 정상이면서 FE_{HCO_3} 15% 이상이면 확진 가능

(4) 치료

- 기전 질환이나 원인 약물/독소의 제거가 우선
- acidosis가 심한 경우 (serum HCO_3^- <18 mmol/L) alkali 투여
  - proximal RTA보다 훨씬 많은 양이 필요함 (10~15 mmol/kg/day), 그래도 pH 정상화 힘듦 (∵ HCO_3^- 재흡수 장애로 인한 지속적인 bicarbonaturia로 소실)
  - bicarbonate는 hypokalemia를 악화시킬 수 있으므로 potassium citrate가 선호됨
  - thiazide diuretics + low salt diet → alkali 요구량 감소
- K^+도 함께 보충 필요 (∵ alkali 치료 중 bicarbonaturia로 인해서 K^+ loss↑)
- 대사성 골질환이 합병된 경우 vitamin D 보충도 필요
- 소아의 경우는 성장지연 등을 방지하기 위해 더욱 강력히 치료 (→ serum HCO_3^- 정상화)

3. type 4 RTA : hyperkalemic distal RTA (m/c)

(1) 병인

- aldosterone 결핍/반응저하(resistance)로 H^+ 및 K^+의 배설 감소 : distal tube & collecting duct
  → normal anion gap의 metabolic acidosis 발생, urinary AG (+)
  (RTA중 유일하게 hyperkalemic hyperchloremic acidosis)
- 대부분 hyperkalemia가 문제가 되며, acidosis는 그렇게 심하지 않다
- hyperkalemia → proximal tubule에서 ammonia 생산↓
  (c.f., proximal tubule에서 ammonia 생산 감소 원인 ; 신부전, hyperkalemia)
- ammonia 부족으로 distal tubule 내의 H^+를 buffer 못함 → acidic urine (urine pH <5.5)

(2) 원인

1. Hyporeninemic hypoaldosteronism (대부분) Diabetic nephropathy (m/c) Drugs ; NSAIDs, β-blocker, cyclosporine, tacrolimus ... 기타 ; HTN에 의한 nephrosclerosis, AIDS, 신장이식
2. Adrenal disorders (renin 정상~↑) Isolated Generalized ; bilateral adrenalectomy, enzyme defects (e.g., 21-hydroxylase deficiency)
3. Aldosterone-resistance Pseudohypoaldosteronism Chronic TID ; obstructive uropathy, sickle cell dz., 신장이식 ... K^+-sparing diuretics ; spironolactone, amiloride, triamterene 기타 drugs ; lithium, trimethoprim, pentamidine
4. Angiotensin-converting enzyme inhibition ACEi, ARB, renin inhibitor, heparin, ketoconazole

(3) 치료

- hyperkalemia의 교정이 1차 치료 목표 (acidosis는 hyperkalemia에 의한 ammonia 생산 감소가 해결되면 대개 호전됨) ; low K^+ diet 등
- aldosterone의 분비/작용을 저해하는 약물의 중단 (e.g., ACEi, β-blocker, NSAIDs), but, CKD 환자는 심혈관계 및 신장보호 효과 때문에 ACEi/ARB는 사용함

- HTN or volume overload (특히 CKD 환자) → thiazide or loop diuretics
  (distal Na^+ delivery ↑ → collecting duct에서 K^+, H^+ secretion ↑)
- mineralocorticoid (9α-fluorocortisone) : 혈압 정상이고 fluid overload 없는 aldosterone deficiency시 도움
- cation exchange resin : 장기간 사용은 부적절
- acidosis가 심한 경우 alkali 투여 (1~3 mmol/kg/day) … 대개는 필요 없음

* type 3 RTA : 소아에서 type 1 + 2 RTA의 임상양상을 보이나 자연 회복됨
  (→ 특정한 신장 이상이 아니라 high salt intake 등과 관련된 일시적인 현상으로 추정됨)

Normal AG Acidoses의 진단/비교 ★

	Type 1 RTA (distal)	Type 2 RTA (proximal)	Type 4 RTA (hyperkalemic)	GI HCO_3^- Loss
주요장애	Distal H^+ secretion ↓	Proximal HCO_3^- reabsorption ↓	Hypoaldosteronism (→ hyperkalemia → ammonia ↓)	Non-renal alkali loss
Minimum urine pH (acidosis 때의 urine pH)	>5.5	<5.5	<5.5	5~6
Fractional HCO_3^- excretion*	<10%	>15%	<10%	<10%
Urine AG**	+	+	+	−
Plasma HCO_3^- (mmol/L)	10~20	14~20	16~22	
Serum K^+ (치료전)	↓	↓	⬆	↓
Serum K^+ (치료후)	N	↓	N	
Daily acid excretion	↓	N	↓	↑
진단적 검사	NH_4Cl load	Maximum capacity for HCO_3^-	Renin, Aldosterone, urine K^+	
일일 bicarbonate 투여량	1~2 mmol/kg	10~15 mmol/kg	<4 mmol/kg	다양
K^+ 보충 필요	○	○	×	○
Long-term Cx	Renal stone, Renal insufficiency	Osteomalacia (Ph ↓), Growth retardation		
동반질환	Autoimmune	Fanconi syndrome	DM 등의 CKD	설사, 구토

* fractional excretion of HCO_3^- (FE_{HCO_3}) $= \dfrac{U_{HCO_3} \times P_{Cr}}{P_{HCO_3} \times U_{Cr}}$ (×100, %)

** urine AG = ($[Na^+]$ + $[K^+]$) − $[Cl^-]$

c.f.) serum AG = $[Na^+]$ − ($[HCO_3^-]$ + $[Cl^-]$), 참고치 3~10 mEq/L

11
신혈관 질환

■ Endothelial cells의 기능

기능	Activation 시	예
1. Vascular tone 조절	Vasoconstriction	AKI, hypertensive crisis, preeclampsia
2. 혈액 응고 억제	Microthrombi 형성	HUS, malignant HTN, SLE, scleroderma, toxemia
3. Leukocyte의 이동 조절	Leukocyte recruitment	GN, vasculitis, allergic interstitial nephritis, transplant rejection

허혈성 신질환 (Ischemic nephropathy)

* 50세 이상 ESRD 원인의 15~20% 차지

1. 신동맥의 thromboembolic occlusion

(1) 원인

1. Intrinsic (local) renal artery의 thrombosis
   Progressive atherosclerosis
   Trauma, angiography/angioplasty
   Aneurysm/dissection
   염증 ; vasculitis, thromboangiitis obliterans, syphilis
   Hypercoagulable state (드묾)

2. Thromboembolism (더 흔함) : 15~30%에서 bilateral
   Fat emboli (e.g., large bone fracture)
   Mural thrombi ; MI, subacute bacterial endocarditis, aseptic vegetation
   AF, MS, atrial myxoma, prosthetic valve
   Paradoxical emboli (patent foramen ovale or ASD를 통과한 우측의 emboli)

(2) 임상양상

- 폐쇄의 정도 및 발병 시간에 따라 다양
- acute thromboembolism & infarction (e.g., embolization) ··· 드묾(0.5~1.5%)
  - 갑자기 flank pain & tenderness, fever, N/V 발생
  - 신기능의 급격한 감소 (AKI), hematuria, leukocytosis

- 신장 효소↑ ; AST, LD, ALP 순서로 상승 & 감소 (urinary LD 및 ALP도 상승 가능)
- renal infarction 환자의 90%는 심장질환을 갖고 있음 (AF와 동반된 LA thrombus가 m/c)

• 서서히 진행하는 경우 (e.g., atherosclerosis)
  - 한쪽 신동맥만 침범된 경우는 대개 무증상
  - 특별한 증상이 없어도 동맥경화증이 있는 노인 환자에서 신기능의 감소가 있는 경우 허혈성 신질환을 의심해보아야 함

• HTN : 대개 renal infarction 후 발생 (∵ 갑자기 renin 분비↑)
  → 보통 일과성이며, 일부에서 장기간 지속 가능

(3) 진단

• flank pain에 대해서는 우선 non-contrast spiral CT 시행 (∵ 휠씬 흔한 stones R/O)
• CE spiral CT (m/g), MRA, renal scan, Doppler US, IVP ...

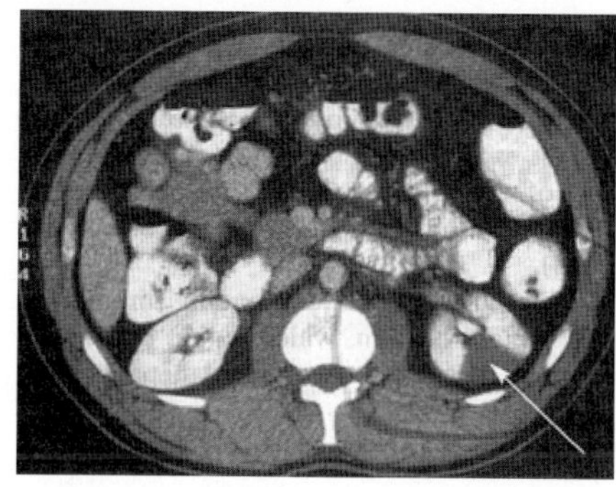

신장경색의 CE-CT 사진
(infarct : 쐐기 모양의 hypodense area)

• renal arteriography (확진 가능하지만 invasive)
• embolic renal artery occlusion의 경우는 반드시 심초음파 등으로 심장 thrombus를 확인해야 됨

(4) 치료

• 기저질환을 찾아 예방/치료
• 내과적 치료 ; 항응고제(주치료), 혈전용해제, HTN 조절(ACEi) → unilateral dz. 때 선호
• main renal artery or segmental branch의 폐쇄 (빨리 진단되었거나, HTN이 지속되는 경우)
  ⇨ revascularization 선호 ; percutaneous endovascular therapy
  (local thrombolysis, thrombectomy, stent replacement)
• acute bilateral thrombosis에서는 내과적, 외과적 치료의 결과가 비슷
  (약 25%의 환자는 acute episode 때 대개 신장외 합병증으로 사망)
• chronic bilateral ischemic renal dz. or 외상에 의한 경우는 surgical revascularization 고려

2. 신혈관의 atheroembolic occlusion (cholesterol embolization)

(1) 개요/원인

• 중간~큰 혈관의 atheromatous plaque에서 떨어진 작은 파편(cholesterol crystals, platelet, fibrin 등으로 구성)이 여러 기관(망막, 췌장, 뇌, 근육, 피부 등)의 작은 혈관들을 막아서 발생하는 질환
• 물리적 혈관 폐쇄 + 염증반응에 의한 조직손상 (→ 다른 전신 염증질환과 비슷한 증상 가능)
• 신혈관의 atheroembolism ; 노인에서 AKI의 6~10%, ESRD의 3~10% 원인 차지
  - aortic aneurysm과 renal artery stenosis (RAS)와 관련 많음

- severe atherosclerosis를 가지고 있는 노인에서 호발
  ↳ 위험인자 (85%에서 존재) ; 남성, 고령, HTN, DM, IHD, hyperlipidemia, 흡연 등
- 유발인자 (70% 이상에서 존재) ; arteriography (m/c), angioplasty, vascular surgery, anticoagulation (heparin), thrombolytic therapy, trauma 등 (유발인자 없이도 발생 가능)

(2) 임상양상

- 허혈성 심혈관질환, 뇌혈관질환, aortic aneurysm, CHF, 신부전 등의 과거력이 흔함
- 대개 유발요인(시술) 이후 1~14일 뒤에 증상 발생
- subacute/acute renal insufficiency, uremia (40%), HTN (1/2) / renal infarction은 드묾
- 신장 외 증상(extrarenal manifestations)
  - 피부 증상(m/c, 50~90%) ; 주로 하지의 망막피반(livedo reticularis), blue toe syndrome
  - spleen (55%), pancreas (52%), GI tract (31%), liver (17%), brain (14%), retina (11%), calf claudication ...
    ↳ (GI tract) N/V, ileus, bleeding, ischemia
- 전신증상 (1/2 이하에서 발생) ; 발열, 권태, 두통, 복통, 체중감소 등

(3) 검사소견/진단

- BUN/Cr↑, eosinophilia (60~80%), eosinophiluria, leukocytosis, ESR↑, complement↓...
- 망막에서 cholesterol crystal emboli (Hollenhorst plaques) 확인 → biopsy 없이 진단 가능
- renal biopsy (확진) ··· 유발인자가 있고 임상양상이 전형적이면 필요 없음
  ; focal segmental sclerosis, 폐쇄된 동맥 내 바늘 모양 biconvex clefts ("ghosts"), 혈관주위 염증

(4) 치료/예후

- 특별한 치료법이 없음 ⇨ 보존적 치료 ; 혈압조절(ACEi), aspirin, 혈당조절, 수액요법, 투석 등
- cholesterol-lowering agent (statins) 및 distal embolic protection devices는 일부 효과적임
  (low-dose steroid : 후향적 연구에서는 효과적이었으나, 전향적 연구에서는 효과 없음)
- 가능하면 anticoagulation 및 fibrinolysis는 중단, 혈관 침습적 검사/시술 연기
- 예후 나쁨 : 1년 사망률 ~38%, 일부는 완전 회복도 되지만 30~50%는 ESRD로 진행
  (→ 투석 치료해도 5년 뒤 사망률 35~40%)

3. 신장동맥 협착증(Renal artery stenosis^RAS, Renovascular HTN)

[신동맥 또는 그 분지의 협착에 의해 이차적으로 혈압이 상승한 경우
[2ndary HTN의 2nd m/c 원인 (전체 HTN의 1~5% 차지)

(1) 원인

① atherosclerotic disease (m/c, 80~90%) : 특히 중년/고령의 남성에서 흔함
  - 주로 신동맥 기시부(proximal 1/3)에서 발생, 대부분 unilateral (bilateral RAS는 20~40%)
  - 대부분 대동맥의 큰 atheromatous plaque가 신동맥까지 침범하여 발생한 것임
  - HTN, DM, hyperlipidemia, 전신 동맥경화성 혈관질환(e.g., CAD) 등의 동반이 흔함!
    (→ 이들 환자의 약 40%에서 RAS 존재)
  - 침범된 신장의 약 20%에서는 renal hypotrophy 존재
  - 진행되어 신기능 감소가 동반되면 atherosclerotic nephrosclerosis가 됨

② Takayasu's arteritis : 젊은 여성에서 m/c 원인 (우리나라 2nd m/c 원인) → 순환기내과 13장

③ fibromuscular dysplasia : angiography상 renal artery가 염주알 모양 (서양은 2nd m/c 원인)
④ 기타 ; 혈전/색전증, 외상, 신동맥 박리, 대동맥 축착, 동맥류, 종양/낭종/후복막섬유화에 의한 압박

c.f.) *Fibromuscular dysplasia (FMD)*
- 15~50세 여성에서 호발, 원인은 모름 (유전, 호르몬, 흡연, HTN 등과 관련)
- 주로 medium-sized artery를 침범
  ① renal artery (85%, 주로 distal 2/3와 그 분지를 침범) → RAS → renovascular HTN
  ② carotid artery (65%) → TIA, CAA 등
  ③ 기타 ; lumbar, mesenteric, celiac, hepatic, iliac ...
- 조직학적 분류 ; medial fibroplasia (90%), perimedial fibroplasia, medial hyperplasia, intimal fibroplasia
- angiography에서 특징적인 '염주알' 모양을 보임

* 신동맥 침범 부위
  ┌ atherosclerosis, Takayasu's arteritis → proximal 1/3
  └ fibromuscalar dysplasia → distal 2/3 & branches

(2) 병태생리

- stenosis가 발생한 신장은 RAAS 활성화에 의해 사구체 여과기능을 유지하려 함
- renal artery stenosis → renal blood flow↓ → JG cell에서 renin 분비↑ → angiotensin↑
  ① 강력한 혈관 수축 → HTN
  ② aldosterone 분비 ↑ → HTN, → hypokalemia, Na^+ & water retention
  ③ sympathetic activity↑ → flushing, nocturnal BP↓ 소실, 급격한 BP 변화, 자율신경 불안정
- RAAS 활성화(plasma renin level↑)는 일시적임 → renovascular HTN 진단에는 가치 없음
  ; 고염식, bilateral RAS, volume expansion, 항고혈압제 등에 의해 감소할 수 있음

(3) 임상양상

- 고혈압 ; 가족력 無, 최근에 (갑자기) 발병
  ┌ 50세 이전에 HTN 갑자기 발생 → fibromuscular dysplasia 의심
  └ 50세 이후에 HTN 갑자기 발생 → atherosclerotic RAS 의심 (특히 다른 심혈관질환 동반시)
  - accelerated or malignant HTN (e.g., 두통), retinopathy 심함, LVH 등 표적장기손상 흔함
  - 내과적 치료 (3제 이상)에 반응 없는 HTN
- 신장이상 ; 다른 원인이 없는 지속적인 신기능저하(sCr↑, GFR↓)
  - revasulcarization이 필요한 환자의 85%는 GFR <60 mL/min (stage 3~5 CKD)
  - ACEi/ARB 투여 후 sCr↑ or azotemia (AKI) 발생 → bilateral RAS or 한쪽 신장만 기능
  - 양쪽 신장의 크기가 다름!! (∵ 신실질의 손상이 진행될수록 신장 크기 감소)
  - proteinuria (essential HTN보다 흔함), hypokalemia, metabolic alkalosis
- abdominal bruit (1/2~2/3에서 들림) : high-pitched, systolic-diastolic
- 다른 부위의 동맥경화증 동반 흔함 ; carotid, coronary, peripheral arteries 등
  → ESRD로의 진행보다는 stroke, MI, CHF, pul. edema, PAD 등이 더 문제

(4) 진단

- renal duplex Doppler US : 신동맥의 기능적 평가와 일부 구조 파악을 동시에 시행 가능
  - initial screening test로 좋음! (∵ 저렴, 비침습적) ; sensitivity 85%, specificity 92%
  - 단점 ; 숙련도가 필요하고 시간이 오래 걸림, 작은 혈관이나 FMD, 비만 환자는 진단 어려움
  - 협착이 있는 동맥에서의 혈류 속도(peak systolic velocity) 증가
    - >200 cm/s : 혈역학적으로 의미 있는 병변 (60% 이상 폐쇄) 시사
    - >300 cm/s : RAS 치료 시도 (∵ 더 낮은 속도에서는 위양성 위험)
  - intrarenal resistive index (RI) = $[V_{sys} - V_{dia}]/V_{sys}$ (V_{dia}: 최저 이완기 속도, V_{sys}:최대 수축기 속도)
    ; 치료(revascularization) 후 신기능 회복의 예후 예측 가능 (80% 이상이면 치료반응 및 예후 나쁨) 하다는 연구가 일부 있었지만, 다른 연구에서는 아닌 걸로 나와 유용한 지표는 아님
  - 반대쪽 신장의 보상성 hypertrophy가 없으면 → bilateral RAS, 신실질 질환(e.g., hypertensive diabetic nephropathy) 의심
- 조영증강 spiral CT angiography (CTA) : sensitivity & specificity 매우 우수 (96%, 97%)
  - but, 방사선 노출, 약간의 contrast toxicity 위험
- gadolinium-enhanced MRA (MR angiography) : sensitivity & specificity 우수 (>90%, 95%)
  - 신기능저하시 gadolinium에 의한 nephrogenic systemic fibrosis 위험으로 이용 감소
  - gadolinium 이외의 새로운 방법 ; breath-hold MRA, phase-contrast MRA 등
  - but, stent가 있으면 화질이 저하되므로 F/U 검사로는 부적함
- renal arteriography … "gold standard"
  ↳ digital subtraction angiography (DSA) : 조영제를 적게 사용하여 신독성의 위험 감소
    → 비침습적 검사 결과가 불명확하거나, angioplasty로 치료 예정인 경우 고려

[screening으로는 별로 권장되지 않는 검사들]
- captopril renography ; ^{99m}Tc-DTPA, ^{99m}Tc-MAG_3
  - captopril(속효성 ACEi) 투여시 → stenosis 있는 쪽의 uptake 감소 및 excretion 지연 : (+)
    (∵ angiotensin Ⅱ 감소 → efferent arteriole 이완 → GFR↓)
  - 병태생리(기능)를 가장 잘 반영, unilateral RAS시 유용
  - (+)시 revascularization으로 완치 가능성 증가
  - 신기능이 저하된 경우, bilateral RAS, 한쪽 신장만 기능을 하는 경우 등에서는 정확도가 떨어져 권장 안됨 (sensitivity 낮음) → CTA or MRA 권장
- captopril 투여 후 plasma renin activity (PRA) 검사 : 진단적 가치 없음
- differential renal vein renin level 측정 : 진단보다는 치료방침 결정에 도움 될 수 있음
  - unilateral RAS의 경우, stenosis가 있는 쪽의 plasma renin activity (PRA)가 반대쪽의 1.5배 이상으로 현저히 증가
  - stenosis 없는 쪽의 PRA는 systemic PRA 보다 작거나 같음

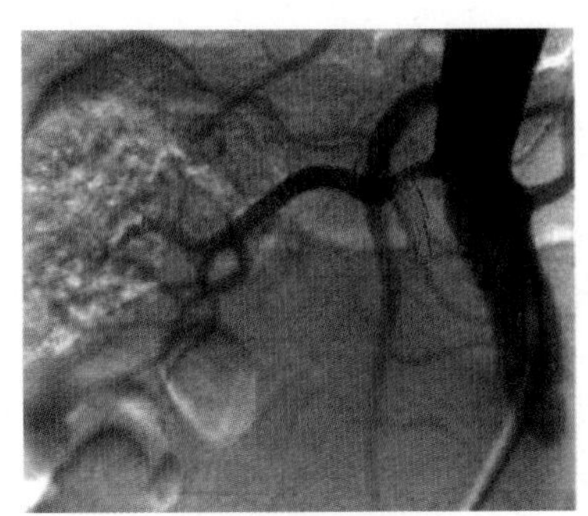

RAS의 DSA 사진

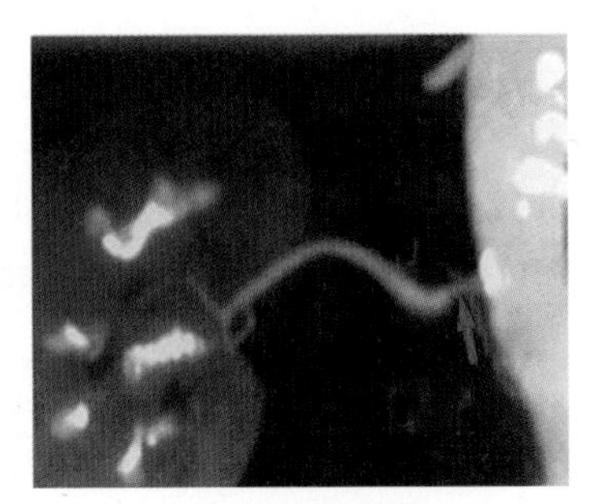

RAS의 CTA 사진

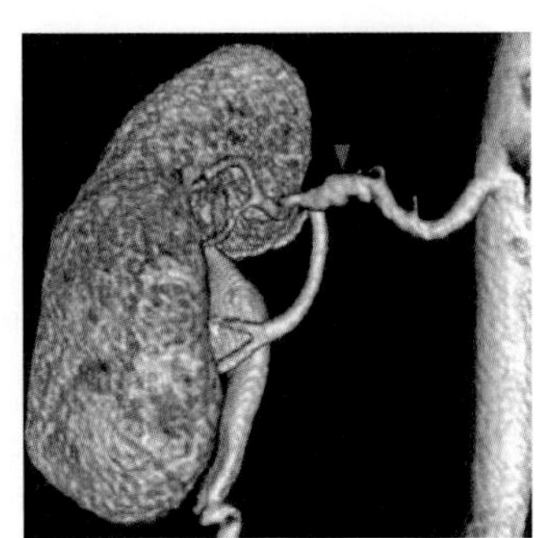

RAS의 MRA 사진 (FMD)

▶ 참고 : 신혈관성 고혈압의 원인 질환별 신장동맥조영술 소견

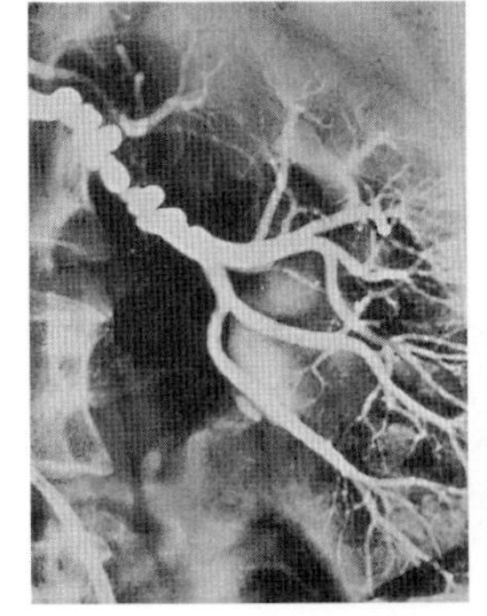

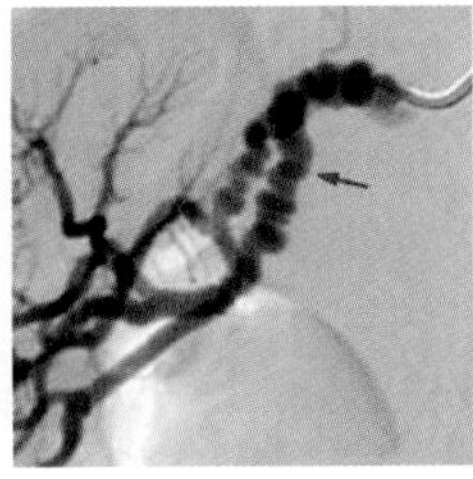

Fibromuscular dysplasia

Renal artery의 distal 2/3 및 그 이하의 branches를 침범, 염주알 모양이 특징

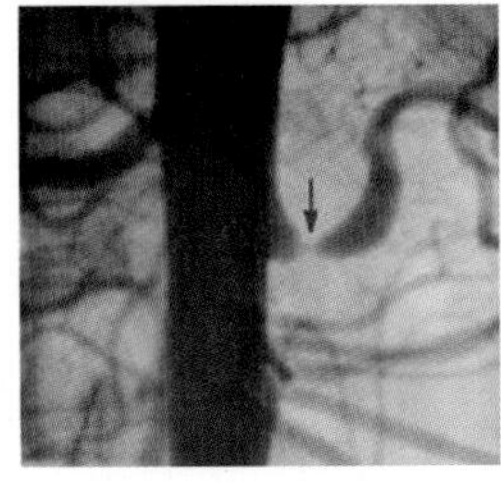

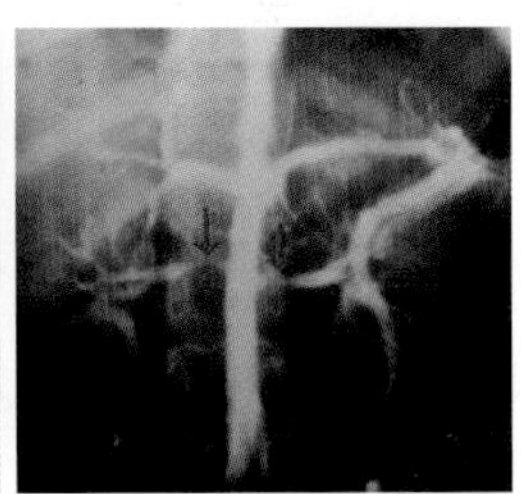

Atherosclerosis　　Takayasu's arteritis

Renal artery의 proximal 1/3을 주로 침범

(5) ARAS (Atherosclerotic RAS)의 치료/예후

- 혈압이 잘 조절되고 신기능이 정상이면 내과적 치료 & F/U이 우선 권장됨!
  - ACEi (or ARB) + 이뇨제, 항혈소판제(e.g, aspirin), 고지혈증 치료, 금연, 운동, 체중감량 등
    ↳ 기존보다 sCr 1 mg/dL 이상 상승시에는 중단 (∵ severe bilateral RAS, 한쪽 신장만 기능)
  - 혈압 잘 조절되고 신기능 안정적이면 내과적 치료와 revasulcarization의 치료 효과는 비슷함!!
  - severe (>75%) bilateral RAS는 상대적 금기! (∵ AKI 유발 위험) → PTA 권장

내과적 치료 & F/U이 선호되는 경우	Revasulcarization이 선호되는 경우 ★
신기능이 안정적이고 혈압조절이 잘 될 때 F/U시(e.g., duplex US) 진행 안하는 Stable RAS 초고령 and/or 기대수명 짧을 때 Revasulcarization이 위험한 심한 동반질환 Atheroembolic dz.의 고위험군 or 과거력 신기능을 악화시키는 다른 신실질 질환의 동반 (e.g., interstitial nephritis, DM nephropathy)	RAS 진단 전 고혈압 기간이 짧을 때 적절한 내과적 치료로도 혈압 조절이 안 될 때 ACEi/ARB 치료 중 GFR 감소 (sCr↑) Malignant HTN 혈압 하강을 동반한 급격한/재발성 GFR 감소 (sCr↑) Resistive index (RI) <0.8 (80%) CHF, 폐부종, 심한 hyperkalemia 등이 반복 Fibromuscular dysplasia (FMD)

• 중재적 치료(revasulcarization)
 ① percutaneous transluminal angioplasty (PTA) & stenting : m/c
  - 60~80%에서 혈압 및 신기능 호전/안정화됨, 1년 뒤 재협착(restenosis) 발생률은 15% 미만
  - 심한 신기능↓ or 신장 크기 감소(<7~8 cm)는 revasulcarization 뒤 회복될 가능성 낮음
  - Cx (5~9%) ; renal artery dissection, perforation, hemorrhage, atheroembolic dz.
 ② 수술(bypass surgery)
  - 치료 효과는 PTA & stenting과 비슷하거나 좀 더 우수함 (80~95%에서 완치)
  - but, 수술에 따른 위험이 높으므로 PTA & stenting 불가능한 환자에서만 고려
   (e.g., complex anatomic lesions, aneurysm 등 다른 병변 치료 필요)
• 예후에 영향을 미치는 인자
 - 기저 신기능 (serum creatinine) : 정상이면 3YSR 94% / 2.0 mg/dL 이상이면 3YSR 52%
 - 신실질의 손상 정도 (noninvasive imaging 상), proteinuria의 정도

* FMD : 항고혈압제(ACEi/ARB), revasulcarization (PTA without stenting)
 - 내과적 치료보다 revasulcarization의 치료 효과가 더 좋음 (stenting 안 해도 치료 효과 좋음)
 - 내과적 치료만 하면 RAS & 신기능저하가 계속 진행됨

고혈압성 신경화증/콩팥굳음증 (hypertensive nephrosclerosis[HN])

• essential HTN은 CKD (ESRD)의 2nd m/c 원인 (~27%)
• 병인 ; HTN, atherosclerosis (stiffness↑), 노화에 의한 혈관내피 투과성↑(→ hyaline degeneration)
 ┌ 자가조절반응↓ → 사구체 압력 & 혈류량↑ → focal sclerosis → tubular atrophy
 └ 자가조절반응↑ → 사구체 압력 & 혈류량↓ → ishcemia → global sclerosis ⋯→ ESRD
 (악순환 : HTN → renal injury [nephrosclerosis] → HTN 악화 → renal injury 더 악화)
• ESRD 진행 위험인자 ; 흑인, 고령, 남성, 흡연, HTN 기간, 신질환 병력, LBW, DM, cholesterol↑
  ↳ 일부는 *APOL1* gene와 관련 (→ FSGS 발생↑)
• 임상양상(benign nephrosclerosis) ; 대부분 고령, 장기간의 essential HTN (≥150/90 mmHg) 병력, LVH, CHF, hypertensive retinopathy, mild proteinuria (보통 <1.0 g/day), benign urinalysis, 느리게 진행하는 신기능저하(sCr↑), 신장 크기 감소 등
• Dx ; benign HN는 보통 임상적으로 진단함
 - 장기간의 HTN 이후에(e.g., LVH) mild proteinuria or 신부전 발생 + 다른 신장질환 無
 - renal biopsy ; arteriolosclerosis, nephrosclerosis, interstitial fibrosis 등 (immune deposits은 無)
  ↳ 일부에서만 고려 ; unexplained CKD, 신장 크기 정상, GFR의 지속적 감소, severe proteinuria, 비정상 urine microscopy 등
 - bilateral RAS도 비슷한 임상양상을 보일 수 있으므로 (but, 가역적) R/O해야 됨
  ↳ 차이 ; severe/refractory HTN, 갑자기 혈압이 급격히 상승, 비교적 빠른 신기능 저하
• Tx ; 고혈압 조절 (대부분 3제 복합요법 필요; ACEi/ARB, thiazide 등) → renal injury 진행 지연
  ↳ 목표 혈압 : 통일된 기준은 없지만 대개 <130/80 mmHg
  (최근에는, DM 여부에 관계없이 SBP <120 mmHg로 낮추는 것이 예후에 좋다고도 함)

■ **Acute hypertensive nephrosclerosis (과거 malignant nephrosclerosis, malignant HTN)**
- 갑자기/급격히 혈압 상승 (흔히 diastolic BP >130), 대개 20~30대 고혈압 환자에서 발생
- papilledema, CNS 증상 (hypertensive encephalopathy), 심장부전
- 신기능의 급격한 감소 (serum Cr 급격히 상승), 신장 크기↑,
  hematuria, proteinuria (nephrotic), nephritic urinalysis (e.g., RBC & WBC casts) ...
- 초기엔 hypokalemic metabolic alkalosis (∵ aldosterone↑)
  → 나중엔 uremic acidosis와 hyperkalemia 발생
- 병태생리 (vascular injury 악화)
  ① vascular permeability↑ → fibrin 침착 → 응고 활성화 → TMA (schistocytes 흔함)
  ② RAA system 활성화 → BP↑ 가속화/유지
- 조직소견 ; necrotizing arteriolitis, hyperplastic arteriolitis (onion-skin lesion)
- 내과적 응급, 치료 안하면 대부분 1년 이내에 uremia로 사망

신장정맥 혈전증 (renal vein thrombosis, RVT)

1. 개요/원인

- 드문 편임 / 침범부위 ; Lt (43%, Lt renal vein이 더 긺), Rt (33%), bilateral (24%)
- 기저질환, 원인, 혈전형성 속도, 폐쇄 정도, collateral의 발달 정도에 따라 임상양상이 매우 다양함

(1) hypercoagulable states
- nephrotic syndrome ; 특히 MGN (m/c), MPGN, amyloidosis (but, 모든 NS가 가능)
  ↳ 갑자기 proteinuria 양이 증가하고 신기능이 저하되면 RVT 의심
  * RVT 발생 위험 증가 ; α_2-antiplasmin↑, AT-Ⅲ↓, albumin <2.0 g/dL → 7장 참조
- infection ; sepsis, APN, UTI, pyogenic spondylitis
- 임신, 경구피임약, steroids
- antiphospholipid syndrome (APS), malignancy, factor V Leiden mutation, AT-Ⅲ deficiency, protein S or C deficiency, acute pancreatitis, vasculitis, SLE, polycythemia ...

(2) venous flow stasis
- dehydration (주로 신생아~영유아에서, 남>여) → 혈류 감소 & 혈액 농축
- 종괴/혈관에 의한 신정맥 압박 ; LN, retroperitoneal fibrosis, aortic aneurysm, tumor ...
- 종양(e.g., RCC)에 의한 신정맥 직접 침범(direct invasion)

(3) vascular endothelial damage
; trauma, vascular procedures, sickle cell nephropathy, 신이식, 신이식 거부반응 ...

2. 임상양상

(1) acute RVT

- 주로 탈수, 외상, 전신과다응고상태 등에 의해 발생 가능 (NS에서는 드묾)
- unilateral/bilateral flank pain/tenderness, abdominal/back pain, N/V, fever
- microscopic/gross hematuria, mild proteinuria, leukocytosis, LDH↑↑
- 신기능의 갑작스런 악화(GFR↓, BUN↑, Cr↑) → AKI 발생 가능(특히 bilateral RVT에서)
- 신장 크기(↑)와 기능의 비대칭성
- left-sided varicocele (정맥류), 부종 악화
- hemorrhagic infarction & renal rupture → hypovolemic shock

(2) chronic RVT : 주로 고령에서

- 대개 서서히 발병, 무증상인 경우도 많음 (∵ collaterals이 충분히 형성됨)
- microhematuria, proteinuria 증가, GFR 감소, 세뇨관 장애 (e.g., Fanconi-like syndrome ; glycosuria, aminoaciduria, phosphaturia, proximal RTA) 등
- pulmonary embolism 증상만 나타날 수도 있음 (폐 검사상 10~30%에서 PE 동반)
- flank pain 및 gross hematuria는 드묾

3. 진단

- Doppler US (screening) ; 신장 크기↑, interstitial edema로 인한 echo 감소 ...
  c.f.) NS 환자는 대개 screening 검사를 할 필요는 없음
- CT angiography (m/g, sensitivity ~100%) ; 신장 크기↑, calyces 확장, notching ureter ...
- MR venography ; 신기능 저하로(AKI or GFR <30) CT 조영제 사용 어려울 때 고려
- chest spiral CT or lung scan (∵ pul. embolism)

4. 치료/예후

- 혈전 제거/예방 + 기저질환의 치료
- 예후는 진단시 신기능, 기저질환, 혈전증 재발 정도 등에 따라 결정됨
  (AKI를 동반한 acute RVT의 경우 사망률 40~60%)

(1) acute RVT

- AKI 無 ⇨ systemic anticoagulation : heparin (UFH or LMWH) → warfarin 6~12개월 이상 (target INR 2.0~3.0), 항응고제 사용 못하면 IVC filter
- AKI ⇨ endovascular (local) thrombolysis ± catheter thrombectomy
  (surgical thrombectomy는 severe acute bilateral RVT시에만 고려)
- 위중한 합병증 발생시에는 nephrectomy도 고려

(2) chronic RVT

- anticoagulation (위와 동일) : PE 예방이 주 목적, 일부 신기능 개선 효과
  (persistent NS, 재발성 혈전증 같이 위험인자가 지속되는 경우에는 평생 투여)
- thrombolytic therapy는 권장 안됨

HUS & TTP

- microangiopathic hemolytic anemia (MAHA), TMA (MAHA + thrombocytopenia)
- consumptive coagulopathy
- kidney (→ HUS)와 CNS (→ TTP) 침범
- kidney : multiple cortical hemorrhagic infarcts → "flea-bitten" 모양
- HUS가 소아에서 발생했을 때는 대개 self-limited
- 치료 : large-volume plasmapheresis with FFP 등

→ 혈액종양내과 2장 참조

12
요로 결석

개요

1. 정의

- 요로결석(urolithiasis, urinary stone) : organic matrix에 crystalline components가 결합하여 요로에 비정상적으로 응결된 것
- 신결석(nephrolithiasis, renal stone) : 신실질 밖 신장 내의 결석
- 신석회화증(nephrocalcinosis) : 신실질 내에 칼슘염이 침착된 것

2. 역학

- 발생부위 ; 신결석 10~20%, 요관결석 70~90% (m/c), 방광결석 4.5%, 요도결석 1.7%
- 20~40대에서 호발 (10세 이하와 65세 이상에서는 드묾)
- 남자가 여자보다 1.5~2배 더 호발, 도시>농촌, 여름>겨울, 열대>온대
- 재발이 흔함 ; 5년 뒤 35~40%, 10년 뒤 50% 재발

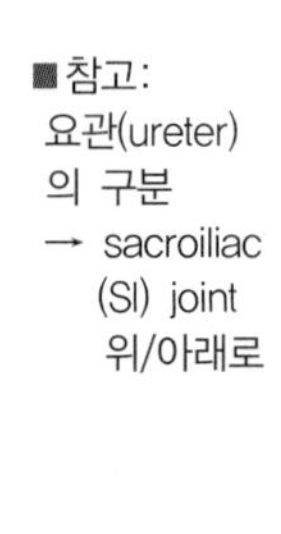

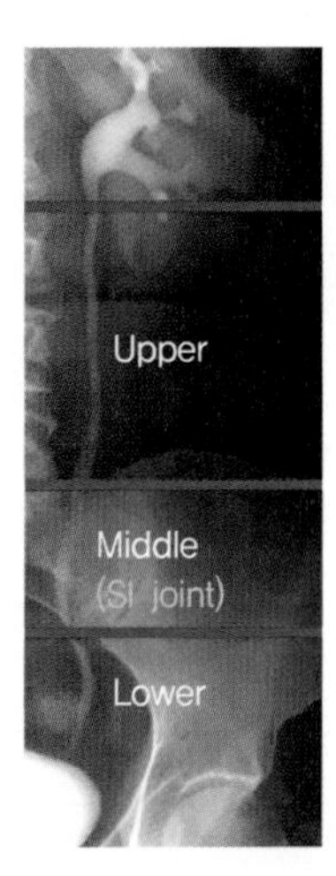

3. 생성기전

(1) supersaturation (과포화) → 요중의 물질이 결정화되기 쉬움
- high urinary solute concentration (calcium, oxalate, cystine 등)
- urine volume ↓

(2) urine pH의 변화
- 산성뇨 : uric acid stone, cystine stone이 잘 생김
- 알칼리성뇨 : calcium phosphate와 $MgNH_4PO_4$ (struvite) stone 호발

(3) nucleation (crystallization)
- 기질(matrix)에 결석의 결정성분이 침착하여 결석이 형성 (c.f., Randall's plaques : calcium oxalate salts의 nucleation 촉진)
- crystal attachment (retention) : epithelial crystal receptors

(4) urinary inhibitors (결석형성을 억제하는 물질)의 감소
; inorganic pyrophosphate, citrate, magnesium, uropontin (urinary osteopontin), nephrocalcin, glycoprotein ...

4. 원인

* 대부분의 경우 뚜렷한 원인을 모름

Dietary factors	Stress factors	Secondary factors
수분 섭취 부족 (m/i) 단백질 과다 섭취 (→ calcium, oxalate, uric acid ↑) 염분 과다 섭취 (→ sodium & calcium 배설↑) Oxalate, pruines 과다 섭취 구연산(citrate), magnesium 섭취 부족	Immobilization Absorbable alkali/calcium Carbonic anhydrase inhibitor Vitamin C excess Vitamin D excess	Infection Obstruction 구조적 이상 ; medullary sponge kidney (m/c), polycystic kidneys, horseshoe kidneys, UPJ obstruction ... Urinary diversion procedures Foreign chemicals and compounds

■ **신석회화증(nephrocalcinosis)의 원인**

① 피질 : cortical necrosis, transplant rejection, chronic GN, trauma, TB, oxalosis

② 수질 : hyperparathyroidism, type 1 RTA, medullary sponge kidney, sarcoidosis, oxalosis, drugs (e.g., furosemide, acetazolamide, amphotericin, triamterene) ...

③ 신우, 신배, 요관 : hyperparathyroidism, sarcoidosis, Cushing's syndrome

c.f.) 결핵 : 신장 전체와 요관에도 석회화

대사이상에 따른 분류/원인

요로결석의 종류	주요 원인	
Calcium stones (75~85%) calcium oxalate + calcium phosphate (50%) calcium oxalate (15~20%) calcium phosphate (5~7%)	Idiopathic hypercalciuria Hyperuricosuria Primary hyperparthyroidism Distal (type 1) RTA Dietary hyperoxaluria Enteric hyperoxaluria (장수술) Herediatry hyperoxaluria Hypocitraturia Idiopathic stone dz.	50~55% 20% 3~5% 드묾 10~30% 1~2% 드묾 20~40% 20%
Uric acid stones (5~10%, 우리나라는 1% 정도)	Idiopathic Gout Dehydration Lesch–Nyhan syndrome Malignant tumors	50% 50% ? 드묾 드묾
Cystine stones (1%)	Hereditary	
Struvite stones (5~10%)	Infection	

1. 고칼슘뇨증(Hypercalciuria)

- 칼슘 – 결석의 구성 성분 중 가장 흔함
- 칼슘석의 대부분은 수산 칼슘(Ca. oxalate, 80%), 인산 칼슘(Ca. phosphate) 또는 이들의 혼합형태
- 결석환자의 50%에서 고칼슘뇨증 발견

- 정의 ┌ 24시간 요중 칼슘 배설량 300 mg (남자), 250 mg (여자) 이상
  └ 4 mg/kg/day 이상 (요즘)

(1) 흡수성 고칼슘뇨증(absorptive hypercalciuria)

- 고칼슘뇨증 환자 중 가장 흔함 (50~60%)
- 장에서 비정상적으로 칼슘 흡수 증가 → 혈중 칼슘치 상승
  → PTH 분비 감소, 신장에서 칼슘 배설 증가
- 칼슘을 제한하거나 금식을 하면 요중 칼슘 배설량은 정상으로 돌아옴

(2) 신성 고칼슘뇨증(renal hypercalciuria)

- 고칼슘뇨증 환자의 10%, 원인 아직 모름
- 신장에서 칼슘 재흡수 감소 → 혈중 칼슘치 감소 → PTH, vitamin D 증가
  → 장에서의 칼슘 흡수와 뼈에서의 칼슘 재흡수 증가
- 치료 ; thiazide (칼슘을 제한해도 요중 칼슘량은 감소하지 않음)

(3) 재흡수성 고칼슘뇨증(resorptive hypercalciuria)

- 원인 : hyperparathyroidism, Cushing's syndrome, hyperthyroidism, MM, immobilization ...
- bone resorption 증가 → 혈중 칼슘 농도 증가 → 신여과율의 증가
  vitamin D의 활성화 증가 → 장에서의 칼슘 흡수 증가
- hypercalcemia와 hypophosphatemia가 특징

(4) 기타

- sarcoidosis ; vitamin D_3에 대한 장상피세포의 과민으로 장의 칼슘 흡수↑
- type 1 (distal) RTA ; hyperchloremic hypokalemic metabolic acidosis, 알칼리성 뇨,
  요중 칼슘 증가, 구연산염(citrate) 감소
  → 주로 인산칼슘석 발생, papillary "nephrocalcinosis" 흔함

2. 고수산뇨증(hyperoxaluria)

- 수산 칼슘(calcium oxalate)의 형태로 요석을 형성 (m/c 요석, 70~80%)
- 정의 : 하루 요중 수산염 배설량 100 mg 이상

(1) 원발성 고수산뇨증(primary hyperoxaluria)

- AR 유전질환, 드물다

┌ type Ⅰ : glyoxylate carboligase 결핍
└ type Ⅱ : D-glycerate dehydrogenase 결핍

(2) 후천성 고수산뇨증

- 원인 ; 수산 함유 음식 (초콜릿, 시금치, 콜라, 차 등), vitamin C 장기 섭취, pyridoxine 결핍, ethylene glycol (부동액), methoxyflurane (마취제) 염증성 장질환, 소장의 bypass surgery (→ 장에서 수산염 과다 흡수), malabsorption syndrome (→ 흡수되지 않은 많은 지방산이 장내에서 칼슘과 결합 → 장내의 수산과 결합할 칼슘량↓ → 수산염의 흡수↑)
- oxalate 흡수가 조금만 증가해도 결석형성 위험은 매우 증가됨
- 칼슘섭취를 제한시 calciuria는 호전되지만 oxaluria가 발생하여 결석발생↑

3. 고요산뇨증(hyperuricosuria)

- uric acid stone은 요로결석의 5~10% 를 차지, calcium oxalate stone 환자의 약 20%에서도 동반
- radiolucent stone (KUB에서 안 보임)
- 정의 : 하루 요중 요산 배설량 800 mg (남자), 750 mg (여자) 이상
- 원인 ; purine 많은 음식 섭취 (동물성 단백-육류, 생선 등), hyperuricemia를 일으키는 대사질환 (gout, Lesch-Nyhan syndrome ...), 골수증식종양(MPN), 종양의 CTx., thiazide 계통의 이뇨제, salicylate 등의 약제, dehydration, urine pH 감소, idiopathic ...
- 요산석 환자의 약 50%는 gout, gout 환자의 약 25%는 요산석을 가지고 있다
- 유전적인 경향을 보이는 경우가 많음

4. 고시스틴뇨증(hypercystinuria)

- 시스틴석은 요로결석의 약 1% 정도를 차지 (cistinuria : AR 유전)
- 신장에서 시스틴 재흡수가 일어나지 않아 발생
- 다발성 및 양측성으로 발생, 재발이 흔함

5. 저구연산뇨증(hypocitraturia)

- 구연산염(citrate) : 인산이나 수산에 칼슘이 결합하는 것을 억제하는 작용
- 정의 : 하루 요중 구연산염 배설량이 320 mg 이하
- 원인 : type 1 RTA, malabsorption syndrome, 만성 설사, thiazide계 이뇨제 ...

6. 감염석(Struvite stones, infection stone)

- 요로 결석의 2~20% 차지, 남:여 = 1:2, 재발률이 매우 높음
- struvite : magnesium ammonium phosphate (MAP, $MgNH_4PO_4$), carbonate apatite
- 위험인자 ; 요로전환술, 장기간의 카테타 유치, 신경인성 방광 환자 ...
- alkaline urine (pH >7.2)에서 쉽게 침전, 결석 형성 증가
- 감염석의 생성 기전 ; urease 생성 균에 의한 요로 감염 → 요중 urea 가수분해 → 암모니아와 탄산 형성 → 암모니아는 암모니움과 수산기 (hydroxyl) 형성 → 요의 pH 상승, NH_4^+가 PO_4^{3-}와 Mg^{2+}과 함께 침전하여 $MgNH_4PO_4$ 형성
- urease 생성균 or 요소분해균(urea-splitting organism)이 원인균 ; *Proteus* (m/c), *Ureaplasma, Pseudomonas, Klebsiella, Staphylococcus* 등 (*E. coli* 는 아님)

* **신녹각석(staghorn stone)** : ureter로 가지 못하고 매우 커져서 renal pelvis/calyx를 꽉 채운 것
- 60~90%는 요소분해균에 의한 UTI로 인해 발생 (struvite stone)
- cystine, uric acid stones에서도 발생 가능
- KUB에서 사슴뿔(staghorn) 모양, bilateral stone으로도 발생 가능

진단

1. 임상양상

: 결석의 위치 및 크기, 요로 폐쇄의 정도, 감염 등의 합병증 유무에 따라 다름

(1) 산통(colicky pain) ; acute & intermittent pain

- severity 매우 다양, 강약이 반복되는 것이 특징 (산통 중간에 통증이 완전히 없어지는 것은 아님)
- 발작성 심한 통증은 대개 20~60분 정도 지속됨
- 폐색 부위에 따른 통증/방사통
  - upper ureteral or renal pelvis → 옆구리(flank) pain/tenderness, 앞쪽으로 방사
  - lower ureter → 동측 testicle (남) or labium (여)으로 방사
  - middle ureter → McBurney's point (Rt), descending/simoid colon (Lt)으로 방사
- 결석이 ureter를 따라 이동하면 통증 부위도 따라서 이동함
  : 등 or 옆구리(flank) → 상복부 → 하복부 → 서혜부 → 음낭/음순
- 많은 환자에서 N/V 동반, 산통이 반복되면 reflex ileus로 복부팽만도 발생 가능
- 때때로 통증 없이 육안적 혈뇨만 나타날 수도 있음

(2) 혈뇨(hematuria)

- 육안적 혈뇨는 5~10%에서, 현미경적 혈뇨는 90%에서 동반
- 10~30%는 혈뇨가 검출되지 않음 (특히 통증 발생 뒤 시간이 경과할수록 혈뇨↓)

(3) 방광자극증상

- 빈뇨, 요급, 배뇨통, 후중감(tenesmus), 잔뇨감 ...
- 하부요관 특히 요관방광이행부에 결석이 있는 경우 발생
- 때로는 요로감염이 병발해도 같은 증상이 나타나고 고열, 오한 등도 수반

(4) 경과/합병증

- persistent renal obstruction → 신장의 영구적 손상 유발 가능
  (특히 staghorn stone은 UTO나 감염이 없으면 증상도 없음, 양측성으로 발생시 신부전 가능)
- obstructing stone에 상부 UTI (e.g., PN)도 동반된 경우는 urologic emergency임

2. 요검사

- 요로결석이 의심되는 환자에서는 요검사(U/A)와 요배양검사를 반드시 시행
- 90%에서 현미경적 혈뇨가 나타나며, 요로감염 없이도 농뇨가 나타날 수 있음(sterile pyuria)
- 세균뇨는 요로감염이 합병된 경우에 나타날 수 있음
- 요침사 검사는 시스틴 결정체 이외에는 진단에 도움이 되지 않는다
- 요의 산도(pH) (정상 5.85)
  - 산성뇨 : 요산석(uric acid stone), 시스틴석(cystine stone)
  - 알칼리성뇨 : 감염석(struvite stone)
- 실용적인 외래 환자의 검사법은 <u>24시간</u> 소변 (+ 혈액) 검사를 <u>2~3회</u> 시행하는 것

* 혈액검사 ; 전해질, Cr, calcium, uric acid, <u>PTH</u>, vitamin D 등

3. 영상검사

: 요로결석 진단에서 가장 중요하고 정확

(1) KUB (plain X-ray)

- 결석의 크기, 모양, 위치 등을 파악하는데 조금 도움이 되나, 추가적인 정보는 제한적임
- 요로결석의 약 90%가 X-선 비투과성(radiopaque)임

Stone	Density	Radioopacity 정도
Calcium phosphate	22.0	very opaque
Calcium oxalate	10.8	opaque
Struvite ($MgNH_4PO_4$)	4.1	moderately opaque
Cystine	3.7	slightly opaque
Uric acid, Xanthine	1.4	nonopaque (X-선 투과성)

(2) IVP (IVU: intravenous urogram)

- 결석 진단의 표준검사였으나 CT로 대치되었음, 신기능 및 요로의 구조적 변화도 알 수 있음
- X-선 투과성 결석은 filling defect로 나타남 (→ blood clot, ureter tumor 등과 감별 필요)
- 단점 ; IV 조영제 사용, sensitivity↓, 검사에 시간이 오래 걸림

(3) 초음파

- 임신이나 신부전증 같이 방사선 노출이나 조영제 사용이 제한되는 경우 고려
- acoustic shadowing과 hydronephrosis 소견이 있으면 진단 가능 (but, sensitivity가 매우 낮음)
- 신장 및 요관 근위부만 관찰 가능 (대부분의 요관 결석은 진단 불가능)

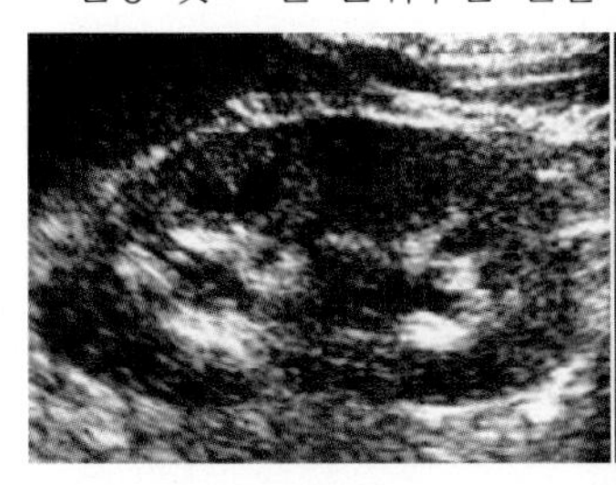
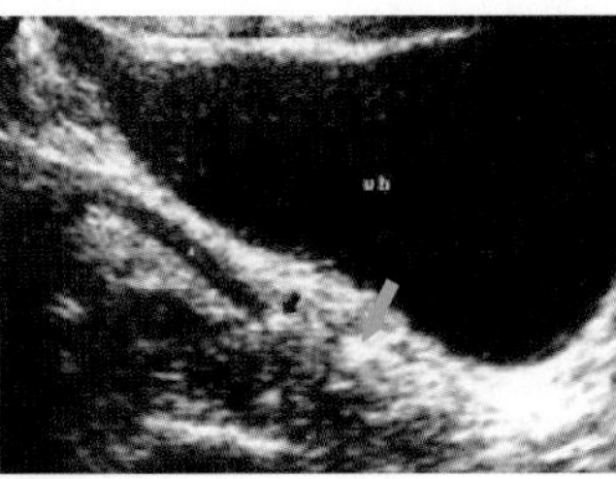

요관의 결석(화살표)이 관찰됨 (▲는 acoustic shadowing), 신장은 hydronephrosis를 보임

(4) Non-contrast spiral CT (MDCT)

- 요로결석 진단의 choice!, specificity & sensitivity 매우 높음 (크기 1 mm까지 발견 가능) (조영제는 요로계 내에서 결석과 혼동될 수 있으므로 사용 안함)
- 장점 ; X-선 투과성 결석도 발견, 다른 병변도 발견 가능, 짧은 검사시간, 조영제 사용 안함

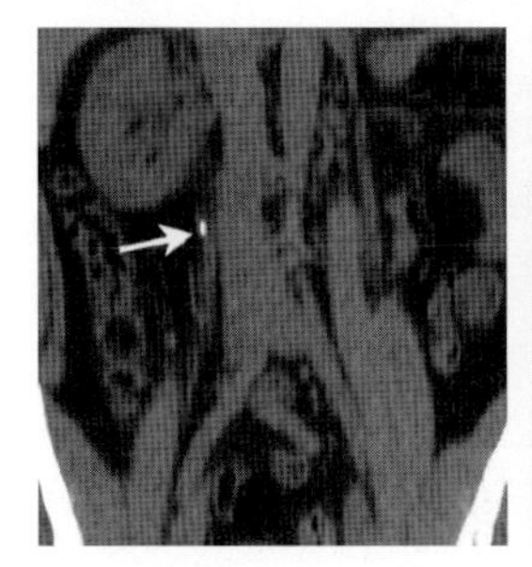
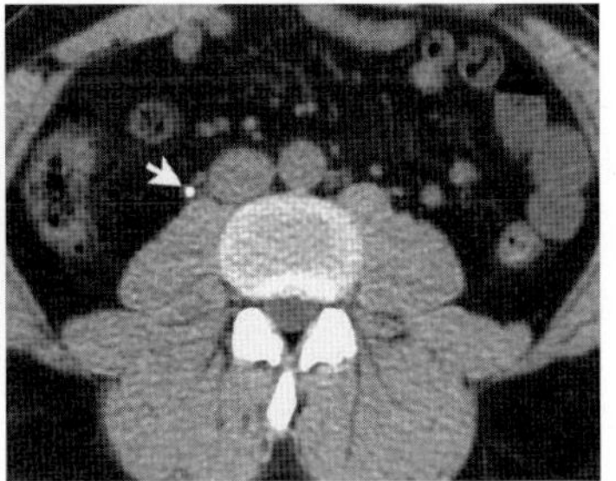

Rt. ureter stone의 spiral CT 사진 (하얀 석회화 음영)

c.f.) DECT (dual-energy CT) : 원자의 감쇠 특성에 따라 결석의 성분도 구별 가능함

치료

1. 기대요법(expectant treatment)

- 적응 : 결석 크기 <10 mm, 통증이 진통제로 조절되는 경우, 심한 감염이나 수신증이 없을 때
  * 자발적 결석 배출
    (a) 결석 크기 (m/i) ; 1 mm 87%, 2~4 mm 76%, 5~7mm 60%, 7~9 mm 48%, ≥9 mm 25%
    (b) 결석 위치 ; 근위부 요관 48%, 요관방광접합부(UVJ) 79%
- 통증 조절 : NSAIDs와 opioids의 진통 효과는 비슷함
  ① NSAIDs (e.g., ketorolac [Toradol®]) ; 요관평활근의 긴장도↓ → 요관경련↓ 효과도 있음
  (but, 쇄석술 예정이면 출혈 위험 감소를 위해 3일 전에 중단해야 됨)
  ② opioids (e.g., meperidine [Demerol®], morphine)
- 충분한 수분섭취 (euvolemia 유지 정도만) : 과도한 fluid 투여가 더 효과적이지는 않음
- 결석 배출 촉진(medical expulsive therapies, MET)
  - α_1-blocker (e.g., tamsulosin)[더 효과적], CCB (e.g., nifedipine) → ~4주 시도해봄
  - 진정제를 투여하면서 줄넘기 등의 운동 등

2. 제석술(stone removal)

* 적응증
① 크기가 1 cm 이상이어서 자연 배출될 가능성이 낮은 경우
② 통증이 지속되는 경우!
③ 요로폐쇄로 인하여 신기능의 저하가 있는 경우
④ 요로감염 또는 심한 출혈이 동반된 경우

(1) 체외충격파쇄석술(Extra-corporeal shock wave lithotripsy, ESWL)

- 제석술이 필요한 요석의 85~90% 에서 이용되는 표준 치료법, 상부 요로 결석에서 더 효과적
- 금기 ; 결석 이하 부위의 UTO, 교정되지 않는 출혈경향, 임신, 복부 대동맥류, 신동맥 석회화
- 결석 성분이 cystine or calcium oxalate monohydrate인 경우, 결석이 2.5 cm 이상인 경우는 경피적 신쇄석술(PNL) or 요관경하 배석술을 먼저 시행하는 것이 좋음
- 결과
  - residual stone rate : 5~30%
  - UTI eradication : 60~80%
  - stone recurrence rate : 6개월 내에 30%

(2) 요관경하 배석술(ureteroscopic lithotripsy, ureteroscopic stone removal[URS])

- 하부~중부 요관의 결석에 주로 사용하지만 ~renal pelvis까지도 시행 가능
- holmium laser로 더 큰 결석도 제거 가능 → 성공률 ESWL보다 좀 더 높음 (90~98%)
- 합병증 (ESWL보다는 많음) ; 발열(m/c, 35%에서), 요관 천공, 요관 협착, 방광요관 역류 ...

(3) 경피적 신쇄석술(percutaneous nephrolithotomy, PNL)

- 내시경을 통해 US or holmium laser로 결석을 파괴 (→ ESWL보다 큰 결석도 제거 가능)
- Ix ; 큰 결석(>2.5 cm), 감염결석, 폐색을 동반한 결석, 시스틴석, ESWL 실패, 해부학적 기형

• 성공률은 가장 높지만, 비교적 invasive, 수술을 거의 대치 가능
• 합병증 ; 출혈, 천공, 패혈증, 잔류석, 흉수, 기흉 ... (출혈이 가장 문제가 되나 대부분은 경미함)

(4) 수술적 제석술(lithotomy)

• 적응증 (다른 시술의 발전으로 최근에는 거의 필요 없음)
① ESWL과 PNL이 여러 번 시행되어야 제거가 가능한 경우
② 아주 단단한 결석
③ 결석제거와 함께 다른 수술요법이 필요한 경우

3. 예방치료 (식이 및 약물요법)

(1) 칼슘결석

• 식이요법
- 충분한 수분 섭취 (1일 요량이 2~2.5 L 이상이 되도록)
- 염분(Na^+), 단백질, 정제된 탄수화물 등의 섭취 제한
- 섬유질과 밀기울이 풍부한 식이 권장, 구연산(citrate) 함유 음식 섭취 증가
★ 칼슘 섭취 제한은 오히려 결석 재발률을 매우 높이고 (∵ urine oxalate↑),
골밀도를 감소시키므로 권장 안됨! (∵ 칼슘결석 환자는 bone mineral density 낮음)
• thiazide diuretics : 칼슘 재흡수↑ → 요중 칼슘 농도 감소로 결석 예방에 효과적 (50%↓)
(부작용으로 hypokalemia 발생 시엔 적극적으로 치료 [∵ hypokalemia → urine citrate↓])
• sodium cellulose phosphate : 이온교환수지(ion exchange resin)
(→ 음식 내의 칼슘과 결합, 장에서의 칼슘 흡수를 억제)
• orthophosphate ; 요중 pyrophosphate와 구연산염이 증가하여 결석 예방
• 기타 고칼슘뇨증의 원인
- 부갑상선기능항진증 → parathyroidectomy
- distal RTA → 수분섭취 증가, $NaHCO_3$, potassium citrate 투여
• 고수산뇨증(hyperoxaluria)
- 원발성 고수산뇨증 → 수분 섭취↑, 저수산 식이, pyridoxine 투여
- 후천성 고수산뇨증 → 저수산 식이, 수분 섭취 증가
┌ 흡수장애 증후군에서는 추가로 저지방 식이, cholestyramine 투여
└ 장 수술 (enteric hyperoxaluria) 환자는 추가로 저지방 식이 및 calcium 보충
- calcium oxalate stone 환자는 vitamin C 복용 금지
• 저구연산뇨증(hypocitraturia) → citrate 보충 (e.g., 오렌지쥬스), $NaHCO_3$ → urine citrate↑

(2) 요산결석/고요산뇨증(hyperuricouria)

• 수분 섭취
• 소변의 알칼리화 (pH 6.0~6.5 목표로) ; potassium citrate 투여 (∵ calcium salt 결정화 위험↓)
• 식이 ; purine 식이 제한, 동물성 단백질 섭취 제한
• allopurinol (xanthine oxidase inhibitor) ; 위 치료에 반응이 없으면 추가

(3) 시스틴결석/고시스틴뇨증(hypercystinuria)

- 수분 섭취가 매우 중요 (1일 요량이 3 L 이상이 되도록)
- 염분 섭취 제한 → cystine 배설 40%까지 감소 가능
- 소변의 알칼리화(pH >7.5)도 도움
- methionine (cystine의 전구물질) 섭취 제한은 비실용적, 단백질 과다 섭취는 반드시 제한
- cystine-binding drugs ; D-penicillamine, tiopronin, α-mercaptopropionylglycine

(4) 감염결석(struvite stone)

- methenamine mandelate : 소변 산성화, formaldehyde 방출 → 감염 억제
- NH_4Cl : 소변 산성화 (but, calcium oxalate stone 형성↑)
- 대부분의 감염석은 제석술이 필요함 : PNL (± ESWL) → 50~90% 성공
- 항생제 : 급성 감염시 or 제석술 이후에만 사용
- hemiacidrin (renacidin) : 경피적 신루를 통해 관류 & 감염석을 용해, 제석술 이후 재발률↓
- acetohydroxamic acid (urease inhibitor) : 제석술이 불가능한 경우 고려, 부작용 多

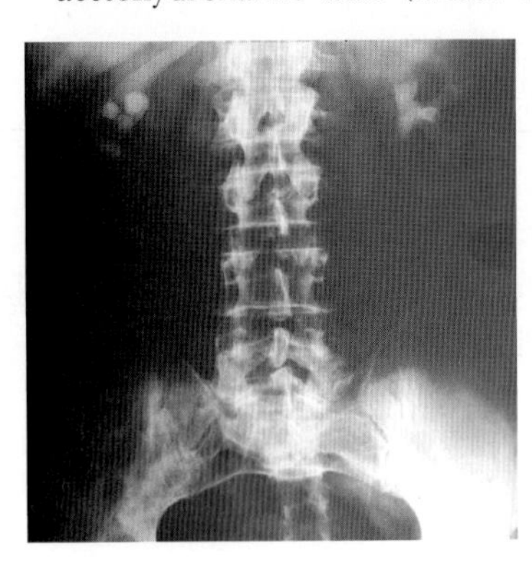

감염결석은 KUB에서
사슴뿔(staghorn) 모양이 특징

MEMO

13
요로 감염(Urinary tract infection, UTI)

개요

1. 정의

- 요로감염(urinary tract infection, UTI) : 요도, 방광, 전립선, 요관, 신장 등 요로계에 병원체가 침범하여 염증 및 증상을 일으킨 것
  - 원내감염(nosocomial infection)의 가장 흔한 원인 (약 30~50%)
  - hospital-acquired UTI의 대부분은 urinary catheter와 urologic procedure와 관련
- 의미있는 세균뇨(significant bacteriuria)
  - 정의 : 채뇨방법에 따라..

채뇨방법	배양된 집락수	검출 횟수
청결채취 중간뇨	$\geq 10^5$ CFU/mL	1회(남성), 2회 이상(여성)
유증상 여성에서 흔한 원인균*	$\geq 10^2$ CFU/mL	1회
유증상 남성에서 흔한 원인균*	$\geq 10^3$ CFU/mL	1회
도뇨관(catheter)	$\geq 10^3$ (or 10^2)**	1회
방광천자	Any!!	1회

* UTI의 흔한 원인균 ; *E. coli, S. saprophyticus, Klebsiella, Proteus* 등
** 증상이 있는 경우는 10^2까지도 bacteriuria로 보지만, 실제로는 많은 검사실이 10^3까지만 정량함
c.f.) 소아의 채뇨백은 오염 가능성이 매우 높아 10^5 이상이 배양되어도 방광천자를 통한 재검이 필요함

  - 3가지 이상의 세균이 배양되면 오염 가능성이 높음
  - 방관천자(suprapubic aspiration) : 균 종류나 수에 관계없이 배양되면 의미
  - 기타 균 수가 적어도(10^2~10^4 CFU/mL) 의미있는 경우
    ① brisk diuresis, recent voiding
    ② 항생제 치료중, 소변내 urea 농도↑, osmolarity↑, pH↓ (→ urine이 세균의 증식을 억제)
    ③ 천천히 자라는 균 (e.g., *Candida, Staphylococci*)
- 무증상 세균뇨 : UTI의 증상/징후 없이 의미있는 세균뇨(significant bacteriuria)를 보이는 것
- 농뇨(pyuria) : centrifuged urine에서 WBC 10개/HPF 이상 관찰되는 것
  (uncentrifuged urine에서는 5개/HPF 이상)
- 요로감염 및 무증상 세균뇨는 여성 or 고령에서 흔함 (50세 미만 남성은 매우 드묾)

2. 분류

┌ 상부 요로감염 ; APN, intrarenal/perinephric abscess
└ 하부 요로감염 ; cystitis (m/c), urethritis, prostatitis

Uncomplicated UTI	Complicated UTI	
비임신 폐경전 여성의 acute simple cystitis and/or pyelonephritis (PN) 요로의 구조적/기능적 이상이나 기저질환 없음	Uncomplicated UTI를 제외한 모든 UTI 요로의 구조적/기능적 이상 Catheterization, 비뇨기계 시술 기저질환(e.g., 신장질환, 면역저하, DM) 남성, 고령, 소아 등 임신, 신장이식 → 독립적인 category로 보기도 함	대개는 upper UTI Sx or systemic Sx 동반시

- acute urethral syndrome/Sx. : 배뇨장애/배뇨통(dysuria), 긴박뇨(urgency), 빈뇨(frequency) 등의 증상
- acute pyelonephritis (APN) : renal parenchym의 pyogenic, focal infection
- chronic pyelonephritis : 세균감염에 의한 chronic interstitial nephritis
  - pathologic & radiologic finding
    - ① chronic cortical scarring
    - ② tubulointerstitial damage ; interstitial fibrosis, tubular atrophy/loss
    - ③ deformity of the underlying calyx
  - but, 다른 원인(e.g., UTO, 약물)에 의한 chronic interstitial nephritis에서도 비슷한 소견을 보임

3. 병인

(1) ascending infection (대부분)
- 여성의 요도는 짧고 항문주위의 세균(colonic GNB, 대개 *E. coli*)이 회음부나 질주위에 colonization을 잘 하므로 ascending UTI가 호발
- 요도 주위 GNB colonization의 위험인자 ; 폐경, 항생제, 다른 감염, 살정제(vaginal spermicide; nonoxynol-9) 등에 의한 normal vaginal flora (e.g., H_2O_2-producing lactobacilli)의 감소
- 여성에서는 성관계가 감염의 주 유발요인

(2) hematogenous spread (드묾) : 만성질환자, 면역저하자에서 흔함
; tuberculosis, cortical renal abscess, perinephric abscess

(3) lymphogenous spread

(4) direct extension from other organ

■ 숙주의 방어기전

① 배뇨에 의한 세척 및 희석 효과
② 항균 효과 ; urine urea↑, osmolality↑, pH↓, prostatic secretion
③ 방광상피세포에서 cytokines & chemokines 분비 (e.g., IL-6, IL-8)
④ neutrophils (→ 소변내 세균 제거)
⑤ 국소적으로 생산되는 Ab. (역할은 확실치 않음)

원인

• UTI 발생의 위험인자

1 **구조적/기능적 이상**
여성, 임신
요도관 유치(indwelling urinary catheters), 잘못된 도관 관리
요로결석, 협착, 종양, 수술
전립선 협착(e.g., BPH, cancer)
방광요관역류(VUR)
신경인성 방광(neurogenic bladder), 요실금(incontinence)

2 **기저질환**
DM, AIDS (CD4+ T cells <200/μL)
Sickle cell anemia
Polycystic kidney diseases, Medullary sponge kidney, 신장이식

3 **기타**
성교 (성교 직후 배뇨 → UTI↓), 항문 성교
Diaphragm, cervical cap, spermicide-coated condom
포경수술 안한 어린 남성
유전적 요인 (일부 여성에서 UTI 가족력 보임)
ABH blood group antigen nonsecretors (요로상피세포와 *E. coli*의 결합↑)
Toll-like receptor 및 IL-8 receptor 등의 mutations

• UTI의 원인균

1 Gram-negative bacilli (대부분)
E. coli (m/c, 75~90%)
other *Enterobacteriaceae* [장내세균] (*Klebsiella pneumoniae*, *Proteus mirabilis*, *Enterobacter aerogenes*, *Citrobacter* species, *Serratia marcescens*) 등도 흔함
Pseudomonas aeruginosa
Acinetobacter species
Providencia stuartii and *rettgeri*

2 Gram-positive cocci
Coagulase (−) *Staphylococci* (e.g., *S. saprophyticus*) : 2nd m/c (5~15%)
↳ 젊은 여성에서 흔함
Staphylococcus aureus
Enterococcus spp.
Groups B and D streptococci

3 기타
Candida albicans, *Chlamydia trachomatis*, *N. gonorrhea*, *U. urealyticum*, *M. hominis*, HSV

* recurrent complicated UTI ; *Enterococcus faecalis*, *Enterococcus faecium*, *Klebsiella*, *Proteus*, *Providencia stuartii*, *Morganella morganii* 등도 흔함

* 매우 잦은 재발 or catheters (특히 항생제를 자주 사용하는 입원/요양원 환자) ; *P. aeruginosa*, *Acinetobacter baumannii*, *Serratia marcescens*, *Stenotrophomonas maltophilia* 등도 흔함
→ *E. coli*는 50% 미만 차지

- *Proteus*, *Klebsiella* → 요로 결석 형성 촉진, 결석 환자에서 호발
- Gram (+) 균 (e.g., *S. aureus*) → complicated UTI or 혈행성 전파를 의심
- *Lactobacillus*, α-hemolytic streptococci, anaerobes 등 → 오염(contamination) 가능성

임상양상

	증상 및 징후	검사소견
하부 요로감염 (Cystitis or urethritis)	배뇨통(dysuria) 빈뇨(frequency) 긴박뇨(urgency) 요실금 치골 상부 통증 (≒ 하복부 통증) Cloudy or blood-tinged urine 때때로 low-grade fever	Leukocyte esterase test (+), Nitrite test (±) Hematuria Gram stain (uncentrifuged urine) WBC (≥10/HPF) : pyuria Gram(−) rods or gram(+) cocci (≥1/HPF) Urine culture (≥10^5 CFU/mL) Low-count bacteriuria (10^2~10^4 CFU/mL)
상부 요로감염 (APN)	갑자기 **고열**(>38℃) 발생 오한(chills), 심한 피로/권태감 **측복부 통증(flank pain)** 늑골척추각 압통(CVA tenderness) 하부요로증상도 동반 가능 N/V 등의 소화기증상도 동반 가능	[위의 소견 +] Neutrophilia, ESR↑, CRP↑ (sCr은 별 영향 없음) 혈액배양 양성(~10-30%에서) 요농축능 감소, mild proteinuria WBC/RBC cast, glitter cells 요중 β_2-microglobulin ↑

진단

1. 원인균의 종류와 양 결정 (m/i)

• 소변 현미경검사 : Gram stain
- 10^5 CFU/mL 이상 bacteriuria 환자의 90% 이상에서 세균이 발견됨 (→ 매우 specific)
- low-count bacteriuria (10^2~10^4 CFU/mL)의 경우는 대개 발견 안됨
  → Gram stain에서 균이 안보여도 UTI를 R/O 못함!
- pyuria : 거의 모든 bacterial UTI에서 존재 (leukocyte esterase dipstick test는 less sensitive)
  c.f.) sterile pyuria : 감염 없이 (배양 음성) pyuria가 나타나는 경우 → 1장 참조

• 소변 배양검사 : 아침 첫 소변의 중간뇨(midstream urine)가 좋다
- 급성 방광염의 전형적 증상이 뚜렷하면 시행할 필요 없음!
  c.f.) 우리나라는 내성률이 높고(community-acquired *E. coli*의 ESBL 생성 비율 약 25%),
  검사 비용도 저렴하므로 배양검사를 시행하는 것도 좋음
- 방광염에서 소변 배양검사(& 항생제감수성검사)가 필요한 경우
  ① 방광염의 진단이 불확실한 경우(e.g., 비전형적인 증상)
  ② 상부 요로감염이 의심될 때
  ③ 치료 종료 후 2~4주 이내 증상 호전× or 재발한 경우
  ④ complicated UTI 의심 ; 남성, 임신부, 구조적/기능적 이상, 증상 있는 CAUTI, 원내감염
- 소변 채취전 요도주위 소독은 금기 (∵ 실제 감염이 있는데도 세균 증식이 적게 나타날 수 있음)

2. Urologic evaluation

- 신장 초음파 (첫 선별검사로 적당), CT (m/g), IVP, VCUG, cystoscopy 등
  ↳ VUR 의심시 (특히 어린 나이에 UTI 반복시)
- ^{99m}Tc-DMSA sacn : APN과 scar의 진단에 도움
- 소아 및 남자 성인 UTI 환자는 반드시 urologic evaluation 시행
  (예외 ; 젊은 남자에서 성교와 관련된 cystitis, 포경수술×, AIDS 등 때에는 시행하지 않아도 됨)
- 여성 환자에서 구조적 이상에 대해 영상검사(urologic evaluation)가 필요한 경우 ★
  ① 항생제 치료 2~3일 후에도 증상 호전이 없을 때, 중증 감염
  ② 재발성 감염 or 반복성 상부 요로감염
  ③ UTO 의심시 ; 요로결석, 육안적 혈뇨, 소변량↓, 신기능 저하 등
  ④ 소아 때 UTI의 과거력

* 급성 방광염(acute cystitis)의 전형적인 증상 및 U/A 소견(pyuria)이 있는 여성의 경우에는 소변배양검사는 하지 않고 바로 치료하는 것이 practical & cost effective!!

* 생식기 병변이나 질분비가 있으면서 소변에서 세균이 검출되지 않거나 적게 검출될 때
→ *C. trachomatis, N. gonorrhoeae, Trichomonas, Candida*, HSV 등에 의한 요도염, 질염, 자궁경부염 등을 의심! (대부분 성병)

* acute focal bacterial nephritis (= acute focal PN, acute lobar nephronia) ; APN의 일종
- US ; focal mass (hyper-, iso-, or hypoechogenicity)
- CT ; 경계가 불분명한 wedge-shaped (or round) low-attenuated area (liquefaction은 없음)

치료

1. 무증상 세균뇨(Asymptomatic bacteriuria, ASB)

- 대부분 자연 회복되므로 치료하지 않아도 됨 (∵ 불필요한 항생제 치료는 내성균만 증가)
- 치료가 권장되는 경우 ★
  ① 임신부 (소아 및 고령은 아님!)
  ② 점막출혈이 예상되는 비뇨기과 시술/수술 전(e.g., TUR-P)
  - 기타 고려해볼 수도 있는 경우 ; neutropenia, 신장이식 (예정) 환자, urease-producing bacteria, polycystic kidney, urinary tract obstruction ...
  - 소아, 여성, 노인, 요양원, DM, HIV 감염, 방광비움의 신경학적 이상 등은 아님!
  - 건강한 recurrent UTI 병력 환자에서 발생한 ASB도 아님
- indwelling catheter, 척추 손상 환자 : 항생제 치료가 효과 없고 금기!!
  (∵ 더 resistant한 균에 의한 superinfection 증가)
  - indwelling catheter 환자에서 농뇨는 세균뇨나 UTI를 의미하지 않고, 구분 못함
  - indwelling catheter 환자에서 소변에서 냄새가 나거나 탁해도 반드시 감염은 아니며 항생제 치료의 적응도 아님
- 치료 뒤에도 bacteriuria가 지속되면 대부분 치료 없이 F/U (고위험군만 4~6주 동안 치료)

2. 여성의 급성 단순 방광염(uncomplicated/simple cystitis)

- 대부분 *E. coli*가 원인균
- 전형적인 증상 & pyuria면 (배양검사 안하고) 바로 경험적 경구 항생제 치료 시작!
  - 우리나라는 감염균의 항생제 내성률이 높아 배양검사가 권장되기도 함
  - *E. coli, S. saprophyticus, Klebsiella, Proteus* 등의 흔한 UTI 원인균은 10^5 CFU/mL 이하라도 치료해야 됨 (여성은 10^2 CFU/mL 이상이면 치료)
- 1차 추천 경험적 항생제 (→ 치료 후 증상 없으면 배양검사 F/U도 필요 없음)
  - fosfomycin trometamol (1회), nitrofurantoin (5일), or pivmecillinam (3일) 등
  - 다른 항생제만큼 효과적이면서, *E. coli* 내성 거의 없고, collateral damage 적음 (collateral damage : fecal normal flora는 죽고, 내성균이 선택적으로 증가되는 현상)
- 기타 항생제
  - fluoroquinolone (ciprofloxacin, levofloxacin: **3일**) ; TMP-SMX 대신 많이 사용했음, 최근에는 내성률이 높아졌지만(20~30%) 아직 많이 사용 (∵ 주로 신장으로 배설되어 소변에서 고농도) c.f.) 미국/유럽은 내성균 확대 및 부작용 위험으로 권장 안함
  - TMP-SMX (3일) ; 과거 1st choice였지만 (∵ fluoroquinolone 만큼 효과적이면서 저렴), 내성률이 높아(35~40%) 권장× → 감수성 결과 확인 후 감수성이면 사용 가능
  - β-lactams (cefpodoxime 5일, cefixime 3일, amoxicillin-clavulanate 7일) ; TMP-SMX에 내성이면 β-lactams에도 내성인 경우가 많으므로, 감수성 결과 확인 후 사용 가능
- **3~5일**의 단기치료 권장 (∵ 효과 우수하면서 부작용↓, 7일 이상 사용해도 재발 감소 효과 無)
- 7일 요법이 필요한 경우 ; ≥65세, 임신부, DM, 7일 이상의 증상, 최근의 UTI, diaphragm 사용 등 complicated UTI의 가능성이 있는 경우

* 남성의 acute simple cystitis → 여성의 1차 추천 경험적 항생제와 동일 (치료기간은 7일 이상)
c.f.) 급성 세균성 전립선염 : fever 동반시 의심 (급성 중증 질환 → 입원 & 항생제 주사)
↳ 3세대 cepha., 광범위 β-lactam/β-lactamase inhibitor, carbapenem 등 (~2-4주)

3. 여성의 단순 신우신염(acute pyelonephritis, APN)

- 대부분 방광내 세균이 요관을 통해 신장을 침범하여 발생, *E. coli*가 56~85% 차지
- 모든 환자에서 소변 배양검사 실시!
- 초기 경험적 항생제로 시작 후, 항생제감수성 결과에 따라 재조정해야 됨

	입원이 필요 없는 경우 (대부분)	입원이 필요한 경우* (약 7%)
초기 경험적 항생제	Ceftriaxone, Amikacin, *or* Fluoroquinolone을 1회 IV 이후 Oral fluoroquinolone을 감수성 결과 전까지 투여	Fluoroquinolone (ciprofloxacin, levofloxacin), Cepha. (cefuroxime, ceftriaxone, cefepime), AG ± ampicillin, AG ± β-lactam, β-lactam/β-lactamase inhibitor ± AG**, *or* **Carbapenem** (meropenem, imipenem, ertapenem)** 등을 열이 떨어질 때까지 IV로 투여
그 이후 (배양/감수성 결과에 따라)	Fluoroquinolone, Cefpodoxime, Ceftibuten, *or* TMP-SMX 등	임상적으로 호전되고(e.g., 해열) 경구 섭취가 가능하면.. 감수성이 있는 경구 항생제로 변경

* 입원이 필요한 경우 ; 지속적인 구토, 탈수, 병의 진행, 패혈증 의심, 외래 치료로 회복× 등
** complicated PN 의심되는 병력, 이전의 PN 병력, 항생제 내성 의심, 최근의 요로계 시술 등 때 고려

- 치료기간은 7~14일
- cystitis에 사용하는 fosfomycin trometamol, nitrofurantoin, pivmecillinam은 APN에는 사용×
- 영상검사 : 항생제 치료 3일 이후에도 호전 안 되거나, 합병증(e.g., sepsis) 의심시 CT 시행

* APN의 적절한 치료 뒤에도 fever, leukocytosis, flank pain 등이 지속되면 다른 합병증이나 질환을 의심해야 됨
⇨ emphysematous PN (특히 DM 환자), renal papillary necrosis, renal carbuncle, perinephric abscess, xanthogranulomatous PN, vertebrae의 metastatic abscess

* APN의 회복기에도(pyuria 호전된 뒤에도) hematuria가 지속되면 ⇨ 결석, 종양, 결핵 등 의심

4. 재발성 요로감염(recurrent UTI, rUTI)

- rUTI의 정의 : 1년에 3회 or 6개월에 2회 이상 UTI 발생 (전체 여성의 4~10%)
- 대부분 acute simple cystitis, 젊은 여성에서 흔함, 대부분은 재감염(reinfection)임
  - 치료 종료 후 2주 이내 발생 → 대개 동일 균에 의한 재발(relapse) (∵ 치료 실패) = 지속 세균뇨
  - 치료 종료 후 2주 이후 발생 → 대개 (동일 균이라도) 새로운 균에 의한 재감염(reinfection)

여성에서 rUTI의 위험인자

폐경 전	폐경 이후 & 노인
성교 (m/i) 살정제(殺精劑) 사용 새로운 성관계 대상 어머니의 UTI 병력 소아 때 UTI 병력 Blood group Ag secretor	폐경 전 UTI 병력 요실금(urinary incontinence) (m/i) Estrogen 결핍에 의한 위축성 질염 방광탈출증(cystocele) 배뇨 후 방광 내 잔뇨 증가 Blood group Ag secretor Urine catheterisation 장기 요양원 생활에 따른 퇴행

- 재발시 소변 배양 & 항생제감수성 검사는 필수
- 위험인자가 없는 40세 이하 여성은 추가적인 영상검사(e.g., cystoscopy, US)는 불필요함
- rUTI의 예방
  - 생활습관개선 ; 충분한 수분 섭취, 소변 참지×, 성교 직후 배뇨, 배변 후 앞에서 뒤로 닦기 등
  - 비항생제 요법 ; 폐경 후 질내 estrogen 투여, probiotics (*Lactobacillus* spp.), 크랜베리 등
  - 항생제 요법 ; continuous low-dose antimicrobial prophylaxis, post-coital antimicrobial prophylaxis, self-diagnosis & self-treatment 등
  - 면역강화 예방 ; OM-89 (Uro-Vaxom®)권장!, vaginal vaccine (Urovac®)
    ↳ 18가지 *E. coli*의 lysates (동결건조균체 용해물), 가장 효과적(UTI 35% 감소)

5. 복잡성 요로감염(complicated UTI, cUTI)

- 기구, catheter, 요로의 구조적/기능적 이상(폐쇄, 결석 등), DM, 신장이식, 면역저하, 원내감염 등의 상황 하에서 발생한 UTI (넓게는 폐경전 여성의 방광염을 제외한 남성, 노인, 임산부 UTI도 포함)
- 환자군이 너무 다양하고 임상적 기준이 불명확하여 확립된 지침은 없음
- 증상이 심하면 경험적 항생제 치료 전 소변 & 혈액 배양검사 실시

• mild~moderate Sx. (N/V 등 없음) … 입원이 필요한 APN의 치료와 비슷함 (앞부분 표 참조)
 – piperacillin–tazobactam, 3~4세대 cepha., amikacin, carbapenem (e.g., ertapenem) 등이 권장됨
  (∵ 우리나라는 *E. coli*의 fluoroquinolone, ampicillin/sulbactam, GM 등의 내성률 높음)
 – MDR G(–) 감염 위험인자 有 → ertapenem IV 이후 oral ertapenem 등

MDR G(–) 감염 위험인자
소변에서 MDR (multidrug–resistant) gram(–) 감염균 분리
병원, 요양병원, 양로원 등에 장기 거주
Fluoroquinolone, TMP–SMX, or 광범위 β–lactam (e.g., 3세대 이상의 cepha.) 항생제 사용
MDR 유병률이 높은 지역으로의 여행

• sepsis가 의심되는 중증 감염 or 원내감염 등
 ⇨ antipseudomonal carbapenem (doripenem, imipenem, meropenem) + vancomycin
• 항생제감수성 결과가 나오면 더 특이적인 항생제로 전환
• 치료기간 : UTO 유발요인이 교정되고, 추가적인 위험인자가 없으면 **7~14일**
  (원인 질환의 치료, 증상 호전, UTO 교정 등이 불충분하면 21일 이상으로 연장)

6. 임신과 UTI

• 임신 중에는 UTI가 호발 (2~8%), 모든 임신부에서 12~16주에 반드시 bacteriuria 선별검사!
 – UTI (특히 upper) or asymptomatic bacteriuria → 저체중아, 조산, 신생아 사망률 증가
 – asymptomatic bacteriuria 환자의 20~30%에서 PN (pyelonephritis) 발생 위험
• upper UTI의 호발 원인
 ① ureteral tone 감소
 ② ureteral peristalsis 감소
 ③ 일시적인 vesicoureteral valves의 incompetence
• ASB : 감수성 결과 이후에 항생제 치료 (3~7일) & 배양검사 F/U (분만 때까지 매달)
• acute cystitis : amoxicillin/clavulanate, 3세대 cepha. (e.g., cefixime, cefpodoxime, cefotaxime),
  nitrofurantoin (2nd~3rd trimeter), fosfomycin 등이 임신 때 안전 (→ 3~7일 치료 & F/U 배양)
 * TMP–SMX (1st trimester 때 기형 위험), fluoroquinolone (태아 연골 독성)은 금기!
• APN : 입원하여 주사제로 치료 (β–lactam ± AG) (→ 7~14일 치료 & F/U 배양)
• recurrent UTI (임신 중 3회 이상) : low–dose nitrofurantoin or cephalexin (지속적 or 성교 후)

7. Funguria

• 대부분 *Candida* species가 원인 (*Candida albicans*는 50% 미만)
• catheterization 입원 환자에서 호발 (특히 ICU, 고령, DM, 광범위항생제 사용, 장기입원 등에서)
• 대부분 무증상 (단순 colonization) / 드물게 pyelonephritis, sepsis도 가능
  ↳ catheter 제거시 1/3 이상에서 호전됨
• 항진균제 치료의 적응
 ① symptomatic candiduria
 ② disseminated dz.의 고위험군 ; neutropenia, 비뇨기과시술, 저체중출생아(<1.5 kg), 불안정

• 항진균제 ; fluconazole이 choice (∵ 소변내 농도 높음)
  – fluconazole에 내성인 경우 → IV amphotericin B ± oral flucytosine
  – newer azoles이나 echinocandins은 권장× (∵ 소변내 농도 낮음)
  – amphotericin B로 bladder irrigation도 권장× (∵ 효과가 일시적)

8. Catheter-associated UTI (CA-UTI) or aSx. bacteriuria (CA-ASB)

• 정의 : catheter 유치 중 or 제거 후 48시간 이내에 발생한 bacteriuria or UTI
• 도관 유치 입원환자의 10~15%에서 bacteriuria 발생
  – 건강한 사람은 한번의 catheterization 뒤에 1~2%에서 persistent bacteriuria 발생
  – 도관 유치시 bacteriuria 발생률 3~7%/day, 이중 10~25%에서 symptomatic UTI 발생
• 발생 위험인자 ; 6일 이상의 도관 유치 (m/i), open indwelling catheter drainage, 여성,
  심한 기저질환, 잘못된 도관 관리(e.g., 도관과 배액관의 분리, 도관이 bag보다 아래에 위치),
  불충분한 전신항생제 요법 ...
• 원인균 ; *E. coli* (m/c), *Proteus*, enterococci, *Pseudomonas, Klebsiella, Serratia,*
  Staphylococcus, Candida .. (community-acquired UTI에 비해 MDR 내성균인 경우가 많음)
• 대부분 증상은 경미하며 열은 없음, 1~2%에서는 G(−) bacteremia 발생
  → 입원환자에서 G(−) bacteremia의 가장 흔한 원인 (~30%)
• 진단 : 단일 catheter urine 검체 or catheter 제거 후 48시간 이내의 배뇨 검체에서 $\geq 10^3$ CFU/mL
  – 증상이 있을 때에만 배양검사 시행 권장
  – pyuria는 의미 없음 (증상이 없으면 pyuria/냄새/혼탁이 있어도 CA-UTI 아님 → 치료 필요×)
  – urine bag의 소변, catheter tip의 배양은 진단에 부적합함
• 예방법
  ① 불필요한 catheterization은 피하고, 필요 없으면 빨리 제거 (m/i)
  ② 도관 삽입 및 관리시 sterile technique
  ③ sterile closed collecting system 사용
  ④ preconnected catheter-drainage tube unit 사용, drainage bag에 항생제 첨가
  ⑤ antimicrobial-coated catheter (e.g., 항생제, 은나노) → ASB↓ (UTI는 별로 감소 안됨)
  – suprapubic catheters or condom catheters는 근거 부족
  – 예방적 항생제는 CA-UTI 감소 효과 없어 권장 안됨
    (↳ 권장되는 경우 ; 임신부, 요로계 시술 예정자, 신장이식 환자, 면역저하자 등)
• 예방조치에도 불구하고 2주 이상 도관 유치시에는 대부분 UTI 발생
  → 가능하면 intermittent catheterization
• 치료 : 증상 없으면(CA-ASB) 치료할 필요 없음, 도관을 제거하면 자연 치유 흔함!
  (∵ 항생제 치료가 bacteremia 합병증을 감소시키지 못하며, 오히려 내성균↑ 위험)
  – 증상 있을 때만(CA-UTI) catheter 제거/교환 이후, 항생제 (complicated UTI처럼) 치료
  – 증상 없어도 치료 권장 ; 비뇨기계 시술(e.g., TUR-P) 전, 여성 노인
  – irrigation : clot 등으로 도관이 막혔을 때만 시행 (감염의 예방/치료에는 효과 없음)

■ **예방적 항생제요법(preventive antibiotics)이 필요한 경우**

: low-dose TMP-SMX, TMP, nitrofurantoin, fluoroquinolones 등

① 1년에 3회 이상 UTI가 발생하는 여성

(spermicide 사용 금지, 성교 직후 배뇨 권장, 성교와 특히 관련된 경우 성교 뒤 항생제 투여)

② chronic prostatitis 남성

③ prostatectomy를 시행 받을 환자

④ asymptomatic bacteriuria를 보이는 임산부

신장/요로 결핵

1. 임상양상

- 폐외결핵의 20%를 차지
- 대개 primary site에서의 혈행성 전파로 인해 발생
- 증상 ; frequency, nocturia, dysuria (무증상도 흔함)
  - 생식기 결핵 동반시엔 infertility만 나타날 수도 있음
- 전형적인 결핵의 증상(열, 체중감소, 발한 등)은 20% 이하에서만 나타남

2. 진단

- U/A ; 거의 90% 이상에서 sterile pyuria, hematuria → m/g screening test
- AFB 염색 & TB 배양 (90% 진단 가능) : 아침 첫 소변으로
- 복부 X선 ; 50% 이상에서 석회화 관찰됨
- US, CT ; 신실질의 종괴, 흔히 석회화 동반, 주위 신실질의 위축
- IVP 소견
  - 신배가 파괴되어 불규칙하고 좀 먹은 모양 (destructive lesion)
  - 요관의 다발성 협착 또는 확장 (염주 모양)
  - 만성적인 신우의 협착 → 신배/신우 확장 → 수신증 → 기능소실, 석회화 (autonephrectomy)
- 기타 ; 방광경, CXR (활동성 신결핵 환자의 50~75%에서 폐결핵 소견 보임)

3. 치료

- 약물치료가 원칙 (항결핵제) : 9~24개월
- 해부학적 이상시엔 수술 (e.g., 요관 협착)

*** 생식기 결핵 (여 > 남)**

┌ 여자 ; infertility, pelvic pain, 생리 이상
└ 남자 ; epididymitis (→ infertility), orchitis, prostatitis

- 50~80%에서는 신결핵 동반, 30~50%는 폐결핵 동반
- 부고환 : 남성에서 비뇨생식기 중 신장 다음으로 결핵이 호발하는 부위

→ 감염내과 I-7장 참조

유두부 괴사(papillary necrosis)

- 원인질환 ; renal pyramids의 감염, 진통제, 신장의 vascular dz., UTO, DM, sickle cell dz., chronic alcoholism ...
- 임상양상 : 혈뇨, 요통 or 복통, fever/chilling, AKI (anuria or oliguria)
- DM or chronic UTI 환자에서 신기능이 급격히 감소되면 반드시 의심
- 진단 : 소변내 괴사조직(pyramid) 딱지의 존재, pyelography에서 "ring shadow"
- 치료 : 양측성은 보존적 치료, 일측성의 심한 감염은 신절제

→ 9장 세뇨관간질성 신질환 편도 참조

기종성 신우신염(emphysematous pyelonephritis)

- 신장 실질을(일부는 신장 주위 조직도) 침범한 gas-producing, necrotizing infection
  (emphysematous pyelitis : renal pelvis[신우]만 침범한 것)
- 거의 대부분 DM 환자에서 UTO, chronic UTI 동반시 발생
  (DM 동반 : emphysematous pyelonephritis >80%, ~pyelitis >50%, ~cystitis 60~70%에서)
- 대부분 *E. coli*가 원인균
- 임상경과가 빠르고 고열, leukocytosis, 신실질의 괴사, 신장 및 주위조직 내에 발효성 가스가 축적됨
- 진단 : X-ray or CT에서 조직내 가스 확인
- 치료 : percutaneous catheter drainage & 항생제 → 호전 없으면 elective nephrectomy

* emphysematous cystitis : 증상이 덜 심하고 진행도 덜 빠름 → 항생제로 치료 (실패시 cystectomy)

신장 & 신장주위 농양(renal/perinephric abscess)

- 드묾, 75% 이상이 UTI로부터의 ascending infection 때문
- 위험인자 ; 신결석 동반, 구조적 이상, 비뇨기계 시술/수술, 외상, DM
  (perinephric abscess의 m/i 위험인자는 소변흐름 폐쇄를 동반한 nephrolithiasis)

- *E. coli, Proteus, Klebsiella* 등이 흔한 원인균
- 임상양상 ; flank pain, abdominal pain (→ 다리, 사타구니로 전파), fever
- pyelonephritis의 임상양상을 보이지만 4~5일의 항생제 치료에도 fever 지속되면 의심!
- 진단 ; renal US, CT (진단시 renal stone도 찾아봐야 됨)
- 치료

  ① 배농 ; perinephric abscess의 경우는 percutaneous drainage도 좋음

  ② 항생제 (severe complicated UTI에 준해 치료)

14
요로 폐쇄(Urinary tract obstruction, UTO)

개요

1. 정의/역학

- 요로폐쇄(urinary tract obstruction, UTO) : 구조적/기능적 원인에 의한 정상적인 소변 배출의 장애로 나타나는 현상 (= obstructive uropathy)
- 폐쇄의 호발 부위 ; ureteropelvic junction (UPJ), ureterovesical junction (UVJ), bladder neck, urethral meatus (valve)
- 방광 이하의 폐쇄는 bilateral hydroureter/hydronephrosis를 일으킴
- bimodal distribution : 소아와 노인에서 호발 (소아 때는 선천적 조조 이상이 주원인)
- 남≒여, 노인에서는 남자가 많고(∵ 전립선 질환), 20~60세는 여자가 많음(∵ 임신, 부인과 질환)
- 초기에 잘 치료하면 대부분 신손상을 예방할 수 있으나, 방치되면 비가역적인 신손상 초래 가능

2. 원인

상부 요로폐쇄 (요관)	하부 요로폐쇄 (방광, 요도)
내인성(intrinsic) 1. Intraluminal ; 결석, 혈괴, 신유두괴사, 신석증, fungus ball 2. Intramural ; UPJ or UVJ의 기능장애 (e.g., VUR), 요관 판막/폴립/종양, 요관 협착 (결핵, schistosomiasis, scar, NSAIDs) 외인성(extrinsic) 1. 혈관계 ; 동맥류(복부 대동맥, 장골혈관), 변형 혈관(UPJ), 정맥(retrocaval ureter) 2. 생식기 ; 자궁(임신, 종양, 탈출, endometriosis), 난소(종양, 농양), Gartner's duct cyst, 난관난소농양 3. 소화기 ; CD, 게실염, 농양, 대장암, 췌장암/낭종 4. 후복강 질환 ; 섬유화, 결핵, sarcoidosis, 혈종, lymphoma, sarcoma, 전이암, lymphocele, lipomatosis	1. 포경(phimosis), 감돈포경(paraphimosis), 요도구 협착(meatal stenosis) 2. 요도 ; 협착, 결석, 게실, 판막, 농양, 수술, post/ant urethral valves 3. 전립선 ; 양성증식(BPH), 농양, 암 4. 방광 ; 종양, 결석, 신경인성 방광(척추장애, 외상, DM, 다발성 경화증, CVA, Parkinson's dz.), 요관낭종(ureterocele) 5. 외상 ; 기마성 손상, 골반 골절 6. **약물** ; sympathomimetics, anticholinergics, ↳ 종합감기약 (노인에서 주의!) antihistamines, smooth muscle relaxants, 항우울제, 항부정맥제, 척추마취, opiates ...

*신우/신배의 폐쇄 ; staghorn calculi, papillary necrosis, acute uric acid nephropathy (tumor lysis syndrome), sulfonamide 침착, acyclovir/indinavir 침착, multiple myeloma

- 성인에서는 골반종양, 결석, 요도협착, 수술중 요관 손상/결찰 등이 흔한 원인
- 임신 중 hydronephrosis가 흔한 이유 ; 자궁에 의한 ureter 압박, progesterone에 의한 기능 장애

- 기능성(functional) 요로폐쇄의 원인
  ① neurogenic bladder : adynamic ureter 동반 흔함
  ② VUR (vesicoureteral reflux) : 소아에서 호발, UVJ 이상이 m/c 원인
  ③ dehydration, UTI, sympathomimetics & anticholinergics (노인에서 소변 정체 유발) ...

3. 병태생리

(1) 신장 내압의 증가 → 신우와 신배가 확장 : 수신증(hydronephrosis)
(2) trans-glomerular pressure gradient 감소 → GFR↓
    (renal blood flow는 급성에서는↑, 만성에서는↓)
(3) tubular dysfunction (∵ renal tubule에 미치는 back-pressure의 증가로)
  - 요농축, Na^+ & water 재흡수, H^+ & K^+ 분비 등 세뇨관 기능의 대부분이 지장을 받게 됨
  - 급성에서는 sodium 재흡수↑ & FE_{Na}↓, 만성에서는 sodium 재흡수↓ & FE_{Na}↑
    → 소변 농축 능력↓, 소변 희석, natriuresis, hyperkalemic hyperchloremic acidosis
(4) 수신성 신위축(hydronephrotic renal atrophy)로 진행

- 완전 폐쇄된 신장에서도 요의 분비는 계속된다 (→ 수신증 발생)
  → 신우로 분비된 요는 tubule이나 lymphatics를 통하여 재흡수됨
- 일측성 수신증시 발생하는 기능장애가 양측성보다 더 크고, 빨리 발생한다

임상양상

1. 급성 상부 요로폐쇄

- acute bilateral UTO에서는 AKI (anuria) 발생 가능
- renal colic (m/c), gross hematuria, anuria or oliguria, uremic Sx.
- renin-dependent HTN (급성/아급성 편측성 폐쇄시)

2. 만성 요로폐쇄

- 무증상 or 간헐적인 동통 (c.f., 배뇨시에만 flank pain 발생 → VUR의 특징)
- 양측성 폐쇄시 → 신질질 손상 → 신부전 (BUN, Cr ↑)
- fluctuating urinary output, frequency, polyuria, nocturia (partial UTO에서는 urine output↑)
- partial bilateral UTO ⇨ chronic tubulointerstitial damage
  - type 4 RTA ; hyperkalemic hyperchloremic metabolic acidosis
  - hyponatremia (∵ renal salt wasting)
- volume-dependent HTN (만성 양측성 폐쇄시)
- recurrent UTI or 요로 결석 호발 및 치료가 어려움

3. 하부 요로폐쇄

- acute urinary retention (AUR), 소변 흐름의 세기와 직경 감소
- palpable mass (suprapubic)
- hesitancy, urgency, nocturia, incontinence, post-void dribbling
- alternating urine volume, polyuria → intermittent or partial UTO

4. 합병증

; UTI~sepsis, HTN, renal failure, urinary stone, papillary necrosis, erythrocytosis (∵ EPO↑)

진단

1. 진단적 접근

- 가역적인 병변이므로 조속한 진단과 치료가 중요
  - Sx, P/Ex (e.g., rectal exam, 성기 주변 관찰)
  - U/A ; 정상 or hematuria, proteinuria, pyuria, pH >7.5 (결석, 감염), 요침사는 정상
  - 혈액검사 : BUN↑, Cr↑, BUN/Cr↑, leukocytosis
- 설명할 수 없는 신기능 저하 및 요로폐쇄의 증상
  → 우선 bladder catheterization 시행!
  - diuresis 발생 → 하부 (bladder neck 이하) 요로폐쇄
  - diuresis 없음 → 상부 요로폐쇄 의심 → renal US 등 시행

2. 상부 요로폐쇄

- US : hydronephrosis or hydroureter … 초기 선별검사로 m/g
- KUB : radiopaque stone
- IVP : 자세한 요로폐쇄의 위치와 정도(형태) 확인 가능
- renal scan : 폐쇄와 기능적인 면을 동시에 평가 가능 (but, US나 IVP보다는 해상도 낮음)
  - 동위원소(^{99m}Tc-DTPA, ^{99m}Tc-MAG) : 사구체/세뇨관에서 배설된 후 재흡수 안됨
    → GFR 측정 및 요로폐쇄의 진단에 유용 (폐쇄된 쪽 신장의 동위원소 배설↓)
  - diuretic renal scan : 이뇨제 투여로 소변양이 많아지면 폐쇄된 쪽 동위원소 배설이 크게 감소됨 (lasix ^{99m}Tc-DTPA), 구조적/기능성 폐쇄를 감별 가능
    → hydronephrosis (특히 UPJ 폐쇄 의심시) 환자에 널리 이용됨
- retrograde (or antegrade) urogram
  ① 위의 검사로도 요로계 확장의 원인이 발견되지 않는 경우
  ② 조영제를 사용하기 어려운 경우 ; 신부전(sCr >3 mg/dL), 단백뇨, DM, MM, 탈수 등
- CT, MRI : 복강/후복강의 특정 원인 질환 진단에 유용 (e.g., spiral CT → 결석)
- pressure-flow study (Whitaker test) : 조영제 주사 후 신우/방광 압력 측정, 침습적이라 잘 안쓰임

* 요로폐쇄가 있음에도 hydronephrosis가 관찰되지 않는 경우 : false (−)
① 요로가 확장되기 전의 초기(1~3일) 요로폐쇄
② retroperitoneal fibrosis or tumor 등에 의한 요로계 압박
③ staghorn 결석, 침윤성 신장 질환
④ 경미한 요로폐쇄, 탈수(volume depletion) ...

3. 하부 요로폐쇄

- VCUG : vesicoureteral reflux, 하부요로 폐쇄 진단시 유용
- cystoscopy
- retrograde urethrography : anterior urethra
- retrograde or excretory cystogram : posterior urethra
- urodynamic studies : debimetry, cystometrography, EMG, urethral pressure profile (neurogenic bladder가 원인인 경우 필수)

치료

1. 급성 완전 폐쇄(acute complete obstruction)

- 상부 요로 폐쇄 ; retrograde ureteral catheter, percutaneous nephrostomy (PCN)
- 방광 하부 폐쇄 ; urethral catheter replacement, suprapubic cystostomy
- UTI, generalized sepsis시 → 즉시 obstruction 해소 & 항생제 치료
- 폐쇄가 호전되면 1~2주 이내에 GFR 일부 호전됨 (폐쇄가 8주 이상 지속되면 호전 가능성 희박)

* 급성 부분 폐쇄(acute partial obstruction) : stone이 가장 흔한 원인 → 12장 참조

2. 만성 부분 폐쇄(chronic partial obstruction)

- surgical Tx.는 몇 주~몇 달 연기될 수 있음
- 즉시 치료가 필요한 경우
  ① 반복되는 UTI episodes
  ② 심한 Sx. (dysuria, voiding dysfunction, flank pain)
  ③ urinary retention 존재
  ④ recurrent or progressive renal damage

3. 하부 요로폐쇄

- vesicoureteral reflux : ureteroneocystostomy
- BPH ; α-blocker, 5α-reductase inhibitor, TUR
- urethral stricture : dilatation or internal urethrotomy, meatomy
- neurogenic bladder : frequent voiding + cholinergic drugs

폐쇄 교정 이후의 이뇨 (postobstructive diuresis)

- 양측성 완전 폐쇄(bilateral complete UTO)의 교정 이후에 polyuria (natriuresis, diuresis)가 나타나는 것 (정상임, self-limited), 보통 250 mL/hr
- 원인
  ① 폐쇄 당시 축적된 salt와 water의 배설
  ② 축적된 urea의 배설 (→ osmotic diuresis 유발)
  ③ 축적된 urea 이외의 natriuretic factors의 배설
  ④ intratubular pr. 증가로 인한 NaCl 재흡수의 장애
  ⑤ iatrogenic ECF volume expansion ; 과도한 fluid 투여
  ⑥ 드물게 세뇨관 재흡수 기능의 결함으로 심한 salt & water loss도 가능
- 보통 hypotonic urine이 나오며, NaCl 등의 solutes를 다량 함유할 수도 있음
- collecting duct의 장애(bicarbonate loss)로 인한 urine acidification 장애도 가능
- 수액 공급 : 대개 0.45% saline (나오는 소변양의 2/3 이하만 투여하는 것이 효과적)
- 약 5%에서는 일시적인 salt-wasting syndrome (e.g., hypovolemia, hypotension)이 발생 가능
  → 혈압 유지를 위해 normal saline IV 필요
- 지속적인 polyuria를 보이는 경우는 대개 요량에 비해 지나친 수액을 공급한 경우임
  (solute diuresis 지속)

15
신장 및 요로 종양

신세포암/콩팥세포암종 (Renal cell carcinoma, RCC)

1. 개요

- 50~70세에 호발, 남:여 = 2.4:1, 증가 추세
  (US/CT 검사 중 우연히 발견↑ → 진단시 크기↓ → 5YSR↑)
- 신장 악성종양의 90~95% 차지 (신장암 - 성인 암의 약 3% 차지)
- 대부분 proxmial tubule의 epithelial cells에서 발생 (adenocarcinoma의 일종)
- 대부분 solitary, sporadic / 드물지만 자연 치유도 가능!
- 조직형 ; clear cell RCC (65~70%), papillary RCC (15~20%), chromophobe RCC (5~10%), oncocytomas (3~7%), collecting duct (Bellini duct) carcinoma^CDC^ (<1%) 등
  (c.f., renal medullary carcinoma^RMC^ : CDC 비슷하지만, 주로 sickle cell trait와 관련, 드묾)
- 유전자 이상
  - clear cell ; 3번 염색체 이상이 m/c (−3p21~26 [*VHL* gene]^m/c^, *PBRM1, SETD2, BAP1*)
  - papillary ; 7번 염색체 이상이 m/c (+7 [*MET* gene])

* 신장에서 발생하는 종양 ; RCC (85%), TCC (urothelial carcinoma, 약 8%), nephroblastoma (Wilms' tumor, 5~6%), sarcomas ...

2. 위험인자

- 흡연 (20~30%에서 관련), obesity, HTN
- 투석, 신장이식, ESRD와 관련된 acquired cystic kidney dz. (만성 투석 환자의 35~50%에서 발생)
  ↳ 약 6%에서 RCC 발생 (일반인의 ~30배)
- 직업적인 노출 : asbestos, cadmium, leather tanning, petroleum products
- 장기간의 진통제 복용 (e.g., AAP, phenacetin)
- familial (약 4%)
  - VHL (von Hippel-Lindau) dz. : AD 유전, *VHL* 종양억제유전자의 변이
    ; bilateral clear cell RCC (약 35%), hemangioblastomas (m/c^60~84%^; retina, 소뇌, 뇌간, 척수), pheochromocytoma (paraganglioma), NET, testicular cysts ...
  - ADPKD (드묾) : ESRD와 관련된 acquired renal cyst가 훨씬 더 위험함
  - tuberous sclerosis complex (TSC) 및 Birt-Hogg-Dubé syndrome : 드묾, oncocytoma와 관련

3. 임상양상

- US/CT 검사 중 우연히 발견되는 경우가 m/c!, 암이 진행될 때까지는 무증상인 경우가 많음
- classic triad (약 9%에서만 나타남) ; hematuria, flank pain, 복부종괴 (<5%)
  → locally advanced dz.를 시사
- 기타 ; anemia (52%), scrotal varicocele (~11%), fever, fatigue, 체중감소(23%)...
- IVC 침범시 ; 하지 부종, 복수, hepatic dysfunction, pulmonary emboli
- 신기능 저하는 동반하지 않는 경우가 많음
- paraneoplastic syndrome (3~10%)
  ① erythropoietin-like substance 분비 → erythrocytosis (~3%)
  ② parathyroid hormone-related protein (PTHrP) 분비 → hypercalcemia
  * hypercalcemia (advanced RCC의 ~15%) ; 뼈 전이, PTHrP 및 IL-6↑, PG↑ 등 때문
  ③ renin↑ → HTN (~20%)
  ④ gonadotropins → feminization or muscularization
  ⑤ ACTH-like substance → Cushing's syndrome
  ⑥ nonmetastatic hepatic dysfunction (Stauffer's syndrome) ; fever, fatigue, 체중↓ → poor Px
  (∵ GM-CSF, IL-6 등의 cytokines 분비 때문)
  ⑦ dysfibrinogenemia
- 전이 (진단시 15~30%는 stage Ⅳ)
  ① distant metastasis ; lung (50%), bone (49%), skin (11%), liver (8%), brain (3%)
  ② 신장으로 전이되는 종양 : lung cancer (m/c) → 흔히 multiple

4. 진단

- US : solid (→ 악성 가능성 높음) / cyst 구분 (simple cyst를 R/O하는데 98% 정확)
  - cyst aspiration : 혈성 흡인액은 악성을 강력히 시사
- CT : 진단 및 병기 판정에 가장 유용
- MRI : US/CT에서 불확실할 때 시행, 혈관(e.g., IVC) 침범을 보는데 유용
- renal angiography : nephron-sparing surgery 전 시행했었으나, CT/MR angiography로 대치됨
- 원격전이 평가 ; chest CT, MRI, PET-CT, bone scan (bone pain, ALP↑ 시에만)

Stage (AJCC 8th)		5YSR
I	종양 직경 7 cm 미만 (**T1a** ≤4 cm, **T1b** 4~7 cm), 신장에 국한	>90%
II	종양 직경 7 cm 이상 (**T2a** 7~10 cm, **T2b** >10 cm), 신장에 국한	85%
III	T1/T2 & <u>N1 (국소 림프절 침범)</u> *or* <u>T3</u> & N0/N1 ↳ 주요 정맥, 신장주위조직 등을 침범했지만 Gerota's fascia 내에 국한	60%
Ⅳ	**T4** : Gerota's fascia를 넘어 주변 침범 (동측 부신 침범 포함) *or* M1 (원격전이)	10%

조기 발견 및 치료의 발전으로 사망률 감소 추세 (5YSR 약 80%)

5. 치료

(1) localized RCC (stage Ⅰ, Ⅱ, 일부 Ⅲ)

- partial nephrectomy (nephron-sparing surgery)가 가능하면 선호됨
  - 종양만 제거하고 나머지 정상 신장은 남겨 놓는 것, 대개 복강경 or robot으로 시행
  - radical nephrectomy에 비해 수술 후 신기능이 잘 보존되고, CVD 이환율과 전체 사망률 감소
  - 전통적 적응 ; bilateral RCC, solitary functioning kidney의 RCC, 신기능 저하 등
- radical nephrectomy : Gerota's fascia 및 내용물(신장 ± 부신 ± hilar LN)을 제거
- nephrectomy 이후의 CTx or RTx는 효과 없음

(2) metastatic RCC (stage Ⅳ, 일부 Ⅲ)

- 효과적인 치료법이 없고, 예후 매우 나쁨 (5YSR <10%, 평균 13개월 생존)
  (→ 무증상 환자는 병이 진행하거나 증상이 나타날 때까지 경과관찰을 고려할 수도 있음)
- nephrectomy는 도움 안 됨 (유일한 Ix ; 심한 통증, 육안적 혈뇨)
  - systemic Tx. 전의 cytoreductive nephrectomy는 일부에서 도움
  - nephrectomy 이후 한 곳에서만 원격전이 발생 (특히 폐, 뼈) → 수술이 survival 향상에 도움
- CTx.와 hormonal therapy는 거의 효과 없음
- immunotherapy
  ① cytokines (IFN-α, IL-2) ; 10~20%에서 반응하지만, 대부분 장기 효과는 없음
  ② immune checkpoint inhibitors ; nivolumab (anti-PD-1 Ab) + ipilimumab (anti-CTLA-4 Ab)
  → TKI (sunitinib)보다 생존율 훨씬 향상 (high-risk에서 1st, or 2nd/3rd-line Tx.로 사용)
- molecular targeted therapy
  ① anti-angiogenic TKIs ; sorafenib, sunitinib, pazopanib → low-risk에서 1st-line Tx.
  - sunitinib : 수술 뒤 재발 위험이 높은 경우에 adjuvant Tx.로도 가능
  - axitinib : pembrolizumab (anti-PD-1 Ab)와 병합으로 high-risk에서 1st-line Tx.로 사용
  ② multi-target TKIs ; cabozantinib, lenvatinib → 대개 2nd or 3rd line Tx.로 사용
  ③ VEGF mAbs (bevacizumab) ; IFN-α와 병합요법으로 1st-line Tx.로 사용 가능
  ④ mammalian target of rapamycin [mTOR] inhibitor
  - temsirolimus (IV) : poor-risk RCC (non-clear cell type)에서 1st-line Tx.로 사용
  - everolimus (oral) : angiogenesis inhibitors (①~③)에 실패한 경우 2rd-line Tx.로 사용

6. 예후

International Metastatic RCC Database Consortium (IMDC) prognostic model	
Karnofsky performance status (KPS) <80% 처음 진단된 후 1년 이내 (빠른 진행) Hb < LNL (lower normal limit) Neutrophil > UNL (upper normal limit) Platelet > UNL serum Calcium > UNL	Good risk : 0개 Intermediate risk : 1~2개 Poor risk : 3개 이상

- 평균 생존기간 ; risk factor 0 = 24개월, 1~2개 = 12개월, 3개 이상 = 5개월

c.f.) incidental renal mass (무증상, ≤4 cm)
- 대부분은 benign cyst (나이에 따라 증가, CT에서 ~40%까지도 발견) → 10장 신낭종 부분 참조!
- solid renal mass ; 악성이 양성보다 많음, 상당수가 RCC
  - 악성 가능성이 높은 경우 ; 크기(<1 cm은 60%, 1~4 cm은 80%, >4 cm은 90% 이상), 남성, mass 주위 halo, mass 내부의 작은 cysts, mass 내부의 조영증강, 신정맥내 혈전 ...
  - 영상검사에서 악성/양성 감별이 어려우면 biopsy 시행 (biopsy로 암 파종 가능성은 없음)
  - 치료 : 크지 않은 mass는 가능하면 partial nephrectomy 권장
    (수술 위험이 높은 T1a의 경우는 cryoablation or RFA도 가능)
  - 능동감시(active surveillance) : 수술/마취 고위험군, 기대수명 5년 이하인 경우
    (기대수명 10년 이하, 크기 1~2 cm 이하, 수술 후 ESRD로 진행 위험 등도 고려 가능)

■ 신혈관근지방종(renal angiomyolipoma[AML])

- smooth-muscle-like cells, adipocyte-like cells, epithelioid cells 들로 구성된 양성 종양
- 드묾, sporadic *or* <u>tuberous sclerosis</u>[TS]와 동반 (약 50%)
  ↳ TS 환자의 약 80%에서 renal AML 동반 (대개 다발성, 양측성)
- ┌ classic variant (대부분) : epithelioid cells 드묾(<10%), locally invasive 가능
  └ epithelioid variant : epithelioid cells ≥10%, 때대로 악성화 (원격전이도 가능)
  - 악성화↑ ; epithelioid cells ≥70%, size >7 cm, 혈관 침범, mitotic figures↑, necrosis
- Sx ; 대부분은 무증상, flank pain, gross hematuria (2%는 spontaneous rupture도 가능)
- Dx (US/CT/MRI) ; 종괴 내에 <u>fat</u> tissue 존재 (but, 약 5%는 fat 無; 특히 epithelioid variant)
- Tx ; 4 cm 미만은 대개 US로 F/U (<2 cm은 3~4년마다, 2~4 cm은 매년)
  - 급성 대량 출혈 → selective renal artery embolization
  - 크기 >4 cm (특히 high vascularity, aneurysm ≥5 mm) → 수술 or embolization
  - multiple bilateral AMLs (>4 cm & 성장 ≥5 mm/yr) → mTOR inhibitor (everolimus)

요로상피세포암 (Urothelial carcinoma)

1. 개요

- 정의 : urinary tracts의 urothelium (transitional cell lining)에서 유래하는 종양
- renal calix/pelvis ~ ureter ~ bladder ~ urethra (proximal 2/3) 모두에서 발생 가능
  ⇨ <u>bladder</u> (90%), renal pelvis (8%), ureter/urethra (2%)
- 95% 이상이 transitional cell carcinoma (TCC)
- 위험인자 ; 고령(평균 73세), 남:여 = 4:1
  - <u>흡연</u> (m/i) : 2~4배 발생↑ (방광암 환자의의 90%가 현재/과거 흡연자)
  - 화학물질 ; aromatic amines (e.g., 2-naphthylamine, benzidine), aniline dyes, benzene ...
  - cyclophosphamide 등의 alkylating agents 장기간 투여
  - phenacetin analgesics 장기 과다 복용 (→ renal pelvis와 ureters의 TCC↑) ; 1983년 금지됨
  - *Schistosoma haematobium* 감염 (N-nitroso compounds↑ → bladder의 SCC 및 TCC↑)

2. 분류

• staging : invasion 양상에 따라 분류 (bladder cancer의 예)

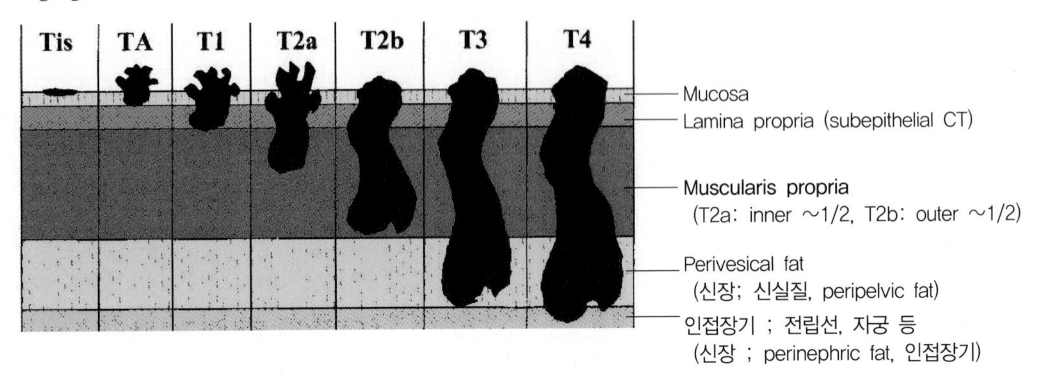

• 대부분 transitional cell layer에 국한
- superficial (75%) : Ta, T1 … non-muscle-invasive bladder cancer (NMIBC)
- 근육층 침범 (18%) : T2 … muscle-invasive bladder cancer (MIBC)
- 원격전이 (3%) : 폐, 간, 뼈에 흔히 전이

• grading : differentiation 정도에 따라 분류 ⇨ low or high
- low grade는 대개 stage가 낮고 (superficial), high grade는 높은 stage로 진행을 잘 함

• growth pattern ⇨ solid or papillary
- low-grade papillary lesions이 m/c ; 출혈이 흔하고, 재발률이 높고, invasive dz.로 진행 드묾
- CIS (flat lesion) ; high-grade, invasive dz.의 전단계로 생각됨

3. 방광암 (Bladder cancer)

(1) 임상양상

• gross/microscopic, chronic/intermittent "painless hematuria" (m/c, 80~90%)
(c.f., microscopic hematuria는 전립선암에서 더 흔함, 방광암은 대개 gross hematuria)
• irritative voiding Sx. : frequency, urgency, dysuria
• pain ; flank (∵ UTO), suprapubic (∵ locally advanced), RUQ or bone (∵ metastases)

(2) 진단

• urine cytology : high grade/stage에서는 매우 sensitive (80~90%)
• IVP, US, CT, MRI : bladder 내의 filling defect 등
• cystoscopy & biopsy (확진)

(3) 치료

• superficial dz. (NMIBC) : TURB ± intravesical Tx.
- transurethral endoscopic resection of the bladder tumor (TURB)
- 최대 50%에서 재발 → 이중 5~20%는 더 높은 stage로 진행
(재발은 urothelial tract 어느 곳에서도 가능)
- TURB 이후 intravesical therapy 필요

Risk	Criteria	TURB 이후 intravesical therapy
Low	Solitary, low-grade, Ta, <3 cm, CIS 無 모두 만족	CTx (mitomycin C, epirubicin, gemcitabine) 1회
Intermediate	Low or High가 아닌 경우	CTx 1회 이후, 1년 BCG or CTx 유지요법
High	다음 중 하나 이상 T1, CIS, high-grade, or low-grade Ta이면서 multiple & >3 cm	매주 1회 BCG (~6주 동안) F/U TURB 시행 (cystectomy 필요하면 시행*) 3년 BCG (or CTx) 유지요법

* Cystectomy의 적응 ; lymphovascular invasion, variant 조직형, 불완전 절제된 T1 grade 3, prostatic duct/acinar CIS, 여성의 bladder neck and/or urethra CIS

- muscle-invasive dz. (MIBC, ≥T2) : radical cystectomy & bilateral pelvic lymphadenectomy
  - neoadjuvant chemotherapy (필수) → survival 향상
    ; cisplatin-based combination CTx.
    - MVAC (methotrexate + vinblastine + doxorubicin + cisplatin)
    - dose-dense MVAC : 부작용 적고, survival 약간 더 증가
    - GC (gemcitabine + cisplatin) : MVAC을 견딜 수 없는 노인에서 고려
  - adjuvant chemotherapy의 역할은 아직 불확실함
  - radical cystectomy가 불가능한 경우에는 bladder-sparing therapy [(maximal TURB + RTx + CTx), radical TURB, or partial cystectomy 등] 고려
- metastatic dz. → CTx. (MVAC, dose-dense MVAC, or GC)가 표준
  - vinflunine : microtubule inhibitor, 유럽에서 2nd-line으로 허가 (효과는 그다지..)
  - immune checkpoint inhibitors : 기존의 CTx.보다 훨씬 효과적
    - anti-PD-1 Ab ; pembrolizumab, nivolumab
    - anti-PD-L1 Ab ; atezolizumab, avelumab, durvalumab

4. 신우/요관의 이행세포암, 상부 요로상피암 (TCC of the renal pelvis & ureter)

- 신우와 요관의 암은 거의 대부분 transitional cell ca., 모든 요로계 종양의 5% 차지 (드묾)
- Sx ; painless hematuria (m/c, 70~80%), flank pain (20~40%, ureter or UPJ의 폐쇄 때문)
- Dx ; CT urography (IVP를 대체), MRI, RGP, flexible ureteroscopy, urine cytology 등
- 치료
  - radical nephroureterectomy & ureteral orifice를 포함한 bladder cuff 제거가 표준 치료법
  - low-grade, limited-stage → endourologic surgery (endoscopic resection)도 가능
  - low-grade distal tumor → distal ureterectomy & reimplantation of the ureter
  - metastatic dz. → metastatic bladder ca.와 동일하게 치료

c.f.) 초음파에서 renal mass처럼 보일 수 있는 anatomic variants ("pseudotomors")

① column of Bertin의 비후

② fetal lobation의 존속

③ dromedary or splenic hump

MEMO

내분비 내과

1
서론

호르몬의 종류

구조적 분류	호르몬	분비 기관
Amino acid 유도체	dopamine melatonin catecholamines (epinephrine, norepinephrine) thyroid hormones	시상하부 송과선 부신수질 갑상선
Small peptides	ACTH AVP (vasopressin), oxytocin GnRH, GHRH, TRH, CRH, somatostatin (췌장도) Ghrelin calcitonin ANP angiotensin (angiotensinogen이 분해되어 생성) bradykinin (kininogen이 분해되어 생성)	뇌하수체 전엽 뇌하수체 후엽 시상하부 위 갑상선 심장 혈장 및 여러 장기
Large peptides (proteins)	GH, prolactin, TSH, LH, FSH PTH HCG insulin, glucagon EPO (erythropoietin) IGF-1, angiotensinogen, thrombopoietin	뇌하수체 전엽 부갑상선 태반, trophoblast 췌장 신장 간
Steroid 유도체 (cholesterol)	glucocorticoids (e.g, cortisol) mineralocorticoids (e.g., aldosterone) androgens (e.g., testosterone) estrogens (e.g., estradiol) progesterone	부신피질 부신피질 부신피질, 정소 난소 여포 황체, 태반
Vitamins	calciferol calcitriol (active vitamin D)	피부 신장

* glycopeptide ; TSH, LH, FSH, hCG → α, β subunit으로 구성

- 단일 전구체에서 여러 호르몬의 생합성 예

POMC (pro-opiomelanocortin)

→ ACTH (corticotropin) → α-MSH + corticotropin-like intermediate peptide (CLIP)
→ β-lipotropin (LPH) → γ-LPH + β-endorphin

γ-LPH ↓ β-MSH

β-endorphin ↓ γ-endorphin → α-endorphin

호르몬의 작용 기전

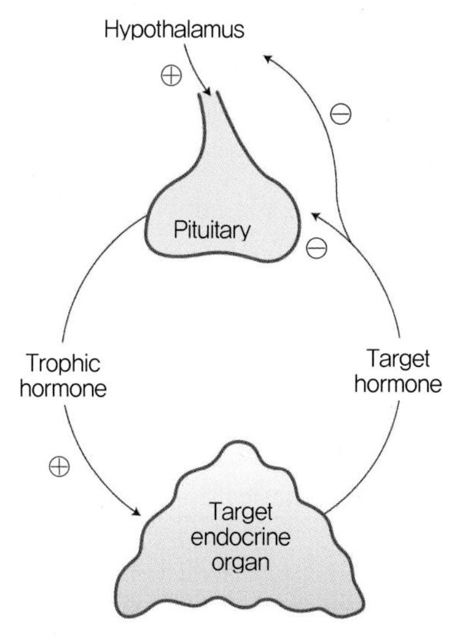

Pituitary에 의한 target endocrine organs의 feedback control

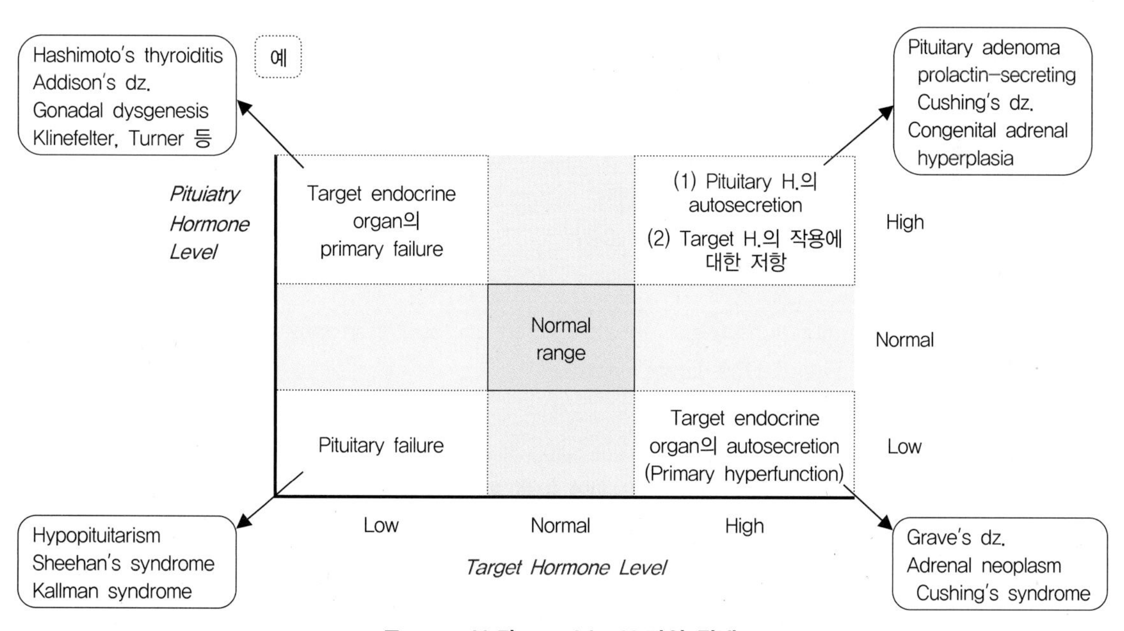

Target H.과 trophic H.과의 관계

■ 호르몬의 기능

(1) growth ; GH

(2) homeostasis 유지 ; thyroid hormone, cortisol, PTH, vasopressin, mineralocorticoids, insulin

(3) reproduction ; LH, FSH, GnRH

내분비 기능 장애의 원인

1. 호르몬 과다/기능항진(hyperfunction)

① neoplastic ; benign (e.g., pituitary adenoma [Cushing' dz. 등], adrenal adenoma, pheochromocytoma), malignant (e.g., MTC, carcinoid tumor), ectopic, MEN
② autoimmune (e.g., Grave's dz.-TSH receptor antibody[TRAb])
③ iatrogenic (e.g., Cushing's syndrome, hypoglycemia)
④ infectious/inflammatory (e.g., subacute thyroiditis)
⑤ hereditary ; enzyme mutations (e.g., glucocorticoid-remediable hyperaldosteronism[GRA]), activating receptor mutations (e.g., LH receptor [남자의 성조숙증], $G_S\alpha$ [GH-분비 종양 등])

2. 호르몬 부족/기능저하(hypofunction)

① autoimmune (e.g., type 1 DM, Hashimoto's thyroiditis, Addison's dz.)
② iatrogenic (e.g., RTx/수술에 의한 hypopituitarism, hypothyroidism)
③ infectious/inflammatory (e.g., adrenal insufficiency, hypothalamic sarcoidosis)
④ hormone mutations
⑤ enzyme defects (e.g., 21-hydroxylase deficiency)
⑥ developmental defects (e.g., Kallmann syndrome, Turner syndrome)
⑦ nutritional/vitamin deficiency (e.g., vitamin D deficiency, iodine deficiency)
⑧ hemorrhage/infarction (e.g., Sheehan's syndrome, adrenal insufficiency)

3. 호르몬 저항성(hormone resistance)

① receptor mutations
② signaling pathway mutations (e.g., Albright's hereditary osteodystrophy)
③ postreceptor (e.g., type 2 DM, leptin resistance)

■ 참고: 노화에 따른 호르몬 변화

감소	변화×	증가
GH Prolactin (여성) LH (남성) IGF-Ⅰ DHEA & DHEAs Testosterone Estrogen (estradiol) 25(OH) vitamin D Calcitonin Renin, aldosterone VIP, melatonin	Prolactin (남성) TSH T3, T4 Epinephrine GLP-1 (glucagon-like peptide 1) GIP (gastric inhibitory peptide) Insulin	CCK (cholecystokinin) LH FSH ACTH & cortisol (약간 증가) Epinephrine (초고령) Norepinephrine PTH

호르몬과 수용체

1. General hormone classes

	Group Ⅰ	Group Ⅱ
Types	**Steroids**, iodothyronines, calcitriol, retinoids	**Polypeptieds**, proteins, glycoproteins, catecholamines
방출(분비)	Diffusion	Exocytosis
Solubility	지용성(lipophilic)	수용성(hydrophilic)
Transport proteins	존재	없음
반감기	길다 (수시간~수일)	짧다 (수분)
Receptor	Intracellular	Plasma membrane
Mediator	Receptor–hormone complex	cAMP, cGMP, Ca^{2+}, metabolites of complex, phosphoinositols, kinase cascades

2. Hormone Receptors의 분류

종류	호르몬의 예
Intracellular (nuclear) receptors	
Transcription regulatory proteins	Glucocorticoids, mineralocorticoids, estradiol, androgens, progesterone, thyroid hormones (T3, T4), vitamin D, retinoic acid
Membrane receptors	
1. G protein–coupled 7–transmembrane receptors (GPCRs)	LH, FSH, TSH, ACTH, MSH, GHRH, CRH, TRH, GnRH, parathyroid hormone, epinephrine, somatostatin, vasopressin, glucagon, angiotensin Ⅱ, prostaglandins, serotonin, α/β–adrenergic
2. Tyrosine kinase receptors	Insulin, IGF–Ⅰ, PDGF, EGF (epidermal growth factor), FGF (fibroblast growth factor), NGF (nerve growth factor)
3. Cytokine receptors	GH (growth hormone), PRL (prolactin), leptin
4. Serine–threonine kinase receptors	TGF–β, MIS (müllerian–inhibiting substance), BMP (bone morphogenetic protein), activin, inhibin

■ G protein-coupled receptor (GPCR) mutations 관련 질환의 예

	Inactivating mutation (대개 AR 유전)	Activating mutation (대개 AD 유전)
Vasopressin (V_2)	Nephrogenic DI	Nephrogenic SIADH
ACTH	Familial ACTH resistance	
LH	Leydig cell hypoplasia (남성) Primary amenorrhea, LH resistance (여성)	Familial male precocious puberty (남성)
FSH	Hypergonadotropic ovarian failure (여성) Hypospermia (남성)	Ovarian hyperstimulation (여성)
TSH	Congenital hypothyroidism, TSH resistance	Nonautoimmune familial hyperthyroidism Hyperfunctioning thyroid adenoma
TRH	Central hypothyroidism	
GnRH	Hypogonadotropic hypogonadism	
Kisspeptin (GPR54)	Hypogonadotropic hypogonadism	Precocious puberty
GHRH	GH deficiency	
PTH	Blomstrand chondrodysplasia	Jansen metaphyseal chondrodysplasia
Ca-sensing receptor	Familial hypocalciuric hypercalcemia Neonatal severe hyperparathyroidism	Familial hypocalcemic hypercalciura
Melanocortin 4	Severe obesity	

■ $G_s\alpha$ mutations 관련 질환의 예

Inactivating mutation	Activating mutation
Albright's hereditary osteodystrophy (AHO) Pseudopseudohypoparathyroidism (PPHP) Pseudohypoparathyroidism types 1b, 1c, 2.	GH-producing adenomas (acromegaly) McCune-Albright syndrome

MEMO

2
뇌하수체 전엽 질환

- 뇌하수체(pituitary gland) ; 무게 약 600 mg, 안장(sella turcica) 안에 위치
  - anterior pituitary (adenohypophysis) ; GH, prolactin (PRL), ACTH, TSH, LH, FSH
  - posterior pituitary (neurohypophysis) … hypothalamus에 의해 직접 innervation
    ; vasopressin (AVP, ADH), oxytocin

Pituitary Hormone 분비의 조절인자 ★

	촉진 인자	억제 인자
Growth hormone (GH)	GHRH, ghrelin	Somatostatin, IGF-1 (somatomedin C)
Prolactin (PRL)	TRH, VIP, estrogen	Dopamine
ACTH (POMC)	CRH, AVP, gp-130, cytokines	Glucocorticoids
TSH	TRH	T_4, T_3, somatostatin, dopamine, glucocorticoids
LH & FSH	GnRH, estrogen (일시적 상승)	Testosterone, estrogen (지속적 노출)
FSH	Activin	Inhibin

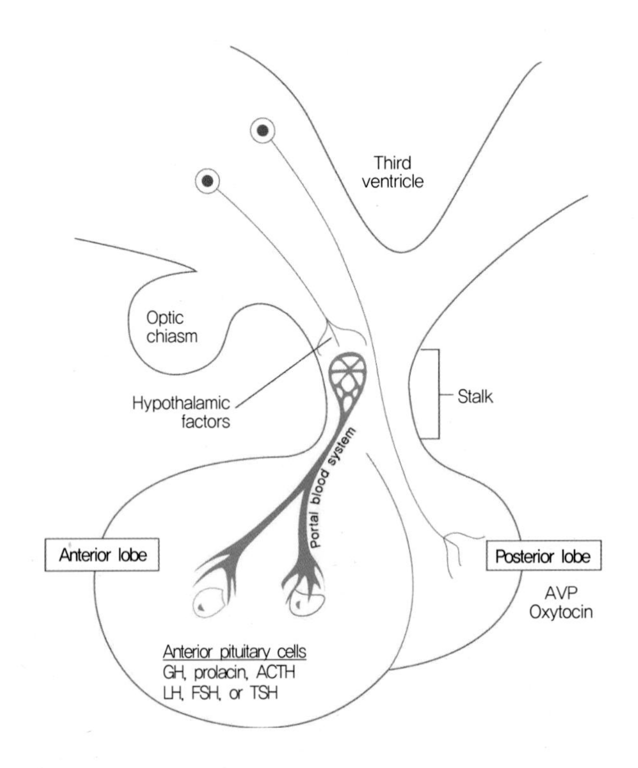

뇌하수체 선종 (Pituitary adenomas)

: 성인에서 pituitary hormone 과다분비 및 과소분비의 m/c 원인 (두개내 종양의 ~15% 차지)

1. 병리소견

(1) acidophilic (eosinophilic) ; somatotroph (GH), lactotroph (prolactin)
(2) basophilic ; thyrotroph (TSH), gonadotroph (LH, FSH), corticotroph (ACTH)
(3) chromophobic ; non-functioning tumors

2. 종류

- macroadenoma ≥1 cm
- microadenoma <1 cm

뇌하수체 선종의 종류	생성되는 호르몬	질환	빈도(%)
Lactotroph (prolactinoma)	Prolactin	Hypogonadism, mass effects	40~45 (m/c)
Somatotroph	GH	Acromegaly/gigantism	15~20
Corticotroph	ACTH	Cushing's disease	10~12
Thyrotroph	TSH	Hyperthyroidism	1~3
Nonfunctioning/Gonadotroph	α,β-subunit, FSH	Mass effects, hypopituitarism	20~25
α-subunit	Free α-subunit	Mass effects, hypopituitarism	5
Null cell	None	Mass effects, hypopituitarism	10

• 분비되는 호르몬에 의한 분류에서도 prolactin 과다분비가 m/c (약 60%)
: 다른 종류의 선종(e.g., nonfunctioning adenoma)도 prolactin 상승을 일으키기 때문
(∵ pituitary stalk[뇌하수체 줄기] 압박에 의한 PIF 감소로)

3. 임상양상

(1) 뇌하수체 선종의 mass effects

• 두통 (but, adenoma 크기와의 상관성은 부족함)
• 시야장애(visual field defect) ; bitemporal hemianopsia가 m/c (∵ optic chiasm의 압박)
• 외안근 마비(oculomotor palsies)
 - 종양이 외측으로 커지면서 해면동 벽의 뇌신경들을 압박하여 발생
 - 제3 (m/c), 4, 6 뇌신경(cranial nerves)을 침범 → 복시/겹보임(diplopia)
 (제3뇌신경 침범에 의해 ptosis, pupil dilatation도 나타날 수 있음)
 - 이것이 발생하면 visual field defect는 보통 나타나지 않는다
• 뇌하수체기능저하증(hypopituitarism) → 증상은 뒤의 '뇌하수체기능저하증' 부분 참조
 - nonfunctioning adenoma에 의한 hypothalamic-pituitary stalk의 압박으로 발생
 - 특히 GH, gonadotropin deficiency가 흔함
 * prolactin level은 약간 상승 (∵ pituitary stalk 압박에 의한 PIF 감소로)

(2) 시상하부 침범에 의한 mass effects

; 체온 조절장애, 식욕/갈증 장애, 비만, DI, 수면장애, 행동장애, 성조숙 or hypogonadism, 자율신경 조절장애(e.g., paradoxical vasoconstriction, tachycardia)

4. 검사

(1) MRI (± gadolinium-enhancement)

- 정상 뇌하수체 높이 ; 소아 6 mm, 성인 8 mm (임신/사춘기 때는 10~12 mm까지 커지기도 함)

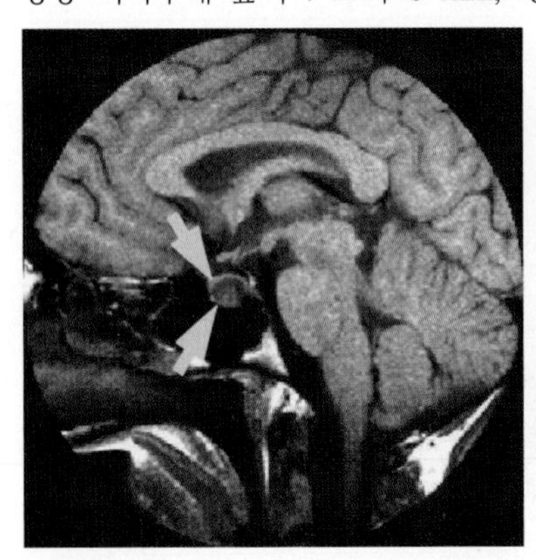
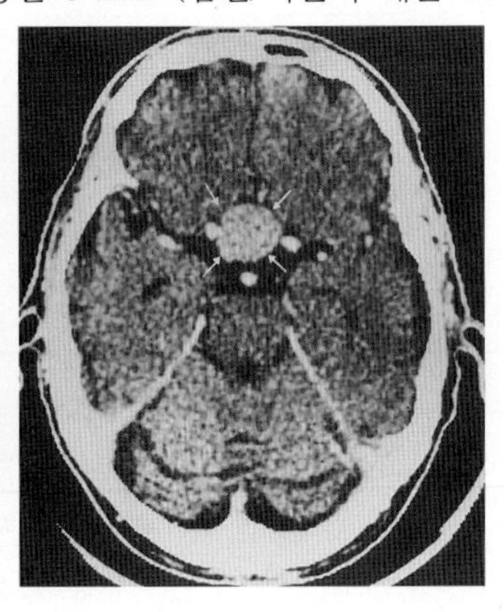

(2) 호르몬 검사

- functioning pituitary adenoma의 증상에 따른 호르몬 검사 예
  - acromegaly → serum IGF-I, oral glucose tolerance test (OGTT)
  - prolactinoma → serum PRL
  - Cushing's syndrome → 24hr urine free cortisol, dexamethasone suppression test, ACTH
- MRI에서 pituitary adenoma가 의심될 때 시행할 기본적인 호르몬 검사 ★
  ; prolactin, IGF-I, (GH), 24hr urine free cortisol (and/or dexamethasone suppression test), (ACTH), FSH, LH, estradiol (E2) or testosterone, TSH, free T4, α-subunit 등

(3) 면역조직화학염색(IHC)

- 수술 뒤 얻은 검체로 임상양상 및 호르몬 검사 결과의 확인 가능
- 진단이 불확실하거나, 비기능성(nonfunctioning) 종양의 확진 가능

5. 치료

(1) 수술

- prolactinoma (lactotroph adenoma)를 제외하고는 수술이 원칙
- 대부분 transsphenoidal surgery[경접형골/접형골[나비뼈]경유 수술]로 시행 (두개강을 침범하지 않는 장점)
  - endonasal approach, endoscopic surgery
  - Cx
    - 일시적(~20%) ; CSF leak, DI, inappropriate ADH secretion, arachnoiditis, 출혈 등
    - 영구적(~10%) ; DI, hypopituitarism, optic nerve injury, CNS damage 등
- frontal or middle cranial fossa, optic nerves 침범시에는 craniotomy[개두술] 고려

(2) RTx.

- 수술/약물치료에 실패시, 수술의 금기 or 수술 거부시 등에만 사용
- stereotactic radiosurgery (SRS) ; gamma knife 등으로 한 번에 강력한 방사선 조사
  ↳ Ix ; 종양이 optic pathway[시각경로]에서 3~5 mm 이상 떨어져 있고, 크기가 3 cm 미만인 경우
- optic pathway에 가깝거나 크기가 큰 종양은 fractionated RTx. (여러 번 나누어 조사)
- Cx ; hypopituitarism (흔함, 20~30%) / 드물게 시각경로 손상, 뇌신경 손상, 2차 종양 등

■ Nonfunctioning (& Gonadotropin-producing) pituitary adenoma ★

- 흔한 pituitary adenoma (약 1/4 차지), 남>여, 나이가 들수록 증가
- 진단시 대개 **macro**adenoma, 대부분 gonadotroph cells에서 유래
- 대부분 무증상, CT or MRI 검사 중 우연히 발견됨
- dynamic pituitary reserve test (stimulation/suppression) 시행! → 기능성 종양인지 확인
- Sx : mass effects (e.g., 두통, 시각장애), hypopituitarism의 증상
- 호르몬 과다에 의한 증상은 거의 일으키지 않고, 대신 pituitary stalk 압박 등에 의한 호르몬 결핍 [GH↓(m/c), LH↓(→ hypogonadism)]과 prolactin 약간 상승이 흔함!
- 소량의 FSH 분비 (but, 호르몬 작용은 없음) 및 testosterone 감소가 특징적
- free α-subunit↑ (10~15%에서), free FSH β-subunit↑ → tumor marker로도 이용됨
- paradoxical response to TRH : gonadotropins or subunits (e.g., LH β)↑ [정상인에서는 無]
- Tx
  - 증상이 없고 시각상실의 위험이 없는 microadenoma ⇨ 정기적인 MRI + 시야검사로 F/U
  - macroadenoma ⇨ 수술(trans-sphenoidal surgical resection)!
    ; 시각장애는 약 80%에서 호전되지만, hypopituitarism (호르몬 결핍) 호전은 적음!
  - 수술 이후 종양이 남아있는 경우 ⇨ adjuvant RTx.
  - dopamine agonist나 somatostatin analogues는 거의 효과 없음

■ Null cell pituitary tumor

- pituitary tumor의 약 10% 차지, 남성 및 폐경후 여성에서 호발
- mass effects (시야결손, 두통 등), hypopituitarism, prolactin만 약간 상승 (∵ pituitary stalk 압박)

■ TSH-secreting adenoma (Pituitary hyperthyroidism)

- 드묾 ; pituitary adenoma의 1~3% ((hyperthyroidism의 1% 미만 차지)
- 대부분 macroadenoma (→ mass effects 동반) & locally invasive
- TSH : LH 및 FSH와 구조 비슷 (→ α-subunit 공유), 분비의 변화 폭이 적고 반감기가 긺
- TSH 분비↑ ⇨ T_3↑, T_4↑ ; hyperthyroidism, diffuse goiter
- "inappropriate/nonsuppressed TSH secretion" (갑상선호르몬↑ & TSH ↑~N)의 D/Dx
  - TSH-secreting tumor : TRH에 대한 TSH의 반응 거의 없음, α-subunit↑
  - pituitary resistance to thyroid H. : TRH에 대한 TSH 반응 정상/증가, AD 유전,
    갑상선호르몬 β receptor의 mutation 때문

- dysalbuminemic hyperthyroxinemia syndrome : 혈청 갑상선호르몬 결합단백의 mutation 때문
- 30%에서는 다른 호르몬도 함께 분비 (GH, prolactin)
- TSH의 α-subunit ↑↑ (α-subunit/TSH > 1)
- Tx
  ① 수술(transsphenoidal resection) : TOC
    - microadenoma의 대부분과 macroadenoma의 50~60% 완치됨
    - 우선 3~4개월의 약물치료(e.g., somatostatin analogue)로 euthyroidism 상태를 만든 뒤 수술
    - somatostatin ananlogue를 사용 못하면 dopamine agonist (bromocriptine, cabergoline) 고려
    - hyperthyroidism 증상 조절을 위해 β-blocker, 항갑상선제 사용 가능
      (항갑상선제는 TSH↑ & 종양 크기↑ 위험으로 수술 직전에만 단기간 고려)
  ② somatostatin ananlogue (e.g., octreotide) ; 수술 전처치 & 수술 이후 residual dz. 치료에 사용
    - 대부분 euthyroidism (T_3, T_4 정상화) 획득, TSH & α-subunit 50% 이상에서 정상화
    - 50~60%에서 갑상선 크기 감소, 시야장애는 75%에서 개선됨
  ③ 갑상선절제(thyroidectomy) ; 약물 치료가 실패한 symptomatic goiter 환자에서 고려

성장호르몬 (Growth hormone, GH)

1. 생리학

Growth Hormone 분비의 조절

종류	분비 촉진	분비 억제
시상하부	GHRH	Somatostatin (SRIF)
Amines	α_2-agonist (norepinephrine, clonidine) β-blocker (propranolol) Dopamine agonists (levodopa, bromocriptine, apomorphine) Serotonin agonist (L-tryptophan)	β-agonist α_2-blocker (yohimbine) Dopamine blockers (chlorpromazine) Serotonin blockers (methysergide, cyproheptadine)
호르몬	IGF-I 감소 (e.g., LC) Vasopressin Estrogen, Glucagon†, Ghrelin	IGF-I 증가 (e.g., obesity) Progestogens Glucocorticoids (chronic)*
영양소	Hypoglycemia¶ Free fatty acids 감소 Amino acid (L-arginine)†	혈중 glucose 증가 Free fatty acids 증가
기타	Sleep (deep sleep onset)† Exercise, stress, trauma, sepsis 등¶ Chronic malnutrition or fasting Cholinergic (muscarinic) stimuli (pyridostigmine [acetylcholinesterase inhibitor])	Muscarinic cholinergic antagonists (atropine) REM sleep Obesity

* glucocorticoids는 초기에는 GH 분비를 자극
† cholinergic stimulation을 통할 것으로 추측
¶ α-adrenergic stimulation을 통할 것으로 추측

- somatotroph cells에서 분비 (전체 ant. pituitary cells의 50% 차지), 나이가 들수록 분비 크게 감소
- pulsatile secretion, half-life 20~30분, 밤에 잠들기 시작할 때 최고 level
  (일일 전체 분비량은 <u>여자</u>가 더 많음, pulsatility는 남자가 더 높음)
- GH의 생리적 효과의 많은 부분은 IGF-I에 의해 간접적으로 발현됨
- IGF-I (insulin-like growth factor I, somatomedin C)
  - GH의 자극에 의해 주로 간에서 합성됨 (GH↑ → IGF-I 분비↑, IGF-I 운반단백 [IGFBP3]↑)
  - GH 분비의 (-) feedback으로도 작용 (e.g., LC 환자 : IGF-I↓ → GH↑)
  - GH excess의 진단에 이용됨 (↔ GH deficiency의 진단에는 부족함!)

  * hypocaloric state (e.g., cachexia, malnutrition, sepsis) : GH resistance 유발 → IGF-I↓
- insulin에 대한 GH의 작용

  ① sugar uptake와 fatty acid release에는 antagonist 작용 (counter-regulatory H.)
  - GH deficiency → insulin-induced hypoglycemia
  - GH excess → insulin resistance

  - hypoglycemia → GH 분비↑
  - hyperglycemia → GH 분비↓ (but, type 1 DM에서는 paradoxical GH↑)

  * lipolysis 촉진 → circulating fatty acid↑ (→ 복부 지방↓)

  ② amino acid uptake에는 agonist 작용 (anabolic effect) → 단백 합성 촉진

  c.f.) IGF-I : hypoglycemia 유발, low-dose는 심한 DM 환자에서 insulin sensitivity 개선 효과

2. GH excess : 말단비대증(Acromegaly) & 거인증(Gigantism)

(1) 개요

- GH-secreting pituitary adenoma (somatotroph adenoma)가 대부분의 원인 (98%)
  - functioning pituitary adenoma중 두 번째로 m/c
  - 약 40%에서 guanine nucleotide stimulatory protein α subunit (Gs-α) gene의 mutation 有
  - 대부분 <u>macro</u>adenoma (75~80%) (c.f., Cushing's dz.나 prolactinoma는 microadenoma)
    - ↳ mass effect에 의한 다른 pituitary hormones 분비↓ 가능 (e.g., gonadotropins)
  - mixed tumors도 흔함 (25%) : 다른 호르몬도 같이 분비 (주로 prolactin)
  - 30~40%에서 hyperprolactinemia 동반 → hypogonadism & galactorrhea도 흔함
    - GH & PRL를 동시에 분비하는 adenoma ; serum PRL 대개 >200 ng/mL (μg/L)
    - 종양의 pituitary stalk 압박 (∵ PIF↓) ; serum PRL 대개 <200 ng/mL (μg/L)
- 서서히 진행하는 드문 질환, 30~40대에 호발, 남=여, 젊을수록 tumor size 크고 aggressive
- tumor size와 GH or IGF-I level은 상관관계가 없음
- 드물게 GHRH 분비 종양에 의해서도 발생 가능 ; hypothalamic hamartoma, choristoma, ganglioneuroma, bronchial carcinoid, pancreatic islet cell tumor, SCLC, adrenal adenoma, MTC, pheochromocytoma ...

(2) 임상양상

- bony & soft tissue enlargement 발생 (손/발의 말단 비대, 턱나옴증, 이마돌출 등)
- 성장판/골단 폐쇄(epiphyseal closure)
  - 이전 발생시 (소아/청소년) → gigantism
  - 이후 발생시 (성인) → <u>acromegaly</u>

1. Musculoskeletal 손/발의 말단 비대 (m/c) 턱나옴증(prognathism) 이마돌출(frontal bossing) 근력약화(proximal myopathy) 관절통/관절염 Carpal tunnel syndrome, kyphosis	5. Neuropsychiatric 두통, 졸림 시야장애
2. Cutaneous 피부주름 증가 (예; 이마) 연조직 두께 증가 피부연성섬유종(쥐젖, skin tags) 기름진 피부, 다모증(hypertrichosis) 다한증(hyperhidrosis) ; 악수할 때 축축 흑색가시세포증(acanthosis nigricans)	6. Cardiopulmonary 고혈압 (30~40%) 심비대, 심근병증, 부정맥, HF, CAD 수면 무호흡증 (obstructive + central): >60%
3. Oral/dental (adjectival, as at) 부정교합(malocclusion) 이빨 사이의 간격 증가 혀 비대(macroglossia), 입술 비대	7. Metabolic Glucose intolerance or DM Hypercalciuria Hyperphosphatemia
4. Reproductive : Hypogonadism (약 1/2) 성욕감퇴, 발기부전 희발월경(oligomenorrhea) 젖분비과다(유루증, galactorrhea) - 여성에서	8. 기타 Goiter (40~80%) Colonic polyps (33%) Inguinal hernia (33%) Nasal polyp (15%) Sinusitis Generalized organomegaly (기능은 정상) Heat intolerance 체중 증가 굵고 울려 퍼지는 목소리 쉽게 피곤함

- insulin resistance (80%) → insulin level↑ ; glucose intolerance (50%), clinical DM (25%)
- hypercalciuria (∵ 1,25$(OH)_2$ vitamin D의 증가 때문) → renal stone (25%)
- hypercalcemia ; acromegaly 자체에 의한 것이 아니라,
  primary hyperparathyroidism (MEN type 1)에 의한 것임
- serum phosphate↑ (50%, ∵ renal tubular reabsorption 증가로)
- HTN (1/3에서) : plasma volume & total-body sodium 증가로 (∵ sodium & water retention)
  (→ renin & aldosterone은 감소)
- 심혈관질환 (30~40%) ; HTN, LVH, diastolic dysfunction (HF), cardiomyopathy, arrhythmia
- upper airway obstruction, OSA (>60%)
- hyperprolactinemia (30~40%) ; galactorrhea, amenorrhea, libido 감소, hirsutism
  (hypogonadotropic hypogonadism)
- 갑상선비대(goiter) 흔함 (∵ IGF-1↑ 등), 갑상선기능은 대개 정상!, hyperthyroidism (3~7%),
  일부는 mass effect에 의한 central hypothyroidism도 가능
- colon polyp (1/3) → 대장암의 위험이 높으므로 50세 이상에서 skin tag가 있는 환자는
  colonoscopy로 screening할 것을 권장
- 일부에서는 골다공증도 발생 가능 (∵ mass effect → hypogonadism → bone turnover↑)

(3) 검사소견

① basal GH level or random GH level
- GH의 pulsatile secretion 때문에 진단/선별검사에 도움 안됨!
- 정상에서도 상승되어 있을 수 있음
  (특히 여자, 운동, 수면, 스트레스, 신부전, uncontrolled DM, sepsis 시에)

② insulin-induced hypoglycemia, arginine, GHRH에 의한 GH 상승폭 증가

③ paradoxical response
- TRH, GnRH 투여시 GH ↑ (정상에선 반응 없음)
- dopamine (L-dopa, bromocriptin) 투여시 GH ↓ (정상에선 GH↑)

④ 다른 호르몬
- prolactin : 25~30%에서 GH와 같이 상승되므로 반드시 측정!
- 종양의 mass effects에 의해 gonadotropins, sex steroids, thyroid H. 등이 떨어질 수 있음

⑤ 영상검사
- conventional skull x-ray or sellar coned-down view (90% 이상 비정상)
  : skull thickening, sinus와 air cell 비대, prognathism
- MRI : 더 잘 보이고 치료계획을 위해 필요 (90%에서 pituitary tumor)

(4) 진단

① serum IGF-I level ↑ … 선별검사로 유용
- 24시간 GH 분비량 및 dz. activity와 비례 (e.g., hand volume, heel pad thickness, 사망률)
- 전형적인 증상 + IGF-I level 확실히 증가되었으면 진단 가능

② oral glucose tolerance test (OGTT) (= glucose loading GH suppression test) … 확진!
- glucose 75 g 경구 투여 1~2시간 뒤 serum GH level 1 μg/L (ng/mL) 이상이면 진단
  (acromegaly 환자의 85% 이상은 2 μg/L 이상을 보임)
- 새로운 ultrasensitive 검사에서는 정상인은 GH level 더 낮게 억제되므로 감별에 도움
- but, 약 20%에서는 paradoxical GH level ↑ 보임
- 치료 후 완치 판정 때도 이용 가능

(5) 예후

- 서서히 진행하여, 자연관해도 올 수 있음
- 전체적인 사망률은 3~4배↑ → 치료 안하면 평균 10년 수명 감소
- 주요 사망원인 : 심혈관 및 뇌혈관 질환, 호흡기 질환, 악성종양 ...

(6) 치료

1 치료 목표

① 완치 [기준] : IGF-I 정상화, OGTT 뒤 GH <1 μg/L
② tumor size 감소 또는 안정화
③ 정상 pituitary function의 보존

2 수술 : trans-sphenoidal surgical resection (TOC)
- 치료 효과 빠르다 : GH level은 1시간 내에, IGF-I level은 3~4일 내에 정상화됨!
  (soft tissue swelling은 즉시 회복지만, bony enlargement는 회복 안됨!)
- 완치율 (종양 크기가 작을수록 높음) ; microadenoma ~70%, macroadenoma <50% /
  치료전 GH level <40 μg/L → 75% / 치료전 GH level >40 μg/L → 35%
- 재발이 흔함 (∵ macroadenoma라 다 떼어낼 수 없어서) : 최대 10%
  - GH response to OGTT : 완치여부 판정에 유용
  - GH response to TRH : 재발가능성 예측에 유용
- 15%에서 hypopituitarism 발생

3 내과적 치료

① somatostatin analogues (DOC)

내과적 치료(somatostatin analogue)의 적응증
1. 매우 큰 macroadenoma의 수술 전 크기 감소 (adjuvant therapy) 2. 심한 증상의 빠른 완화 3. 수술이 불가능한 노인 환자 4. 수술 실패 or 거부시

- octreotide (SC, 반감기 2시간), lanreotide (IM, 10~14일 지속)
- long-acting (6주 지속, 1회/월 투여) ; octreotide-LAR(long-acting release) (Sandostatin®, IM), lanreotide-LAR (Somatuline® Depot or Autogel, SC)

• 기전 : SSTR(somatostatin receptor)2와 SSTR5 (GH-분비 종양에 多)를 통해 GH 분비 억제
• 60~75%에서 수일~수주 이내에 증상(두통, 연조직비후, 다한, 수면무호흡, 심부전 등) 호전
• 70%에서 GH level <5 μg/L (60%에서는 <2 μg/L), 75%에서 IGF-I level 정상화
• 40~50%에서 tumor size 감소 (치료 중단 시엔 다시 커짐)
• 장기간 사용해도 desensitization은 없음
• 부작용 (드물고 일시적) ; 대부분 GI motility & secretion 억제 때문
  - 약 1/3에서 일시적인 N/V/D, 복부팽만, 복통, steatorrhea (fat malabsorption) 가능
  - 기타 ; cholesterol gallstone (∵ GB 수축력↓), 경미한 glucose intolerance, 서맥 등

* pasireotide (Signifor®) ; 2세대 somatostatin analogue (주로 SSTR5에 작용), 1세대가 효과 없는 경우 고려 (1회/월 IM), glucose intolerance 및 DM 발생 위험이 높으므로 주의

② GH receptor antagonists (pegvisomant) : GH의 변형체(mutated GH molecule), 매일 SC
• 말초에서 GH이 GH receptor에 결합되는 것을 방해 → 90% 이상에서 IGF-I 정상화!
  (GH level은 변화 없음 / 종양 크기는 더 커질 수 있으므로 IGF-I & MRI F/U 필요)
• long-acting somatostatin analogue와 병합 투여시 효과 증가 → 불응성 환자에 효과적

③ dopamine agonists ; cabergoline (m/g), bromocriptine
• somatostatin analogs보다는 효과 적음, prolactin도 같이 분비할 때 효과적
• 임상적인 호전은 90%에서 보이나, GH level이 5 μg/L 이하로 감소되는 경우는 20%, IGF-I 정상화는 10%에서 뿐 / tumor size 감소는 드묾
• 경구 복용이 장점, IGF-I level이 낮은 작은 종양에서는 수술 대신 초치료로도 고려 가능

4 방사선 치료

• primary tx.로는 권장 안됨 (3rd Tx.) : 치료효과(호르몬 level 정상화) 느리고 (5~10년), hypopituitarism 합병이 흔하기 때문 (→ ~40%에서 replacement Tx. 필요)
• 적응 ; 수술과 내과적 치료에 실패시, 수술의 금기 or 수술 거부시
• conventional external RTx., high-energy stereotactic radiosurgery, or fractionated RTx.

수술
⬇ 실패 or 불가능
Somatostatin analogue
⬇ 실패
용량↑, GH receptor antagonist *or* dopamine agonist 추가
⬇ 실패
RTx, 재수술, GH receptor antagonist

3. Adult GH deficiency (AGHD)

- 원인 ; hypothalamic or pituitary somatotroph damage (e.g., 외상, 수술, RTx, 종양)
- 임상양상
  - 체성분 변화 ; 체중 증가, fat mass (특히 복부지방)↑, lean body mass (지방제외체중, 근육)↓
  - bone mineral density↓ (→ fracture↑), hyperlipidemia, atherosclerosis, LV dysfunction, HTN, plasma fibrinogen↑ 등 ⇨ cardiovascular mortality 3~4배 증가
  - 운동 능력↓, 삶의 질↓, 우울증 ...
- 유년기에 GH 결핍으로 치료를 받은 환자의 ~20%는 성인이 되어 검사하면 충분한 GH level을 보임
- 진단

  (GH의 pulsatile secretion 때문에 어느 한 시점의 GH level은 진단에 사용×)

  ① serum IGF-I ↓ (AGHD의 ~25%에서는 low-normal을 보이므로 확진에는 부족함)

  ② GH 분비 자극검사(stimulation test) : peak GH response가 3 μg/L 미만이면 진단
  - 권장 ; GHRH-GHRP-6, arginine-GHRH, macimorelin (ghrelin receptor agonist) 등
  - 기타 ; insulin-induced hypoglycemia, L-dopa, arginine glucagon 등
- 치료 : 확진되면 GH 보충 고려 (비용-효과, 부작용, 주사 불편함 등을 고려하여 선택적으로)
  - long-term GH 치료의 효과 (기대만큼 효과가 큰 건 아니므로 무조건 치료하는 건 아님)

    ; lean body mass↑, fat mass↓, HDL↑ (but, total cholesterol과 insulin은 큰 변화 없음), bone mineral density↑(남자만), 삶의 질 개선, 일부 심장기능 호전 등
  - C/Ix ; active malignancy, intracranial HTN, uncontrolled DM & retinopathy
  - Cx ; peripheral edema (fluid retention), arthralgias, carpal tunnel syndrome, paresthesias, glucose intolerance (type 2 DM 환자는 복부지방 감소에 따라 혈당조절 개선 가능)
  - 치료효과 monitoring : serum IGF-I level
  - 여성에서는 dose↑, 노인에서는 dose↓
  - GH resistance 시에는 IGF-I 투여

    c.f.) IGF-I의 부작용 (용량과 비례) ; hypoglycemia, hypotension, fluid retention, jaw pain, IICP .. (만성적인 과잉은 acromegaly 양상을 유발)

c.f.) 저신장의 원인

원인	빈도(%)
체질성 성장지연(Constitutional growth delay)	80
GH deficiency	10
Hypothyroidism	4
Systemic disease	3
Chromosomal disorders	1
Bone-cartilage dysplasia	1
Psychosocial disorders	1

PROLACTIN (PRL)

1. 생리학

- lactotroph에서 분비 (전체 ant. pituitary cells의 약 20% 차지 → 임신시는 70%까지 증가)
- GH와 구조 약간 비슷 (lactotroph와 somatotroph는 같은 전구세포에서 유래)
- 임신중 pituitary size 2배 증가 (∵ estrogen 때문, postpartum lactation 준비) → 출산뒤 정상화
- 정상 serum prolactin level : 10~25 μg/L (여), 10~20 μg/L (남)
- pulsatile secretion, half-life 약 50분, REM sleep 때 분비 최대 (오전 4~6시에 peak level)
- 정상 상태에서 prolactin의 분비는 hypothalamus에 의해 억제됨!!
  (hypothalamic prolactin inhibitory factor [PIF] : 주로 **dopamine**)
  ⇨ hypothalamic destruction, suprasellar & parasellar mass (∵ pituitary stalk 압박), pituitary stalk의 손상 등 때 prolactin 분비는 증가됨 (다른 호르몬은 다 감소!)
- prolactin 분비
  - 촉진 : TRH, methyldopa, arginine, chlorpromazine, cimetidine, VIP, estrogen, sucking, stress ...
  - 억제 : **dopamine** (L-dopa, bromocriptine), glucocorticoids, thyroid hormone, endothelin, calcitonin, opiate antagonist (e.g., naloxone), serotonin antagonist (e.g., methylsergide) ...

2. 고프로락틴혈증(hyperprolactinemia)

(1) 원인 ★

1 생리적 원인

임신, 수유(첫 6주), 상상임신(pseudocyesis), 유두자극, 성교, 수면, 음식섭취, 운동, 스트레스(수술, 마취, MI 등)

2 약물

1. Dopamine receptor antagonists ; Phenothiazines (chlorpromazine, perphenazine), Butyrophenones (haloperidol), Thioxanthines, Metoclopramide, Sulpiride, Risperidone
2. Dopamine 합성 억제제 ; α-Methyldopa
3. Catecholamine depletors ; Reserpine
4. 항우울제 ; TCA (e.g., imipramine, amitriptyline, amoxapine), SSRI (e.g., fluoxetine, sertraline, escitalopram)
5. 호르몬 ; Estrogens, 경구피임약, Antiandrogens, TRH
6. Opiates, Narcotics, Nicotine, H_2-RA (e.g., cimetidine, ranitidine), Verapamil (∵ dopamine 분비 억제)

3 질병

1. Pituitary tumors
   Prolactinoma (PRL >100 μ g/L의 m/c 원인)
   Adenomas secreting GH & prolactin (acromegaly)
   Adenomas secreting ACTH & prolactin (Nelson's syndrome and Cushing's disease)
   Adenoma의 pituitary stalk 압박 (∵ PIF↓)
2. Hypothalamic-pituitary stalk disease
   Granulomatous diseases (e.g., sarcoidosis, histiocytosis X)
   Tumors (e.g., craniopharyngioma, meningioma, metastasis)
   Vascular abnormalities (aneurysm 포함), Lymphocytic hypophysitis
   Cranial irradiation, Stalk section, Empty sella syndrome
3. Primary hypothyroidism (∵ TRH↑)
4. Chronic renal failure (∵ PRL 청소율↓)
5. Cirrhosis, Chest wall stimulation or trauma (e.g., post-surgery, herpes zoster), Seizures

■ Prolactinoma

- m/c pituitary adenoma (40~45%), 20~40세 여성에서 호발, 거의 다 benign tumor
  - microadenoma (<1 cm) ; 대부분, 남:여 = 1:20
  - macroadenoma (≥1 cm) ; 남:여 ≒ 1:1, local invasion도 가능
- PRL level은 대개 tumor size와 비례함
- 남자의 tumor가 더 큼 (∵ 특별한 Sx이 없어서 늦게 발견되므로)
- microadenoma가 macroadenoma로 자라는 경우는 드물다! (약 5%)
- mixed tumors도 有 (e.g., GH + PRL, ACTH + PRL) → 확진 : 면역조직화학염색(IHC)
- 대부분은 sporadic, 드물게 MEN1의 일부로 발생 가능

(2) 임상양상

- hypogonadism ; oligomenorrhea or **amenorrhea**, irregular menses, infertility (anovulation) (∵ prolactin이 GnRH를 억제하므로)
- **galactorrhea** (젖흐름증, 유루증) ; 덜 흔함(24~80%), 대개 bilateral
- libido 감소, vaginal dryness, dyspareunia, osteopenia, 체중증가
- bone mineral density 감소, hirsutism[남성형다모증] (∵ estrogen↓)
- 두통, 시야장애 (양이측반맹[bitemporal hemianopsia]이 m/c)

* 남성 ; libido 감소, impotence, 정자생산↓ (∵ testosterone↓, LH & FSH↓), 두통, 시신경 압박으로 인한 시야장애 등이 주요 증상 (gynecomastia나 galactorrhea는 드묾)

(3) 감별진단

① pregnancy : 약 10배까지 상승, 보통 prolactin <200 μg/L
② drugs (경미한 PRL↑의 m/c 원인) : 보통 prolactin <100 μg/L
③ hypothalamus & pituitary stalk dz. : prolactin <150 μg/L (보통 30~100)
④ primary hypothyroidism : TRH↑ (→ prolactin↑, ant. pituitary 커질 수)

* *prolactinoma*

ⓐ prolactin >200 μg/L면 diagnostic! (다른 원인 없이 100 μg/L 이상은 대개 prolactinoma)
  - prolactin level은 tumor size와 비례함!
  - dopamine agonist 투여는 원인에 관계없이 prolactin level을 낮추므로 도움 안 된다

ⓑ TRH stimulation test (prolactin response to TRH) : 정확하지 않음
  - prolactinoma : 반응 없거나 소량 증가
  - 다른 원인 or 정상 : 2배 이상 증가

ⓒ sellar MRI : 다른 원인들을 R/O한 뒤, adenoma를 확인하기 위해 시행
  - microadenoma는 발견하기 어려우므로 screening test로는 유용 하지 않다
  - bromocriptine 치료로 size 감소 보임

* DDx 위한 검사 ; 약물복용력조사, 임신반응검사, 갑상선기능검사, 신장기능검사, 간기능검사 등

(4) Prolactinoma의 치료

① 치료의 대상

(1) macroadenoma : 대부분 치료 필요

(2) microadenoma : 모두 치료가 필요한 건 아님 (약 30%는 자연 호전됨)

- Ix.
  - 크기가 증가하는 경우
  - 임신이나 규칙적인 생리(mense)를 원할 때
  - libido 감소, acne, hirsutism, 심한 galactorrhea
  - osteoporosis 발생 위험시 (amenorrhea, 남자의 hypogonadism)
- 아무런 증상이 없고 임신을 원하지 않으면 치료 안 해도 됨 (∵ macroadenoma로 진행 드묾)

② dopamine agonists

- 모든 원인의 hyperprolactinemia에서 first TOC! (macroadenoma 포함)
  → 대부분 증상 호전 & adenoma 크기 감소 (생리가 회복된 여성의 fertility rate는 정상임)
- 치료효과 monitoring : 임상증상, PRL level, tumor size (by MRI)
- PRL level이 정상(<20)으로 감소되고 tumor size가 줄어든 뒤에도 최소 2년 이상 유지요법
  (MRI 상 adenoma가 2년 이상 안 보이는 경우에는 dopamine agonist 중단 시도)
- 약 20%는(특히 남자) dopamine agonist 치료에 저항성 (∵ receptor↓ or postreceptor defect)
- 부작용 ; 변비, 코막힘, 구강건조, 악몽, 불면증, 현기증, N/V, postural hypotension
  (GI trouble이 심하면 intravaginal bromocriptine tablet 투여)

(1) <u>cabergoline</u> : D_2-specific, long-acting ergot dopamine agonist (e.g., 0.5~1.0 mg 2회/주)
- bromocriptine보다 효과 좋고 부작용 적어 초치료로 선호됨
- microadenoma의 ~80%, macroadenoma의 ~70%에서 PRL level 정상화(<20 μg/L)
- mass effect (두통, 시야장애)는 며칠 이내, 성기능은 몇 주 이후 호전됨
- PRL level 정상화 이후에는 최저 용량으로 유지 치료함
  (∵ Parkinson dz. 치료용량 수준인 3 mg 이상의 고용량에서는 심장판막역류 발생 위험)
- 2 mg/week 이상의 용량이 필요하면 2년마다 심초음파 F/U 권장
- 반감기가 길므로 임신을 원하는 환자에게는 권장 안됨

(2) **bromocriptine** : short-acting (e.g., 2.5 mg tid) ⇨ <u>임신을 원하는</u> 환자에서 선호됨
- microadenoma 및 macroadenoma의 ~70%에서 PRL level 정상화
- 반응이 없거나 부작용이 심할 때에는 cabergoline으로 대치

c.f.) microadenoma인 여성이 임신을 원하지만 dopamine agonist에 반응이 없을 때는 (배란×) 배란유도를 위해 clomiphene citrate or gonadotropin therapy 권장

(3) 기타 ; quinagolide (non-ergot dopamine agonist, 2nd line, 심장판막역류 발생×)

③ 수술 : transsphenoidal surgery

- Ix.
  - dopamine agonist에 반응이 없거나, 복용이 불가능할 때
  - macroadenoma인 여성이 임신을 원하지만 bromocriptine의 부작용을 견디지 못할 때
  - rapidly-growing macroadenoma, persistent visual field defect
- 수술 성공률 (PRL 정상화) : microadenoma는 약 70%, macroadenoma는 약 30%
- ~20%에서 1년 이내에 hyperprolactinemia 재발 (macroadenoma는 장기 재발률 50% 이상)
  → 수술 뒤에도 long-term bromocriptine 치료 필요

④ **방사선 치료**
- 치료효과 제한적, 다른 호르몬의 결핍을 일으킬 수 있으므로 거의 사용 안함
- Ix : dopamine agonist and/or 수술에 반응 없는 large, aggressive tumor

⑤ **임신시의 치료**
- 임신 중 prolactinoma의 크기는 일부에서 증가됨 (∵ estrogen↑ 등)
  ; microadenoma는 드묾(3~5%), macroadenoma는 15~30%에서
- dopamine agonist (e.g., bromocriptine)는 임신이 확인되면 중단함! (비교적 안전하기는 하지만)
- 1~3개월마다 시야장애 및 두통 평가 → 두통이 심하거나 시야장애시 MRI 시행
  c.f.) 주기적 PRL level 검사는 권장 안됨 (∵ 임신 중 안 올라갈 수도, 종양 크기와 비례×)
- 종양 크기 증가가 확인되면 dopamine agonist 재투여 시작 (종양 크기에 관계없이)
  ; bromocriptine or cabergoline (bromocriptine에 반응 없으면 cabergoline 시도)
- dopamine agonists에 반응이 없고 시야장애가 심하면 2nd trimester에 수술
  (3rd trimester면 조기분만이 가능할 때까지 수술 연기)
- 출산 이후에도 수유를 위해 증상(e.g., 시야장애)이 없으면 dopamine agonist는 중단 권장

* acromegaly와는 달리 prolactinoma는 약물(dopamine agonist) 치료가 choice임!

뇌하수체(기능)저하증 (Hypopituitarism)

1. 원인

■ Craniopharyngioma (두개인두종)
- 보통 소아에서 발생 (20대 이상에서도 45%), 소아 뇌종양의 5~10% 차지, 남=여
- 태아의 뇌 형성 과정 중 Rathke's pouch 잔유물에서 유래
- 약 90%에서 hypopituitarism, 약 10%에서 DI 발생 (소아의 약 1/2은 성장지연도 동반)
- 흔히 large, solid or cystic, locally invasive / 상당수가 부분적으로 석회화되어 있음
- MRI/CT ; supracellar calcification, sellar enlargement, cysts
- Tx ; partial resection + RTx. / 대부분 평생 hormone replacement 필요

■ Lymphocytic hypophysitis
- pituitary에 lymphocyte가 침윤되어 커지고 hypopituitarism이 발생, 원인 모름(자가면역?)
- 임신 말기와 출산 후 여성에서 호발
- Sx ; mass effect (e.g., 두통, 시야장애), hypopituitarism (e.g., ACTH↓, TSH↓, hypogonadism)
- DI, hyperprolactinemia, GH excess, autoimmune thyroiditis 등도 동반 가능
- MRI/CT에서 흔히 mass lesion으로 보임 (→ adenoma 등과 감별해야 됨)
- Tx ; glucocorticoid (심하면 수술도 병행)

Hypopituitarism의 원인

선천성(congenital)	후천성(acquired)
Pituitary aplasia/dysplasia Septo-optic dysplasia (*HESX-1* mutations) ; hypothalamic dysfunction, hypopituitarism → GH 결핍, TSH 결핍, central DI Tissue-specific factor mutations *PROP-1* mutations (선천성의 흔한 원인) ; panhypopituitarism *PIT-1* mutations ; GH, PRL, TSH 결핍 *TPIT* mutations ; ACTH 단독 결핍 Developmental hypothalamic dysfunction Kallmann syndrome (*KAL* 등의 mutations) ; GnRH 단독[isolated] 결핍 → gonadotropin deficiency (→ 9장 참조) Bardet-Biedl syndrome (BBS) Laurence-Moon syndrome (LMS) Leptin & leptin receptor mutations Prader-Willi syndrome Pituitary gonadotropin deficiency ; GPR54, kisspeptin (GnRH receptor), DAX-1, LH-β or FSH-β subunit 등의 proteins gene mutations Primary empty sella syndrome Congenital CNS mass Encephalocoele	Tumors Large pituitary adenomas (m/c) Hypothalamic tumors ; craniopharyngioma, germinoma, chordoma, meningioma, glioma ... Pituitary metastasis (e.g., breast, lung, colon ca.) Primary pituitary carcinoma, Lymphoma/leukemia, Rathke's cyst Infiltrative/Inflammatory diseases Lymphocytic hypophysitis (autoimmune) Eosinophilic granuloma Hemochromatosis, Amyloidosis, Sarcoidosis, Histiocytosis X, Granulomatous hypophysitis Vascular diseases Pituitary apoplexy (pituitary infarction) Sheehan's syndrome (postpartum pituitary infarction) Diabetic peripartum necrosis Vasculitis (temporal arteritis, Takayasu's arteritis) Carotid aneurysm, DIC, HFRS, Sickle cell disease Destructive-traumatic events Trauma (head injury), Surgery, Radiation Stalk section Infection Fungal (histoplasmosis, *Pneumocystis carinii/jirovecii*) Parasitic (toxoplasmosis), Tuberculosis, Syphilis Idiopathic (?Autoimmune disease)

■ Pituitary apoplexy (뇌하수체 졸중)

- 갑작스런 뇌하수체로의 출혈 or 뇌하수체의 경색에 의해 발생
  - 뇌하수체 종양을 가지고 있는 것을 모르던 환자에서 호발 (유발요인 없이도 발생 가능)
  - 유발요인 ; DM, HTN, 항응고제, 외상, shock, 뇌압의 변화, 임신, sickle cell anemia ...
- acute Sx : 심한 두통, N/V, 시야장애/시력저하, 의식저하, 수막자극증(meningismus)
  (심한 경우 severe hypoglycemia, hypotension, CNS hemorrhage 등도 발생 가능)
- 후유증 : hypopituitarism (ACTH↓에 의한 cortisol deficiency가 가장 빨리 발생)
  - ant. pituitary hormone 결핍이 흔함 (gonadotropin, ACTH, TSH 등)
  - 뇌하수체 기능은 대부분에서 정상으로 회복됨 (가역적)
- D/Dx : aneurysm rupture (→ CT, MRI, angiography)
- Tx. : acute pituitary apoplexy는 neurosurgical emergency
  - urgent surgical decompression (transsphenoidal) + high-dose glucocorticoid
  - 시력저하나 의식저하가 없는 경우는 high-dose glucocorticoid를 투여하며 F/U 가능

■ Sheehan's syndrome (postpartum pituitary infarction)

- 원인
  - 임신중 pituitary gland 비대 (→ ischemia에 취약)
  - 분만시 과다 출혈로 인한 hypotension, vasospasm으로 pituitary infarction 발생 → hypopituitarism
  - DM 환자는 과다 출혈이 없어도 infarction에 취약함

- 뇌하수체의 70~80% 이상이 파괴되어야 기능부전 발생, 대부분 서서히 증상 발생
- prolactin deficiency (젖이 안 나옴, 가장 초기 소견) → gonadotropin (FSH) deficiency (m/c, amenorrhea, infertility) → panhypopituitarism ; 대부분 출산 15~20년 뒤 증상 발생
- post. pituitary 침범(central DI)은 5% 정도로 드묾 (∵ ischemia에 잘 견딤)

2. 임상양상

* tumors의 경우 "mass effects"도 존재

* hormone deficiency의 전형적인 순서 : GH → gonadotropin (LH, FSH) → TSH → ACTH

- isolated GH or gonadotropin의 단독 결핍이 흔하다
- 영구적인 ACTH or TSH deficiency는 드물다

(1) prolactin deficiency ; 산후 수유 불가능 (lactation 안됨)

(2) GH deficiency

- 소아 ; 성장지연(저신장), 지방량 증가
- 성인 ; 눈/입 주위 잔주름, 정신운동성 지연, 공복시 저혈당, 중심성 비만, DM 환자에서 insulin에 대한 sensitivity 증가, cardiovascular mortality 증가!

(3) gonadotropin (LH, FSH) deficiency

- 여성 ; 월경장애, 무월경, 불임, 유방위축, 건성피부, 성욕감퇴, dyspareunia, osteopenia ...
- 남성 ; 고환위축, 성욕감퇴, impotence, 음모손실, 근력저하, osteopenia ...

(4) TSH deficiency (hypothyroidism)

- TSH, ACTH 결핍은 대개 hypopituitarism 말기에 나타남
- 발육부전 (소아), 피로/무기력, 변비, 체중증가, cold intolerance, puffy skin, 창백, 정신작용지연, 서맥, hoarseness 등 (goiter는 없음) / primary hypothyroidism 정도로 심하지는 않음

(5) ACTH deficiency (cortisol deficiency)

- 피로/무기력, 식욕감퇴, 탈수, 기립성 저혈압, N/V, 피부/유두 탈색, 음모/액모의 손실, 공복시 저혈당, hyponatremia (SIAD-like) ...
- stress에 대한 비정상적인 반응 (fever, hypotension, hyponatremia), mortality ↑
- renin-angiotensin-aldosterone system은 정상이므로 true adrenal crisis는 드묾
- primary adrenal insufficiency (Addison's dz)와의 차이점
  ① mineralocorticoid의 분비는 유지됨 (cortisol과 androgen의 분비만 감소됨)
  → hyperkalemia나 Na^+ loss는 일으키지 않는다
  ② hyperpigmentation 없이 창백한 피부색만 보임

(6) AVP deficiency (D.I.)

- primary defects가 hypothalamus나 high pituitary stalk 일 때 (anterior pituitary hypofunction과 mild hyperprolactinemia도 흔히 동반)
- polyuria, 갈증 증가

(7) 일반적 증상

- anemia : 갑상선호르몬과 남성호르몬 부족과 관련
- 신경정신증상 : 정신작용지연, 무감각, 망상, 의심
- 탄수화물대사 : hypoglycemia, DM 환자에서 insulin 요구량 감소

3. 진단

- 기저 뇌하수체 및 표적 호르몬 검사로 대략적인 pituitary function 파악
  ; TSH, free T4, cortisol, ACTH, prolactin, GH, IGF-1, LH, FSH, estradiol or testosterone 등
- 정확한 진단은 provocation tests로 pituitary hormone reserves 평가

호르몬	검사
Growth hormone	Insulin-induced hypoglycemia test (insulin stimulation) : m/c GHRH (or GHRP) stimulation test L-Dopa stimulation test L-Arginine stimulation test
Prolactin	TRH stimulation test
ACTH	Insulin-induced hypoglycemia test (insulin stimulation) CRH stimulation test Metyrapone stimulation test Cosyntropin (synthetic ACTH) stimulation test
TSH	TRH stimulation test
FSH, LH	LHRH (GnRH) stimulation test Clomiphene stimulation test

- panhypopituitarism 의심시에는 **Cocktail stimulation test** (복합 뇌하수체 자극 검사) ★
  - insulin-induced hypoglycemia (m/g) ⇨ GH, ACTH 분비 자극 (→ GH↑, cortisol↑)
    (= insulin tolerance (stimulation) test, ITT)
    ↳ RI 주사 후 저혈당 증상 & glucose 40 mg/dL 이하로 감소되어야 됨!
  - TRH (protirelin) ⇨ prolactin, TSH 분비 자극
  - LHRH (= GnRH) ⇨ LH, FSH 분비 자극
  - 투여 전/후로 glucose, GH, cortisol, prolactin, TSH, FSH, LH 측정
  - insulin 자극 ; adrenal insufficiency 의심 환자는 심한 저혈당이 유발될 수 있으므로 주의, 심혈관질환, 뇌혈관질환, DM, seizure 환자는 저혈당 발생시 위험하므로 금기

4. 치료

※ multiple hormone replacement : 투여 순서 ★

- 성인 : glucocorticoid (m/i) → thyroid hormone (→ sex hormone)
- 소아 : glucocorticoid → thyroid hormone → GH → sex hormone

(1) ACTH deficiency (m/i) : 가장 먼저!

- cortisol 보충 ; hydrocortisone (m/c), cortisone acetate, prednisone
  ↳ 15~25 mg/day를 2~3번 나누어 투여 (cortisol의 정상 분비 양상처럼)
  - Addison's dz. 때보다는 필요량 적음
  - 수술, 외상, 발열 등의 스트레스 상황에서는 2~3배의 용량이 필요
- mineralocorticoid 보충은 필요 없다 (∵ renin-angiotensin-aldosterone axis는 intact)
- "adrenal crisis"시 → glucocorticoid + 5% glucose in normal saline

(2) TSH deficiency

- T4 ; levothyroxine (L-thyroxine), 증상 없어도 투여, free T_4 level로 치료효과 monitoring
- thyroxine을 먼저 투여하면 cortisol 분해를 촉진시켜 adrenal crisis를 유발 할 수 있으므로, 반드시 glucocorticoid를 먼저 보충해야 됨!

(3) gonadotropin (LH, FSH) deficiency

- 남성 : 임신이 필요 없으면 testosterone 보충 (gels, patches, injections)
  - oral testosterone ; methyltestosterone (효과 적고, 간 독성 때문에 권장×), testosterone undecanoate (lipophilic form으로 first-pass hepatic effect를 bypass)
  - serum testosterone level로 치료효과 monitoring (LH 아님)
  - 임신을 원하면 clomiphene citrate or gonadotropins (e.g., hCG, hMG) 투여
    (↳ hypothalamus에서 GnRH 분비 자극)
- 여성 : 임신이 필요 없으면 estrogen + progesterone 보충
  - conjugated estrogen or estradiol skin patch + progesterone or progestin
  - 임신을 원하면 ⇨ 배란 유도
    - pituitary dz. (gonadotropins 결핍) → gonadotropins (e.g., hMG, recombinant FSH)
    - hypothalamic dz. (GnRH 결핍) → pulsatile GnRH pump (90~120분 간격) or gonadotropins

(4) GH deficiency

- 소아는 GH (somatotropin) 골단폐쇄 때까지 투여 (hypothalamic dz.시엔 GHRH가 효과적)
- 성인(adult-onset)은 대부분 GH 투여 권장 안됨 → 앞부분 참조

(5) prolactin : 필요없다

(6) post. pituitary (D.I.)

: desmopressin (DDAVP) intranasal or oral

공터키안/빈안장 증후군 (Empty sella syndrome[ESS])

1. 원인

- 선천적(primary) : pituitary를 덮고 있는 diaphragma sellae의 결함 (± IICP)
  → suprasellar subarachnoid space가 sella 내로 herniation 됨
  → 정상 pituitary는 납작해져서 작아지고, sella는 CSF로 채워져 커짐
  (sella의 확장 때문에 X-ray나 CT 상으로는 종양으로 오인 가능)
  - multiparity, obese한 중년 여성에서 호발 (남:여 = 1:5)
- 후천적(secondary) ; pituitary adenoma의 necrosis (ischemia or infarction), 외상, 수술, RTx, 감염

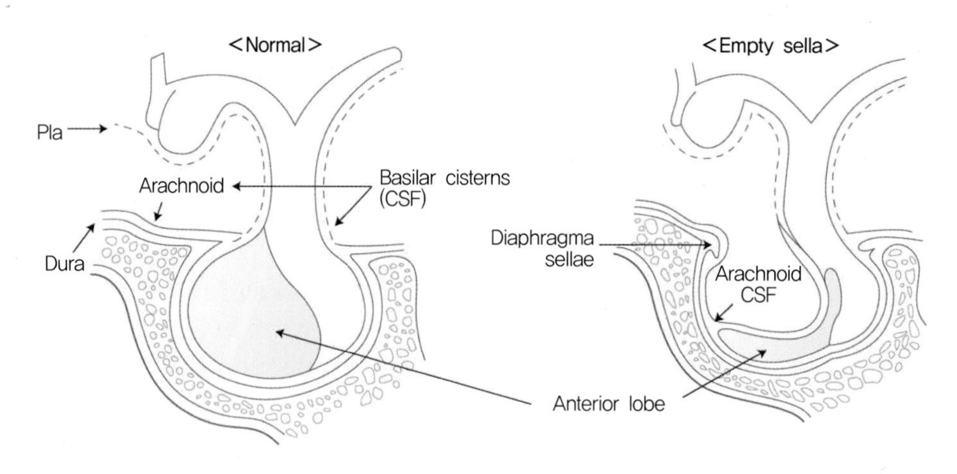

2. 임상양상

- primary ESS는 MRI 검사 중 우연히 발견되는 경우가 많음 (대부분 무증상)
- Sx ; 두통 (m/c), mild hyperprolactinemia (15%), galactorrhea, 불규칙 월경 등
  - 약 30%에서 HTN, 약 10%에서 spontaneous CSF rhinorrhea 동반
  - 시야결손(visual field defect) : optic chiasm이 herniation 되었을 때 발생
- 내분비기능은 대부분 정상, 일부에서 hypopituitarism 발생 가능
  ; isolated GH deficiency (m/c), PRL↑(∵ stalk 압박), 심하면 panhypopituitarism (드묾)

3. 진단 : MRI, CT

- MRI가 sella 내의 CSF를 더 잘 볼 수 있음 (empty & enlarged sella)
- MRI/CT로 진단되었으면 더 이상 자세한 검사는 필요 없다
- D/Dx
  - primary empty sella : pituitary volume 정상
  - enlarged partially empty sella : pituitary volume 증가 (pituitary adenoma의 degeneration)
- sellar enlargement를 일으키는 질환 ; pituitary adenoma (bony erosion 보임), hypothalamic mass, cyst, aneurysm, primary hypothyroidism or hypogonadism, IICP, empty sella syndrome ...

4. 치료

- 대개 경과관찰(reassurance)
- 수술(transsphenoidal surgery) ; 시야결손(optic chiasmal herniation), CSF rhinorrhea 시

3
뇌하수체 후엽 질환

* post. pituitary (= neurohypophysis) ; vasopressin (= AVP, ADH)과 oxytocin을 분비
arginine vasopressin

항이뇨호르몬(ADH, AVP, vasopressin)

1. 합성

- ant. hypothalamus의 magnocellular region에서 합성 → post. pituitary로 운반
- 반감기 짧음(10~30분), 대부분 간과 신장에서 분해됨

■ Copeptin
- vasopressin 전구체에서 함께 생성되는 물질
- 기능은 아직 모름
- 뇌하수체 후엽에서 vasopressin과 비슷한 자극에 의해 vasopressin과 같은 양으로 분비됨
- vasopressin보다 반감기가 길어 안정적이고, 측정하기 간편 → vasopressin의 대리표지자(surrogate marker)로 유용
- DI 원인의 감별진단에 매우 유용함
- SIAD에는 도움 안 됨 (∵ 원인별로 증가 정도 겹침, 다른 원인들에 의한 증가)

c.f.) stroke 이후의 나쁜 예후 인자 (뇌혈관/혈관질환 재발↑), cardiac marker로도 연구되었으나 troponin보다는 열등함

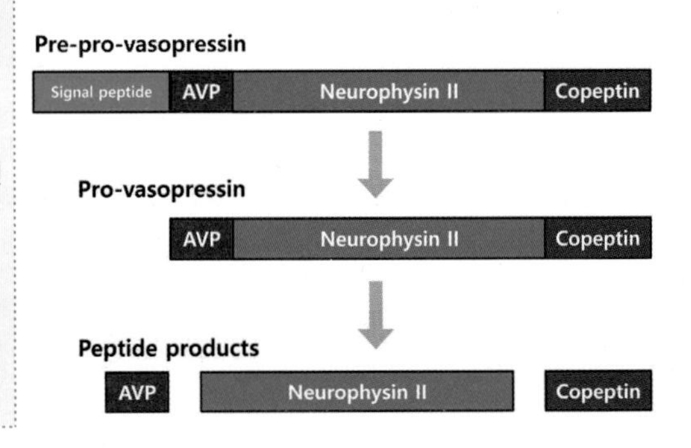

2. 작용

(1) 항이뇨(antidiuretic) 작용 (m/i) : water retention & urine concentration
- G protein-coupled V_2 receptors를 통하여 작용 (신장의 distal tubule과 medullary collecting duct에 존재)
- aquaporin 2로 구성된 water channels의 permeability↑ → hyperosmotic renal medulla에 의한 osmotic gradient에 따라 역확산 (water 재흡수) → 소변 농축 (소변량↓)

(2) 기타 작용 (고농도시)
- phospholipase C-coupled V_{1a} or V_{1b} receptors를 통하여 작용
- 혈관과 GI tract의 평활근 수축
- 간에서 glycogenolysis 촉진
- CRH를 통하여 ACTH 분비 촉진

3. vasopressin 분비의 조절

(1) **혈장 삼투압**(effective osmotic pr.)에 의한 조절 … 강력
- 주로 hypothalamus 내의 osmoreceptors에 의해 조절
- plasma osmolality 280 mOsm/kg, Na^+ 135 mEq/L 이상이 되면 AVP 분비가 시작되고, 각각 295, 143이 되면 maximum antidiuresis를 나타냄

(2) **체액량**(volume)에 의한 조절 … 더 강력
- hypovolemia → left atrium의 stretch receptors → AVP 분비 자극
- blood volume 10% 이상 감소시 AVP 분비가 현저히 증가 (고삼투압에 의한 증가보다 10배까지 가능)

(3) 혈압에 의한 조절 (∵ AVP : 높은 농도에서는 혈관수축 작용 → 혈압 유지)
- hypotension → carotid A. & aorta의 baroreceptors → AVP 분비 자극
- 출혈에 의한 저혈압이 AVP 분비의 가장 강력한 자극 (→ 혈관수축 유발)

(4) 신경계에 의한 조절
- hypothalamus의 neurotransmitters (역할은 명확하지 않음)
  - AVP 분비 억제 ; GABA (gamma-aminobutyric acid)
  - AVP 분비 촉진 ; acetylcholine, histamine, bradykinin, angiotensin II, neuropeptide Y

(5) 노화(aging) → plasma osmolality 상승에 따른 AVP 분비 반응 항진

(6) 약물의 영향
- AVP 분비 억제 : ethanol, chlorpromazine, phenytoin, reserpine, 일부 narcotic antagonists ...
- AVP 분비 촉진 : nicotine, morphine, vincristine, vinblastine, cyclophosphamide, clofibrate, chlorpropamide, TCA ...

(7) 기타 AVP 분비를 증가시키는 원인
- 오심(nausea) : medulla의 emetic center를 통하여 작용
  → antiemetics (e.g., fluphenazine)로 방지됨
- 급성 저혈당, glucocorticoid 결핍, 흡연, hyperangiotensinemia ...
- 통증 등의 유해 자극은 오심, 저혈압과 관련되지 않으면 AVP 분비에 영향 없음

■ water deprivation과 water load에 대한 AVP의 반응
- water deprivation → plasma osmolality ↑ & volume ↓ → AVP 분비 촉진
- water load → plasma osmolality ↓ & volume ↑ → AVP 분비 억제

c.f.) oxytocin
- 주로 mammary duct에 작용하여 모유 분비를 촉진 (수유시)
- 자궁 평활근의 수축을 자극하여 분만 유도/촉진
- 항이뇨(antidiuretic) 효과는 미미함

요붕증 (Diabetes insipidus, DI)

1. 개요

(1) 정의

: plasma osmolality (effective solute concentration)가 증가되어 있는데도 불구하고 신장이 소변을 농축하지 못해 다량의 희석된 소변을 보는 것 (hypotonic polyuria)

(2) 병태생리

: <u>AVP의 분비 or 반응 감소</u> → 신장의 collecting tubule에서 water의 재흡수 저하
→ polyuria, 요량↑, 요비중↓, 혈청 Na^+↑, dehydration, plasma osmolality↑
→ thirst center 자극 → polydipsia

(3) 분류

① central/neurogenic DI : AVP 분비의 장애 (vasopressin cells의 80~90%가 파괴되어야만 DI Sx. 발생)
② nephrogenic DI : AVP에 대해 신장이 반응을 못함
③ primary/psychogenic polydipsia : 수분 과다섭취로 plasma osmolality가 저하되어 이차적으로 (AVP↓) 신장의 요농축이 감소된 것 (생리적으로는 정상)

c.f.) Central DI의 4 types

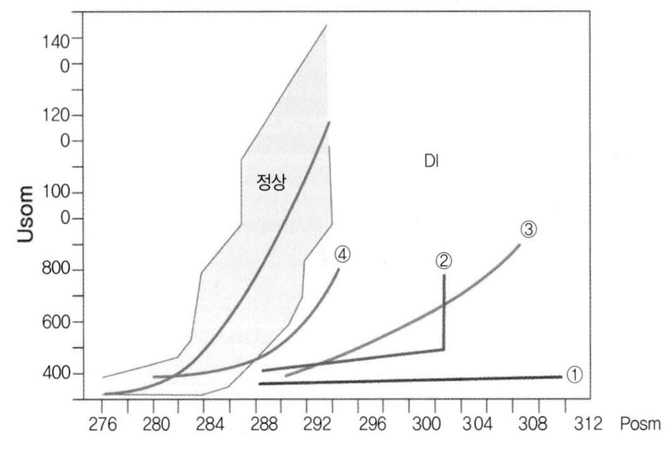

① AVP 분비 못함 (complete central DI)
② osmoreceptor mechanism에 결함은 있으나 심한 탈수 때는 AVP 분비 가능
③ high set osmoreceptor
④ AVP 분비 시작점은 정상이나 분비량 부족 (shift right)

■ gestational DI : 임신중 태반에서 생산된 N-terminal peptidase에 의해 AVP의 분해 3~4배 증가
→ 임신 3기에 DI의 증상 발생 (분만 3~6주 뒤 회복)

2. 원인

다뇨(Polyuria) [>3 L/day]의 원인

1 **수분 섭취 증가(Primary polydipsia)**
1. Psychogenic polydipsia (m/c)
2. Dipsogenic polydipsia (hypothalamic disease) ; histiocytosis X, sarcoidosis, multiple sclerosis, tuberculous meningitis, head trauma ⇢ brain MRI 검사
3. Drug-induced polydipsia ; lithium, carbamazepine, thioridazine, chlorpromazine, anticholinergis (구강건조)

2 **신장에서 여과된 수분의 재흡수 감소**
1. AVP 분비 감소
   - Central DI
   - Drugs에 의한 AVP 분비 억제 (e.g., narcotic antagonists)
2. AVP에 대한 신장의 반응 감소
   - Nephrogenic DI (hereditary)
     (1) vasopressin V_2 receptor (*AVPR2*) gene mutation (XR) … hereditary nDI의 m/c 원인
     (2) aquaporin-2 gene mutation (AR, AD)
   - Nephrogenic DI (acquired)
     (1) 일부 만성신질환(e.g., chronic GN), obstructive uropathy, 일측성 신동맥 질환, 신장이식, ATN ...
     (2) **Hypokalemia** (primary aldosteronism 포함)
     (3) Chronic **hypercalcemia** (hyperparathyroidism 포함)
     (4) Drugs ; **lithium**, demeclocycline, methoxyflurane, amphotericin B, AG, cisplatin, rifampin, foscarnet
     (5) Systemic disorders ; multiple myeloma. amyloidosis, sickle cell anemia, Sjögren's syndrome
     (6) Pregnancy
     (7) Idiopathic

3 **Solute diuresis** (U_{osm} >300 mOsm/kg) ★
1. Glucose ; Hyperglycemia (uncontrolled DM), SGLT2 inhibitor (당뇨 치료제의 부작용)
2. **Urea** ; Azotemia (ATN)에서 회복, Post-obstructive diuresis, 고단백식, 단백분해(e.g., stress, steroid)
3. High solute intake ; IV fluid 과다, Enteral & parenteral nutrition, 섭취
4. 기타 ; Mannitol (IICP 치료시), Radiocontrast, Hypokalemia, Hypercalcemia, Medullary cystic dz., 이뇨제

중추성 요붕증(Central DI)의 원인

1. Hypothalamus or pituitary의 neoplastic/infiltrative lesions ; pituitary adenoma, craniopharyngioma, dysgerminoma, meningioma, pinealoma, metastatic tumor (lung, breast), lymphoma, leukemia, histiocytosis X, sarcoidosis
2. Infection ; chronic meningitis, viral encephalitis, toxoplasmosis, AIDS 환자의 brain infection (e.g., HSV, *T. gondii*, CMV)
3. Inflammation ; lymphocytic hypophysitis, Wegener's granulomatosis, SLE, scleroderma
4. Vascular disorder ; Sheehan's syndrome, aneurysm, aortocoronary bypass, hypoxic encephalopathy
5. Pituitary or hypothalamic surgery (보통 수술 1~6일 이후에 발생)
6. Severe head trauma (e.g., skull fracture, hemorrhage)
7. Nontraumatic encephalomalacia ; shock, cardiopulmonary arrest, hypertensive encephalopathy, poisoning, meningitis (모두 brain dead)
8. Congenital malformations ; septooptic dysplasia, midline craniofacial defect, holoprosencephaly, hypogensis/ectopia of pituitary
9. Genetic
   AVP-NP (neurophysin) II gene mutation (AD-m/c, AR)
   Xq28 상의 gene mutation (XR)
   Chromosome 7q deletion
   Wolfram syndrome (DIDMOAD) : AR 유전 (4p, *WFS 1* gene), DI + DM + OA (optic atrophy) + Deafness
10. Idiopathic DI ; 보통 소아 때 발생하고, 드물게 (<20%) ant. pituitary 장애도 동반

* Central DI 환자의 30~50%에서는 뚜렷한 원인을 찾을 수 없음! (idiopathic central DI)

3. 임상양상

(1) 다음(polydipsia), 심한 갈증 (특히 찬물을 좋아함)
(2) urine (24hr) : free water clearance 증가 (소변색이 pale)
- 소변량 증가(다뇨, polyurea) : >50 mL/kg/day (e.g., 70 kg이면 >3.5 L/day)
  → frequency, enuresis, nocturia (→ 수면장애)
- 소변 삼투압 감소 (심한 경우엔 Uosm < Posm)
  - urine osmolality <300 mOsm/kg
  - urine specific gravity <1.010
- 혈장 삼투압 증가 : Posm >287 mOsm/kg
  (소변 및 혈장 삼투압이 모두 낮으면 primary polydipsia !)

(3) dehydration
- thirst center가 정상이면, polydipsia에 의해 polyuria를 보충하므로 dehydration 발생은 드물다!
- 수분섭취가 부족하게 되면 심한 dehydration 발생 가능 (serum osmolality, Na^+ 농도 증가)
  → weight loss, weakness, fever, psychic disturbance, prostration, death

4. 진단

* urine osmolality (U_{osm})를 먼저 측정하여
- >300 mOsm/kg ⇨ solute diuresis (e.g., uncontrolled DM)
- <300 mOsm/kg ⇨ water diuresis → DI evaluation (e.g., AVP 측정, 수분제한검사)
  (100~300 : mixed diuresis, <100 : water diuresis)

(1) water deprivation test (탈수검사, 수분제한 검사)

: 탈수상태(plasma osmolality >295 mOsm/kg)를 만들면서 매시간 urine osmolality & SG 측정

① **소변 농축됨** : urine osmolality >300 mOsm/kg & specific gravity (SG) >1.010 증가
⇨ 정상, primary polydipsia, partial central/nephrogenic DI 등을 감별해야
→ 탈수검사 전후의 plasma AVP level 측정하여 plasma/urine osmolality와 비교 분석
→ 3% hypertonic saline infusion test도 시행하면 감별에 더 도움 (아래 참조)

② **소변 농축 안 됨** : urine osmolality & SG 증가 안 됨
⇨ severe central/nephrogenic DI

* central DI와 달리 nephrogenic DI는 탈수 이후 plasma AVP level 증가!

▶ **AVP (vasopressin) challenge**

: 탈수검사에 연속으로, desmopressin (DDAVP) 투여 1~2시간 뒤에 urine osmolality 측정

① central DI
- complete central DI : 50% 이상 증가
- partial central DI : 10~50% 증가

② nephrogenic DI : 변화 없거나 약간 증가
③ 정상, primary polydipsia : 10% 이내로 증가

(partial central DI, ②, ③ : 반응이 비슷하여 감별 어려움!)

➔ 탈수(수분제한) 전후의 AVP level 측정,
hypertonic saline infusion test 시행 (∵ 탈수만으로는 충분한 plasma osmolality↑ 유도 어려움)

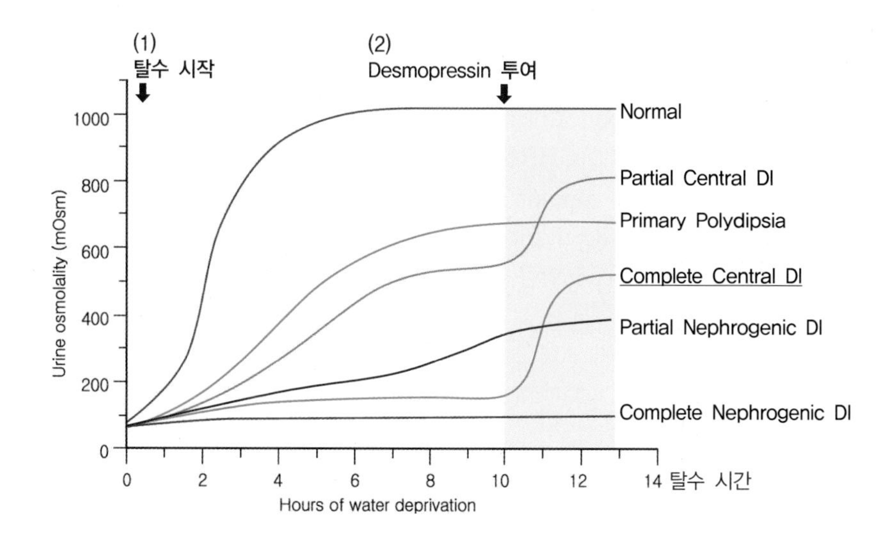

(2) hypertonic (3%) saline infusion test

: plasma osmolality 300 mOsm/kg (Na^+ >145 mEq/L)가 되면 AVP 측정

- primary polydipsia, partial nephrogenic DI → AVP & urine osmolality 증가
- partial central DI → AVP & urine osmolality 증가가 거의 없음

* primary polydipsia와 partial central DI는 AVP level이 겹쳐서 감별이 어려울 수 있음

⇨ AVP보다 copeptin 측정이 감별에 더 정확함 [hypertonic saline-stimulated copeptin 검사]

; 3% saline infusion 후 plasma copeptin
- >4.9 pmol/L로 증가하면 primary polydipsia
- <4.9 pmol/L면 partial central DI (complete는 더 낮음)

(3) brain MRI

- central DI의 원인(pituitary or hypothalamus 병변)을 확인 (primary polydipsia에도 도움)
- T_1-weighted image (정상 post. pituitary는 대개 "bright spot"으로 보임)
  - bright spot 존재 → central DI (대부분 bright spot 無) R/O 가능, primary polydipsia를 강력히 시사!
  - bright spot 無 → central DI, nephrogenic DI 일부(16%), 정상인 일부, empty sella 등 여러 가능성 (→ 별 도움 안 됨)

	Central DI	Nephrogenic DI	Primary polydipsia
임의 plasma osmolality	↑	↑	↓
임의 urine osmolality	↓	↓	↓
탈수(수분제한)시 urine osmolality	변화 없음~↑	변화 없음	↑
Desmopressin 주사 후 urine osmolality	↑↑~↑	변화 없음~↑	↑
Basal plasma AVP 농도	↓	N~↑	↓
Hypertonic saline 주사 후 plasma AVP	변화 없음~↑	↑	↑
Brain MRI (T1-weighted) 상 bright spot	소실	대개 작거나 소실	존재

c.f.) 호르몬 기능검사로는 hypertonic (3%) saline-stimulated copeptin이 가장 정확하지만, 고장성식염수 주입에 따른 위험성이 있고, 일부 환자에서는 금기임(e.g., HF, epilepsy)

➜ "arginine-stimulated plasma copeptin 검사" (최근에 연구됨)
↳ 뇌하수체 전엽 호르몬(e.g., PRL, GH) 뿐만 아니라 후엽 호르몬(AVP) 분비도 자극함
- arginine 주사 1시간 뒤에 plasma copeptin level 측정 : central DI 환자는 증가 안됨
- osmotic stimulation tests (water deprivation, hypertonic saline)보다 간편하고 안전함
- hypertonic saline-stimulated copeptin만큼 primary polydipsia와 completet & partial central DI 감별에 정확함

5. 치료

(1) 수분 공급

- 적절한 수분 섭취/공급(e.g., 5% DW) → DI로 인한 대사장애 예방/교정
- polydipsia가 습관화되어 있으므로, 치료 시작 후 물을 필요 이상으로 많이 마셔서 water intoxication이 발생할 수도 있음 (→ 체중 및 serum Na^+ check!)

(2) complete central DI

- AVP 보충 ; desmopressin (DDAVP: 1-deamino-8-D-arginine vasopressin)
↳ 사람, 소 등의 vasopressin

c.f.) 돼지 vasopressin ; lypressin (lysine vasopressin, LVP), vasopressin (Pitressin®)
↳ 과거에 쓰였었고, 현재는 안 쓰임

- desmopressin이 작용시간이 길어 선호됨 (AVP의 3~4배)
- intranasal, oral, SC, IV, IM 등으로 투여

(3) partial central DI

- AVP 보충
- chlorpropamide (Diabinese®)
  - renal tubule에서 AVP의 작용을 증대시킴 (직접 V_2 receptor 활성화)
  - AVP 분비↑
  - thirst center를 정상화 (→ thirst center defect 환자에 응용)
- 소아 및 hypopituitarism이 동반된 환자에서는 hypoglycemia를 일으킬 수 있으므로 주의
- AVP를 분비 못하는 complete central DI에서는 사용 못함

(4) nephrogenic DI

- 원인 질환이 있으면 먼저 치료
- Na^+ restriction (low-sodium diet) +
- thiazide diuretics (hydrochlorothiazide) → Na^+ depletion & volume contraction
→ proximal tubule에서 수분 재흡수 ↑ (AVP의 주 작용부위인 collecting duct로 가는 수분량 감소 : free water loss 감소)
→ urine volume↓, GFR↓
- amiloride (K^+-sparing diuretics) : K^+ 소실 방지, 특히 lithium에 의한 DI에 효과적 (∵ lithium의 distal tubule cells 내로의 유입 억제)

- PG 합성 억제제 ; NSAIDs (e.g., indomethacin, ibuprofen)
  - 보조적으로 다른 약제와 함께 사용
  - PGE의 AVP-inhibitory action을 block

(5) primary polydipsia

- 행동 수정 또는 기저질환의 치료 (e.g., polydipsia with schizophrenia → clozapine)
- AVP를 사용하면 오히려 악화(water intoxication) 가능

Adipsic hypernatremia (Essential hypernatremia)

- 갈증(thirst) 부족 → 소실량 만큼의 수분을 섭취 못함 → hypernatremic, hypertonic dehydration
- hypothalamic osmoreceptors의 결함 (파괴 or 무발생) 때문
  (원인 ; 종양, 육아종, 수술, 외상, 우울증, hydrocephalus, AIDS시 CMV 뇌염 등)
- 대부분 vasopressin (AVP)의 osmoregulation 장애도 동반 (→ 뒤의 그림 참조)
- hypernatremia의 정도는 다양
- hypovolemia의 증상 동반이 흔함 ; tachycardia, postural hypotension, azotemia 등
- 기타 muscle weakness, pain, rhabdomyolysis, hyperglycemia, hyperlipidemia 등이 나타날 수 있음
- 치료 ; 수분 섭취 or 0.45% saline IV (일부 AVP-deficient DI 환자는 desmopressin)

부적절(과다) 항이뇨 증후군 (Syndrome of Inappropriate Antidiuresis, SIAD)

= 항이뇨호르몬 부적절(과다) 분비 증후군(syndrome of inappropriate secretion of ADH, SIADH)

1. 개요

- SIAD : plasma osmolality가 낮은데도 불구하고, ADH (AVP) 분비 or 작용 조절의 이상으로 소변을 희석하지 못해 (소변 농축 & 양↓) 수분저류(hyponatremia)가 발생한 상태
- DI와 반대의 개념, euvolemic hypotonic hyponatremia (type IIIB)

- SIAD의 병인 : water retention
  - ECFV↑ → glomerular filtration↑, ANP↑, renin↓ → urinary Na^+ excretion↑
    (natriuresis → hypervolemia는 완화되지만[→ edema 無,] hyponatremia 악화)
  - hyponatremia → ICFV↑ → 뇌에서 IICP 유발 (→ acute water intoxication 증상)

• SIAD의 types 및 adipsic hypernatremia (AH)

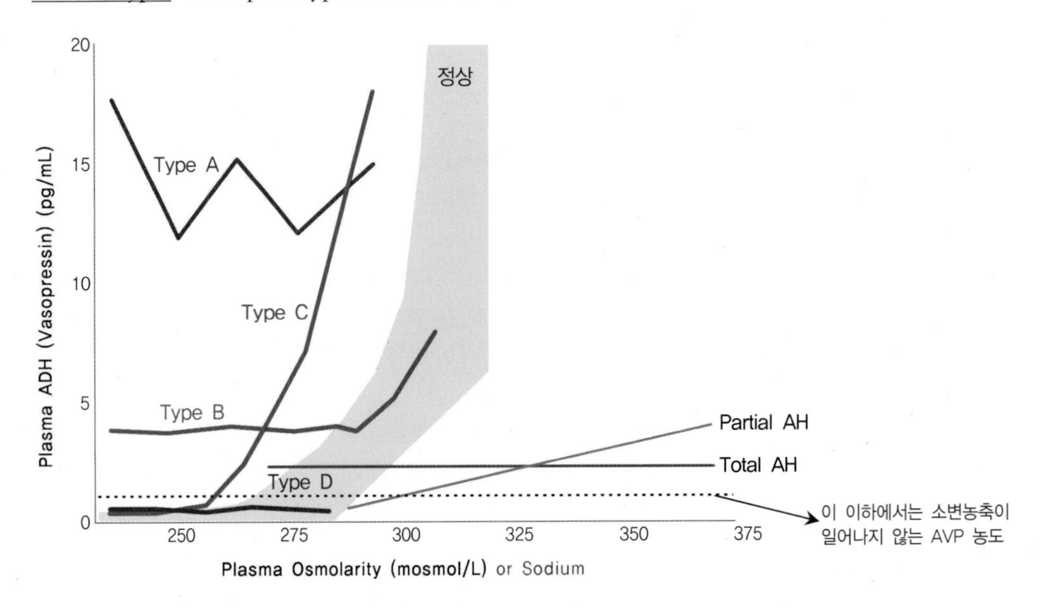

- type A : plasma osmolarity에 관계없이 AVP가 매우 높고 변동이 심함
  → osmoregulation의 완전 소실
- type B : plasma osmolarity가 정상 이하일 때 basal AVP가 약간 상승되어 있음
  (plasma osmolarity가 높아지면 정상 반응을 보임)
  → osmoregulation 기전중 억제 부분의 선택적 결함
- type C : plasma osmolarity가 정상보다 낮을 때 AVP 상승 시작 ("down reset osmostat")
- type D : AVP가 낮음(undetectable), AVP의 osmoregulation은 정상으로 추정됨
  → 다른 기전에 의해 inappropriate antidiuresis 발생
  (e.g., vasopressin V_2 receptor activating mutation)

* adipsic hypernatremia (AH) : thirst와 AVP의 osmoregulation 장애
  - total AH : plasma osmolarity에 관계없이 AVP는 소변농축이 가능한 고정된 level 유지
    → inappropriate antidiuresis (→ overhydration시 hypotonic hyponatremia 발생 위험)
  - partial AH : rehydration시 plasma osmolarity/Na가 정상으로 감소되기 전에
    AVP level은 소변희석이 가능한 수준으로 억제됨 (→ polyuria 발생)

c.f.) hypovolemia, hypotension, nausea, glucocorticoid deficiency 등에 의한 osmotically inappropriate antidiuresis는 true SIDA에 포함되지 않음

⇨ SIAD-like syndrome (2ndary SIAD)으로 간주

- type Ⅰ : 염분저류 & 부종 상태 (ECFV↑), effective blood volume 감소에 따른 AVP↑ 때문
- type Ⅱ : 염분결핍 상태 (e.g., 심한 위장관염, 이뇨제 남용, mineralocorticoid 결핍), hypovolemia/BP↓에 따른 AVP↑ 때문
- type ⅢA : N/V or glucocorticoid 결핍에 의한 AVP 분비 자극 때문, SIAD처럼 euvolemic 상태 (ECFV 정상)

→ 신장내과 2장 hyponatermia 편 참조

SIAD 및 기타 hyponatremia의 감별점

		SIAD-like syndrome			SIAD
		Hypervolemic (Type I)	Hypovolemic (Type II)	Euvolemic (Type III A)	Euvolemic (Type III B)
병력(history)		CHF, LC, nephrosis ...	Salt & water loss	Adrenal insufficiency, and/or N/V	−
증상	전신부종, 복수	+	−	−	−
	기립성 저혈압	±	±	±	−
검사 소견	Uric acid	↑~N	↑~N	↓~N	↓~N
	BUN, Cr	↑~N	↑~N	↓~N	↓~N
	serum K^+	↓~N	↓~N*	N	N
	serum albumin	↓~N	↑~N	N	N
	serum cortisol	N~↑	N~↑ **	↓ ***	N
	PRA (renin)	↑	↑	↓	↓
	urine Na^+	↓	↑/↓ ****	↑	↑

* aldosterone deficiency에 의한 hypovolemia 시에는 serum K^+ ↑
** primary adrenal insufficiency (Addison's dz.)에 의한 경우는 serum cortisol ↓
*** N/V이 원인인 경우에는 serum cortisol N~↑
**** extrarenal Na^+ 소실에 의한 경우는 urine Na^+ ↓,
renal Na^+ 소실(e.g., 이뇨제, primary adrenal insufficiency)에 의한 경우는 urine Na^+ ↑

2. SIAD의 원인 ★

1. 악성종양
   Carcinomas ; lung (SCLC), oropharynx, GI, pancreas, ovary, GU (RCC, bladder, ureter, prostate) ...
   기타 ; thymoma, mesothelioma, bronchial adenoma, carcinoid, gangliocytoma, sarcoma, lymphoma
2. 폐 질환
   감염 ; **폐렴**, 농양, 결핵, aspergillosis
   Asthma, COPD, bronchiectasis, cystic fibrosis
   Pneumothorax, positive-pressure respiration
3. CNS/신경 질환
   감염 ; 뇌염, 수막염, 농양, AIDS
   출혈/종괴 ; SDH, SAH, Stroke (CVA), 종양, 외상, hydrocephalus, cavernous sinus thrombosis
   기타 ; multiple sclerosis, Guillain-Barré syndrome, delirium tremens, acute intermittent porphyria
   정신병, 말초신경병
4. 약물
   AVP 분비/작용을 촉진하는 것 ; chlorpropamide, antidepressants (TCA, SSRI), clofibrate, carbamazepine, vincristine, nicotine, narcotics (morphine), ifosfamide, cyclophosphamide, NSAIDs, antipsychotic drugs
   AVP analogues ; desmopressin (DDAVP), vasopressin, oxytocin (high-dose)
5. 기타
   유전성(vasopressin V_2 receptor activating mutation), Idiopathic (주로 노인에서),
   일시적(운동, 수술, 전신마취 통증, 오심, 스트레스 등)

- ectopic AVP secretion↑ : AVP-NP II gene의 비정상적인 발현 때문
  ; primary or metastatic malignancy가 주요 원인 (e.g., SCLC)
- eutopic AVP secretion↑ (기전은 잘 모름) ; acute infection, strokes 등이 흔한 원인

3. 임상양상

- 신경학적 증상 발생은 serum Na^+ 감소의 절대값보다 감소 속도가 더 중요
- mild (Na^+ 130~135 mEq/L) ; 증상 없거나 쇠약감, anorexia, N/V
- severe (Na^+ <120 mEql/L) or acute onset
  - cerebral edema Sx. : restlessness, irritability, confusion, coma, convulsion
  - 체중증가, lethargy

* euvolemia 상태임! (edema, ascites, orthostatic hypotension, dehydration 등 <u>없음</u>)

4. 진단

[hyponatremia의 다른 원인들을 R/O해야 SIAD 진단 가능 (→ 신장내과 hyponatermia 편 참조)
[<u>thyroid</u>, <u>adrenal</u>, renal function 등은 정상이고, 최근에 이뇨제를 사용한 적도 없어야 됨
(특히 adrenal insufficiency, hypothyroidism 등 R/O)

(1) 검사소견
- hypotonic hyponatremia (Na^+ <130 mEq/L[mmol/L])
- serum osmolality⬇ (<275 mOsm/kg) & urine osmolality⬆ (>100 mOsm/kg)
- natriuresis : <u>urine Na^+ >25 mEq/day</u> (>40 mEq/L) ⇨ edema 발생 안함!
  (∵ ECFV↑ → GFR↑, renin↓, ANP↑ → proximal tubule에서 Na^+ 재흡수 감소)
- fractional Na^+ excretion (FE_{Na}) >1%, fractional urea excretion >55%
- serum <u>uric acid</u> (<4), <u>BUN</u> (<10), Cr, albumin 등 **감소** (∵ dilution & renal clearance↑)
- acid-base status와 potassium balance는 정상임

(2) 0.9% N/S 투여 (hypovolemic hyponatremia R/O)
[SIAD : serum Na^+ 변화없거나 5 mEq/L 미만 증가
[hypovolemia : serum Na^+ 5 mEq/L 이상 증가

(3) 수분섭취 제한(water restriction)
[SIAD : hyponatremia 및 증상 회복됨
[renal salt wasting : 회복되지 않음

(4) 수분부하검사 : water load (excretion) test
- 반드시 serum Na^+ 125 mEq/L 이상일 때 시행
- lowest urinary osmolality (2시간 뒤)가 100 mOsm/L 이상이면 진단

(5) plasma AVP 측정 : 도움 안됨 (∵ 다른 종류의 hyponatremia에서도 ↑ 가능)

5. 치료

(1) **기저질환에 대한 치료**

(2) **수분섭취 제한** (m/i) : urinary + insensible loss보다 적도록 (약 800 mL/day 이하로)

⇨ serum sodium 1~2%/day 상승

┌ 음식을 통한 수분섭취 (300~700 mL/day) ≒ insensible loss
└ 순수 수분섭취는 urine output보다 500 mL 이상 적게 유지하면 됨

- subarachnoid hemorrhage 환자는 예외 (∵ cerebral vasospasm 유발 위험)
- serum Na^+가 계속 130 mEq/L 이하면 ⇨ 수분제한 외에 oral salt tablets (or oral urea), IV hypertonic saline, loop diuretics 등의 투여도 필요함
  - urea ; solute diuresis → water 배설↑ (urine osmolality가 낮을수록 더 효과적)
  - isotonic saline은 효과 거의 없고, 오히려 hyponatremia 악화 위험!

(3) 증상이 심한 경우 (e.g., cerebral edema Sx.)

- hypertonic (3%) saline 200~300 mL를 3~4시간 동안 IV
  (→ serum Na^+ 12 mEq/L 상승 or 130 mEq/L에 도달하면 중단)
- loop diuretics (furosemide)도 같이 투여해야 됨
  - high AVP에도 불구하고 free water 재흡수↓(배설↑), urine osmolality↓
  - hypertonic saline에 의한 CHF 발생 감소에 효과적
- 너무 빨리 hyponatremia를 교정하면 central pontine myelinosis 발생 위험 → 신장내과 2장 참조
  (acute hyponatremia는 12 mEq/L/day 이하, chronic hyponatremia는 8 mEq/L/day 이하로)

(4) chronic persistent SIAD의 치료

① demeclocycline (→ 1~2주 뒤 효과)
- 기전 : collecting tubule cells을 억제하여 AVP에 대한 반응성을 감소시킴 → water 배설↑
  (reversible nephrogenic DI 유발)
- 부작용 : GFR↓ (∵ natriuresis 과다 and/or direct nephrotoxicity), photosensitivity, N/V
  (신독성 발생 위험이 높은 LC 환자에서는 금기)

② fludrocortisone (→ 1~2주 뒤 효과)
- 기전 : sodium retention↑, thirst 억제
- 부작용 : hypokalemia (→ K^+ 보충 필요), HTN

(5) V_2 vasopressin receptor antagonist (RA) : ~vaptan

┌ nonselective vasopressin (V_2) RA ; conivaptan (IV)
│ ↳ V_{1A} receptor (주로 혈관수축 매개)도 억제하므로 심한 저혈압 발생 위험
└ selective vasopressin (V_2) RA ; tolvaptan (oral), lixivaptan, satavaptan, mozavaptan

- tolvaptan : 수분제한/이뇨제에 반응 없는 severe/persistent SIAD (e.g., SCLC) 치료에 m/g!
  ↳ 간독성이 흔하므로 1~2개월 이상은 사용 금지, 간질환 환자에는 금기

- 다른 전해질에는 영향 없이 free water excretion을 일으켜 hyponatremia 교정
  ⇨ (hypovolemic hyponatremia, acute hyponatremia를 제외한) 모든 hyponatremia에 사용 가능
- 다른 치료로 호전이 안 되는 SIAD 환자에서 TOC

- 반드시 입원해서 시작하고 (수분섭취는 자유), 효과/부작용을 면밀히 관찰해야 됨

4

갑상선 질환

서론

- 구조 ; 두개의 lobes가 isthmus에 의해 연결되어 있음, 무게 15~20 g
  - cricoid cartilage와 suprasternal notch 사이의 trachea 앞에 위치 (길이 약 4 cm)
  - 각 모서리의 뒤에는 4개의 parathyroid glands가 존재
- 미세구조 ; 갑상선 조직은 spherical follicles의 군집으로 이루어져 있음
  - 각 follicles은 lumen (colloid 함유)과 follicular epithelial cells (= thyrocytes) 층으로 구성됨
  - colloid의 주성분은 thyroglobulin (Tg, thyroid-specific protein)
  - thyrocyte luminal surface의 microvilli가 갑상선호르몬을 합성/분비하는 역할을 함
  - parafollicular C cells (→ calcitonin 생산) : follicles 사이에 넓게 퍼져있음
- 갑상선호르몬의 합성 및 분비
  - 식이 요오드(iodine)은 요오드화물(iodide, I^-)과 요오드산염(iodate, IO_3^-) 형태로 흡수됨
  - 혈중 iodide는 Na^+/I^- symporter (NIS)에 의해 thyrocytes 내로 능동 흡수됨 : "uptake"
    (c.f., NIS는 대부분 갑상선에 존재하지만, 침샘, 수유기 유방, 태반 등에도 소량 존재)
    * *NIS* gene mutation : congenital hypothyroidism의 드문 원인
    * pendrin : apical surface에 존재하는 또 다른 iodine transporter
      ↳ mutation : Pendred syndrome (iodine 유기화 장애, goiter, sensorineural deafness)
  - iodide는 H_2O_2에 의해 "산화"되어 reactive iodine이 됨 : thyroid peroxidase (TPO)가 촉매
  - "organification (iodination)" : reactive iodine은 Tg의 tyrosyl residues와 결합하여 mono(or di)iodotyrosine residues (MIT or DIT) 형성
  - "coupling" : MIT or DIT residues는 서로 짝을 이루어 T_4 (or T_3)-Tg 형성 (TPO가 촉매)
  - lysosomes 내에서 Tg이 "proteolysis"된 뒤 T_4 or T_3가 되어 혈중으로 분비됨 : "release"
    (하루에 T_4 약 100 μg, T_3 약 5 μg이 혈중으로 직접 분비됨)
- 갑상선 기능의 조절
  - TSH (thyroid-stimulating hormone)가 主
    (시상하부의 TRH → 뇌하수체에서 TSH 분비 촉진 → 갑상선에서 $T_{3/4}$ 분비 촉진)
  - 기타 IGF-I, insulin, EGF, TGF-β, endothelins, cytokines & ILs 등도 촉진
  - iodine deficiency → thyroid blood flow↑, NIS↑ → iodide uptake↑
  - excess iodide → 일시적으로 갑상선의 iodide organification 억제 ("Wolff-Chaikoff effect"), Tg의 proteolysis도 억제됨 → 갑상선호르몬 합성↓

- 갑상선호르몬의 작용 ; 산소 소비, 열 발생, LDL receptor 발현(→ LDL 분해), 심근 수축 & 이완, 심박수, 정신 각성도, 호흡 노력, 위장관 운동성, bone turnover 등을 증가시킴
  (태아에서는 뇌 발달 및 골격 성숙에 매우 중요한 역할)

갑상선기능검사

1. 갑상선 호르몬(thyroid hormone)

호르몬	혈중 결합단백	혈중 총량	Free(%)	반감기	대사활성도	세포내 비율	총생산량
T_4 (thyroxine)	TBG (80%) TTR (10%) albumin (10%)	8 μg/dL	0.02%	7일	1	~20%	90 μg/day
T_3 (triiodo-thyronine)	TBG (70%) albumin (30%)	0.14 μg/dL	0.3%	0.75일	3~4	~70%	32 μg/day

- TBG : thyroxine-binding globulin (T_3보다 T_4에 대한 affinity가 약 20배 더 강함)
- TTR : transthyretin (과거 TBPA: thyroxine-binding prealbumin)

- T_4 : 30%는 type 1 deiodinase[D1] (갑상선, 간, 신장) or type 2 deiodinase[D2] (뇌하수체, 뇌)에 의해 T_3로 전환됨 (5'-deiodination, outer ring deiodination[ORD]), 40%는 type 3 deiodinase[D3] (CNS의 glial cells)에 의해 reverse T_3 (inactive)로 전환됨 (5-deiodination, inner ring deiodination[IRD])

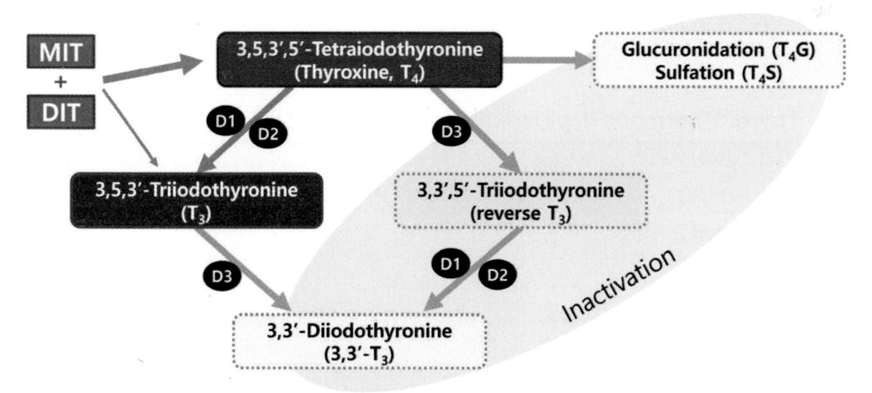

- T_3는 T_4보다 free %가 많고 metabolic activity도 3~4배 크므로, T_4의 작용은 대부분 T_3를 통해 이루어지고, T_4를 T_3의 전구체라 할 수 있음
  (혈중 T_3의 약 80%는 T_4가 deiodination에 의해 T_3로 전환된 것임 / 20%만 직접 분비된 것)

T_4 ⇨ T_3 전환(conversion)이 감소하는 경우 (5'-deiodination 억제)	
생리적	태아 및 신생아 초기, 노인 금식 (특히 탄수화물 결핍), 영양실조
병적	각종 급만성 질환 (간, 신장, 심장 등), 발열, 패혈증, 수술, 외상 약물 ; β-blcoker, propylthiouracil, amiodarone, glucocorticoid 요오드 포함 조영제 (ipodate, ipanoate), Selenium 결핍

2. T_3-레진 섭취율 (T_3-resin uptake, T_3-RU)

- 환자의 혈청(TBG 함유)에 labeled T_3 ($^{125}I-T_3$)를 넣은 후 resin을 넣으면, unoccupied TBG와 결합하고 남은 labeled T_3가 resin과 결합되고, resin과 결합된 labeled T_3의 양(%)을 측정하는 것 (thyroid hormone binding ratio, THBR)
- unoccupied TBG와 반비례 (→ TBG를 직접 측정하는 것이 어려우므로 사용)
- 정상치 : 25~35%
  - resin uptake 증가 : TBG↓, hyperthyroidism
  - resin uptake 감소 : TBG↑, hypothyroidism

c.f.) T_3-RU를 사용하는 이유 (T_4-RU가 아닌..) : T_3가 serum proteins에 덜 강하게 결합하므로 T_3-RU가 더 정확 (binding에 변화가 생겨도, T_4의 결합력과 T_3의 결합력의 상대적인 관계는 큰 영향을 받지 않음)

TBG에 영향을 미치는 인자

TBG 증가	TBG 감소
Hypothyroidism, 신생아 임신, estrogen 제제 (e.g., 경구피임약, HRT) Estrogen 분비 종양 (포상기태 등) 간염(hepatitis), 간암, Acute intermittent porphyria Angioneurotic edema, Lymphoma, AIDS Familial TBG excess Drugs; tamoxifen, raloxifene, methadone, 5-fluouracil, clofibrate, heroin, mitotane ...	Hyperthyroidism Cushing's syndrome Acromegaly, DKA 심한 간질환 (간부전), 신부전, 신증후군(NS) 영양실조, 기타 심한 전신질환 Congenital TBG deficiency Drugs; androgens, danazol, glucocorticoids, nicotinic acid, L-asparaginase ...

■ 다양한 약물이 T_4와 TBG의 결합을 방해함 (TGB에 대한 affinity는 낮아도 혈중 농도가 훨씬 높음)
; phenytoin, carbamazepine, salicylates, salsalate, furosemide, heparin, 일부 NSAIDs 등
→ total T_4는 낮아지지만, free T_4는 정상임 (euthyroid state)

Thyroid hormone과 plasma proteins의 상호작용

		Total T_4 & T_3	FT_4 & FT_3의 % (or T_3-RU)	FT_4 & FT_3 (or FT_4I & FT_3I)
TBG의 일차적 이상	TBG 증가	↑	↓	N
	TBG 감소	↓	↑	N
갑상선 기능의 일차적 이상	Hypothyroidism	↓	↓	↓
	Hyperthyroidism	↑	↑	↑

3. 유리 T_4 지수 (free T_4 index, FT_4I)

$$FT_4I = total\ T_4 \times T_3\text{-RU}$$

- TBG 농도의 변화를 교정하여 실제 갑상선 기능을 잘 반영함
- FT_4 (free T_4)와 비례, FT_4를 간접적으로 보는 검사
  c.f.) TBG 증가 → total T_4↑ & T_3-RU↓ → FT_4I는 정상
- 요즘은 직접 free T_4를 측정하므로 별로 시행 안함

- 단점 ① 검사(T_3-RU) 및 계산이 번거로움
  - ② "euthyroid hyperthyroxinemia"에서 thyroid state를 정확히 반영 못함
    ; TBG 이외의 T_4 binding의 증가시 total T_4가 증가 (but, T_3-RU는 정상)
    → FT_4I↑ (free T_4는 정상인데도 hyperthyroid state로 오진 가능)
    예) (1) familial dysalbuminemic hyperthyroidism (FDH)
    : AD 유전, 비정상 albumin이 T_3보다 T_4에 훨씬 강하게 결합
    (2) increased TTR (transthyretin, TBPA)
    (3) anti-T_4 antibody

4. 유리 T_4 (FT_4, free T_4)

- total T_4 나 FT_4I 보다 좋다 (∵ protein binding의 변화에 영향을 안 받으므로)
- total hormone 농도보다 실제 갑상선기능(metabolic state)을 더 정확히 반영함!

c.f.) free T_3 검사는 free T_4 검사에 비해 변동성이 높아, 아직 total T_3 검사가 더 권장됨

5. TSH (thyroid-stimulating hormone)

- 갑상선기능이상(hypothyroidism or hyperthyroidism)의 진단에 가장 유용한 검사
  → TSH가 정상이면 대개 primary thyroid dysfunction은 R/O 가능
- 정상 : 0.4~5.0 (mU/L, μU/mL), 검사기법의 발달로(e.g., CLIA) sensitivity가 매우 높음
- TSH 증가하는 경우
  - primary hypothyroidism (m/c)
  - TSH-secreting pituitary tumor, thyroid hormone resistance, assay artifact
- TSH 감소하는 경우
  - primary hyperthyroidism (m/c)
    예) Grave's dz., toxic multinodular goiter, toxic adenoma, subacute thyroiditis, Hashitotoxicosis
  - central (secondary & tertiary) hypothyroidism (감소~정상까지 다양)
  - thyroid hormone 투여
  - 심한 비갑상선질환(sick euthyroid syndrome), acute psychiatric illness
  - hCG-secreting trophoblastic tumors, 임신 1기 (∵ hCG↑ 때문)
  - drugs ; dopamine, glucocorticoids (high-dose), NSAIDs, narcotics, CCB (특히 nifedipine)
- 비갑상선질환에서의 TSH 이상은 대개 일시적이므로 확진이 어려운 경우 며칠 뒤 F/U이 유용함

■ 기본 갑상선기능검사의 참고치 ★

	Normal	Hyperthyroid	Hypothyroid
T_4 (μg/dl)	5~12	>12	<5
free T_4 (ng/dl)	0.8~2	>2	<0.9
T_3 (ng/dl)	80~200	>220	<80
TSH (mU/L, μU/ml)	0.4~5	<0.3	>6

Euthyroid hyperthyroxinemia

질환	FT_4	FT_4I	T_3	TSH	Comments
Increased T_4 binding					
TBG 증가	N	N	↑	N	앞의 표 참조
FDH	N	↑	N, ↑	N	AD 유전
TTR binding 증가	N	↑	N	N	농도 증가(islet-cell tumor) or affinity 증가
Anti-T_4 antibody	N	↑	N	N	Anti-T_3 antibody도 존재 가능
Pituitary & peripheral thyroid hormone resistance	↑	↑	↑	↑	Pituitary resistant만 있으면 환자는 thyrotoxic
Various disorders					
Sick euthyroid syndrome	↑,N	↑	↓	N, ↓	드물다
Acute psychiatric illness	↑,N	↑	N, ↑	N, ↑	몇 주 뒤 자연회복
Hyperemesis gravidarum	↑	↑	N	↓	몇 주 뒤 자연회복
Drugs					
$T_4 \rightarrow T_3$ 전환 억제제					
방사선 조영제	↑	↑	↓	↑	특히 ipodate, iopanoate
Propranolol	↑	↑	↓	N, ↑	특히 대용량 투여시
Amiodarone	↑	↑	↓	↑	처음 몇 달동안은 TSH 증가
Heparin	↑	↑	N	—	적은 IV 용량만 필요
Levothyroxine therapy	↑	↑	N	↓	50%에서 hyperthyroxinemia

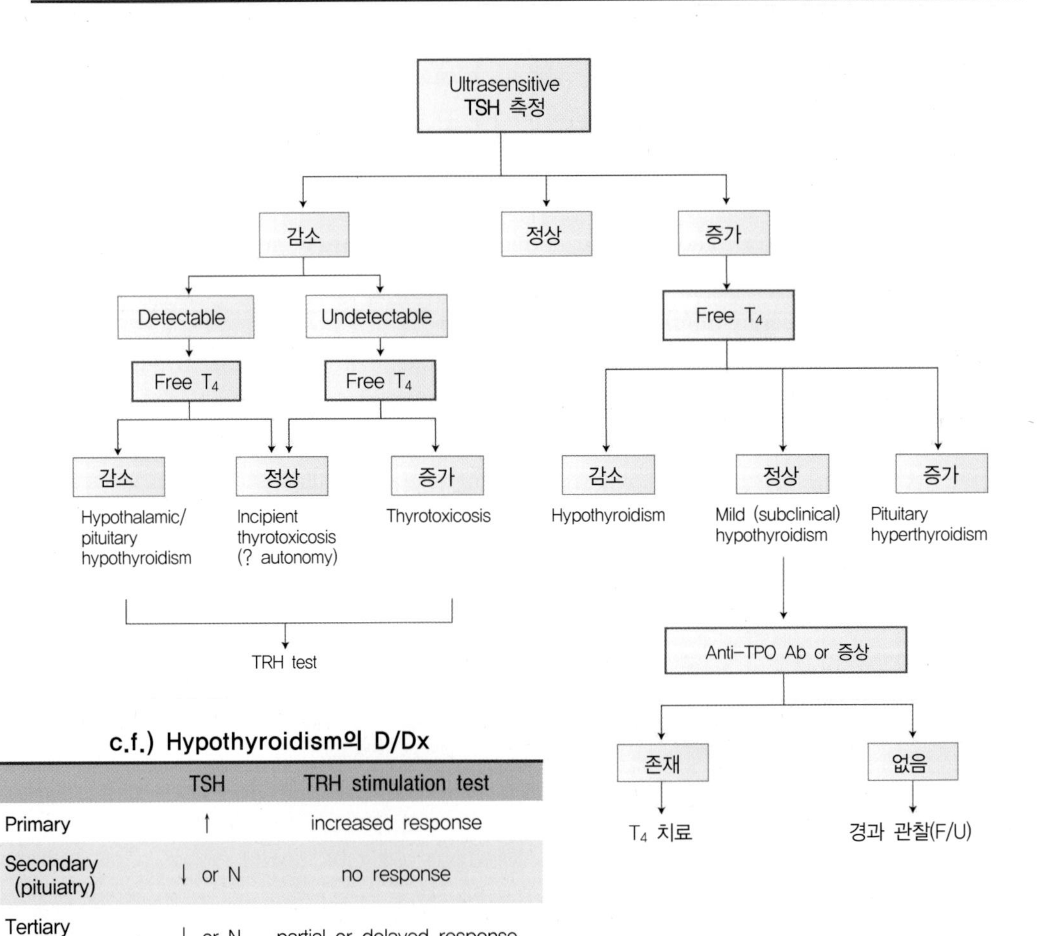

c.f.) Hypothyroidism의 D/Dx

	TSH	TRH stimulation test
Primary	↑	increased response
Secondary (pituiatry)	↓ or N	no response
Tertiary (hypothalamic)	↓ or N	partial or delayed response

6. TRH stimulation test

• 방법 : TRH를 투여한 뒤 (200~400 μg IV) TSH의 반응을 봄
(요즘은 TSH 검사기법의 발달로 거의 시행 안 됨~)

• 정상 : TRH 투여 후 약 20분 뒤 TSH가 최고치에 도달함 (기저치보다 5~30 mU/L 상승)

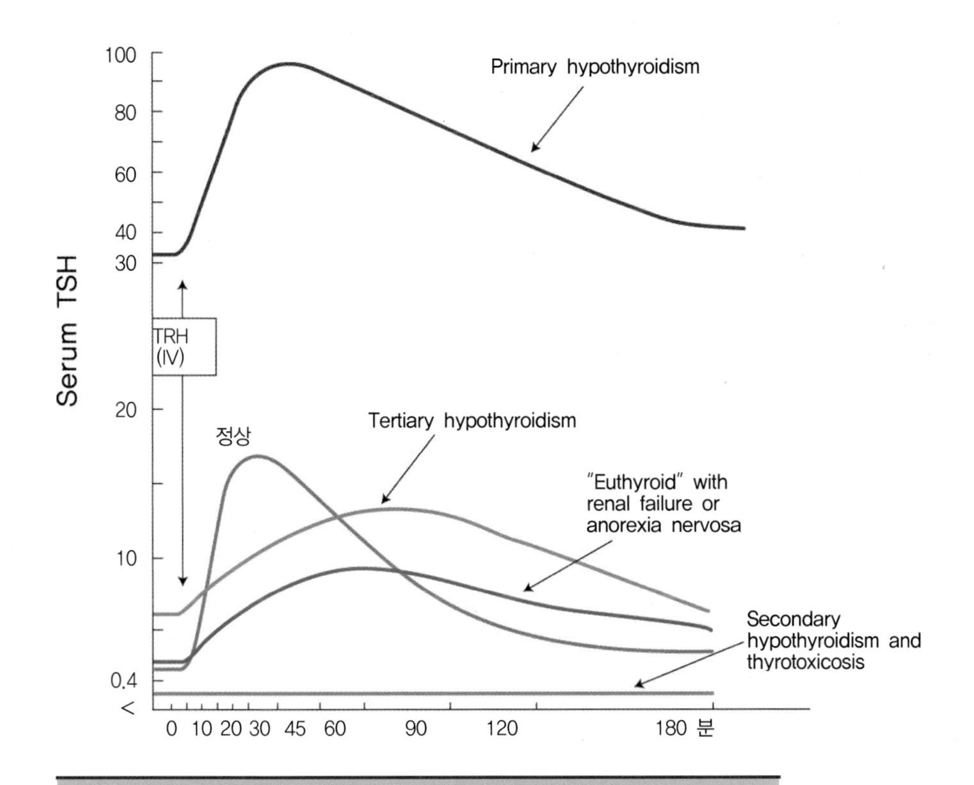

TRH stimulation test 무반응(flat response)의 원인
Secondary (pituitary) hypothyroidism Hyperthyrodism, Autonomous functioning hot nodule Glucocorticoid 투여, Cushing's syndrome, Acromegaly, Dopamine 치료 만성 신질환, 우울증, 비갑상선 질환의 일부

* Tertiary (hypothalamic) hypothyroidism에서는 감소~지연된 반응을 보이지만, 실제로는 TSH의 반응이 다양하기 때문에 secondary (pituitary)와 감별에는 제한적임

• 이용

① subclinical hyperthyroidism 검출

② nonthyroidal illness (SES)와 central (pituitary, hypothalamic) hypothyroidism의 감별
; nonthyroidal illness (SES) 환자는 TRH stimulation test에 대한 TSH의 반응이 대개 정상임

③ 소아에서 두경부 RTx 이후 subtle central hypothyroidism 검출

④ hyperthyroidism 치료시 종결(remission) 시점 결정

7. Thyroid Scan

- ^{131}I ; 진단, in vivo 기능검사 (RAIU), 치료 등에 많이 이용 (암 전이를 보는데도 좋다)
- diagnostic imaging
  - ^{123}I : radiation이 적어서 좋음
  - ^{99m}Tc : good image quality

■ 방사선 요오드섭취율 (RAIU, radioactive iodine uptake)

- 5~10 μCi의 sodium ^{131}I를 포함한 캡슐이나 용액을 복용 후 4, 24시간 뒤에 thyroid gland의 radioactivity 측정 (^{131}I uptake %를 계산)
- 정상치 : 5~30% (갑상선 기능과 비례) ★

증가하는 경우	감소하는 경우
Primary & secondary hyperthyroidism (e.g., Grave's dz., toxic MNG/adenoma) TSH가 증가하는 경우 Hypothyroidism의 초기 Hashimoto's thyroiditis의 초기 Subacute thyroiditis의 회복기 Thyroid hormone suppression의 회복기 TSH-producing pituitary adenoma 갑상선호르몬의 소실 ; nephrotic syndrome, 만성 설사 Dietary iodine deficiency 임신	Hypothyroidism Hypopituitarism Thyroid gland damage (e.g., thyroiditis, surgery, radioiodine) Severe (high-turnover) Grave's dz. Exogenous thyroid hormone 과다 섭취 Iodine 과다 상태 (섭취) 기타 ; 신부전, 심부전

- '갑상선중독증'인데도 RAIU 감소하는 경우 (thyrotoxicosis without hyperthyroidism) ★
  - factitious thyrotoxicosis (thyrotoxicosis factitia, 인위성 갑상선중독증)
    예) 갑상선호르몬 복용 (살빠지는 약), amiodarone 복용, iodine 과잉섭취 (미역국, 김, 다시마)
  - subacute thyroiditis, painless thyroiditis, postpartum thyroiditis
  - ectopic thyroid tissue, 난소 갑상선종(struma ovarii), 갑상선 전이암 등
  - Hamberger toxicosis, radiation thyroiditis
- ^{131}I의 치료적 용량 결정시에도 이용

■ 과염소산 방출시험 (Perchlorate discharge test)

- 갑상선 호르몬 합성중 organification의 장애 여부 측정
- 방법 : 소량의 ^{131}I 투여 2시간 뒤 RAIU 측정 → perchlorate 투여 후 다시 RAIU 측정
  - 정상 : 섭취만 차단되어 RAIU 10% 미만으로 감소
  - 양성 (organification 장애) : inorganic iodide가 방출되어 15% 이상 감소
- 양성인 경우
  ① Hashimoto's thyroiditis
  ② congenital organification defect
  ③ antithyroid drug (PTU, methimazole)
  ④ radioiodine 치료를 받은 Graves' dz. 환자

8. Antithyroid antibodies

(1) anti-thyroid peroxidase (TPO) Ab (과거 anti-microsomal Ab)

- autoimmune (Hashimoto's) thyroiditis의 90~100% (high titer!), Graves' dz.의 50~80%에서 (+)
- 갑상선기능 정상인 여성의 5~15%, 남성의 ~2%에서도 (+) → 향후 갑상선기능 이상 발생↑

(2) anti-thyroglobulin (Tg) antibody

- autoimmune (Hashimoto's) thyroiditis의 80~90%, Graves' dz.의 50~70%에서 (+)
- anti-Tg만 양성인 경우는 드물므로 보통 anti-TPO Ab 하나만 검사해도 됨

c.f.) anti-TPO/Tg는 autoimmune thyroiditis 환자 가족의 약 1/3, type 1 DM의 약 1/3에서도 (+)

(3) TSH receptor antibody (TSH-R Ab, TRAb)

- IgG이며, 측정 방법에 따라 여러 이름으로 불림
- radioreceptor assay : **TBII** (TSH-binding inhibitory Ig.)
  - TRAb가 radiolabelled TSH와 TSH receptor의 결합을 억제하는 정도 평가
  - TRAb가 TSH receptor에 결합하는 정도만 측정, 갑상선세포를 자극/억제하는지는 알 수 없음 (TSI와 TSH-R-blocking Ab를 구별 못함)
- bioassay : 갑상선세포를 자극/억제하는지 여부를 평가
  - TSI (thyroid-stimulating Ig./Ab, **TSAb**)
  - TSBAb (TSH-stimulation blocking Ab, **TSH-R-blocking** Ab)

  (TSH receptor와의 결합 여부는 알 수 없음)

(a) 갑상선자극면역글로불린(thyroid-stimulating Ig., TSI)
- TSH receptor에 대한 autoantibody로 갑상선세포의 cAMP 생산 자극, iodide uptake↑, 갑상선호르몬의 분비와 갑상선세포의 성장 촉진 (thyroid gland의 lymphocyte에서 생성됨)
- Graves' dz.의 90% 이상에서 (+) : titer는 갑상선 기능과 관련
- 치료하면 titer는 감소됨 (이 항체의 존재여부가 재발의 지표)

* 드물게 태반을 통과하여 fetal or neonatal Graves' dz. (thyrotoxicosis) 유발 가능 (발생 위험인자 ; 자궁내 태아 성장 부족, 태아 심박수 >160회/분, 임신 말기 산모의 혈중 TSI level↑)

(b) 갑상선자극호르몬수용체차단항체(TSH-R-blocking Ab, TSBAb)
- TSH or TSI의 갑상선세포 자극을 억제하여 hypothyroidism 및 thyroid atrophy를 일으킴
- autoimmune hypothyroidism (Hashimoto's thyroiditis)의 약 20%에서 (+)
- 태반을 통과하면 transient neonatal hypothyroidism 유발 가능

9. Thyroglobulin (Tg)

- 참고치 (검사기법에 따라 다양함) : ECLIA (Roche®)의 경우 3.5~77 ng/mL (c.f., RIA는 더 낮음)
- 증가되는 경우 : thyrotoxicosis factitia를 제외한 모든 thyrotoxicosis, thyroiditis, thyroid injury, struma ovarii, inflammation, thyroid ca.
- 감소되는 경우 : thyrotoxicosis factitia, thyroid agenesis
- 주로 갑상선 분화암(유두암, 여포암)의 치료 후 F/U에 이용 (>2 ng/mL → 불완전한 치료 or 재발)
- anti-thyroglobulin Ab. 존재시에는 혈중 Tg가 실제보다 아주 낮게 측정되므로 주의 요망

임신과 갑상선 대사

- 요오드 대사의 변화
  - GFR 50% 증가, 세뇨관의 요오드 재흡수 감소 → 소변의 요오드 배설량↑
  - 태아에게 요오드 공급, 출산 후 모유를 통해서도 요오드 분비 → 임산부의 요오드 필요량↑
    (임신 중 요오드 섭취량이 50 μg/day 이하면 goiter 발생 위험이 증가됨)
- 태반 유리 hCG 증가 (임신 1기) → 갑상선 자극 → free T_4 & T_3↑(대개 정상 범위 내에서)
  (→ TSH-R↑) → TSH↓ (임신 2기까지) ↳ transient gestational hyperthyroidism
  (↳ hyperemesis gravidarum 유발 가능)
- estrogen 증가 → TBG 합성 증가 (임신 전 기간) → total T_4 & T_3↑, T_3-RU↓
  (임신 중기에 최고)
- 태반에서 갑상선 호르몬 대사↑
- free T_4 & T_3는 전 임신 기간 동안 대개 정상 범위를 유지함!
- true hyperthyroidism이 의심되면 (Graves' dz.가 m/c) TSH-R Ab (TSI) 등 검사로 R/O

* 임신입덧(hyperemesis gravidarum, transient gestational hyperthyroidism)
  - severe N/V, 체액 및 전해질 불균형 (thyrotoxicosis의 임상 증상은 드묾)
  - 약 1/2에서 free T_4↑, TSH↓ (∵ 임신 초기의 hCG↑ 때문) → 대개 몇 주 지나면 호전됨
  - Tx ; N/V 증상을 완화시키고 수액공급으로 탈수 교정
    (임신 20주가 지나도 증상과 갑산성기능 이상이 지속되면 항갑상선제 투여 고려)

참고) 태반 통과	
잘 통과	요오드, 항갑상선제(PTU 등), β-blocker, IgG (anti-TPO, anti-Tg, TSH receptor Ab*), TRH
약간 통과 가능	T_4, T_3
통과 안 함	TSH, Tg

* Graves' dz. 임산부의 약 1%에서 태반을 통과하여 fetal thyrotoxicosis 유발 가능

Sick Euthyroid Syndrome S.E.S (Nonthyroidal illness[NTI])

1. 정의

- 비갑상선질환(급/만성 전실질환)으로 인해 thyroid hormone economy에 변화가 생긴 것
  (adaptive state), thyroid 자체의 질환이 아님
- 임상에서 갑상선기능검사 이상을 보이는 경우의 m/c 원인 ; 입원 환자에서 흔함 (특히 ICU 입원시)
  (간질환, 요독증, 심한 감염, AMI, DKA, 수술, 화상, 금식, 정신적 스트레스 등)
- TNF, IL-1, IL-6 등 cytokine의 증가가 원인일 수 있음

2. 검사소견

- total & free T_3↓ (말초 T_4→T_3 conversion [5'-deiodination] 감소 때문) … "low T_3 syndrome" (m/c)
  - rT_3↑ (T_4→rT_3 conversion 증가 및 rT_3의 inactivation [5'-deiodination] 감소[主] 때문)
  - total T_4, TSH, TRH stimulation test 등은 대개 정상임
  - T_3 감소 (rT_3 증가) 정도는 dz. severity와 비례함 (mortality는 T_4 감소 정도와 더 관련)
- 심한 경우(very sick patient)
  - T_3↓↓, total T_4↓ … "low T_3-T_4 syndrome" ➜ poor Px!
    - 조직관류 저하로 인한 type 3 deiodinase 발현↑ (5-deiodination↑) → T_4 & T_3 inactivation↑
    - TBG↓ 및 TBG와 T_4 결합↓ 때문
  - free T_4 : TBG 변화 등에 따라 다양한 양상을 보일 수 있지만, 심한 경우에는 대개 감소함
  - TSH↓(대개 0.05~0.3 mU/L), TRH stimulation test에 대한 TSH의 반응은 정상 (일부에서는 둔화)
    - ↳ 매우 심한 환자는 (특히 dopamine, dobutamine, steroid 치료시) <0.1 mIU/L 가능, undetectable (<0.01 mIU/L)의 경우는 실제 hyperthyroidism을 가능성 높음
  - ⇨ central hypothyroidism 때와 유사 (D/Dx ; rT_3, TRH stimulation test)
- 회복기 ; 일시적으로 free T_4↑, TSH↑ 가능 → 갑상선기능 정상화됨

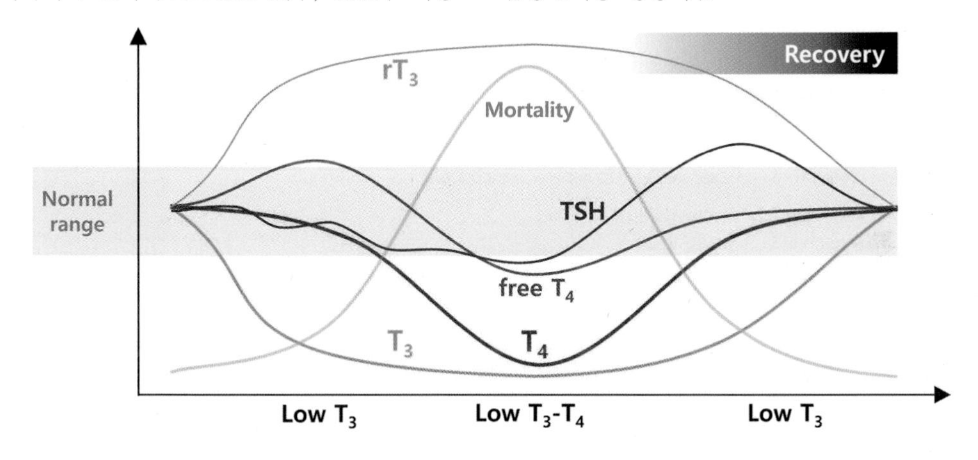

- 특정 질환의 예
  - 급성 간 질환 ; 초기에 TBG 증가에 의한 일시적인 T_3 & T_4↑ → 진행되면 감소
  - 급성 정신 질환 ; 5~30%에서 일시적인 total & free T_4↑
  - HIV 감염 ; 초기에는 T_3 & T_4↑ → AIDS로 진행되면 감소 (TSH는 대개 정상)

3. 진단/치료

- 잠정적으로 진단함, 확진은 원인 기저질환이 회복되면 갑상선호르몬도 정상화되는 것
- 특별한 치료 필요 없음 (observation, TFT F/U), 기저 질환의 치료
- thyroid hormone 투여 : 대부분 권장 안 됨! (오히려 해로울 수도 있음)
  - ↳ hypothyroidism의 과거력이나 hypothyroidism에 의한 증상이 있는 경우에만 고려

* steroid ⇨ TBG↓, T_4→T_3 conversion [5'-deiodination] 감소

갑상선기능저하증 (Hypothyroidism)

1. 원인

1 Primary hypothyroidism (95%)

1. Goitrous (갑상선종이 있는 경우)
   - Autoimmune thyroiditis (Hashimoto's thyroiditis) (m/c, 70~85%)
   - Infiltration ; amyloidosis, sarcoidosis, hemochromatosis, scleroderma, cystinosis, Riedel's thyroiditis
   - Drugs ; antithyroid drugs, iodine excess (e.g., 방사선조영제, amiodarone), p-aminosalicylic acid, phenylbutazone, iodoantipyrine, lithium, aminoglutethimide, IFN-α
   - Iodine deficiency
   - Heritable biosynthetic defects, Maternally transmitted (iodides, antithyroid agents)
   - IL-2 & lymphokine-activated killer cells
2. Thyroprivic (갑상선종이 없는 경우)
   - Congenital hypothyroidism ; thyroid dys-/agenesis, dyshormonogenesis, TSH-R mutation
   - Infantile hemangioma에서 type 3 deiodinase (→ T_4 불활성화)의 overexpression
   - Primary (idiopathic)
   - Atrophic autoimmune thyroiditis
   - Iatrogenic ; radioiodine, thyroidectomy, RTx (e.g., for lymphoma)

2 Central hypothyroidism

1. Secondary (pituitary) hypothyroidism : TSH↓
   - Panhypopituitarism, Sheehan's syndrome
   - Pituitary tumors, infiltrative dz., trauma, surgery, RTx.
   - Isolated TSH deficiency or inactivity (드묾)
   - TSH 분비 억제 drugs ; bexarotene, dobutamine, glucocorticoids, octreotide
2. Tertiary (hypothalamic) hypothyroidism : TRH↓
   - Infection (encephalitis), tumors, trauma
   - Infiltration ; sarcoidosis, histiocytosis
   - Congenital defects, idiopathic

■ Transient hypothyroidism

1. Painless/silent thyroiditis (산후 갑상선염 포함)
2. Subacute thyroiditis
3. 갑상선이 온전한 환자에서 thyroxine 치료 중단 후
4. Graves' dz. 환자에서 ^{131}I 치료 or subtotal thyroidectomy 후
5. Maternal TSH-R-blocking Ab의 태반 통과에 의한 neonatal hypothyroidism

■ Generalized thyroid hormone resistance

(일부에서 hypothyroidism 양상을 보임, 특히 hyperthyroidism으로 오진되어 치료받은 경우 흔함)

- chronic autoimmune hypothyroidism (Hashimoto's thyroiditis) → 뒷부분 갑상선염 편도 참조
  - hypothyroidism의 m/c 원인 (70~80%)
  - 남:여 = 1:4, 평균 발생 연령 60세, 나이가 들수록 증가
  - ┌ Hashimoto's thyroiditis : 림프구 침윤이 主, goiter 동반
  - └ atrophic thyroiditis (말기에) : fibrosis가 主
  - thyroid follicular destruction의 주기전 ; CD8+ cytotoxic T cell-mediated
  - 다른 autoimmune dz.의 임상양상도 동반 가능
    ; type 1 DM, pernicious anemia, Addison's dz., alopecia areata, vitiligo
  - 약 5%에서는 thyroid-associated ophthalmopathy도 발생

- radioiodine 치료 후의 hypothyroidism
  - 갑상선의 크기와 radioiodine 투여량에 따라 결정됨
  - 투여 후 1년 이내에 10~40%에서 발생, 이후 매년 5% 내외씩 증가하여, 10년 이내에 약 50% 이상에서 hypothyroidism 발생
- Wolff-Chaikoff effect
  - excess iodide 투여 → 갑상선의 iodide organification 억제 (일시적, 정상인에서는 안 나타남), thyroid hormone 분비 감소
  - radioiodine or 수술로 치료한 Graves' dz., chronic thyroiditis, 태아 등에게 만성적인 iodide의 과다 투여시 hypothyroidism 발생

* neonatal hypothyroidism
  ① thyroid gland dysgenesis (m/c) : 80~85%
  ② thyroid hormone의 생합성 장애 : 10~15%
  ③ maternal TSH-R-blocking Ab : 5%

2. 임상양상

: 서서히 발생하고 그 진행속도가 느리기 때문에 환자마다 증상 발현이 다양하고 단계적

(1) **피로**, 무기력, 의욕상실, ventilatory drive↓, 기억력↓, 집중력↓, 사고력↓, 자극에 대한 반응↓
(2) 식욕저하, 체중증가 (∵ 주로 fluid retention 때문), 한랭 불내성(cold intolerance), hypothermia
(3) 변비, paralytic ileus, 위산분비 감소(achlorhydria : 약 50%에서)
(4) delayed return of DTR, myalgia, muscle cramp, paresthesia, carpal tunnel & other entrapment syndrome
(5) 피부 ; 차고 건조함, sweating↓, 손톱이 연하고 잘 부서지고 홈이 생김, 윤기 없는 모발, 탈모 ...
  - glycosaminoglycan의 피부/피하조직 침착 (→ 수분저류) → myxedema^점액부종^ (특징!)
    : non-pitting edema ; 주로 얼굴^puffy face^ (특히 눈주위), 손등 (심하면 혀와 입술도 커짐)
  - carotene 축적 (∵ vitamin A로의 전환 지연) → yellow skin (주로 손바닥, 발바닥)
  - 얼굴색은 전반적으로 창백함 (∵ 빈혈, 혈관수축)
(6) low-pitched slurred speech, hoarseness (← 혀와 입술 등이 커짐)
(7) 월경과다, 성욕감소, 무배란, 불임 / prolactin↑에 의한 유루증과 무월경도 가능
(8) 심근수축력↓ & 말초저항↑ → CO↓, diastolic BP↑(20~40%에서 HTN), pulse pr.↓
(9) cardiac enlargement ("myxedema heart") ; pericardial effusion (~30%에서 발생) 때문
  - 심장이 작은 경우
    - pituitary hypothyroidism : secondary adrenal insufficiency 동반
    - primary adrenal insufficiency 동반 (Schmidt's syndrome)
  - cardiomyopathy는 드묾
(10) 빈혈, 혈소판 기능장애(→ 출혈경향)
  - anemia (대개 normocytic or macrocytic) → IDA를 제외하고는 thyroid hormone 투여시 호전됨
    ① thyroid hormone의 결핍 → Hb 합성 장애
    ② folate 흡수장애 → folate deficiency (megaloblastic anemia)
    ③ vitamin B_{12} 결핍 → megaloblastic anemia
    ④ 월경과다, 철흡수장애 → IDA

(11) pituitary enlargement (∵ TSH-secreting cells의 hyperplasia 때문 → 치료하면 정상화)
(12) goiter ⇨ Hashimoto's thyroiditis, painless/postpartum thyroiditis, antithyroid drugs

3. 검사소견

- 1차 선별검사 : <u>TSH</u> (m/g), <u>free T_4</u>
- 2차 선별검사 : antithyroid Ab. 등

(1) <u>TSH</u> : single most useful test, 치료효과 평가에도 m/g
  - primary hypothyroidism : ↑
  - central hypothyroidism : N or ↓ (inactive TSH가 분비되는 경우에는 약간↑도 가능)

(2) T_4, FT_4I, <u>free T_4</u> ↓
  - T_3 : T_4보다 덜 감소 (약 25%는 정상) → 진단에 별 도움 안되므로 검사 안함
    (∵ TSH↑에 의해 T_3가 상대적으로 증가, hypothyroidism에 대한 적응으로 deiodinase↑)

(3) TRH stimulation test : 큰 도움은 안 됨 → 서론(갑상선기능검사) 참조
(4) antithyroid Ab
  - <u>anti-TPO Ab</u> 및 anti-Tg Ab : <u>autoimmune (Hashimoto's) thyroiditis</u>의 95% 이상에서 양성!
  - TSH-R-blocking Ab (TBII) : 10~20%에서 양성, thyroid atrophy도 유발

(5) RAIU
  - 감소 : thyroprivic hypothyroidism, secondary/tertiary hypothyroidism
  - 증가 : goitrous hypothyroidism

(6) T_3-RU↓
(7) 기타
  - cholesterol, LDL, TG, AST, LD, CK, prolactin 등의 증가
  - hyponatremia, hypoglycemia
  - pernicious anemia (1° thyroprivic hypothyroidism의 12%에서)

(8) chest X-ray : cardiomegaly (effusion)
(9) EKG : bradycardia, low-amplitude QRS, flattened/inverted T wave
(10) brain/pituitary <u>MRI</u> : central hypothyroidism 의심시

4. 치료

(1) <u>Levothyroxine (L-thyroxine)</u> : synthetic T_4 (DOC!), 보통 1.6 μg/kg/day (100~150 μg/day)
  - 반감기가 길어서 (7일) 안전하게 사용 & 1일 1회 투여로 충분, 상부 소장에서 약 80% 흡수됨
    ↳ 새로운 평형 상태에 도달하는데 5~6주 이상 소요 (→ <u>6주</u> 이후 용량 조절)
  - 체내에서 T_3로 전환되므로 실제 활성을 지닌 T_3의 농도를 아주 균일하게 유지시킬 수 있음
  - 음식/섬유질/약물에 의해 장흡수 감소 가능 → 아침 공복에 복용 (1시간 뒤 아침 식사 권장)
  - 장기간 사용해도 큰 부작용이 없음
  - 심장질환이 없는 60세 이하 성인은 대개 50~100 μg/day (initial dose)로 시작
    → TSH가 정상화 될 때까지 약 6주마다 12.5~25 μg씩 증량
  - 노인, CAD 동반/의심시 : 12.5~25 μg/day로 시작한 뒤 약 6주마다 12.5~25 μg씩 증량
  - autoimmune dz. 환자는 갑상선 제거한 환자보다 필요량 적음 (∵ 정상 조직이 존재하므로)

- 치료 상태 평가 지표 (치료 목표, 용량 조절)
  ① TSH 정상화 (m/g)
    - 참고치(0.5~5 mU/L)의 lower half[0.5~2]가 이상적 (고령일수록 높게 유지, 80세면 ~7.5 mU/L)
    - primary hypothyroidism : 4~6주 간격으로 측정
  ② 임상소견(증상, goiter), T_3 (T_4보다 좋다)
- TSH가 정상화 되어도 증상 회복에는 3~6개월까지 걸릴 수 있음
- TSH가 지나치게 suppression되면 심계항진, AF 등 thyrotoxicosis Sx 발생 위험 증가

(2) Liothyronine : synthetic T_3
- 단기간 사용할 수는 있으나, 장기간 사용에는 부적합 (반감기 짧아 자주 투여, 혈중 농도 유동적)
- thyroid hormone을 갑자기 중단하거나 진단적 검사가 필요할 때에만 사용

(3) T_4 + T_3 : 특별한 장점이 없어 권장 안됨 (심장질환자에서는 높은 T_3로 인해 부정맥 유발 위험)
- Ix ; thyroidectomy, ablative radioiodine therapy, T_3가 낮은 경우 ⇨ 13:1~16:1 비율로!
- Liotrix (comthyroid)는 T_4:T_3가 4:1로 T_3가 너무 높음

■ 갑상선호르몬(levothyroxine) 필요량이 변하는 경우

필요량 증가
임신 (30~50% 증량) : TBG 및 기초대사량 증가 때문
체중 증가, 겨울철
갑상선 기능의 지속적 감소 ; Graves' dz.에서 radioiodine 투여 뒤, Autoimmune (Hashimoto's) thyroiditis
T_4 (Levothyroxine)의 흡수장애
Cholestyramine, Colestipol, Ferrous sulfate, Sucralfate, Calcium carbonate, Aluminum hydroxide gels, Lovastatin, Sertraline, Raloxifene, Omeprazole, Fibers, Short bowel syndromes (소장절제후), 위장관장애, 소장점막질환, Celiac dz., Jejunoileal bypass, 당뇨병성 설사
T_4 (Levothyroxine)의 대사 증가 ; Phenytoin, Rifampin, Carbamazepine, Dilantin, Phenobarbital, Imatinib
T_4→T_3 전환 억제 ; Amiodarone, Propranolol, Glucocorticoid, Propylthiouracil, Ipodate 등
Estrogen 치료 (e.g., HRT) : TBG↑ → 갑상선호르몬과 결합↑
필요량 감소
Autoimmune (Hashimoto's) thyroiditis에서의 자연 회복기
Graves' dz.의 재발
Autonomous nodules 발생
T_4 (Levothyroxine)의 factitious ingestion
노인 (20% 정도 감량), 여성에서 androgen 치료

c.f.) 반감기가 길기 때문에 짧은 수술로 1~2일 정도는 복용 안 해도 별 문제 안 됨
- 수술로 인해 5~7일 이상 경구섭취가 불가능한 경우 ⇨ T_4 (Levothyroxine) IV : 용량은 경구의 약 80%로
- 응급수술 전 갑상선기능저하증이 처음 발견된 경우 ⇨ T_4 (Levothyroxine) IV 이후 수술

* 갑상선호르몬 치료의 부작용
- iatrogenic thyrotoxicosis
- bone mineral loss (특히 폐경 여성), AF (노인), 심근허혈 악화 (CAD 환자), 일시적인 탈모, acute sympathomimetic Sx, pseudotumor cerebri (소아) ...

* central (pituitary, hypothalamic) hypothryoidism의 경우
- adrenal crisis 방지위해 hydrocortisone을 먼저 주고 나서 L-thyroxine 투여
- free T_4 level로 치료 효과 monitoring (∵ TSH는 믿을 수 없음)
  ↳ 2~4주 간격으로 F/U → 참고치의 upper half로 유지

5. 무증상 갑상선기능저하증 (Subclinical hypothyroidism)

- 정의 : TSH 상승 & free T_4 정상, hypothyroidism 증상은 없거나 경미함
  ↳ UNL정상 상한선 이상 (>4~5 mU/L)
- 노인, 여성에서 많다 (60세 이상 여성의 17%)
- atherosclerotic CVD (cardiovascular dz.) 발생 위험 증가 ; CAD, heart failure 등
  (→ TSH >10 mU/L, antithyroid Ab 양성인 경우 더 위험)
- 일부에서는 (특히 노인에서) hyperlipidemia 발생 증가 ; LDL, TG, Lp(a) 약간 상승
  c.f.) subclinical hypo/hyperthyroidism과 골밀도/골절위험과는 관련 없음
- **치료가 필요한 경우** (∵ true hypothyroidism으로 진행될 위험↑) : 명확한 지침은 없음
  ① TSH >10 mU/L (UNL정상 상한선의 2배) ; 65~70세 이하면 >7 mU/L부터 치료 고려
  ② TSH UNL~10 mU/L인 경우
    (1) antithyroid Ab (e.g., anti-TPO, anti-Tg) 양성
    (2) diffuse goiter
    (3) 심장질환, hyperlipidemia, 우울증, 피로, 변비, 체중증가, cold intolerance 등의 증상 동반
- TSH 상승이 3개월 동안 지속되는 지 확인하고 치료를 시작해야 됨!
  ⇨ levothyroxin 소량 (25~50 μg/day)으로 시작하여 TSH가 정상 범위에 오도록 용량 조절
- 치료 안하기로 한 경우 TFT F/U : anti-TPO Ab 양성이면 매년, 음성이면 3년 마다

6. 점액부종 혼수 (Myxedema coma)

(1) 개요

- 장기간 hypothyroidism을 치료하지 않은 노인 환자에서 유발인자에 의해 CNS와 심혈관계의 심한 기능장애가 발생한 것 (→ 요즘에는 조기진단 & 치료의 확대로 매우 드묾)
- 병인 ; hypoventilation (m/i), hypoglycemia, dilutional hyponatremia 등
- 유발인자 ; 추위에 노출, 감염(폐렴, sepsis), 외상, 수술, GI bleeding, CVA, CNS depressants, CHF, MI, pul. edema ...

(2) 임상양상

- 의식저하(심하면 coma), 저체온(hypothermia), 전신부종, 저혈압, 서맥, seizures
- hypoventilation (→ $PaCO_2$↑, resp. acidosis)
- hyponatremia, hypoglycemia, CK↑↑

(3) 치료

: medical emergency! (사망률 30~50%), 만약 TFT 검사결과가 늦어지면 우선 치료 시작
① levothyroxine (T_4) + liothyronine (T_3) IV (or NG tube)
② hydrocortisone IV (adrenal insufficiency 동반이 R/O되기 전까지는 투여)
③ mechanical ventilation (보통 처음 48시간 동안 필요)
④ IV fluids, electrolytes, glucose (전해질이상과 저혈당 교정)
⑤ 기타
  - 체온 유지를 위한 보온 조치 ; 이불 같은 것을 덮어줌
    (체온을 너무 빨리 높이면 순환량 증가로 심장에 부담이 되므로 주의)

- 유발인자의 교정 (e.g., 감염 → 항생제)
- sedatives, narcotics, overhydration (volume overload) 등은 피할 것
- 충분한 영양공급

7. 임신 중의 hypothyroidism

TSH	anti-TPO	조치
>10 mU/L	+/−	FT_4에 관계없이 치료(T_4 투여)
>UNL mU/L	+/−	FT_4 낮으면 치료(T_4 투여)
2.5~UNL mU/L	+	
	−	6개월 & 출산 후 경과관찰
LNL~2.5 mU/L	+	
	−	필요 없음

c.f.) 참고치 상한(UNL)과 하한(UNL)은 임신 시기도 고려

임신 중 TSH 참고치의 변화	
1st trimester	0.1~2.5 mU/L
2nd trimester	0.2~3.0 mU/L
3rd trimester	0.3~3.5 mU/L
[참고] 일반인	0.4~5 mU/L

*임신 초기에는 hCG의 영향으로 감소, 임신이 진행되면 정상화됨

- 임신 중 hypothyroidism의 m/c 원인 : 자가면역성 갑상선염(Hashimoto's thyroiditis)
- 임신 전부터 T_4를 사용하던 경우는 지속적으로 투여 (임신 전 TSH 2.5 mU/L 안 넘도록)
- 임신 중 hypothyroidism이 진단되면 가능한 조기에 갑상선 기능을 정상화해야 됨
  - overt hypothyroidism (TSH >10 mU/L or FT_4↓ & TSH >UNL)은 바로 치료
  - subclinical hypothyroidism (TSH 2.5~10 mU/L)은 anti-TPO Ab. 양성이면 치료
- 6~8주 간격으로 TSH를 측정하여 T_4 용량 조절, 용량을 증가시킨 경우는 4~6주 후에 TSH 재검
- 임신 초기에는 TSH 2.5 mU/L 이하로, 중기 & 말기에는 3 mU/L 이하로 용량 조절
- 대개 (특히 3rd trimester) 30~50% 정도 치료 용량을 늘리게 됨! (∵ TBG↑, 기초대사량↑)
- T_4는 다른 약제(e.g., iron, vitamin, calcium) 및 식품과 4시간 이상의 간격을 두고 복용 권장
- 출산 후에는 임신 전 복용하던 T_4 용량으로 즉시 환원! (출산 6주 후에 TSH 재검)

갑상선중독증/갑상선항진증

- 갑상선중독증(thyrotoxicosis) : 원인에 상관없는 thyroid hormone 과다 상태
- 갑상선항진증(hyperthyrodism) : thyroid gland에서 thyroid hormone이 과다 생산되는 것

갑상선중독증(thyrotoxicosis)의 원인 ★
① Hyperthyroidism : 갑상선 호르몬의 생산 증가 (RAIU ↑) 1. Primary hyperthyroidism Graves' disease (m/c, 95%) Toxic multinodular goiter (MNG) Toxic adenoma (Plummer's disease) Follicular cancer (드묾) Iodine-induced hyperthyroidism (Jod-Basedow phenomenon) ; 조영제 or iodine 함유 약물 등 (과도한 iodine이 배설된 뒤에 RAIU ↑, 아직 iodine 과다 상태면 RAIU ↓) TSH receptor의 activating mutation (AD 유전) $G_{s\alpha}$ 의 activating mutation (McCune-Albright syndrome) 2. Secondary hyperthyroidism TSH-secreting pituitary tumor Thyroid hormone resistance syndrome (일부에서) hCG-secreting tumors ; hydatiform mole, choriocarcinoma Gestational thyrotoxicosis (hCG ↑)
② Thyrotoxicosis without hyperthyroidism : 갑상선에서의 호르몬 생산 증가와 무관 (RAIU ↓) 1. 갑상선 파괴 (thyroid hormone 누출) Subacute thyroiditis (초기) Painless/silent/postpartum thyroiditis 기타 ; amiodarone, radiation, adenoma의 infarction 2. 갑상선 이외에서의 갑상선 호르몬 증가 (Ectopic/Exogenous hyperthyroidism) Ectopic production ; ovarian teratoma (struma ovarii[난소갑상선종], 난소에 갑상선 조직 존재), 기능성 분화갑상선암(e.g., follicular ca.)의 타 장기 전이 Thyrotoxicosis factitia (thyroid hormone 과다 복용) Hamburger thyrotoxicosis (우연히 동물의 갑상선 조직 섭취)

■ Graves' Disease ■

- TSH-R (receptor) Ab (bioassay로는 TSI)가 원인인 autoimmune dz.
- thyrotoxicosis의 m/c 원인 (60~80%), 20~50대 여성에서 호발, 남:여 = 1:10
- triad
  - hyperthyroidism with diffuse goiter
  - ophthalmopathy/orbitopathy (자가면역기전)
  - dermopathy : pretibial or localized myxedema

1. 병인

- Graves' dz. 발생의 위험인자
  - 유전적 소인 ; HLA-DR, *CTLA-4, CD25, PTPN22, FCRL3, CD226*, TSH-R 등의 유전자 (일란성 쌍생아에서의 동시 발생률 : 20~30%)
  - 환경요인 ; stress, iodine 섭취의 갑작스런 증가, 출산후
  - 흡연 : Graves' dz.에는 minor 위험인자지만, ophthalmopathy에는 major 위험인자

• hyperthyroidism의 발생 (autoimmune mechanism)
  - TSH-R Ab (TRAb, bioassay로는 TSI)가 주로 관여함
  - thyroiditis 등도 영향을 주므로 TSI level과 hyperthyroidism 정도(갑상선호르몬 농도)는 직접 관련 없음
  - 임신시 high titer는 태반을 통과하여 fetal/neonatal thyrotoxicosis도 유발 가능!
  - T cell-mediated cytotoxicity도 관여
  - 약 15%에서는 spontaneous autoimmune hypothyroidism도 발생 가능
• ophthalmopathy : 외안근에 T cell 침윤 (∵ orbit에서 TSH-R과 비슷한 autoAg 발현)
  → IFN-γ, TNF, IL-1 분비 ↳ TRAb level은 severity와 비례
  → fibroblast 활성화, glycosaminoglycan 합성 증가 (→ 수분축적 → 근육부종)

2. 임상양상

(1) thyrotoxicosis의 증상

① 발한(excessive sweating), 피곤, 체중감소, 열과민증(heat intolerance), 가려움
② 식욕은 정상 or 증가, 잦은 배변과 설사
③ 두근거림(palpitation, 안정시에도), dyspnea
  (노인에선 angina pectoris나 cardiac failure 촉진)
④ 심혈관계 ; sinus tachycardia (m/c), AF (5~22%, 50세 이상에서 흔함), CO (EF)↑,
  말초혈관 저항↓, systolic HTN, wide pulse pr., bounding pulse,
  systolic ⓜ, S_1↑, cardiomegaly
⑤ fine tremors, 감정동요(emotional lability), 신경과민(nervousness), 수면장애
  - 손가락과 혀의 fine tremor with hyperreflexia가 특징적
  - 젊은이에선 nervous Sx.이 주로, 노인에선 cardiovascular & myopathic Sx.이 주로 나타남
⑥ proximal muscle weakness (계단을 오르기 힘듦)
⑦ oligomenorrhea, amenorrhea, infertility (남성도 성기능 감퇴 발생 가능)
⑧ skin : warm, moist, palmar erythema, onycholysis (손발톱박리증)
  - plummer's nail : nail bed로 부터 nail이 분리 (ring finger에 m/c)
⑨ ocular sign ; widened palpebral fissure, infrequent blinking, lid lag, failure to wrinkle
  (∵ sympathetic overstimulation 때문) → thyrotoxicosis 교정하면 없어짐

(2) Graves' dz.의 증상

① **갑상선종(diffuse goiter)** : 보통 2~3배 크기↑ (일부는 정상), 대부분 좌우 대칭적(symmetric),
  표면은 매끄러움(smooth, soft), 일부 lobular, 압통×, bruit 청진 or thrill 촉진 가능
② **안병증(thyroid-associated ophthalmopathy)** : Graves' dz.의 30~50%에서 동반
  • 대부분 양측성 (약 10%는 일측성), Graves' dz.의 남녀비 만큼 여성에서 흔함
  • 발생↑ ; 흡연 (2배), 갑성선기능이 잘 조절되지 않을 때, radioiodine 치료 (일부에서)
  • hyperthyroidism 진단 전후 1년 이내에 가장 호발, 6~18%는 TFT 정상일 때 발병
  • spastic component ; stare, lid lag, lid retraction (“겁먹은 표정”)
    → adrenergic antagonist로 완화 (thyrotoxicosis 치료하면 정상으로 돌아옴)

• mechanical component ; exophthalmos (초기엔 일측성일 수도 있음), ophthalmoplegia, congestive ophathalmopathy (chemosis, conjunctivitis, periorbital swelling)
  - Cx. ; corneal ulceration, optic neuritis, optic atrophy
• 안구돌출 안구마비(exophthalmic ophthalmoplegia) ; upward gaze와 convergence 장애, 다양한 정도의 diplopia를 동반한 사시(strabismus)
• 대부분 경미한 편이지만, 10~15%는 심하고 오래 지속됨 (특히 고령의 남성에서 심한 경향)
• 안병증의 증상이 없어도 CT/US에서는 대부분 외안근의 비후를 보임
• 약 10%는 Graves' dz. 없이 발생 (→ 대개 autoimmune hypothyroidism or thyroid Ab 동반)

Graves' ophthalmopathy의 class (NO SPECS)	
0	No Sx/signs
1	Only signs (안검퇴축/처짐), no Sx
2	Soft tissue 침범 (안검부종)
3	Proptosis (안구돌출 >22 mm)
4	Extraocular muscle 침범 (복시)
5	Cornea 침범
6	Sight loss (실명)

기억하기는 쉽지만,
안병증을 전체적으로 기술하지 못하고,
class 순서대로 진행하는 것도 아님

③ thyroid dermopathy (<5%)
• 대개 Graves' dz. 발병 약 1~2년 뒤 발생
• 대부분 중등도 이상의 ophthalmopathy 동반
• pretibial myxedema (후반기에) … hypothyroidism의 증상 아님
• 오렌지 껍질, 돼지 피부와 같은 병변 (경계는 뚜렷)
• thyroid acropathy (<1%) ; 손/발가락의 clubbing, bony change

(3) apathetic hyperthyroidism (무감각 갑상선기능항진증)

• 60세 이상의 노인에서 흔함
• 전형적인 hyperthyroidism의 소견없이 얼굴이 무표정하고 안면부종, 전신무력감, 무관심, 우울증 등으로 발현하는 경우가 흔하다
• 심혈관 증상(심방세동, 빈맥), 심한 체중감소, GI Sx. (diarrhea, 식욕부진) 등이 주로 나타남
• 갑상선종과 안구돌출은 없는 경우가 많다
• hypothyroidism이나 심질환/신질환으로 오인되기 쉽다

(4) 경과

• 치료 안 하면 자연 치유되는 경우는 거의 없음 (대개 더욱 진행)
• 일부에서는 호전과 재발을 반복하기도 함
• 치료 후 관해된 환자의 약 15%는 10~15년 뒤 autoimmune hypothyroidism 발생 가능
• ophthalmopathy의 경과 (thyroid dz.와 다름)
  - 첫 3~6개월간은 악화, 이후 12~18개월은 plateau phase
  - 자연회복 (특히 연조직의 변화) or 악화 (약 5%, 시력상실도 가능)
  - radioiodine으로 치료하면 일부에서 (특히 흡연자) ophthalmopathy가 악화됨

3. 검사소견

(1) T_4 & T_3↑, free T_4 & T_3↑, FT_4I↑, T_3-RU↑
(T₄는 갑상선에서만 생산되나 T₃는 갑상선 이외의 말초조직에서도 T₄에서 전환되어 생성되므로 T₄ 측정이 더 바람직)

(2) TSH↓ (secondary hyperparathyroidism에서는 N~↑)

(3) RAIU↑ (정상 : 5~30%)

(4) antithyroid Ab (+)
- TSH receptor Ab (TRAb, TBII, bioassay로는 TSI) : 거의 대부분 (+), 치료하면 titer↓/소실
  - 치료 뒤 TRAb 존재 여부는 예후(재발)의 지표!
  - Graves' dz. 치료에 따라 TSI보다 TSBAb (→ hypothyroidism)가 우세해질 수도 있음
- anti-TPO Ab (80%), anti-Tg Ab (40%) … 다른 갑상선질환에서도 양성으로 나오므로 도움×

(5) TRH stimulation test에 무반응, T_3 suppression test 이상

(6) BMR↑, ALP↑, cholesterol↓, glycosuria, hypokalemia, hypercalcemia

(7) thyroid scan ; Graves' dz.는 미만성 비대를 보임

(8) thyroid sonography
- diffusely low echogenicity (c.f. chronic autoimmune thyroiditis [Hashimoto's dz.]도 같음)
- color flow Doppler ; hyperemia (blood flow↑) ↔ Hashimoto와 destructive thyroiditis는 ↓

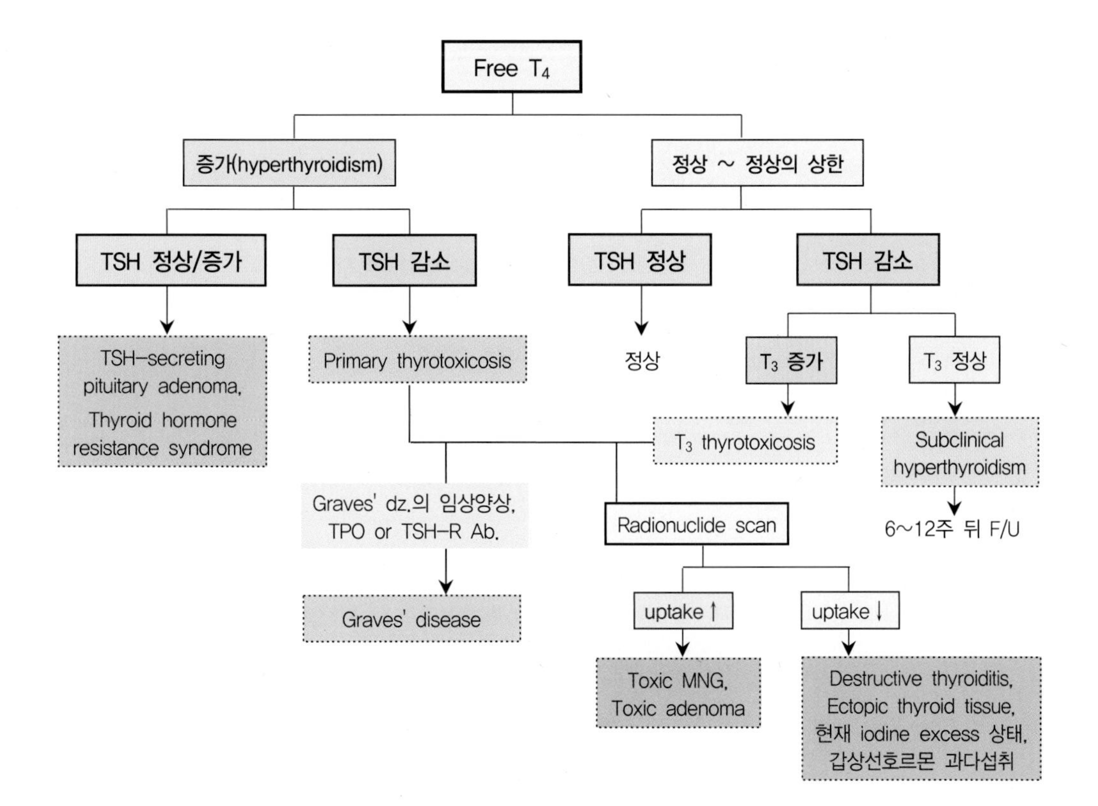

4. 진단

- 1차 선별검사 : TSH, free T_4
- 2차 검사
  - RAIU : 갑상선중독증의 원인 감별진단 위해 (Grave's dz.에선 ↑)
  - TSH receptor Ab. (TBII, TSI) : Grave's dz. 진단에 도움
  - total T_3 : T_3-갑상선중독증 [TSH↓, free T_4 정상] 확인을 위해 필요

* TSH-secreting pituitary tumor : inappropriate TSH (N~↑), α-TSH↑, pituitary CT/MRI
* subacute thyroidits : ESR↑, RAIU↓↓, severe tender goiter
* thyrotoxicosis factitia : thyroglobulin↓, RAIU↓, no goiter
* Hashimoto's thyroiditis (초기) : TSH↑, RAIU↑, scan에서 irregular uptake

★ free T_4는 증가되어 있는데도 TSH가 정상~증가된 경우 (inappropriate TSH)
① hypothyroidism 환자가 T_4를 불규칙하게 복용하는 경우(poor compliance) ⋯→ 가장 먼저 확인
② TSH-secreting pituitary adenoma
③ thyroid hormone resistance syndrome (RTH) ; thyroid hormone receptor mutation
(c.f., hCG 증가에 의한 secondary hyperthyroidism에서는 TSH↓)

■ **Resistance to thyroid hormone (RTH)** 갑상선호르몬 저항 증후군
: 갑상선호르몬에 대한 표적 조직의 반응이 감소한 유전질환, 드묾, 남=여, 거의 다 AD 유전
(1) **RTH-beta (classic RTH)** ; >90%, TR (thyroid hormone receptor) β gene (*THRB*)의 mutations
- mutant TRβ가 정상 TRβ와 TRα를 억제함 (dominant negative activity)
- free T_4↑, T_3↑, inappropriate (정상~↑) TSH (∵ 표적의 hypothyroid 상태에 의한 feedback)
- 갑상선호르몬 작용의 보조인자들 때문에 같은 mutation이라도 저항정도(임상양상)는 다양하게 나타남
- hypothyroidism 증상은 없거나 미미함 (∵ 호르몬 저항성은 부분적 + 보상성 호르몬 증가)
  ; goiter (m/c), 과잉행동, 빈맥, 주의력 결핍, 경미한 지능저하, 성장지연 ...
- 대부분 치료 필요 없음 (hyperthyroidism으로 오진하여 치료하지 않도록 주의!)

(2) **NonTR-RTH** ; RTH-beta 환자 가족의 약 15%에서 THRB mutations이 발견 안되는 경우
- 임상양상 및 검사소견은 RTH-beta와 구별 안됨
- 호르몬과 receptors 상호작용의 보조인자의 mutations으로 추정됨

(3) **RTH-alpha** ; TR (thyroid hormone receptor) α gene (*THRA*)의 mutations
- TRα는 hypothalamic-pituitary-thyroid axis의 feedback regulation에 관여하지 않음
  → free T_4↓~N, T_3 N~↑, TSH는 대개 정상
- congenital hypothyroidism의 양상 ; 성장지연(저신장, 뼈연령↓), skeletal dysplasia, 심한 변비
- 심한 경우 T_4 치료 필요

■ **T_3-thyrotoxicosis**
- thyrotoxicosis의 증상을 보이면서 (TSH↓) total & free T_4는 정상이고, total & free T_3만 증가된 경우
- thyrotoxicosis 환자의 2~5%, 고령에 많음, 요오드 결핍 지역에서는 더 많음
- 임상증상은 경미한 편이며, 항갑상선제에 대한 반응 양호함
- 원인 (나타나는 경우)
  ① Grave's dz. 발병 초기, 치료 후 재발시, 항갑상선제 치료 중 일부에서
  (∵ thyrotoxicosis에서는 일반적으로 T_4보다 T_3가 더 많이 분비됨)
  ② autonomously functioning thyroid nodules ; toxic multinodular goiter, toxic adenoma
  ③ 갑상선암 전이에 의한 thyrotoxicosis
  ④ gestational trophoblastic dz.에 의한 thyrotoxicosis

5. 갑상선기능항진증의 치료

(1) 항갑상산제(antithyroid drugs, thionamides)

- 기전 : TPO (thyroid peroxidase) 기능 억제가 主, thyroid Ab level↓
  (↳ iodine의 oxidation, organic binding, coupling을 방해)
- **propylthiouracil (PTU)**, carbimazole, <u>methimazole</u> (carbimazole의 metabolite)DOC
- 대부분 methimazole 우선 사용 (∵ 작용시간↑ → 1일 1회 투여 가능, PTU보다 치료 효과 빠름)
- PTU ; 고용량에서는 말초 $T_4 \to T_3$ 전환도 억제함 (→ T_3 더 빨리↓, thyrotoxic crisis에서 유리), 혈장단백 결합↑(→ 태반통과 & 유즙분비↓ → 임신/수유시 유리), 부작용이 더 많은 단점
- 적응
  ① mild hyperthyroidism
  ② young age, 갑상선종의 크기가 작을 때
  ③ 임산부 (최소량 투여, 임신 초기에는 PTU)
  ④ 수술 전처치, 방사선 요오드 치료 전후
  ⑤ thyrotoxic crisis
- TFT (fT_4, TSH) F/U : 3~4주째, 갑상선기능 정상화까지 매달, 정상화 이후에는 2~3개월 마다
- 초기에는 고용량으로 투여, 증상이 호전되면 점차 감량하여 저용량으로 <u>장기간 유지함</u>
  ┌ 초기용량 : PTU 300~600 mg/day, methimazole 20~60 mg/day
  └ 유지용량 : PTU 50~100 mg/day, methimazole 2.5~5.0 mg/day
  - thyrotoxicosis 호전되면 서서히 감량("titration regimen") : 3~4주째 <u>fT_4</u>에 따라 용량 조절
    c.f.) block-replace regimen (고용량의 항갑상선제 + T_4) : drug-induced hypothyroidism 예방 및 치료반응↑ 기대되었으나 치료 효과는 차이 없으면서 항갑상선제 부작용만 증가 → titration regimen이 선호됨
  - 2~3주 이후 증상 호전, 대부분 <u>4~6개월</u> 이후에 정상 갑상선기능(free T_4) 회복
  - TSH : euthyroid 상태가 된 (fT_4 N~↓) 이후로도 계속 억제되어 있는 경우가 많음
    (∵ pituitary 회복에 6~8주 이상 필요) → 치료반응 평가 지표로는 부적합!
  - 갑상선종이 크거나 치료 전 T_3가 높은 경우 항갑상산제가 빨리 대사되므로 고용량으로 투여
- 교감신경자극과 관련된 증상은 비교적 빨리 호전되고, 이화작용과 관련된 증상은 늦게 회복됨
- 안병증(ophthalmopathy)은 항갑상선제 치료에 의해 영향을 받지 않음!
  (but, 교감신경자극과 관련된 lid lag, lid retraction, stare 등의 증상은 호전됨)
- <u>18~24개월</u> 치료해야 장기 관해율 최대(<u>30~50%</u>), block-replace regimen은 6개월에 최대
- antithyroid drugs 치료만으로 관해가 올 확률이 높은 경우
  ① 치료 시작 전 TSII 음성인 경우　② 치료 도중에 TSII가 음전된 경우
  ③ 여성, 고령
  ④ 갑상선종(goiter)의 크기가 작은 경우
  ⑤ 치료 시작 전 갑상선기능항진증이 경미한 경우
  ⑥ 치료 도중에 갑상선종의 크기가 현저히 감소한 경우
- 치료 중 thyroid 크기가 더 커지는 경우
  ① overtreatment로 인한 hypothyroidism 발생 (∵ T_4↓ → TSH↑↑)
  ② undertreatment
  ③ 질병 자체의 reactivation

* **Antithyroid drugs의 부작용**

① mild transient leukopenia (m/c, 10~25%) : differential %는 정상
- 약 끊을 필요 없음 (∵ agranulocytosis 및 감염과는 무관)
- PMN의 절대수가 1500/μL 이하로 떨어지면 약 끊어야 됨

② agranulocytosis (m/i, 0.2~0.5%) : granulocyte <500/μL (대부분 거의 0)
- 대부분 치료시작 1~3개월 사이에 발생 (1년 이후에도 가능), 전구증상 없이 갑자기 고열 (>40℃), sore throat, oral ulcer 등으로 발생 (CBC monitoring으로 사전 예측 불가능!)
- 발생 위험은 methimazole은 용량에 비례, PTU는 용량에 관계없음
- 기전 : autoimmune (anti-granulocyte Ab)
- Tx ⓐ 항갑상선제 모두 중단! : 끊으면 대부분 회복, 안 끊으면 대부분 사망
  (PTU와 methimazole 사이에는 교차반응이 있을 수 있으므로 서로 교체는×)
  ⓑ G-CSF (최근 연구 결과로는 효과 없지만, 권장됨)
  ⓒ 광범위 항생제 투여
  ⓓ 다른 치료 방법 사용 ; propranolol, radioiodine, 수술
  (steroid는 효과 없음!)
- 한번 agranulocytosis가 발생한 환자에게는 다시는 모든 antithyroid drugs를 쓰면 안 됨

③ 과민성 반응 (3~5%)
- 피부소양증, 담마진 등의 피부병변이 m/c
- 탈모, 관절통, 근육통, 경한 발열
  ] (→ 저절로 or 다른 약제로 대치시 호전 가능)
- lupus-like Sx. & ANCA(+) vasculitis : 드묾, PTU에서 흔함 → 약 중단 & 재투여 금지!

④ toxic hepatitis : 매우 드묾, 대부분 PTU에서 발생 → 약 중단 & 재투여 금지!
(약 30%에서 나타나는 일시적인 LFT 상승은 경과 관찰)

* 심한 부작용은 methimazole보다 PTU에서 더 흔함!
⇨ 임신 초기와 thyrotoxic crisis를 제외하고는 methimazole 사용 권장

Antithyroid drugs의 부작용
1. Severe Agranulocytosis* (0.2~0.5%) 드문 부작용 Hepatitis* (hepatic failure도 발생 가능) Cholestatic jaundice … methimazole에서만 발생 Thrombocytopenia, Aplastic anemia Hypoprothrombinemia Lupus-like syndrome with vasculitis* Hypoglycemia (insulin Ab)
2. Less severe 흔한 것 (1~5%) : Rash, Urticaria, Arthralgia, Leukopenia, Fever 드문 것 : Arthritis, Diarrhea, 식욕감소 (미각 이상)
3. Hypothyroidism (용량 과다시) → levothyroxine 투여

* major Cx : PTU에서 더 흔함, 항갑상선제 중단 및 재투여 금기!

(2) Radioiodine (radioactive iodine, RAI) : ^{131}I

- 베타선에 의해 갑상선 조직을 파괴, 용량은 대개 5~15 mCi
  (thyrotoxicosis가 심하거나 goiter가 크면 용량↑, radioiodine uptake가 높으면 용량↓)
- 노인과 심장질환자는 갑상선호르몬을 고갈시키기 위해 항갑상선제(PTU)로 전처치 시행
- 가장 효과적이며 경제적이나, 부작용이 문제 (c.f., 처음 며칠간은 방사선 안전조치 필요)
- 젊은 환자보다는 고령의 환자에서 더 좋음
- 미국에서는 hyperthyroidism의 primary Tx. (우리나라/일본/유럽은 antithyroid drugs)
- 적응 … severe hyperthyroidism
  ① 더 이상 아이를 갖지 않을 경우
  ② antithyroid drug 치료 후 재발 or antithyroid drug의 부작용 있을 때
  ③ 수술 뒤 재발한 thyrotoxicosis
  ④ 수술 거부시 or 다른 중증질환으로 수술이 불가능할 때
  ⑤ toxic multinodular goiter, toxic adenoma
- 금기
  ① 임신, 수유중 … 절대 금기 (c.f., RAI 치료후 6~12개월 뒤에는 임신 가능)
  ② 10세 미만 소아 (큰 소아 및 청소년에서는 안전)
  ③ 심한 갑상선항진증 (→ radiation에 의한 갑상선의 파괴에 따른 thyroid storm을 방지하기 위해 β-blocker 전처치가 필요)
  ④ AMI
- 부작용
  ① hypothyroidism (m/c) : 대부분의 환자에서 5~10년 뒤 발생
    - 치료 1년 뒤 10~20%, 그후 1년마다 5%씩 발생 위험 증가
    - but, hypothyroidism의 치료(L-thyroxine 보충)는 간편하고 경제적이므로 thyroid ablation을 목적으로 치료함
  ② radiation thyroiditis : early Cx (RAIU↓, thyrotoxic Sx. 발생)
    - 예방 위해 antithyroid drug로 전처치(1개월 이상) 및 후처치 시행
    - ^{131}I 투여전
      - PTU : 몇 주 전에 중단 (∵ PTU의 radioprotective effect)
      - carbimazole, methimazole : 최소 3일 전에 중단 (∵ iodine uptake 방해)
  ③ malignant risk는 없다 : 성인에서는 갑상선암이나 다른 암, 백혈병의 발생을 증가시키지 않음 (불임도 일으키지 않음)
    - but, 소아에서는 암 발생 위험 증가 (→ 어린 소아에서는 금기)
  ④ ophthalmopathy 발생/악화 가능 (대개는 경미하고 일시적)
    → moderate ~ severe ophthalmopathy 환자에서는 radioiodine 권장 안됨
    (↳ 수술을 거부하거나 항갑상선제 부작용 시에는 steroid와 병용해 사용 가능)

(3) 수술 (subtotal or near-total thyroidectomy)

- 치료 효과는 가장 빠르다 (3~9주 이내)
- 전처치 ; antithyroid drug, lugol's solution (KI), β-blocker
  (→ euthyroid state로 만들고, 갑상선의 vascularity를 감소시킨 뒤 수술)

- 적응
  ① 젊은 연령에서 갑상선종이 매우 클 때, moderate~severe ophthalmopathy
  ② toxic adenoma, toxic multinodular goiter
  ③ 악성이 의심되는 결절 동반 (e.g., cold nodule)
  ④ pain, dysphagia 등의 압박증상
  ⑤ antithyroid drug 치료후 재발 or 부작용으로 투여할 수 없을 때
  ⑥ 임신 등 ^{131}I 치료를 할 수 없는 경우
- 갑상선 수술 후의 합병증
  ① 재발 (<2%)
  ② hypothyroidism (1~2년 이내에 5~50%)
  ③ hypoparathyroidism (3~30%, 영구적 손상은 1% 미만) → 다음 장 참조
  (→ 수술시 적어도 2개 이상의 부갑상선을 확인, 보존해야 됨)
  ④ recurrent laryngeal nerve 손상 (0.4%)
  ┌ 한쪽만 손상 → 성대마비, 애성(hoarseness)
  └ 양쪽 다 손상 → 호흡곤란, tracheostomy 필요
  ⑤ sup. laryngeal nerve의 external branch 손상 → 고음 발성 장애, voice fatigue, 떨림 장애
  ⑥ 기타 ; 기관지 부종, 출혈, 감염, 공기 색전증 등

(4) Iodides

┌ inorganic iodine ; KI (Lugol's solution, SSKI), NaI
└ iodinated contrast agents (iopanoic acid, ipodate sodium)
: hormone 분비 억제 & $T_4 \rightarrow T_3$ 전환도 억제

- 기전 (과량의 iodide 투여시)
  ① iodide의 갑상선 내로의 이동 억제
  ② iodide의 oxidation과 organification 억제 (Wolff-Chaikoff effect)
  ③ hyperfunctioning thyroid에서 이미 만들어진 hormone의 방출을 신속히 억제 (m/i)
  ④ 갑상선의 혈류량(vascularity) 감소
- 반드시 항갑상선제와 병용! (항갑상선제의 빠른 치료효과를 얻기 위한 보조요법)
  → 항갑상선제를 먼저 투여하고 1일 뒤부터 iodide 추가 (∵ 새로운 thyroid H.의 생성 방지)
- 적응
  ① thyrotoxic crisis (다량의 antithyroid drug와 병행)
  ② 심한 심장질환 등 매우 신속하게 갑상선상태를 정상화시켜야할 때
  ③ radioiodine or 수술의 전처치
  ④ 항갑상선제를 복용하지 못할 때
  ⑤ 신생아의 thyrotoxicosis (Graves' dz. 산모)
- 2~3주 이상 투여하면 rebound phenomenon이 나타나므로 장기간 투여하면 안 됨
  (∵ 방출되지 못했던 thyroid hormone의 방출이 증가)

(5) β-adrenergic blocker (propranolol, atenolol)

- 일과성의 thyrotoxicosis 증상 때 antithyroid drug와 병용 (보조적으로 사용)
- thyrotoxicosis 증상(e.g., 빈맥)을 완화시킴 (갑상선의 기능에는 영향 없다)

• 기전

① membrane stabilizing effect

② 말초에서 $T_4 \rightarrow T_3$ conversion 억제 (∵ type 1 deiodinase 억제)

③ β-blockade effect : 혈액공급차단, palpitation 등의 Sx↓

• C/Ix ; asthma, severe heart dz.

* 항응고제(warfarin) : AF 발생된 환자에서 고려, 대개 더 많은 용량이 필요함

(6) 치료후 예후 판정 인자 (prolonged remission↑, 재발↓)

① TSH-R Ab (TSI) titier↓ (m/i)

② TSH titer 정상 or ↑

③ TRH stimulation test에서 정상 반응

④ T_3 suppression test에서 정상 반응 : T_3 복용(→ TSH↓) 한 뒤 RAIU 측정

- 정상 : 원래보다 RAIU 50% 감소
- 억제 안 되면 hyperthyroidism

⑤ goiter의 크기 감소

Graves' dz.의 prognostic factor

Good Px.	Poor Px.
갑상선종이 작거나 없는 경우 처음 발병한 경우 임상소견이 경미한 경우 증상 발현 시간이 짧은 경우 치료 도중 갑상선종이 작아지는 경우 치료 도중 TSH-R-Ab가 음전되는 경우	갑상선종이 매우 큰 경우 20세 미만, 남자 재발한 경우 T3 predominant thyrotoxicosis 치료 도중 갑상선종이 커지는 경우

6. 갑상선중독발작(Thyrotoxic crisis, thyroid storm)

• 정의 : thyrotoxicosis의 signs & Sx.의 심한 악화

• 과거에는 수술 전처치 불충분으로 수술 뒤 흔히 발생했으나 (surgical storm), 현재는 치료를 하지 않고 방치하거나 불충분한 치료로 인해 발생 (medical storm), 드묾

• 유발인자 ; acute illness (e.g., 감염(m/c), 외상, stroke, AMI, PE, DKA, 분만), 수술(특히 갑상선), radioiodine 치료, stress, digitalis 중독 ...

• 증상 ; high fever (40℃ 이상), sweating, extreme irritability, delirium, seizure, coma, severe tachycardia, arrhythmia (e.g., AF), hypotension, CHF, vomiting & diarrhea, jaundice

• 치료

① supportive Tx : vital sign 유지, fluid & electrolyte, glucose, vitamin B, shock에 대한 처치, cooled humidified oxygen tent, 해열제(AAP)

② 유발인자의 교정 (e.g., 감염 → 항생제)

③ 고용량의 antithyroid drug (PTU) 500~1000 mg loading & 4시간마다 250 mg 투여

- oral, NG tube, rectum (PTU는 IV 없음)
- PTU의 $T_4 \rightarrow T_3$ 전환 억제 효과로 thyrotoxic crisis 때 choice

*antithyroid drug를 사용 못하는 경우 ⇨ thyroidectomy가 TOC

④ 고용량의 iodides : 반드시 1~2시간 전에 PTU 먼저 투여하여 갑상선호르몬 합성을 차단해야 됨

⑤ 고용량의 β-blocker : **propranolol** IV/oral (or short-acting esmolol IV)

- 말초에서 $T_4 \rightarrow T_3$ conversion 억제
- 빈맥 등의 adrenergic Sx↓ (HR와 BP 감소에 주의하며 사용)

*심부전 등으로 β-blocker가 금기이면 CCB (e.g., diltiazem) 사용

⑥ 고용량의 dexamethasone : **hydrocortisone** 300 mg loading & 8시간마다 100 mg IV

- thyroid hormone의 분비 억제, 말초에서 $T_4 \rightarrow T_3$ conversion 억제
- 자가면역기전 억제(e.g., Graves' dz.), 동반된 adrenal insufficiency 예방

⑦ bile acid sequestrants (e.g., cholestyramine)

: 간에서 대사되어 enterohepatic circulation되는 갑상선호르몬의 재사용을 억제

⑧ 체온 하강 조치 ; cooling blanket, acetaminophen 등

- digitalis : AF 환자에서 ventricular rate를 조절할 때에만 사용 고려
- aspirin은 금기! (∵ T_4/T_3와 TBG의 binding 방해 → free form 증가)
- radioactive iodine도 금기

• 예후 : 치료해도 mortality ~30%

7. 임신 중의 hyperthyroidism의 치료

(1) antithyroid drug가 원칙!

• 저용량(PTU ≤200 mg/day)에서는 산모나 태아에 risk 적다 (매우 안전)

• PTU가 methimazole보다 좋음

∵
- 단백질 결합이 많아 태반 통과가 적음!
- 수유시에도 모유에 적게 존재 (별 문제 안됨)
- $T_4 \rightarrow T_3$ conversion도 억제

- 부작용으로 PTU를 사용할 수 없는 경우에는 methimazole, carbimazole 사용 가능

• 용량은 1/2~1/3로 줄여서 투여 (가능한 low dose로)

• 임신이 진행됨에 따라 자연 호전되는 경향이 있으므로 FT_4, TSH를 자주 측정하면서 용량 조절

• 치료목표 : FT_4를 정상의 상한(UNL), TSH는 정상의 하한(LNL)으로 유지

- 임신 20주 이후에는 FT_4를 정상의 상한보다 약간 높게 유지함 (→ 용량을 줄이게 됨)
- 대개 임신 3기 때는 치료 중단 가능 (∵ 임신중 TSI↓)

• 과량 투여시 태반을 통과하여 태아 TSH↑, goiter 유발, 심하면 fetal hypothyroidism 유발 가능

• 산모에게 thyroid hormone 투여는 태아의 hypothyroidism 발생 예방에 효과 없다
(∵ T_3, T_4는 태반을 잘 통과 못 함!)

(2) 수술 (subtotal thyroidectomy)

: hyperthyroidism 심하거나, 1st trimester때 300 mg/day 이상의 PTU투여가 필요하게 되면,
2nd trimester 때 시행 (1st, 3rd엔 금기)

* radioactive iodine : 금기 (수유 중에도 금기)

* 무기요오드(e.g., lugol 액) : 태반을 통과하여 태아에게 심한 갑상선종을 일으킬 수 있으므로 금기

* β-blocker : 주의 (∵ 태아 성장 지연, neonatal respiratory depression 초래할 수 있음)
  → 심한 thyrotoxicosis 증상이 있을 때에만 가능한 부작용이 적은 약제로 단기간 사용
* 치료하지 않으면 → 조기 유산, 미숙아, 저체중아, 선천성기형, 신생아사망 위험 증가
* 출산 2개월 후에도 증상이 악화될 수 있다

8. Ophthalmopathy의 치료

: 안병증 자체의 진단/치료는 갑상선기능과 관계없이 시행 (치료에 항갑상선제는 도움 안 됨!)

(1) mild~moderate case

- 적극적으로 치료할 필요 없다 (대개 자연 호전됨!)
- 취침시 머리를 높임, diuretics (→ periorbital edema 감소)
- tinted glasses (태양광선, 바람, 이물질 등으로 부터 보호)
- 인공눈물(e.g., 1% methylcellulose), 눈연고, plastic shields (→ 각막의 건조 예방)
- 금연

(2) severe case (e.g., 시신경 침범, 결막 부종 → 각막 손상)

- <u>high-dose glucocorticoid</u> ± cyclosporine (약 2/3에서 단기간 효과를 볼 수 있음)
- orbital decompression (intraorbital pr. 감소) : bony orbit 일부 제거 … 위 치료에 반응 없을때
  (c.f., 안정화된 이후에는 diplopia or 미용상 문제로도 수술 가능)
- orbital RTx. : 객관적인 효과가 있는 지는 논란

c.f.) thyroid dermopathy : 대개 치료 필요 없다
  ① occlusive dressing 하에 topical glucocorticoid 연고
  ② octreotide : 일부에서 효과적

9. Thyrotoxic (hypokalemic) periodic paralysis

- thyrotoxicosis 환자의 약 10%에서 발생, 서양에서는 드물고 <u>동양인 남성</u>에서 호발
- 가족력은 없음 (familial periodic paralysis와 차이, 나머지 임상양상은 거의 똑같음!)
- 주로 <u>하지</u>의 양측성 paralysis, weakness 반복 / 주로 <u>근위부</u>에 호발 / 대부분 저절로 회복됨
  (약 35%는 상지까지 침범 가능, 감각소실이나 의식장애는 없음, 호흡근 마비는 극히 드묾)
- 유발요인이 있은 뒤 쉴 때 (주로 <u>밤</u>에) 발생 (hypokalemia 동반)
- 유발요인 (∵ insulin↑ → 갑자기 K^+가 세포 내로 유입됨)
  ; high carbohydrate diet, alcohol, 아주 심한 운동/노동(e.g., 육체노동자), 여름철에 호발
- Dx : 갑상선 기능 검사, 혈청전해질 검사
- Tx : 대개 내버려 둔다 (갑상선중독증이 치료되면 대부분 회복됨), K^+ 투여하면 증상 완화에 도움, K^+에 반응 없으면 β-blocker 투여
- 예방 : β-blocker (횟수 & 중증도↓) / K^+ 예방적 투여 및 acetazolamide는 도움 안됨

	갑상선중독성 주기마비	가족성 주기마비 (AD 유전)
발병 연령	20~50세	<16세
가족력	−	+
인종	동양인	서양인
갑상선호르몬 투여시	악화	호전
Acetazolamide	−	예방 효과
Propranolol	예방 효과	−

둘 다.. 남>여
Attack은 드물게 발생
몇 시간~며칠 지속 가능

유발요인도 비슷함
(고탄수화물 식이, 운동, stress)

10. Hashitoxicosis

- 심한 Hashimoto's thyroiditis 중에 저장된 thyroid hormone의 유리로 인해 thyrotoxicosis가 발생한 것, 출산 이후의 여성에서 흔하다
- antithyroid Ab. (+) : high titer
- RAIU↓ (↔ Grave's dz.와 차이)
- Tx : propranolol
- hypothyroidism이 발생하는지 주의 깊게 F/U 해야 (TFT)

갑상선염 (Thyroiditis)

갑상선염의 종류	
급성(Acute)	감염 ; 세균(m/c), 진균 방사선 갑상선염 (^{131}I 치료 뒤) Amiodarone (subacute or chronic도 가능)
아급성(Subacute)	바이러스성 (또는 육아종성) 갑상선염 아급성 림프구성 갑상선염 ; 무통성 갑상선염, 산후 갑상선염
만성(Chronic)	만성 림프구성 (또는 자가면역성) 갑상선염 ; 하시모토 갑상선염, 위축성 갑상선염, 국소 갑상선염 섬유성 갑상선염 ; Riedel 갑상선염 기생충 갑상선염 (echinococcosis, strongyloidiasis, cysticercosis) 외상성 갑상선염 (촉진 뒤)

1. Acute thyroiditis

- 드물며, 주로 면역저하자에서 발생, 대부분 세균성 감염이 원인 (*Staphylococci, Streptococci, Enterobacter* 등이 흔한 원인균)
- 임상양상 ; 급성 전경부 통증 (→ 귀, 하악부로 방사 흔함), fever, dysphagia, 전경부 피부의 발적/압통, 움직이는 종괴 ...
- ESR↑, WBC (neutrophil)↑, 갑상선 기능은 정상

- 치료 : 항생제 (abscess → surgical drainage)
- 합병증 (드묾) ; tracheal obstruction, septicemia, retropharyngeal abscess, mediastinitis, jugular venous thrombosis ...

2. Subacute (granulomatous, viral) thyroiditis (= Giant cell thyroiditis, de Quervain's thyroiditis)

(1) 원인

- 바이러스 감염 or 감염 이후 염증반응이 원인
  (바이러스의 종류를 밝히는 것은 어렵고, 치료와도 관련 없음)
- 30~50대 여성에서 호발 (남:여 = 1:3), 소아와 노인은 드묾, 봄~여름에 호발
- 자가면역은 크게 관여하지 않지만, HLA-B35와 관련성은 큼

(2) 임상양상

- 바이러스 감염 (URI, 감기) 1~3주 뒤에 발생
- 심한 전경부 통증 : 아래턱/귀로 radiation, swallowing시 악화
- 갑상선 종대(moderate) : 표면은 결절 모양, 견고하고 딱딱함, **압통** 매우 심함!, 피부는 따뜻함
- mild fever, malaise, weakness, myalgia
- 경과
  ① transient hyperthyroid phase ("파괴성 갑상선중독증") : 초기 3~6주
  ; palpitation, fever, sweating, weight loss
  ② transient hypothyroid phase : 6~8주
  ③ 회복기 : 갑상선 기능 정상화
- 영구적 hypothyroidism은 드물다 (10% 미만)

(3) 검사소견

① 초기에 ESR ⬆ ┐ D/Dx에 중요!
② 초기에 RAIU ⬇ (thyroid scan 상 안보임) ┘
③ 초기에 T_4 & T_3↑ (T_4/T_3 ratio↑), thyroglobulin↑, TSH↓, IL-6↑
(→ 나중에 hypothyroidism 시기에는 free T_4↓, TSH↑, RAIU N~↑)
④ antithyroid Ab : 대개 음성, 10~20%에서만 (+)
⑤ biopsy/cytology : 염증, thyroid follicles 파괴, multinucleated giant cells로 구성된 granuloma

(4) 치료

: 대증적 (→ 병의 경과엔 영향 못끼침), 대부분 3~6주 지속되다가 자연 치유됨
① analgesics ; high-dose aspirin or NSAIDs (e.g., naproxen, ibuprofen)
② steroid (prednisone) : 증상이 심하거나, NSAIDs 2~3일 치료에도 통증이 호전되지 않으면
③ β-blocker (propranolol) : 동반된 thyrotoxicosis control
④ hypothyroid phase가 오래 지속되면 소량의 levothyroxine (T_4) 투여

* RAIU와 T_4 정상화되면 치료 중지 / 항갑상선제는 사용하면 안됨!

3. Painless/Silent thyroiditis
(= Subacute lymphocytic thyroiditis, Postpartum thyroiditis, 산후 갑상선염)

(1) 원인 : autoimmune
- 여포세포의 일시적인 파괴로 갑상선호르몬이 방출
- Hashimoto's thyroiditis의 일종 (∵ lymphocyte 침윤, autoAb)
- 출산 후에 나타나면 postpartum thyroiditis라고 부름 (임산부의 최대 5%에서 발생)
- 기저 자가면역성 갑상선 질환자에서 발생 (type 1 DM 환자는 3배 호발)

(2) 임상양상
- 갑상선 통증/압통이 없는 점을 제외하고는 subacute thyroiditis와 비슷함
- 대개 출산 3~6개월 뒤 발생, mild thyrotoxicosis Sx.으로 시작
- 경과 : 초기에는 갑상선 파괴에 의한 thyrotoxicosis (2~4주)
  → 일과성의 hypothyroidism (4~12주) → 회복기(대부분 정상으로 회복)
- 일부(20~30%)에서는 영구적 hypothyroidism 발생 → 매년 TFT F/U
- 약 1/2은 뚜렷한 thyrotoxicosis 없이 작은 갑상선종만 나타난 후 바로 hypothyroidism으로 됨
- 갑상선 종대(50~60%) : 통증/압통 없음, 대칭적 & 미만성 종대(대개 mild), 때때로 딱딱함

★ subacute thyroiditis와의 차이 : 통증/압통 및 nodularity가 없음,
영구적인 hypothyroidism 발생 및 재발이 더 흔함

(3) 검사소견
① T_4 & T_3 & T_3-RU↑, thyroglobulin↑, TSH↓ (→ 회복기에는 T_4 & T_3↓, TSH↑)
② RAIU ⬇ (m/i) … Graves' dz.와의 감별에 중요!
③ ESR : 정상(대부분) or 약간 상승
④ antithyroid (특히 anti-TPO) Ab. (+) : low titer
(③, ④ ↔ subacute thyroiditis와의 차이!)
⑤ TSI는 정상 (↔ Graves' dz.와 차이)
⑥ biopsy : lymphocyte 침윤 (보통 진단을 위해서는 필요 없다)

(4) 치료
① 대부분 자연 회복되므로 경과관찰(observation)
② 대증요법
(a) hyperthyroid phase ⇨ β-blocker, aspirin or NSAIDs, mild sedation
- 위 치료에 반응 없거나 증상이 매우 심한 경우 steroid
- 항갑상선제나 radioactive iodine은 금기! (∵ 갑상선호르몬 합성 증가와 관련×)

(b) hypothyroid phase ⇨ levothyroxine (T_4)
- TSH 10 mU/L 이상인 경우 증상이 없어도 치료 권장
- 3~6개월 이후에는 중단

- 산후 갑상선염의 경우 다음 출산 후에도 재발할 가능성이 높다!
- thyroiditis에서 회복된 뒤에도 chronic autoimmune thyroiditis의 합병 or thyroiditis 재발 가능 (몇 년 뒤에도) → 정기적인 F/U 필요함

	Subacute thyroiditis	Painless thyroiditis	Graves' dz.
갑상선 통증/압통	+	−	−
갑상선 잡음(bruit)	−	−	+
이전의 URI 병력	+	−	−
출산후 발병	−	+	−
ESR 상승	현저	없음/경미	−
Serum T_3, T_4	↑	↑	↑
Antithyroid (anti−TPO) Ab	−	++	++
TSH−R Ab (TSI, TBII)	−	−	++
RAIU (정상: 5~30%)	↓	↓	↑
조직소견	granuloma	lymphocyte 침윤	lymphocyte 침윤
증상 지속기간	3개월 이내	3개월 이내	3개월 이상

* T_3/T_4 ratio : Painless thyroiditis보다 Graves' dz.에서 T_3가 상대적으로 더 높음

4. Hashimoto's thyroiditis (= chronic lymphocytic/autoimmune thyroiditis)

(1) 원인

- autoimmune thyroid dz. 중 m/c, chronic thyroiditis의 m/c 원인
- 모든 연령에서 발생 가능하지만 중년 여성에서 호발, 남:여 = 1:6~20
- 소아에서 sporadic goiter의 m/c 원인
- 가족력 有, 약 1/2에서 HLA−DR, *CTLA−4* polymorphism과 관련
  - HLA−DR5 : goitrous variant (90%)
  - HLA−DR3 : atrophic variant (10%)

(2) 임상양상

- 갑상선 비대 (goiter) : 특징! (90%에서, 10%는 atrophic variant)
  ; diffuse, firm, irregular surface (마치 나무껍질을 만지는 느낌), painless
- 대개 증상이 없고 갑상선 비대는 서서히 진행 (드물게 전경부 불쾌감 호소)
  - initial hypothyroidism (약 20%) … goitrous hypothyroidism의 m/c 원인!
  - 드물게 hyperthyroidism (Hashitoxicosis)으로도 발현 가능 (<5%)
- 대부분은 갑상선기능 정상 → 나중에 흔히 hypothyroidism으로 진행 (영구적)
  : hypothyroidism 발생 전, 보상성 TSH 증가에 의해 thyroid hormone은 정상을 유지하는 subclinical hypothyroidism 기간이 선행함
- 다른 autoimmune dz.와 동반 흔함 (e.g., adrenal insufficiency: Schmidt's syndrome)
- thyroid lymphoma의 발생률이 증가하지만 전체적으로 보면 드물다
  (다른 cancer의 발생률은 증가하지 않음)
- Hashimoto's encephalopathy (드묾)
  - EEG상 myoclonus, slow−wave activity
  - confusion, coma, 사망으로 진행 (hypothyroidism이 없이도 발생 가능)
  - steroid에 반응

(3) 검사소견

- antithyroid Ab. (m/i) : very high level
  - anti-thyroid peroxidase (anti-TPO = anti-microsomal Ab. (90~100%)
  - anti-thyroglobulin (anti-Tg) Ab. (80~90%)
  - TSH receptor Ab. : 주로 TSH-R-blocking Ab (TBII) → thyroid atrophy와 관련 (드물게 TSI도 양성일 수 있음)
- T_4, T_3, TSH : 대부분 정상(euthyroid) ⇨ hypothyroidism으로 진행 (TSH↑ → T_4↓ → T_3↓)
- TRH stimulation test : 별 가치 없다
- thyroid scan : irregular uptake (진단에 도움 안됨)
- perchlorate discharge test (+) : organification 장애
- biopsy : lymphocyte 침윤 (매우 多, 파괴적)

(4) 치료

- 목표 ; enthyroid 상태 만듦, goiter에 의한 mechanical problem 해결
- hypothyroidism 발생시 ⇨ L-thyroxine (large goiter시에도 단기간 투여)
  - 수술 : 증상이 심하거나 L-thyroxine 치료에도 호전이 없을 때
    c.f.) L-thyroxine 치료로 TSH와 free T_4가 정상을 유지해도 증상이 지속되는 경우
    → total thyroidectomy 이후 anti-TPO level↓ & 증상 호전 가능
    (∵ antithyroid Ab 생성과 염증반응을 유발하는 갑상선 항원 제거)
- 초기에 transient hyperthyroidism (Hashitoxicosis) 발생시 ⇨ 대증요법 (β-blocker)

5. Riedel's thyroiditis

- chronic thyroiditis의 드문 원인, 30~60대 여성에서 호발, 남:여 =1:3
- 임상양상 : 갑상선 및 주위 조직의 광범위한 fibrosis
  - painless goiter 및 주위압박에 의한 증상(e.g., dysphagia, dyspnea, stridor)
  - 갑상선기능은 대개 정상, 25~50%에서 hypothyroidism 발생 가능
- 다른 부위의 idiopathic fibrosis도 동반 가능
  (retroperitoneum, mediastinum, biliary tree, lung, orbit)
- 진단 : open biopsy (FNA는 실패가 흔함)
- 치료 : steroid, tamoxifen, 주위 압박 증상이 있으면 수술

6. Drug-induced thyroiditis

- 항암제 : cytotoxic agents는 갑상선 부작용이 드물지만, 새로운 targeted agents에서는 흔함
  ; tyrosine kinase inhibitors (e.g., imatinib, sunitinib, dasatinib), alemtuzumab (anti-CD52), ipilimumab, tremelimumab, thalidomide ...
- IFN-α : 약 5%에서 thyroid dysfunction (e.g., thyroiditis, hypothyroidism, Graves dz.)
- IL-2 : 2~20%에서 일시적인 painless thyroiditis 발생
- lithium : autoimmune or destructive thyroiditis
- amiodarone → 아래 참조

AMIODARONE의 갑상선에의 영향

1. 개요/작용기전

- amiodarone : 갑상선호르몬과 구조 유사, iodine 함량 37%
- iodine 섭취량 증가 효과 (50~100배) → plasma & urine iodine levels 40배 이상 증가
  (지방 조직에 축적되므로 약을 끊어도 6개월 이상 지속됨!)
  ⇨ 투여 초기에 T_4 release 억제에 의한 일시적 T_4 감소를 일으킴
- deiodinase를 억제 (T_4→T_3를 억제)
- 갑상선호르몬의 weak antagonist
  ⇨ (위 두 항목) 투여 초기 이후의 T_4↑, T_3↓, rT_3↑, 일시적 TSH↑ 등을 일으킴 (TSH는 1~3개월 뒤 정상화 or 약간↓)
- 대부분의 환자는 생리적 범위의 갑상선기능검사를 유지함 (임상적으로 euthyroid 상태)

2. Amiodarone-induced hypothyroidism

- 요오드 섭취가 많은 지역에서 호발 (~13%) … 우리나라
- 여성, anti-TPO Ab 양성일 때 발생 증가
  (병인 : autoimmune thyroiditis 때 갑상선이 "Wolff-Chaikoff effect"로부터 벗어나지 못함)
- 치료 : amiodarone은 중단 안 해도 됨!
  - 필요시 levothyroxine 보충하면 쉽게 euthyroid로 됨 (대개 높은 용량 필요)
  - TSH level로 monitoring

3. Amiodarone-induced hyperthyroidism (AIT)

- 요오드 섭취가 부족한 지역에서 호발 (10%), 요오드 섭취가 많은 지역에서는 2%
- amiodarone 투여 후 어느 때라도 발생할 수 있으나 평균 3년 정도에 발생, 흔히 갑자기 발병함
  (조직 축적 효과 때문에 약물 중단 이후에도 발생 가능)
- 임상양상 ; atrial arrhythmias 발생/재발, IHD or HF 악화, 체중감소, 불안, 미열 ...
  - euthyroid 대비 주요 심장사건(대부분 ventricular arrhythmias) 발생 위험 3배
  - LV dysfunction → 사망률↑

	type 1 AIT	type 2 AIT
기전	요오드 과다에 의한 갑상선호르몬 합성 증가 ("Jod-Basedow effect")	Lysosomal activation → "destructive" thyroiditis (histiocyte 침윤)
기저 갑상선질환	Preclinical Graves' dz., (multi) Nodular goiter	없음
Goiter	대개 존재(multinodular or diffuse)	대개 없음
Color-flow Doppler*	정상 ~ 혈류(vascularity) 증가	혈류(vascularity) 감소
Thyroid scan (RAIU)	N ~ ↑	↓
갑상선 자가항체	대개 양성	대개 음성

▶치료가 다르므로 감별이 매우 중요함

(일부 환자는 두 type을 모두 가지고 있을 수도 있음)

• 치료 : 가능하면 amiodarone은 중단! (but, 중단 불가능한 경우가 흔함)
(1) type 1 AIT (hyperthyroidism)
- 고용량의 antithyroid drugs (TOC) : 효과 없는 경우도 흔함 (∵ 갑상선내 iodine 함량↑)
- potassium perchlorate : 갑상선내 iodide 함량을 감소시킴 (드물게 agranulocytosis 발생 위험)
- lithium carbonate : 갑상선호르몬의 release 억제, 심한 경우 추가하면 회복에 도움
- 수술(near-total thyroidectomy) : antithyroid drugs에 반응이 없으면 choice, 가장 효과적
- radioiodine ablation : 대개 radioiodine가 잘 안되므로 권장×
(2) type 2 AIT (destructive thyroiditis)
- glucocorticoid (prednisone)가 TOC / potassium perchlorate 등은 추가해도 이득 없음
- 경미한 경우는 자연 호전도 가능, 호전 뒤 때때로 hypothyroidism 발생 가능
(3) mixed or 기전을 모르는 경우 ⇨ prednisone + methimazole
; 초기 치료 반응이 빠르면 type 2 시사, 반응이 느리면 type 1 시사

갑상선종 (Goiter)

1. Hyperfunctioning solitary nodule (Toxic adenoma, 중독성 선종)

• autonomously functioning thyroid nodule (hyperthyroidism 원인의 1~3% 차지)
• 90% 이상에서 유전적 이상 발견 (TSH-R or $G_{S\alpha}$ subunit의 activating mutation)
• mild thyrotoxicosis, TSH↓, 결절의 크기는 대개 3 cm 이상, 자연 관해는 드묾
• 갑상선 스캔 (확진) : "hot nodule" (나머지 갑상선 조직은 잘 안 보임)
• 치료
- **radioiodine** (10~30 mCi) : 40세 이상에서 TOC (∵ 거의 다 hyperfunctioning nodule에만 섭취됨)
- **수술** (40세 미만) : 선종적출술(adenoma enucleation), 엽절제술(lobectomy)
- antithyroid drug + β-blocker : 갑상선기능 정상화와 증상 완화에는 효과적, 장기간 사용×
- ethanol injection, laser, RF ablation 등 : 위 치료들이 불가능하거나 거부시에 고려

2. Multinodular goiter (MNG, 다결절성 갑상선종)

: 주로 요오드의 섭취가 부족한 북유럽 등지의 <u>노인</u>에서 호발 (우리나라는 드묾), 남<여

(1) nontoxic MNG

• 대부분 무증상(euthyroid), 진찰중 우연히 발견, 다양한 크기의 multiple nodules
• goiter가 매우 커지면 주위 장기 압박증상 (드묾) ; 연하곤란, 호흡곤란, 정맥울혈 ...
• 갑작스런 통증 (∵ 출혈), 쉰소리 (∵ 신경침범) → malignancy 동반 시사
• 치료 : 증상 없으면 경과관찰(F/U)
- radioiodine : 대부분 goiter 크기 40~50% 감소, autonomy 존재시 제거 가능
- 급성 압박증상 → steroid or 수술(고령으로 위험)
- suppressive thyroxine therapy : goiter 크기 감소 효과는 거의 없고 thyrotoxicosis 유발 위험
- iodine 제제들 : Jod-Basedow effect 위험으로 금기

(2) toxic MNG

- nontoxic MNG와 비슷하지만 functional autonomy를 보임 (but, 유전적 이상은 드묾), 영구적!
- subclinical hyperthyroidism or mild thyrotoxicosis 증상 동반
- 요오드의 노출 (e.g., contrast dye)에 의해 thyrotoxicosis가 유발/악화될 수 있음
- T_3가 T_4보다 많이 증가 (T_4는 정상~약간 증가), TSH↓, RAIU↑, anti-TPO (-), TSI (-)
- 치료 : Graves' dz.와 달리 자연 관해는 없음!
  - 고령임을 감안하면 radioiodine이 TOC / 압박증상이 심하거나 암 의심시에는 수술
  - antithyroid drug : 영구적으로 복용해야 하고 goiter의 성장 촉진이 흔하므로 권장 안됨
    ↳ 여생이 얼마 남지 않은 경우에는 유용

c.f.) 노인에서의 thyrotoxicosis의 원인
① Graves' dz. (m/c)
② toxic MNG (젊은이보다 상대적으로 많음)

3. Diffuse nontoxic (Simple) goiter (단순 갑상선종)

- 정의 : 염증이나 종양이 원인이 아니며, 초기에는 thyrotoxicosis나 myxedema를 일으키지도 않는 thyroid gland의 미만성 비대
- 원인
  (1) endemic goiter ; iodine 결핍 지역, 전세계적으로는 m/c 원인
  (∵ 요오드 결핍 → 요오드를 열심히 흡수하고 갑상선호르몬을 합성하기 위해 보상성으로 갑상선이 커짐)
  (2) sporadic goiter ; idiopathic (m/c), goitrogen 섭취, thyroid hormone biosynthesis의 결함
- 임상양상 ; thyroid gland 비대 (symmetric, nontender, soft), metabolic state는 정상
  - 매우 커지면 기도나 식도 압박 가능 → flow-volume curve, CT/MRI 등 시행
  - Pemberton's sign : 경정맥 압박에 의한 두경부 부종 (양팔을 머리 위로 올리면 얼굴이 충혈됨)
    ↳ substernal goiter가 thoracic inlet을 막아서 발생
- 진단 ; 초음파에서 갑상선 부피 30 mL 이상이면 goiter
  - euthyroid state의 증명 : normal serum T_4 & T_3 증명
    (때때로, 특히 iodine 결핍에서 $T_4 \to T_3$ 전환 증가에 의해 total T_4만 감소도 가능)
  - TSH : 증가될 것으로 생각되나, 대부분 정상 (∵ TSH에 대한 sensitivity↑)
  - RAIU : 보통 정상 (iodine deficiency나 biosynthetic defect 때는 증가 가능)
  * iodine 결핍의 확인 : urinary iodine level <10 μg/dL
- antithyroid Ab. 양성으로 나올 수도 있음 (→ autoimmune thyroid dz. 발생 위험↑)
- pathology : 다양, adenoma 비슷하기도 함
- 치료 (목표 : goiter의 크기 감소)
  - 소량의 iodide (iodine 결핍시)
  - goitrogen 제거 (알면...)
  - suppressive thyroxine therapy (원인 모를 때, m/c) → TSH↓
    - serum TSH (low-normal level로 유지) 및 초음파로 치료반응 monitoring 필요
    - 잠시 시도, 효과 없으면 즉시 중단 (폐경기 이후 여성에서는 금기)
  - 수술은 거의 필요 없음 (기도압박 등의 주위장기 압박 시에만 고려)

갑상선 종양

1. 갑상선 결절(thyroid nodule)의 검사

: 전인구의 4~8%에서 촉진되는 결절 존재, 초음파 상에서는 13~67%에서 발견, 나이 들수록 증가, 여성이 3~4배 많음 → 양성 95%, 악성 약 5%

(1) 갑상선기능검사

- 갑상선 결절이 발견되면 혈청 TSH를 포함한 갑상선기능검사를 시행함
  - TSH가 감소되었으면 (∵ autonomous functional nodule일 가능성)
    ⇨ thyroid scan 시행 ; 열결절(hot nodule)이면 추가적인 세포학적 검사 생략 가능
  - TSH 정상~증가 ⇨ 갑상선초음파(US) 시행 ; 결절의 확인, FNA 시행 여부 결정
- 기타 혈액검사 (주로 암 치료 뒤 F/U에 이용)
  - thyroglobulin (Tg) ; 대부분의 갑상선 질환에서 증가되므로 암 진단의 민감도/특이도 낮음
  - calcitonin ; 50~100 pg/mL 이상이면 갑상선수질암(MTC) 가능성 높음, 미세수질암과 C cell hyperplasia (CCH) 진단에도 도움

(2) 갑상선스캔(thyroid scan)

- 과거에는 갑상선결절 평가에 중요했으나, 현재는 제한적인 역할 … TSH가 감소되어 있을 때만

냉결절("cold" nodule) ; 대부분(80~85%), 악성 가능성 10~15%
(원인 ; 암, adenoma, adenomatous goiter, cyst, cystic degeneration 등)

온결절("warm" nodule) ; 10~15%, 악성 가능성 약 9%

⇨ 갑상선초음파! (냉결절, 온결절)

열결절("hot" nodule) ; <5%, 악성 가능성 거의 없음!,
요오드 섭취가 충분한 지역에서는 매우 드묾(e.g., 우리나라)
⇨ hyperthyroidism에 대한 평가 및 치료

(3) 갑상선초음파(thyroid US)

- 모든 갑상선 결절 환자에서 시행 권장, FNA 시행여부 결정에 m/i

Category (K-TIRADS)	US 소견	암 위험도	FNA 시행**
High suspicion	Solid hypoechoic nodule & 암 의심 소견 (1개 이상)*	>60%	≥1 cm (선택적으로 >0.5 cm)
Intermediate suspicion	1) Solid hypoechoic nodule & 암 의심 소견 모두 無 2) Partially cystic or isohyperechoic nodule & 암 의심 소견	15~50%	≥1 cm
Low suspicion	Partially cystic or isohyperechoic nodule & 암 의심 소견 無	3~15%	≥1.5 cm
Benign	1) Spongiform (해면모양) : microcystic areas가 50% 이상 2) Partially cystic nodule with comet tail artifact 3) Pure cyst	<3% <1%	≥2 cm –

* 암 의심 US 소견 3가지 … 진단 예민도는 낮으나, 특이도는 높음
① 미세석회화(microcalcification) : 1 mm 이하, acoustic shadowing이 없는 밝은 점 → 병리학적으로는 psammoma body[모래종체](세포가 죽어서 작은 석회화가 되어 나타나는 현상, PTC의 약 1/2에서 존재)
② 침상 or 소엽성 경계(spiculated/microlobulated margin)
③ 비평행 방향성(nonparallel orientation) or 높이가 너비보다 큼(taller than wide) 

** 0.5 cm 이하 : 갑상선암이라도 대부분 예후 좋음, 치료 이득 불분명 → 암 위험도와 관계없이 FNA 시행× & F/U
(but, 원격전이 진단 or 전이 의심 cervical LN 동반 시에는 결절의 크기와 관계없이 FNA 권장)

기준보다 작은 크기의 결절이라도 FNA를 고려해야하는 고위험군
두경부 방사선조사 과거력
소아~청소년기 사이에 전신 방사선조사의 과거력
갑상선암의 가족력, 갑상선암으로 엽절제술을 받은 병력
^{18}F-FDG PET 양성
MEN2/FMTC (familial MTC)와 연관된 *RET* 유전자 변이 존재
혈청 calcitonin ≥100 pg/mL

- cystic or solid 구별 및 결절의 크기를 정확히 알 수 있음 (1~3 mm의 결절도 발견 가능)
- 암 의심 소견은 주로 유두암(PTC)과 관련 / 여포암(FTC)과 수질암(MTC)은 특이 소견 부족함
- 결절의 F/U 및 FNA시 guide에도 이용 (US-guided FNA biopsy)

(4) 기타 영상검사

- CT, MRI, PET 등은 갑상선 결절의 기본 검사로는 필요 없음
- PET (다른 목적으로 시행 중 우연히 갑상선 결절 발견시)
  - ≥1 cm focal uptake ↑→ US-guided FNA 시행 (만약 TSH가 낮으면 thyroid scan 시행)
  - diffuse uptake (대부분 Hashimoto's thyroiditis 등) → TFT, US 시행

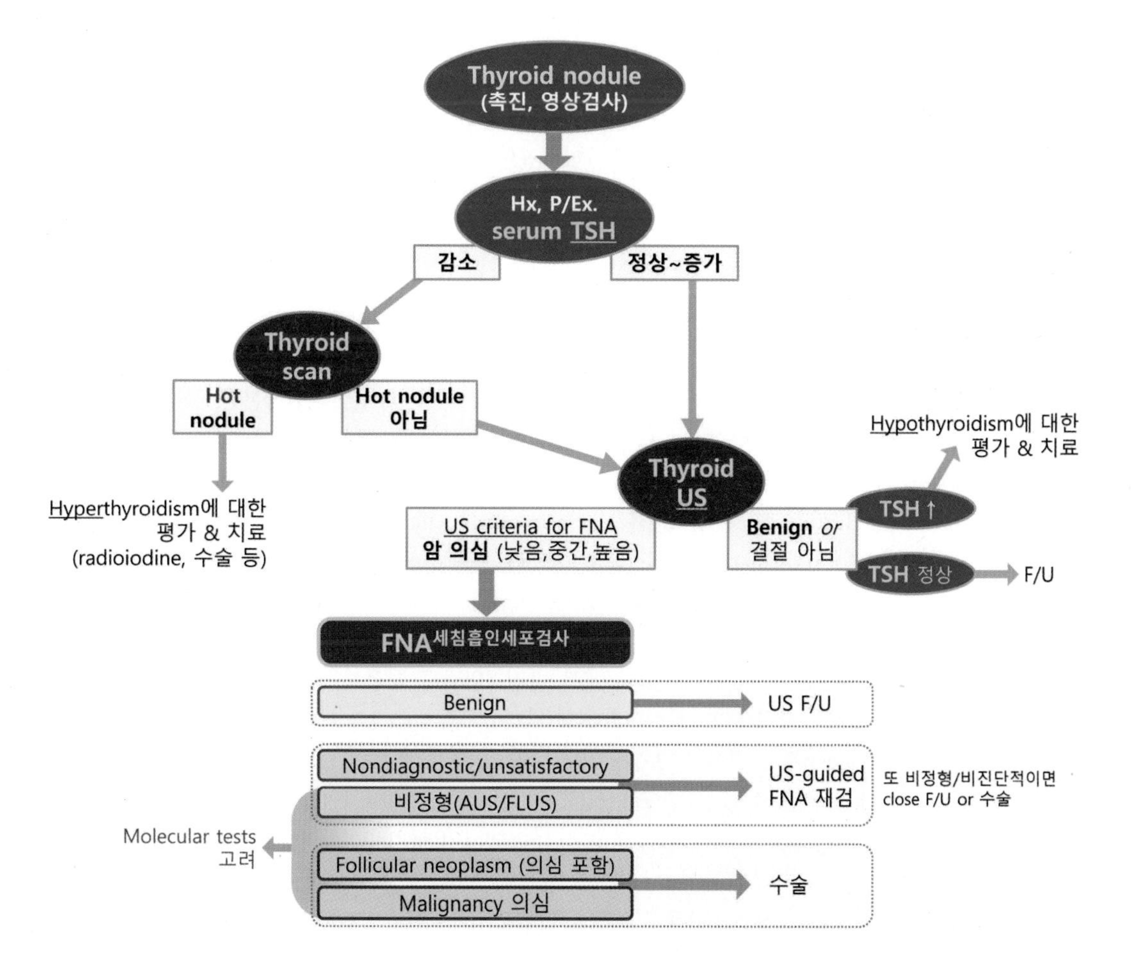

(5) fine needle aspiration (FNA) cytology

- 안전, 간단, 정확, 비용-효율적 → 갑상선결절의 진단(수술 결정)에 가장 중요한 검사!
- 양성/악성 감별에 m/g (sensitivity 83~99%, specificity 70~90%)
  (but, follicular neoplasm은 FNA로 양성/악성 구별 힘듦!)
- 일반적으로 결절의 크기가 1 cm 이상이면 시행
  (갑상선암의 위험인자가 존재하면 1 cm 미만 때도 시행, pure cyst는 2 cm 이상이면 고려)

갑상선 FNA의 Bethesda system

Bethesda class	암 위험
Ⅰ. Nondiagnostic (unsatisfactory)	1~4%
Ⅱ. Benign	0~3%
Ⅲ. Atypia of undetermined significance (AUS) or follicular lesion of undetermined significance (FLUS)	5~15%
Ⅳ. Follicular neoplasm (or suspicious for follicular neoplasm)*	15~30%
Ⅴ. Suspicious for malignancy	60~75%
Ⅵ. Malignant	97~99%

⇨ **미결정(indeterminate)** (Ⅲ, Ⅳ)
; 임상양상, 초음파소견, 크기 증가, 분자표지자 검사 등으로 경과관찰/재검/수술 여부 결정 가능

*확진을 위한 수술이 표준 치료지만, 임상양상/초음파소견에 따라 분자표지자 검사를 먼저 고려해볼 수 있음

- 비진단적 (cyst가 m/c) → FNA 재검 (1~3개월 뒤) ; 추가로 50%에서 진단 가능
- 양성(benign) ; colloid, adenomatous or hyperplastic nodule, macrofollicular 병변, simple cyst, autoimmune thyroiditis 등 ⇨ US F/U (일률적인 T_4 억제치료는 권장되지 않음)
  *유의미한 성장(부피 50%↑ or 직경 20%↑) or 새로운 특징/증상 발생시에는 FNA 시행
  - 갑상선 양성 결절의 대부분은 adenomatous goiter (colloid 풍부, US echo는 정상~감소)
  - 양성 결절 중 수술[or 국소치료(ethanol injection, laser, RF ablation등)]의 적응
    ① 악성의 가능성이 있을 때 ; follicular neoplasm, hürthle cell tumor
    ② 갑상선중독증을 동반한(toxic) 결절
    ③ 미용 상의 이유 or 주위 조직을 압박하는 증상이 있을 때 (e.g., 연하곤란, 호흡곤란)
- follicular neoplasm ; 약 20%에서 악성, 수술로 피막/혈관 침범을 확인해야 악성 감별 가능
  (1) 여포세포가 유두암 핵의 특징 없이 세포 군집 또는 소포 형태의 변화를 보이는 경우
  (2) 거의 대부분 Hürthle cells로만 구성된 경우 → oncocytic (Hürthle cell) tumors
  ↳ follicular cells보다 크고 풍부한 분홍색 세포질을 가짐 (∵ mitochondria 多)
- 미결정(Ⅲ, Ⅳ)의 경우 분자표지자 검사를 통해 수술(방식) or F/U 결정에 도움을 받을 수 있음
  (1) mutation analysis … 특이도가 높으므로 rule-in에 유용!
    - *BRAF* mutations : PTC의 40~78%에서 발견 (민감도 낮음), 특이도 매우 높음(~100%), *$BRAF^{V600E}$*가 m/c [우리나라는 더 흔함(80%), poor Px (우리나라는 논란)]
    - multiplex gene panel 검사 : *BRAF, RET/PTC, RAS (NRAS, HRAS, KRAS), PAX8/PPARγ* 등 여러 kit 연구 중 ⇨ 민감도↓(60~80%), 특이도↑(90~100%) → PPV 우수
  (2) mRNA 발현을 이용한 gene-expression profile classifier (GEC)
    ⇨ 민감도↑(90~100%), 특이도↓(20~53%) → NPV 우수 (PPV는 나쁨) → R/O에 유용!
  (3) NGS (e.g., ThyroSeq®) ⇨ 민감도 90%, 특이도 80~90% → NPV 우수 (PPV는 약간 부족)

• 악성이지만 수술대신 적극적 관찰(active surveillance)을 고려할 수 있는 경우
(1) 매우 낮은 위험도의 종양(e.g., 전이/국소침윤이 없고 혈관이 풍부하지 않은 미세유두암)
(2) 동반된 다른 질환으로 수술 위험이 높은 경우
(3) 남은 수명이 짧게 예상되는 경우(e.g., 심한 심혈관계 질환, 다른 악성종양, 초고령)
(4) 갑상선 수술 전 해결해야 할 다른 내외과적 질환의 존재

■ 갑상선 결절이 악성일 가능성이 높은 경우 ★

(1) 병력

① 20세 미만 or 65세 이상 ② 남성
③ 어렸을 때 두경부에 radiation 받은 병력 (→ 특히 papillary ca.↑)
; 나이가 어릴수록, 여자, radiation dose 많을수록 악성 위험↑
④ 갑상선암(PTC), MEN-2, 기타 갑성선암과 관련된 유전질환의 가족력
; Cowden synd., familial polyposis [Gardner synd.], Carney complex, PTEN hamartoma 등
⑤ iodine deficiency (follicular ca.) * smoking은 아님!

(2) 임상소견

① 결절이 매우 클 때 (≥4 cm)
② 결절이 새롭게 발생했거나, 성장속도가 빠를 때
③ firm, hard, nontender, bilateral
④ 주위조직에 유착되고 고정되어 있을 때
⑤ 식도나 기관지 침범 ; 성대마비, 애성(쉰소리), 압박증상(연하곤란, 호흡곤란)
⑥ 동측 또는 반대측 cervical LN가 촉진되고 딱딱할 때
⑦ T_4 억제요법에 반응(크기 감소)하지 않을 때

(3) 검사소견

① thyroid scan : "cold" nodule
② solid > cystic (but, 4 cm 이상의 cystic nodule은 악성이 더 흔함)
③ US

악성을 시사하는 소견 ★	양성(benign)을 시사하는 소견
Hypoechoic	Hyperechoic
미세석회화(microcalcification)	Large, coarse calcifications (수질암은 제외)
B-flow imaging (BFI)에서 "Twinkling" sign	Peripheral vascularity (결절 주변 혈류↑)
Central vascularity (결절 내 혈류↑)	Napoleon or puff pastry 모양 (결절이 여러 층 모양)
Irregular/spiculated margin	Spongiform 모양
Incomplete halo	Comet-tail (혜성꼬리) shadowing
높이가 너비보다 큼(taller than wide)	Simple cyst

④ angiography (vascular invasion) → follicular ca. 등
⑤ thyroid hormones : 악성 결절은 갑상선기능 정상임

* **multiple nodules** : 1 cm 이상 결절이 2개 이상인 경우, 악성 위험은 단일 결절 환자와 동일함!
(각각의 결절 하나에서의 악성 위험도는 단일 결절 환자보다는 낮음)
→ 각각의 결절별로 US 악성위험도를 평가하여 가장 악성위험이 높은 결절에서 FNA 시행
(c.f., 악성위험이 없는 multiple coalescent nodules의 경우는 가장 큰 결절에서 FNA 고려)

2. 갑상선암의 종류(pathologic subtype)

1. Follicular epithelial cells 기원 (대부분)
   - Well-differentiated thyroid carcinoma (분화암); Papillary ca., Follicular ca.
   - Poorly differentiated thyroid carcinoma (PDTC, 저분화암)
   - Undifferentiated thyroid carcinoma (미분화암) ; Anaplastic ca.

2. Calcitonin-producing cells (C cells) 기원
   - Medullary thyroid ca. (MTC) ; sporadic, familial, MEN-2

3 기타
   - Lymphoma, Sarcoma, Metastasis ...

■ 갑상선 종양의 유전자 이상

1. Papillary thyroid cancer (PTC)
   - mitogen-activated protein kinase (MAPK) signaling cascade의 활성화가 m/c 기전 (~70%)
     - tyrosine kinase (*RET, NTRK1, NTRK3*) → RAS → BRAF → MEK → MAPK → tumorigenesis
     - 유전자 이상은 서로 중복되어 발생하지는 않음
   - *BRAF* mutations (m/c) ; 대부분 $BRAF^{V600E}$ point mutation
     - PTC에 특이적, PTC의 40~78%에서 발견됨 (우리나라는 더 흔해서 70~90%에서 발견됨)
     - PTC의 classic form 및 tall cell variant에서 주로 나타남, poor Px (우리나라는 예후와 관련성은 논란)
   - *RAS* mutations ; follicular neoplasm에서 주로 발견됨 (*NRAS* > *HRAS* > *KRAS*)
     - PTC의 follicular variant에서도 발견됨 ; 서양은 PTC의 20~40%, 임상경과나 예후는 classic PTC와 같음
   - *RET* rearrangements ; *RET/PTC1*이 60~70%, *RET/PTC3*이 20~30%를 차지함
     - PTC의 10~20%에서 발견됨 (점점 감소, 우리나라는 드묾), PTC의 diffuse sclerosing variant (약 5%)에서 흔함
     - 소아에서 발생한 PTC, 방사능 노출과 관련된 PTC와 관련

     c.f.) MTC에서 발견되는 *RET* 유전자 이상은 point mutations임! → MTC 부분 참조
   - *NTRK1* rearrangements ; 훨씬 드묾, 체르노빌 원전사고와 관련
   - 기타 ; *TERT* promoter mutations, microRNAs (miRNAs) upregulation, single nucleotide polymorphisms (SNPs) 등

2. Follicular thyroid cancer (FTC)
   - AKT signaling pathway와 관련 흔함 (TK → RAS → PI3K / PTEN → PIP → PDK1 → AKT → tumorigenesis)
   - *RAS* mutations ; FTC의 30~50%에서 발견
     - *NRAS* mutations이 m/c (↔ MTC에서는 *HRAS* or *KRAS* mutations이 흔함)
     - follicular adenoma의 20~40%에서도 발견되므로 암 특이적이지는 않음
   - *PAX8/PPARγ* rearrangements ; FTC의 약 35%에서 발견 (follicular adenoma에서는 드묾)
   - 기타 ; *TERT* promoter mutations, *PTEN* germline mutations (→ *PTEN* hamartoma tumor syndromes [PHTS]), *RASSF1A* hypermethylation 등

     ↳ Cowden syndrome 등

3. Poorly differentiated or Anaplastic thyroid cancer (ATC)
   - $BRAF^{V600E}$ point mutation → poorly differentiated or ATC로 진행 가능
   - *RAS* mutations → ATC로 진행 가능
   - *RET, NTRK, PAX8/PPARγ* 등을 동반한 분화암은 poorly differentiated or ATC로 진행하지 않은 것으로 보임
   - tumor suppressor gene (*TP53, CDKN2A* 등), β-catenin (*CTNNB1*) mutations → 주로 ATC와 관련

참고: Familial non-medullary thyroid cancer (FNMTC)

- 갑상선암의 3~9% 차지, PTC가 85~91%, FTC는 6~9%, ATC는 1~2%
- 5% 만이 뚜렷한 driver germline mutations을 가진 syndromic form임
  - Cowden syndrome : AD 유전, *PTEN* 등의 mutations, 유방/갑상선/신장/결장/자궁내막 등의 hamartomas
  - familial adenomatous polyposis (FAP) : AD 유전, *APC* mutations, 결장의 adenomatous polyps
  - Gardner syndrome : FAP의 variant, 결장 이외에 osteomas, epidermoid cysts, fibromas 등 동반
  - Carney complex type 1 : AD 유전, *PRKAR1A* mutations, 심장/피부의 myxomas, 피부 hyperpigmentation 등
  - Werner syndrome : AR 유전, *WRN* mutations, premature aging, scleroderma-같은 피부, 백내장, 저신장 등
  - DICER1 syndrome : *DICER1* mutations (→ miRNA dysregulation), 폐/신장/난소/갑상선 등의 다양한 종양
- 95%는 non-syndromic form으로 매우 다양한 유전자 이상이 관련

(1) 유두암(papillary thyroid cancer, PTC) – m/c (95%)

- 남:여 = 1:3~6, 다른 갑상선암보다 젊은 연령에서 호발 (20~40세)
- solitary or multiple (20~45%), 대부분 asymptomatic nodule로 발견
- 혈행성 전파는 드물고, 주로 lymphatic spread (소아에서 LN 전이 多)
  ; 중심경부 LN (m/c) > 폐 > 뼈 > 뇌 > 간 ...
- pathology ; psammoma body (laminated calcified spherules, 약 50%에서), cleaved nuclei, large nucleoli ("orphan-Annie의 눈" 모양), intranuclear inclusion body, papillary 구조 (→ 진단에는 papillary 구조보다는 핵의 변화 양상이 더 중요함)
  - 대개 unencapsulated
  - 미세유두암(papillary microcarcinoma) : T1a (직경 ≤1 cm) ⇨ 치료 안하고 F/U도 가능!
- 대부분(>80%) stage Ⅰ or Ⅱ에 발견되고 excellent Px. (가장 예후 좋다!)
  - LN 전이 ; 진단시 약 ~50%에서 존재 (현미경적으로는 ~80%), central cervical LN가 m/c
  - 원격전이는 매우 드묾 (진단시 1~5%) : 폐(m/c), 뼈, 뇌 (뼈 전이가 예후 더 나쁨)
- 치료 ; 전이 유무에 관계없이 수술
- 분화암의 예후 평가(prognostic indicators) ; age, local invasion, metastasis 등이 중요함
  - <u>TNM system</u> (AJCC, 8th ed. 2016) : 55세 이상에서 LN 전이의 중요성 반영

▶ differentiated thyroid ca. (papillary, follicular)에서 이용됨

Stage	55세 미만	55세 이상
I	anyT, anyN, M0	T1~2, N0/NX, M0
II	anyT, anyN, M1	T1~2, N1, M0 *or* T3a/b, anyN, M0
III	55세 미만은 T, N에 관계없이 예후가 좋아 stage II가 최대임	T4a, anyN, M0
Ⅳa		T4b, anyN, M0
Ⅳb		anyT, anyN, M1

T1	크기 ≤2 cm (<u>T1a ≤1 cm</u>, T1b 1~2 cm), 갑상선에 국한
T2	크기 2~4 cm, 갑상선에 국한
T3a	크기 >4 cm, 갑상선에 국한
T3b	크기에 관계없이, 갑상선을 벗어나 <u>strap muscles</u>까지만 침범 (sternohyoid, sternothyroid, thyrohyoid or omohyoid muscles)
T4a	피하연부조직, 후두, 기관, 식도, or recurrent laryngeal nerve 등을 침범 (→ 수술 가능)
T4b	척추앞 근막 침범 or 경동맥이나 종격동 혈관을 둘러쌈 (→ 수술 불가능)

  - AGES scoring system (1987) ; Age, Grade, Extent, Size
    ↳ *Prognostic score* = 0.05×age (if age≥40) + 1 (if grade 2) + 3 (if grade 3 or 4) + 1 (if extrathyroid) + 3 (if distant spread) + 0.2×tumor size (최대직경 cm)

Risk	AGES score	20년뒤 사망률
High	≥4	39%
Low	<4	1.1%

  - AMES (1988) ; Age, Grade, Extent of disease, Size
  - MACIS (1993) ; Metastasis, Age, Completeness of surgical resection, Invasion, Size

- 40세 이상에선 남성도 poor Px. (40세 미만은 남=여)
- 고령 : tumor size↑, grade↑, local or vascular invasion↑, 원격전이↑
  ⇨ poor Px. (but, LN 전이는 소아 & 젊은 성인보다 드묾)
  - young : LN 전이는 더 흔하지만 예후와는 관련 없음
  - old : LN 전이는 드물지만, LN 전이 존재시 예후 나쁨

(2) 여포암(follicular thyroid cancer, FTC)

- 조직학적으로 정상 thyroid와 가장 비슷 (→ FNA로 진단하기 어렵다!), 대부분 unifocal
- 요오드 섭취가 부족한 지역에서 호발, 두경부 radiation과는 관련 없음
  (요오드 섭취가 많은 우리나라와 일본 같은 지역에서는 드묾)
- benign follicular neoplasm과의 차이 ; 혈관, 신경, 주변구조물 등의 침범
- blood vessel invasion, distant metastasis 많다 → 유두암보다 예후 나쁨
  (조기에 폐, 뼈, 뇌, 간 등으로 혈행성 전이됨)
- 예후가 나쁜 경우 ; 유두암과 비슷 + Hürthle cell histology
- 기능 있다 → ^{131}I 치료에 반응
- 치료 ; 전이 유무에 관계없이 수술

* Hürthle cell cancer (휘틀세포암) : 암세포의 대부분(>75%)이 Hürthle cells인 경우
- 과거에는 FTC의 variant로 봤으나, molecular profile이 달라 현재는 독립된 암으로 봄
- FTC와 임상양상 비슷함, FTC보다 cervical LN 전이 잘함, FTC보다 poor Px

(3) 역형성암(anaplastic thyroid cancer, ATC)

- 대부분 60세 이상에서 발생, 대부분(90%)에서 분화암이나 양성종양과 섞여있음
- 임상양상 ; rapidly enlarging neck mass, neck pain & tenderness, 압박증상 등
- highly malignant, extensive rapid local invasion, 모두 stage IV
- 예후 가장 나쁨 (mean survival 4~12개월, 1YSR 20~35%, 5YSR 5~14%)
  - 주로 aggressive local invasion으로 사망 (tracheal obstruction, massive hemorrhage 등)
  - poor Px ; 고령, 남성, 호흡곤란 (c.f., 과거 분화암으로 치료 받았던 병력은 예후와 관련 없음)
- 치료 : local resection (수술 가능하면) + combined RTx. + CTx. (doxorubicin-based regimen)
  - radioiodine은 효과 없음!
  - 수술 1~2년 뒤 생존자는 잔여 분화암 조직 여부의 확인위해 radioiodine scan/ablation 시행
  - 2nd line/clinical trials ; MKIs, targeted KIs, aurora KIs, immune checkpoint inhibitors ...

(4) 수질암(medullary thyroid cancer, MTC)

- parafollicular C cells에서 기원한 NET, 갑상선암의 3~5% 차지 (우리나라는 더 드묾)
- 대개 단단하고 unencapsulated, 갑상선 엽 상부 2/3에서 주로 발생, 종종 통증 동반
- 4가지 경우로 발생
  ① sporadic MTC (75%) ; 40~50대에 호발, 대개 unilateral
    ; 약 2/3에서 somatic (acquired) *RET* mutations 존재
  ② 3 familial forms (25%) ; 20~30대에 호발, 대개 bilateral
    - germline *RET* mutations과 관련 → 모든 C cell hyperplasia 및 MTC 환자에서 검사해야
    - sporadic MTC보다 aggressive함 → 조기 진단 및 치료가 중요함!

(1) MEN 2A : MTC + pheochromocytoma + parathyroid hyperplasia
; 거의 대부분에서 젊을 때 MTC 발생 (20대에 peak)
(2) MEN 2B : MTC + pheochromocytoma + mucosal neuromas, Marfanoid 체형 등
; 100%에서 MTC 발생 (발병연령 더 어림, 가장 aggressive)
(3) non-MEN familial MTC

- 분비물질 : calcitonin (m/c), calcitonin-related peptide, CEA, somatostatin, chromogranin A, serotonin, ACTH, PG, substance P, kinin, VIP 등 (주로 advanced dz.에서)
  ↳ ectopic Cushing's syndrome ↳ watery diarrhea or facial flushing
- screening test (or marker) : calcitonin, calcium
  (pentagastrin stimulation test 하면 모든 환자에서 calcitonin 증가됨)
- 진단 : FNA biopsy & IHC (calcitonin, CEA), 일부는 surgical biopsy 필요
- LN 전이 (진단시 약 1/2에서 cervical LN 전이) 및 혈행성 전이 흔함 (→ 폐, 뼈, 간)
  - FNA biopsy에서 진단되면 US로 cervical LN 전이 평가
  - 원격전이 평가 (local LN 전이 or serum basal calcitonin >500 pg/mL인 경우)
    ; CT, MRI, bone scan 등 (c.f., PET나 radionuclide scan은 초기 평가에는 권장 안됨)
- 치료 : 수술만이 효과적
  - total thyroidectomy + extensive LN dissection
    (pheochromocytoma도 있으면 pheochromocytoma를 먼저 제거해야 됨!)
  - recurrent/residual dz. (e.g., calcitonin↑, CEA↑)
    ⇨ 수술, EBRT, 기타 국소치료(RF ablation, cryoablation, embolization) or systemic Tx.
    (TKI [cabozantinib or vandetanib], dacarbazine-based CTx. … 전이암의 경우도)
  ★ radioiodine은 효과 없음! (∵ MTC 암세포는 섭취 안함)
  - somatostatin analogue : 일부 advanced MTC 환자에서 설사, 홍조 등의 증상 조절에 도움은 될 수 되지만, 치료 효과 (종양크기 or calcitonin level 감소)는 없음
  - ectopic Cushing's syndrome → vandetanib
- MTC 환자의 가족이나 MEN-2 환자는 screening 필요 (germline *RET* mutations, calcitonin)
  → *RET* mutation이 있거나 calcitonin이 증가시 가능한 조기에 prophylactic thyroidectomy 시행
- 예후 : 역형성암보다는 훨씬 좋으나, 분화암보다는 약간 나쁨
  (sporadic MTC보다는 familial MTC가, familial 중에서는 MEN-2B가 예후 나쁨)

(5) 림프종(primary thyroid lymphoma)

- 드물다 (갑상선암의 1~5% 차지), 남<여, 대부분 NHL (DLBCL이 m/c)
- Hashimoto's thyroiditis를 오래 앓는 경우 lymphoma로 잘 진행
  (정상인보다 lymphoma 발생 확률 67~80배)
- 30~40%에서는 hypothyroidism을 동반
- 임상소견은 anaplastic ca.와 유사함 ; rapid growth & local invasion (→ 압박증상 흔함)
- 치료 : CTx. ± RTx. (thyroidectomy는 거의 필요 없다)
- localized dz.가 많아 예후는 양호한 편 (5YSR 약 60%)

(6) metastatic cancer

; bronchogenic, breast, renal ca., malignant melanoma

3. 분화 갑상선암(PTC, FTC)의 치료

(1) 수술 : TOC

- T1b (>1 cm) 이상의 분화암은 원격전이에 관계없이 수술이 원칙!
- 갑상선 (아)전절제술[(near) total thyroidectomy]이 선호되는 이유
  ① 정상 갑상선조직이 많이 남아 있으면, 수술 뒤 radioiodine ablation 치료의 효과가 감소
  (∵ 정상조직이 종양보다 ^{131}I를 더 잘 흡수)
  ② 수술 뒤 Tg (thyroglobulin) level or whole-body ^{131}I scan으로 F/U 가능
  ③ 갑상선암이 다발성으로 숨어있을 수 있음
  - 아전절제술 (약 1g만 남김) : R. laryngeal nerve나 부갑상선의 손상을 방지하기 위해
  - 전절제술과 아전절제술의 치료 성적은 큰 차이는 없고, 임상적 중요성은 불확실함
- 갑상선 엽절제술(lobectomy with isthmusectomy)이 권장되는 경우
  : 갑상선외 침윤(extrathyroidal extension)이나 LN 전이가 없으면서 (갑상선에 국한)
  ① 크기 <1 cm
  ② 크기 1~4 cm인 저~중간 위험군 환자
  ③ FNA 결과가 미결정(Ⅲ,Ⅳ) or 악성의심(Ⅴ)이면서 고위험군이 아닌 경우
  * 고위험군(≥4 cm, mutations 양성, high suspicious US, 가족력, 방사선조사 병력) ⇨ (아)전절제술
- LN 전이시는 selective or modified radical neck dissection도 시행
- 수술 부작용 → 앞의 thyrotoxicosis의 치료 부분 참조

(2) radioiodine (^{131}I) ablation 잔여갑상선제거술

- 목적/이유
  ① 수술 후 남은 암세포 제거 (∵ PTC : multiple → micro하게 남아있음) ⇨ 재발 및 사망률↓
  ② 수술 후 남은 정상 갑상선 조직 제거
  ┌ 재발 및 전이 발생시 암세포의 radioiodine 섭취를 방해 → 조기 진단 어려워짐
  └ Tg 생산 → Tg의 tumor marker로서의 역할(F/U) 방해
  ③ 원격 전이의 치료
- 적응증
  ① 크기 ≥4 cm *or* 고위험군 모두 (아래 표 참조)
  ② 중간위험군의 일부 ; 고령(>45~55세), central cervical LN 이외의 LN 전이,
  LN 전이 개수가 많은 경우, 나쁜 예후의 조직형(e.g., tall cell, columnar cell, hobnail)

〈 재발 위험도에 따른 환자의 분류 〉

저위험군	중간위험군	고위험군
국소 or 원격 전이 無 수술로 육안적 병소가 모두 제거 주위 조직 침윤 無 나쁜 예후의 조직형 아님 Radioiodine ablation 이후 첫 번째 전신스캔(RxWBS)에서 갑상선 이외에는 섭취 無 갑상선 내에 국한된 미세유두암	수술 후 병리조직검사에서 갑상선 주위 연조직의 현미경적 침윤 소견 나쁜 예후의 조직형 LN 전이 크기가 3 cm 미만 혈관 침범 소견 갑상선외 침범이 있고 *BRAF* 양성인 미세유두암	육안적으로 주위 조직 침범 원격 전이 LN 전이 크기가 3 cm 이상 종양을 완전히 제거 못함 수술 후 serum Tg↑ Radioiodine ablation 이후 첫 번째 전신스캔(RxWBS)에서 갑상선 이외 부위에 섭취 有

* RxWBS : post-therapeutic whole body scan

- 1 cm 이하이면서 한쪽 엽에 국한된 경우 ^{131}I ablation 없이, T_4 억제요법만으로 충분함

★ medullary ca., anaplastic ca., lymphoma 등에는 효과 없음! (→ 수술만이 효과적)

일반적인 radioiodine (^{131}I) ablation과정

- TSH를 증가시키는 방법 (∵ TSH는 종양의 ^{131}I uptake를 촉진)
  (1) recombinant human TSH (rhTSH) : L-thyroxine (T_4) 투여 지속하다가 rhTSH 주사 후 ^{131}I ablation 시행 *or*
  (2) thyroid hormone withdrawal (endogenous TSH) : T_4를 T_3 (liothyronine)로 변경하여(∵ T_4보다 반감기 짧음) 2~4주 지속하다가 2주간 중단 *or* 3~4주간 T_4 중단 ⇨ TSH가 >30 mU/L로 상승하면 ^{131}I ablation 시행
  – 두 군 간의 치료성적은 비슷하지만, rrhTSH 방법이 갑상선기능저하 부작용이 없어 삶의 질이 좋아 선호됨
- ^{131}I의 용량 ; 정상 조직만 제거시 30 mCi, subclinical micrometastatic dz.에 대한 보조적 치료시 75~150 mCi, 임상적으로 뚜렷한 잔여/전이 암에 대한 치료시 100~200 mCi
- 저요오드 식이 ; ^{131}I uptake를 최대화하기 위해 ^{131}I ablation 시행 7~10일전부터 시행 권장
- ^{131}I ablation 치료 약 1주일 뒤 치료반응(재발위험) 평가를 위해 진단적 전신스캔(DxWBS) → 뒷부분 참조

(3) thyroxine (T_4) 억제요법 : 대부분 평생 시행

- 원리 : L-thyroxine (T_4) 투여 → (m/i 갑상선암 성장 촉진인자인) TSH suppression
  갑상선(암)조직의 성장 억제 → 예후 향상 (재발↓, survival↑)
- 목표 : 문제되는 thyrotoxicosis 증상이 안 생기는 한도에서 최대한 TSH를 억제
  ⇨ target TSH level
  - 재발 저위험군 : lower normal limit (0.5~2.0 mU/L)
  - 재발 중간위험군 : 0.1~0.5 mU/L
  - 재발 고위험군 or 전이, 잔여병소 有 : <0.1 mU/L

  – 환자의 동반질환에 따라 약간씩 높일 수 있음(e.g., 골다공증, 심장질환, 당뇨병)
- monitoring (아래도 참조)
  (1) TSH, (2) serum thyroglobulin (만약 증가하면 전이를 시사 → US, WBS 등 시행)

(4) follow-up : 재발/전이를 발견하기 위한 추적검사

① serum thyroglobulin (Tg), TSH
  - TSH-suppressed (nonstimulated, basal) Tg ; 전절제술 & ^{131}I ablation 치료 받은 환자는 <0.2 ng/mL이면 excellent response (c.f., 엽절제술의 경우는 <30 ng/mL)
  - TSH-stimulated Tg : thyroid hormone withdrawal or rhTSH 투여 뒤 측정 (→ 위 참조), <0.1 ng/mL이면 excellent response, 보통 >2 ng/mL이면 잔존/재발을 시사함
    (c.f., 저위험군은 대개 nonstimulated Tg 측정으로 충분, 특히 high-sensitivity Tg 검사시)
  - anti-Tg Ab (갑상선암 환자의 20%에서 양성) : Tg 검사를 방해하여 Tg 위음성 초래 가능
    ↳ Tg 측정시 함께 검사함 (c.f., anti-Tg titer 증가는 재발/진행을 시사, titer 감소는 치료 성공을 시사)

② 경부 초음파 : cervical LN 전이 발견에 매우 민감!, 위험도에 따라 6~12개월마다 시행
  ⇨ Tg↑ and/or neck US에서 전이 의심시 DxWBS, CT/MRI, bone scan 등의 영상검사 시행

③ 진단적 전신스캔(Dx whole-body scan, DxWBS)
  - low-dose ^{131}I or ^{123}I (방사능 양 적고, 영상의 질 더 좋음) 사용
  - 수술 이후 ^{131}I ablation 등의 보조적 치료 약 1주일 뒤 DxWBS 시행 ⇨
    (1) 갑상선 이외 부위 섭취 없고, Tg & neck US (-)면 이후 F/U 때는 DxWBS 재검 안함
    (2) 그 외 위험군은 F/U 중 필요시 재검 (e.g., Tg↑, anti-Tg(+), neck US에서 전이 소견)
  - 검사 전 radioiodine 흡수율을 높이기 위해 rhTSH 투여, 진단 예민도는 낮음 (위음성 위험)
  - ^{131}I SPECT/CT도 시행하면 잔여병소 및 전이 localization에 더 도움됨

■ Thyroglobulin (Tg)은 상승되었는데, 스캔(DxWBS)은 음성인 경우 [false negative]
- 원인 ; 요오드 오염(e.g., 조영제), 너무 작은 병변, TSH 자극 부족, 종양의 역분화에 의한 요오드 섭취↓ 등
- W/U ; 24hr urine iodine 측정 (요오드 오염 R/O), neck US, chest CT
- Tg ≥10 ng/mL면 FDG-PET/CT, bone scan 등의 추가 영상검사 시행
  ↳ 모든 영상검사에서 전이 발견 못하면 **large-dose** ^{131}I로 스캔 & 경험적 치료
- 뚜렷한 전이가 보이지 않을 때 basal Tg <5 ng/mL (or stimulated Tg <10 ng/mL)는 ^{131}I 치료 필요 없음

④ chest CT/MRI, bone scan, FDG-PET 등 … DxWBS 음성이고 Tg 높은 경우 고려!

* 수질암(MTC) ; calcitonin, CEA, pentagastrin 등이 잔존종양 또는 재발의 tumor marker!

일반적인 갑상선 분화암의 치료, F/U 과정

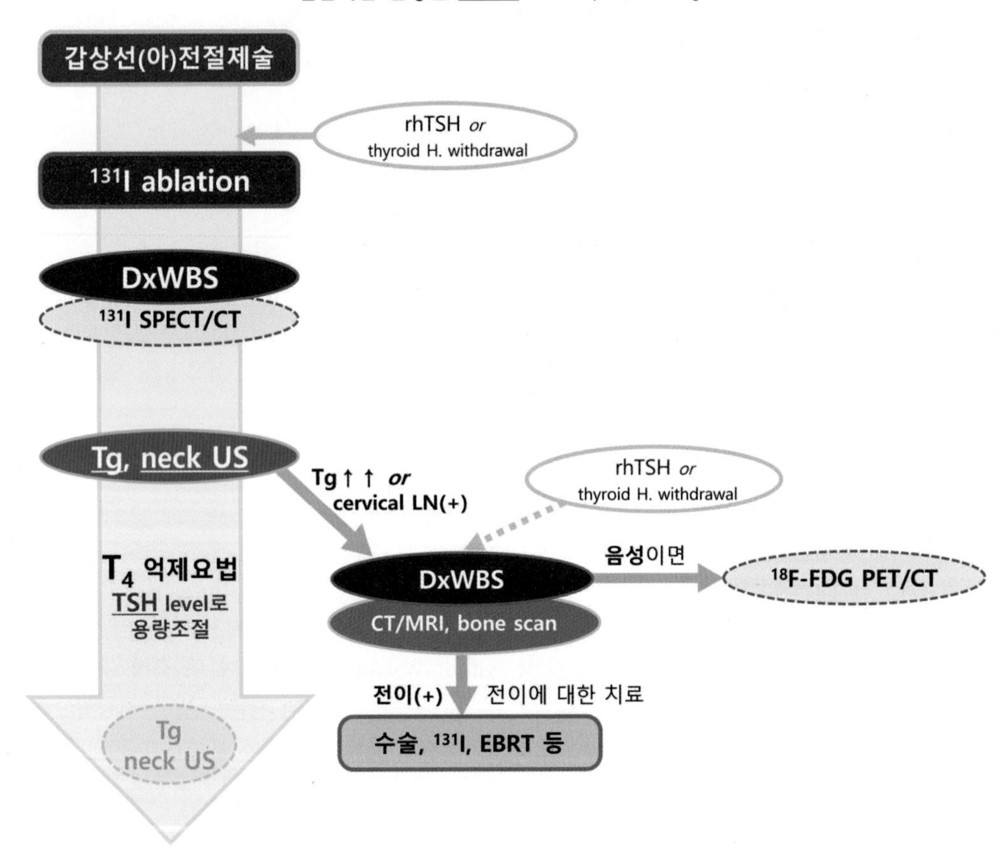

관해(no evidence of disease)의 정의
1) 임상적으로 종양이 발견되지 않고 2) 진단영상검사에서 종양이 발견되지 않으며 - Radioiodine ablation 치료 후 전신스캔(RxWBS) 또는 최근의 진단적 전신스캔(DxWBS)에서 갑상선 이외 부위의 섭취 없음 - 경부 초음파검사에서 음성 3) 항Tg 항체가 없는 상태에서 측정한 혈청 Tg 농도가 측정되지 않는 경우 (TSH 억제 상태와 TSH 자극 상태 모두에서)

(5) 전이/재발의 치료

- 절제 가능한 국소 병변(e.g., cervical LN, single metz.) ⇨ 수술 (불가능하면 radioiodine 등)
- 상부 호흡기, 소화기 병변 ⇨ 수술 + radioiodine ± EBRT
- 원격전이 ⇨ radioiodine (DxWBS에서 uptake 있으면), EBRT, RF ablation, ethanol injection 등
  - DxWBS에서 uptake가 없는 폐 전이는 보통 천천히 자라므로 F/U 가능 (증상 있으면 치료)
  - 골 전이 ; 증상 경감을 위한 pamidronate, denosumab, embolization 등도 고려
- systemic therapy : 위 치료들에 반응 없거나 사용 못하는 progressive dz.의 경우
  - anti-angiogenic multi-targeted kinase inhibitors (aaMKIs) ; lenvatinib, sorafenib 등
  - mutation-specific kinase inhibitors
    ① *BRAF* inhibitors (*BRAF* mutations) ; vemurafenib, dabrafenib, encorafenib
    (MEK inhibitor인 trametinib과 병용시 효과↑)
    ⇨ radioiodine uptake도 회복될 수 있으므로 radioiodine 불응성 분화암은 이 치료 뒤 DxWBS 재시행
    ② *TRK* inhibitors (*NTRK* rearrangements) ; larotrectinib
    ③ *RET* inhibitors ; LOXO-292, BLU-667 (*RET* rearrangement보다, *RET* mutation인 MTC가 더 효과적)
    ④ PI3K inhibitors ; everolimus (sorafenib과 병용시 Hürthle cell carcinoma에서 효과적)
  - CTx. ; MKI의 발전으로 거의 사용 안함, MKI 실패시 고려 가능 (doxorubicin만 FDA 허가)

	Papillary	Follicular	Medullary	Anaplastic
빈도	75~90% (m/c)	6~16%	3~5%	1~2%
진단시 연령	30~50세	40~60세	30~60세	평균 65세
여성의 비율	70%	72%	56%	60~70%
예후(5YSR)	96~97%	92%	65~95%	5~14%
Invasion : Juxtanodal	+++++	+	++++++	+++
Blood vessels	+	+++	+++	+++++
Distant sites	+	+++	++	++++
^{123}I uptake	+	++++	0	0
Malignancy 정도	+	++ ~ +++	+ ~ ++++	+++++++
주요 유전자이상, 기타 특징	*BRAF, RET/PTC, RAS, TRK*	*RAS, PAX8/PPARγ*	*RET* (muation), Calcitonin 분비	*TP53, RAS, BRAF*

5 부갑상선 질환

개요

1. Vitamin D

- 대개 D_2~D_7까지 6가지로 분류되며, 생리적으로 중요한 것은 D_3와 D_2임
  - 통상적으로 vitamin D라 하면 D_2와 D_3을 같이 포함한 개념임
  - D_2 (ergocalciferol) : 식물성 (섭취로만 획득 가능) ; 잘 말린 버섯에 많음
  - D_3 (cholecalciferol) : 동물성 (D_2보다 약 1.5배 효과적) ; 등 푸른 생선 (연어, 정어리, 고등어), 간유, 달걀노른자, 우유, 치즈, 마가린 등에 많음
- vitamin D가 다량 함유된 식품은 흔하지 않고 함유량도 적음 → 음식을 통한 섭취는 제한적임
  → 추가로 체내합성(일광욕) or vitamin D 보충제 필요 (D_3가 권장됨)
  (음식으로 보충이 안 되어도, 충분한 일광욕을 하면 vitamin D 부족은 발생 안함)
- 인체 내 합성

  7-dehydrocholesterol (provitamin-D_3) : 피부의 epidermal layer에 많이 존재

  skin ⬇ 햇빛(UV, 특히 UV-B)의 작용으로 피부에서 합성됨

  D_3 (cholecalciferol)

  liver ⬇ 25-hydroxylase

  25(OH)D_3 (calcidiol) : major circulating vitamin D (반감기 약 2주)

  kidney ⬇ 1α-hydroxylase ◁ PTH

  1,25$(OH)_2D_3$ (calcitriol) : biologically "active" vitamin D

- 체내 vitamin D의 과부족 상태(status)는 25(OH)D를 측정하여 평가함!
  c.f.) 1,25$(OH)_2$D는 신장에서 변환된 뒤 각 장기에서 사용되자마자 24,25$(OH)_2$D로 변환되고, secondary hyperparathyroidism 등에 의해 농도가 변하므로 vitamin D status를 반영하는 marker로는 사용하지 않음 (혈중에는 극미량만 존재함)

- 작용 : 혈중 calcium 농도를 정상으로 유지
  ① 장관에서 calcium, phosphate의 흡수를 촉진 (주 작용)
  ② bone remodeling (bone formation & resorption)
  ③ 부갑상선에서 PTH 합성 & 분비 억제

Vitamin D가 증가하는 경우	감소하는 경우
PTH ↑ Hypocalcemia Hypophosphatemia	Hypercalcemia Hyperphosphatemia $1,25(OH)_2D_3$ ↑

Vitamin D 작용 감소의 원인
1. Vitamin D 결핍 피부에서의 생산 감소 ; 일광노출(UV) 부족, 검은 피부 섭취 부족 ; vitamin D 강화 분유를 먹지 않는 영아 흡수장애 ; 지방흡수장애, IBD, 소장절제
2. Vitamin D의 소실 증가 대사 증가 ; barbiturates, phenytoin, rifampin Enterohepatic circulation 장애
3. 간의 25–hydroxylation 장애 간질환 (e.g., LC), isoniazid, anticonvulsants
4. 신장의 1α–hydroxylation 장애 Hypoparathyroidism, Pseudohypoparathyroidism Renal failure, Ketoconazole Hereditary vitamin D–dependent rickets type 1 (= pseudo–vitamin D deficiency) : 1α–hydroxylase mutation X–linked hypophosphatemic rickets, Oncogenic osteomalacia
5. 표적장기의 저항(resistance) Hereditary vitamin D–dependent rickets type 2 : vitamin D receptor (*VDR*) mutation Phenytoin

2. PTH (Parathyroid hormone)

- 작용 : ECF calcium 농도의 primary regulator → <u>blood calcium ↑</u> & phosphate ↓
  - ① bone에서 osteoclast activity 증가 (bone resorption 증가) → hypercalcemia
  - ② 신장(distal tubule)에서 calcium 재흡수 촉진 → hypocalciuria
  - ③ 신장(proximal tubule)에서 phosphate 재흡수 억제 → hypophosphatemia
  - ④ 신장에서 $1,25(OH)_2D$ 합성 촉진 (→ 장에서 calcium, phosphate 흡수↑)
- bone에 대한 PTH의 작용은 다양
  - ┌ acute effect (몇분 이내) : bone calcium release
  - └ chronic effect (몇시간 지속) : bone cells (osteoblast, osteoclast 모두)↑ → bone remodeling↑
  - ┌ PTH의 간헐적인 투여 → net bone formation↑
  - └ PTH↑에 지속적인 노출 (e.g., hyperparathyroidism) → osteoclast에 의한 bone resorption↑

PTH가 증가하는 경우	감소하는 경우
Hypocalcemia (m/i) Primary hyperparathyroidism Pseudohypoparathyroidism Vitamin D deficiency/ineffective Renal failure β–agonist	Hypercalcemia Hypermagnesemia Hypomagnesemia Vitamin D intoxication

- PTH 분비 자극의 주요 인자는 혈중 ionized calcium (Ca^{2+}) ⇩

- PTH 분비는 negative-feedback에 의해 철저히 조절됨
  - calcium → calcium-sensing receptor / vitamin D → VDR (vitamin D receptor) → PTH 합성 & 분비 억제
- 심한 세포내 magnesium 결핍 → PTH 분비 장애 유발

3. Calcitonin

- 주로 thyroid (parafollicular) C cells에서 생산, 분비는 혈중 calcium 농도의 직접 영향을 받음
- 작용 (PTH의 physiologic antagonist) → blood calcium↓ & phosphate↓
  ① osteoclast-mediated bone resorption 억제 (主)
  ② 신장에서 calcium & phosphate 재흡수 억제 (calcium & phosphate clearance 증가)
  - 장의 calcium 흡수에는 영향 없음!
- but, 인체에서의 생리적인 역할은 제한적임 (큰 역할은 없음)
- 임상적 이용
  ① tumor marker (medullary thyroid cancer)
  ② osteoporosis, Paget's dz., hypercalcemia of malignancy 등의 치료

■ Hypercalcemia의 원인

1. PTH 증가
   Primary hyperparathyroidism (m/c) ; solitary adenoma, MEN ...
   Lithium therapy (약 10%에서 Ca↑)
   Familial hypocalciuric hypercalcemia (FHH, AD 유전)
2. Malignancy (2nd m/c) → 뒤의 표 참조
3. High bone turnover … bone resorption↑
   Hyperthyroidism (약 20%에서 Ca↑)
   Immobilization (특히 spinal cord injury 소아/청소년에서)
   Estrogen or antiestrogen (e.g., tamoxifen) – 골전이가 심한 유방암 환자에서
   Vitamin A intoxication (retinoic acid는 용량에 비례해 bone resorption↑)
4. Vitamin D 증가
   Vitamin D intoxication (정상 필요량의 40~100배 만성 섭취시)
   1,25$(OH)_2$D 생산 증가
     Granulomatous diseases (e.g., sarcoidosis, TB, 진균감염)
     Lymphomas (특히 B cell lymphoma)
     Idiopathic hypercalcemia of infancy (William's syndrome, AD 유전, vitamin D에 대한 sensitivity↑, multiple congenital development defects)
     Subcutaneous fat necrosis of the newborn (SCFN)
5. 신장 관련
   Severe secondary hyperparathyroidism
   Aluminum intoxication
   Milk-alkali syndrome
   Thiazides diuretics (신장에서 Ca 배설 억제 → hypocalciuria, high bone turnover (resorption↑) 환자에서 hypercalcemia 유발 가능)
6 기타 ; Acromegaly, Pheochromocytoma, Adrenal insufficiency ...

* hyperparathyroidism과 악성종양이 90% 이상의 원인을 차지함

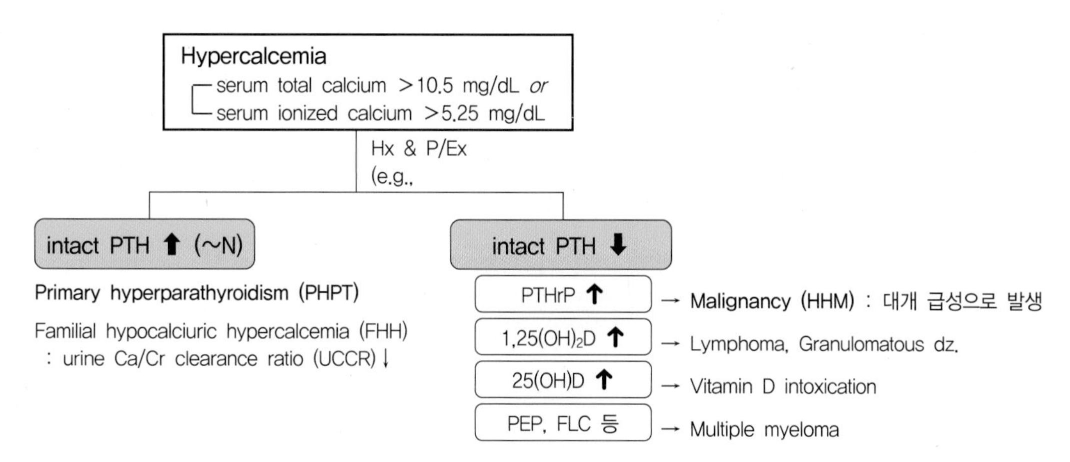

* 만성 무증상 hypercalcemia는 hyperparathyroidism 가능성이 매우 높음. MEN 여부도 확인
* acute hypercalcemia면 반드시 malignancy를 의심 → PTHrP 검사

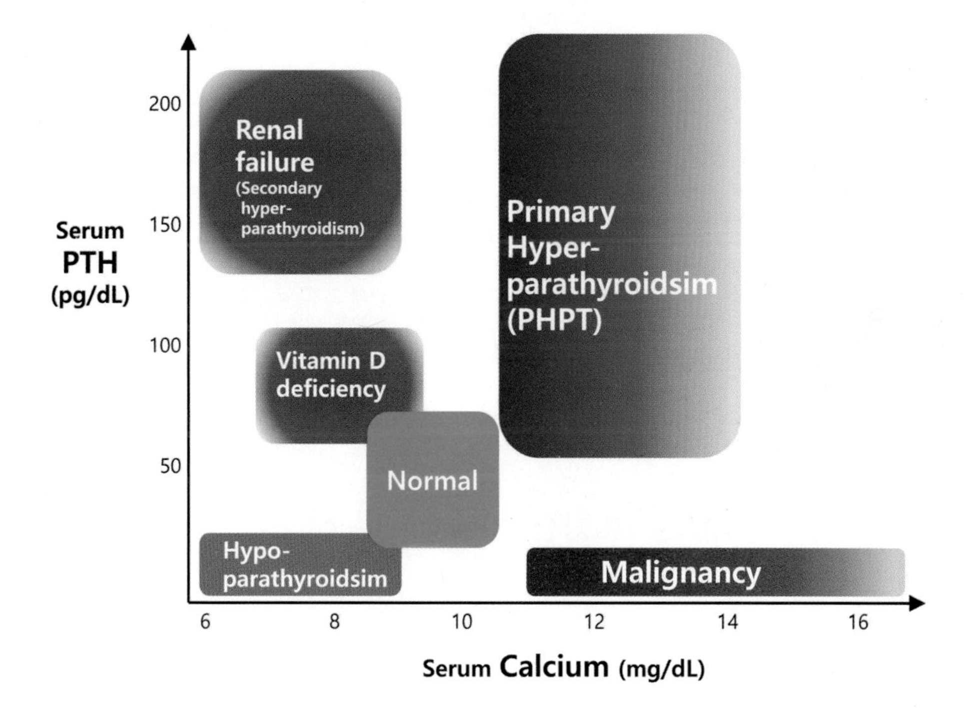

*** 참고 : PTH 검사**

- 부갑상선에서 분비되는 intact PTH [iPTH, (1-84)PTH]는 84개 AA의 single-chain peptide임
- 혈중 iPTH는 간(60~70%)과 신장(20~30%)에서 빠르게 제거됨 (반감기 2~4분)
  ; iPTH 외에도 여러 fragments가 존재함 (iPTH는 5~25%, C-terminal fragments 70~95%)
- biological activity는 amino (N)-terminal PTH (1-34) 부위에 있음
- assay ; 1세대는 부정확하고 RIA라 퇴출되었고, 현재 2/3세대 검사가 주로 쓰이고 있음
  - 2세대(intact PTH, PTH-intact) : 2개의 항체를 사용한 sandwich immunoassays
  - 3세대(bio-intact, whole PTH) : N-terminal 앞부분을 target으로 하여 large fragment 배제

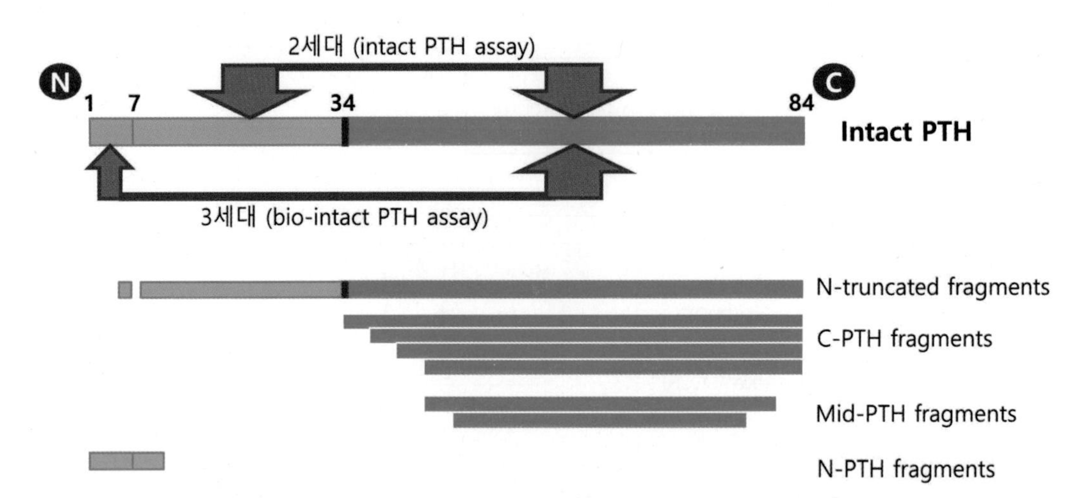

	1st Ab (capture)	2nd Ab (detection)	특징/단점
1세대 (1963)	N– or mid– or C–PTH		하나의 polyclonal Ab만 사용해서 민감도와 특이도 떨어짐
2세대 (1987~)	C–PTH (39–84)	N–PTH (15–20 or 16–32)	2개의 monoclonal Abs를 사용하여 민감도와 특이도 높음 But, large PTH fragment (7–84)도 검출됨 (신부전시 ↑) → intact PTH를 과대평가 가능
3세대 (1999~)	C–PTH (39–84)	first N–PTH (1–4 or 1–5)	완전한 intact PTH (1–84)를 검출 (2세대 보다는 낮게 나옴) But, 드물게 N–PTH fragments 일부도 검출됨

- 3세대의 결과 값은 2세대에 비해 낮게 나오며, 신부전이 심해질수록 (= fragments ↑) 차이는 더 벌어짐
- 실제 임상적 효용성에서는 2세대와 3세대의 차이가 거의 없어서, 현재 2세대와 3세대 검사가 주로 사용됨
  (but, 회사/검사법간 표준화가 안 되어, 과거 표준이었던 Allegro iPTH에 대한 correction factor로 교정하기도 함)
- 4세대 (non–oxidized PTH assay) : oxidized PTH를 제거한 뒤 iPTH 검사, 아직 검증이 부족하고 효용성은 의문

원발성/일차성 부갑상선기능항진증(Primary hyperparathyroidism, PHPT)

1. 개요

- 원인(pathology)
  ① solitary adenoma (80~85%) : 대개 benign, 주로 하부 부갑상선에 호발
  ② double/multiple adenoma (2~4%)
  ③ hyperplasia (10~15%) : 대개 4개의 부갑상선 모두 증식, MEN 동반 흔함
  ④ carcinoma (<1%) : 대개 not aggressive, 잘 제거되면 장기간 생존 가능
- sporadic hyperparathyroidism ; 40~60대에 호발, 남:여 = 1:3
- MEN에 동반된 hyperparathyroidism의 특징
  - 발병연령 낮음 (평균 25세), 남=여, 부갑상선을 다발성으로 침범
  - hyperplasia (m/c, 대개 젊은 연령), single/multiple adenoma (고령 or 오래 지속된 MEN)
  - 수술 어려움, 수술 뒤 재발 흔함 (MEN1에서 더 재발 흔함)

■ MEN 동반되지 않았는지 주의 깊게 가족력을 조사해야 됨! (모두 AD 유전)

Tumor type	MEN 1 (Wermer's syndrome)	MEN 2A (Sipple's syndrome)	MEN 2B (Mucosal neuroma synd.)
Parathyroid hyperplasia/adenoma	95%	10~35%	
Pancreatic endocrine tumor (Zollinger–Ellison syndrome)	75% (Gastrinoma 40%)		
Pituitary tumor	60%		
Medullary thyroid carcinoma[MTC]		100%	100%
Pheochromocytoma		50%	50%
기타	Foregut carcinoid (16%) Lipoma (30%)		Mucosal & GI neuromas (>98%) Marfanoid feature (>95%)
관련 유전자 (단백)	*MEN1* (menin) 11q13	*RET* protooncogene (*RET* tyrosine kinase receptor) 10q11.2	

* Screening
- mutation analysis ; *MEN1* (MEN1), *RET* protooncogene (MEN2)
- **hyperparathyroidism** ; calcium & PTH (매년)
- pancreatic endocrine tumor ; pancreatic polypeptide (75~85%), gastrin (60%; ZES), insulinoma (25~35%)
  → 매년 gastrin, FBS ...
  (c.f., pancreatic endocrine tumor : multicentric, 1/3은 악성, 치료는 대개 내과적으로)
- pituitary tumor ; prolactin & IGF-1 (매년), brain MRI (3~5년)
  ↳ prolactinoma (m/c), acromegaly가 흔함
- **medullary thyroid carcinoma (MTC)** : calcitonin↑, pentagastrin stimulation test
- **pheochromocytoma** ; plasma free metanephrine, 24hr urine metanephrine
- foregut carcinoid ; MEN1에서 드물고 늦게 발현, 대개 무증상 → screening 권장 안 되는 편
  (mediastinal carcinoid는 악성화 위험이 높으므로 chest CT가 권장되기도 함)

2. 임상양상

: 대부분(~80%) 증상이 없다가 검사에서 우연히 발견되는 경우가 많음!

(1) Hypercalcemia에 의한 증상

- CNS ; 정신착란, 사고장애, 기억력감퇴, 정서장애, 우울증, coma, DTR↓
- neuromuscular ; proximal muscle weakness, atrophy, hyperreflexia, pruritus
- GI ; thirst, anorexia, N/V, constipation, PUD (MEN 1), acute pancreatitis ...
- cardiovascular ; 서맥, 1st AV block, QT interval↓, 부정맥, HTN
- kidney ; nephrolithiasis[신결석] (대부분 calcium oxalate or phosphate stone → UTO, 신기능↓ 가능), nephrocalcinosis[신석회화증], polyuria, polydipsia
- metastatic calcification

(2) 골격계 증상

- 골흡수↑ ; bone pain, osteitis fibrosa cystica[낭성섬유골염] (과거의 특징), bone cysts
- bone mineral density (BMD) 감소 → fracture는 약간만 증가됨
  (∵ PTH에 의해 피질골은 감소하지만, 미세골구조는 보존되고 뼈 크기/직경은 증가함)
- 요즘에는 조기 진단으로 신장 합병증(<20%), osteitis fibrosa cystica (<5%) 등은 드묾

c.f.) 암에 의한 hypercalcemia는 경과가 짧아 요로 결석이나 골흡수 소견을 나타내기 어려움

3. 검사소견

■ **생화학적 진단 : hypercalcemia 정도에 비해 높은(↑~ high normal) PTH level**

(1) intact PTH level↑ : 확진(m/g) … hypercalcemia evaluation에서 m/i
  - 10~20%에서는 거의 정상 level이지만 hypercalcemia 수준에 비하면 부적절하게 증가된 것임
(2) hypercalcemia (>10.5 mg/dL) : 대부분은 mild (↔ 악성종양일 때는 심함 ~14-15)
(3) urine phosphate↑ ⇨ hypophosphatemia (<2.5 mg/dL) : 약 1/3에서, 대부분은 low normal임
  (renal failure 때는 정상 or 증가할 수도 있으)
(4) urine calcium↑ : 약 40%에서, 나머지는 대부분 정상 (24hr urinary Ca, Ca/Cr clearance ratio)
  - 진단에 필수는 아니지만, 치료방침 결정에는 필요함 (→ 신장 합병증 risk 평가)
  - <200 mg/day면 FHH (or vitamin D 결핍이 동반된 PHPT)를 의심
(5) bone turnover markers 모두 ↑~ high normal … routine으로 검사할 필요는 없음
  - formation index ; bone-specific ALP, osteocalcin, type I procollagen peptides
  - resorption index ; hydroxypyridinium collagen cross-links, telopeptides of type I collagen
(6) 기타 ; 감별진단/치료방침을 위해 serum 25(OH)D, serum Cr도 검사해야 됨
  - 일부 PHPT 환자는 vitamin D 결핍 동반 가능 (→ ≤20 ng/mL면 vitamin D 보충 필요)
  - PHTP 환자는 정상인보다 25(OH)D→1,25$(OH)_2$D 전환↑ → 1,25$(OH)_2$D는 high normal~↑
(7) 유전자검사 ; 일반적으로는 필요 없고, FHH와 감별이 어렵거나 MEN 동반시 고려

4. 영상검사

(1) osteitis fibrosa cystica에 의한 변화 (요즘에는 드묾, <5%)
  • 골막하 골흡수(subperiosteal bone resorption) … 가장 특징적인 소견!
    - 피질골이 흡수되어 피질골의 표면이 불규칙해 보이는 변화
    - 특히 수지골(phalanx)과 두개골(→ salt & pepper appearance)에서 잘 보임
  • "brown tumor" (bone cyst) : 다수의 파골세포, 기질세포, 기질로 구성, 대개 multiple, hemosiderin 침착으로 인해 갈색으로 보임 (⋯› tumor와 감별해야)
(2) osteopenia (골밀도 감소, ~25%)
  • 주로 피질골(e.g., forearm, hip)에서 감소 / 척추 같은 해면골(cancellous bone)은 덜 감소함
  • 골밀도(BMD) 검사 : spiral CT, DXA (dual-energy X-ray absorptiometry)
    - lumbar spine, hip, distal 1/3 forearm 3곳 모두에서 측정
    - 진단에 필수는 아니지만, 치료방침 결정에 중요
(3) renal imaging (X-ray, US, CT) ; 무증상 환자의 7~20%에서도 silent kidney stones 발견됨
(4) localization 검사 ; 진단에서는 필요 없고, 수술이 결정된 경우에 시행

5. 부갑상선기능항진증의 치료

(1) 수술 : TOC

- PHPT의 유일한 완치법은 부갑상선절제술(parathyroidectomy)임 (cure >95%)
- 증상이 있거나, 적응(1개 이상)에 해당하면 수술이 원칙임

• 수술 기법의 발전으로 적응은 확대되는 추세임 (∵ 다른 완치법 無, 대부분 진행성 질환)

무증상 PHPT 환자의 수술 적응 ★	
혈청 calcium	정상 상한치보다 1.0 이상 상승 (약 >11.5 mg/dL)
신장	Creatinine clearance <60 mL/min 24hr urinary Ca >400 mg/day & urinary biochemical stone profile risk ↑ Nephrolithiasis or nephrocalcinosis 존재 (X-ray, US, or CT)
뼈	DXA : 골밀도 감소 (T-score < −2.5)* 척추 골절 (X-ray, CT, MRI, or VFA**)
나이	50세 미만

* 골밀도 : spine, total hip, femoral neck, or distal radius에서 (폐경전 여성, 50세 미만 남성은 Z-score 권장)
** VFA (vertebral fracture assessment) : DXA를 이용해 척추골절을 평가하는 것

• 수술 방법
 ① conventional parathyroidectomy (bilateral neck [4-gland] exploration, BNE)
  – 과거의 표준 수술법 (전신 마취하에 시행) → 현재는 polyglandular dz. (multiple adenoma, hyperplasia ; MEN, 2ndary HPT), carcinoma에서만 시행
  – subtotal parathyroidectomy : 4개의 부갑상선 중 3½만 떼어냄
  – total parathyroidectomy & autotransplantation (조직 일부 팔에 다시 이식 → 재발시 수술 쉬움)
 ② targeted parathyroidectomy (minimally invasive parathyroidectomy, MIP)
  – 현재의 표준 수술법 (∵ single adenoma가 PHPT 원인의 80~85%), 국소 마취하에 시행
  – 임상적으로 polyglandular dz.가 배제되고, 수술 전 localization이 되어야 됨
• minimally invasive parathyroidectomy시의 위치선정(localization)
 ① 처음 수술시
  – preop. localization : ^{99m}Tc-sestamibi scintigraphy (MIBI-SPECT), US, 4D-CT
   (c.f., MRI는 cervical LN와 부갑성선이 비슷해 보여 처음 영상검사로는 선호 안됨)
  – intraop. PTH monitoring (IOPTH) : 병소 제거시 PTH level 즉시 감소(>50%) 확인
 ② 두번째 수술시
  – 처음 수술이 실패 or 재발한 경우엔 반드시 intraop. PTH monitoring (IOPTH)도 시행
  – 2가지 이상의 영상검사로 확인(e.g., MIBI-SPECT, US, 4D-CT, MRI, PET-CT)
  – selective venous sampling and/or arteriography : 영상검사에서 불확실한 경우 고려
• 수술 이후의 hypocalcemia (<8 mg/dL)의 원인
 ① hungry bone syndrome (~4%) : PTH의 갑작스런 감소로 억제되어있던 osteoblasts 활성화
  → 혈중 Ca & Ph가 비어있던 뼈로 다시 빠르게 흡수됨
  – uncomplicated PHPT (대부분 adenoma)에서는 드물고 (∵ bone dz.나 bone mineral 결핍 적음), 2ndary HPT의 수술 이후에 더 흔함 (∵ 장기간 PTH↑에 적응)
  – severe hypocalcemia (Sx ; "tetany" 등), Ph↓, Mg↓, hyperkalemia 등이 나타남
  – Tx. ; IV calcium (oral calcium도 동시에 시작), short-acting vitamin D (calcitriol)
 ② permanent hypoparathyroidism : Ca↓ & phosphate↑
 ③ 기타 ; hypomagnesemia, vitamin D deficiency, renal failure ...
• hypomagnesemia : PTH 분비를 억제하여 수술 뒤 회복을 더디게 함
 → Tx. ; IV Mg (더 효과적), oral Mg (e.g., Mg chloride, Mg hydroxide)

(2) F/U & 내과적 치료

• 무증상 PHPT 환자가 수술의 적응에 해당되지 않거나, 수술을 원하지 않거나 불가능하면

무증상 PHPT 환자의 monitoring	
혈청 calcium	매년
신장	매년 serum Cr, eGFR 신결석 의심시 urinary biochemical stone profile 및 영상검사
뼈	1~2년 마다 3부위(hip, spine, and forearm) 골밀도 검사 척추 골절 의심시(e.g., 신장↓, 요통) VFA

• 일반적인 주의사항(예방대책)
- 충분한 수분섭취, thiazide diuretis/lithium carbonate/inactivity 피함 → hypercalcemia 악화↓
- Ca 섭취는 정상적으로(1000 mg/day) ; low Ca diet는 PTH 분비↑ & bone dz. 악화 위험, serum $1,25(OH)_2D$가 증가된 환자는 hypercalcemia 악화될 수 있으므로 <800 mg/day
- physical activity → bone resorption 최소화
- vitamin D deficiency 존재시 반드시 교정 : serum 25(OH)D를 50 nmol/L 이상으로 유지

• 약물치료 (정해진 권고안은 없음)
- bisphosphonates : BMD↑, serum Ca는 변화× → BMD 증가가 중요한 환자에서 사용
- calcimimetics (e.g., cinacalcet) : PTH 분비↓, serum Ca↓, BMD에는 영향×
  → hypercalcemia 교정이 우선인 환자에서 사용
- 폐경 PHPT 여성 → estrogens & SERMs (e.g., raloxifene) : BMD↑, serum Ca↓(미미함)

6. Hypercalcemia의 내과적 치료

(1) 응급 치료 : acute severe hypercalcemia (>15 mg/dL)

: life-threatening medical emergency!

① hydration (수액공급) : N/S … 가장 먼저!
• hypercalcemia 환자는 dehydration 동반이 흔함
(원인 ; 구토, 영양실조, hypercalcemia에 의한 요농축장애)
• GFR 감소 동반시 신세뇨관의 Na^+ 및 Ca^{2+} 배설은 더욱 감소됨
• rehydration → 위의 이상 교정 및 신장의 Ca^{2+} 배설 촉진
• mild hypercalcemia는 hydration 만으로 충분한 경우가 많음

② loop diuretics (large-dose) : furosemide (Lasix) or ethacrynic acid
• 신장에서 Ca^{2+} 재흡수를 억제하여 Ca^{2+} 배설 촉진
• 이상의 방법으로 신장의 Ca^{2+} 배설을 500 mg/day 이상으로 증가시킬 수 있음
→ 24시간 내에 serum calcium 1~3 mg/dL 감소 가능
• 부작용 ; K^+↓, Mg^{2+}↓, renal calculi, pul. edema → close monitoring 필수

③ calcitonin
• osteoclast (bone resorption) 억제, 신장의 calcium 재흡수 억제(→ calcium 배설↑)
• 작용시간 빠름, bisphosphonate의 작용 전까지 severe hypercalcemia의 치료에 유용
⇨ 몇 시간 이내에 효과

④ IV pamidronate or zoledronate
⑤ dialysis : 신부전에 합병된 severe hypercalcemia 때 유용

(2) 기타 치료

① mild (≤12 mg/dL) asymptomatic hypercalcemia : close follow-up
- 충분한 수분 섭취만으로도 교정 가능
- keep active! (weight-bearing은 좋다)
- immobilization과 bed rest 피함 (∵ bone turnover↑ → hypercalcemia)
- 금기
  - thiazide : 신장에서 calcium 배설을 감소시킴
  - vitamin D, A 과용
  - calcium-containing antiacids 등

② bisphosphonate : pyrophosphate의 analogue
- 기전 : osteoclast를 억제 (특히 bone turnover 증가된 부위) → bone resorption 크게 감소
  - 1세대 (etidronate) : bone formation도 억제하는 단점
  - 2세대 (pamidronate, alendronate, risedronate) : resorption 억제력이 더 강함
  - 3세대 (zoledronate) : 2세대보다 몇 배 더 강력 & 작용기간 긺
- 1~2일 지나야 효과 발생, 작용시간 긺, 가장 강력
- severe hypercalcemia (≥15 mg/dL) 때는 처음부터 IV로 pamidronate or zoledronate 투여

③ plicamycin (mithramycin) : bone resorption 억제, Cx 많아 잘 안 쓰임

④ glucocorticoids (prednisone)
- 기전 : 신장의 calcium 배설 촉진 및 장관의 calcium 흡수 억제
- 정상인 및 primary hyperparathyroidism에는 효과 없다!
- multiple myeloma, leukemia, lymphomas, breast ca., vitamin D 중독, granulomatous dz. (e.g., sarcoidosis) 등에 의한 hypercalcemia 때 유용

⑤ phosphate
- oral : hypophosphatemia의 교정 → serum calcium↓
- IV : 작용이 빠르고 강력하지만, 독성 및 부작용(fatal hypocalcemia) 위험 때문에 치명적인 응급상황(e.g., 심부전, 신부전) 때나 이차적으로 고려
- hypophosphatemia시
  ① bone의 calcium uptake 감소
  ② intestinal calcium absorption 증가
  ③ bone breakdown 증가

⑥ propranolol : hypercalcemia에 의한 심장 부작용을 예방 가능

다른 원인에 의한 HYPERCALCEMIA

1. 악성종양에 의한 hypercalcemia

Hematologic malignancies	Solid tumors
1. Local bone destruction … osteoclast activating factors[OAF]	1. Local bone destruction (PGE series)
(e.g., IL-1, IL-6, TNF-α, lymphotoxin[LT], RANKL)	Breast cancer 일부
Multiple myeloma	2. Humoral mediation (PTH-rP 등)
Lymphoma	Lung (squamous cell ca.)
Leukemia	Kidney (RCC)
2. Humoral mediation (1,25$(OH)_2$D, PTH-rP)	Urogenital tract
Lymphoma	Breast cancer 일부

- hypercalcemia 발생 예측에는 bone metz. 여부보다는 종양의 조직형이 더 중요
- 대개 여러 기전이 관여
  ① PTH-rP 생산 (m/c) → bone resorption ↑
  ② local bone destruction
  ③ 1,25$(OH)_2$D 생산 ; B-cell lymphoma, ovarian cancer
- intact PTH level ↓
- technetium-labeled bisphosphonate를 이용한 bone scan : osteolytic metz. 발견에 유용
  (but, 예민도는 높으나 특이도가 낮음 → 반드시 X-ray와 비교 필요)

■ humoral hypercalcemia of malignancy

- 원인 ; lung (squamous cell ca.), kidney ... (보통 bone metz. 없이 발생)
- 기전 ; 종양세포에서 PTH-related protein (PTH-rP) 분비 → immunoassay로 측정 가능
- 임상양상은 primary hyperparathyroidism과 비슷
- 검사소견
  - urinary cAMP ↑
  - hypercalcemia, hypophosphatemia (urinary phosphate ↑)
  - intact PTH level ↓ (→ hyperparathyroidism과의 감별에 중요!)
  - 1,25$(OH)_2$D level ↓~정상

→ 혈액종양내과 15장 참조

2. 신부전과 관련된 hypercalcemia

(1) Severe secondary hyperparathyroidism

- 원인
  - renal failure [CKD] (∵ Ph ↑, FGF-23 ↑, 1,25$(OH)_2$D ↓, Ca ↓ 등)
  - osteomalacia (vitamin D deficiency 등)
  - pseudohypoparathyroidism (PHP)
- 증상 ; bone pain, ectopic calcification, pruritus ...

→ 신장내과 5장 참고

(2) Tertiary hyperparathyroidism

- 심한 CKD가 오래 지속 (Ca↓, Ph↑, vitamin D↓) → 부갑상선을 지속적으로 자극
  → 부갑상선이 반자율적으로 심하게 증식하게 됨 (parathyroid gland mass↑)
  → PTH↑↑, Ca↑, Ph↓ (신이식을 하면 대개는 1년 이내에 정상화됨)
- 적절한 치료 없이 장기간 지속되면 부갑상선의 neoplastic (clonal) transformation도 가능함
- 신이식을 받은 secondary hyperparathyroidism 환자의 약 8%에서 발생
- 치료 : 내과적 치료에 반응 없이 hypercalcemia가 1년 이상 지속, 심한 합병증(e.g., 신결석, 신성골병변, 연조직석회화, 근육/골통증), 신기능이 급격히 저하되는 경우 → 부갑상선절제술

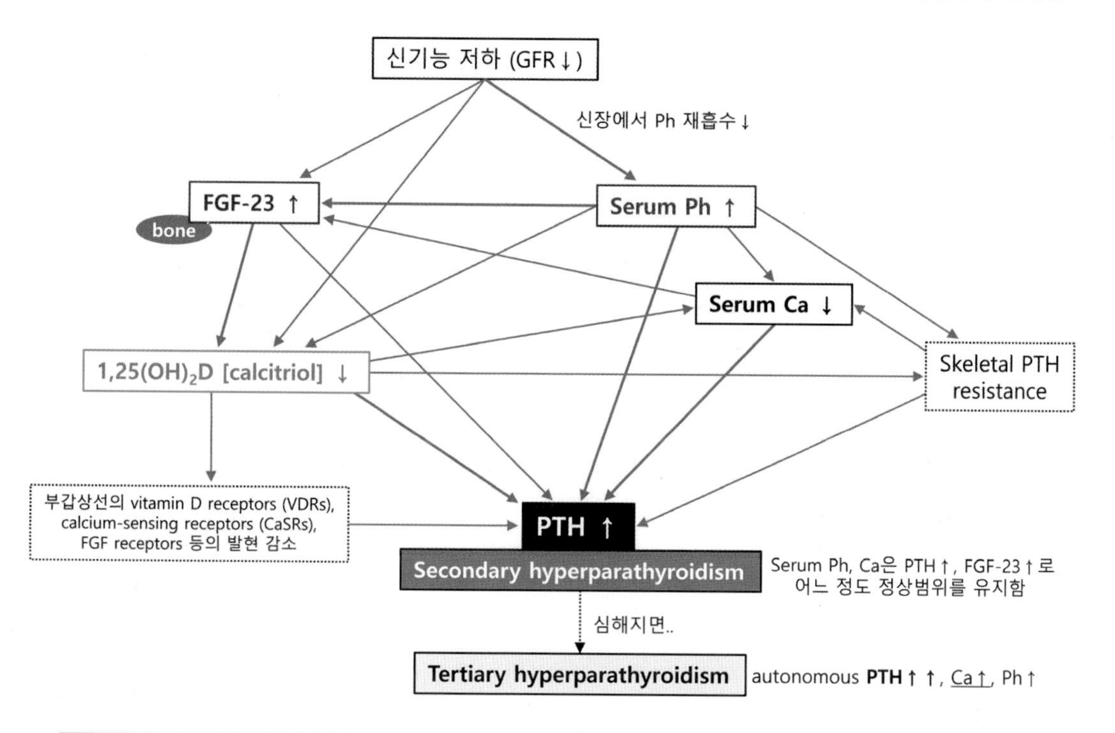

	Primary hyperparathyroidism	Secondary hyperparathyroidism	Tertiary hyperparathyroidism
PTH	↑~N	↑	↑↑
Calcium	↑	↓~N	↑
Phosphate	↓~low normal	↑~N	↑
$1,25(OH)_2D$	↑~high normal	↓	↓

(3) Aluminum intoxication

- 만성 신부전 환자가 aluminum 함유 제제(e.g., 제산제, phosphate binder) 복용시 발생 가능
- vitamin D or calcitriol 치료시 hypercalcemia 유발 가능 (∵ skeletal response↓)

(4) Milk-alkali syndrome

- 특징 : hypercalcemia, alkalosis, renal failure
- 원인 : calcium, absorbable antacids (milk, calcium carbonate)의 과잉섭취

- 기전 : mild hypercalcemia 발생 → PTH↓→ bicarbonate 재흡수
  → alkalosis → renal calcium retension → hypercalcemia 악화
  (calcium 섭취가 계속되면, hypercalcemia와 alkalosis 계속 악화)
- Sx. : weakness, myalgia, irritability, apathy
- 급성으로 발생한 경우 calcium 및 antacids의 과잉 섭취를 중단하면 호전됨
- 만성(Burnett's syndrome) → 비가역적인 신손상

3. Familial hypocalciuric hypercalcemia[FHH] (familial benign hypercalcemia)

- AD 유전, 드묾, **calcium-sensing receptor (CaSR)** 및 signaling pathway[신호전달] 단백의 mutations
  ① FHH1 (m/c, ~65%) : *CASR* gene의 loss-of-function (inactivating) mutations (3q13.33-21.1)
  ② FHH2 (<10%) : Gα11 (CaSR의 주요 신호전달 단백) … *GNA11* gene의 〃 (19p13.3)
  ③ FHH3 (20~25%) : AP2σ (CaSR의 표현, 신호전달 단백) … *AP2S1* gene의 〃 (19q13.3)
- 기전 : 부갑상선과 신세뇨관에서 CaSR의 혈중 Ca^{2+} 감지↓ → PTH의 부적절한 분비↑,
  신장에서 Ca & Mg 재흡수↑ → hypercalcemia & hypocalciuria
- primary hyperparathyroidism (PHPT)과의 차이점
  ① hypocalciuria (m/i) : calcium의 99% 이상을 재흡수
  ; urine calcium <200 mg/day, calcium/creatinine clearance ratio <0.01
  ↳ C_{Ca}/C_{Cr} = (소변 Ca/혈청 Ca) / (소변 Cr/혈청 Cr)
  ② 가족력 有, 대부분 10세 이전에 발병 (↔ PHPT 및 MEN은 10세 이전에 드묾)
  ③ PHPT에 비해서는, calcium 상승 정도에 따른 PTH level이 낮음
  ④ parathyroidectomy는 효과 없음
- 대부분 무증상, serum calcium 10.5~12 mg/dL, phosphate↓, PTH N~↑, Mg↑
- 유전자검사 ; *CASR, GNA11, AP2S1* genes의 sequencing … PHPT와 감별 어려울 때 도움
- 특별한 치료는 필요 없음 (대부분 benign natural history)
  - 심한 경우에는 cinacalcet (calcimimetics, CaSR의 sensitivity를 높임)
  - 매우 심한 경우는(e.g., neonatal severe hypercalcemia) total parathyroidectomy 고려

c.f.) 기타 CaSR 관련 질환
- acquired hypocalciuric hypercalcemia (드묾) ; CaSR에 대한 Ab 때문, 기저 자가면역질환의 Cx
- CaSR expression 감소 ; PHPT, CKD (severe 2ndary or tertiary HPT)
- autosomal dominant hypocalcemia (ADH) ; *CASR, GNA11*의 gain-of-function (activating) mutations ; FHH와 반대의 기전 (Ca^{2+} 감지↑ → PTH 분비↓, 신장에서 Ca 재흡수↓ 등)
- Bartter syndrome type V ; severe *CASR* mutations, hypokalemic alkalosis, renal salt wasting, hyperreninaemic hyperaldosteronism

부갑상선(기능)저하증 (Hypoparathyroidism)

Hypocalcemia의 원인

Low PTH (hypoparathyroidism)

부갑상선 파괴
- 수술(m/c) ; parathyroidectomy, thyroidectomy, radical neck dissection
- 침윤 ; metastatic cancer, hemochromatosis, amyloidosis, sarcoidosis, Wilson's dz., thalassemia
- 방사선치료, HIV 감염 ...

자가면역질환
- Autoimmune polyglandular syndrome type 1 (APS-1) (만성 점막피부칸디다증, adrenal insufficiency 등 동반)
- Isolated hypoparathyroidism (CaSR에 대한 activating Ab)

유전적 이상
- 부갑상선 발달장애 ; isolated, or DiGeorge syndrome, Sanjad-Sakati syndrome, Kenny-Caffey syndrome, Kearns-Sayre syndrome, Barakat syndrome ...
- PTH 합성 장애
- CaSR의 activating mutations ; autosomal dominant hypocalcemia, sporadic isolated hypoparathyroidism

Hypomagnesemia (functional hypoparathyroidism) → 신장내과 2장 참조
; 흡수장애, 영양실조, 알코올 중독, 신장에서 소실↑, 약물(e.g., cisplatin, 이뇨제, 항생제)

High PTH (hypocalcemia에 대한 2ndary hyperparathyroidism)

CKD (∵ hyperphosphatemia, PTH에 대한 skeletal resistance, $1,25(OH)_2D$ 합성↓) ; 25(OH)D는 정상

Vitamin D 결핍
- 섭취 부족, 일광노출 부족, 흡수장애, nephrotic syndrome (∵ albumin & vitamin D-binding protein[DBP]↓)
- 만성 간질환(∵ 25(OH)D 합성↓, 흡수장애, albumin & DBP↓ / vitamin D 결핍은 간질환의 발생/악화에도 기여)
- 대사이상 ; 항경련제(phenytoin, phenobartial), INH, ketoconazole, vitamin D-dependent rickets (VDDR) type 1

Vitamin D 저항성 ; renal tubular dysfunction (Fanconi syndrome), vitamin D receptor defects (VDDR type 2)

PTH resistance ; PTH receptor mutations, pseudohypoparathyroidism (PHP), hypomagnesemia

혈중 calcium의 조직으로 이동
- Acute hyperphosphatemia (→ Ca와 결합) ; tumor lysis, rhabdomyolysis
- Acute pancreatitis, sepsis, TSS, acute respiratory alkalosis, 대량 수혈 ...
- Osteoblastic metastasis (e.g., 전립선암, 유방암)

약물
- 골흡수 억제제 (특히 vitamin D 결핍 동반시) ; bisphosphonate, calcitonin, plicamycin, denosumab
- Cinacalcet (calcimimetics, CaSR의 sensitivity를 높임)
- Calcium chelators ; EDTA, citrate, phosphate
- Foscarnet (혈중에서 Ca과 결합)

1. 임상양상

(1) hypocalcemia에 의한 신경근육흥분 증상

- 입주위, 손/발가락 끝의 감각이상/저림(numbness, tingling)
- 근육경련(cramps), 강직(tetany), 손발연축(carpopedal spasm), 안면마비
- 경련(convulsion) : 대개 전신적인 강직성 경련, 때때로 간질 발작의 형태
- 후두경련 → 기도 폐쇄, 후두 협착음(stridor)

(2) **잠복 강직(latent tetany)의 signs**

- Chvostek's sign : 귀 앞의 facial nerve를 치면, 안면 근육의 단일수축(twitching) 발생
- Trousseau's sign : 혈압계를 systolic BP 이상으로 2~3분간 팽창시켜 nerve ischemia를 유발하면 손의 연축(spasm) 발생

(3) **만성 증상**

- lethargy, psychologic changes, extrapyramidal signs
- 피부 : 건조하고 잘 벗겨짐, impetigo herpetiformis, pustular psoriasis
- 후수정체 백내장(post. lenticular cataract), 치아 형성 장애, 손/발톱이 쉽게 부서짐

2. 검사소견/진단

(1) hypocalcemia, hyperphosphatemia, PTH↓로 진단 가능

- primary hypoparathyroidism
  - 신기능(BUN, Cr) : 정상 (→ CKD R/O)
  - serum magnesium : 정상 (→ hypomagnesemia R/O)
  - 25(OH)D : 정상 (→ vitamin D deficiency R/O)
- hypocalcemia & hypophosphatemia → absent/ineffective vitamin D (PTH↑)

(2) PTH 부하시험(infusion test)에 정상 반응 (urinary cAMP 및 phosphate 배설 증가)

(3) ALP : 정상

(4) imaging (X-ray or CT)

- basal ganglia의 calcification
- bone density 증가

(5) EKG : prolonged QT intervals, T wave abnormalities

* alkalosis : serum albumin의 charge 변화 → Ca^{2+}의 albumin과의 결합 증가 → Ca^{2+} 감소

* PTH : 신장에서 HCO_3^- 배설 촉진 (→ hyperchloremic metabolic acidosis)

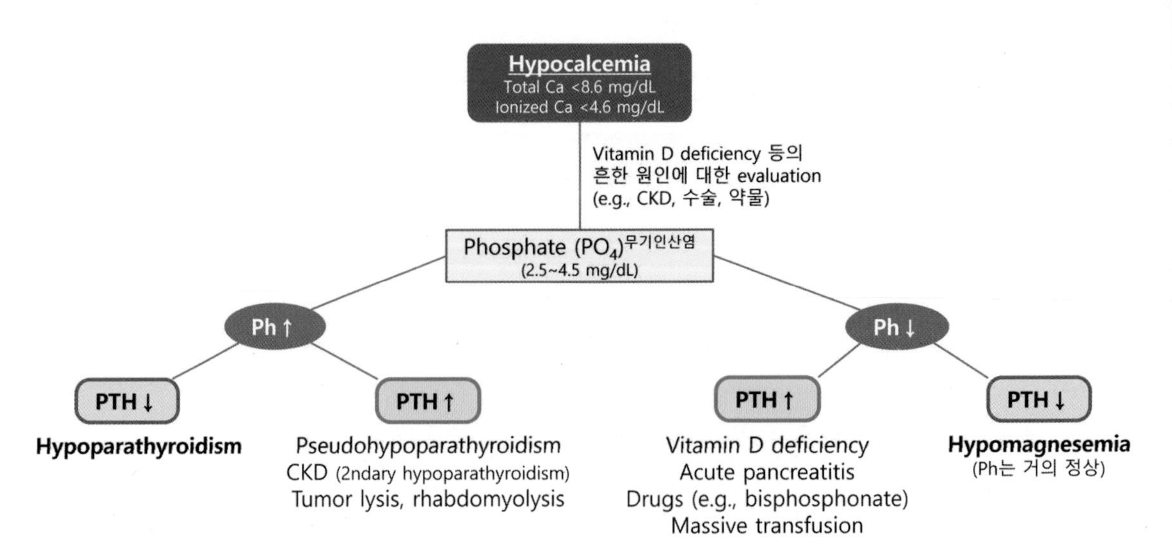

* serum albumin 1 g/dL 감소시 calcium 0.8 mg/dL씩 감소 (Ca^{2+}은 정상, total calcium만 감소됨)
  • 중증/입원 환자의 hypocalcemia의 m/c 원인은 hypoalbuminemia임
    - 만성질환, 영양실조, LC, NS, 체액과다 등 때도 hypoalbuminemia
    - ionized Ca^{2+}은 영향 없고, hypocalcemia의 증상도 없음
  • albumin 1 감소시 calcium은 0.8 씩 더해서 albumin 변화에 의한 효과를 보정해야 됨!
    ⇨[corrected total Ca = measured total Ca + 0.8×(4 - serum albumin)]

3. 치료

: vitamin D + calcium 보충이 치료의 기본

(1) acute attack : 심한 증상(e.g., 연축, 강직, 경련, 심기능↓, QT↑) or corrected Ca ≤7.5 mg/dL
  ⇨ IV calcium
  • calcium gluconate 1~2 g (elemental Ca 90~180 mg에 해당) : 10~20분 동안 천천히 주입
  • calcium은 정맥을 자극하므로 D/W or saline으로 희석하여 투여
    (bicarbonate or phosphate 함유 용액은 insoluble calcium salts를 형성하므로 섞으면 안됨!)
  • 혈중 calcium은 low-normal (8.0~8.5 mg/dL)로 유지 / 과도하면 hypercalciuria, 신결석 위험

(2) 심한 증상이 없고 corrected Ca >7.5 mg/dL ⇨ **oral calcium**으로 투여
  • calcium carbonate, calcium citrate 등 (하루 2~3 g의 elemental calcium 섭취)
  • oral calcium으로 증상 호전이 없으면 IV calcium

(3) active vitamin D 제제 … oral calcium과 같이 투여 시작!
  • hypocalcemia Sx.이 없어질 정도까지만 높임 (정상 level까지 올리면 vitamin D 중독 발생 가능)
  • 1,25$(OH)_2$D (calcitriol) : rapid-acting, hypoparathyroidism 때 TOC
    - 간과 신장에서의 활성화 필요 없음 (∵ 특히 PTH는 신장의 1α-hydroxylation을 촉진)
    - 작용 시작 및 소실이 빨라 용량 조절이 용이함, 반감기 12~14시간
  • 기타 semi-active vitamin D analogs ; alfacalcidol, calcidiol (calcifediol), dihydrotachysterol
  c.f.) parent/inactive vitamin D (e.g., D_2 [ergocalciferol], D_3 [cholecalciferol]) : 반감기 길
    - PTH 저하시 신장에서 활성화(1α-hydroxylation)가 어려우므로 50~100배의 고용량 필요
    - 지방에 축적되어 vitamin D 중독을 일으킬 수 있으므로 hypoparathyroidism 때는 선호 안됨

(4) thiazide diuretics
  • 신세뇨관의 calcium 재흡수 촉진 (→ calcium, vitamin D의 용량 줄일 수)
  • urinary calcium↓ → renal stone 발생 예방
  • 저염식(low salt diet) → 신장에서 calcium 배설 감소

(5) magnesium (IV) … hypomagnesemia 있으면 반드시 치료!
  예) chronic alcoholism, malnutrition, renal loss, drugs (e.g., cisplatin)

(6) recombinant human PTH (1-84, rhPTH) 이론적으로는 가장 좋지만, 지속적인 주사가 필요하고
  비싸서 실제로는 사용은 어려움, vitamin D + calcium 치료에 반응이 없는 경우 고려

4. 가성부갑상선기능저하증(Pseudohypoparathyroidism, PHP)

(1) 정의/원인/분류

- PTH에 대한 표적장기(kidney, bone)의 resistance → 이차적으로 부갑상선 기능이 항진됨
- 매우 드묾, 주로 AD 유전
- *GNAS1* gene loss-of-function mutations → Gsα subunit activity↓(deficiency)
  - maternally transmitted variants ; PTH에 대한 반응(소변 cAMP)↓, AHO(+) [PHP type Ⅰa]
  - paternally transmitted variants ; PTH에 대한 반응 정상, AHO(+) [PPHP]
  - GNAS1은 갑상선, 성선, 뇌하수체 등에서도 발현되므로 PHP-Ⅰa는 다양한 호르몬에 대한 저항성을 보임 (e.g., TSH, LH, FSH, GnRH)
- PHP type Ⅰb : *GNAS1* methylation defects or 조절단백의 이상, AHO 無
- PHP type Ⅰc : Ⅰa와 임상양상은 같지만, Gsα subunit activity는 정상 (Ⅰa의 variant로 취급)
- PHP type Ⅱ : PTH에 대한 소변 cAMP 반응 정상~↑ & Ph 배설↑ (기전 잘 모름)

Type	Serum			PTH에 대한 urinary cAMP 및 인산염 배설	Gsα subunit deficiency	PTH 이외의 호르몬에 대한 resistance	AHO
	Ca	P	PTH				
PHP-Ⅰa (m/c)	↓	↑	↑	↓	+	+	+
PHP-Ⅰb	↓	↑	↑	↓	−	±	−
PHP-Ⅰc	↓	↑	↑	↓	−	+	+
PHP-Ⅱ	↓	↑	↑	N	−	−	−
PPHP	N	N	N	N	+	−	+

(2) 임상양상

① hypoparathyroidism과 비슷한 양상 ; hypocalcemia, hyperphosphatemia, 1,25(OH)$_2$D↓ ...

② PTH level ↑

③ PTH 부하시험에 대한 반응 감소 : urinary cAMP 및 phosphate 배설 증가 없음

④ AHO (Albright's hereditary osteodystrophy)

- PHP type Ia, Ic, PPHP에서만 나타남
- short stature, round face, brachydactyly (대개 bilateral)
- short metacarpal / metatarsal bones (특히 4, 5번째)
  → 주먹을 쥐면 해당 metacarpal 부위가 움푹 파인 모양을 보임
- 이차성징 결핍, 지능저하, heterotopic calcification (e.g., basal ganglia)

■ Pseudopseudohypoparathyroidism (PPHP, 가가성부갑상선기능저하증)

- 외형의 이상(AHO)만 있고, 검사소견(Ca, P, PTH)은 정상!
- hypoparathyroidism의 특징이 없음
- PHP-Ia의 1차친족에서 볼 수 있음

(3) 치료

- PHP : hypoparathyroidism의 치료와 동일
  → oral calcium + vitamin D (용량은 true hypoparathyroidism 때보다는 적음)
- PPHP은 대개 치료할 필요 없다

MEMO

6
대사성 골질환

개요

* **골재형성**(bone remodeling)
  - 오래되거나 손상된 뼈를 제거하는 골흡수와 그만큼 새로운 뼈를 만드는 골형성이 반복되는 것
  - 뼈의 구조 유지와 calcium homeostasis를 위해 필수적
  - 주로 뼈 표면에서 이루어짐, 정상인에서는 뼈 표면 중 극히 일부에서(<10%) 진행됨
  - 과정 : 6~9개월간 진행
    ① 활성화(activation) : osteoclast가 골 표면에 부착
    ② 흡수(resorption) : osteoclast가 골을 흡수하고 사라짐
    ③ 전환(reversal) : 파괴된 골 표면에 osteoblast가 나타남
    ④ 형성(formation) : osteoblast에 의한 새로운 골의 형성
    ⑤ 무기질화(mineralization) : 새로 형성된 유골(osteoid)의 무기질화

* **파골세포**(osteoclast)의 활성화에 관여하는 인자 (← hematopoietic stem cell^{HSC}에서 유래)
  - M-CSF (macrophage CSF) : 전구세포에서 active osteoclast로 분화 촉진 → 골흡수↑
  - RANKL (receptor activator of NFkB [nuclear factor kB]의 ligand) : osteoclast의 수/활성도↑
    - TNF receptor family에 속함, osteocytes/osteoblasts/T cells에서 주로 분비됨
    - IL-1, IL-6, IL-11, TNF-α, PTH, vitamin D, PGE_2, ROS등 → RANKL 생성↑
  - OPG (osteoprotegerin = osteoclastogenesis inhibitory factor [OCIF])
    - TNF receptor family에 속함, 심장/폐/신장/뼈/간/뇌 등 여러 곳에서 발현됨
    - RANKL과 결합하여 RANKL과 RANK의 결합 억제 → osteoclast의 분화와 활성화를 억제
  - calcitonin : osteoclast 표면의 receptor에 직접 작용하여 osteoclast의 기능을 억제
  - 대부분의 호르몬은 M-CSF와 RANKL에 영향을 주어 간접적으로 osteoclast에 영향을 줌
    (PTH, vitamin D → osteoclast의 수/활성도↑, estrogen → osteoclast의 수/활성도↓)

* **조골세포**(osteoblast)의 활성화에 관여하는 인자 (← mesenchymal stem cell^{MSC}에서 유래)
  - CBFA1 (core-binding factor A1, Runx2) : osteoblast의 증식을 조절하는 master regulator
  - Wnt : Runx2 발현을 직접 증가시킴 → 골형성↑
    (c.f., LRP5 [Wnt의 receptor] 변이시 골량 감소)
  - BMP (bone morphogenic protein) : Runx2의 발현을 일부 증가시킴 → 골형성↑
  - TGF-β, FGF, IGF, PDGF 등도 osteoblast의 증식/활성↑

* BMU (basic multicellular unit) : osteoclasts와 osteoblasts로 구성되며, bone remodeling cycle (resorption → formation & mineralization)을 시행

* **골세포(osteocyte)** ⋯ bone remodeling 조절에 m/i 역할
  - 뼈 전체에 분포하며 뼈를 이루는 세포의 대부분을 차지함(90~95%), 수명이 매우 긺 (~수십 년) (↔ osteoclast와 osteoblast : 수명이 짧고 [수주~수개월], 뼈 표면에만 존재)
  - sclerostin : MSC → osteoblast로의 분화 억제 / SOST gene에 의해 발현됨
    - mature osteocytes는 더 이상의 골형성을 억제하기 위해 sclerostin을 분비함
    - 분비↓ ; 압력 부하, PTH, cytokines (e.g., LIF, PGE_2, oncostatin M, cardiotrophin-1)
      ↳ 골형성↑ (∵ Wnt signaling pathway 활성화)
    - 분비↑ ; calcitonin
  - RANKL 분비 : HSC → osteoclast로의 분화 촉진

Resorption↑ & calciotropic	1,25$(OH)_2D_3$, PTH, PTHrP, PGE_2, IL-1, IL-6, TNF, prolactin, corticosteroids, oncostatin M, LIF	RANKL↑, OPG↓, M-CSF↑(→ osteoclast 분화↑)
Resorption↓ & anabolic	Estrogens, calcitonin, BMP 2/4, TGF-β, TPO, IL-17, PDGF, calcium	RANKL↓, OPG↑

골다공증/뼈엉성증(Osteoporosis)

1. 개요

- m/c metabolic bone dz., 폐경후 여성에서 호발 (50세 이후 유병률 : 남 7~10%, 여 35~40%)
- 정의 : 골강도(bone strength)의 약화로 골절 위험이 증가하는 질환 [NIH]
  ↳ 골량(quantity) : 골밀도(bone mineral density, BMD) → WHO 정의/분류
  골질(quality) : microarchitecture, bone geometry, bone turnover (remodeling) 등
- compact bone (cortical bone[피질골])보다 trabecular bone[해면골/소주] (cancellous bone)의 소실이 많음
  예) vertebrae, femur neck, distal radius

2. 원인/병인

* bone density : 성장기에 획득한 최대 골량(peak bone mass)과 그 이후 성인기의 골소실 (bone loss) 속도 및 정도에 의해 결정됨

(1) 낮은 최대 골량(peak bone mass)

- 대개 30대 초반에 도달, 이후 매년 약 1.2% 씩 골량 감소됨
- genetic factor가 가장 중요함 (peak bone mass의 50~80% 결정)
  예) osteoporosis 엄마의 딸 → bone density↓
  이란성보다 일란성 쌍생아에서 bone density 일치율이 훨씬 높음
- VDR (vitamin D receptor), type 1 collagen, ER (estrogen receptor), IL-6, IFG-I 등의 유전자와 관련이 있을 것으로 추정되었으나 불확실함

• LRP (lipoprotein receptor-related protein)-5 mutation은 골량 증가와 관련
• 성장기의 충분한 calcium 섭취도 중요

최대 골량(peak bone mass)에 영향을 미치는 요인
성별 (남>여), 민족 (흑인>백인) Genetic factors Gonadal steroids, Growth hormone, Timing of puberty Calcium intake, Exercise

(2) 골 소실 (bone loss)

① **폐경(estrogen deficiency)** : post-menopause (평균 51세), hypogonadism

• estrogen → osteoblasts 자극, osteoclasts 억제 → bone resorption↓, formation↑
• estrogen deficiency → bone resorption↑, formation↓
 - osteoblasts에서 IL-6, IL-1, TNF-α 생성↑ → RANKL↑, OPG (osteoprotegerin)↓ → osteoclasts 수/활성도↑
 - osteoclasts의 apoptosis를 억제하여 수명↑ / osteoblasts의 수명↓

② **노화** : senile (age-related) bone loss

- trabecular bone : 두께와 숫자 감소 → 사이 공간이 넓어짐, 골량 감소
- cortical bone : 골내막 흡수(endocortical erosion)↑ → 내경↑, 피질골 두께↓

• osteocytes의 apoptosis↑ → 내압감지능↓, bone formation↓ → 미세 골절/균열↑
 ↳ senescence-associated secretory phenotype (SASP) cytokines↑ → osteoclasts 생산↑, matrix degradation, focal bone resorption, cortical porosity(다공증) 등 증가
• proinflammatory factors (e.g., TNF-α, IL-1)↑, oxidative stress (e.g., reactive oxygen species [ROS])↑, lipid oxidation↑ → bone formation↓
 ↳ osteoblasts의 apoptosis↑ ↗, RANKL↑ → osteoclasts의 수/활성도↑
• kidney에서 vitamin D 생산↓ and/or vitamin D에 대한 intestine의 sensitivity↓
 → calcium 흡수↓(or 칼슘 섭취 부족) → 2ndary hyperparathyroidism → bone resorption↑

	폐경, 성선기능저하	노화
연령	50~75	>70
성비 (여:남)	6:1	2:1
Bone loss의 부위	주로 trabecular bone	Trabecular & cortical bone
Bone loss의 속도	빠름	빠르지 않음
골절 부위	Vertebral body (crush), distal forearm	Vertebrae (multiple wedge), femoral neck, humerus, tibia, pelvis
Parathyroid 기능	정상~감소	증가
Calcium absorption	감소	감소
25(OH)D → 1,25(OH)$_2$D로의 대사	이차적으로 감소	일차적으로 감소
주요 원인	폐경과 관련된 요인 Bone resorption 감소가 主	노화와 관련된 요인 Bone formation 감소가 主

③ 다른 골다공증의 위험인자 - Secondary osteoporosis의 원인 ★

50세 미만 남성 및 폐경전 여성은 hypogonadism[성선기능저하증], 약물(e.g., steroid)이 흔한 원인임
반드시 2ndary osteoporosis에 대한 검사가 필요한 경우
; 50세 미만 남성 및 폐경전 여성에서 비외상성 골절 or Z-score가 매우 낮을 때,
연령에 비해 골소실이 빠르거나 적절한 치료에도 반응이 없을 때, 검사 결과가 비정상인 경우

1. 내분비 질환
   - **Female hypogonadism** ; hyperprolactinemia, hypothalamic amenorrhea, anorexia nervosa, premature and primary ovarian failure (e.g., Turner syndrome)
   - **Male hypogonadism** ; primary gonadal failure (e.g., Klinefelter's syndrome), seconadry gonadal failure (e.g., hypogonadotropic hypogonadism), delayed puberty
   - **Hyperadrenocorticism (Cushing's syndrome), hyperparathyroidism, hyperthyroidism,** acromegaly, GH deficiency, prolactinoma, adrenal insufficiency (Addison' s dz.), DM ...
2. **소화기 질환** ; 흡수장애, 위절제술, 악성빈혈, 만성 폐쇄성 황달, 만성 간질환(e.g, PBC), IBD ...
3. **혈액종양 질환** ; multiple myeloma, lymphoma, leukemia, hemolytic anemias, sickle cell dz., thalassemia, hemophilia, systemic mastocytosis, 악성종양에 의한 PTH-rP 생산
4. **류마티스 질환** ; RA, ankylosing spondylitis, SLE, psoriasis
5. **유전 질환** ; osteogenesis imperfecta, Ehlers-Danlos syndrome, Marfan's syndrome homocystinuria, glycogen storage dz., hemochromatosis, hypophosphatasia, porphyria ...
6. **기타** ; COPD, epilepsy, scoliosis, multiple sclerosis, sarcoidosis, amyloidosis ...
7. **생활습관** ; 흡연, 음주(하루 3잔 이상), 활동/운동 부족, 급격한 체중감소, malnutrition, 칼슘섭취 부족, 비타민D 결핍, 비타민C/K/B6/B12 결핍, 비타민A 과잉, 염분/단백/카페인 과잉섭취, 임신/수유 ...
8. Bone-toxic drugs

골다공증 위험 증가	골절 위험 증가
Glucocorticoids (m/c), 과도한 갑상선호르몬, GnRH analogues, Aromatase inhibitors (유방암 치료), Anticonvulsants*, Chemotherapy*, Immunosuppressives (tacrolimus, cyclosporine, methotrexate), Heparin/warfarin, Chronic lithium therapy, Prolonged TPN, Aluminium* Thiazolidinediones, SSRIs, PPIs, SGLT2 inhibitors, Alcohol	Sedatives & hypnotics Antidepressants Antihypertensive drugs Hypoglycemic agents

* osteomalacia도 유발 가능

- excessive acid intake (특히 고단백 형태로; 고기 등), acidosis 자체도 직접 osteoclast 자극
- 비만 : osteoporosis 위험을 감소시킨다고 생각되었으나, 해석에 주의 필요
  - 마른체중(lean body mass, 지방을 뺀 체중)은 bone mass와 비례관계
    → 체중이 높을수록 osteoporosis 위험은 감소함(∵ mechanical loading↑)
  - 체중이 동일하다면, fat mass와 bone mass는 반비례함
    → 지방%가 높을수록 osteoporosis & fracture 발생↑
  - 비만을 감소시키는 요인이(e.g., 운동, 우유, 칼슘섭취) bone mass 증가와 관련

(3) 골의 질 저하

① macroarchitectural factors (bone size, geometry)

② microarchitectural factors
(e.g. cortical thinning & porosity ; trabecular size, number & connectivity)

③ bone turnover

④ material properties of bone (collagen composition and cross linking, primary and secondary mineralisation, micro-damage repair)

* BMD (bone mineral density)와 달리 bone quality는 측정이 어려움

■ 골다공증에 의한 '골절'의 위험인자 ★

Nonmodifiable	Potentially modifiable
1. 성인기의 골절 병력 2. 1차친족의 골절 병력 3. 여성 4. 고령 5. 백인 6. 치매	1. 흡연 2. 저체중(<58 kg) 3. Estrogen 결핍 ; 조기 폐경(<45세), 장기(>1년) 무월경, 양쪽 난소 절제/기능상실 등 4. 알코올 중독 5. 영양실조 (특히 칼슘 & 비타민D 결핍) 6. 시력 장애 7. 잦은 넘어짐 8. 육체적 활동 부족 9. 허약/빈약

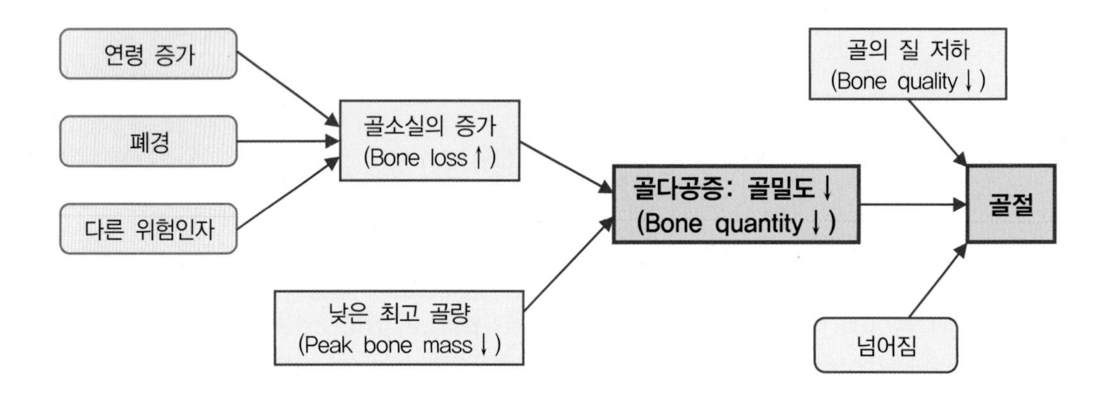

4. 임상양상

- 무증상(m/c) ~ 골절로 인한 통증(back pain)
- spontaneous fracture, vertebral collapse (등이 구부러지고 키가 작아짐)
- hip (femur neck) fracture : 골다공증에 의한 골절중 가장 심각
- 검사소견 : calcium, phosphate, ALP, PTH 등은 대부분 정상
  - fracture시 국소적인 골형성으로 ALP는 일시적으로 상승할 수 있음
  - 폐경기 여성의 약 20%는 hypercalciuria 보임 → (−) calcium balance
- 방사선소견 – spine osteoporosis의 특징
  ① prominence of the end plate (∵ body의 density ↓)
  ② horizontal trabeculae의 소실 → vertical trabeculae가 더 뚜렷해짐
  ③ spinal column과 주위의 soft tissue간의 정상 contrast 소실
  ④ vertebral deformity : collapse, anterior wedging,
  codfish deformity (∵ intervertebral disc의 팽창으로)
  ⑤ fracture (mid-lower thorax, upper lumbar)

5. 진단

(1) BMD (bone mineral density) 측정

① central (axial) DXA (dual energy X-ray absorptiometry) … m/g (표준!)
- 저에너지와 고에너지의 방사선이 인체를 투과할 때 방사선 투과율 (흡수량)의 차이를 측정
- AP spine DXA보다 lateral spine DXA가 더 sensitive
- vertebral fracture assessment (VFA) & hip structure analysis (HSA)도 가능
- 장점 ┌ 가장 정밀 & 정확 (해상도 높음), scan 시간 짧음(5~10분), 방사선 노출 적음
  └ 전체 skeleton을 다 scan 가능 (spine과 hip/femur를 동시에 측정!)
- 최근에는 뼈의 기하학적 구조, 척추골절 진단, 전신체성분(체지방 포함) 분석도 가능함
- 퇴행성변화, 골관절염이 심해 bone spur가 많거나 압박골절시 실제보다 BMD가 높게 측정됨 (작고 마른 사람은 실제보다 BMD가 낮게 측정됨)

▶측정부위/판독 (요추 & 대퇴골 모두 측정해야 됨)

┌ 요추(lumbar spine) : L1~L4의 평균값 (c.f., 일부에 퇴행성변화가 있으면 2부위 이상의 평균값으로)
└ 대퇴골(hip, 고관절) ; femoral neck, proximal femur, total hip 중 가장 낮은 골밀도로 판정

- 젊은 여성은 spine (L1~L4의 평균)이 가장 좋음 (∵ spine이 BMD를 가장 정확히 반영)
- spine과 hip을 측정할 수 없는 경우는 손목(distal 1/3 radius)을 측정 (e.g., 심한 퇴행성변화, scoliosis, hyperparathyroidism, 이전의 수술, 고도 비만)

② pDXA (peripheral/portable DXA) : 발뒤꿈치(calcaneus), radius, ulna, 손가락 등에서 측정

③ QCT (quantitative CT)
- 기존의 CT 장비로 BMD를 계산, 주로 spine을 측정 (최근에는 hip도)
- trabecular bone의 밀도만 따로 3차원적으로 측정 가능하므로 true density를 제공
- 단점 : 비싸고, 방사선 노출이 많고, DXA보다 재현성이 떨어짐

④ HR-pQCT (high-resolution peripheral QCT)
- BMD 측정용으로 개발된 전용 장비로, forearm or tibia에서 측정 (아직은 주로 연구용)
- trabecular microarchitecture, cancellous connectivity, porosity 등 자세한 골격구조 정보 제공

⑤ QUS (quantitative CT)
- 간편 & 저렴하여 screening에 유용, 골의 양 및 질을 동시에 평가 가능
- 단점 ; 정밀도↓, DXA로 측정된 BMD보다 낮게 측정되는 경향이라 과잉 진단 위험

골밀도 측정기의 비교

	정밀도(골절예측)	치료효과 판정	편리함	경제성	방사선 노출
pDXA	+	−	++	++	+
DXA	++	++	+	−	+
QCT	+	++	−	−	++
QUS	+	−	++	++	−

c.f.) '골절'의 진단은 MRI (m/g), CT, X-ray가 우수함
↳ sensitivity↑, 양성/악성 감별, 급성/만성 구별에 유용

■ BMD 검사의 적응

미국 National Osteoporosis Foundation (NOF) ★
1. 위험인자에 관계없이 여성 ≥65세, 남성 ≥70세 모두 2. 골절 위험인자를 가진 폐경 여성, 폐경 이행기 여성, 50~69세 남성 3. 50세 이후에 골절이 발생한 경우 4. 골량 감소 or 골소실의 위험인자를 가진 경우 (→ 앞의 표 참조!) 예) RA, glucocorticoids (prednisone ≥5 mg/day 정도를 3개월 이상 복용)

골밀도 측정의 적응 (대한골대사학회)
1. 연령에 관계없이 6개월 이상 무월경을 보이는 폐경 전 여성 2. 폐경 후 여성 3. 70세 이상 남성 4. 골다공증 위험요인이 있는 폐경 이행기 여성, 70세 미만 남성 5. 골다공증 골절의 과거력 6. 영상검사에서 척추 골절이나 골다공증이 의심될 때 7. 이차성 골다공증이 의심될 때 8. 골다공증의 약물 치료를 시작하려는 환자 9. 골다공증 치료를 받거나 중단한 모든 환자의 경과 추적

* BMD F/U은 대개 2년 이상의 간격으로 시행 (우리나라 보험: 1년에 1회 인정)

■ 진단 기준

WHO	골밀도 : 젊은 정상 성인(T-score)와 비교
정상	−1.0 SD 이상
골감소증(osteopenia) Low bone mass	−2.5 ~ −1.0 SD
골다공증(osteoporosis)	**−2.5 SD 이하**
Severe osteoporosis	−2.5 SD 이하 + fragility fractures

- T-score : 환자와 인종, 성별이 같은 20~30세 정상인의 평균치
  - T-score보다 −2.5 SD 이상 낮으면 치료 시작!
  - 폐경 이외의 다른 위험인자도 가진 여성은 −2.0 SD보다 낮으면 치료 시작
- Z-score : 환자와 인종, 성별, 나이가 같은 정상인의 평균치
  - 폐경 전 여성 및 50세 이하 남성에서는 Z-score 사용이 권장됨!
    (∵ 이차성 골다공증이나 허약골절이 없는 한 T-score가 아무리 낮아도 골절의 위험과 무관)
  - Z-score −2.0 이하 ⇨ "연령 기대치이하(below the expected range for age)"로 정의
    → 골다공증의 이차적인 원인 evaluation

(2) 골절 평가

- 척추골절평가(vertebral fracture assessment, VFA)
  - 척추골절은 모든 골절의 m/g predictor임, 척추골절의 약 2/3는 진단되지 못하고 방치됨
  - DXA (BMD 측정시 lateral imaging을 프로그램으로 분석) [보험×] or lateral spine X-ray
- 대퇴강도평가(hip structure/strength analysis, HSA)
  - DXA를 이용하여 hip (proximal femur) geometric parameters를 측정하고 프로그램으로 분석
  - 대퇴의 BMD 및 강도를 동시에 평가 가능 → 대퇴 골절 위험 예측 (주로 연구 차원)

- 소주골점수(trabecular bone score, TBS)
  - 요추 DXA 영상을 3차원으로 재구성하여 프로그램으로 뼈의 미세구조를 점수화한 것
  - 폐경 여성 & 50세 이상 남성에서 향후 골다공증 골절 예측에 유용 → BMD 보완
    (특히 type 2 DM처럼 BMD가 높아도 골절 위험이 높은 경우, 골절 예측에 큰 도움)
  - 치료 반응/효과의 평가에는 부정확함 (c.f., teriparatide와 abaloparatide의 반응평가에는 유용)
- FRAX (Fracture Risk Assessment)
  - BMD는 골절 예측에 예민도는 높지만, 특이도가 낮음 → 보완하기 위해 개발 (WHO)
  - 대퇴골절 및 주요 골다공증 골절의 10-year probability 계산[인터넷] [치료받지 않은 40~90세 성인]
  - 포함된 위험인자 ; 연령, 성별, 체중, 신장, 골절 병력, 부모의 대퇴골절, 흡연, steroid 사용, RA 등의 2ndary osteoporosis, alcohol, femoral neck BMD 등 (최근엔 TBS도 포함)
  - 치료받지 않은 환자에서 치료대상 선정 목적으로 사용 가능 (치료 반응/효과 평가는 ×)

	골다공증 진단	골절위험 평가	치료대상 선정	치료반응 평가
BMD	○	△	○	○
TBS	–	△	–	(△)
FRAX	–	○	△	–
골표지자	–	△	–	○

(3) Biochemical bone markers

골형성 표지자(bone formation markers)
Serum **bone-specific ALP (BSALP)** Serum **osteocalcin (OC)** Serum C-terminal propeptide of type 1 procollagen (P1CP) Serum **N-terminal propeptide of type 1 procollagen (P1NP)**
골흡수 표지자(bone resorption markers)
Urine free & total pyridinoline (PYR, Pyr) Urine free & total **deoxypyridinoline (DPD**, D-Pyr) Serum/urine telopeptides **C-terminal telopeptide** of type 1 collagen **(CTX)** [과거 C-terminal collagen cross-links]serum N-terminal telopeptide of type 1 collagen (NTX) [과거 N-terminal collagen cross-links]urine Carboxyterminal telopeptide (ICTP) Osteoclast 양의 표지자 ; TRACP 5b, Cathepsin K Osteoclastogenesis의 표지자 ; RANK/RANKL, Osteoprotegerin (OPG)

- biological & analytical variability 때문에 실제 활용은 제한적임
- serum P1NP, BSALP, OC, CTX / urine DPD, NTX 등이 흔히 사용되는 marker임
  - 골형성 표지자는 serum P1NP (or BSALP)가, 골흡수 표지자는 serum CTX가 권장됨
  - BSALP의 장점 ; 반감기가 깊, 안정적, 신기능의 영향을 안받음
  - P1NP의 장점 ; 골형성 표지자 중 가장 민감, 일중변동이 적음, 골흡수억제제 치료시에는 감소
- 골다공증 진단, 골량 예측, 골다공증 치료약물 선택 등에는 큰 도움 안 됨!
- 골흡수 표지자(bone resorption marker)는 골절 위험의 예측에 일부 도움
  (65세 이상 여성이 BMD는 낮지 않지만 골흡수 표지자 level이 매우 높으면 치료 고려)

- 골다공증의 약물치료에 대한 반응을 BMD보다 빨리 평가 가능 → 주 이용 목적
  ① bone resorption markers (CTX가 선호됨)↓
    - antiresorptive agents ; 3~6개월 후에 최대 효과 (투여 전 & 3~6개월 후에 marker 측정)
    - markers는 bisphosphonates, denosumab, estrogen 치료시 크게 감소하고,
      상대적으로 약한 약물인 raloxifene or calcitonin 치료시에는 덜 감소함
  ② bone formation markers ; 1-34hPTH (teriparatide) 치료시 빨리 증가됨
- 최근에는 약물휴식기(drug holidays)의 monitoring에도 이용
  (e.g., 부작용 예방을 위해 bisphosphonates를 중단한 시기에 약물 효과의 지속 여부를 확인)

(4) Laboratory evaluation : 2ndary osteoporosis 및 다른 질병들의 R/O

- 기본 검사 ; CBC, routine chemistry (LFT, electrolytes, Cr, ALP 등 포함),
  갑상선기능검사(TSH, free T_4), 24hr urine Ca/Na/Cr, serum 25(OH)D 등
  - serum calcium↑ → hyperparathyroidism, malignancy
  - serum calcium↓ → malnutrition, malabsorption, osteomalacia
  - urine calcium↓ (<50 mg/day) → osteomalacia, malnutrition, malabsorption
  - urine calcium↑ (>300 mg/day) → hypercalcemia ; renal calcium leak (남성에서 더 흔함),
    absorptive hypercalciuria, hematologic malignancy, bone turnover↑
    (e.g., Paget's dz., hyperparathyroidism, hyperthyroidism)
- ALP 지속적 상승 → osteomalacia, Paget's dz., skeletal metastasis 의심
- PTH, $1,25(OH)_2D$ → hyperparathyroidism, vitamin D deficiency
- PTHrP → humoral hypercalcemia of malignancy
- PEP, FLC 등 → multiple myeloma
- LH, FSH, testosterone/estrogen → hypogonadism (원인을 모르는 남성/여성 환자에서 측정)
- 24hr urine free cortisol, overnight DMST (1 mg) → Cushing's syndrome
- bone scan → Paget's dz., skeletal metastasis
- iliac crest biopsy → osteomalacia와 D/Dx
- 24-hr urine histamine, serum tryptase → mastocytosis

6. 치료

(1) 일반 원칙 (lifestyle modifications)

① 위험인자 조절 ; 술, 담배, heparin, steroid, anticonvulsants 등을 피함

② calcium 보충

- 음식을 통한 섭취가 권장 섭취량보다 부족한 경우 칼슘보충제를 투여해야 됨
  - 성장기, 젊은 성인, 임신/수유 중 : 1200 mg/day
  - 25~50세 성인 : 1000 mg/day
  - 50세 이상 : 1200 mg/day (estrogen 복용시엔 1000 mg/day)
- 우유 등의 유제품 없이 한식으로만 식사할 경우 섭취되는 calcium 량은 약 500 mg/day 정도
- calcium 제제의 1회 투여량은 반드시 600 mg 이하로 (∵ high-dose → 흡수↓)
- 칼슘 함량(elemental calcium)은 탄산칼슘(calcium carbonate)이 가장 많음 (약 2~3배)
  - but, 위산으로 용해 & 이온화가 되어야 흡수됨 → 음식과 함께 복용해야 됨

(위산 부족이 흔한 노인에서는 흡수율 저하)
- 구연산칼슘(calcium citrate) : 이미 이온화가 되어 있어 위산 부족시에도 잘 흡수됨
  → 음식 섭취와 관계없이 복용 가능

③ vitamin D
- 칼슘과 함께 투여 (골다공증 약물 치료시에도) → 골절 위험 약간(20~30%) 감소
- 골다공증 예방/치료에는 주로 inactive vitamin D (ergocalciferol, cholecalciferol)를 사용함
- vitamin D 결핍 위험이 있는 고령 환자에서 특히 효과적
- 혈중 25(OH)D level : 골다공증 예방은 20 ng/mL 이상, 치료는 30 ng/mL 이상 유지 권장
- 섭취 권장량 ; 50세 이상 성인은 800~1000 IU/day, 고령 및 중환자는 ≥1000 IU/day,
  임신/수유 중이면 ≥2000 IU/day (최대 ~4000 IU/day까지 안전함)

④ magnesium : 결핍되는 경우는 매우 드묾 (IBD, celiac sprue, chemotherapy, 심한 설사, 영양실조, 알코올중독 등의 경우에는 보충)

⑤ 지속적인 운동 (통증이 조절된 이후에 시작함)
- 소아에서는 유전적으로 결정된 최대 bone mass에 도달하는데 도움
- 폐경 여성에서는 bone loss 예방 효과 (bone gain은 없음)
- neuromuscular function 향상에도 도움 (→ 넘어질 위험↓)

(2) osteoporotic fractures의 치료

- hip fracture → 수술
- long bone fracture → external or internal fixation
- other fractures (e.g., vertebral, rib, pelvic) → supportive care

- vertebral compression fracture : 비교적 무증상이 흔함, 25~30%만 acute back pain 발생

① fracture에 의한 acute pain (대개 6~10주 내에 회복됨)
- 진통제 ; NSAID, AAP, narcotic agents (codeine, oxycodone)
- calcitonin : acute vertebral compression fracture에 의한 통증 감소
- artificial cement (polymethylmethacrylate)의 경피적 주입 : 빠른 통증 감소 효과
- 단기간의 bed rest, early mobilization (soft elastic-style brace)
- muscle spasms → muscle relaxants, heat

② chronic pain : bone origin이 아닌 경우가 많다
- 진통제, frequent intermittent rest, back-strengthening exercise
- 물리치료 ; heat, US, transcutaneous nerve stimulation ...

(3) 약물 치료

골다공증 약물치료의 적응 (폐경 여성 & ≥50세 남성) ★
1. 대퇴골 골절 or 척추 골절 2. **골다공증 : T-score ≤ −2.5 SD** (2차 원인은 배제된) 3. 골감소증이면서 : T-score −2.5 ~ −1.0 SD ① 기타 골절의 과거력 ② 골절 위험이 증가된 2차성 원인 ③ FRAX : 10yr hip fracture probability >3% or 10yr major osteoporotic fracture probability >20% (hip, spine, shoulder, or wrist)

폐경전 여성 & <50세 남성 : Z-score ≤-2.0
- 2차성 골다공증을 평가, 교정하는 것이 우선 (e.g., hypogonadism → estrogen) - 약물치료에 대한 정해진 가이드라인은 없음 - 보통 lifestyle modifications으로 충분함 (e.g., vitamin D + calcium) - 약물치료를 고려하는 경우 ① fragility fractures (골다공증성 골절) ② accelerated bone loss (약 ≥4%/yr)

Antiresorptive agents (골흡수 억제제)

① estrogens (menopausal hormone therapy[MHT], hormone replacement therapy[HRT])

- 기전 ; osteoclast 억제 → bone resorption 감소
  - ⓐ osteoclast를 직접 억제
  - ⓑ osteoblast의 paracrine factor를 통해 간접적으로 억제 (主)
    - ↑ ; OPG (osteoprotegerin), IGF-1, TGF-β
    - ↓ ; IL-1, IL-6, TNF-α, osteocalcin
- 장기간 투여시 BMD 2~5% 증가 및 골절(척추 & 비척추) 25~40% 감소
- 기타 효과 ; 홍조 등의 폐경기 증상 완화, 지질상태 호전 (HDL↑, LDL↓), 대장암↓
- but, 유방암, 정맥혈전색전증, 뇌졸중 등은 약간↑ 위험 … EPT에서 (∵ progestogen 때문)
  → 골다공증 예방/치료 목적으로는 2nd-line drug로 고려
  - ET (estrogen therapy) : 자궁이 없는 여성 (∵ 자궁내막암↑ → progestogen 병용시 예방됨)
  - EPT (estrogen-progestogen therapy) : 자궁이 있는 여성에게 사용
- C/Ix ; 진단되지 않은 질 출혈, active thromboembolism, acute liver or GB dz.,
  estrogen 의존성 악성종양(e.g., 유방암, 자궁내막암 등)

* tibolone : STEAR (selective tissue estrogenic activity regulator)
- 체내에서 대사되어 estrogenic, progestogenic, androgenic 효과를 나타냄
- 미국을 제외하고, 폐경 호르몬 요법으로 널리 쓰임 / 골밀도↑ & 골절↓ 효과도 있음
- but, 유방암 과거력이 있는 경우 재발↑, 고령에서 stroke↑ 위험

② selective estrogen receptor modulator (SERM)

	뼈에 작용	유방에 작용	자궁에 작용	허가	부작용
Tamoxifen	agonist	antagonist	agonist	유방암 예방/치료	자궁내막증식, 자궁암
Raloxifene	agonist	antagonist	antagonist	골다공증 예방/치료	정맥혈전색전증, 뇌졸중
Bazedoxifene	agonist	antagonist	antagonist	골다공증 예방/치료	- (더 연구 필요)

- 호르몬은 아니지만, estrogen receptor에 결합하여 조직에 따라 agonist or antagonist로 작용함
  ⇨ 뼈에는 estrogen agonist로 작용하여 골밀도↑, 골질 향상, 골절↓ 효과를 보임
  c.f.) tamoxifen : 자궁암↑ 위험이 있으므로, 유방암 고위험군에서 유방암 예방 목적으로 사용
  (raloxifene과 bazedoxifene은 자궁 부작용 없음)
- 모두 유방암 예방 효과가 있음! (특히 ER(+) 유방암 65% 감소)
- raloxifene : 2세대 SERM, 골밀도↑ 효과는 estrogen 및 bisphosphonate의 약 1/2 정도지만
  척추골절 예방 효과(30~50%↓)는 비슷함 (다른 부위의 골절 예방 효과는 거의 없음!)
  - total cholesterol, LDL, Lp(a), fibrinogen 등 감소 / HDL 증가 (but, CVD에는 영향×)
  - Cx ; 열성 홍조(hot flush), 하지 통증, 정맥혈전색전증↑(2~3배), 뇌졸중 약간↑
    ↳ bed ridden 상태에서는 금기
  - 홍조 등 폐경 증상이 없는 유방암 고위험군에서, 특히 척추골절 예방이 필요할 때 유용
- bazedoxifene : 3세대 SERM, 폐경 여성의 골다공증 예방/치료 효과는 raloxifene과 비슷함

* TSEC (tissue-selective estrogen complex)
  - progestogen (부작용 원인)대신 SERM을 estrogen에 병합한 폐경증상치료/골다공증예방제
    예) bazedoxifene/conjugated estrogen 복합제 (Duavee®)
  - 골밀도↑, 유방/자궁 부작용 無 (but, 아직 골절 예방 및 장기 부작용에 대한 연구는 부족)
  - 자궁이 있고, 홍조가 심한 폐경 여성의 골다공증 예방/치료에 사용 가능
    (bisphosphonate를 사용 못하거나, EPT 요법에 유방압통을 보이는 경우)

■ 폐경 초기 젊은 여성에서는 MHT (홍조 Sx 있으면) or SERM (유방암 고위험군) 우선 고려
(∵ 고령에 비해 골절 위험 낮음) → 고위험군 or 65세 이상이 되면 bisphosphonate 고려

③ bisphosphonate … 강력한 골흡수 억제제, 골다공증 치료의 first-line drug!

	용량/용법	폐경 여성	GIO	남성
Pamidronate*	30 mg/3Mo IV	○		
Alendronate	70 mg/week oral (시럽제도 있음)	○	○	○
ibandronate	150 mg/Mo oral, 3 mg/3Mo IV	○		
Risedronate	35 mg/week, 150 mg/Mo oral	○	○	○
Zoledronate	5 mg/annually IV	○	○	○

* 우리나라는 폐경후 골다공증 치료, 미국은 hypercalcemia of malignancy와 Paget's dz. 치료에 승인

• 기전 ; remodeling이 활발한 뼈에 축적(수년~수십년) → osteoclasts에 의한 resorption 때
  유리 (국소적으로 고농도) → osteoclasts의 기능 억제, 수 감소 (apoptosis 촉진)
• BMD 5~10% 증가, 골절 위험 25~70% 감소 (척추↓↓↓, 대퇴↓↓, 비척추↓)
  - 약제별 효과는 비슷한 편 (zoledronate가 가장 강력, ibandronate는 대퇴/비척추 골절↓ 효과가 낮음)
  - 폐경후 골다공증 예방/치료, 남성/소아 골다공증, steroid 유발 골다공증(GIO) 등에 효과적
• oral 제제 : 대부분 소장에서 흡수(1~5%만), 혈중 bisphosphonate의 30~70%는 뼈에 흡수됨
  - 아침식사 최소 30분 전에 200 mL 이상의 물과 함께 복용
  - 흡수를 방해하는 우유, 주스, 광천수, 보리차, 커피, 칼슘, 철분, 제산제 등은 1시간 뒤 섭취
  - 씹거나 빨면 안됨 (∵ 구인두 궤양), 복용 후 약 1시간 동안 누우면 안됨 (∵ 식도염 유발)
• IV 제제 : 효능↑, 3개월/1년에 1회 주사(→ 순응도 높음), UGI Cx 거의 없음, 최근 사용 증가
• Cx ; UGI discomfort (oral 제), flu-like Sx (IV 제, 대개 first-dose 현상으로 자연 회복됨)
  - 장기간(>5~10년) 사용시 매우 드물게 턱뼈괴사(osteonecrosis of the jaw, ONJ) or
    비전형 대퇴골절(atypical femur fractures) 발생 위험
  ⇨ 약물휴식기(drug holidays) 고려

> - bisphosphonate는 뼈에 축적되어 잔여효과가 유지되므로 일시적으로 투약 중단 가능
> - alendronate/risedronate는 5년, zoledronate는 3년 투약 후 득실을 분석하여 지속 투여 여부 결정
> - 고위험군은 3~5년 뒤에도 계속 투약 고려 (or 다른 치료제로 전환 고려)
>   ① bisphosphonate로 충분히 치료해도 T-score ≤ -2.5 SD
>   ② 과거의 대퇴골절 혹은 척추골절 병력
>   ③ 만성질환, 약제 등에 의한 2차성 골다공증으로 인해 골절의 고위험군인 경우

  - UGI discomfort로 복약 순응도 낮음 → 골밀도 감소 or 새로운 골절 발생시 순응도 평가!
    → 순응도 높은 IV 제제(e.g., zoledronate)로 교체 (or teriparatide 등 골형성촉진제 고려)

• C/Ix ; hypocalcemia, 신부전(C_{Cr} <35 mL/min), osteomalacia, 임신/수유
↳ 치료 전 반드시 serum Ca, vitamin D, Cr 등 확인 (vitamin D 결핍시 먼저 교정)

■ Medication-related osteonecrosis of the jaw (MRONJ)
- bisphosphonate에 의한 ONJ가 2002년 처음 보고되었지만, 이후 denosumab 및 일부 항암제에서도 (주로 angiogenesis inhibitor; bevacizumab) ONJ가 발생해 MRONJ로 명명되었음
- 정의 : osteoclast inhibitor (bisphosphonate) 또는 angiogenesis inhibitor 사용 병력 + 8주 이상 지속된 maxillofacial region의 exposed/necrotic bone + 턱뼈에 전이암이나 RTx 병력 無
- 빈도 : 매우 낮음(0.001~0.01%), 투약 기간이 길수록 발생 위험 증가 (bisphosphonate의 경우 4년 이상)
- 대개 침습적(뼈가 노출되는) 치과시술 후 발생 (e.g., 발치, 임플란트)
- 예방이 중요 ; 구강위생, 위험 약물 사용시 금연, 투약기간↓, 가급적 투약 전에 침습적 치과시술 완료
- 치료 ; 통증 조절, 감염 관리(항생제 가글, 전신 항생제), 심하면 외과적 처치(debridement or resection)

■ Atypical femur fractures (AFF)
- bisphosphonate 장기간 사용시 매우 드물게 발생 (steroid 병용시 위험 증가)
- 기전 ; stress 부위에 bisphosphonate 축적 → bone turnover 과도한 억제 → skeletal fragility↑
- 외상없이, 또는 경미한 외상으로도 대퇴골 간부(shaft)에 골절 발생 (외측 피질골에서 골절 시작~)
- 전구증상(사타구니/허벅지의 통증) : 대퇴골 외측 피질골의 국소 골절 시사
  → bisphosphonate 중단!, 체중부하 제한, calcium & vitamin D 충분히 복용, 가능하면 PTH 권장
- 완전 골절로 진행하면 치료 어렵고, 예후 나쁨

④ denosumab : anti-RANKL mAb (60 mg을 6개월 마다 SC 주사)
• 기전 : RANKL의 작용 차단 → osteoclast의 활성화 억제, 수명 단축 → 강력한 골흡수 억제
• BMD 6~9% 증가, 척추골절 68%, 비척추골절 20%, 대퇴골절 40% 감소 효과
• 골절 위험이 증가된 폐경 여성, 남성 골다공증에서 1st-line drug로 사용 가능
*국내 보험 적응
  - bisphosphonate를 1년 이상 사용해도 BMD↓ or 골절 발생
  - 신부전, 과민반응 등 bisphosphonate의 금기인 경우
• 뼈에 장기간 축적되는 bisphosphonate와 달리, 약제 중단시에는 효과가 빠르게 사라짐
→ rebound bone turnover↑, rapid bone loss 위험 (→ 잠시 bisphosphonate 사용으로 예방)
• Cx ; hypocalcemia, infections, 피부부작용(e.g., dermatitis, rash, eczema)
- bisphosphonate처럼 장기 사용시 드물게 MRONJ, AFF 발생 가능
- 신장으로 배설되지 않으므로 신기능 저하시에도 사용 가능

⑤ calcitonin (daily IM, SC, or nasal spray)
• osteoclasts를 직접 억제 → 골밀도 약간 증가 및 척추골절 약간 감소 효과
• 다른 약제들에 반응이 없거나 부작용/금기로 사용 못할 때 이차적으로 고려
• 적응 ; Paget's dz., hypercalcemia, 폐경 후 5년 이상 지난 여성
(골다공증의 예방 효과는 없고, 폐경 초기에도 골소실 예방 효과 없음)
• acute osteoporotic fracture에 의한 bone pain 때 진통 효과가 있음! (central analgesic effect)
• 더 효과적인 약물도 많고(e.g., bisphosphonate), 장기 사용시 암 발생이 증가하므로
대부분의 국가에서 골다공증 치료에는 권장 안됨

Bone formation agents (골형성 촉진제), "anabolic" agents

① PTH ; recombinant human PTH(1-34) [teriparatide (TPTD)]
- 간헐적 투여시 직접 osteoblasts의 성장↑, apoptosis↓ ⇨ 골형성(bone formation) 크게 자극
  → 이어서 bone resorption도 활성화됨 (bone remodeling↑ : formation > resorption)
  (c.f., 지속적으로 고농도 투여시엔 주로 bone resorption을 촉진)
- 다른 골흡수억제제들과 달리 진정한 골조직 증가와 골미세구조 회복 효과를 보임
- BMD↑ & 골절↓ 효과 매우 우수 (척추골절 65% 감소, 비척추골절 40~50% 감소)
- 투여 직후 PINP 등의 bone formation marker가 급격히 증가하고,
  수 주 뒤에는 CTX 등의 bone resorption marker도 증가함 (↔ 골흡수억제제는 CTX 감소)
- 매일(or 매주) 피하주사가 필요하고 매우 비쌈 → 고위험군에서나 비용효과적
  ⇨ 적응 : severe osteoporosis (T-score <-3.5, *or* <-2.5 & fragility fracture),
  bisphosphonates의 금기 or 사용 못할 때, 다른 약물치료에도 불구하고 BMD↓ or 골절
  *국내 보험 적응 : 기존 골흡수억제제가 효과 없거나 (1년 이상 사용해도 새로운 골절 발생)
  사용할 수 없고 T-score <-2.5 & 2개 이상 골다공증성 골절이 발생한 65세 이상 환자
- 18개월(유럽) ~ 24개월(미국, 국내)까지만 투여 허가됨 (∵ 그 이상은 효과 감소, 안전성?)
- 다른 골흡수억제제와의 병용은 논란 (∵ 추가적인 골절 감소 효과 불확실, 비용↑, 부작용↑)
  c.f.) denosumab 중단 후 teriparatide로 교체하면 골소실이 증가할 수 있으므로 금기
- C/Ix. ; 25세 이하, 임신/수유, hypercalcemia, 신부전(C_{Cr} <30 mL/min), LFT 3배 이상↑,
  최근 5년 이내의 종양, osteosarcoma 고위험군(e.g., Paget's dz., 이전의 skeletal RTx.)

* PTH(1-84) : 유럽만 허가, 미국은 Ca+vitamin D에 반응 없는 만성 hypoparathyroidism에만

* synthetic analog of PTHrP(1-34) [abaloparatide] 2017년 FDA 승인 (국내는 아직×)
- teriparatide보다 PTH type 1 receptor(PTH1R)의 RG conformation에 더 선택적으로 결합
  → 더 단기간만 작용 → bone formation 자극은 비슷하면서, resorption은 최소화됨
- teriparatide보다 BMD↑ & 골절↓ 효과 약간 더 좋음 (골형성↑ 효과는 ~1.5년 유지됨)
- 순응도를 높인 transdermal (TD) 패치제도 나왔음

② **romosozumab** : anti-sclerostin mAb (2019년 미국 & 국내 허가)
- osteocyte에서 분비되는 sclerostin의 작용을 차단 → bone formation↑ & resorption↓
  ; modeling-based bone formation이 주효과 (PTH는 remodeling-based formation이 우세)
- abaloparatide/teriparatide보다 BMD↑ 효과 더 우수, 척추골절 73% 감소, 임상골절 36% 감소
- 2nd-line으로 multiple fragility fractures, 다른 골다골증 치료제 사용 불가능 or 실패시 고려
- 매월 210 mg 피하주사, ~1년간 허가됨 (→ 이후에는 denosumab or bisphosphonate로)
- 부작용은 cardiovascular risk가 증가되는 것으로 추정됨 (→ CVD 위험군에게는 권장×)

Lumbar BMD 증가 효과 ; Romosozumab > Abaloparatide > Teriparatide > Denosumab > Bisphosphonate ...
Hip BMD 증가 효과 ; Romosozumab > Bisphosphonate > Denosumab > Teriparatide > Abaloparatide ...

기타

* sodium fluoride (NaF) : 1970~80년대 anabolic agent로 널리 쓰임, BMD는 증가하지만 골절 예방 효과가 없는 것으로 밝혀져 현재는 안 씀
* strontium ranelate : 골흡수 억제 & 골형성 촉진하는 작용으로 미국 이외에서 골다공증에 쓰였었지만, CVD 위험↑ 등으로 인해 현재는 거의 사용 안됨
* vitamin D (e.g., calcitriol, alfacalcidol) : bone mineralization을 위해 적절한 칼슘/인 평형을 유지, 다른 약제와 함께 기본적으로 투여!
* isoflavone supplements : phytoestrogen (식물성 estrogen)의 일종
  - ipriflavone : synthetic isoflavone derivative
  - 골다공증의 예방/치료 목적으로 권장되지는 않음
* **thiazide diuretics**
  • hypocalciuric effect로 골다공증 예방에 보조 약물로 고려되나, 잘 쓰이지는 않음
  • 신결석의 병력, hypercalcemia를 동반한 high-turnover osteoporosis, secondary hyperparathyroidism 등 때 유용

(4) 치료 반응 평가

① 골밀도(BMD) … hip BMD를 선호함 (∵ 넓은 면적, reproducibility 우수)
  • 보통 spine >4%, hip >6% 증가를 의미 있는(significant) 변화로 봄
  • LSC (least significant change) : 주어진 오차범위에서 골밀도의 변화를 판정하는 최소 기준
    - DXA의 정밀도 오차에 2.77을 곱함 (예; spine LSC = 정밀오차 1.5% × 2.77 = 4.2%)
    - 요즘 DXA 장비의 정밀도 오차는 대개 1.0~1.5%임
      → 3~5% 정도의 BMD 변화를 의미 있게 측정 가능 → 추적검사는 최소 1~2년 마다 시행 (∵ 더 짧은 주기의 추적검사는 DXA의 오차와 구별×)

② 생화학적 골 표지자(bone turnover markers)
  • BMD보다 더 빨리 & 많이 변화하므로 치료 반응 평가에 유용 → 앞부분 참조
  • 보통 기저치보다 >40%의 변화를 의미 있는(significant) 변화로 봄
  • BMD보다 아직 명확한 근거/가이드라인은 부족함

■ Glucocorticoid-induced osteoporosis (GIO, GIOP)

(1) 개요

• 원인 : 치료 목적의 steroid 사용 (대부분), Cushing's syndrome ...
• 골절 위험은 용량 & 투여기간(cumulative dose)에 비례함 (but, 아무리 저용량이라도 발생 가능)
  - 예 ; 1년 동안 steroid 치료를 받은 천식 환자의 11%에서 척추골절 발생
  - oral, inhaled, topical 등 모든 투여 경로가 골다공증을 일으킬 수 있음!
  - 격일로 투여해도 골다공증의 위험은 감소하지 않음
• 골 소실은 투여 초기 3개월 동안이 가장 빠르고 골절 위험도 가장 높음 (초기에는 trabecular bone 소실이 심하고, 결국에는 cortical bone도 소실됨)
• 골절 위험은 척추, 사지(hip 포함) 모두 증가, 상대적으로 높은 골밀도에서도 골절이 발생 가능

(2) 발생기전

① osteoblasts의 기능 억제, 분화↓, apoptosis↑ → bone formation 감소 (m/i)
② bone resorption도 증가 (직접 & 간접적으로)
③ osteocytes의 apoptosis↑ → 압력 감지↓, 골손상에 대한 반응↓ → 골의 질 & 강도 감소
④ 장에서 vitamin D 흡수↓, calcium 흡수↓(vitamin D와 관계없이도), 소변으로 calcium 소실↑, 약간의 2ndary hyperparathyroidism 유발
⑤ adrenal androgen 감소, 난소/고환에서 estrogen 및 androgens 분비 억제 → 근육량↓
⑥ steroid myopathy → 골/칼슘 대사 악화, 근육량↓, 근력↓ → 낙상 위험 증가

(3) 위험 평가

- BMD (DXA) → 3개월 이상 steroid 사용 예정자는 반드시 측정
  - spine & hip 모두 측정 권장 (한군데만 측정시에는 <60세는 spine, ≥60세는 hip 권장)
  - 치료 결정이 어려운 경우(e.g., T-score −1.0 ~ −2.5) VFA, X-ray 등도 고려
- 키, 근력, 24-hr urinary calcium 등도 반드시 측정

(4) 예방

- 가능한 적은 용량의 steroid 사용, topical or inhaled 투여 권장
- 다른 위험인자의 교정 (e.g., 금연, 금주, 운동)
- 충분한 calcium & vitamin D 섭취

(5) 약물치료

- 적응 ; steroid 사용 예정이거나 사용 중인
  - 폐경 여성 & ≥50세 남성 ; 골다공증(T-score ≤−2.5) (고위험군은 −1.0 ~ −2.5도 고려)
  - 폐경전 여성 & <50세 남성 ; fragility fracture[취약골절], Z-score <−3, 매우 빠른 BMD 감소
- bisphosphonates (e.g., alendronate, risedronate, or zoledronate) … first-line Tx.
  ↳ steroid 사용 환자에서 골다공증 예방/치료, 골절 예방 효과 (척추 골절 약 70%↓)
- denosumab : bisphosphonates보다 약간 더 효과적, 골절 고위험군에서 사용 가능
  (but, 투약 중단시 vertebral fracture 위험이 증가하므로 주의 → 바로 다른 약제 사용)
- PTH (teriparatide) : 가장 효과적이지만 비쌈 → bisphosphonates 사용 못하거나 반응 없을 때, severe osteoporosis (T-score <−3.5, *or* <−2.5 & fragility fracture)의 경우 고려
- romosozumab은 아직 근거가 없고, calcitonin은 다른 약제보다 효과 적어 사용×

골연화증(Osteomalacia)/구루병(Rickets)

1. 정의

- 골단(epiphysis)이 닫힌 성인에서, bone turnover 부위에서 새로 생기는 유골(osteoid)의 무기질화 (mineralization) 장애에 의한 질환
- 구루병(rickets) : 소아에서 무기질화 장애 및 골단의 성장판 성숙 결함, skeletal deformity 심함
- pathogenesis에 hypocalcemia보다 hypophosphatemia가 더 중요

2. 원인

(1) vitamin D deficiency (m/c)
- 일광노출 부족, 섭취 부족, 흡수장애 ($1,25(OH)_2D_3$보다 25(OH)D가 감소하는 경우가 많음)
- $1,25(OH)_2D_3$ 합성 장애 ; 신부전(1α-hydroxylation↓), 간부전(25-hydroxylation↓)
- $1,25(OH)_2D_3$에 대한 target cell resistance
- anticonvulsants (e.g., phenytoin, phenobarbital)
- 유전질환 (AR 유전)
  ① hereditary vitamin D-dependent rickets (VDDR) type 1
  : 신장의 1α-hydroxylase 결함 → 혈중 $1,25(OH)_2D_3$↓, PTH↑
  ② hereditary vitamin D-dependent rickets (VDDR) type 2
  : 표적장기의 VDR 감소/이상 → 혈중 $1,25(OH)_2D_3$↑, PTH↓

* serum 25(OH)D <37 nmol/L (<15 ng/mL)면 PTH↑ 및 골밀도↓ 유발

(2) phosphate deficiency (hypophosphatemic rickets, HR) … 25(OH)D & PTH 대개 정상
- 섭취 부족, 흡수장애(e.g., phosphate binders)
- renal hypophosphatemia : 신장에서의 phosphate 소실(재흡수 장애)
  ① AD hypophosphatemic rickets (ADHR) : FGF23 mutation
  ② X-linked hypophosphatemic rickets (XLH, m/c 유전성 구루병) : PHEX matation
  ③ Fanconi's syndrome : generalized proximal tubulopathy
  ④ oncogenic osteomalacia : mesenchymal tumor에서 phosphatonin (e.g., FGF23) 분비
  ; 대부분 양성, 천천히 성장, 크기 작음(→ 위치 파악 어려움), $1,25(OH)_2D$↓↓

(3) acidosis ; type 1 (distal) RTA, secondary renal acidosis, ureterosigmoidostomy, drug (acetazolamide, ammonium chloride) ...

(4) CKD : vitamin D의 1α-hydroxylation↓ → $1,25(OH)_2D_3$↓

(5) drug & toxins ; bisphosphonate, fluride, anticonvulsant, aluminum, lead, cadmium

(6) primary mineralization defects ; hypophosphatasia, osteopetrosis, fibrogenesis imperfecta ossium

3. 임상양상

(1) 증상
- skeletal deformity (rickets ; rachitic rosary, Harrison's groove)
- bone pain/tenderness, waddling gait, painful proximal muscle weakness (특히 pelvic girdle)
- fatigue, weakness

(2) 영상소견
- pseudofracture (Looser's zones or Milkman's fracture) : scapula, pelvis, femoral neck에 호발
- bone density 감소, periosteal resorption, biconcave collapsed vertebrae
- bone scan : pseudofracture가 hot spot (warm nodule)으로 나타남

(3) 검사소견

- 원인 질환 및 질병의 진행정도에 따라 다양
- 25(OH)D↓ (vitamin D deficiency 진단) ⇨ hypocalcemia, hypophosphatemia
  - hypocalcemia에 의한 secondary hyperparathyroidism 유발로 초기에는 비교적 정상 calcium level이 유지될 수 있음
  - PTH에 의한 renal 25(OH)D 1α-hydroxylase 활성화로 $1,25(OH)_2D$ 합성↑
    → 심한 vitamin D 결핍에서도 $1,25(OH)_2D$는 정상인 경우가 흔함
- secondary hyperparathyroidism (bone turnover↑) ⇨ ALP↑, hypocalciuria, phosphaturia
- TRP (tubular reabsorption of phosphate) = phosphate clearance/creatinine clearance (C_{Pi}/C_{Cr})
    → 높으면 phosphate 재흡수 장애를 의미
- BMD ; 진단에는 필요 없음
  - vitamin D deficiency에 의한 osteomalacia 때는 감소 (but, osteoporosis와 감별 안됨)
  - X-linked hypophosphatemic rickets (XLH), fibrogenesis imperfecta 등 때는 오히려 N~↑
- pathology (transiliac bone biopsy) … 확진
  ① 유골(osteoid) 증가
  ② mineralization 저하
  ③ double tetracycline labelling된 석회화 선단(calcification front)이 거의 안보임

	Calcium	Phosphorus	PTH	25(OH)D	$1,25(OH)_2D$
Vitamin D deficiency	↓	↓	↑	↓↓	↓↓
CKD	↓	↑	↑↑	↓	↓
Hyphophosphatemia	N	↓↓	N	N	N~↓
VDDR type 1	↓↓	↓↓	↑↑	N~↑	↓↓
VDDR type 2	↓↓	↓↓	↓	N~↑	↑↑
Anticonvulsants	↓↓	↓↓	↑↑	↓↓	N

4. 치료

- 원인에 따라서 치료
- 일광노출 증가, vitamin D & calcium 보충, phosphate 보충 ....
- 치료반응 monitoring ; 혈청 & 소변 calcium (→ 100~250 mg/day 유지)

c.f.) XLH → $1,25(OH)_2D_3$ + phosphate
oncogenic osteomalacia → 수술 (못하면 XLH와 동일)

7
크롬친화세포종/갈색세포종(Pheochromocytoma)

개요

- pheochromocytoma : 부신수질(adrenal **medulla**)의 크롬친화성 세포(chromaffin cells)에서 유래한 catecholamine (epinephrine & NE)을 분비하는 종양
  - extraadrenal pheochromocytoma : 부신 외의 chromaffin cells에서 발생한 catecholamine 생산 종양(e.g., retroperitoneal, pelvic, thoracic)
  - paraganglioma : 보통 두경부의 catecholamine 생산 종양 및 parasympathetic ganglia 유래 종양 (catecholamine은 소량 분비 or 분비×)을 지칭, WHO에서는 extraadrenal을 모두 지칭
- 30~40대에서 호발, 여자가 더 많음 (소아의 경우는 남자가 더 많음)
- 전체 HTN 환자의 0.1~0.2% 차지, secondary HTN을 일으키는 종양 중 가장 큼
- 대부분 unilateral (Rt > Lt), 종양의 경계가 뚜렷하고 피막으로 쌓여있음
- highly vascular tumors, 출혈/괴사/낭종성 변화 흔함 → 종양 내부가 비균질성(nonhomogeneous)
- 병리조직 소견으로 양성↔악성을 구별할 수 없음! (c.f., 모든 pheochromocytoma는 악성화 가능성이 있음)
  ⇨ 주변 조직 침범이나 원격전이 조직 존재시 malignancy로 봄

* <u>"Rule of 10"</u>
  ① 10%는 hypertension과 관련이 없음
  ② 10%는 bilateral (소아는 성인에 비해 bilateral 및 extra-adrenal이 더 많다)
  ③ 10%는 extra-adrenal (실제로는 15~20%) ; 이중 10%는 extra-abdominal
  ④ 10%는 malignant (8~13%) : 대개 종양 직경이 5 cm 이상
  ⑤ 10%는 소아에서 발생
  ⑥ 10%는 familial (최근 연구에 의하면 25~33%) ; bilateral or multiple 흔함

* extraadrenal pheochromocytoma
  - adrenal보다 크기 작음(대개 <5 cm ↔ adrenal은 대개 <10 cm), 악성화 경향 큼
  - 대부분 복강 내에 발생 (sup./inf. abdominal paraaortic area가 m/c [75%]), 약 10%는 bladder, 약 10%는 thorax, 약 5%는 두경부 등에서 발생 / 약 20%는 multiple,

* catecholamines hypersecretion
  - NE와 epinephrine을 함께 분비 (NE > Epi.) ↔ 정상인에서는 NE < Epi.
  - extraadrenal은 주로 NE만 분비 / MEN에서는 Epi.만 분비!
  - dopamine, HVA (homovanillic acid) : benign보다 malignant에서는 분비 많이 됨

■ Hereditary (familial) pheochromocytoma

- 전체 pheochromocytoma의 약 25~33%, 대부분 AD로 유전
- 산발성보다 bilateral, multifocal, extra-adrenal, malignant가 더 흔하고, 발병 연령이 약 15세 어림
- 관련 유전 질환
  - ① **MEN type 2A** (Sipple's syndrome) : *RET* protooncogene의 activating mutation
    ; pheochromocytoma (50%), MTC, parathyroid tumor/hyperplasia
  - ② **MEN type 2B** (mucosal neuroma syndrome) : type 2A보다 훨씬 드묾 (MEN 2의 약 5%)
    ; pheochromocytoma (50%), MTC (100%), mucosal & GI neuromas, marfanoid body
  - ③ **neurofibromatosis type I** (von Recklinghausen's dz.) : *NF1* mutation
    ; pheochromocytoma (2~3%), hyperparathyroidism, somatostatin-producing carcinoid tumor (duodenum), MTC, precocious puberty (조숙), café au lait spot
  - ④ **von Hippel-Lindau syndrome** (retinal cerebellar hemangioblastomosis) : *VHL* mutation
    ; pheochromocytoma (10~20%), RCC, cerebellar hemangioblastoma, epididymal cystadenoma, retinal angioma (hemorrhage), pancreatic islet cell tumor, multiple pancreatic or renal cysts
  - ⑤ familial paraganglioma syndrome (PGL) : succinate dehydrogenase (SDH) subunits gene의 mutations … PGL2 (*SDHAF2*), PGL4 (*SDHB*), PGL3 (*SDHC*), PGL1 (*SDHD*, m/c)
    ; 주로 head & neck parasympathetic paragangliomas와 관련
  - ⑥ familial pheochromocytoma (FP) ; adrenal에만 발생, *TMEM127* gene의 mutations

임상양상

(1) paroxysms[발작] (3大 증상) : 두통, 발한, 심계항진(가슴두근거림, palpitation)
- 보통 몇분~몇시간 또는 그 이상 지속, 가장 특징적이지만 약 50%에서만 발생 (두통이 m/c)
- 불안 & 창백, 흉/복부 통증, N/V 등도 동반 가능 ↳ 최근엔 incidentaloma로 발견↑
- 유발인자 (복부 내용물의 이동을 일으키는 활동에 의해 유발 가능) ; 수술, 체위변경, 운동, 임신, 배뇨(특히 bladder pheochromocytoma), 약물(e.g., TCA, opiates, metoclopramide)
  - 심리적 stress에 의해서는 발작이 유발되지 않음

(2) HTN (m/c, 약 90%) : 변동이 심함 (60%는 sustained, 40%는 paroxysmal)
- 대개 심하며, 일반적인 항고혈압제에 반응이 없는 경우가 흔함
- HTN + 3대 증상 ⇨ 진단의 민감도(91%), 특이도(94%) 높다!

(3) orthostatic hypotension (∵ plasma volume 감소와 sympathetic response 둔화 때문)
(4) arrhythmia, angina, AMI, cardiomegaly, noncardiogenic pul. edema, 뇌출혈 ...
(5) pain, weakness, flushing, anxiety & panic attack, irritability, tremor, blurred vision
(6) 체중감소, 식욕은 항진, constipation (∵ 위장관 운동 억제로)
(7) glucose intolerance, DM (∵ insulin 분비↓)
(8) Hct↑ (secondary polycythemia) (∵ plasma volume 감소 때문)
(9) electrolyte는 대개 정상, Ca^{2+}↑ (∵ PTH-rP 분비로 인해)

■ 감별진단(R/O)

① 갑상선중독증(thyrotoxicosis) : TSH↓, free T4↑

② catecholamines & metabolites가 정상인 경우

; anxiety, panic attack, hyperventilation, arrhythmia, essential or renovascular HTN, postural orthostatic tachycardia syndrome (POTS), idiopathic orthostatic hypotension, mastocytosis, carcinoid syndrome, recurrent idiopathic anaphylaxis ...

③ catecholamines (and/or metabolites)가 일시적으로 상승되는 경우

; any acute stress (e.g., 수술, 심부전, shock, HTN, 뇌출혈/병변, 편두통, 자간전증), 약물

Drugs → 검사 2주 전에는 중단해야!	Short-acting sympathetic antagonist (e.g., clonidine, β-blocker)의 갑작스런 중단 (∵ antagonist 사용 동안 sympathetic receptors upregulation + catecholamine 분비↑) Sympathomimetic drugs ; 마약(e.g., cocaine, heroin, LSD, phencyclidine), amphetamines, phencyclidine, epinephrine, terbutaline, isoproterenol, decongestants (e.g. ephedrine, pseudoephedrine) ... 대부분의 psychoacitive agents ; TCA (e.g., amitriptyline, imipramine, nortriptyline), MAOI (e.g, phenelzine, tranylcypromine, selegiline), buspirone, prochlorperazine ... ↳ 특히 tyramine (MAO에 의해 분해됨) 함유 음식 섭취시 (e.g., 맥주, 치즈, 간, 바나나) 기타 ; ethanol, levodopa, reserpine, AAP (일부 검사에서 metanephrines↑) 등

진단

1. 생화학 검사

(1) plasma catecholamines & metabolites 증가

- fractionated free metanephrines (met. & normet. 각각/분획 측정), fractionated catecholamines (dopamine, epi., NE) ⇨ 민감하지만 위양성이 문제
- chromogranin A : pheochromocytoma에 특이적이지 않고, 다른 NET에서도 증가될 수 있음
- metanephrine이 음성인데 catecholamines이 양성으로 나오는 경우는 거의 없음
- 검사기법 ; 대부분 high-performance liquid chromatography (HPLC) or mass spectrometry
- 혈중 분해속도가 빠르므로 EDTA tube로 채혈 즉시 원심분리하여 검사 (or 혈장 냉동 보관)

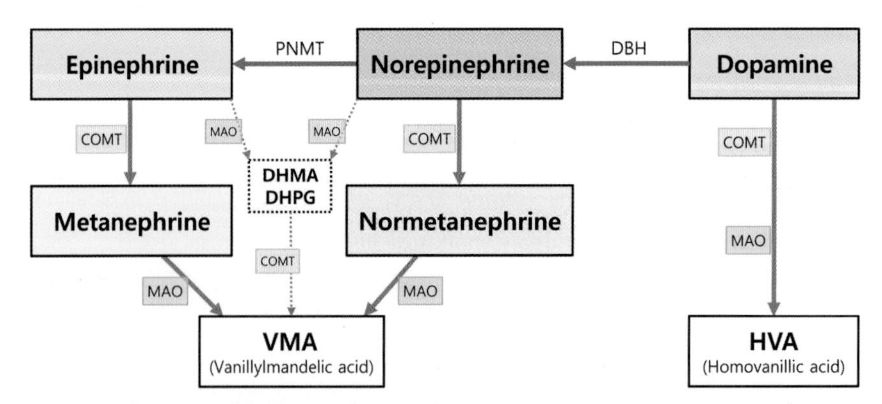

DBH (dopamine β-hydroxylase), PNMT (phenylethanolamine N-methyltransferase)
COMT (catechol-O-methyltransferase), MAO (monoamine oxidase)

(2) urine catecholamines & metabolites 증가

- 24-hr fractionated metanephrines & fractionated catecholamines (민감도 98%, 특이도 98%)
- 24-hr VMA (vanillyl mandelic acid)는 진단 민감도와 특이도가 떨어짐
- acid가 첨가된 용기에 냉장 보관하였다가 검사, 신기능에 따라 위양성/위음성으로 나올 수 있음

2. 약리학적 검사

(1) clonidine suppression test

┌ central α_2-receptor 자극 → 정상인 및 본태성 고혈압에서는 혈중 free catecholamines 감소
└ pheochromocytoma에서는 catecholamines & metanephrines 억제되지 않음

(2) provocation test (glucagon, histamine, metoclopramide, tyramine 등)

- BP↑ & catecholamines↑ (정상인에선 별 영향 없음)
- 위험하고, 민감도 떨어지고, 다른 검사의 발전 등으로 현재는 이용 안 됨

3. 영상 진단 (localization)

(1) 조영증강 CT or MRI (sensitive!)

: 부신의 large (대개 4 cm 이상) nonhomogeneous cystic mass
(c.f., Conn's syndrome, Cushing's syndrome은 병변이 작음)

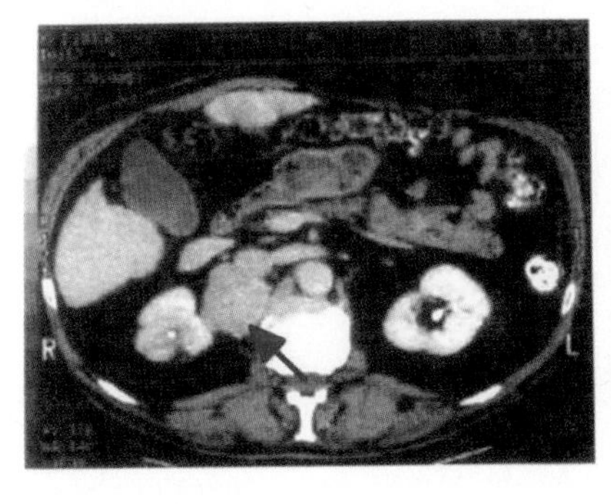

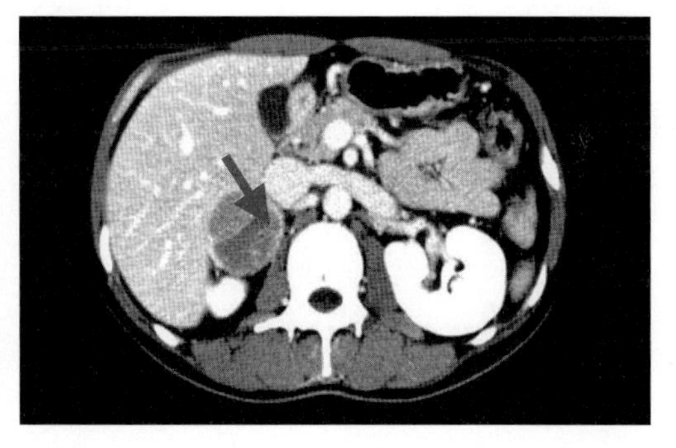

(2) 기능적 영상 (more specific!)

- CT/MRI에서 안 보이거나, CT/MRI에서는 보이는데 biochemical tests는 불확실할 때 이용!
- extra-adrenal tumors 및 paragangliomas에도 uptake → 전이 발견, 유전성 질환에 특히 유용!
- iobenguane I-123 [^{123}I (or ^{131}I) labeled metaiodobenzylguanidine (MIBG)] scintigraphy
  ↳ norepinephrine과 유사한 약물, NE receptor에 의해 pheochromocytoma에 농축됨
  - sensitivity는 CT/MRI보다 낮지만 specificity 높음
- PET (PET/CT) ; ^{18}F-DOPA, ^{68}Ga-DOTATATE, ^{18}F-fluorodeoxyglucose (FDG) 등
  → 부신의 진단은 MIBG scan과 비슷함 / 부신이외 paraganglioma와 전이 발견에는 더 우수함

* FNA를 이용한 조직검사는 금기! (∵ 급격한 혈압 상승 위험)

* 유전자검사도 필요한 경우 ; bilateral adrenal pheochromocytoma, paraganglioma, pheochromocytoma/paraganglioma의 가족력, 어릴 때 발병, 다른 증후군들을 시사하는 소견 등

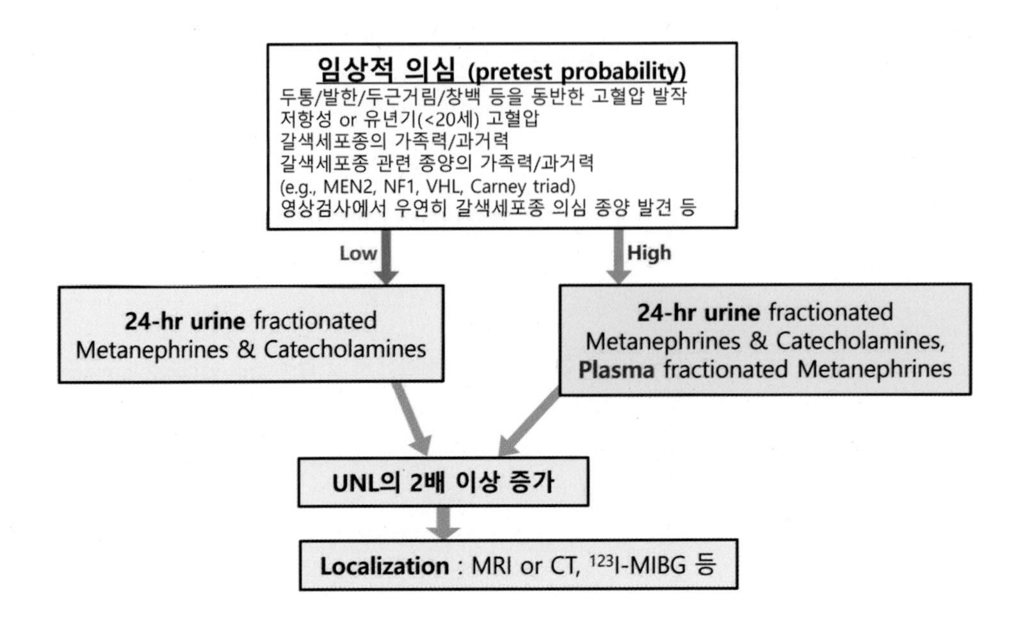

* 조기 진단이 중요한 이유
  ① 수술적 제거로 HTN 완치 가능
  ② 치명적인 hypertensive crisis or shock 위험
  ③ 8~13%는 malignant
  ④ 다른 endocrine or non-endocrine familial dz.의 실마리가 됨

c.f.) HTN과 DM이 같이 나타나는 내분비 질환
; pheochromocytoma, primary aldosteronism, Cushing's syndrome, acromegaly, DM

치료

* 가능한 빠른 수술이 TOC (laparoscopic removal of tumor)
* 수술 전후의 관리 : 혈압의 관리, shock시의 대응책

1. 수술 전처치 (10~14일 이상) or 내과적 치료

* 목적
  - 유효 순환 혈장량과 혈압을 정상화 (≤160/90 mmHg)
  - catecholamines에 대한 생체의 반응을 정상화

(1) 적절한 수분과 염분의 공급 (→ orthostasis 방지)

(2) antihypertensive agents (보통 α-blocker와 β-blocker의 병합요법)

- α-blocker ; oral **phenoxybenzamine** (DOC) … 작용시간이 길고, 효과가 서서히 증가됨
  - phenoxybenzamine의 부작용 ; orthostatic hypotension, tachycardia, nasal congestion, dry mouth, diplopia, ejaculatory dysfunction
  - selective α_1-blocker (e.g., prazosin, terazosin, doxazosin)도 phenoxybenzamine 대신 가능

- β-blocker (e.g., oral propranolol) : 빈맥/부정맥의 조절/예방에 도움, 저용량으로 사용
  ↳ 반드시 α-blocker가 효과를 나타낸 뒤에 (대개 수술 2~3일 전) 사용해야 됨!!
  (∵ β-mediated vasodilation 억제로 α가 더 자극되어 갑작스런 심한 고혈압 유발 위험)
- CCB (e.g., nicardipine, amlodipine) ; α- & β-blocker로 혈압 조절이 안 될 때 고려
- IV nitroprusside, IV phentolamine ; severe HTN (crisis) 때 유용

(3) metyrosine (Demser®) : catecholamines 합성을 50~80% 감소시킴
- 위의 항고혈압제들이 효과가 없거나 사용할 수 없는 경우 고려
- 절제가 어려운 수술 전에도 α- & β-blocker에 추가로 사용 가능(e.g., malignant tumor)

2. 수술 중 처치

- severe HTN [acute hypertensive crisis] (∵ 수술 도중 종괴 촉진시 급격한 혈압상승의 위험)
  ⇨ IV nitroprusside, phentolamine, nicardipine (short-acting CCB) 등
- 부정맥 or 빈맥 발생시 ⇨ β-blocker (atenolol, esmolol) or lidocaine
- shock 발생시 ⇨ IV saline or colloid, norepinephrine
- 수술 후에는 혈압이 저하하는 경우가 많으므로, 충분한 양의 수액 공급
- IV 5% dextrose : hypoglycemia 예방

* cortical-sparing bilateral adrenalectomy를 시행한 경우는 cortisol deficiency를 R/O하기 위해 ACTH stimulation test도 시행

* catecholamines 분비는 수술 후 10일까지는 여전히 높게 유지되므로, 수술 2주 이후에 urine catecholamines & metabolites F/U 검사 시행하여 정상화 확인하고 퇴원
→ 수술 6개월 뒤 F/U, 이후 증상 없으면 1년에 한번 5년 이상 F/U

3. 수술 불가능한 pheochromocytoma의 치료

(1) phenoxybenzamine (oral) 등의 항고혈압제 : chronic symptomatic Tx.로 사용
(2) metyrosine (Demser®) : catecholamine 합성 억제
(3) **malignant (metastatic) pheochromocytoma**
- 흔한 전이 부위 (혈행성 전이) ; skeleton > liver > LN > lung > CNS > pleura
- pheochromocytoma의 전형적인 증상은 benign에서 더 흔함 / 복통과 등통증은 악성에서 더 흔함
- 24hr urinary dopamine↑, 종양 무게↑, 종양내 dopamine 농도↑, 수술 이후 HTN 지속시 malignant pheochromocytoma의 가능성 높음
- 치료 (치료 성적은 좋지 않은 편) : 가능하면 종양 및 전이 병소의 제거
  - CTx (e.g., cyclophosphamide + vincristine + dacarbazine) : 약 1/2에서 완화(palliation)
  - high-dose (therapeutic) iobenguane I-131 (^{131}I-MIBG)
  - somatostatin receptors 발현 종양은 radiolabeled somatostatin analogs (^{177}Lu-DOTATATE)
  - bone metastasis → RTx, cryoablation therapy
  - 주기적으로 debulking surgery를 하면 증세 호전에 도움

c.f.) dopamine-secreting pheochromocytoma/paraganglioma
- dopamine-β-hydroxylase (dopamine을 NE로 전환하는 효소)의 activity 감소 때문
- catecholamines 과잉의 전형적 증상 드묾, MIBG scan에서 증강↓ → 진단 늦어짐
- poorly differentiated, extraadrenal 흔함, malignant (66~90%) 및 재발 흔함

예후 및 F/U

- 수술 뒤 5YSR >95%, 재발률 5~10%
  - 3/4은 HTN 완치
  - 1/4은 HTN 재발 → 원인 ; 기저 essential HTN, catecholamine에 의한 비가역적 혈관 손상
- malignant pheochromocytoma : 5YSR 30~60%
- 재발 위험이 높은 경우
  ① extraadrenal tumors
  ② flow cytometry에서 aneuploid or tetraploid cells↑
  ③ malignant pheochromocytoma

임신 중의 Pheochromocytoma

(1) 치료 안하면 분만시 산모와 태아 모두 위험
(2) 임신 초/중기에 발견된 경우
- 즉시 phenoxybenzamine 투여한 뒤
- 확진 되자마자 바로 수술 (laparoscopic removal)
- 유산시킬 필요는 없다, 종양 제거 후 임신 유지 (수술로 인해 자연유산은 발생할 수도 있음)

(3) 임신 말기(3rd trimester)에 발견된 경우
- phenoxybenzamine 투여하면서
- 태아가 충분히 성숙하면 C/S & tumor resection

MEMO

8
부신피질 질환

생리

1. Adrenal Steroids의 합성

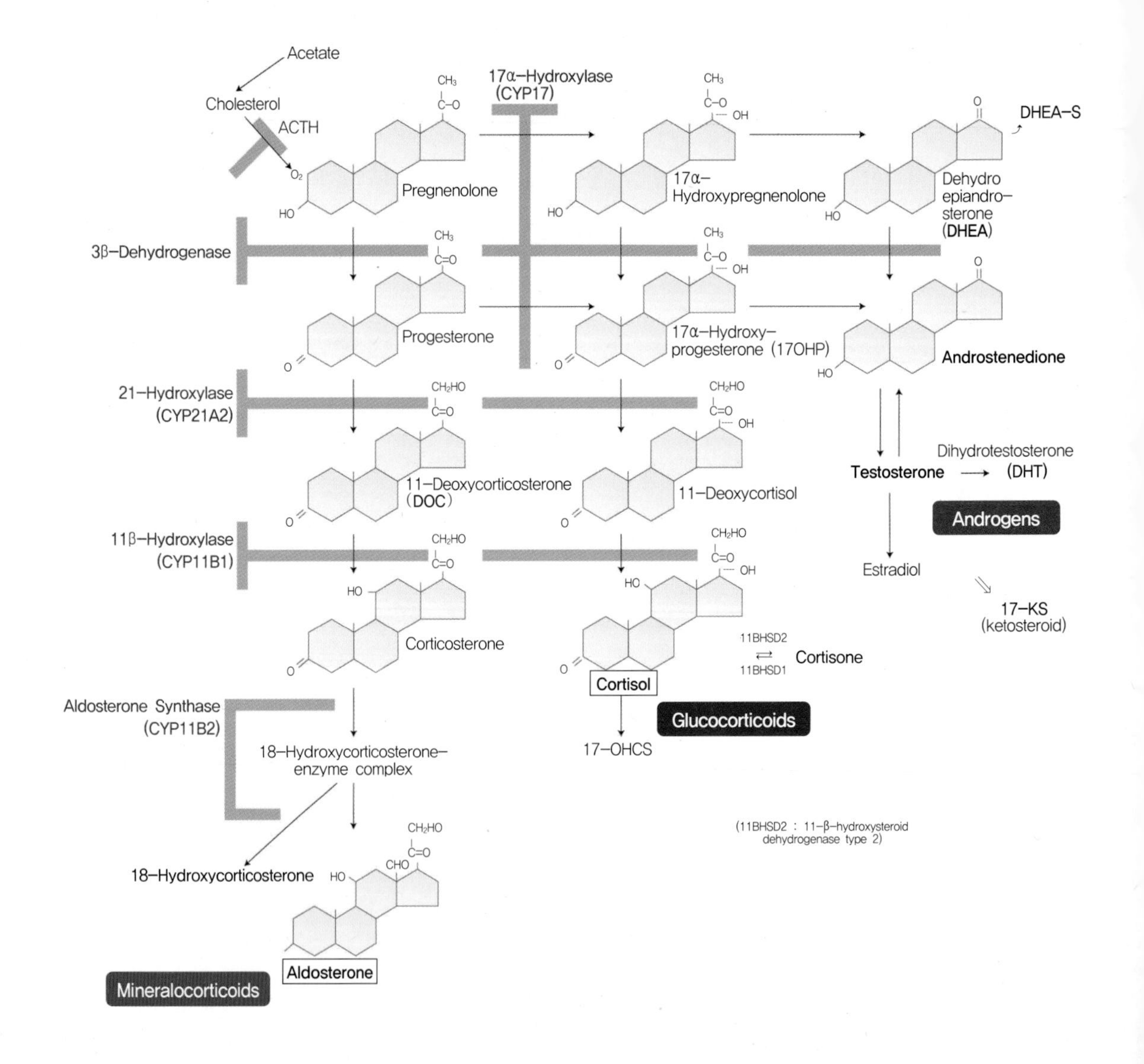

2. Steroid transport

(1) free cortisol : physiologically active, 전체 cortisol의 5% 미만

(2) protein-bound cortisol (대부분 CBG)

- cortisol-binding globulin (CBG or transcortin) : high-affinity, low-capacity
- albumin : low-affinity, high-capacity

• inflammation시 CBG에 대한 affinity가 감소하여 free cortisol 증가

• 대부분의 synthetic glucocorticoid analogues는 CBG에 대한 affinity가 낮다

• aldosterone은 혈중에서 대부분 유리상태로 존재하므로 반감기가 짧다

3. Steroid metabolism & excretion

(1) glucocorticoids : cortisol secretion = 15~30 mg/day (circadian cycle, 오전 7~8시에 최대)

(2) mineralocorticoids : aldosterone secretion = 50~250 μg/day

(3) adrenal androgens : 주로 DHEA & DHEA-S = 15~30 mg/day

• DHEA는 urine 17-KS (ketosteroids)의 주 전구물질임

↳ 남성; 2/3는 부신 유래, 1/3은 고환 유래 / 여성; 대부분 부신 유래

4. Glucocorticoids의 작용

(1) metabolism에 미치는 영향

① blood glucose level ↑ ; dose-related, 특히 식후에 현저

- anti-insulin effect ; 말초 insulin resistance↑, glucose 섭취↓, 간의 gluconeogenesis↑ 등 (insulin의 분비는 자극하지만, anti-insulin effect에 의해 상쇄됨)
- 공복 혈당이 정상 근처면 경구혈당강하제로 고혈당 조절 가능

② protein catabolism ↑ → hyperaminoacidemia

(2) 직접 간에 작용하여 tyrosine amino transferase, tryptophan pyrrolase 같은 enzymes의 합성을 촉진

(3) 대부분의 조직에서 nucleic acids 합성을 억제

(4) peripheral adipose tissue mass 감소 (abdominal & interscapular fat은 증가)

(5) anti-inflammatory action

① PMN leukocyte ↑ / eosinophil ↓, lymphocyte (특히 T-cell) ↓ (∵ redistribution)

② local inflammatory mediators의 생산과 작용 억제

③ T-lymphocyte에서 immune IFN 생산과 작용 억제, T-cell growth factor (IL-2) 생산 억제

④ macrophage에서 lymphocyte-activating factor (IL-1) 생산 억제 (→ fever ↓)

⑤ macrophage가 vascular endothelium에 붙는 것을 억제

(6) water intoxication 방지

① renal water excretion 촉진 ; vasopressin 분비 억제, GFR 증가, renal tubule에 직접 작용

② 세포 내로의 water 이동 억제

(7) mineralocorticoid-like action : 신장에서 Na^+ 재흡수와 K^+ 배설을 촉진

(cortisol은 세포내 mineralocorticoid receptor [MR]에도 작용하지만, 신장의 11BHSD2 효소에 의해 inactive cortisone으로 전환되어 실제 효과는 적음 /Cushing's syndrome 같은 고농도에서는 11BHSD2의 능력을 초과하여 MR에도 작용함)

5. Aldosterone의 분비 조절

- renin-angiotensin system (RAS)에 의해 주로 조절됨
  : intravascular volume↓ → renin↑ → angiotensin II↑ → aldosterone↑
- potassium ion
  ① RAS에 관계없이 aldosterone 분비를 직접 촉진
  ② zona glomerulosa의 국소 RAS 활성화를 통해 간접적으로 aldosterone 분비 촉진
- 기타 ACTH, serotonin 등도 aldosterone의 분비를 자극
  (ACTH는 주로 glucocorticoid와 adrenal androgens의 분비를 조절)

Aldosterone 분비 촉진	Aldosterone 분비 억제
Renin-angiotensin system (m/i) Potassium (hyperkalemia) ACTH (일시적) Serotonin β-Endorphin, Endothelin Permissive ; GH, γ-MSH	Sodium (hypernatremia) Dopamine ANP (atrial natriuretic peptide) Ouabain-like factors

쿠싱 증후군 (Cushing's syndrome, CS)

* 정의 : 만성적인 glucocorticoid (cortisol)의 과잉 상태

1. 원인

■ ACTH-dependent (→ bilateral adrenal hyperplasia) : 90%
1. Pituitary ACTH overproduction (m/c: 75%) – Cushing's disease
   Pituitary ACTH-producing (corticotrope) adenoma : 대부분 microadenoma
   Pituitary-hypothalamic dysfunction
2. Ectopic ACTH production (15%)
   SCLC (m/c, ectopic ACTH의 약 50% 차지), Bronchial carcinoid (adenoma), Pancreatic islet cell tumors (carcinoid 포함), Medullalry thyroid ca. (MTC), NSCLC, Thymic tumors (carcinoid 포함), Pheochromocytoma, 기타 전립선/유방/난소 등
3. Ectopic CRH production (<1%) ··· 임상적으로 ectopic ACTH production과 구별 안됨
   Bronchial carcinoid (adenoma)

■ ACTH-independent : 10%
1. Adrenocortical neoplasia (대개 unilateral)
   Adrenocortical adenoma (4~8%) ; 30~60%에서 *PRKACA* mutations 존재
   Adrenocortical carcinoma (ACC, 1~4%)
2. Adrenal nodular hyperplasia (1~2%)
   Primary bilateral macronodular adrenal hyperplasia (BMAH)
   Primary pigmented nodular adrenocortical disease (PPNAD) ; micro- and/or macronodular, sporadic or familial (Carney's syndrome : *PRKAR1A* mutations)
   McCune-Albright syndrome ; *GNAS-1* mutations ; polyostotic fibrous dysplasia, unilateral café-au-lait spots, precocious puberty, acromegaly ...
   Adrenal micronodular hyperplasia

** *Exogenous (iatrogenic)* ··· 실제 가장 많은 원인

• exogenous (iatrogenic) steroid 투여가 전체적으로는 Cushing's syndrome의 m/c 원인임
  ↳ glucocorticoids (or 드물게 ACTH)의 장기간 사용 ; prednisone이 m/c이지만, 모든 제제가 가능
• Cushing's disease : pituitary ACTH overproduction
  ┌ 대부분 pituitary adenoma (>90%) : 이중 90%는 microadenoma (<1 cm)
  └ 나머지는 pituitary hyperplasia
  - noniatrogenic Cushing의 m/c 원인 (68%), 남:여 = 1:3~5, 임상경과 느림
  - pituitary adenoma의 30~60%에서는 *USP8* (ubiquitin-specific peptidase 8) mutations 존재
    ; ACTH 분비세포 증식↑, 남<여, adenoma 크기는 작지만 ACTH level은 더 높음, good Px
• ectopic ACTH production
  - 빠르게 발현하는 경우 (e.g., lung ca.) → hypokalemic alkalosis가 현저,
    전형적인 Cushing의 임상양상은 없거나 경미함
  - 임상경과가 느린 경우 (e.g., carcinoid tumor, pheochromocytoma)
    → 전형적인 Cushing의 임상양상 보임
• adrenal nodular hyperplasia : 대개는 ACTH-dependent하여, 원인이 Cushing's dz. or
  ectopic ACTH production일 가능성이 많음 (high-dose DMST에 억제되지 않음)
• primary bilateral macronodular adrenal hyperplasia (BMAH, PBMAH) ; 드묾
  - 예전에는 ACTH-independent bilateral macronodular adrenal hyperplasia (AIMAH) 등으로도 불리었지만,
    aberrant hormone receptors (e.g., vasopressin, 5-HT4, GIP, β-adrenergic, LH/hCG 등) 기전과
    intra-adrenal ACTH 생산 증가(autocrine cortisol secretion) 등이 확인되어 이름이 바뀌었음
  - 늦게 발병(40~50대), 가족력 흔함, 약 25%에서는 germline & somatic *ARMC5* mutations 존재

c.f.) 소아에서는 pituitary 보다 adrenal 원인이 더 흔함(65%) ; 50%는 adrenal carcinoma, 15%는 adenoma

2. 임상양상

(1) 특정 부위의 지방조직 침착 증가, 체중 증가 : **"구심성 비만(centripetal obesity)"**
  • upper face → **"moon" face (월상안, 달덩이얼굴)**
  • interscapular area → "buffalo hump"
  • mesenteric bed → truncal (central) obesity (팔, 다리는 가늘어짐)
  • supraclavicular fat pads

(2) catabolic effects → easy fatigability, proximal muscle weakness, muscle wasting
  • osteoporosis (→ pathologic fracture, vertebral collapse)
    - 원인 ① 신장에서 Ca^{2+} 흡수 억제 (→ hypercalciuria)
      ② 장에서 Ca^{2+} 흡수 감소
      ③ cartilage, bone formation 억제
    - bone mineralization 감소는 특히 소아에서 현저
  • skin ; 안면홍조^plethora (Hct 증가 없이도 발생 가능), 넓은 보라색 선조^striae (복부에 m/c),
    easy bruisability (∵ 진피 collagen fibers 약화/파열)
  * ectopic or pituitary Cushing의 경우 ACTH↑에 의한 과다색소침착(hyperpigmentation)도 가능

(3) glucose intolerance, overt DM (<20%)
  • hepatic gluconeogenesis 증가 및 말초의 insulin resistance 증가 때문
  • 대개 DM 소인이 있던 환자에서 더 잘 발생

(4) 심혈관계 이상
- hypertension … cortisol 증가에 의해
  ① 간에서 renin 기질 생산 증가 → angiotensin II ↑
  ② cortisol 자체의 mineralocorticoid action ↑ (고농도에서) → sodium retention
- 심혈관계 질환으로 인한 사망 ↑ ; MI, stroke, venous thromboembolism (VTE), HF, DCM

(5) 생식계 이상
- menstrual dysfunction (~80%, ~33%는 무월경) [∵ cortisol ↑ → GnRH 억제 때문]
- adrenal androgens ↑ ⇨ 여성에서 남성화[virilization] 증상
  - 남성형다모증(hirsuitism), 지성피부, 여드름(acne), libido 감소(or 증가) 등
  - ACTH-dependent에서는 경미, adrenal carcinoma는 흔하고 심함, adrenal adenoma에는 없음
  - 남성은 androgens이 주로 고환에서 생성되므로 androgen excess 증상은 없음

(6) 위궤양 (∵ acid & pepsin 분비 ↑)

(7) 신경정신 이상 ; 감정 불안정, 과민(irritability), 우울증, 공황장애 ~ 실제 정신병까지 발생 가능, 식욕 ↑ (→ 체중증가), 인지기능/학습능력/기억력(특히 단기기억) 감소 등

* Cushing's syndrome에 특이적인 소견!
; 특징적인 체형(centripetal obesity), 멍이 잘 듦(반상 출혈), 안면홍조(plethora), 넓은 보라색 피부선조들, 근육병증(근력 약화), 남성화 증상(다모증 등)

* adrenal carcinoma 및 ectopic ACTH syndrome은 hypercortisolism에 의한 증상보다 (e.g., 체중 ↑) 종양 자체에 의한 증상이 먼저 나타날 수 있음 (e.g., 체중 ↓)

3. 검사소견

(1) plasma or urine cortisol ↑ (iatrogenic Cushing에서는 감소!)
(c.f., plasma cortisol은 오전 7~8시에 최대로 분비, 야간의 약 2배)

(2) urine 17-OHCS (hydroxycorticosteroid) ↑ (요즘에는 free cortisol로 대체)

* plasma DHEA-S or urinary 17-KS : adrenal androgen의 합성도를 반영

① cortisol-producing adrenal neoplasm
: cortisol ↑ → ACTH ↓ → 다른 정상 adrenal gland의 위축
→ 정상 cortisol 및 adrenal androgen 합성 감소
→ DHEA-S & 17-KS 약간 감소

② pituitary or ectopic Cushing : ACTH ↑
→ adenal androgen 합성도 증가 → DHEA-S & 17-KS 크게 증가
(↳ 남성화 경향 : hirsuitism, 수염, 여드름 ...)

* adrenal carcinoma ; 복부종괴 촉진, DHEA-S & 17-KS가 모두 크게 증가됨

(3) hypokalemic metabolic alkalosis (특히 ectopic ACTH 생산 종양에서 현저)
: cortisol의 mineralocorticoid action → hypokalmeia
Na^+은 upper normal → 유효순환혈장량 ↑ → plasma renin activity ↓

(4) glucose intolerance & DM → glycosuria

(5) Hct ↑ (polycythemia), leukocytosis (neutrophil ↑), eosinophil ↓, lymphocyte ↓

4. 진단

(1) 선별검사들(screening tests)

① overnight DMST (dexamethasone suppression test) : 1 mg DST

- 밤 11~12시에 dexamethasone 1 mg 복용 후, 다음날 아침 8시에 plasma cortisol 측정
  ⇨ 1.8 μg/dL (50 nmol/L) 이상이면 Cushing 시사 (sensitivity >95%, specificity 80%)
  c.f.) 과거에는 cutoff를 5 μg/dL (140 nmol/L)로 사용했었음 (specificity >95%, false(-) 15%)

■ False(+) : pseudo-Cushing's syndrome (physiologic hypercortisolism)
- Cushing's syndrome (CS) 진단 과정에서 반드시 R/O 해야 됨! → Hx & P/Ex 자세히
- low-dose DMST에서는 억제됨 (negative). CS의 증상 중 피부와 근육 증상은 드묾.
- 원인 (CS의 임상양상을 일부 보이는 경우)
  ; 비만 (특히 복부비만 or PCOS), 정신적 스트레스 (특히 우울증 환자), 알코올중독,
  poorly controlled type 2 DM, insulin resistance & metabolic syndrome,
  입원, 급만성질환 (감염, 외상, 통증), CKD/ESRD, estroge 과잉 상태 (임신, 경구피임약),
  항경련제(e.g., phenytoin, phenobarbital, primidone), rifampicin 등의 복용
- 원인 (CS의 임상양상이 없는 경우)
  ; 영양실조, 식욕부진, 심한 육체적활동, 임신, hypothalamic amenorrhea, 폐쇄성 수면무호흡,
  corticosteroid-binding globulin (CBG)↑(plasma cortisol은 증가하나 urine은 아님),
  glucocorticoid resistance 등

* CYP3A4-inducing drugs (e.g., 항경련제, rifampicin) : dexamethasone의 대사 가속화
  → dexamethasone에 의한 cortisol 억제 효과↓
  (c.f., CYP3A4-inhibiting drugs ; itraconazole, ritonavir, fluoxetine, diltiazem, cimetidine)
* 임신 : hypothalamic-pituitary-adrenal (HPA) axis activity↑ → CBG↑, cortisol↑, overnight DST에 억제×
  (estrogen : CBG를 증가시킴 → plasma cortisol↑)

- pseudo-Cushing's syndrome의 감별진단에 도움이 되는 검사
  (1) 원인 제거 (e.g., 금주, 약물 중단) 후 다시 검사!
  (2) 깨어있는 상태에서 midnight cortisol level 측정
  (3) low-dose DMST (± CRH infusion test)

② 24hr urine free cortisol (UFC)

- HPLC나 MS로 측정시 50 μg/day (140 nmol/day) 이상 or
  UFC/Cr 95 μg/ cortisol/g creatinine 이상이면 Cushing's syndrome 시사
- overnight DMST가 어려운 경우 이용 (e.g., 임신, 비만, 우울증 환자)

③ midnight salivary cortisol : 0.18 μg/dL (5 nmol/L) ┐
④ midnight plasma cortisol : 4.7 μg/dL (130 nmol/L) ┘ 이상이면 Cushing's syndrome 시사

* 보통 선별검사 2가지 이상이 확실히 비정상이면 Cushing's syndrome으로 진단,
1개만 비정상이거나 애매하면 추가적인 확진검사(low-dose DMST) 시행

* 특수한 경우의 선별검사 예
- 임신 ; 24hr UFC and/or midnight salivary cortisol 검사 권장
  (c.f., upper normal limit[UNL]의 기준은 높임 ; 24hr UFC 4배, salivary cortisol 2~3배)
- adrenal incidentaloma, 신부전 ; overnight DMST 권장
- cyclic Cushing's syndrome ; 24hr UFC or midnight salivary cortisol 검사 권장
- epilepsy 환자 ; 24hr UFC or midnight cortisol 검사 권장

(2) 확진검사(definite Dx) … Low-dose DMST (48-hr 0.5 mg/q6h DST)

: dexamethasone 0.5 mg을 6시간 간격으로 2일 동안 복용 후 (2 mg/day, 총 4 mg)

- urinary free cortisol ≥10 μg/day (25 nmol/day)
- urinary 17-hydroxycorticosteroid (17-OHCS) ≥2.5 mg/day
- plasma cortisol ≥5 μg/dL (140 nmol/L)

로 cortisol 생산이 억제되지 않으면 Cushing's syndrome 진단!

5. 원인 감별진단

(1) Plasma ACTH (오전 8시 ⇨ 정상 : 6~76 pg/mL [1.3~16.7 pmol/L])

① ⬆ (ACTH-dependent) : 80%

- pituitary microadenoma, pituitary-hypothalamic dysfunction (1/2은 정상 level, 대개 30~150 pg/mL)
- pituitary macroadenoma
- ectopic ACTH (or CRH)-producing tumors (대부분 >200 pg/mL)

② ⬇ (ACTH-independent) : 20%

- **adrenal neoplasm** (대부분 <10 pg/mL [2 pmol/L]), exogenous steroid
- abdominal (adrenal) unenhanced CT 시행!

(2) ACTH-dependent시 추가 검사

① high-dose DMST : 2 mg을 6시간마다 2일 동안 투여 (8 mg/day, 총 16 mg)

- cortisol 생산 억제되면 ⇨ **pituitary microadenoma**, hypothalamic-pituitary dysfunction
- cortisol 생산 억제되지 않으면 ⇨ pituitary macroadenoma, ectopic ACTH-producing tumors, adrenal neoplasm, adrenal nodular hyperplasia

② CRH (or metyrapone) stimulation test ; 두 검사의 기본 목적은 비슷함

- CRH → pituitary에서 ACTH 분비 자극 → cortisol ↑↑
- metyrapone : 11β-hydroxylase (cortisol 합성 최종 단계) block → cortisol ↓↓ → ACTH↑↑

- pituitary macroadenoma : CRH에는 반응하고, metyrapone에는 variable
- pituitary microadenoma, hypothalamus-pituitary dysfunction : 모두에 반응함
- adrenal neoplasm, ectopic ACTH-producing tumors : 반응 안 함

③ IPSS (inferior petrosal sinus sampling) 하추체 정맥동 검사

- 임상적 or 영상검사(pituitary MRI)에서 Cushing's dz. (pituitary adenoma)와 ectopic ACTH 생산의 감별이 어려울 때 시행 (e.g, pituitary MRI 모호, CXR mass, high-dose DMST 음성)
- IPSS의 ACTH 농도가 peripheral의 2배 (CRH 자극시에는 3배) 이상이면 Cushing's dz.
- Cushing's dz.를 확진할 수는 있지만 pituitary adenoma의 localization 도움 여부는 논란
- 금기 ; HTN, MRI에서 pituitary adenoma가 확실히 보일 때

	Cushing's dz. (ACTH-producing pituitary tumor)	Ectopic ACTH production
Hypokalemia	<10%	75%
High-dose DMST (1) plasma cortisol (2) urinary free cortisol (UFC) >80% suppressed	 >5 μg/dL (억제 안됨) microadenoma : 90% macroadenoma : 50%	 >5 μg/dL (억제 안됨) 10%
IPSS (inferior petrosal sinus sampling) (1) basal petrosal/peripheral ACTH (2) CRH 자극 후 petrosal/peri. ACTH	 >2 >3	 <2 <3
임상양상	남<여 Slow onset	남>여 Rapid onset Pigmentation, 심한 근육병증

★	Plasma ACTH	High-dose DMST	CRH stimulation test
Pituitary-hypothalamic dysfunction or pituitary microadenoma	N ~ ↑	억제됨	반응함
Pituitary macroadenoma	↑ ~ ↑↑	억제 안됨	반응함
Ectopic ACTH or CRH production	↑ ~ ↑↑↑	억제 안됨	반응 안함
Adrenal tumor	↓	억제 안됨	반응 안함

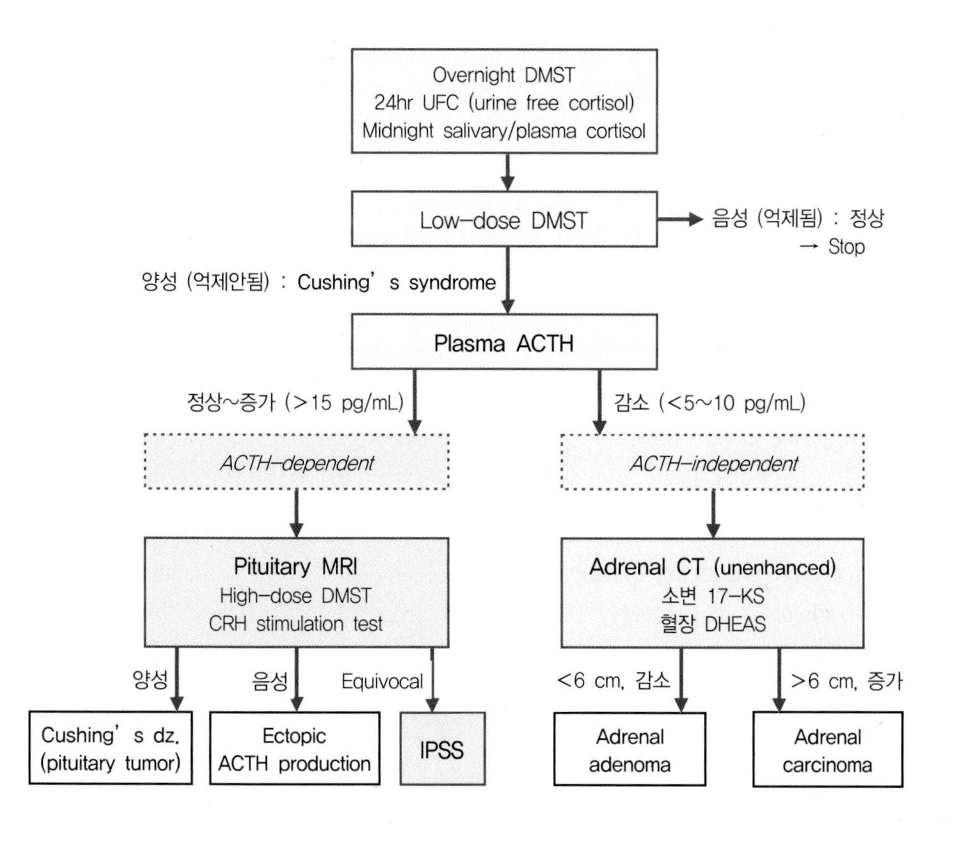

(3) 종양의 위치 파악(localization)

① Cushing's dz. : pituitary MRI (gadolinium-enhanced), CT
- 대부분의 ACTH-secreting pituitary adenoma는 크기가 작아서 60% 이하에서만 발견됨
- adrenal gland는 양측성으로 비후를 보이지만 병력 기간이 짧은 경우에는 그 비후가 잘 보이지 않음 (약 50%에서)

② adrenal neoplasm
- 복부(adrenal) unenhanced CT (adrenal adenoma : low density, 대개 2 cm 이상)
- adrenal scan : 19-[^{131}I] iodocholesterol scanning

③ ectopic ACTH production → chest CT 등

■ Iatrogenic Cushing's syndrome

- exogenous glucocorticoids (mineralocorticoid & adrogenic activity 無) ⇨ HPA axis 억제 ; CRH & ACTH 분비 감소 ⇨ bilateral adrenocortical atrophy (adrenal insufficiency)
  - basal state의 ACTH↓, plasma/urine/salivary cortisol↓, 17-KS↓↓ (특히 아침 plasma ACTH와 cortisol이 낮음)
  - ACTH stimulation test, CRH (or metyrapone) stimulation test에 반응 안함
  - hyponatremia (↔ endogenous Cushing은 대개 hypernatremia)
- 임상양상은 endogenous Cushing's syndrome과 비슷함
  - 백내장, 안압↑, 두개내압↑, 대퇴골두 무혈성괴사, 골다공증, 췌장염 등은 더 흔함
  - HTN, 남성형다모증(hirsutism), menstrual dysfunction 등은 드묾
- severity와 관련있는 것
  ① total steroid dose
  ② steroid의 biologic half-life
  ③ 치료 기간
  ④ 아침에만 투여할 때보다 오후/저녁에도 투여하는 경우 더 빨리 발생

6. 치료

* 치료 목표 ; HPA (hypothalamic-pituitary-adrenal) axis 기능 회복을 통한 hypercortisolism (Cushing's syndrome 증상) 정상화
* 원인 질환의 치료 이후 HPA axis의 회복에는 대개 몇 개월~몇 년 필요 (일부는 회복 안됨)
* 원인 교정에 따른 회복률 ; ectopic ACTH (80%) > Cushing's dz. (60%) > 부신 종양(40%)

(1) Cushing's dz. (ACTH-producing pituitary tumor)

① endoscopic transsphenoidal surgery (TOC) : corticotrope tumor의 선택적 절제
- 수술 뒤 남겨진 뇌하수체의 기능이 회복되는 동안 hydrocortisone 보충 치료 필요
- 75~90%에서 initial cure / 10~25%는 late relapse ⇨ 재수술 or 아래의 치료 고려

② pituitary irradiation … stereotactic radiosurgery (SRS)[정위방사선수술]
- 완쾌까지 시간이 오래 걸림(6-12개월 ~ 2-3년) → 그 동안 hypercortisolism 조절을 위한 medical therapy 필요 (medical therapy와 병용시 85~100% cure도 가능)

- 수술의 발전으로 primary therapy로는 권장 안됨 ⇨ 소아(<18세, RTx가 효과적), 수술 불가능, 수술 실패, bilateral adrenalectomy, Nelson syndrome 등의 경우 고려

③ medical therapy (부신피질호르몬 분비 억제)
- Ix ; severe Cushing's dz.의 수술 전처치, 수술 금기/불가능, 수술 실패/재발, RTx 이후 효과 발생까지의 기간, occult ectopic ACTH syndrome, metastatic adrenocortical carcinoma[ACC]
- adrenal enzyme inhibitors ; ketoconazole, metyrapone, aminoglutethimide, trilostane, fluconazole, etomidate (심한 경우) 등
- adrenolytic agent … mitotane ("medical adrenalectomy")
  - 기전 ; adrenal mitochondria 파괴 → 주로 ACC에 사용, RTx에 보조적으로도 사용 가능
  - 치료 후에는 장기간 glucocorticoid 투여 필요 (일부는 mineralocorticoid도 필요)
  - 약 1/3에서 부신종양 및 전이가 감소되나, 장기 생존율에는 변화 없음
  - 골 전이는 반응을 안 하므로 RTx 필요
  - 고용량에서는 소화기 및 신경계 부작용 발생
- glucocorticoid-receptor antagonists … mifepristone (RU-486)
  ; 원래 낙태약이지만, 고용량에서는 Cushing's syndrome의 hyperglycemia 치료에 효과적
- pituitary ACTH 분비 억제 ; cabergoline (dopamine agonist), pasireotide (somatostatin analog)
  (→ 20~40%에서 24hr UFC 정상화, 특히 mild hypercortisolism인 경우)

④ laparoscopic total (bilateral) adrenalectomy
- 100% cure 가능하지만, 많이 시행되지는 않음
- 위의 치료들이 실패 or 증상이 매우 심할 때 고려
- 수술 당일부터 glucocorticoid 보충, 며칠 뒤부터는 mineralocorticoid도 보충
- 단점 (부작용)
  - 평생 mineralocorticoid & glucocorticoid 보충 치료 필요
  - Nelson's syndrome (10~30%) : residual pituitary tumor가 다시 커지는 것 (아래 참조)

(2) adrenal neoplasms

① adenoma → laparoscopic unilateral adrenalectomy로 완치 가능
(반대측 부신의 기능이 억제되어 있었으므로 회복될 때까지 glucocorticoid 보충 필요)

② carcinoma (ACC) → 가능하면 surgical resection + adjuvant mitotane
(전이 등으로 수술 불가능 or 재발 → medical adrenalectomy [mitotane] ± CTx)

③ ACTH-independent bilateral adrenal hyperplasia (e.g., PPNAD, BMAH)
→ surgical bilateral adrenalectomy

(3) ectopic ACTH-producing tumors

① 가능하면 원인 종양의 수술적 제거 (but, 대부분은 전이로 인해 불가능)

② 원인 종양의 수술이 불가능하면 ⇨ medical or surgical adrenalectomy

(4) 치료 이후의 경과

- 완치 이후 신체적인 증상은 2~12개월에 걸쳐 회복됨
  (but, 체중증가, HTN, glucose intolerance, osteoporosis 등은 완전히 회복 안 되는 경우 많음)
- bone loss가 심하면 oral bisphosphonate 치료 등 시행
- 삶의 질, 인지장애, 신경정신 증상 등도 호전은 되지만 완전히 정상화되지는 않음

■ Nelson's syndrome

- Cushing dz.에서 bilateral adrenalectomy 후, residual pituitary tumor가 다시 빠르게 커지는 것 (∵ glucocorticoid에 의한 negative feedback 소실로 ACTH 분비↑↑)
- pituitary RTx.를 받지 않은 성인의 ~25%, 소아의 ~50%에서 발생 (RTx 받은 경우 발생 감소)
- 대부분 adrenalectomy 후 3년 이내에 발생 → 주기적으로 pituitary MRI/CT, 혈중 ACTH 검사
- Sx/Dx : hyperpigmentation, hypopituitarism, headache, visual field defect, 혈중 ACTH↑↑
- Tx : pituitary tumor resection + irradiation (∵ 수술만 하면 큰 종양은 재발 가능)
- Px : good

고알도스테론증 (Hyperaldosteronism)

* mineralocorticoid excess의 m/c 원인은 primary aldosteronism (부신이 원인)
  (↔ Cushing's syndrome은 pituitary or exogenous가 m/c 원인)

1. Primary aldosteronism (PA)

(1) 정의

- 부신 자체에서 aldosterone을 과다 분비하는 것 [→ (-)feedback으로 renin ⇩]
- 남:여 = 1:2, 30~50세에 호발, 전체 HTN 환자의 5~12% 차지 (∵ 점점 발견 증가)

(2) 원인

① bilateral (micronodular) adrenal hyperplasia (idiopathic hyperaldosteronism, IHA)
  - m/c (60~70%), 원인은 모름, low-renin essential HTN과 유사
  - adenoma (APA) 환자보다 aldosterone level 낮고, 임상양상(e.g., hypokalemia) 덜 심함

② aldosterone-producing adrenal adenoma (APA, aldosteronoma, "Conn's syndrome")
  - 30~40% (과거의 m/c), 대부분 unilateral, 대개 1 cm 미만

③ adrenal carcinoma (ACC) : 드묾(<1%), 크기가 매우 큼, 증상이 매우 심함

④ familial hyperaldosteronism (FH)
  (a) FH type 1 (glucocorticoid-remediable aldosteronism, GRA) → 뒷부분 참조
  (b) non-GRA ; FH type 2 (chloride channel *CLCN2*의 germline mutations), type 3 (potassium channel subunit *KCNJ5*), type 4 (*CACNA1H* gene)

(3) 임상양상

① (diastolic) hypertension : 체위에 따른 변화×, 심한 경우 두통도 유발
  (∵ Na^+ 재흡수↑, ECF volume↑)

② K^+↓ ⇨ 근무력감(muscle weakness), fatigue, periodic paralysis, 손발저림, DTR↓, 요농축능 감소 (→ polyuria, nocturia, polydipsia)
  - 경미한 PA는 (특히 bilateral hyperplasia) K^+ low-normal → hypokalemia 증상 없음

③ Ca^{2+}↓ ⇨ 손발저림/감각이상(paresthesia), tetany, DTR↓
  (∵ metabolic alkalosis → albumin에 Ca^{2+} 결합↑→ Ca^{2+} level↓)
  - 드물게 Chvostek's sign, Trousseau's sign도 (+)

④ LVH, heart failure, stroke, proteinuria (50%), renal failure (15%) ...

* 체중증가(edema)는 없는 것이 특징!
- mineralocorticoid escape 현상 때문 (∵ 보상성 ANP↑ 등 → natriuresis & diuresis)
- CHF, CKD 등을 동반하면 부종 발생 가능

(4) 검사소견

① plasma aldosterone↑ (정상: 2~9 ng/dL), renin↓ (정상: 0.3~3 ng/mL/hr)
② hypokalemia : 과거에는 PA의 주요 특징으로 여겼으나, 실제로는 10~40%에서만 동반됨
- TTKG >4 : distal tubular K^+ secretion에 의한 renal K^+ loss
- adenoma에서는 심함(<3 mmol/L), 대부분의 bilateral hyperplasia 환자는 low-normal
- K^+-sparing diuretics를 사용하거나, 저염고칼륨 식이 환자에서도 정상일 수 있음

③ hypernatremia : 드물게 발생 가능 / 대개 약간 증가 ~ upper-normal (특히 adenoma에서)
- distal tubular Na^+ 재흡수 증가되나 수분도 함께 저류되어 serum Na^+는 대개 정상임

④ metabolic alkalosis (∵ 신장에서 H^+ 소실, 세포내로 H^+ 이동) : hypokalemia 정도와 관련
⑤ hypomagnesemia : hypokalemia가 심하면 발생 가능, 대개 경미함
⑥ glucose intolerance (∵ hypokalemia → insulin 분비↓)
⑦ 신장/소변
- 요농축장애 (∵ hypokalemia) → urine specific gravity↓
- urine pH N~↑, Na^+↓, K^+↑, proteinuria (~50%)
- renal biopsy : hypokalemic nephropathy

⑧ EKG (hypokalemia) ; U wave, arrhythmia, premature contractions, QT prolongation
⑨ LVH (EKG & CXR에서) : 혈압 상승 정도에 비해 심함

c.f.) DM에서도 다음, 다뇨, 손발저림, HTN 등 aldosteronism과 비슷한 양상을 보일 수 있으므로 기본적으로 DM을 R/O해야 됨

(5) 진단

1. **선별검사** ; plasma aldosterone ↑, renin ↓ … aldosterone/renin ratio (ARR) ↑
2. **억제검사(확진)** ; volume expansion에도 불구하고 plasma aldosterone ↑ (억제 안됨)
   예) IV saline loading (m/c), oral sodium loading ...
3. **원인검사** ; adrenal CT, adrenal vein catheterization & sampling (AVS)

- HTN 환자에서 hypokalemia 동반시 의심!
  : 고혈압치료제로 이뇨제(e.g., thiazide, loop)를 사용한 적이 있는지 확인해야 됨 (더 흔함)
  → if 사용시, 1~2주간 이뇨제를 중단한 후 다시 K^+ level을 측정
- 기타 PA 선별검사가 필요한 경우 ; severe HTN, early-onset HTN, HTN을 동반한 adrenal incidentaloma[우연종], sleep apnea, 40세 이전에 CVA 병력, PA 환자의 부모/형제/자녀 등
- plasma renin activity (PRA) 측정 : primary aldosteronism과 다른 원인에 의한 HTN의 감별력은 떨어짐 (∵ essential HTN의 25%에서도 PRA↓)
- aldosterone-renin ratio (ARR) … 선별검사!
  = plasma aldosterone[PA] (ng/dL) / plasma renin[PRA] (ng/mL) ratio (아침 기립 시 동시에 측정)
  - ARR 20~30 이상이면서 plasma aldosterone (PA) 15~20 ng/dL 이상이면 진단 가능

- 검사 전 주의사항 ; hypokalemia 교정, 식염은 제한하지 않음,
  ARR에 영향을 미치는 일부 고혈압약 중단 후 검사 권장
  - MRA (→ renin↑, aldosterone↑ → ARR↓) → 4주 이상 중단
  - ACEi, ARB, DRI 등 (→ renin↑, aldosterone↓ → ARR↓), β-blocker (→ renin↓, aldosterone↑ → ARR↑) → 큰 영향은 없으므로 2주 중단 or 계속 복용
  - CCB와 α-blocker는 ARR에 영향 없음
  - severe HTN or 심혈관질환 환자는 고혈압약 변경으로 인한 부작용 발생에 주의

• <u>확진검사</u> : aldosterone 분비 억제 후 plasma renin & aldosterone 측정 (억제 안되는 것 확인)

① <u>생리식염수부하검사(IV saline loading/infusion test)</u>
  - 세포외액 증가에 의해 aldosterone 분비 억제 안 되면 primary aldosteronism <u>확진</u> 가능!
  - 주의 ; saline 주입 전에 hypokalemia를 교정해야 함
  - severe HTN (diastolic BP >115), heart failure 때는 금기

② 기타 억제 ; oral sodium loading (200 mmol/day), ACEi (captopril), mineralocorticoids (e.g., deoxycorticosterone, fludrocortisone), saralasin (angiotensin II antagonist) 등

c.f.) 자극검사 ; 밤새 누워 있은 후 & 이후 4시간 동안 서 있은 뒤 측정

	누워있을 때	기립시
Adrenal adenoma (APA)	>20 ng/dL	변화 없음
Bilateral adrenal hyperplasia	<20 ng/dL	상승

c.f.) 실제로는 많은 APA 환자도 기립시 plasma aldosterone이 상승하므로 감별에 큰 도움은 안됨

• tumor localization 및 <u>adenoma ↔ hyperplasia의 감별</u> (→ 치료가 다르므로 감별 중요!)

① <u>abdominal (adrenal) CT</u> ; aldosterone-secreting adenoma는 보통 low density, <2 cm
  - 진단 정확도는 70% 정도로 높지 않으므로 CT/MRI에만 의존하면 안 됨
    - 한쪽에서 mass가 뚜렷이 발견되고 40세 이하면 → adenoma로 생각하고 수술
    - mass가 발견되지 않거나 40세 이상 → bilateral adrenal vein sampling (AVS) 시행

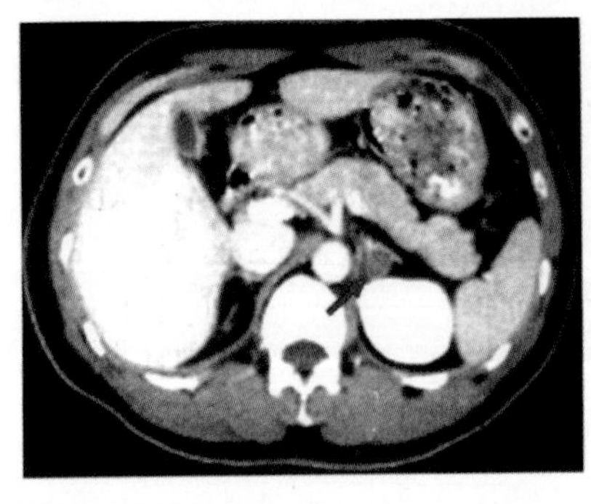

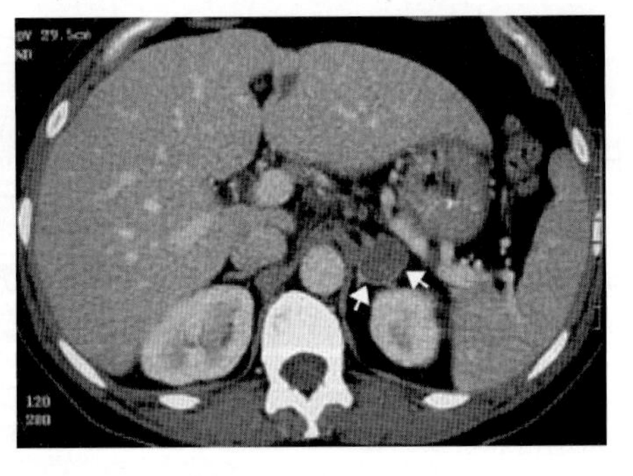

② bilateral (selective) <u>adrenal vein catheterization & sampling (AVS)</u>
  - unilateral (adenoma) ↔ bilateral (hyperplasia) 분비 감별에 가장 정확!
  - catheter 위치와 시간에 따른 sampling 오차를 보정하기 위해 cortisol을 같이 측정하여 CCAR (cortisol-corrected aldosterone ratio)을 사용함
  - IVC와 좌우 부신정맥에서 sampling (부신정맥이 IVC보다 CCAR 10배 이상 높아야 됨)
  - 환측 부신정맥의 CCAR이 반대측보다 4배 이상이면 unilateral (lateralization) adenoma, 3배 이하면 bilateral hyperplasia로 판정함, 3~4배 사이면 판정 불가

- bilateral adrenal hyperplasia : adenoma 환자에 비해 aldosterone↓, renin↑
  - ① hypokalemia가 경미하거나 K^+ 정상 (metabolic alkalosis 및 urine pH↑도 드묾)
  - ② RAA에 어느 정도 반응 (e.g., 기립후 aldosterone 증가)
- adenoma ; aldosterone의 전구물질인 deoxycorticosterone (DOC), corticosterone, 18-OH corticosterone의 혈중 농도도 증가

* <u>hypokalemia & HTN에서 renin, aldosterone이 모두 낮은 경우</u> ★

- exogenous aldosterone : 감초(licorice... 한약), 씹는담배, corticosterone-producing tumor
- Liddle's syndrome : mineralocorticoid의 과잉이 없이도, 신세뇨관의 이상에 의해 serum Na^+↑, K^+↓, 체액 증가, HTN, renin↓

RAA-independent mineralocorticoid excess의 원인
Aldosterone-secreting adenoma
Adrenal cancer
Congenital adrenal hyperplasia ; 11β-hydroxylase, 17-hydroxylase deficiency
11β-hydroxysteroid dehydrogenase deficiency
Licorice intoxication
Severe hypercortisolism
Glucocorticoid-remediable aldosteronism (GRA)

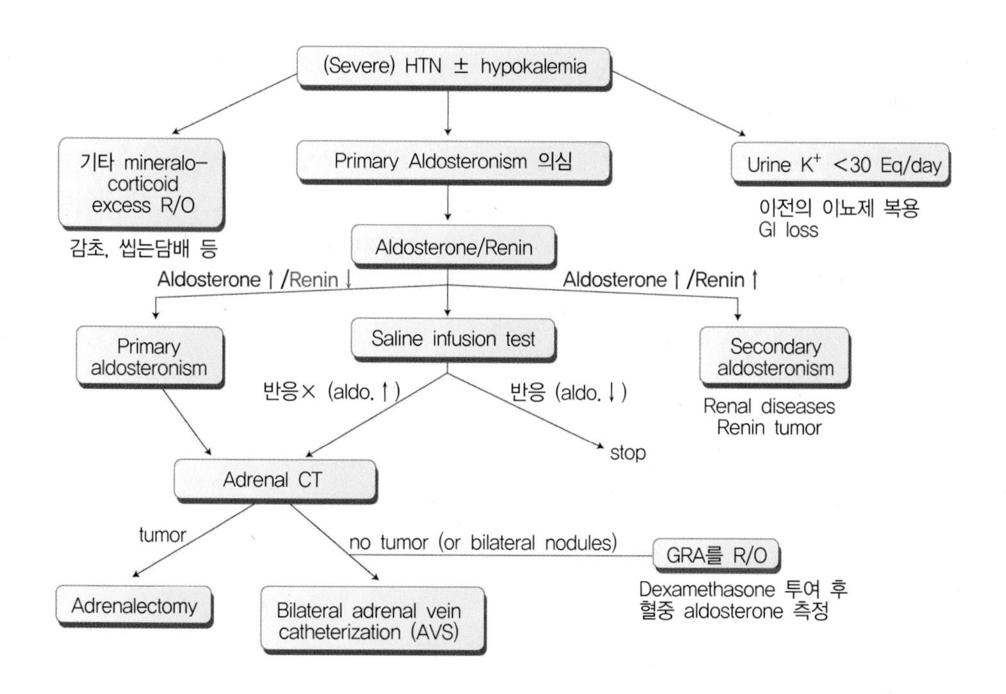

(6) 치료

- severe hypokalemia시의 응급조치 : KCl IV
  (spironolactone : 이미 K^+ 소실되었으므로 응급시엔 도움 안 됨)
- **bilateral adrenal hyperplasia (IHA)**
  ① 내과적 치료 (TOC)
  - aldosterone (mineralocorticoid receptor[MR]) antagonist (MRA) : **spironolactone**, eplerenone
    → 보통은 HTN & hypokalemia 잘 교정됨
    ┌ spironolactone 장기 사용은 남성에서 gynecomastia, 성욕↓, 발기부전 유발
    └ eplerenone : 효과는 다소 약하지만 more selective MR antagonist, 부작용 적음
  - 2nd line (MRA 사용 못하면) ; K^+-sparing diuretics (e.g., amiloride, triamterene)
  - 염분제한, IBW 유지, 규칙적인 유산소운동 등

  ② bilateral adrenalectomy … 보통은 시행하지 않음
  - 내과적 치료로 조절 안되는 심한 hypokalemia 때에만 고려
  - hypokalemia는 교정되지만, HTN은 잘 교정되지 않는다
- **unilateral adrenal adenoma (APA), unilateral adrenal hyperplasia**
  ① surgical resection (TOC) : laparoscopic adrenalectomy 선호
    → hypokalemia 완치, HTN은 일부에서만 완치 (40~65%는 경미한 HTN 지속됨)
  ② 내과적 치료 : 수술 전 HTN & hypokalemia 교정 위해 시행 (3~5주)
    or 수술 뒤에도 HTN 지속, 수술 불가능/거부시

■ Glucocorticoid-remediable (-suppressible) aldosteronism (GRA)

- AD 유전의 familial hyperaldosteronism
- 원인 : 11β-hydroxylase (*CYP11B1*)와 aldosterone synthase (*CYP11B2*) 유전자 사이의 promotor crossover에 의한 *CYP11B1/CYP11B2* chimeric gene에 의해 발생
  - zona fasciculata에서 aldosterone이 합성되고 (RAAS 대신) ACTH의 조절을 받음
    ↳ 원래 cortisol만 합성되는 곳 (c.f., aldosterone은 원래 zona glomerulosa에서 합성됨)
  - glucocorticoid는 합성 감소 → ACTH↑ → aldosterone↑
- plasma renin↓, adrenal imaging 정상, severe HTN, early-onset HTN의 가족력 등이 있을 때 의심 (hypokalemia는 흔하지 않다)
- serum 18-hydroxycortisol↑, 18-oxocortisol↑
- 선별검사 ; dexamethasone 투여 뒤 aldosterone level↓
- 치료 ; 소량의 glucocorticoid (e.g., dexamethasone), 일부는 MRA 추가도 필요
  ↳ ACTH 억제

2. Secondary aldosteronism

- 부신 이외의 원인으로 renin-angiotensin-aldosterone system (RAAS)이 활성화 or renin 합성이 증가된 것 (= hyperreninism, hyperreninemic hyperaldosteronism)
  ; renin↑ ⇨ aldosterone↑

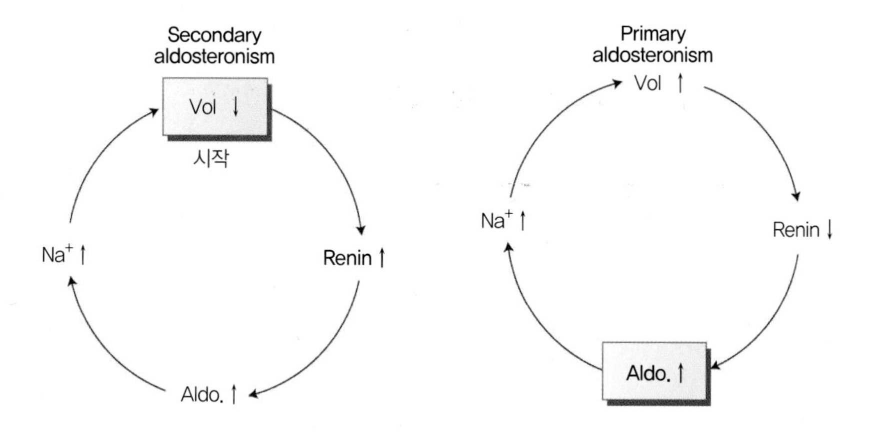

- aldosterone 생산속도는 대개 primary aldosteronism보다 빠르다
- **원인** (renin ⇧)

나트륨 소실 ; 설사, 구토, 이뇨제(thiazide, furosemide), Na^+-wasting nephropathy
체액 소실 ; 출혈, 탈수
부종성 질환 ; CHF, LC, NS (∵ renal blood flow↓)
Renovascular HTN ; AS, fibromuscular hyperplasia
Malignant HTN (∵ arteriolar nephrosclerosis)
Accelerated HTN (∵ 심한 신혈관 수축)
Renin 분비 종양 (reninoma, juxtaglomerular cell tumor)
Estrogen (→ renin↑) ; 임신, 경구피임약
Cushing's syndrome
Na^+ 섭취 제한, K^+ 과다 섭취
Bartter's syndrome, Gitelman's syndrome ⇨ 고혈압과 부종은 없음!

- HTN : 일차적인 renin 과다생산 (primary reninism) 또는 신혈류 감소에 의한 이차적인 renin 생산 증가 때문
- edema ; CHF, liver cirrhosis, nephrotic syndrome (CKD는 아님!)
  : effective circulating volume↓ → RAA system activation (renin↑)
- reninoma ; 매우 드묾, 청소년~젊은 성인에서 발생, severe HTN
- Bartter's syndrome ; HTN (−), edema (−), renin↑, 심한 hyperaldosteronism의 sign (e.g., hypokalemic alkalosis)

부신기능저하증, 부신부전 (Adrenal insufficiency)

* 드묾, 대부분(70~80%) primary adrenal insufficiency
- 부신의 90% 이상이 파괴되어야 adrenal insufficiency의 증세 발생
- 전체적인 adrenal insufficiency의 m/c 원인은 exogenous steroid

1. Primary adrenocortical insufficiency (Addison's dz.)

(1) 원인

1. Gland의 파괴
   자가면역(autoimmune adrenalitis) ; isolated, PGA type 1, PGA type 2
   수술적 제거
   감염 ; **결핵**(과거, 후진국의 m/c 원인), 매독, 진균, 바이러스(특히 HIV, CMV)
   출혈 ; anticoagulation, thrombolytic therapy, coagulopathy, thromboembolic dz., 외상, 수술 등
   종양의 침범 ; 폐, 유방, lymphoma 등 (부신의 90% 이상이 파괴되어야 하므로 부신저하증은 드묾)
   Adrenoleukodystrophy (ALD)
2. 호르몬 생산의 장애
   Congenital adrenal hyperplasia (CAH) ; 21-hydroxylase deficiency 등
   Enzyme inhibitors ; metyrapone, ketoconazole, aminoglutethimide
   Cytotoxic agents ; mitotane
3. ACTH-blocking antibodies
4. ACTH receptor gene의 mutation
5. Adrenal hypoplasia congenita

- autoimmune adrenalitis : m/c 원인 (80~90%)
  - isolated autoimmune adrenalitis : 30~40%, 남>여
  - PGA syndrome의 일부로 발생 : 60~70%, 남<여
- humoral & cell-mediated (cytotoxic T cells) immune 기전
  ↳ ~86%에서 steroidogenic enzymes (21-hydroxylase가 m/c)에 대한 autoAb 존재
- **polyglandular autoimmune (PGA) syndrome** (= autoimmune polyendocrine [APS] syndrome, autoimmune polyendocrinopathy-candidiasis-ectodermal dystrophy [APECED] syndrome) **type 1**
  - *AIRE* (autoimmune regulator) gene의 mutation 때문, AR 유전 (HLA는 관련 없음)
  - 대개 소아 때 발병, mucocutaneous candidiasis, hypoparathyroidism, teeth & nails의 dystrophy, adrenal insufficiency, alopecia ...
- PGA (APS, APECED) syndrome type 2 (1보다 훨씬 흔함, 20~60세 성인에서 발병, 남:여=1:3)
  - adrenal insufficiency, autoimmune thyroid dz. (대개 hypothyroidism, 가끔 hyperthyroidism), type 1 DM, primary ovarian failure, vitiligo, myasthenia gravis, pernicious anemia, celiac spure
  - 다인자유전, *HLA-DR3* gene region과 관련 (*CTLA-4, PTPN22, CLEC16A* 등)
  - 다양한 자가항체 ; 갑상선(anti-TPO, anti-Tg, TSH-R Ab), 부신(anti-21-hydroxylase, ACTH-R Ab), 췌장(anti-GAD, insulin-R Ab) ...
- Schmidt's syndrome : adrenal insufficiency + type 1 DM + autoimmune thyroiditis (hypothyroidism) + hypogonadism
- bilateral adrenal hemorrhage/infarction의 원인 ; sepsis, anticoagulation, heparin-associated thrombocytopenia, antiphospholipid Ab syndrome, hypercoagulability, surgery or trauma

- adrenoleukodystrophy (ALD) : X-linked 유전질환, *ABCD1* gene mutations
  - very long chain fatty acids (VLCFAs)가 adrenal cortex, testes, brain, spinal cord 등에 침착
  - 30~40%에서 primary adrenal insufficiency 동반, 남자 소아 Addison's dz.의 약 1/3 차지
  - 3가지 주요 표현형
    ① cerebral ALD (약 50%) ; 4~8세에 발병, white matter dz.가 급격히 진행
    ② adrenomyeloneuropathy (AMN, 약 35%) ; 20~40세에 발병, spinal cord dysfunction
    ③ adrenal insufficiency only (약 15%) ; 10세 이전에 발병
  - 여성 보인자는 성인 때 AMN 양상으로 발병, adrenal insufficiency와 뇌 침범은 드묾
- AIDS : CMV, MAC, Cryptococcus, Kaposi's sarcoma 등에 의한 부신 파괴 가능
  (→ 검사상 adrenal reserve는 감소되어도 증상이 없을 수 있음)

(2) 임상양상

- 무력(asthenia) ; weakness & fatigue … 주증상(100%)
  (∵ 전반적인 대사기능 저하와 gluconeogenesis 감소 때문)
- 전신 피부 및 점막의 색소과다침착(**hyperpigmentation**) … primary adrenal insufficiency의 특징
  - POMC↑ → ACTH↑, MSH↑→ 피부의 melanin 합성↑
  - 햇빛 노출 부위(얼굴, 목, 손등 등) 및 마찰 부위(팔꿈치, 무릎, 허리, 어깨 등)에서 현저함
  - 정상 색소침착 부위인 손바닥 주름, 유륜, 겨드랑이, 회음부, 배꼽 등에서는 더 심하게 나타남
  - 급격한 부신 파괴 시에는 보통 안 나타남 (e.g., bilateral adrenal hemorrhage)
- orthostatic hypotension : 때로는 80/50 mmHg 이하로도 감소
  (∵ aldosterone 결핍 → water & salt retention↓ → ECF↓, CO↓)
- GI 이상 ; 소화불량, A/N/V, 복통, C/D, 체중감소(∵ anorexia와 탈수 때문)
  - 심한 경우 acute abdomen과 혼동될 수도 있음 (abdominal tenderness도 동반 가능)
  - 구토 & 복통은 adrenal crisis의 전조증상일 수 있음, V/D에 의한 탈수는 crisis를 유발 가능
- 공복시 저혈당 (∵ counterregulatory hormone↓)
- 여성에서 axillary & pubic hair 감소, libido 상실 (∵ adrenal androgen↓)
- 기타 ; diffuse myalgia & arthralgia, 인격변화, irritability↑, restlessness, salt craving

(3) 검사소견

- cortisol↓, ACTH↑↑ (stress가 심할 때는 cortisol이 정상일 수도)
- hyponatremia (∵ aldosterone 결핍에 의한 소변으로의 소실 및 세포내로 이동 때문) : 70~80%
- hyperkalemia (∵ aldosterone 결핍과 GFR 감소, acidosis 때문) : ~40%
- Ca^{2+}↑, Cl^-↓, HCO_3^-↓, hypoglycemia, azotemia
- 일부에서 eosinophilia, relative lymphocytosis, neutropenia, anemia 등 (Cushing과 반대)
- abdominal X-ray : tuberculous Addison's dz.의 1/2에서 부신 calcification
- abdominal CT
  ┌ 결핵, 육아종성 질환, 전이성 암, 출혈 → 부신 비대
  └ autoimmune → 부신 비대×
  (결핵 ; 초기엔 부신 비대 → 수개월~수년 뒤엔 위축 & 석회화)

* adrenal insufficiency 유발/악화시킬 수 있는 (cortisol 합성 억제) 약물 복용 R/O 후 진단/평가 (rifampin, phenytoin, ketoconazole, fluconazole, megestrol, metyrapone, etomidate, opiate 등)

(4) 진단

① 아침 8시 plasma cortisol & ACTH level (∵ 생리적으로 cortisol은 이른 아침에 peak)
↳ 3~5 μg/dL 이하면 adrenal insufficiency를 강력히 시사함

② standard high-dose rapid ACTH stimulation test (m/i)

- cosyntropin (합성 ACTH) 250 μg 투여 0, 30, 60분 뒤 혈장 cortisol (± aldosterone) 측정

정상
- peak cortisol >18 μg/dL [495 nmol/L] *or* 기저치보다 7 μg/dL 이상 상승
- aldosterone 5 ng/dL [150 pmol/L] 이상 상승 (최근에는 cortisol만 측정하는 경향임)

- primary insufficiency : cortisol & aldosterone 모두 반응 없음 (∵ 이미 ACTH ↑↑)
- secondary insufficiency : cortisol 반응 없음 / aldosterone 반응은 정상

* early [~4주 이내] or partial hypopituitarism 때는 정상 반응을 보일 수도 있음
; adrenal atrophy 발생까지 4~6주 필요 (→ 더 invasive한 insulin tolerance test 고려)

- primary insufficiency 진단에는 sensitivity 높으나, secondary insufficiency에는 sensitivity 낮음
→ 정상이면 primary insufficiency R/O 가능
- 비교적 안전 (전문가 감시 필요×), 어느 시간에도 검사 가능, 공복이 아니어도 됨

c.f.) low-dose rapid ACTH stimulation test (sensitivity는 비슷하나 아직 표준화가 부족), prolonged ACTH stimulation test (continuous 24hr infusion 뒤 측정, CRH stimulation test의 사용으로 인해 필요 없어짐)

③ plasma ACTH level

- primary insufficiency : ↑↑ (250 pg/mL 이상, 대개 400~2000 pg/mL 이하)
- secondary insufficiency : ↓~N (0~50 pg/mL, 대개 20 pg/mL 이하)

④ pituitary ACTH reserve 평가 : secondary insufficiency 의심시
⇨ hypothalamic-pituitary-adrenal (HPA) axis를 전체적으로 평가

- CRH (or metyrapone) stimulation test
- insulin-induced hypoglycemia (insulin tolerance test[ITT]) : 저혈당 위험, 전문가 감시 필요!

⑤ 원인을 찾기 위한 검사

- steroid autoAb. (e.g., 21-hydroxylase Ab) : (+)면 autoimmune adrenal insufficiency
⇨ 다른 내분비(e.g., 갑상선) 이상 동반 여부도 평가하여 PGA 여부 확인!
- steroid autoAb. (-)면 → abdominal CT로 감염, 출혈, 전이암 등 확인
; 결핵 의심시 다른 부위의 active TB 확인, ALD 의심시 VLCFA level 및 유전자검사 등
- secondary adrenal insufficiency 의심시에는 hypothalamic-pituitary imaging (MRI)

(5) 치료 : "hormone replacement"

① glucocorticoids ; hydrocortisone (DOC), cortisone acetate

- 정상 diurnal rhythm을 맞추기 위해 short-acting 제제를 아침에 2/3, 늦은 오후에 1/3 투여
(long-acting 제제인 prednisolone, dexamethasone 등은 권장 안됨)
- 용량 조절/monitoring 기준 → 증상 호전 / 아침 ACTH level은 과잉투여 발견에 일부 도움
(plasma ACTH 및 cortisol level, 24hr UFC 등은 도움 안됨)

- 용량 증가 ; infection (fever), severe illness, trauma, surgery, stress, obesity,
임신 후반기, steroid 대사↑약물 복용(e.g., barbiturate, phenytoin, rifampin)
- 용량 감소 ; insomia, irritability, 흥분, HTN & DM, PUD, 간질환, 노인

② mineralocorticoids (e.g., fludrocortisone) 추가
- glucocorticoid 만으로는 mineralocorticoid 성분의 보충이 부족하므로 glucocorticoid 치료 4~5일 후부터 보충 + sodium도 섭취해야 (3~4 g/day)
- 여름(땀으로 염분 소실↑), 임신(progesterone의 mineralocorticoid activity) 때는 용량 증가
- 용량 조절/monitoring 기준 → 증상(혈압, 맥박, 부종 등), electrolytes, BUN, renin
  ; plasma renin activity (PRA)를 UNL로 유지 (c.f., 임신 때는 renin이 상승하므로 ×)

③ 여성 : androgen (DHEA) 투여도 고려 (→ 삶의 질 및 골밀도 증가)

* PGA type 2 (e.g., autoimmune thyroiditis 등 동반) or secondary adrenal insufficiency에 의한 hypothyroidism도 치료해야 되는 경우, 반드시 glucocorticoid 먼저 보충해야 됨!
(∵ glucocorticoid 보충 없이 갑상선호르몬 투여시 acute crisis 유발 위험)

■ 참고: Glucocorticoids 제제의 종류 및 상대적인 효력

	일반명	상대적인 효력		Biologic half-life (hr)
		Glucocorticoid	Mineralocorticoid	
Short-acting	Hydrocortisone (cortisol) Cortisone acetate	1 0.8	1 0.8	8~12
Intermediate-acting	Prednisone, Prednisolone Methylprednisolone, Triamcinolone	4 5	0.25 <0.01	18~36
Long-acting	Paramethasone Betamethasone Dexamethasone	10 25~30 30~40	<0.01 <0.01 <0.01	36~54

■ steroid 투여의 부작용

① 뇌하수체와 부신 기능의 억제
② 체액 및 전해질의 불균형 (e.g., Na^+↑, K^+↓, edema, 체중증가)
③ hyperglycemia, DM, hyperlipidemia, 지방간 ...
④ Cushing's syndrome (iatrogenic), 고혈압
⑤ 위염, 출혈성 궤양, 췌장염, 골다공증, myopathy, avascular necrosis of bone, post. subcapsular cataracts, glaucoma, 성장장애, 행동장애
⑥ 결핵 등의 감염에 대한 이환 증가

- 골다공증 고위험군은 예방적으로 bisphosphonate 투여 고려
- alternate-day therapy : HPA axis 회복 기회 증가 (but, 골다공증 예방 효과는 없음, adrenal insufficiency 환자에서는 둘째 날 삶의 질 저하 단점)

2. Secondary adrenocortical insufficiency

• 원인 : pituitary ACTH deficiency
① hypothalamic-pituitary disease에 의한 hypopituitarism
② hypothalamic-pituitary axis의 suppression
  ; exogenous (steroid 투여), endogenous steroid 생산 (종양 등)

• exogenous steroid (iatrogenic Cushing)가 m/c 원인 → HPA suppression & adrenal atrophy
  → ACTH에 대한 adrenal response 감소, pituitary ACTH release 감소

- primary insufficiency (Addison's dz.)와 임상양상(Sx & sign)은 비슷함
- 혈중 cortisol 및 ACTH level↓, rapid ACTH stimulation test에서 cortisol 반응↓
- hyponatremia : cortisol에 의한 ADH 억제↓(→ mild SIADH), vasopressin↑, 수액저류 등 때문
- primary insufficiency와의 차이점
  - hyperpigmentation 없이 창백한 피부 (∵ plasma ACTH↓ → MSH↓)
  - aldosterone 분비는 거의 정상! → hyperkalemia, 탈수, 저혈압, adrenal crisis 등은 드묾
  - 다른 pituitary hormone의 결핍에 의한 증상도 보일 수 있음

  * 심한 mineralocorticoid 결핍 소견인 심한 탈수, hyponatremia, hyperkalemia 등은 primary adrenocortical insufficiency를 시사!

- 치료
  ① glucocorticoid 보충 (primary adrenal insufficiency와 동일)
  ② mineralocorticoid 보충은 대개 필요 없다

3. Acute adrenocortical insufficiency (Adrenal crisis)

- 3/4 : chronic adrenal insufficiency의 급성 악화로 발생
- 1/4 : (e.g., 급성 부신 파괴)

(1) 원인/유발인자

- chronic primary adrenal insufficiency의 치료 중 급성 악화로 발생
  - 호르몬 용량 부족
  - stress, infection (sepsis), trauma, surgery, prolonged fasting 등으로 인한 호르몬 필요량↑
  - 심한 구토/설사(fluid loss)로 인한 호르몬 흡수↓
- 처음부터 acute adrenal insufficiency로 발생 (급성 부신 파괴)
  - 외상, 수술, bilateral infarction or hemorrhage (e.g., 항응고제, 응고장애, thrombosis)
  - 소아에서는 *Pseudomonas*에 의한 septicemia나 meningococcemia (Waterhouse-Friderichsen syndrome)와 종종 관련
  - secondary adrenal insufficiency에서 급성 원인 ; pituitary gland의 갑작스런 파괴 (pituitary infraction/necrosis), hypoadrenalism 환자에게 갑상선호르몬 먼저 투여시
- 장기간 oral (or inhaled) steroid 사용자가 갑자기 사용을 중단했을 때 (m/c)
- drugs : congenital adrenal hyperplasia or adrenocortical reserve 감소된 환자에서 steroid 합성 억제제 (mitotane, ketoconazole) or steroid 분해 증가제 (phenytoin, rifampin) 투여시

(2) 임상양상

- 심한 N/V & 복통, fever, weakness, lethargy, azotemia (BUN↑), oliguria
- volume depletion & hypotension, shock, 의식저하 ...
  ↳ primary adrenal insufficiency에서는 주로 mineralocorticoid 결핍 때문
  (secondary insufficiency에서는 vascular tone 감소에 의해 hypotension, shock 발생 가능)
- hyponatremia, hyperkalemia, metabolic acidosis, hypoglycemia, eosinophil↑, cortisol↓ (stress 상황이라면 평소보다 더 높아야 정상)
- 진단 : rapid ACTH stimulation test 등 (→ 앞의 primary adrenal insufficiency 진단 부분 참조)

(3) 치료 ··· medical emergency!

① 수액공급 : 1~3L의 N/S or 5% glucose를 첨가한 N/S (5% DS)
② high-dose glucocorticoid (e.g., hydrocortisone) IV : 의심되면 검사결과 기다리지 말고 투여!
③ mineralocorticoid (e.g., fludrocortisone) : 초기 high-dose glucocorticoid 치료 때는 필요 없음!
(glucocorticoid 감량 이후에 필요하면 고려)
④ vasoconstrictor (e.g., dopamine) : volume depletion이 매우 심한 경우
⑤ 원인/유발인자의 교정

c.f.) dexamethasone은 mineralocorticoid 작용이 없으므로 사용 안함

4. Functional (or relative) adrenal insufficiency

- 급성 질환(e.g., 외상, 수술, sepsis, shock) 때 cortisol의 정상적인 (4~6배) 상승이 안 나타나는 것
→ 저혈압, 전신혈관저항↓, shock, 사망 유발 가능
- 진단 : random cortisol level
  - ≤15 μg/dL [441 nmol/L] → relative adrenal insufficiency 시사
  - >34 μg/dL [938 nmol/L] → relative adrenal insufficiency R/O
  - 15~34 μg/dL [441~938 nmol/L] → ACTH (cosyntropin) 자극검사 시행
    : 9 μg/dL [255 nmol/L] 이상 증가되지 않으면 relative adrenal insufficiency로 치료
- 환자 상태 (혈역학적 불안정)도 치료 여부 결정에 중요
- 치료 : 1주일 이상 cortisol 보충 (hydrocortisone IV)
(→ inflammatory marker↓, 혈압 및 혈류↑ → survival↑)

5. Isolated hypoaldosteronism

- aldosterone만 결핍되고 cortisol은 정상인 경우
- 대부분 renin 생산 감소 때문 (hyporeninemic hypoaldosteronism)
  - 원인 ; DM, mild renal failure, hyperkalemic metabolic acidosis
  - aldosterone 분비 기능은 정상 : ACTH stimulation시 aldosterone 분비는 즉시 증가됨
  - 대개 unexplained hyperkalemia (염분 섭취 제한시 흔히 악화)로 내원
- hyperreninemic hypoaldosteronism : 중환자에서 발생 가능
  - high mortality (80%), hyperkalemia는 없음
  - 기전 : mineralocorticoid에서 glucocorticoid로의 steroidogenesis shift, 장기간의 ACTH 자극
- 진단
  ① 우선 pseudohyperkalemia를 R/O (e.g., hemolysis, thrombocytosis)
  ② ACTH stimulation에 대한 cortisol 분비 반응 정상
  ③ stimulation (기립 자세, 염분 제한)후 renin & aldosterone level 측정
    - renin↓ & aldosterone↓ : hyporeninemic hypoaldosteronism
    - renin↑ & aldosterone↓ : hyperreninemic hypoaldosteronism
- 치료
  ① mineralocorticoid 보충 (fludrocortisone)
  ② 염분 섭취 제한 + furosemide 투여

부신 우연종 (Adrenal incidental mass, Incidentaloma)

1. 개요

- 정의 : 다른 목적으로 시행한 영상검사에서 우연히 발견된 부신 종괴 (보통 크기 ≥1 cm인 경우)
- 유병률 : 2~10% (영상검사의 발전/보급에 따라 증가 추세), 10~15%는 bilateral
  - 나이가 들수록 증가 (50~60대에 m/c), 남≒여
  - obesity, DM, HTN 환자에서 더 흔함
- 대부분(70~85%) 비기능성 종양(nonfunctioning adrenocortical adenoma)
  (c.f., carcinoma의 약 20%도 nonfunctioning)
- 10~25%는 functioning tumor (e.g., cortisol-secreting adenoma [m/c], pheochromocytoma)
- primary adrenal carcinoma는 incidentaloma의 2~5% 차지 / metastasis는 5~7% (유방, 폐가 m/c)
  ↳ 간과 폐로 m/c 전이

2. 기능성과 비기능성 종양의 감별

- 부신 우연종이 발견되면 우선 적절한 호르몬 검사를 통해 기능성 종양 인지를 확인해야 됨

의심 종양	임상 양상	검사(screening test) ★
Pheochromocytoma (모든 환자에서 R/O 필요!)	HTN, catecholaminergic Sx (두통, 발한, 심계항진 등)	Plasma free metanephrine, 24hr urine metanephrine
Primary aldosteronism	HTN, hypokalemia	Plasma renin, aldosterone
Cushing's syndrome	Central obesity, moon face, striae, HTN 등	Overnight DMST (1 mg DST), 24hr urine free cortisol, midnight salivary cortisol
Adrenocortical carcinoma	Virilization or feminization	Urine 17-KS, plasma DHEAS

- 특히 phenochromocytoma, Cushing' syndrome 초기에는 무증상인 경우가 종종 있으므로 검사(screening tests)를 통해 확인해야 됨
- 기능성 종양으로 확진되면 크기에 관계없이 치료(대부분 수술) 필요!
- 비기능성(hormones 정상)이라도 4년 동안은 매년 hormonal screening tests F/U 권장

3. 비기능성 종양 ➜ 양성과 악성의 감별

	악성	양성
크기	≥4 cm	<4 cm
변두리	불규칙, 경계 불분명	규칙
음영의 균질성	inhomogeneity	homogeneity
CT value (unenhanced)	≥10 HU (hounsfield unit)	<10 HU
기타	CT에서 soft tissue calcifications Contrast-enhanced CT에서 washout 감소/지연 Chemical-shift MRI image (CSI)에서 악성의 소견	

- CT 만으로 불명확한 경우 MRI or PET/CT 시행 가능
- FNA (CT-guided) : 양성↔악성 부신 종양의 감별은 어렵기 때문에 도움 안 됨!
  - 부신 종양 ↔ 전이 암의 감별에는 유용
    ⇨ extra-adrenal cancer 환자에서 새롭게 부신에 종양이 발견된 경우 시행
    (c.f., extra-adrenal cancer가 매우 작거나 widespread metastatic dz.에서는 필요 없음)
  - 반드시 <u>pheochromocytoma</u>를 R/O한 뒤에 시행
    ↳ hypertensive crisis 유발 위험, 영상검사 소견이 악성과 비슷할 수 있음

- 양성 소견 ⇨ F/U : 3~6개월 마다 & 이후 매년 CT, 4년 동안 매년 DHEAS & 1 mg DST
  → 진행 소견이 나타나면 수술 고려
  ; 크기 ≥4 cm, 1 cm 이상 크기 증가, hormones 생산
- 악성 소견 *or* 크기 ≥4 cm ⇨ 수술 권장
- 수술 ; laparoscopic adrenalectomy (모든 10 cm 이상의 종양은 open adrenalectomy 권장)

* bilateral incidentaloma도 동일하게 평가를 진행
  - bilateral metastasis, infiltrating dz., hemorrhage 의심시에는 adrenal insufficiency에 대한 평가
  - congenital adrenal hyperplasia R/O을 위해 17-OHP (hydroxprogesterone) 검사

9
성발달 이상(disorders of sex development, DSD)

개요

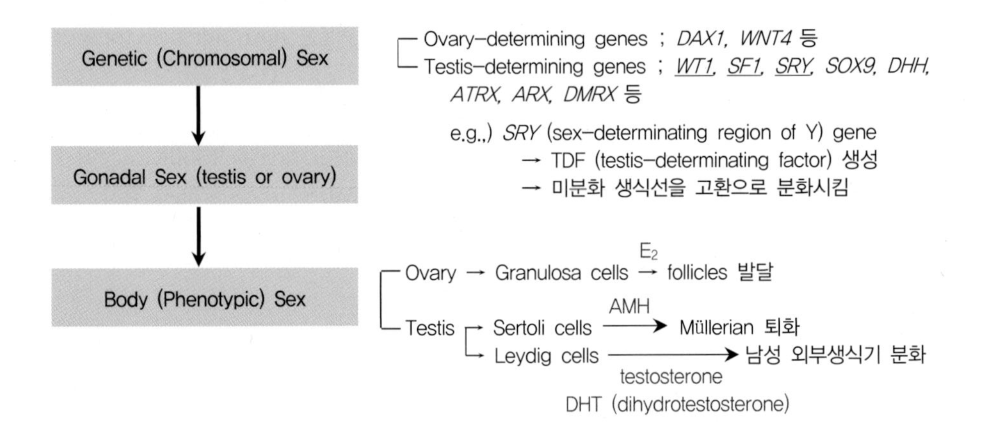

성발달 이상(disorders of sex development, DSD)의 분류/원인	
성염색체이상 DSD	Klinefelter syndrome (47,XXY, m/c), Turner syndrome (45,X, gonadal dysgenesis), 45,X/46,XY mosaicism (mixed gonadal dysgenesis), 46,XX/46,XY (chimerism/mosaicism
46,XX DSD 과거 여성가성반음양 (female pseudo–hermaphroditism [androgenization])	**성선(난소) 발달 이상** 성선이형성증(gonadal dysgenesis), 난소고환성발달이상(ovotesticular DSD)*, Testicular DSD (e.g., *SRY+*, dup *SOX9*, *RSPO1*, *NR5A1* 등) **Androgen 과잉** 태아 원인 ; Congenital Adrenal Hyperplasia[CAH] (m/c, 21–Hydroxylase [*CYP21A2*] 결핍 등) 태아–태반 요인 ; Aromatase deficiency (*CYP19*), Oxidoreductase deficiency (*POR*) 산모 요인 ; 부신/난소 종양, Androgenic drugs 복용
46,XY DSD 과거 남성가성반음양 (male pseudo–hermaphroditism [under–androgenization])	**성선(고환) 발달 이상** 성선이형성증(e.g., *SRY*, *SOX9*, *SF1*, *WT1*, *DHH* 등) Leydig cells 기능이상(e.g., *SF1/NR5A1*, *CXorf6/MAMLD1*, *HHAT*, *SAMD9* 등) 난소고환성발달이상(ovotesticular DSD)*, Ovarian DSD, 고환쇠퇴증후군(testis regression) **Androgen 합성/작용 이상** Androgen 합성 이상 ; LH receptor mutations, Smith–Lemli–Opitz syndrome, Steroidogenic acute regulatory protein mutations, Cholesterol side chain cleavage (*CYP11A1*) deficiency, 3β–Hydroxysteroid dehydrogenase 2 (*HSD3B2*), 17α–Hydroxylase/17,20–lyase (*CYP17*), P450 oxidoreductase (*POR*), 17β–Hydroxysteroid dehydrogenase 3 (*HSD17B3*) 등의 결핍 등 Androgen 작용 이상 ; Androgen insensitivity syndrome, 약물, 환경요인 등 **기타** ; 남성 성기의 발달 장애, Anti–Müllerian hormone (AMH) 장애 (persistent müllerian duct syndrome), 고환소실증후군(vanishing testis syndrome), 잠복고환 등

*과거 진성반음양(true hermaphroditism) : 난소와 고환을 동시에 가짐 (70%는 XX, 10%는 XY, 20%는 mosaic)

CHROMOSOMAL SEX의 이상

1. Klinefelter syndrome

(1) 원인

- 염색체 이상 ; 47,XXY (m/c, classic form)
  - spermatogenesis (40%), oogenesis (60%) 중의 meiotic nondisjuction 때문
  - buccal smear에서 Barr body (X chromatin) 관찰 가능
  - 기타 : 46,XY/47,XXY mosaicism, 48,XXYY, 48XXXY, 46,XX male
    - mosaic : less severe clinical manifestation
    - X가 셋 이상 : mental retardation, somatic abnormality 증가
    - Y가 둘 이상 : 키 크고, 매우 과격, 반사회적 경향증가
- 고환의 장애 : seminiferous tubule dysgenesis
  → spermatogenesis와 testosterone 합성이 모두 장애
- 발생률 : 남자 약 1/500~1000 (매우 흔함), 산모 나이가 45세 이상이면 5%로 증가

(2) 임상양상

- 표현형은 남성이며, 임상양상은 사춘기 이후의 2차 성징 결여로 나타남
- 고환이 작고(평균 2.5 cm, 4 mL) 딱딱 [정상 : 3.5 cm↑, 12 mL↑]
  - 무정자증(azoospermia) → 불임증(infertility), 성욕감퇴
  - penis와 scrutum은 정상! (↔ Kallmann syndrome과 차이)
- feminization (∵ estrogen/androgen ratio↑) : 여성형유방(gynecomastia), 2차 성징 발현 장애
- 키가 크고, 다리도 김
- 10%에서 지능 저하도 동반 (but, 대부분은 정상 지능)
- 인격/성격의 이상 (∵ androgen deficiency 때문)
- DM, COPD, 자가면역질환(SLE, Hashimoto's thyroiditis), 종양(breast ca., lymphoma, germ cell neoplasm), varicose vein 등의 발생률이 약간 증가
- mosaic form은 임상양상이 경미하고, 고환도 큼 (일부 fertility도 가능)

(3) 검사소견

- gonadotropin↑ : 90%에서 FSH↑, 80%에서 LH↑
- testosterone ↓~N (free testosterone은↓), urinary 17-KS↓
- estradiol↑ (∵ Leydig cells의 만성 자극, 지방조직에서 androstenedione의 방향화)
- Dx : lymphocyte나 testicular tissue의 염색체검사(karyotyping, 핵형분석)

(4) 치료

- androgen 보충 (long-acting testosterone)
- gynecomastia는 미용상 문제되면 수술
- 불임(infertility) → 정자 추출 뒤 intracytoplasmic sperm injection (ICSI)으로 체외수정
  (최대 50%에서 임신 성공 가능)

2. Turner syndrome (gonadal dysgenesis)

(1) 원인

- 염색체이상 : 45,X (50%), 45,X/46,XX (20%), X fragments, isochromosomes, rings
- 발생률 : 여자 신생아중 약 1/2500
  (45,X : conceptus의 0.8% → 이중 3% 미만만 term까지 생존)
- 여성 hypergonadotropic hypogonadism (primary amenorrhea)의 m/c 원인

(2) 임상양상

- 표현형과 genitalia는 여성의 모습
- bilateral streak gonads : 대부분 complete ovarian failure → amenorrhea, infertility
  (약 30%는 제한된 사춘기 발달, 2%는 초경도 가능)
- sexual infantilism, short stature, webbed neck, low hairline, short 4th metacarpals, lymphedema ...
- 선천성 심장병 동반이 흔함 (30%)
  - bicuspid aortic valve : 30~50%
  - coarctation of aorta (CoA) : 30%
  - aortic root dilatation : 5%
- 신장 및 요로계 기형 (30%)
- HTN : 선천성 심장병이나 신장기형 없이도 발생 가능
- 중이염 및 중이 질환 (50~85%), 감각신경성 난청 (70~90%)
- autoimmune hypothyroidism (15~30%)
- 지능은 정상

(3) 진단

- 어린이에서 키 작으면 의심
- hypogonadism은 "사춘기의 지연"으로 나타남
- GH, somatomedin level은 정상
- FSH·LH ↑, estradiol ↓ (→ "primary hypogonadism")
- 염색체 검사 : 핵형분석(karyotyping) - 확진

(4) 치료

- high-dose recombinant GH : 최종 신장 증가 효과 (약 5~10 cm↑)
  ± low-dose nonaromatizable anabolic oxandrolone (8세 이상에서)
- estrogen 보충 → 여성화 유도, 성장 보조, 골밀도 유지
- 호르몬 치료로 거의 정상적인 삶을 살 수 있으나, infertility는 교정 안됨

선천성 부신과형성증 (부신성기 증후군) (Congenital adrenal hyperplasia [CAH], Adrenogenital syndrome)

• 정의 : 부신피질에서 cortisol 및 aldosterone 생성에 관여하는 enzyme의 선천적 결핍으로, 뇌하수체에서 ACTH의 과잉 분비가 일어나 부신피질의 과형성을 초래하고, androgen의 과잉분비에 의한 외부 성기의 남성화가 나타나는 현상

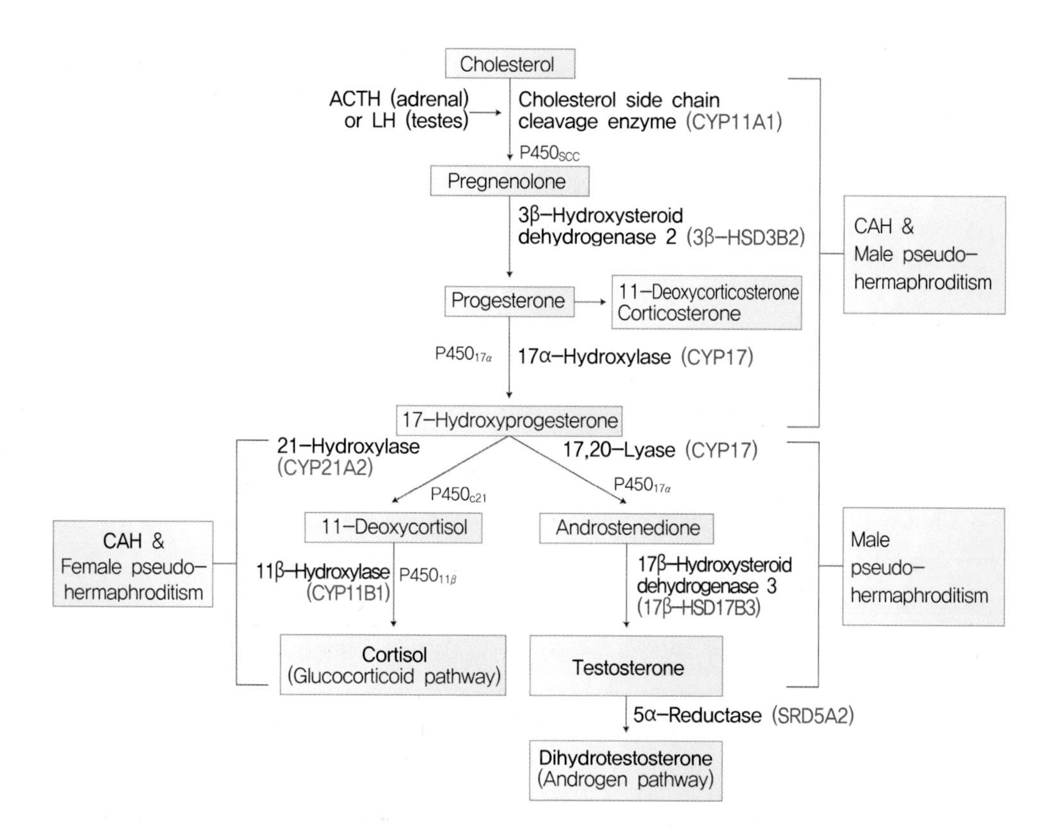

1. Classic 21-hydroxylase (*CYP21A2*) deficiency

(1) 원인

• enzyme defect로 adrenal glucocorticoid & mineralocorticoid 생산 감소 → ACTH↑ → adrenal hyperplasia & 다른 pathway (adrenal androgen)의 생산 증가

- nonclassic CAH : partial defect (2/3) ; cortisol 생산은 정상, "simple virilizing" (∵ ACTH↑로 cortisol 생산이 compensation)
- classic CAH : complete defect (1/3) ; cortisol↓, aldosterone↓ ("salt-losing" type)

• CAH의 m/c 원인 (95%), AR 유전

• 신생아의 ambiguous genitalia의 m/c 원인 (1/10,000~1/15,000)

(2) 임상양상

- 여성에선 virilization (남성화) : female pseudohermaphroditism
  - clitoris hypertrophy, fused labia, urogenital sinus, hirsuitism, amenorrhea
  - infertility → 일찍 (대개 10주 이전에) 치료하면 예방 가능
- 남성은 정상 male phenotype을 보이고 fertility도 있음
  ; 생식기의 성숙, 이차성징의 발현이 빠르다
- early growth spurt (∵ androgen) : 초등학교 때는 친구들보다 키가 큼
  → 성인에선 키 작다 (∵ premature closure of epiphyseal plate)
- salt-losing type (1/3) : adrenal failure
  - aldosterone & cortisol 생산 감소 (→ ACTH↑ → hyperpigmentation)
  - hypoglycemia, hyponatremia, hyperkalemia, metabolic acidosis, hypovolemia
  - 생후 1~3주에 "salt-losing crisis" 발생 위험
    (anorexia, vomiting, volume depletion, vascular collapse)
    → 신생아에서 ambiguous genitalia시 꼭 R/O해야 됨

(3) 검사소견/진단

- 혈액
  - 전구물질의 증가 ; 17-OHP (hydroxprogesterone), progesterone
  - alternative pathway의 산물 증가 ; testosterone, DHEA-S
- 소변 ; 17-KS (ketosteroid) 증가, pregnanetriol 증가
  (DHEA, 17-KS → "adrenal androgen" 반영)
- free cortisol : 정상(partial) or 감소(complete)
- ACTH stimulation test : m/g hormonal Dx

	Classic CAH	Nonclassic CAH	정상 or heterozygote
기저 17-OHP	>300 nmol/L (>10,000 ng/dl)	6~300 nmol/L (200~10,000 ng/dl)	<6 nmol/L (<200 ng/dl)
ACTH 자극 이후 17-OHP	>300 nmol/L (>10,000 ng/dl)	31~300 nmol/L (1,000~10,000 ng/dl)	<30 nmol/L (<990 ng/dl)

- 분자유전검사 (확진) : *CYP21A2* genotyping (sequencing or MS)

(4) 치료

① glucocorticoid 보충 (→ ACTH↓ → adrenal androgen↓)
  : 영아 때는 hydrocortisone, 이후에는 prednisone 권장
  (늦게 발병한 성인은 long- or intermediate-acting glucocorticoid 최소량만 투여)
② salt-losing type ; mineralocorticoid 보충, salt diet
③ 성기 남성화가 심한 여성 → ambiguous genitalia를 수술로 교정

2. 11β-hydroxylase (*CYP11B1*) deficiency

- hypertensive variant of CAH, CAH의 2nd m/c 원인 (5~8%)
- 11-deoxycorticosterone (DOC), 11-deoxycortisol이 증가됨
    ↳ 강력한 salt-retaining hormone (mineralocorticoid)
- HTN, plasma volume expansion, hypokalemia, plasma renin activity↓, aldosterone↓
- cortisol deficiency와 androgen deficiency에 의한 증상은 21-hydroxylase deficiency와 비슷 (e.g., female ambiguous genitalia)
- 치료 : glucocorticoid 보충

3. 17α-hydroxylase/17,20-lyase (*CYP17*) deficiency

- corticosterone, 11-deoxycorticosteronc (DOC)이 증기됨
- DOC → HTN, hypokalemic alkalosis, renin↓, aldosterone↓
- cortisol↓, urinary 17-KS↓
- hypogonadism, 2차 성징 발현 안 됨
    - 남 : defective virilization, ambiguous genitalia (male pseudohermaphroditism)
    - 여 : primary amenorrhea, absent sexual hair
- adrenal insufficiency는 안 나타남
  (∵ corticosterone은 weak glucocorticoid, DOC는 mineralocorticoid)
- 치료 : glucocorticoids, gonadal steroids

결핍 효소▷	Classic 21-hydroxylase		11β-Hydroxylase	3β-Hydroxy-steroid dehydrogenase2	17α-Hydroxylase/17,20-Lyase	Cholesterol side chain cleavage enzyme
	Partial (simple virilizing or compensated)	Severe (salt-losing)				
Cortisol	N	↓	↓	↓	↓	–
Aldosterone	↑	↓	↓	↓	↓	–
증가되는 steroid	17-Hydroxy-progesterone	17-Hydroxy-progesterone	11-Deoxycortisol 11-deoxy-corticosterone	Δ5-3β-OH compounds (dehydroepi-androsterone)	Corticosterone, 11-deoxy-corticosterone	Cholesterol (?)
여성의 남성화	++++	++++	++++	+	–	–
남성의 여성화	–	–	–	++++	++++	++++
기타	m/c (>90%) 1/3은 완전 결핍 (salt loss)		2nd m/c (5~8%) HTN	대개 salt loss 동반	HTN	드물다, 대개 salt loss 동반

저성선자극호르몬성 성선기능저하증 Hypogonadotropic (Central, Secondary) hypogonadism

1. Congenital disorders

- 대부분 idiopathic hypogonadotropic hypogonadism (IHH)
- Kallmann syndrome, Prader-Willi syndrome, Alström's syndrome, Laurene-Moon syndrome, adrenal hypoplasia congenita, GnRH receptor mutations, 17-ketosteroid reductase deficiency ...

■ Kallmann syndrome (Hypogonadotropic eunuchoidism, Anosmic IHH)

(1) 개요/원인

- "isolated" GnRH 합성장애 → "isolated" gonadotropin (LH, FSH) deficiency
- 다양한 gene mutations에 의한 유전질환 (XR, AD, AR 등 다양한 유전/침투도 양상)
  - *ANOS1* [과거 *KAL1*] mutation (GnRH neurons의 장애, Xp22.3에 위치, XR 유전)
  - *SOX10* (AD), *SEMA3A* (AD), *IL17RD* (AD), *FEZF1* (AR), *FGFR1* (AD), *FGF8* (AD), *PROK2* & *PROKR2* (AR 등), *CHD7* (AD), *NSMF* [과거 *NELF*], *HS6ST1*, *FGF17*, *DUSP6*, *SPRY4*, *FLRT3*, *WDR11* ...

  c.f.) normosmic IHH (isolated GnRH deficiency) … 대부분 AR 유전
  ; *KISS1R* (kisspeptin 1 receptor gene, 과거 GPR54), *KISS1*, *GNRHR*, *GNRH1*, *TAC3* & *TAC3R* ...
- 여성을 포함하여 다른 가족에서도 나타날 수 있음 (가족력 50% 미만, 남:여 = 5:1)

(2) 임상양상

- gonadotropin (LH, FSH) deficiency의 양상
  - androgen ↓ : 사춘기 지연 (성 발육과 이차성징 발현 안됨)
  - 고환 크기 감소 (consistency는 정상), 잠복고환(cryptorchidism), 여성형유방, 높은 목소리
  - 왜소음경(micropensis), 음낭의 주름과 pigmentation이 없음 / 수염, 액모, 음모 등의 소실
  - 정자 형성 장애 : oligospermia/azoospermia → infertility

  c.f.) 여성 ; 일차성 무월경, 작은 난소, 자궁/유방 발달 저하, 음모 발달 저하, 낮은 목소리 등
- 신경학적 이상 ; 경상운동(mirror movement), 청력소실, 소뇌성 운동 실조 등
- 후각신경 이상 (약 80%) : anosmia or hyposmia (∵ olfactory bulbs의 hypoplasia)
- midline anatomic defect 동반 가능 (약 50%)
  ; cleft lip/palate, color blindness, renal agenesis, nerve deafness

(3) 검사소견/진단

- serum testosterone ↓, LH-FSH ↓ (다른 anterior pituitary hormones은 정상)
- urinary 17-KS ↓
- MRI : 후구(olfactory sulci)의 무형성이나 후삭(olfactory tract)이 보이지 않는 것을 확인

(4) 치료

• sexual maturation 유도/유지
  - 남성 ⇨ hCG (LH) or testosterone
  - 여성 ⇨ cyclic estrogen & progestin

• fertility 획득
  - 남성 (정자생성 유도) ⇨ hCG (LH) + rFSH (or hMG), or pulsatile GnRH (더 좋음)
  - 여성 (배란 유도) ⇨ gonadotropins (hMG [FSH+LH]) or pulsatile GnRH (더 좋음)

2. Acquired disorders

• hyperprolactinemia (→ hypothalamic dopamine↑) → GnRH 분비 억제 → amenorrhea
• pituitary tumor, hypopituitarism (e.g., Sheehan's syndrome),
• CNS tumor/infiltrative disorders ; craniopharyngioma, astrocytoma, germinoma, glioma, lymphoma, sarcoidosis, TB, syphilis, abscess, histiocytosis X, hemochromatosis ...
• trauma, surgery, irradiation
• 남성의 estrogen 과잉, androgenic anabolic steroids, opiate-like drugs, polyglandular endocrine deficiency (autoimmune)...
• aging, obesity, malnutrition, 전신질환(e.g., AIDS, ESRD, COPD, cancers, steroid 복용)
• 특히 여성에서 ; anorexia nervosa, starvation, 장거리 육상선수, stress...

고성선자극호르몬성 성선기능저하증 Hypergonadotropic (Primary) hypogonadism

1. Congenital disorders

• 남성(primary testicular failure) ; Klinfelter's syndrome (m/c), cryptorchidism, anorchia, Noonan's syndrome ...
• 여성(primary ovarian failure) ; Turner's syndrome (m/c), 17α-hydroxylase deficiency, 17, 20-lyase deficiency, resistant-ovary syndrome ...

■ Androgen insensitivity syndrome (AIS)

: androgen receptors (AR)의 mutation으로 androgen이 작용하지 못하는 것, XR 유전

(1) complete AIS (testicular feminization syndrome)

• male pseudohermaphroditism의 흔한 원인 (46,XY 핵형)
• 표현형은 완전한 여성의 모습 (external genitalia도 정상 여성)
  - 사춘기 이후에 유방발육, primary amenorrhea, axillary & pubic hair는 없거나 미약
  - vagina는 짧고 맹관(blind-ending), 모든 internal genitalia는 없다 (testis가 있음)

- pathophysiology : hypothalamic-pituitary level에서의 androgen action의 resistance
  → feedback 결함 → LH↑→ testosterone 분비↑→ estradiol 분비↑
- 치료 (여자로 키움) ; 고환절제술(+ 질확장술) + estrogen 보충

■ phenotypic women에서 "primary amenorrhea" (hypergonadotropic hypogonadism)의 원인
; Turner syndrome (m/c) > Müllerian agenesis > Testicular feminization

(2) incomplete AIS (Reifenstein syndrome)
- 회음음낭부 요도하열, 작은 정류 고환, 여성형 유방 ...
- 치료 (남자로 키움) ; 수술 등 (testosterone 보충은 도움 안됨)

2. Acquired disorders

- viral orchitis (m/c) : 특히 mumps orchitis
- trauma, radiation, drug (spironolactone, alcohol, ketoconazole, cyclophosphamide ...)
- systemic dz ; CKD, LC, tuberculosis, sickle cell dz., AIDS, RA ...

* Sx. (androgen↓) : gynecomastia, 2차 성징 발현 지연, microtestis ...
* 조기폐경(premature menopause, premature ovarian failure)
  - 용어가 primary ovarian insufficiency (POI)로 바뀌었음
  - 40세 이전에 hypergonadotropic hypogonadism이 발생하는 것
  - FSH↑ & estradiol↓ (∵ estradiol 감소에 따른 negative-feedback 상실)

다낭난소증후군 (polycystic ovary syndrome, PCOS)

1. 개요/병태생리

- 가임 여성의 4~8%에서 발생, 여성 불임의 m/c 원인
- hyperandrogenism[고안드로겐혈증], chronic anovulation[무배란], polycystic ovaries가 특징
- 병인이 불명확하고 표현형이 매우 다양함 ; 여러 유전, 환경 요인들이 관여

(1) functional ovarian hyperandrogenism (FOH) (90%) ⇨ PCOS의 대표적 증상 발생
; androgen↑(e.g., 다모증), 난소내 androgen↑(→ granulosa cell dysfunction → 배란 장애)
- typical PCOS/FOH (2/3) ; 17-hydroxyprogesterone (17-OHP)의 비정상적 상승
- atypical PCOS/FOH (1/3) ; 17-OHP 정상

(2) hyperinsulinism (약 1/2에서) ; 비만 정도에 비해 심한 insulin resistance ⇨ FOH 더욱 악화

(3) 동반되는 병태생리적 이상
① gonadotropin 이상 (약 1/2에서) ; LH ↑, FSH ↓~N (LH/FSH >2)
(∵ 증가된 androgen이 sex-steroid negative feedback을 방해하여 LH 분비 자극)
② obesity (약 1/2에서) ; 비만이 아닌 환자의 1/3 이상도 복부지방은 증가되어 있음
- insulin resistance에 의해 유발, insulin resistance를 더욱 악화 ⇨ FOH 악화 (악순환)
- 지방조직에서 androgen & estrogen 생산↑, gonadotropin 분해↑(→ LH 정상 흔함)
③ functional adrenal hyperandrogenism (FAH) ; 25~50%에서 동반

2. 임상양상/진단

진단기준 ; Rotterdam ESHRE/ASRM criteria (2003)
1. Oligo- or Anovulation
2. Clinical and/or biochemical Hyperandrogenism
3. Polycystic ovaries (transvaginal US)
▶3개 중 2개 만족 & 다른 질환 R/O (e.g., congenital adrenal hyperplasia, Cushing syndrome)

- hyperandrogenism ; 여드름, 다모증(hirsutism), 남성형 탈모 등 … 초경 직후 발생하여 서서히 진행함
  ↳ 검사 : 대개 serum total testosterone↑ (매우 높으면 DHEAS도 검사하여 androgen 분비 종양 R/O)
- 배란 이상, 무배란, 불임, amenorrhea/oligomenorrhea (이차성 무월경)
  ↳ 약 1/3에서는 spontaneous uterine bleeding 발생 (시기, 기간, 양은 예측 불능)
- PCOS로 진단되면 심혈관계 위험도 평가도 시행 ; BP, BMI, lipid profile, OGTT 등
- insulin resistance → insulin↑, glucose intolerance (40%), type 2 DM (10%), 심혈관질환 증가
- 비만(약 1/2, 특히 내장 비만), metabolic syndrome (40~50%) → PAI-1, TG, LDL 등 증가
- 장기적으로는 breast ca. 및 endometrial ca.의 위험도 증가
- ovary pathology (PCOS에 특이적인 소견은 없음) ; sclerosis, multiple follicular cysts, 난소막 및 기질의 증식, 백색체 감소 ...

3. 치료

- 악순환의 차단
  ① 난소의 androgen 분비↓ ; 경구피임약, wedge resection
  ② 말초(지방조직)의 estrogen 형성↓ ; 체중 감량
  ③ FSH 분비↑ ; clomiphene, hMG, GnRH, purified FSH 등
- 치료 방법은 임상양상 및 환자의 요구에 따라 선택
  ① 다모증이 없고, 임신을 원하지 않음 ⇨ medroxy progesterone acetate를 매달 10일씩 투여
  (→ 규칙적인 월경 유도, 자궁내막증식 예방)
  ② 다모증이 있고, 임신을 원하지 않음 (자궁출혈이 오래 지속 or 심할 때에도)
  ⇨ 복합 경구피임약 [estrogen + progesterone] → 효과 없으면 antiandrogens
  ③ 임신을 원함 ⇨ 배란 유도 ; 체중감량 우선
  - letrozole (aromatase inhibitor, m/g) or clomiphene citrate (3/4에서 성공)
  - insulin-sensitizing drugs (e.g., metformin, thiazolidinediones) ; 비만, DM의 경우 추가
  - gonadotropins ; hMG, FSH, GnRH
- 호르몬 치료가 효과 없으면 → 복강경을 이용한 ovarian drilling (laser, cautery) 고려
- 다모증(hirsutism)의 치료
  - 면도, 발모, electrolysis, dexamethasone (→ ACTH↓ → adrenal androgen↓)
  - antiandrogens ; spironolactone, finasteride, dutasteride, flutamide, cyproterone acetate 등
    ↳ 임신을 원하지 않을 때에만 (∵ teratogenic)
  - 심한 경우엔 hysterectomy & bilateral oophorectomy + HRT

4. 감별진단 (estrogen이 있는 chronic anovulation)

① ovary tumors ; granulosa-theca cell tumors, Brenner tumor, cystic teratomas, mucous cystadenomas, Krukenberg tumor
② adult-onset partial CAH (21-hydroxylase deficiency)
③ hypothyroidism
④ hyperprolactinemia

여성형유방 (Gynecomastia)

1. 개요/원인

기전	예
Increased Serum Estrogens 1. Exogenous	Topical estrogen creams and lotions Ingestion of estrogens Use of aromatizable androgens Environmental exposure
2. Increased aromatization in testes, adrenals, or peripheral tissues	Testicular tumors Adrenal tumors Obesity Liver disease (e.g., LC) Hyperthyroidism Aging Familial/sporadic excessive aromatase activity
3. Displacement of estrogens from SHBG	Spironolactone, Ketoconazole
4. hCG-secreting tumors	Choriocarcinoma Lung, liver, renal, gastric carcinoma
Decreased Testosterone Synthesis	Primary hypogonadism Klinefelter syndrome Viral orchitis, Trauma, Castration Secondary hypogonadism Drug-induced : Spironolactone, Ketoconazole
Androgen Receptor Defects	Congenital mutations : Testicular feminization syndrome (= androgen insensitivity synd.) Drug interference : Cimetidine, Cyproterone, Flutamide, Spironolactone

(SHBG: sex hormone-binding globulin)

• 기전 : androgen deficiency or estrogen excess (→ estrogen/androgen ratio ↑)
• 생리적 gynecomastia ; 신생아, 사춘기, 노인
  (사춘기의 gynecomastia는 대개 1~2년 내에 자연 소실됨)
• 나이들수록, 비만할수록 호발함 / 약물이 원인인 경우가 20~25%
• pseudogynecomastia : 지방조직의 과다
• breast cancer (매우 드묾) ; 대개 unilateral firm mass, eccentric (유두부위 아님), skin dimpling, ulcer, nipple retraction/discharge, axillary lymphadenopathy, 크기 증가 등 ⇨ 조직검사 시행!

2. 임상양상/진단

- true gynecomastia는 대개 bilateral, glandular tissue >4 cm, tender인 경우가 많음 (breast ca.로 발전할 가능성은 거의 없음)
- evaluation (but, evaluation해도 1/2 미만에서만 원인 확인 가능)
  ① 약물 복용력 확인
  ② 고환의 진찰 ┌ 양쪽 다 작으면 → karyotyping
  └ 비대칭적이면 → testicular tumor W/U
  ③ 간기능 검사
  ④ endocrine W/U ; serum androstenedione, testosterone, estradiol (E_2), LH, FSH, hCG, 24-hr urine 17-KS
- malignancy 의심되는 소견이 있으면 mammography, breast US, biopsy 등을 시행

3. 치료

(1) 원인을 찾아 교정

(2) 수술의 적응증

① 심한 정신적 and/or 미용상의 문제
② 계속 커지거나 통증이 지속되는 경우
③ 유방암이 의심되는 경우

(3) 약물치료

- 통증은 있지만, 수술을 원치 않는 경우 고려 (→ 통증 및 유방크기 감소)
- antiestrogens (e.g., tamoxifen), diethylstilbesterol

c.f.) 성선 기능이 저하된 남자 노인에서 testosterone 투여시의 변화
- body & visceral fat↓, muscle mass & strength↑ (BUN/Cr↓)
- bone mineral density↑
- LDL↓ / HDL은 대부분 영향 없음 (고용량에서는 감소 가능)
- 성욕 & 성기능 향상, 기분 좋아짐

10
당뇨병(DM)

개요(생리학)

* 정의 : insulin 분비 and/or 효과의 감소로 발생한 고혈당 및 이에 따른 대사장애가 장기간 지속되는 상태로, 혈관장애에 의한 여러 장기의 합병증이 동반되는 질환

- type 1 DM : 심한 insulin 결핍이 원인 (과거의 insulin-dependent DM [IDDM])
- type 2 DM : 다양한 정도의 insulin 저항성, insulin 분비 장애, glucose 생산 증가 등이 원인 (과거의 non-insulin-dependent DM [NIDDM])

1. Insulin의 합성

- pancreatic islets의 β-cells에서 합성됨
- preproinsulin → proinsulin → insulin + C-peptide
- insulin은 portal vein으로 분비되며 50%는 간에서 분해됨
- C-peptide
  - insulin과 같이 granules에 저장되어 있다가 insulin 분비 자극시 분리됨
  - C-peptide 농도 = endogenous insulin 농도
  - insulin보다 간에서 분해가 느리기 때문에 insulin 분비의 유용한 marker로 이용됨
  - exogenous insulin therapy 받고 있는 환자에서 β-cells의 insulin 분비 기능을 측정 가능!
  - hypoglycemia 환자에서 insulin의 유래가 endogenous 인지 exogenous 인지 구별 가능
- β-cells은 amylin (islet amyloid polypeptide, IAPP)도 분비함

c.f.) 췌장세포에서 분비되는 cholecystokinin (CCK), pancreatic polypeptide, amylin 등은 음식 섭취 후에 분비가 증가되며, 뇌에서 포만감을 유도하여 음식 섭취를 줄이는 효과가 있음

2. Insulin 분비의 조절

(1) stimulation

- **glucose** : "key regulator" (IV보다 oral이 분비를 더 촉진)
  (glucose level이 70 mg/dL 이상일 때 insulin 합성 자극)
  → 췌장 세포막의 glucose transporter (GLUT-2)에 의해 β-cells 내로 운반
  → glucokinase에 의해 glucose phosphorylation (insulin 분비의 "rate-limiting step"임!)
  → glucose-6-phosphate는 glycolysis되어 ATP를 생성 (ATP/ADP ratio↑)

→ ATP-sensitive K^+ channel (K_{ATP})을 자극하여 닫히게 함 (→ K^+ efflux 차단)
↳ 2개의 subunits으로 구성
- sulfonylurea receptor (SUR) : insulin secretagogues의 작용부위
- inwardly rectifying K^+ channel ($K_{IR}6.2$)

→ 세포내 K^+↑ → β-cells membrane의 depolarization
→ Ca^{2+} channels 개방(open) → 세포내 Ca^{2+}↑ → insulin 분비(exocytosis) 자극

■ Incretins : 음식 소화시 위장관에서 분비되어 췌장의 "glucose-stimulated insulin 분비" 를 촉진하고 glucagon 분비를 억제하는 호르몬, GLP-1과 GIP가 있음 → 뒤 치료 부분 참조
- GLP-1 (glucagon-like peptide-1) : 가장 강력한 incretin, 식후 소장 원위부의 L-cells에서 분비됨.
  (c.f., preproglucagon → glucagon, GLP-1, GLP-2, oxyntomodulin 등이 만들어짐)
  type 2 DM 환자에서 분비 감소 (반응은 보존), 일부 환자에서는 GLP-1에 대한 저항성이 발견됨
  (c.f., GLP-1 receptor agonist [exendin-4] : type 2 DM에서 혈당 조절 및 체중 감소에 효과적)
- GIP (glucose-dependent insulinotropic polypeptide, 과거 gastric inhibitory peptides) : K-cells에서 분비됨,
  type 2 DM 환자에서 분비는 정상이나 반응이 떨어짐(저항성을 보임)
- GLP-1과 GIP는 모두 dipeptidyl peptidase-4 (DPP-4)에 의해 빨리 불활성화 됨
  (c.f., DPP-4 inhibitors : DPP-4를 억제하여 혈당을 낮춤)
- incretin의 효과 : glucose를 IV로 투여할 때보다 oral로 투여할 때 insulin의 분비가 더 증가됨

• aminoacids, ketones, 여러 영양소들
• GI peptides, glucagon, GH, corticosteroid, estrogen, progesterone
• obesity, vagal stimulation
• β-adrenergic agonist, acetylcholine, theophylline, sulfonylurea

(2) inhibition

• somatostatin
• α-adrenergic stimulation (Epi, NE)
• β-blockers, diazoxide, thiazide, phenytoin, vinblastin, colchicine ...

■ **insulin의 정상 분비 양상**

• pulsatile pattern (baseline, 공복시)
- 매 10분마다 small secretory bursts 발생
- 80~150분마다 greater secretory bursts 발생

• 식사 등의 주요 insulin 분비 자극시엔 large secretory bursts 발생 (baseline보다 4~5배 증가)
  → 2~3시간 뒤 baseline으로 회복

3. Insulin의 작용 기전

• 세포막의 insulin receptor (tyrosine kinase class)에 결합
  → tyrosine kinase activity 자극
  → receptor autophosphorylation & intracellular signaling molecules (e.g., IRS)의 활성화
  → 인산화/탈인산화의 복잡한 연속 반응을 통해 insulin의 다양한 작용 발생
• phosphatidylinositol-3'-kinase (PI-3-kinase) pathway 활성화
  → 세포질 내의 GLUT-4를 세포막으로 이동시킴
  ↳ 근육세포와 지방세포의 glucose uptake 촉진 (⋯ 결함시 insulin resistance)
• 기타 glycogen 합성, protein 합성, lipogenesis, mitogenesis 등을 일으킴

4. Insulin의 작용 (대사에의 영향)

* insulin의 주 기능은 섭취된 영양소의 저장을 촉진하는 것

① 간에서 glucose 생산 감소
- gluconeogenesis 억제, glycogen 합성 촉진/분해억제
  - type 1 DM ; 간문맥의 insulin ↓ → 간의 gluconeogenesis ↑
  - type 2 DM ; 간의 insulin 저항성 → 간의 gluconeogenesis ↑

② 간의 단백질 합성 촉진 (amino acid uptake 증가), 단백질 분해 억제
③ 간의 glucose uptake 증가 (→ 지방질 합성 ↑)
④ 말초(특히 근육 및 지방조직)에서 glucose uptake 증가
⑤ 지방조직에서 free fatty acid (FFA) 유리 억제
→ 간내로 들어가는 FFA 감소 → TG, ketone body 형성 감소
⑥ 지방조직에서 fatty acid 합성 증가, lipolysis 억제
⑦ plasma K^+ 감소 (∵ 근육과 간세포로 들어가는 K^+ 증가)

c.f.) 공복시의 대사 변화
- insulin 분비↓, IGF-1↓
- glucagon↑ & catecholamines↑ → liver glycogen으로부터 glucose 유리, TG를 분해하여 FFA, ketone 유리
- cortisol↑ (→ 근육 단백을 분해하여 AA 유리) → gluconeogenesis 증가
- 말초에서 $T_4 \rightarrow T_3$ 전환 억제 → 대사율 감소
- gonadotropin↓ → 생식능 감소

5. 저혈당에 대한 counter-regulatory hormones

(1) catecholamine
- 가장 일찍 분비됨
- insulin↓, glucagon↑, gluconeogenesis↑, glycogenolysis↑

(2) glucagon
- 2번째로 일찍 분비됨, diabetic Sx 발생에 가장 중요
- 간에서 gluconeogenesis↑, glycogenolysis↑, ketogenesis↑

(3) GH
- diabetic Sx 발생에 관여
- 말초조직에서 glucose 이용↓, lipolysis↑

(4) cortisol
- gluconeogenesis↑, insulin↓, glucagon↑, glucose 이용↓

병인

■ 원인에 따른 분류

1. Type 1 DM (β-cell 파괴에 의한 insulin 결핍, 치료에 insulin이 절대적으로 필요함)
type 1A : Immune-mediated
type 1B : Idiopathic

2. Type 2 DM (다양한 insulin 저항성 ~ insulin 분비 장애)

3. Gestational DM (GDM)

4. 기타/secondary DM
β-cells의 유전적 결함 ; MODY1 (HNF-4α), MODY2 (glucokinase), MODY3 (HNF-1α), MODY4 (IPF-1), MODY5 (HNF-1β), MODY6 (NeuroD1), mitochondrial DNA, ATP-sensitive K^+ channel의 subunits, proinsulin or insulin conversion, 기타 pancreatic islet regulators/proteins (e.g., *KLF11, PAX4, BLK, GATA4, GATA6, SLC2A2* (GLUT2), *RFX6, GLIS3*) ...
Insulin 작용의 유전적 결함 ; insulin resistance (e.g., PCOS), Rabson-Mendenhall syndrome, leprechaunism, lipoatropic diabetes (post-receptor 이상) ...
췌장 외분비 질환/손상 (type 3c DM) ; pancreatitis, pancreatectomy, trauma, neoplasia, cystic fibrosis, hemochromatosis, fibrocalculous pancreatopathy, carboxyl ester lipase mutation ...
내분비 질환 ; acromegaly, Cushing's syndrome, glucagonoma, pheochromocytoma, hyperthyroidism, somatostatinoma, aldosteronoma ...
간질환 ; 만성간염, 간경화 (∵ 만성간질환에서 당뇨병 유병률 15~30%)
감염 ; congenital rubella, CMV, adenovirus, coxsackievirus, mumps ...
약물 또는 화학물질 ; antipsychotics (e.g., clozapine), asparaginase, β-agonists, calcineurin inhibitors (e.g., cyclosporin, tacrolimus), diazoxide, dilantin (phenytoin), epinephrine, glucocorticoids, interferon-α, mTOR inhibitors (e.g., everolimus), nicotinic acid, pentamidine, phenytoin, protease inhibitors, pyrimidine (Alloxan; 표백제), pyrinuron (pyriminil, Vacor), streptozotocin, thiazides, thyroid hormones ...
드문 면역매개성 DM ; Stiff-person syndrome, anti-insulin receptor Ab, Ab to insulin ...
DM을 동반하는 기타 유전 증후군 ; Down syndrome, Friedreich's ataxia, Huntington's chorea, Klinefelter's syndrome, Lawrence-Moon-Biedl syndrome, myotonic dystrophy, porphyria, Prader-Willi syndrome, Turner syndrome, Wolfram syndrome ...

* MODY: maturity-onset diabetes of the young (→ 뒷부분 참조).
HNF: hepatocyte nuclear transcription factor, IPF: insulin promoter factor

1. Type 1 DM

: 자가면역기전(autoimmunity)에 의한 췌장 β-cells 파괴에 따른 insulin deficiency가 특징인 DM, 대부분 30세 이전에 발병 (5~10%는 30세 이후), 유전적 소인이나 환경인자도 발병에 기여 가능

(1) autoimmune factors

- β-cells의 80% 이상이 파괴되어야 insulin 분비 장애 발생
- type 1 DM에서 발견되는 면역학적 이상
  ① islet cell antibodies (ICAs)
  ② activated lymphocytes ; islets, 췌장주위 LN, 혈중에 존재
  ③ islet proteins으로 자극시 T lymphocytes 증식
  ④ insulitis (lymphocytes로 침윤된 islets)의 cytokines 분비
  (β-cell은 특히 TNF-α, IFN-γ, IL-1 등의 toxic effect에 약함)
- β-cell 파괴의 기전 (정확히는 모름) ; NO 대사물 형성, apoptosis, direct CD8+ T cell toxicity (ICA는 β-cell의 파괴에는 관여 안함)

- islet cell (auto)antibodies (ICAs) = T1DM-associated (auto)antibodies
  ; proinsulin, insulin, GAD (glutamic acid decarboxylase), IA-2 (= ICA-512, islet antigen-2, insulinoma-associated Ag-2), ZnT-8 (beta cell-specific zinc transporter) 등에 대한 항체
  - 각각 type 1 DM에 대한 specificity는 높지만, sensitivity는 낮음 → 2가지 이상 검사 권장
  - anti-GAD (GAD-65) Ab와 다른 한개 이상의 Ab 조합이 권장됨 ; anti-IA-2/ICA-512 Ab, anti-ICA IgG, IAA (anti-insulin autoAb), anti-ZnT-8 ↳ GAD와 흔히 조합됨
    (c.f., ↳ 동물 췌장 islet cells 추출 단백을 이용한 검사 / 나머지는 유전자재조합 단백을 이용한 검사임)
  - 옛날에는 IHC 기법으로 nonspecific ICA 검사가 시작되었지만, 그 뒤 ICAs의 표적 항원들이 발견됨에 따라 현재는 간편하고 정확한 면역검사(e.g., RIA, EIA/ELISA)로 시행됨
- islet cell Ab. (ICA)의 임상적 의의
  - 새로 진단된 type 1 DM의 85% 이상에서 (+) → type 1 DM의 진단 및 발생 예측에 도움
    (c.f., type 2 DM은 5~10%에서, GDM은 5% 미만만 양성)
  - type 1 DM 환자의 1차친족(부모/형제/자녀) 중 3~4%도 (+)
    (type 1 DM이 1차친족에서 병발할 위험은 상대적으로 낮음)
  - type 1 DM의 발생을 예측 가능! … 양성인 Ab의 수가 많을수록 DM 발생 위험↑
    ; multiple Ab(+) 소아의 type 1 DM 발생 확률은 10년 뒤 ~70%, 15년 뒤 ~80%
  - ICA 검사의 적응 ⇨ DM으로 진단된.. ① 소아,
    ② 성인 ; type 2 DM 위험인자(e.g., 비만, 가족력) 無, type 1↔2 DM 감별이 어려운 경우
    (일반적인 type 2 DM 성인 및 non-DM에서는 필요 없음)

(2) genetic factors

- 일란성 쌍생아에서 type 1 DM 발생 일치율 40~60% (→ 발병에 다른 요인들도 관여 시사)
  ↔ type 2 DM은 일치율 70~90% … type 2 DM이 가족력/유전적성향 더 강함
- HLA polymorphism은 type 1 DM 발생의 유전적 소인의 40~50% 차지
  (chromosome 6의 HLA region에 존재)
- HLA-DR3 and/or DR4 : 95%에서 (+) (일반인은 45~50%)
- HLA-DQ genes의 관련성
  - DQA1*0301, DQB1*0302, DQB1*0201 ⇨ type 1 DM↑: 약 40%에서 존재 (일반인은 2%)
  - DQA1*0102, DQB1*0602 ⇨ type 1 DM↓: 1% 미만에서 존재
- 기타 insulin gene의 promotor region의 polymorphisms 등도 관여
- 가족 중 type 1 DM 환자가 있으면 발병 위험이 약 10배 증가되지만, 전체적으로는 1차친족의 병발 위험도는 낮음 (부모가 type 1 DM이면 3~4%, 형제가 type 1 DM이면 5~15%)

(3) environmental factor

- virus (e.g., coxsackievirus, rubella, enterovirus) → 직접 β-cells 파괴 가능
- 약물/화합물 ; streptozotocin, nitrosourea compounds ... (앞의 표 참조)
- 분유/우유 단백에 빨리 노출(bovine serum albumin[BSA]), vitamin D deficiency 등

(4) type 1 DM의 예방

- 동물 연구에서는 성공적이지만, 사람에서 type 1 DM의 예방은 아직은 연구 차원임
- type 1 DM 발생 고위험군에서 예방적 insulin 투여도 type 1 DM의 발생은 예방 못함

- 처음 진단된 type 1 DM 환자에서 anti-CD3 (T-cell co-receptor) Ab (e.g., teplizumab), GAD65 vaccine, anti-B lymphocyte Ab. 등의 투여는 C-peptide level의 감소 속도 지연 효과
- type 1 DM 발생 고위험군(e.g., multiple ISAs(+), type 1 DM 가족력, IFG or IGT)에게 anti-CD3 Ab (teplizumab) 투여시 DM 진단까지의 기간 2배 연장, 발생률 약 60% 감소했음

2. Type 2 DM

: 다양한 정도의 insulin resistance (m/i), insulin 분비 장애, 간의 glucose 생산 증가, 지방대사 이상 등이 특징, 주로 성인에서 나이가 들수록 발병 증가 (최근에는 비만한 소아/청소년도 발병 증가)

(1) 인슐린 저항성(insulin resistance)

┌ 말초(특히 근육)에서 glucose 이용 장애 ⇨ 식후 hyperglycemia
└ 간의 insulin resistance ⇨ 공복시 hyperglycemia (FPG↑), 식후 간의 glycogen 저장↓

- relative resistance (∵ 정상 level 이상의 insulin은 혈당을 정상화함)
- insulin 용량-반응곡선(dose-response curve)

  ┌ 우측 이동(right shift) : 감수성 저하, receptor 결합이 주로 관여
  └ 하방 이동(downward shift) : 반응성 감소, receptor 결합 이후가 주로 관여, insulin resistance 심할수록 더 중요, type 2 DM에서는 혼합된 양상을 보임

- insulin resistance의 기전
  ① insulin receptor의 문제
    - insulin receptor 수 감소 (down regulation) ; 대개 hyperglycemia에 따라 이차적으로 발생
    - 근육/지방 세포의 insulin receptor tyrosine kinase activity↓ : DM 대사장애의 이차 현상?
  ② insulin receptor 결합 후의 (세포내) 문제 ··· type 2 DM insulin resistance의 주요 기전
    - IRS (insulin receptor substrates)-1의 polymorphisms
    - PI-3-kinase signaling pathway defect → GLUT-4 감소
    - FFA level↑(e.g., 비만) → 근육세포에 lipid 중간산물 축적 → insulin의 작용 방해 (지방조직의 insulin resistance : lipolysis & FFA↑ → 간세포에서 VLDL 및 TG 합성↑ → nonalcoholic fatty liver, dyslipidemia)

  * insulin resistance에 기여하는 요인들 ; obesity (FFA, adipocytokines), stress & infection (∵ counterregulatory hormones↑), drugs, inactivity, pregnancy, immune ...

- **비만("central/visceral" obesity)** : fat에서 FFA, leptin, TNF-α, RBP4, resistin, IL-6 등 분비↑ (TNF-α : IRS-1의 인산화 억제 → insulin receptor signaling 억제)
  - **adiponectin** (anti-inflammatory & insulin-sensitizing peptide)은 분비 감소
  - inflammatory markers (e.g., IL-6, CRP)의 증가도 type 2 DM 환자에서 흔함

  ⇨ **insulin resistance**, insulin 분비 장애, 간의 glucose 생산 증가 등

참고: Insulin resistance의 측정법
Fasting plasma glucose-insulin, Standard glucose tolerance test IV insulin tolerance test ; 다양한 농도의 insulin을 IV한 뒤 혈당을 측정 Hyperinsulinemic euglycemic glucose clamp technique : 가장 정량적이지만 사용 어려움 HOMA (homeostasis model assessment) : 많은 수를 대상으로 하는 역학 연구에 이용 QUICKI (quantitative insulin sensitivity check index) : 〃

c.f.) hyperinsulinism이 HTN을 일으키는 기전
① Na^+ 재흡수 증가 (renal sodium retention) 및 교감신경계 활성화
② 혈관 평활근의 비대 (← insulin의 mitogenic action)
③ Na-K-ATPase 자극으로 세포내 Ca^{2+} 증가 → vascular reactivity↑
④ 다른 일차적 고혈압 발생 기전의 marker (e.g., nonmodulation)

■ Insulin resistance syndrome

- metabolic syndrome (syndrome X) ; insulin resistance (type 2 DM or IFG/IGT), HTN, dyslipidemia (HDL↓, TG↑), central/visceral obesity, accelerated CVD (e.g., CAD, stroke)
  * CHAOS (CAD, HTN, Atherosclerosis, Obesity, Stroke)
  - plasminogen activator-inhibitor 1 (PAI-1) 증가 / hyperinsulinemia → CAD의 risk marker
  - 치료 : 혈당조절 + 혈압조절 + dyslipidemia 조절 (→ 12장 참조)
- severe insulin resistance ; 드묾, insulin receptor mutations, hyperinsulinemia 심함, acanthosis nigricans와 hyperandrogenism (여성에서 hirsutism, acne, oligomenorrhea) 동반,
  - type A : 젊은 여성, obesity, insulin-signaling pathway 결함
  - type B : 중년 여성, autoimmune disorders, insulin receptor에 대한 autoAb
- PCOS (polycystic ovary syndrome) ; chronic anovulation, hyperandrogenism, 다수에서 insulin resistance를 보이며, type 2 DM 발생 위험 증가 (→ 9장 참조)

(2) insulin 분비 장애

- type 2 DM 환자의 특징적인 insulin 분비 이상 ; glucose 자극에 대한 insulin 분비↓, 1차성 insulin 분비반응 소실, insulin 분비의 박동성(pulsatile) 소실, proinsulin 분비↑
  * glucose 이외의 insulin 분비 자극(e.g., arginine, isoproterenol, secretin, tobutamide)에 대한 반응은 비교적 잘 보존되어 있음
- β-cells의 소실과 기능 이상 ; 오래된 type 2 DM 환자는 β-cells 양이 정상인의 약 50%로 감소 (점진적으로 계속 감소됨), amylin (IAPP) 침착, pancreatic duct 섬유화 등을 보임
- 기전 : 유전적 소인에 더해 여러 인자들이 관여 (e.g., glucose toxicity, lipotoxicity, amylin)
  - glucose toxicity : 장기간의 고혈당이 β-cells의 기능 장애 및 사멸을 일으킴 (e.g., 혈당조절이 개선되면 β-cells 기능도 호전되는 경우가 흔함)
  - lipotoxicity : β-cells 내 FFA 증가는 β-cells 기능을 악화시킴
- insulin 분비 반응 (IV 당부하 시험)
  ① 공복시 insulin level : 정상 ~ 약간 상승
  ② IV 당부하후 초기(1차성) insulin 분비반응 소실 … DM의 특징
  ③ IV 당부하후 후기(2차성) insulin 분비반응은 보존
  ↳ hyperglycemia 심해지면(FPG >250 mg/dL) 현저히 감소
- 3 phases : type 2 DM 초기에는 insulin 저항성을 극복하기 위해 insulin 분비↑

	insulin resistance	insulin level	plasma glucose
I	존재	↑	정상
II	악화	↑	식후 고혈당
III overt DM	변화×(간에서 glucose 생산↑)	↓	공복시 고혈당

(3) genetic factors

- 유전적 성향은 매우 강하지만, HLA나 autoimmune과는 관계없다!
- epidemiologic study
  - 일란성 쌍생아에서 DM 발생률 : 70~90%
  - 부모가 모두 DM일 때 자식이 DM일 확률 : 40%
- type 2 DM의 발생에 관련된 유전자의 예 (일부에서만 확인됨 / 대부분은 polygenic)
  ① GLUT-2, 4
  - GLUT-2 : β-cells의 glucose transporter (→ 결함시 glucose-stimulated insulin 분비↓)
  - GLUT-4 : 골격근과 지방 세포의 glucose transporter (→ 결함시 insulin resistance)

  ② amylin (islet amyloid polypeptide, IAPP) : amylin gene과 type 2 DM의 관련성은 불확실함
  - insulin secretory granules에 저장되어 있다가 insulin과 함께 분비됨
  - type 2 DM시 islet cells에 침착 증가 (∵ insulin resistance에 따른 overproduction 때문)
  - amylin↑↑ (long-standing type 2 DM) → glucose uptake↓, insulin 분비 억제

  ③ glucokinase ; MODY type2와 관련
  ④ 근육세포의 glycogen synthase의 활성 감소
  ⑤ insulin receptor, PI-3-kinase 등의 mutation
  ⑥ mitochondrial DNA의 mutation

(4) environmental factor

- polygenic & multifactorial : type 2 DM 발생에는 유전적 소인 외에 환경요인도 관여
- 칼로리 과잉 섭취 (→ insulin 요구량↑ → insulin resistnace 발달)
- 비만 (특히 복부비만), 운동부족, 스트레스, 약물남용 ...

■ MODY (maturity onset diabetes of the young)

- 드묾 (전체 DM의 1~5%), 대개 25세 이전에 발병, mild DM (합병증 적고, 예후 좋다)
- glucose-induced insulin 분비의 장애 (insulin의 작용에는 문제없음)
- 단일 유전자성(monogenic defects), 3세대 이상의 가족력, AD 유전, HLA와의 관련성은 없음
  ① MODY 1 : hepatocyte nuclear factor (HNF)-4α gene의 변이 (염색체 20q)
  (HNF : transcription factor로 간, 췌도, 신장 등에 존재, insulin 분비에 관여)
  ② MODY 2 : glucokinase[GCK] gene의 변이 (염색체 7p)
  (glucokinase : glucose 인산화를 통해 β-cells에서는 glucose를 감지하고[→ insulin 분비], 간세포에서는 glucose를 glycogen으로 저장하는데 중요한 역할을 함)
  ③ MODY 3 (m/c) : HNF-1α gene의 변이 (염색체 12q)
  ④ MODY 4 : insulin promotor factor (IPF)-1β gene의 변이 (염색체 13q)
  ⑤ MODY 5 : HNF-1β gene의 변이 (염색체 17q), insulin 저항성도 동반
  ⑥ MODY 6 : NeuroD1/BETA2 gene의 변이 (염색체 2q)
- type 1, 3, 4는 경구혈당강하제(sulfonylurea)에 잘 반응함
- type 2는 diet/운동으로 잘 조절됨 / type 5, 6은 insulin 치료 필요

임상양상

1. 역학

- 유병률 (모두 증가 추세) : 12~16% (우리나라), 11.1% (미국), 남>여 (젊은 환자가 빠르게 증가함)
  - type 2 DM : 90~95% (미국), 우리나라는 99% 이상 … 더 빨리 증가 추세 (∵ 비만↑, 활동량↓, 고령인구↑)
  - type 1 DM : 5~10%
    - ↳ [미국] bimoal (4~6세, 10~14세에 호발), 15세 이후에는 type 2 DM의 비율도 증가하여 비슷해짐
- 성인에서 CKD/ESRD, 비외상성 amputation, 실명 등의 주원인
- 심장/뇌/말초혈관질환의 위험 증가
- hyperglycemia와 cardiovascular risk factors를 잘 치료하면 만성 합병증의 대부분을 예방하거나 지연시킬 수 있음

2. type 1 DM

- polyuria : hyperglycemia에 의한 osmotic diuresis 때문 (→ glucose뿐 아니라 수분/전해질도 소실)
- polydipsia (thirst) : hyperosmolar state 때문
- blurred vision : lens와 rentina가 hyperosmolar fluid에 노출되어 발생
- weight loss : type 1 DM의 특징, 몇 주만에 subacute하게 발생
- superficial infection 호발 (e.g., vaginitis, 피부진균감염), 상처 치유 지연
- 처음 발견된 경우 엄격한 혈당조절을 하면 만성합병증의 위험이 감소됨
  (예; retinopathy 76% 감소, neuropathy 60% 감소)

type 1 DM의 자연경과

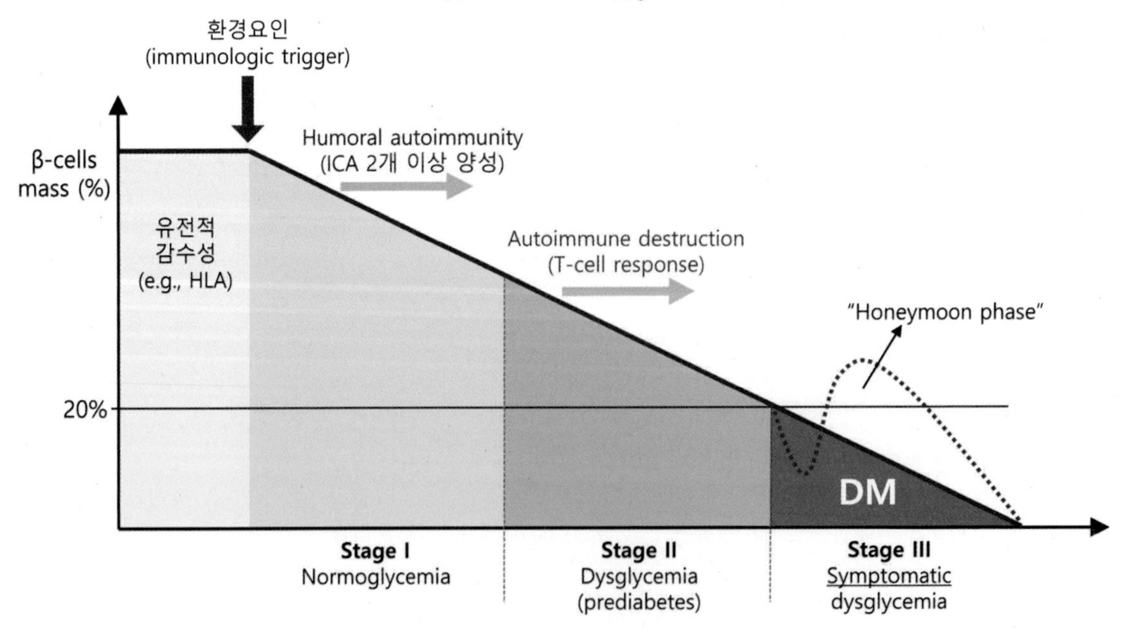

■ Honeymoon period (phase)
- type 1 DM 환자에서 첫 임상증상(e.g., ketoacidosis) 발생으로 insulin 치료를 시작하고 수주 뒤 잔존 β-cells에서 분비되는 약간의 insulin으로 인해 혈당조절이 잘 되는 (insulin 요구량↓) 시기
(∵ acute stress시 epinephrine 분비↑ → insulin 분비↓ → 증상 발생
→ stress에서 회복되면 insulin은 이전 level로 회복 & insulin 요구량↓)
- β-cells은 계속 감소되기 때문에 대개 수주~수개월(때때로 ~수년)만 지속되고 결국엔 다시 insulin 요구량이 증가하게 됨
- 이 기간 중 hypoglycemia도 발생할 수 있음

* latent autoimmune diabetes in adults (LADA)성인지연형자가면역당뇨병
- 늦게 나타나 서서히 진행하는 type 1 (자가면역기전) DM (↔ 보통 type 1 DM은 급격히 진행)
- type 1 & 2의 임상적 특징과 유전적 배경을 모두 가짐 (type 1.5 DM or double DM)
- 대부분 30~50세에 진단됨, 전체 DM의 2~12% 차지, anti-GAD (GAD65) Ab (+)가 특징
- 초기에는 type 2 DM의 양상이지만 (경구혈당강하제로 치료 → 점점 조절 안됨),
5년 이내에 반드시 insulin 치료가 필요하게 됨
- BMI는 대개 정상, 다른 자가면역질환 동반 병력/가족력

3. type 2 DM

- 초기에는 증상이 없는 경우가 많다 (특히 비만형 환자에서)
→ 증상이 발생하여 병원을 방문한 경우 대개 7~10년 이전에 DM이 시작
- type 1 DM보다 증상이 천천히 발생함 → 처음 진단시 약 20~50%에서 DM의 합병증 존재, type 2 DM 환자의 50%는 DM이 있는지를 모르고 있음
- 대개 비만하지만 (서양 75~80% /우리나라 등 동양 <30%), 노인에서는 비비만형도 많음
- chronic skin infection이 흔하다
- 여성에서는 generalized pruritus와 vaginitis의 증상이 주소인 경우가 흔하다
- chronic candidial vulvovaginitis, 거대아 출산, polyhydramnios, preeclampsia, unexplained fetal loss시 DM을 꼭 의심해야 함
- 비비만형 중 발병 이후에 심한 체중감소가 있었던 경우 slowly progressive type 1 DM의 초기일 가능성이 높음

* ketosis-prone type 2 DM ; DKA가 발생했지만, 자가항체는 없고 경구혈당강하제에 반응

4. 한국인 DM의 특성

- type 2 DM이 서양인보다 훨씬 많으며, 상대적으로 BMI가 낮음, 서양보다 젊은 연령에서 발생 (최근 소아/청소년의 type 2 DM도 증가 추세)
- insulin 분비능은 서양인에 비해 매우 제한적 (선천적) → 유전적/환경적 요인에 의해 insulin resistance가 유발되면 쉽게 DM 발생 (경미한 비만 상태에서도) → 최근 유병률이 급격히 증가
- insulin 분비능의 부족으로 DM 발생시 체중 감소가 심하고, 조기에 insulin 치료가 필요한 환자가 많다
- 서양인보다 비만에 더 유의하고, 심한 폭음이나 과식, 불규칙한 식사, 과로 등을 피하고, 적당한 운동으로 DM 발생을 예방해야 됨!

	Type 1 DM	Type 2 DM
발생연령	<30세 (but, 어느 연령도 가능)	>30세 (but, 비만한 소아/청소년도 가능)
발생양상	갑자기	서서히
성비	M≒F	M>F
비만	−	+
Acute metabolic Cx	DKA	NKHC (HHS)
혈중 insulin (C-peptide)	↓↓	다양
혈중 glucagon	↑, suppressible	↑, resistant
Genetic locus	6번 염색체	다양(polygenic)
HLA 관련성	(+) DR3, DR4 DR2-negative association	−
가족력	드묾	흔함
일란성 쌍생아 일치율	30~70%	70~90%
계절적인 변이	+	−
ICA (islet cell Ab.)	+	−
Insulin 저항성	±	+
Insulin 치료	반응 (처음부터 필요)	반응~내성 (처음에는 필요 없음)
Sulfonylurea	반응없음	반응
식이요법만으로 조절	불가능	가능
동반질환	Autoimmune dz. (갑상선염, 부신부전, 악성빈혈, 백반증 등)	Metabolic syndrome (고혈압, 심혈관질환, 고지혈증, PCOS 등)

진단

1. 진단기준

DM* ★	Abnormal glucose homeostasis (preDM)
1. HbA_{1c} ≥6.5% *or* 2. **공복혈장포도당 ≥126 mg/dL** (8시간 이상 금식 후) *or* 3. 경구당부하검사 2시간 후 혈장포도당 ≥200 mg/dL *or* 4. 전형적인 증상이 있으면서 무작위 혈장포도당 ≥200 mg/dL ↳ 다음, 다뇨, 설명되지 않는 체중감소 등	• HbA_{1c} 5.7~6.4% *or* • 공복혈장포도당 100~125 mg/dL [IFG] *or* • 경구당부하검사 2시간 후 혈장포도당 140~199 mg/dL [IGT]

*1~3.은 다른 날 재검사하여 만족 or 하루에 2가지 이상의 기준을 동시에 만족하면 확진할 수 있음!
4.는 재검이 필요 없음

(1) 당화혈색소(glycated hemoglobin, HbA_{1C}, A1C)

- 2010년 미국당뇨병학회(ADA)부터 DM 진단에 HbA_{1C}가 가장 먼저 추천됨
- Hb β-chain 말단, AA의 non-enzymatic glycation (glycosylation)으로 생성됨, 주로 HbA_{1C}
- HbA_{1C}/HbA의 비율(%)로 보고됨 … 참고치 ; 정상 ≤5.6%, preDM 5.7~6.4%, DM ≥6.5%
- poorly controlled DM 환자는 10~20%까지 상승
- 최근 2~3개월간 혈당(glycemia) 상태 반영 (∵ RBC 수명 약 120일) → DM 합병증과 더욱 밀접

HbA_{1C} (%)	평균 혈장 glucose (mg/dL)	HbA_{1C} (%)	평균 혈장 glucose (mg/dL)
5	97	9	212
6	126	10	240
7	154	11	269
8	183	12	298

- 공복이 필요하지 않고, 단기간의 생활습관(e.g., 운동) 변화에 영향을 받지 않음
- DM 치료의 monitoring에도 주로 이용됨, 보통 3~6개월마다 측정 권장 (1년에 2~4회)
- 반드시 표준화된 A1C 검사방법을 사용해야 됨
- HbA_{1C} 검사에 영향을 미치는 인자
  - 적혈구 수명↓(e.g., 수혈, reticulocytosis, 용혈, 출혈, uremia/CKD) → HbA_{1C}↓
  - 적혈구 수명↑(e.g., asplenia) → HbA_{1C}↑
  - IDA → HbA_{1C} & fructosamine (GA)↑ / 철분보충요법 → HbA_{1C} & fructosamine (GA)↓
    (임신 말기에는 IDA에 의해 HbA_{1C}는 높아지나, glycated albumin^{GA}은 변화 없음)
  - HbA 비율↓(e.g., persistence of HbF) → 실제보다 HbA 높게 계산됨 → HbA_{1C}↓
  - 기타 ; hemoglobinopathies, alcohol, opioid, salicylate, 다량의 vitamin C or E 섭취 ...

(2) 공복혈장포도당(fasting plasma glucose, FPG) : 8시간 금식 후

① 정상 : FPG <100 mg/dL
② DM : FPG ≥126 mg/dL (증상이 없어도)
③ impaired fasting glucose (IFG)[공복혈당장애] : FPG 100~125 mg/dL
- FPG 100~109 (or HbA_{1C} 5.7~6.0%) ⇨ F/U (매년 FPG or HbA_{1C} 측정)
- FPG 110~125 (or HbA_{1C} 6.1~6.4%) ⇨ 경구당부하검사(OGTT) 시행

(3) 무작위/임의 혈당(random plasma glucose)

: 임의 시간에 (식사와 관계없이) 측정한 혈당
- ≥200 mg/dL & 전형적인 증상 (다음, 다뇨, 체중감소 등) ⇨ DM 진단
- ≥200 mg/dL & 전형적인 증상 없을때 ⇨ fasting plasma glucose 측정

(4) 경구당부하검사(oral glucose tolerance test, OGTT)

- overnight fasting뒤 glucose 75 g (in 250~300 mL water) or 상품화된 용액을 5분 이내에 투여

Venous plasma glucose level	DM	IGT*	정상
2시간 후 (PP2)	≥200	140~199	<140
0~2시간 사이에 한번 이상	≥200	≥200	<200
0시간 (공복혈당, FPG)	≥126	<126	<100

* IGT (impaired glucose tolerance, 내당능장애) ; IFG보다 많고, 심혈관질환/사망률과의 관련성 큼

- OGTT는 번거롭고 시간이 오래 걸리고 재현성이 낮아 DM 진단에 흔히 이용되지는 않고, 공복혈당(FPG) or HbA_{1C} 검사가 선호됨
- OGTT의 적응 : DM이 의심되지만 FPG 정상 or IFG인 경우

> 1. 이전의 공복혈당(FPG) 결과가 경계치 (e.g., 100~125 mg/dL)
> 2. 스트레스 상황(e.g., 수술, 감염, 외상, 대사성)에서 overt hyperglycemia
> 3. 임신
> 4. 비만
> 5. type 2 DM의 뚜렷한 가족력
> 6. DM의 microvascular Cx. 존재 (특히 retinopathy or neuropathy)

■ Abnormal glucose homeostasis (prediabetes, intermediate hyperglycemia) ★

- 정의 : 공복혈당장애(IFG) *or* 내당능장애(IGT) *or* HbA_{1C} 5.7~6.4%인 경우
- type 2 DM으로 진행 위험 높음(25~40%), 때로는 정상으로 회복 가능, 유병률은 DM의 약 2배
- DM의 microvascular Cx. (retinopathy, nephropathy)은 대단히 드묾
- 사망률 및 심혈관질환의 발생률 증가 (atherosclerosis에 대한 risk증가)
  → 심혈관 위험인자 동반 유무를 조사하고, 발견된 위험인자에 대한 치료 시행
- 치료 … DM으로의 진행 예방
  ① 철저한 생활습관개선 ; 운동, 체중감량, 임상영양요법(medical nutrition therapy^MNT^), 금연 등
    → 58%에서 type 2 DM 예방/지연 가능
  ② 약물치료 : 여러 약물이 DM 예방/지연 효과는 있지만 비용효과, 안전성 문제로 권장 안됨
    * metformin만 IFG & IGT 환자에서 DM으로의 진행 위험이 높은 군에서 적극 고려
      ⇨ 60세 미만, BMI ≥35, TG↑, HDL↓, HTN, HbA_{1C} >6%,
      1차친족의 DM 병력, GDM (gestational DM)의 과거력 등

2. 선별검사(screening)

- DM 환자의 약 30%는 DM을 인지하지 못하고 있고, DM을 처음 진단받은 환자의 10~30%는 이미 DM 관련 합병증을 가지고 있음 → DM을 조기에 발견하기 위한 선별검사가 매우 중요
- 진단시 검사와 동일 ; HbA_{1C}, 공복혈당, 경구당부하검사 2시간 후 혈당 (요당 검사는 아님)
- 매년 실시 권장 (c.f., 미국은 선별검사에서 정상이면 3년마다 실시)

★ DM screening의 대상 ▶ Type 2 DM의 *Risk factors*

1. **40세 이상의 성인**
2. **위험인자를 가진 30세 이상의 성인**
   - **비만/과체중**(m/i) : body mass index (BMI) ≥25 kg/m^2 (우리나라는 **≥23** kg/m^2)
   - 1차친족(부모/형제/자매) 중에 DM이 있는 경우
   - 공복혈당장애(IFG) *or* 내당능장애(IGT) *or* HbA_{1C} 5.7~6.4% [prediabetes] 과거력
   - 임신성당뇨병(GDM) or 4 kg 이상의 거대아 출산력
   - 고혈압(HTN) : ≥140/90 mmHg or 항고혈압제 복용중
   - 이상지혈증(dyslipidemia) : HDL <35 mg/dL *and/or* TG ≥250 mg/dL
   - insulin 저항성 : PCOS (polycystic ovary syndrome) or Acanthosis nigricans
   - 심혈관질환 병력 : CAD, stroke 등
   - DM 발병 위험이 높은 민족 ; 흑인, 라틴계, 동양인, 인디언, 태평양섬주민 등
   - 주로 앉아있는 생활습관
   - 약물 : glucocorticoids, atypical antipsychotics (e.g., clozapine, risperidone, zotepine)

- 미국은 45세 이상 성인 or 위험인자를 가진 모든 성인에서 3년마다 시행 권장
- 흡연 : DM 발생↑ 및 심혈관위험↑ (but, 금연시 체중증가로 인해 DM 발생↑→ 체중조절 중요)
- 음주 : 적절한 음주는 DM 발생 위험↓, 노인 DM 환자에서 심혈관 사망 위험↓
  (but, 당뇨병성망막병증은 악화 가능, type 1 DM 환자에서는 심한 저혈당 발생 위험)

- type 1 DM은 일반적으로 급성으로 발병하여 즉시 발견되는 경우가 대부분이므로 (무증상기 짧음) 자가면역항체(immunologic marker)를 정상인에게 선별검사로 이용하는 것은 권장 안됨 (∵ 연구 부족, 표준화된 검사기준 無, 양성이어도 진료지침 無, type 1 DM의 낮은 유병률)

3. type 1 vs type 2 DM의 분류

- 자가항체(islet cell Ab, ICA) ; anti-GAD, anti-IA-2, IAA, ICA 등 ⇨ 양성이면 대개 type 1
  (but, 우리나라는 type 2 DM에서도 anti-GAD 4~25% 양성 → insulin 치료 가능성 높음)
- serum insulin or C-peptide : 공복 C-peptide가 0.2 nmol/L (0.6 ng/mL) 미만이면 type 1 DM, 0.33~0.4 nmol/L (1.0~1.2 ng/mL) 이상이면 type 2 DM으로 분류 가능
  - but, 항상 구별하지는 못함, C-peptide가 낮으면 insulin 치료는 필요
- 우리나라는 type 1/2 감별이 어려운 비전형적인 DM이 흔함 → 잠정적으로 분류하고 이후 임상 경과 및 C-peptide, 자가항체 F/U을 통해 재평가

4. 혈당 조절의 monitoring

(1) 자가혈당측정(self-monitoring of blood glucose, SMBG)

- 대개 손가락 끝 모세혈관의 전혈을 이용
  (전혈의 glucose level은 plasma glucose보다 10 mg/dL 낮다)
- 횟수 ┌ type 1 DM, insulin을 자주 주사 맞는 type 2 DM : 3회/day 이상
  └ type 2 DM : 경구약 복용시 1~2회/day
- 지속적혈당감시장치(continuous glucose monitoring system, CGM)
  - interstitial fluid의 glucose를 측정 / iontophoresis or indwelling subcutaneous catheter 이용
  ┌ type 1 DM ; 다회 insulin 요법이나 insulin pump 치료는 하는 환자에서 유용
  └ type 2 DM ; insulin 치료중 혈당 변동이 크거나 잦은 저혈당, 저혈당 무감지증 등에서 유용
- 요당 측정은 혈당 조절 상태를 정확히 반영 못함
- ketone의 측정 (→ DKA의 indicator)
  - 적응 ; type 1 DM에서 혈당>300 mg/dL, 급성질환 동반, N/V, 복통 등 때
  - 소변검사보다 혈액에서 β-hydroxybutyrate를 측정하는 것이 권장됨

(2) 장기간의 혈당 조절 평가

- glycated Hb (HbA_{1C}) : 최근 2~3개월의 혈당 상태를 반영 (RBC 반감기 2개월) → 앞부분 참조
- fructosamine : glycated proteins (ketoamines)을 지칭, 적혈구의 영향 안 받음
  - glycated albumin[당화알부민] (%) : 최근 2~3주간의 혈당 상태를 반영 (albumin 반감기 14~20일)
  - HbA_{1C}가 부정확한 상황일 때 유용 (e.g., anemia, hemoglobinopathies, CKD, 임신)
  - but, 단점들로 인해 잘 사용안함 (∵ variation↑, 표준화 부족, serum albumin의 영향)

c.f.) 1,5-anhydroglucitol (1,5-AG) : dietary polyol로 구조적으로 glucose와 유사하여 혈당 >180 mg/dL이면 신장에서 재흡수가 감소 → 혈중 1,5-AG↓, 이전 하루 동안의 (특히 식후) 혈당을 반영, 아직 연구 부족

치료

1. 식이요법/임상영양치료(medical nutrition therapy, MNT)

• 비만인 type 2 DM 환자의 1차 목표 : 생활습관개선을 통해 체중 5~10% 감량 (6개월 동안)
 - 메타분석 결과 type 2 DM 환자는 체중 5% 이상은 감량해야 혈당/지질/혈압 개선 효과 有
 - type 2 DM은 MNT와 exerise 만으로도 혈당조절이 가능할 수 있음 : HbA_{1C} 1~1.5%↓
  (에너지[칼로리] 제한 & 체중 감량 → insulin sensitivity↑ → 혈당 감소)
 ⇨ 에너지(calorie) 필요량보다 500~750 kcal/day 적게 섭취! (→ 1주일에 0.5~1.0 kg↓ 기대됨)

참고	체중에 따른 권장(필요) 열량 (kcal/kg)		
	저체중	정상체중	과체중/비만
가벼운 활동	35	30	20~25
중등도 활동	40	35	30
심한 활동	40~50	40	35

 c.f.) ideal body weight[IBW] = (키−100)×0.9 [*or* 남자 = 키$(m)^2$×22 / 여자 = 키$(m)^2$×21]
 * BMI ≥25 kg/m^2 (1단계 비만) 환자가 식사/운동/행동치료로 체중감량 실패시 항비만제 고려
  BMI ≥30 kg/m^2 (2단계 비만) 환자가 비수술적치료로 혈당조절 실패시 비만수술 고려

• 에너지 구성에서 탄수화물, 단백질, 지방의 이상적인 비율은 없음! (연구 결과 효과에서 차이 無)
 → 총 에너지를 목표로 하고 식습관, 선호도, 치료목표 등에 따라 개별화함 (다양한 요법이 가능함)
• 탄수화물 : 일반적으로 총 에너지의 50~60%가 좋음
 - 전곡(whole grains), 채소, 과일, 콩류, 유제품 등 권장 / 식이섬유 많은 식품 우선 권장
 - 설탕은 동량의 전분보다 혈당을 더 상승시키지는 않지만, 당류는 10% 이내로 제한함
• 단백질 : 1.5 g/kg/day (20%) 이내로 섭취, nephropathy 있으면 0.8 g/kg/day로 유지 권장
• 지방 : 총 에너지의 30% 이내로 섭취 권장, 지방의 조성도 중요함
 - unsaturated fatty acid (지중해식 식단) 권장 → 혈당 및 지질 개선, CVD 사망률 감소
  (c.f. omega-3 보충제는 DM 환자에서 혈당 개선 및 CVD 예방 효과 없음)
 - saturated fatty acid 및 trans fat 섭취는 제한 (∵ CVD↑)
 - total cholesterol <300 mg/day, saturated fat <7%
• 나트륨(sodium) : 일반인과 동일하게 나트륨 2 g/day (소금[NaCl] 5 g/day) 이내로 제한
• alcohol : 가능하면 금주 or 소량으로 제한 (하루 남성 2잔, 여성 1잔 이내, 2일/주 이상은 금주)
 - insulin/경구혈당강하제 치료 환자는 음주시 hypoglycemia 위험 → 주의, 식사/안주와 함께
• 비타민, 미네랄 등 미량영양소의 추가적 보충은 일반적으로 필요하지 않음
• 인공감미료 : 혈당조절에 유의한 영향은 없으나, 에너지과 탄수화물 섭취를 줄이는데 도움될 수

■ **type 1 DM 환자** (intensive insulin therapy 중)
 - insulin으로 다양한 음식 섭취를 cover 가능하므로 type 2에 비해 MNT는 flexible함, 가능한 일정 시간에 섭취
 - 탄수화물 계산법(carbohydrate counting) : 탄수화물 위주로 영양을 관리하는 방법
  ; insulin-to-carbohydrate ratio로 식사/간식 전 insulin 용량 조절 → 환자가 식사계획 및 혈당관리 쉬움
 - 소아 환자는 DM control 외에 성장과 발달도 고려해 적절한 영양을 공급
 ⇨ ~생후 1년 : 1000 kcal
  2~10세 : 1000 + 100×age kcal (예; 5살 → 1500 kcal, 10살 → 2000 kcal)
  11~15세 : 2000 + [남]200×age kcal (예; 15살 → 3000 kcal)
   [여]50~100×age kcal (예; 15살 → 2250~2500 kcal)

2. 운동요법

(1) 운동의 효과

① 혈당 감소 (∵ insulin sensitivity 증가)
② 혈압 강하 효과
③ 지질대사 개선 (HDL↑, VLDL-TG↓) → 동맥경화 (심혈관질환)↓
④ 지방 및 체중 감소
⑤ 근육 mass 증가 (→ glucose distribution)
⑥ 심폐기능 향상, 체력과 적응성 향상, 삶의 질 향상, stress 감소, 우울증 예방

(2) 운동의 방법

- 운동시간 : 하루에 30~60분 (1주일에 총 150분 이상 권장)
- 운동횟수 : 가능하면 매일, 최소한 주 3회 이상
  - 이틀 이상 쉬면 안됨 (∵ 1회 유산소 운동의 insulin 감수성 개선 효과는 24~72시간 지속됨)
- 시작 전후 5분에 각각 준비운동과 마무리운동을 포함하여야 함
- 알맞은 운동 강도 … 중강도(moderate) 운동 : 최대 심박수(HR_{max})의 64~74%
  - 최대 심박수(HR_{max}) (회/분) = 220 - 나이
  - 운동시 목표 HR = (최대 HR - 안정시 HR)×운동강도 + 안정시 HR
- **유산소 운동**이 좋음 (예; 빨리걷기, 계단오르기, 조깅, 수영, 자전거)
- 금기가 없는 한 **저항성(근력) 운동**도 주 2회 이상 권장 (유산소 운동와 비슷하게 insulin 감수성 개선)
  ↳ moderate~severe proliferative retinopathy, severe CAD 등

운동 전 운동부하검사(exercise stress test)가 필요한 경우
1. 35세 이상
2. 유병기간 : type 1 DM >15년, type 2 DM >10년
3. Microvascular Cx 존재 ; retinopathy, albuminuria, nephropathy
4. CAD의 다른 위험인자 존재
5. 말초동맥질환(PAD)
6. Autonomic neuropathy

- 중간 강도의 유산소 운동(e.g., 걷기)을 할 때에는 일반적으로 필요 없음
- 심혈관질환 위험이 높은 환자에서 고강도의 유산소 운동을 원하는 경우 필요

(3) type 1 DM 및 insulin 치료중인 type 2 DM

- insulin level이 낮은 경우 운동을 하면 catecholamines 증가에 의해 혈당이 상승되어 ketone body 합성 촉진 (→ DKA 발생 위험)
- insulin 치료중 환자가 예정에 없는 운동을 하면 insulin 과잉에 의해 hypoglycemia 발생 위험 (∵ 정상인 : 운동시 insulin 분비 감소)
- 식후에 운동 실시 권장, 운동전후 & 운동중 혈당 측정, 운동 종류에 따른 혈당 반응 차이 학습
- hypoglycemia 예방위해 운동전 탄수화물 섭취, 과도한 운동시 운동 후 24시간까지 음식 섭취량↑
- 혈당이 250 mg/dL 이상이고 ketone (+)면 운동을 연기
- 혈당이 100 mg/dL 미만이면 운동전 탄수화물 섭취
- 운동전후에는 insulin 투여량 감량
- 운동하지 않는 부위에 insulin 주사 (∵ 주사 부위 운동시 insulin 흡수↑)

(4) type 2 DM

- 가장 중요한 혈당 관리 방법임, 체중 감소 여부와 관계없이 치료에 도움
- 운동중 or 운동 후 근육의 glucose 이용↑(→ 당대사 개선), 운동 후 insulin 감수성 증가
  → 혈당조절 향상, impaired glucose tolerance의 overt DM으로의 진행 지연
- 주 이점은 cardiovascular risk의 감소
- insulin 주사를 맞지 않고 심한 신경/혈관 합병증이 없는 환자는 정상인처럼 운동하면 됨
  (운동에 의한 hypoglycemia 발생 위험은 type 1 DM보다 적음)

(5) 주의할 점

- insulin or insulin 분비촉진제 치료중인 환자에서 공복 or 식사 전 hypoglycemia 발생 위험
- ketoacidosis 존재시 고강도 운동은 금기
  (ketoacidosis 없고 전신상태가 양호하면 고혈당이라도 운동의 금기는 아님)
- proliferative retinopathy[PDR], severe NPDR 존재시 망막 출혈/박리 위험으로 고강도 유산소 운동
  (e.g., 뛰기, 점프) 및 저항성 운동 금기
- protective sensation이 감소된 환자는 체중부하가 없는 고정식 자전거, 수영, 팔운동 등이 좋음
  (빨리걷기, 조깅, 계단오르기 등은 상처 발생 위험 있으므로 주의)
- autonomic neutropathy ; 심장반응↓, 저혈압 등 다양한 Cx 위험 → 심장에 대한 정밀검사 필요

3. Insulin

(1) insulin의 종류

약동학에 따른 분류	Preparation	작용시작(onset)	최고작용(peak)	작용지속시간
초속효성(rapid-acting)	Lispro, Aspart, Glulisine	5~15분	40~80분	2~4시간
속효성(short-acting)	Regular insulin (RI)* Inhaled human insulin	30~60분 30~60분	2~3시간 2~3시간	3~6시간 3시간
중간형 (intermediate-acting)	NPH (neutral protamine Hagedorn)*	1~3시간	4~10시간	10~16시간 (대개 ~12시간)
지속형(long-acting)	Glargine, Detemir	1.5~2시간	일정하게 지속	12~24시간
Ultra long-acting	Degludec Glargine U300	1.5~2시간 6시간	일정하게 지속 일정하게 지속	42시간 36시간

* Human insulin : recombinant DNA technology로 제조, native insulin의 AA 서열과 동일함
나머지는 모두 insulin analog (유사체)임 : 일부 AA를 바꾸어 약동학 특성에 변화를 준 것

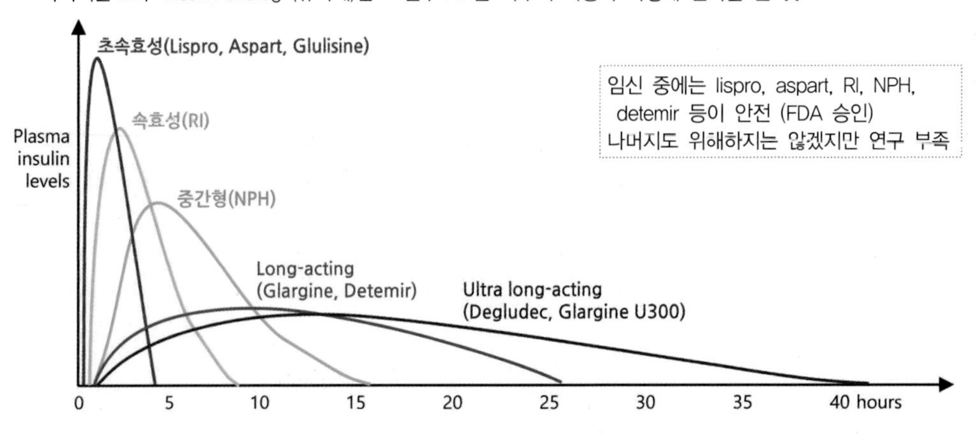

- 과거에는 속효성+중간형 insulin (RI, NPH)을 주로 사용했으나, insulin analog의 발전에 따라 현재는 지속형+초속효성의 다회요법 집중치료가 주로 사용됨 (∵ 혈당개선 향상, 저혈당 감소)
- 초속효성 : lispro (Humalog®), aspart (Novolog®, Novorapid®), glulisine (Apidra®) 등
  ; 주사 후 작용시작 및 peak 도달 시간 빠르고, 지속시간 짧음 → 식후 혈당 조절에 유리
  (식사 직전/직후에 주사 가능, 생리적인 식후 insulin 작용과 유사), 저혈당↓ → RI보다 선호됨
- 지속형 insulin analogs → 다회 insulin 요법에서 basal insulin 공급 목적으로 유리
  - 장시간에 걸쳐 서서히 흡수되므로 혈중 peak 거의 없이 일정한 농도를 유지함
- glargine (Lantus®): A chain 21번째 asparagine을 glycine으로 치환하고 B chain 말단에 arginine 2개 추가한 것, 피하주사 후 결합체(hexamer) 형태로 조직에 침착되어 있다가 서서히 분리됨
  - NPH insulin 대비 저혈당(특히 야간) 발생 감소 (체중증가의 부작용도 적음)
  - glargine 300 (Toujeo®) : glargine의 3배 고농축 insulin (300 U/mL), 반감기 & 작용시간↑
- detemir (Levemir®) : fatty acid side chain을 추가한 것 → 흡수 뒤 혈중 albumin에 결합
  → 흡수/분해 지연 (6~8시간에 약간의 peak가 있고, 작용 지속시간은 glargine보다 약간 짧음)
  - 중성 & 수용성으로 결정체를 만들지 않아 작용에 개인차나 시간차가 매우 적음
  - glargine과 혈당개선 및 저혈당 감소 효과 비슷함
- degludec (Tresiba®) : glargine + detemir의 약동학 형태를 보임, multi-hexamer 형태로 조직에 침착되어 있다가 서서히 분리되고 흡수 뒤에는 혈중 albumin에 결합함
  - 지속시간이 매우 길어 (용량으로 조절 가능) 일중 투여 시간이 더 자유로움
  - glargine과 혈당개선 효과는 비슷하지만, 저혈당(특히 야간) 발생은 더 적음
- 지속형 insulin analogs는 다른 insulin 제제(e.g., 초속효성)와 섞으면 안 됨! (NPH는 가능)
- insulin 제제들을 섞을 때는 주사 직전에 혼합 (mix 후 2분 이내에 주사)
- 혼합형(fixed-ratio pre-mixed) insulin 제제 ; type 1 DM에는 권장 안 되고, insulin이 필요한 type 2 DM 일부에서 고려 가능, 간편한 장점이 있지만 개별 용량 조절은 불가능한 단점
- inhaled insulin ; 초속효성으로, 주사를 꺼려하는 환자에서 고려 가능하지만 많이 쓰이지는 않음
  - 흡수율이 낮기 때문에 치료 효과를 얻기 위해서는 많은 용량이 필요함
  - 기침, 기관지수축 유발 가능 → 사용 전 반드시 FEV_1 검사 / 폐질환, 흡연자는 금기

(2) 투여방법

A. conventional insulin therapy

1) 기저(basal) 인슐린요법 (single injection) … 처음 insulin을 시작하는 type 2 DM에서 고려
   - 아침식전 or 취침전에 basal insulin 피하주사 : 중간형 or 지속형(좀 더 좋지만 비쌈)
   - 0.2~0.4 U/kg/day로 시작, SMBG 결과에 따라 10% 정도씩 용량 조절
   - 정상 insulin 분비 양상과 매우 다름 → 환자가 적정량의 insulin을 분비할 수 있을 때만 사용
   - 대개 metformin 등의 경구혈당강하제와 병합치료

2) 1일 2회 인슐린요법
   - 기저인슐린 + 경구혈당강하제 병합요법으로도 혈당조절이 안되거나 식후 고혈당 발생시 고려
   - basal-plus 요법 : 기저인슐린은 유지하면서 식사인슐린을 1회 추가
     - 식사량이 가장 많은 때 초속효성 insulin을 추가 (TDD의 10% 이하 or 4 U으로 시작)
     - 목표혈당에 도달할 때까지 단계적으로 식사인슐린 주사 횟수를 늘리면서 다회인슐린요법 자연스럽게 이행되도록 유도 가능

- pre-mixed insulin 2회 요법 : 중간형:(초)속효성이 대개 7:3 or 5:5 고정비율로 혼합된 제품
  - 아침식전:저녁식전 = 2:1 or 1:1로 나누어 투여
  - 유연성이 부족해 type 1 DM에는 권장 안되고, 규칙적인 생활을 잘 지키는 type 2 DM 환자에서 유용 (특히 아침과 저녁을 많이 먹고, 점심은 적게 먹는 경우)
  - basal-plus or premixed insulin 2회 요법으로 혈당조절이 안되면 집중인슐린요법으로 전환
- 혼합분할요법(mixed split method) : 기저 + 식사 인슐린 … 과거의 전통적 방법

	total daily dose (TDD)	NPH:속효성(초속효성)
아침식전	2	2:1
저녁식전	1	1:1

중간형(NPH)에 속효성 or 초속효성을 혼합
- type 1 DM에서는 초속효성이 더 효과적
- type 2 DM에서는 효과 별 차이 없음

  - 유연성이 부족해 식사나 활동에 양상에 따라 저혈당 or 고혈당 발생 가능
  - <u>아침 식전 고혈당</u>이 심하면 저녁 식전의 중간형/지속형 insulin을 <u>취침 전</u>에 투여 (∵ 저녁 식전 insulin을 증량하면 Somogyi phenomenon 유발 위험)
  - 일부 type 2 DM에서는 유용하지만, type 1 DM의 대부분은 이 방법으로 혈당조절 어려움

Insulin 용량 조절의 기준 (근거)
1. **아침 공복혈당**은 주로 전날 저녁에 투여한 중간형/지속형 insulin의 영향을 받음
2. **점심 전 혈당**은 아침에 투여한 속효성/초속효성 insulin의 영향을 받음
3. **저녁 전 혈당**은 아침에 투여한 중간형/지속형 insulin의 영향을 받음
4. **야간 취심시 혈당**은 저녁에 투여한 속효성/초속효성 insulin의 영향을 받음

B. intensive insulin therapy (집중인슐린요법)

- 정상인의 생리적 insulin 분비와 유사하게 insulin을 주입시키는 방법
- type 1 DM 환자는 우선적으로 권장 (type 2 DM 환자는 다른 방법으로 혈당조절이 안될 때)

1) <u>multiple daily injections (MDI, **다회인슐린요법**)</u>
  - type 1 DM 환자의 하루 총 insulin 필요량(total daily dose[TDD])은 0.3~1.0 U/kg/day
    - basal[기저] insulin (중간형/지속형) 40~50% ; 하루 1~2회 투여
    - prandial[식사] insulin (속효성/초속효성) 50~60%로 나누어 투여

예)

아침식전	점심직전	저녁식전	취침전
RA, NPH	RA	RA	NPH
RA, G/D	RA	RA, G/D	
RA	RA	RA	G/D/De
RA, G/D/De	RA	RA	

RA: rapid-acting insulin

G: glargine
D: detemir
De: degludec

  - type 1 DM은 지속형 + 초속효성[RA] insulin 사용이 권장됨 (∵ 혈당개선 향상, 저혈당 감소)
  - 식사 RA insulin 용량은 식사의 양/질에 따라 스스로 조절할 수 있도록 교육
    - 보통 insulin-to-carbohydrate ratio (대개 탄수화물 10~15 g당 1 U insulin) + correction factor (혈당 20~50 mg/dL 낮추기 위해 1 U) 식사 10~15분전 or 직후에 주사
    - but, 환자의 특성, 식사/활동에 개별화되어야 됨

2) continuous subcutaneous insulin injection (CSII, **연속피하인슐린주사, 인슐린펌프**)
  - 주로 복부 피하지방층을 통해, 펌프가 자동으로 insulin 주입 (초속효성 insulin 사용)
  - TDD의 약 50%는 basal rate로 지속적 주입, 나머지는 식전에 환자가 계산하여 bolus로 줌
  - type 1 DM, GDM, 신장이식을 받은 DM 환자 등에서 매우 효과적

- 장점 ; 혈당 조절 더 잘 되고, 몸 상태가 좋아지는 느낌, 식사/운동의 변화에 쉽게 대처 가능
  - basal insulin rate를 일시적으로 조절 가능 (e.g., 운동시 insulin 주입량↓)
  - 고단백/고지방식(탄수화물보다 늦게 혈당↑) or gastroparesis시 extended or dual-wave bolus
- 단점 (비싸고, 환자의 이해 및 전문 의료진의 철저한 관리 필요)
  - infusion site의 염증, 감염
  - 장비가 막히거나 고장나면 hyperglycemia or DKA 발생 (∵ 초속효성 반감기 매우 짧음)
  - 장비 관리 및 잦은 SMBG 필요로 시각장애자나 advanced retinopathy 환자에서는 부적합
- 고령, 신경계/뇌혈관계 합병증, DM 합병증, 기타 전신질환으로 여명이 짧은 경우에는 부적합
- 인공췌장(artificial pancreas) : 센서(CGM)와 프로그램을 통해 insulin 주입이 조절되는 CSII
  - sensor-augmented pump (SAP) : CGM에서 저혈당을 감지하면 일시적으로 insulin 중단 (low glucose threshold suspend), 최근에는 저혈당을 예측해서 미리 insulin을 중단 가능 (predictive low glucose suspend, PLGS-SAP) → 야간저혈당 반복, 저혈당무감지증에 유용
  - hybrid closed-loop system : basal insulin은 CGM에 따라 5분마다 자동으로 주입하고, (→ 저혈당/고혈당에 자동 대처), 식전 insulin은 환자가 계산하여 bolus로 투여 (반자동)
  - bihormonal closed-loop system : insulin과 glucagon 2가지 펌프로 혈당 완전자동 조절

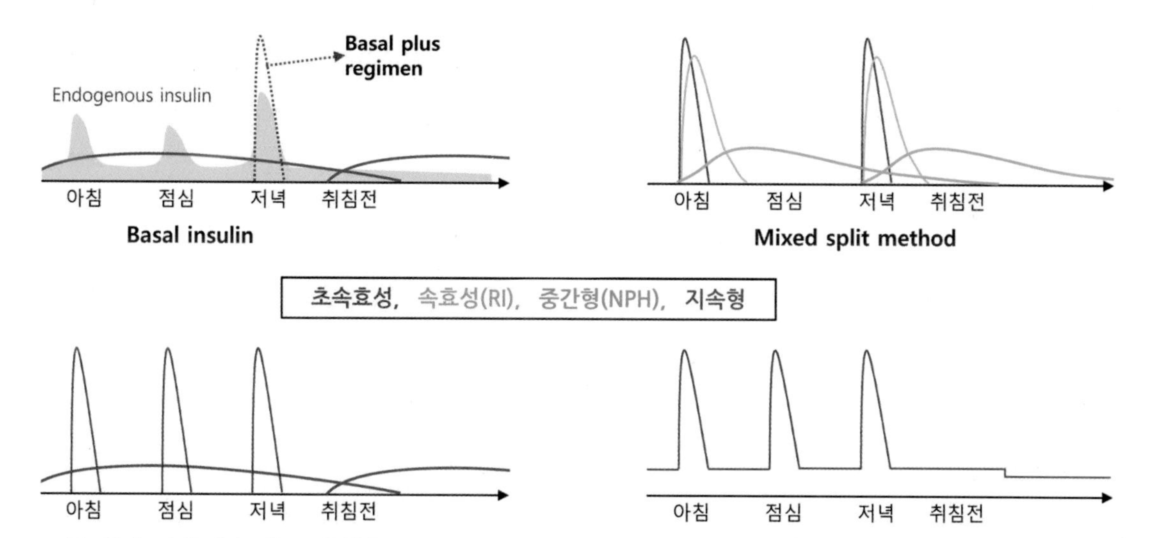

(3) 부작용

1) Hypoglycemia (m/c) → 다음 장 저혈당 편 참조

2) Somogyi phenomenon (nocturnal hypoglycemia) ★
   - 원인 : insulin 용량 과다 → 새벽 2~3시경 "hypoglycemia" 발생
     → counter-regulatory hormone↑ → 아침에 "rebound" hyperglycemia
   - 증상이 없더라도 짧은 시간동안 혈당의 변화가 클 때 의심
   - 드묾, type 1 DM에서 더 흔히 발생 (성인에선 드물고, 소아에서 더 흔함)
   - Tx : insulin 용량 감량 (특히 저녁에 투여하는 insulin), 야식 섭취, 지속형 insulin 사용

3) **새벽현상**(Dawn phenomenon) ★

- 원인 : nocturnal GH surge에 의한 insulin 길항효과 → 아침에 hyperglycemia 발생
- 흔하다, type 1 DM의 75%에서 발생 (type 2 DM이나 정상인에서도 발생할 수 있음)
- Tx : insulin 용량 **증량** (or 저녁식전 투여했었다면 취침전으로 변경 또는 분할)

* D/Dx (Dawn ↔ Somogyi) : 새벽 3시의 혈당 측정
- 감소 → Somogyi phenomenon
- 증가 → Dawn phenomenon

	Blood glucose (mg/dL)			Free insulin (μU/mL)		
	pm 10:00	am 3:00	am 7:00	pm 10:00	am 3:00	am 7:00
Somogyi effect	90	40	200	high	slightly high	normal
Dawn phenomenon	110	110	150	normal	normal	normal
Insulin 용량부족 + Dawn phenomenon	110	190	220	normal	low	low
Insulin 용량부족 + Dawn phenomenon + Somogyi effect	110	40	380	high	normal	low

4) **체중증가** (저혈당과 함께 m/c 부작용)

- 기저 혈당이 높거나, 집중인슐린요법(철저한 혈당조절)시 호발
- type 2 DM에서는 insulin resistance를 증가시켜 더 많은 insulin 필요, DM Cx↑
- 에너지(열량) 섭취제한 및 운동으로 체중증가를 방지해야 됨

5) Insulin edema

- 혈당조절이 불량한 환자에서 severe hyperglycemia를 빨리 교정하면 edema 발생
- 특히 얼굴, 손발에서 현저 (심하면 전신부종, CHF도 발생 가능)
- 원인 : 장기간 삼투압성 이뇨 상태에서 투여한 insulin에 의해 fluid & Na retention 때문
- insulin을 감량하면 대부분 수일 이내에 호전됨 (심한 경우 이뇨제 사용)

6) Insulin allergy

- immediate-type hypersensitivity (type I), anti-insulin IgE Ab. 때문
- 최근에는 고순도 human insulin or insulin analog를 주로 사용하므로 매우 드묾
- Tx
  - mild → antihistamines, glucocorticoids, 다른 insulin 제제로 변경
  - severe → insulin desensitization (다른 insulin 제제로 변경할 수 없을 때)

7) Immune insulin resistance

- anti-insulin IgG Ab. 때문 (insulin 작용 방해 → insulin 필요량↑), 역시 최근에는 매우 드묾
- 자연 회복되는 경우가 많음 or 단기간 glucocorticoids

(4) 기타 ; GLP-1 agonists + basal insulin[지속형] 병합요법 (상호보완적, insulin에 의한 체중증가↓)

4. 경구혈당강하제(oral hypoglycemic agents, OHA)

1 인슐린 작용증진제 (insulin sensitizer)

Biguanides **metformin … type 2 DM 경구혈당강하제의 1차 선택약!**

(1) 작용기전
① 간의 gluconeogenesis 억제 (∵ 간에서 glucagon의 작용을 억제) - 주작용
② 말초조직의 insulin sensitivity 약간 증가 (→ glucose uptake↑)
③ 위장관에서 glucose 흡수 감소

(2) 장점/효과
① 약간의 체중감소(1~3 kg) : 식욕감소 효과 때문 → 비만형 type 2 DM의 치료에 특히 좋다!
② 췌장에서 insulin 분비를 증가시키지는 않음 (→ 혈중 insulin level↓)
③ 혈당강하는 sulfonylurea 만큼 효과적 : 단독 투여시 공복혈당 60~70↓, HbA_{1C} 1~2%↓
④ lipid profile 개선 효과 (HDL↑, LDL↓, TG↓)
⑤ 치료 용량에서는 hypoglycemia 안 일어남! (∵ insulin 분비를 자극×)

(3) 부작용
① GI Sx. (m/c) : 일시적 (→ 용량을 서서히 증가시키면 방지 가능)
- anorexia, N/V, abdominal discomfort, diarrhea, metallic taste
- 작용이 느리고 GI Cx 때문에 저용량으로 시작하고 1~3주마다 SMBG에 따라 서서히 증량

② vitamin B_{12} 결핍 : 흡수 ~30% 감소, serum level 5~10% 감소 (MA는 거의 안 일으킴)
③ lactic acidosis : 매우 드물지만 치명적
- metformin보다 phenformin에서 흔하다 (→ phenformin은 사용 중단)
- 유발인자 ; 신기능저하, hypoperfusion, hypoxia, sepsis, alcoholism, 심한 간질환 ⇨ 사용 금기

(4) 금기
↗ sCr >1.5 (여자는 1.4) mg/dL 정도에 해당
① 신기능 저하 : eGFR <30 mL/min시 금기 (30~45은 주의하여 사용 가능, 새로 시작은 권장×)
* 요오드 조영제 사용 : eGFR 30 이상이고 다른 신손상 없으면 비교적 안전하게 사용 가능
(GFR <60이면 검사시 metformin 중지, 검사 2일 뒤 신기능이 나빠지지 않았으면 다시 사용)
② 간질환(active or progressive), 알코올중독
③ 심폐질환(e.g., HF), 중증 감염, sepsis 등 (∵ hypoperfusion 가능 → lactic acidosis 위험)
④ acidosis, severe hypoxia
⑤ 과거 metformin에 의한 lactic acidosis 병력

Thiazolidinedione (TZD) (~glitazone) **rosiglitazone, pioglitazone, lobeglitazone**

- 작용기전 (PPAR-γ receptor agonist) : 지방조직, 근육, 간 등에서 insulin sensitivity를 증가시킴
  - PPAR-γ receptor : 지방세포에 가장 많이 존재하지만, 다른 여러 조직에도 소량 존재
  - 세포핵 내 PPAR-γ [peroxisome proliferator-activated receptor]와 결합한 후 transcriptional factor로 작용하여 insulin에 반응하는 여러 종류의 단백질을 합성하도록 자극 : insulin의 작용을 증가시킴 → insulin resistance를 감소시키고(→ 혈중 insulin level↓), 혈당을 낮춤
  - 지방세포의 분화↑, 간의 지방 축적↓, fatty acid 저장↑, 중심에서 말초로 fat redistribution

• 장점 ; insulin resistance 개선, NAFLD 개선, hypoglycemia를 안 일으킴
  - 대변으로 배설되므로 CKD 환자에서도 용량조절 없이 사용 가능
• hyperinsulinemia를 동반한 비만한 type 2 DM 환자에서 효과적, 저혈당이 없어 노인에서 유용
• lipid profile에의 영향
  ┌ rosiglitazone : LDL↑, HDL↑, TG 약간↑/↓ … CVD 발생↑(논란) → CVD 위험군은 주의
  └ pioglitazone, lobeglitazone : HDL↑, TG↓ (LDL 영향×) → CVD 예방효과 있음!

↱ 병용 권장×

• 부작용 ; 체중증가(2~3 kg), 혈장량↑(→ Hct↓), CHF & **edema** (insulin과 병용시 발생↑), BMD↓, 폐경여성에서 골절↑, PCOS 있는 여성에서 배란 유도, diabetic macular edema 악화, 간 손상 (드물지만, 정기적인 LFT F/U 권장), 방광암(pioglitazone)
• 금기 ; 심부전(HF, 증상有 or class Ⅲ~Ⅳ), 활성 간질환, 임신, 골절/골절고위험군, type 1 DM

* lobeglitazone (Duvie®) ; 국산 신약 (종근당), PPAR-γ와 더 강하게 결합해 적은 용량으로 사용 (→ heart failure 및 BMD↓ 부작용 적음)

2 인슐린 분비촉진제 (insulin secretagogues)

Sulfonylureas glipizide, gliclazide, glimepiride

(1) 작용기전

① 췌장 β-cell의 ATP-sensitive K^+ channel에 작용 insulin 분비를 증가시킴 (주작용) [acute]

② 췌장 외 작용 (별로 안 중요함) [chronic] ; 간의 gluconeogenesis 억제, 말초조직의 insulin sensitivity 증가 (→ 당 이용 증가), insulin receptor 수 증가 등

(2) 적응

① insulin 분비 능력이 남아 있는 발병 5년 이내의 type 2 DM 환자에서 효과적
; metformin이 금기인 경우, hyperglycemia 심한 경우(공복혈당 >250, HbA_{1C} >9.5% 등)

② MODY

* 대부분의 type 2 DM 환자가 sulfonylurea에 반응하지만 10~20%는 1차 실패 (처음부터 반응×), 매년 5~10%는 2차 실패를 보임 (∵ progressive β-cell failure)

(3) 금기

① type 1 DM, pancreatic DM, malnutrition-related DM

② sulfonylurea에 allergy 또는 부작용이 있는 경우
c.f.) sulfonamide (항생제) allergy 환자에게는 대부분 안전하게 사용 가능

③ 임신 or 수유 중 (∵ 태반을 통과하고, 모유로 분비됨 → 태아에서 hypoglycemia 발생 가능)

④ 심한 간기능/신기능장애 (2세대 중 glipizide와 gliclazide CKD에서도 용량조절 없이 사용 가능!)

⑤ 당뇨병의 급성 합병증 ; DKA, HHS

⑥ 심한 감염, 수술, 외상, stress 등으로 insulin 치료가 필요한 경우

(4) 부작용

① hypoglycemia
• 작용시간이 길거나 active metabolites 생성 약제일수록 흔함 ; 1세대와 glibenclamide
• 발생 위험인자 ; CKD, 고령, 식사지연, 신체활동 증가, 음주, 위장관/간/신장/심장 질환

- insulin 치료 때보다는 드물지만, 일단 발생하면 더욱 심각하고 오래 지속됨

② 체중증가 : hyperinsulinemia 등 때문 (현재 사용하는 2세대는 체중증가 매우 적음)

③ 약물상호작용

- aspirin, warfarin, ketoconazole, fluconazole, α-glucosidase inhibitors, phenylbutazone 등은 sulfonylurea의 농도를 증가시킴
- alcohol과 병용시 disulfiram-like reaction (e.g., 홍조, 열감, 어지러움, 빈맥) 발생 위험

(5) 약제종류

		Dose (mg/d)	Doses/Day	작용시간(hr)
1세대	Chlorpropamide	100~500	1	26~60
	Tolazamide	100~1000	1~2	12~24
	Tolbutamide	500~2000	2~3	6~12
2세대	Glyburide (Glibenclamide)	2.5~10	1	20~24
	Glipizide	2.5~40	1~2	14~16
	Gliclazide	40~320	1~2	16~24
	Glimepiride	1~8	1	24

- 1세대는 저혈당 발생 위험이 높고, 약물상호작용도 훨씬 더 흔하므로 현재는 사용 안됨
- 2세대 중 glipizide, gliclazide, glimepiride(우리나라 m/c) 등이 저혈당 발생 위험이 낮아 현재 주로 사용됨

c.f.) chlorpropamide : antidiuretic effect (AVP의 분비와 작용↑) → DI의 치료에 사용됨

Non-Sulfonylureas (Meglitinide, ~glinide) repaglinide, nateglinide, mitiglinide

- 작용기전 ; sulfonylurea와 구조는 다르지만, 같은 기전으로 β-cell의 insulin 분비를 증가시킴 (nateglinide는 sulfonylurea receptor에 결합, repa-/mitiglinide는 다른 receptor에 결합)
- 장점 ; 흡수가 매우 빨라 약효가 매우 빨리 나타나고, 반감기 짧음 → 식후 혈당 개선에 효과적
  - 매 식사 직전에 복용, 식사습관이 불규칙한 환자에서 유용
  - 대사물이 주로 대변으로 배설됨 → CKD 환자에서 안전 : eGFR 15 mL/min까지는 용량 조절× (eGFR <15 mL/min시 nateglinide는 금지, repa-/mitiglinide는 주의)
- 부작용 ; hypoglycemia (sulfonylurea보다는 덜 위험), 체중증가
- 금기/주의 ; type 1 DM, 임신/수유부, 간질환 (∵ 주로 간에서 대사됨), 약제 allergy

3 α-glucosidase inhibitors ; acarbose, miglitol, voglibose

- 작용기전 ; α-glucosidase를 억제하여 장에서 glucose의 소화 & 흡수 억제
  (↳ 소장 상부에서 다당류/이당류를 단당류로 분해하여 탄수화물의 흡수를 촉진)
  → 소장 상부에서 흡수되던 단당류가 소장 전체에 걸쳐서 천천히 흡수됨
  - 식후 혈당 상승 억제 (type 1 DM에서도!)
  - 식후 insulin 분비 반응 감소 ⋯→ 단독 투여시 hypoglycemia는 거의 안 일으킴

  c.f.) 병합요법 중 저혈당 발생시에는 반드시 단순당을 섭취해야 됨(e.g., 설탕, 사탕, 음료수)
- 장점 ; 공복혈당은 높지 않지만 식후 고혈당(postprandial hyperglycemia)이 심한 환자에서 유용
  - 매 식사시 식사와 함께 복용, 식사습관이 불규칙한 환자에서 유용
  - 탄수화물 섭취가 많은 경우 더 효과적(e.g., 우리나라)
  - 혈액으로는 거의 흡수되지 않으므로 전신적인 부작용은 드묾, CVD 감소 효과도 있음

- but, 다른 경구혈당강하제보다 HbA_{1C} 감소 효과는 적음 (0.5~0.8%↓)
- 부작용 ; 흡수장애(→ flatulence[복부팽만감], borborygmi[복명], 설사, 방귀), 간기능 이상
- 금기 ; 만성 장질환(e.g., IBD, gastroparesis), 신장질환(sCr >2.0, GFR <30), LC, 임신/수유
- 약물상호작용
  - sulfonylurea의 농도를 증가시켜 hypoglycemia의 빈도를 증가시킴
  - bile acid resin, 제산제 등과는 함께 사용 금기

4 SGLT2 inhibitors (~gliflozin) ; canagliflozin, dapagliflozin, empagliflozin, ertu-, ipra-

- 작용기전 ; 근위신세뇨관의 SGLT2 (sodium-glucose co-transporter 2) 억제 → glucose 재흡수↓
  → 소변으로 glucose 배출 증가 (insulin과 관련 없이 혈당 감소 효과를 보임)
  ↳ glucose 배출로 인한 에너지 소실 → 체중감소 효과
  - 근위세뇨관에서 Na^+ 재흡수도 억제함 → diuretic effect → 수축기혈압 3~6 mmHg 감소
- CVD 예방효과 有 ; CVD 발생/사망률, HF 입원율, 전체 사망률 감소 → CVD 고위험군에 유용
- 적응 ; type 2 DM의 2차 약제로서 심혈관질환 동반/고위험 환자, 3차 약제로서 저혈당 위험이 크거나 체중증가를 피해야 하는 환자에서 고려
- 금기 ; type 1 DM, insulin 결핍된 pancreatogenic DM (췌장 외분비 질환/손상, type 3c DM)
- 부작용 ; 요로/생식기 감염↑(e.g., candidiasis 2~4배↑), 저혈압(노인, 이뇨제 병용시 주의)
  - euglycemic DKA : 혈당이 낮아 (보통 <250 mg/dL) DKA 진단이 지연될 수 있으므로 주의
    (∵ α-cell의 SGLT2 억제 → glucagon↑ → 간에서 glucose & ketone 생산↑)
  - dapagliflozin → 드물지만 방광암 위험
  - leg & foot amputation, bone fracture (bone density↓) ; 특히 canagliflozin에서 위험
- 신독성이나 AKI를 유발하지는 않지만, 신기능이 저하될수록 혈당강하 (소변으로 glucose 배출) 효과가 낮아짐 → eGFR <45 mL/min면 주의, <30 mL/min면 사용 금지 권장
- 신장보호효과 有 ; CKD (albuminuria & eGFR 30~90 mL/min) 환자에서 nephropathy 진행 예방
  → albuminuria 악화 방지 및 투석, 신이식, 신질환으로 인한 사망 등의 감소 효과!

* Sotagliflozin ; dual SGLT2/1 inhibitor, type 1 DM도 사용 가능(경구제중 유일), 유럽 허가, FDA×
  - 신장의 SGLT2 억제 → 다른 SGLT2i처럼 소변으로 glucose 배출 증가
  - 장의 SGLT1 억제 → glucose 흡수 지연 (→ 식후 고혈당 감소), GLP-1↑
  → type 1 DM에서 insulin에 보조적으로 사용시 혈당/체중/혈압 감소 효과 (but, DKA 위험)

5 DPP-4 inhibitors (~gliptin) alogliptin, gemigliptin, lina-, saxa-, sita-, teneli-, vilda-

> GLP-1 (glucagon-like peptide-1) : 가장 강력한 incretin으로, 식사 후 glucose에 의한 insulin 분비 촉진
> (→ 혈당 농도에 비례하므로 저혈당 발생 적음!) / 고혈당에서는 glucagon 분비 억제 (저혈당시에는 분비 촉진)
> - type 2 DM 환자에서 분비가 감소되어 있음 (반응은 보존), 반감기가 1~2분으로 짧아 직접 약제로 개발 어려움
> - DPP-4 (dipeptidyl peptidase-4) : GLP-1, GIP 등을 분해하는 효소
>   ↳ 내피세포와 일부 림프구 표면 등에 널리 분포함

- DPP-4 inhibitors (incretin 효과 증강제) ⇨ GLP-1 level↑ → 식사 후 insulin↑, glucagon↓ 등
  - 혈당에 비례해 작용하므로 단독으로는 hypoglycemia 거의 발생 안하고, 체중증가의 부작용 없음!
  - 식사와 무관하게 투여 가능, 하루 1회 복용 가능! (alogliptin과 vildagliptin은 1일 2회)

- HbA_{1C} 감소 효과는 적음 (0.5~0.8%↓)
- type 2 DM 환자에서 metformin 및 다른 경구혈당강하제를 사용 못하는 경우, 단독 or 병합요법으로 사용 (아직 장기적인 효과 및 안전성에 관한 연구는 부족한 편임)
- 부작용 (매우 적음) ; 면역기능에 영향(→ URI 위험 약간↑), 췌장염(불확실하지만, 주의 필요)
  - CVD 영향은 특별히 없지만, 일부 연구에서 HF에 의한 입원↑ 위험(e.g., saxagliptin, alogliptin)
  - high-risk HF 환자에서는 DPP-4 inhibitors 사용에 주의
- gemigliptin, linagliptin, teneligliptin은 CKD (eGFR <15) 환자에서 용량 조절 없이 사용 가능 (다른 DPP-4 inhibitors들도 용량 감량해서 사용 가능)

5. 주사제(parenteral agents)

1 Incretin mimetics (GLP-1 agonists) exenatide, liraglutide, dulaglutide, semaglutide ...

- GLP-1 (glucagon-like peptide-1) receptor agonist (RA)의 작용 기전
  ① 식사 후 glucose에 의한 insulin 분비 촉진 & glucagon 분비 억제 → 혈당 감소
  ; 혈당이 높을 때만 작용 → 단독으로는 hypoglycemia 거의 발생 안함!
  ② CNS에 작용해 공복감 감소 & 포만감 유도(→ 음식 섭취↓), 위 배출 지연 → **체중감소!**
  ③ β-cells 기능 보존/향상 효과, β-cells 재생 촉진 작용도 있음
- GLP-1의 구조를 변형하여 DPP-4에 저항성을 가짐 → 작용 시간↑, 1일 1~2회 주사
  - short-acting ; exenatide, lixisenatide → 1일 2회 주사, 주로 식후 혈당 감소
  - long-acting ; **liraglutide, dulaglutide, semaglutide, albiglutide** → 1일 1회, 식후 & 공복 혈당↓
    ↳ CVD 예방효과 有 (CVD 발생/사망률, 전체 사망률 감소 → CVD 고위험군에 권장)
  (c.f., 장기 지속형 exenatide OW도 있음 [1주 2회 주사] / albiglutide는 현재 시판×)
- 적응 ; type 2 DM에서 혈당조절 실패시 경구약제(e.g., metformin) or insulin과 병합요법 고려 (특히 hypoglycemia 예방이 중요하거나 체중감소 필요시 and/or 주사제에 거부감이 없을 때)
- 부작용 ; N/V/D (m/c), 경구 약제의 흡수에 영향, 주사부위 반응, 췌장염(불확실하지만, 주의 필요)
- 금기 ; ESRD (∵ GI 부작용↑), GI motility를 크게 감소시키는 질환/약물
  - exenatide, lixisenatide : eGFR <30시 금기 (나머지 약제는 안전한 편)
  - liraglutide, semaglutide, exenatide OW : 동물실험에서 thyroid C-cell tumors 발생 증가 (but, 사람에서는 아직 불확실함) → MTC 및 MEN 가족력/과거력시에는 권장×
- oral semaglutide (Rybelsus®) ; 1일 1회 경구 복용, FDA 허가[2019년] 첫 oral GLP-1 RA
- efpeglenatide ; 한미약품 개발 Sanofi에 수출, ultra long-acting (1회/주) 주사제, 임상시험 중

2 Amylin agonist/analogue pramlintide (Symlin®)

- amylin : β-cells에서 insulin과 함께 분비됨 (insulin이 결핍된 DM 환자에서 같이 결핍되어 있음)
- 식사 직전에 주사 (insulin과 같이 투여×) → 위 배출 지연, glucagon 분비 억제, 포만감 유도
- 식전 insulin 치료 중인 type 1 & 2 DM 환자에 사용 허가 (but, 아직 임상적 유용성은 불확실)
  → insulin과 병용시 식후 혈당강하 효과↑ → insulin 요구량↓
- 부작용 ; 경미한 N/V (위 배출 지연 작용이 있으므로 다른 위장관운동억제제와 병용하면 안 됨)
- glucagon 분비를 억제하므로 severe hypoglycemia or hypoglycemia unawareness 환자에는 금기

6. 기타 or 새로운 치료법

- colesevelam (bile acid sequestrant) : 기전은 모르지만 혈당강하 효과도 있음 (glucose 흡수 억제?), LDL↓, 유용성/역할은 불분명함 (부작용 ; 변비, 복통, 오심, TG↑)
- quick-release bromocriptine mesylate (Cycloset®) (dopamine receptor agonist) ; 기전은 모르지만 혈당강하 효과 약간 있음 (2009년 FDA 허가), 유용성/역할은 불분명함
- whole pancreas transplantation (대개 신장과 함께 시행) : ESRD를 동반한 type 1 DM에서 유용
- pancreatic islet transplantation : 연구 중
- <u>비만수술</u>(bariatric surgery, metabolic surgery) : DM을 상당히 많이 호전 가능
  - BMI ≥30 kg/m² (2단계 비만) 환자가 비수술적치료로 혈당조절 실패시 비만수술 고려
  - BMI ≥35 kg/m² (3단계 비만) 환자는 혈당조절과 체중감량을 위해 비만수술 가능
- type 2 DM의 연구 중인 치료제들 ; glucokinase activator, 11β-hydroxysteroid dehydrogenase-1 inhibitor, GPR40 agonists, 염증저하제 ...

  * <u>imeglimin</u> (oxidative phosphorylation blocker) : 새로운 기전의 경구약제 (미토콘드리아 보호)
    → 간의 gluconeogenesis 억제, insulin sensitivity↑(근육의 glucose uptake↑), insulin 분비↑
    - 혈당강하 효과 우수, 다른 경구약제와 병용 가능, 부작용 적음 … 조만간 허가 예정

c.f.) glucocorticoid ; insulin resistance↑, glucose utilization↓, hepatic glucose production↑, insulin secretion↓ → DM 환자에서 혈당조절 악화 or DM 유발 (steroid-induced DM) 가능
- glucocorticoid의 영향 ; 용량과 비례, 대개 mild & 가역적, 식후에 현저함(→ 고혈당)
- FPG가 거의 정상이면 경구약제(e.g., sulfonylurea, metformin)로 충분, FPG 200 mg/dL 이상이면 insulin 치료 필요

7. 당뇨병 치료의 decision making

(1) DM의 치료 목표

- 고혈당과 관련된 증상을 호전시킴
- 미세혈관/심혈관 합병증을 예방하거나 최소한 그 진행을 늦춤
- 혈당, 혈압, 이상지질혈증, 심혈관계 위험인자, 동반 질환 등의 관리
- 환자가 정상적인 사회생활을 할 수 있도록 함

(2) type 2 DM 치료의 알고리즘 ★

- <u>생활습관개선(MNT, 운동) + 1차약제(금기가 없으면 metformin)</u>로 치료 시작
  - metformin을 처음부터 사용하는 이유 ; 생활습관개선만으로는 혈당 목표 달성 및 유지 어려움, 혈당강하 효과가 뛰어나면서 경도의 체중감소 및 lipid profile 개선 효과도 있음, 대부분 <u>비만</u> (서양), 금기/부작용 적고 저렴함, 약물치료를 빨리 시작하면 혈당조절 더 잘 됨
  - metformin의 금기인 경우 환자의 특성에 따라 다른 약제도 선택 가능
    e.g.) clinical ASCVD or high CV risk → GLP-1 agonist (RA) or SGLT2 inhibitor
    SGLT2i는 신장보호효과도 있음 (mild~moderate [eGFR ≥30 mg/dL] CKD 환자에서 고려)
  - HbA_{1C} ≥7.5%면 처음부터 2제 병합요법, ≥9%면 insulin or GLP-1 RA 고려

⬇ 3~6개월 뒤 혈당조절 평가

- HbA_{1C} 목표치에 도달하면(<6.5%) 용량을 유지하거나, 경우에 따라 감량 가능
- 혈당조절 안되면 ⇨ 2차약제 (① or ② or ③) 추가
  (↳ 우리나라 보험기준 ; HbA_{1C} ≥7.0%, 공복혈당 ≥130, 식후혈당 ≥180 중 하나에 해당)
  ; 대부분의 환자는 시간이 지날수록 혈당조절을 위해 병합요법 및 insulin이 필요하게 됨
  ① 다른 경구약제 추가 (2제 병합요법)
    - metformin + SU, GLN, α-Gi, TZD, DPP-4i, or SGLT2i
    - SU/(GLN) + α-Gi, TZD, DPP-4i, or SGLT2i
    - TZD + DPP-4i or SGLT2i
    - DPP-4i + SGLT2i 등

> SU : sulfonylurea
> GLN : glinide (meglitinide)
> α-Gi : α-glucosidase inhibitor
> TZD : thiazolidinedione
> DPP-4i : DPP-4 inhibitor
> SGLT2i : SGLT2 inhibitor

  ② basal insulin(중간형/지속형) 추가 ┐ HbA_{1C} ≥9% or 지속적인 고혈당 증상이 있는 경우
  ③ GLP-1 agonist (RA) 추가 ┘ (식후고혈당은 prandial insulin, CVD 有/고위험군은 GLP-1)
  ⬇ 3~6개월 뒤 혈당조절 평가
- 혈당조절 안되면 ⇨ basal insulin *or* GLP-1 RA *or* 3rd 경구약제 추가 (3제 병합요법)
  - insulin 추가시 insulin 분비촉진제(e.g., sulfonylurea)는 중단/대치 (∵ 서로 상승작용 없음)
  - GLP-1 RA 추가시 DPP-4i는 중단/대치 (∵ 서로 혈당강하 상승효과 없음)
  - basal insulin 사용 중이었으면 집중인슐린요법(intensive insulin therapy) or GLP-1 RA 추가
  - 경구약제만의 3제 병합요법은 insulin *or* GLP-1 RA 추가보다 덜 효과적이고 비용 더 듦
    (but, 환자가 주사제를 강력히 거부하는 경우에는 경구약제 3제 병합요법 고려 가능)

처음부터 insulin을 사용하는 경우
Type 1 DM
Type 2 DM에서 severe hyperglycemia (FPG >250 mg/dL, HbA_{1C} >9~10%) or ketonuria (>2+)
성인의 지연형 자가면역 당뇨병(LADA)
매우 심한 증상, acute metabolic Cx. (DKA, HHS) 등으로 입원한 경우
경구혈당강하제 복용이 불가능한 기저 질환 (e.g., 간질환, 신부전, MI, CVA)
임신 및 GDM, 심한 스트레스 상황 (e.g., 감염, 수술), Steroid 복용중인 환자에서 FPG >200 mg/dL

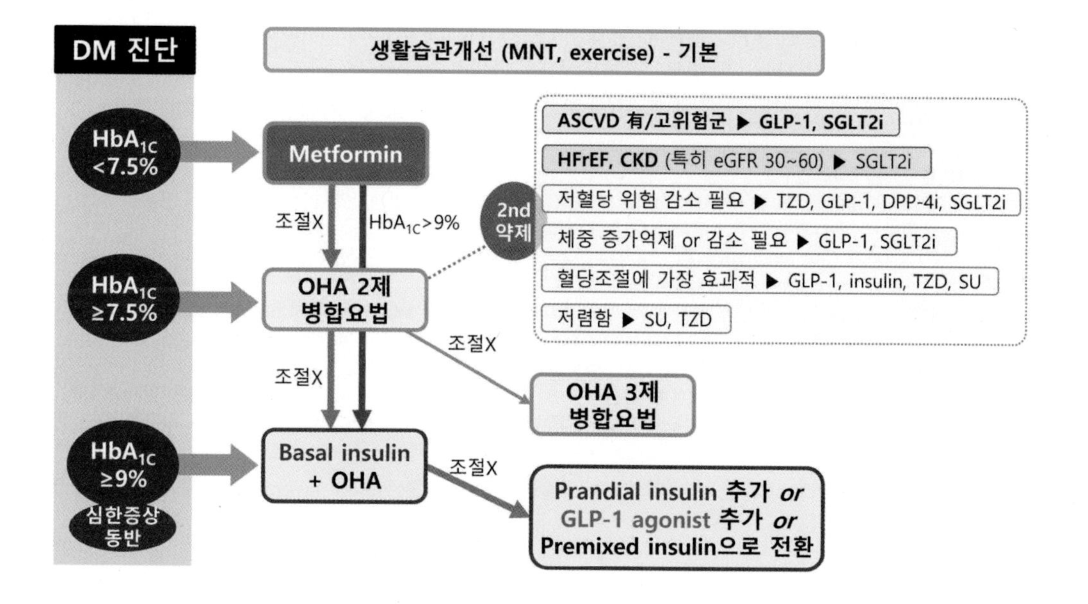

각 당뇨 약제의 특성 ★★

	HbA_{1C} 감소 효과	Insulin 분비 촉진	식후 고혈당 조절에 유용	체중	저혈당 부작용	금기		CVD 예방	신장보호 효과
						간질환	CKD		
Insulin*	1.5~2.5		○	↑	○			○	
Sulfonylurea	1.5~2.0	○	△	↑(드묾)	○	○	(△)		
Meglitinide (Glinide)	0.5~1.5[1]	○	○	↔	○	○	(△)		
Metformin (biguanide)	1.0~2.0			⇩		○	○	○	
TZD (Glitazone)	0.5~1.4			↑		○		○[2]	
α-glucosidase inhibitor	0.5~0.8		○	↔			△	○	
SGLT2 inhibitor	0.5~1.0			⇩			△	●[3]	●
DPP-4 inhibitor[4]	0.5~0.8	○	○	↔			(감량)[5]		○
GLP-1 agonist*	0.5~1.9	○	○	⇩				●	○
Amylin agonist*	0.4~0.6		△	⇩					

* 주사제
1) Repaglinide가 혈당조절 효과 우수하고(metformin 비슷) 다른 약제는 덜 효과적
2) Pioglitazone은 CVD 예방효과가 있지만, TZD는 전반적으로 심부전 악화 위험이 있음
3) 심부전에 의한 입원 감소 효과도 있음
4) Saxagliptin, alogliptin은 심부전에 의한 입원 증가 위험 / 고위험 심부전 환자는 DPP-4 inhibitors 주의
5) Gemigliptin, linagliptin, teneligliptin 등은 감량 없이 사용 가능

- α-Gi, SGLT2i, DPP-4i 등은 다른 계열 약제보다 혈당조절 효과가 적음
  (but, 같은 수준의 혈당 강하시 임상적인 이득은 모든 계열 약제가 비슷함)
- Metformin과 TZD의 혈당 강하 효과는 몇 주 뒤 시작되지만, 다른 약제들은 즉시 시작됨

■ 혈당조절 목표치 : 일반적으로 HbA_{1C} <7% (우리나라: <6.5%, type 1 DM은 <7%)

- 엄격한 혈당조절 권장 (HbA_{1C} <6.5%) ; DM 이환 기간이 짧고, 남은 수명이 길고, 심각한 심혈관질환^{CVD}이 없는 환자 (→ CVD 예방에 도움), 임신부
- 덜 엄격한 혈당조절 권장 (HbA_{1C} <7.0~8.5%) ; 환자에 따라 개별화
  - 심각한 저혈당 병력, 저혈당 위험 약제 사용(e.g., insulin, sulfonylurea, glinides)
  - DM 유병 기간이 긴 경우, 진행된 DM 합병증(micro & macrovascular)이 있는 경우
  - 동반된 다른 질환이 많거나 심한 경우, 75세 이상 고령, 기대 수명이 짧은 경우

참고: 혈당조절 목표 연구

- DCCT ; type 1 DM 환자 대상, 철저한 혈당조절시 retinopathy 발생/진행↓, albuminuria↓, neuropathy↓
  - 예방 효과는 연구 종료 이후 혈당조절에 차이가 없어져도 지속되었음(legacy effect)
  - 대상자가 젊어 macrovascular Cx 자료는 부족하지만 주요 심혈관사건↓, 전체 사망률↓
  - severe hypoglycemia 위험 2~3배↑
- UKPDS ; type 2 DM 진단 초기 환자 대상, 철저한 혈당조절시(HbA_{1C} 약 7%) microvascular Cx 감소
  - HbA_{1C} 6% 미만까지는 혈당조절 정도에 대한 한계(threshold) 없이 microvascular Cx 감소
  - 장기간 F/U 결과 MI 발생률 및 전체 사망률 감소
- ACCORD, ADVANCE, VADT ; DM 유병기간 8~11년으로 상대적으로 CVD 위험이 더 높은 환자군 대상
  - 철저한 혈당조절시(HbA_{1C} <6~6.5%) 추가적인 CVD 예방 효과는 없거나 적고, 일부는 사망률 증가 위험
  - 유병기간이 짧은 환자들에 비해 microvascular Cx 예방 효과는 적음 → HbA_{1C} <6.5% 목표가 타당함

∴ 정상(HbA_{1C} ≤5.6%) 가까운 너무 엄격한 혈당조절은 CVD, 사망률, severe hypoglycemia 증가 위험으로 권장×

* 빠른 혈당조절의 장점 ; islet cells에 대한 glucose toxicity 감소, endogenous insulin secretion 향상, 경구혈당강하제의 효과 증가

치료 목표(therapeutic targets) ★	
HbA_{1C} (primary goal)	<7.0% (우리나라는 <6.5%)
식전혈당*	80~130 mg/dL
식후혈당*	<180 mg/dL
취침시 혈당	110~150 mg/dL
새벽 3시 혈당	>65 mg/dL
LDL cholesterol	<100 mg/dL
HDL cholesterol	>40 mg/dL (남), >50 mg/dL (여)
TG	<150 mg/dL
non-HDL cholesterol	<130 mg/dL
apo-B	<100 mg/dL
혈압	<140/85 mmHg
(CVD 존재/고위험군, albuminuria/CKD <130/80 mmHg)	
체중	6개월 내에 5~10% 감량

* capillary plasma glucose, 식후혈당은 식사 시작 1~2시간 뒤 측정

8. DM의 지속적 관리 ★

① 자가 혈당 측정(SMBG)

② HbA_{1c} 측정 : 최소 3~6개월마다 (1년에 2~4회)

③ 당뇨병자가관리교육(diabetes self-management education, DSME) - 당뇨교실 : 매년 1회 이상

④ 안과 검사 : 매년 (정상 & 혈당조절 잘 되면 1~2년마다 / 이상이 있으면 더 자주)
- type 1 DM → 진단 후 5년 이내에 검사 시작
- type 2 DM → 진단과 동시에 검사 시작
- 임신을 원하거나 임신 중인 여성 → 임신하기 전 or 1st trimester (3개월) 이내에 검사

⑤ 발 검사 : 1년에 1~2회 (환자 자신은 매일)
; 혈류평가, 감각신경평가(10 g monofilament 검사), 발톱관리, 궤양 존재 여부 확인
(간단한 문제라도 환자 자신이 치료하면 안 됨)

⑥ 단백뇨(albuminuria) 및 serum Cr (eGFR) 검사 : 1년에 1회 이상 (이상이 있으면 더 자주)
- type 1 DM → 진단 5년 이후에 검사 시작
- type 2 DM → 진단과 동시에 검사 시작

⑦ 혈압 측정 : 병원 방문시마다 (e.g., 1년에 4회)

⑧ 지질 검사 : 1년에 1회 이상

⑨ 예방접종 권장 ; influenza, pneumococcal

⑩ anitplatelet therapy (e.g., aspirin) : 금기가 없으면, 50세 이상 CVD 고위험군에서 투여 권장

* type 1 DM은 갑상선검사(e.g., TSH)도 : 진단시 & 1~2년 마다 or hypothyroidism 증상 발생시 (∵ autoimmune thyroiditis 동반 흔함)

급성 대사성 합병증

1. Diabetic ketoacidosis (DKA)[당뇨병성케톤산증]

(1) 개요

- type 1 DM 환자에서 주로 발생, 15~30%가 평생 1회 이상 경험
  - 과거 type 1 DM의 첫 증상으로 흔했으나, 의료의 발달로 인해 주로 치료중인 환자에서 발생
  - type 2 DM에서도 심한 stress (e.g., 감염, 외상) 상황시 발생 가능
- 유발인자 ; 감염(m/c; 폐렴, UTI 등), insulin 투여 불균형/중단, 급성중증질환(e.g., MI, CVA, sepsis, pancreatitis), 외상, 수술, 임신, 기아, stress, 약물(e.g., steroid, cocaine) ...

(2) 병태생리

[relative/absolute insulin deficiency
[counter-regulatory hormones 증가 (glucagon, catecholamines, cortisol, GH)

① 간에서 포도당신합성(gluconeogenesis)과 당원분해(glycogenolysis) 증가
- insulin deficiency & hyperglycemia → hepatic fructose-2,6-phosphate ↓
  → phosphofructokinase ↓, fructose-1,6-bisphosphatase ↑
- glucagon ↑ → pyruvate kinase ↓
  insulin ↓ → phosphoenolpyruvate carboxykinase ↑] → pyruvate ▷ glucose ↑, glycolysis ↓
- glucagon & catecholamines ↑ → glycogenolysis ↑
- insulin ↓ → GLUT-4 ↓ → peripheral glucose uptake ↓

② 근육과 지방조직에서 FFA (free fatty acid) 유리 크게 증가 → 간으로의 이동 증가
→ 간에서 ketone body, VLDL or TG 합성 증가
(glucagon ↑에 의한 carnitine palmitoyltransferase I 활성화 때문에 ketone 합성도 촉진됨)

③ 합성된 ketone body는 ketoacids로 방출되고 bicarbonate에 의해 중화됨
→ bicarbonate가 고갈되면 metabolic acidosis 발생

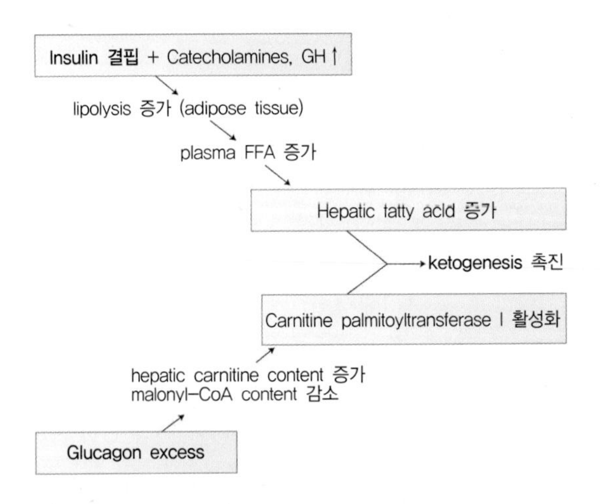

c.f.) total pancreatectomy에 의한 DM 환자는 DKA 심하지 않음 (∵ glucagon 증가는 없기 때문)

(3) 임상양상

- 위장관 증상 (∵ ketonemia) ; N/V, abdominal pain/tenderness
- 삼투성 이뇨 (→ 수분 및 전해질 소실) ; 다뇨, 구갈, 다음
- dehydration, hypotension, tachycardia, tachypnea, Kussmaul respiration (빠르고 깊은 호흡), respiratory distress, 호흡시 과일 or acetone 냄새 ...
- 의식저하 (기면 ~ 혼수), cerebral edema (소아에서 호발)
- fever → infection의 sign (DKA 자체는 정상 or hypothermia)

(4) 검사소견

- hyperglycemia (250~600 mg/dL) : HHS보다는 낮음
  * euglycemic DKA (혈당이 거의 정상인 DKA) ; poor oral intake, 임신부, 알코올 남용, SGLT2 inhibitor 복용, 병원에 오기 전 insulin 투여시 등 → 주의 필요(e.g., ketone 검사)
- plasma osmolality↑ : 크게 높지는 않음 (대개 300~320 mOsm/kg)
- ABGA : *metabolic acidosis* (pH 6.8~7.3)
  - HCO_3^-↓ (<15 mEq/L), anion gap↑ (ketone bodies↑로 인해, 보통 >20 mEq/L)
  - $PaCO_2$↓, PaO_2↑ (∵ hyperventilation)
- serum ketone (+) / urine : ketone (+), glucose (+), SG↑

Ketone bodies : β-hydroxybutyrate (78%), acetoacetate (20%), acetone (2%) 등으로 구성
- 지방의 불완전 대사로 인해 발생 (carbohydrate 부족 or 이용 못할 때)
- 증가되는 경우 ; DKA, alcoholic ketoacidosis, starvation, low-carbohydrate diets 등
- 소변 dipstick 검사법 (nitroprusside 법)
  - acetoacetate와 가장 예민하게 반응, β-hydroxybutyrate와는 반응 안함
  - DKA 때는 β-hydroxybutyrate가 acetoacetate보다 3배 더 생성됨
  - DKA가 호전되면 β-hydroxybutyrate가 acetoacetate로 전환되면서 nitroprusside 법에서는 강양성으로 나와, 악화되는 것으로 오인될 수도 있음
- (반)정량 검사법 ; EIA, gas chromatography 등
- **혈액에서 β-hydroxybutyrate를 측정하는 것이 실제 ketone body level을 더 정확히 반영함!** (c.f., 말초혈액으로 간단히 혈당과 β-hydroxybutyrate를 측정하는 POCT 장비도 나와 있음)

- hyponatremia
  - dilutional hyponatremia (∵ hyperglycemia로 ICF가 plasma로 나와서) : glucose 100 mg/dL 상승시 sodium 1.6 mmol/L 감소
  - true hyponatremia (∵ vomiting↑, water drink↑)
  - 아주 낮으면 pseudohyponatremia (∵ TG↑↑) 의심 → 신장내과 2장 참조
- potassium, phosphorus ; 다양
  - 대부분 total body Na^+, Cl^-, K^+, phosphorus, Mg^{2+} 등은 결핍되어 있음
  - 탈수, 고혈당, acidosis 등으로 인하여 검사시에는 정상 or 증가로 나올 수도 있음
- plasma FFA↑, TG↑↑(∵ lipoprotein lipase activity↓, 간에서 VLDL 합성↑)
  ↳ acute pancreatitis를 유발할 정도로 심해질 수 있음
- BUN-Cr↑ (∵ volume depletion 때문)
- amylase (salivary type)↑ (∵ 탈수 때문 → lipase 측정하여 pancreatitis R/O)
- leukocytosis with neutrophilia ; ketosis와 비례함, 심하면 감염 R/O

(5) 치료

1) fluid IV (m/i) … 대개 4~8 L 정도의 수액이 부족함
- 첫 8시간에 fluid deficit의 50% 보충, 이후 24시간까지 약 80%까지 보충
- N/S 2~3 L를 1~3시간에 걸쳐 initial bolus (10~20 mL/kg/hr)
  (처음부터 Ringer's lactate solution도 사용 가능)
- 혈역학적으로 안정되고, 소변배출이 적절하면 half (0.45%) saline으로 (250~500 mL/hr) 바꿈
  (∵ hyperchloremia 발생의 부작용 방지) / serum Na^+ 낮으면 계속 N/S으로
- 혈당이 200 mg/dL 이하로 떨어지면 5% dextrose + half saline (150~250 mL/hr)으로 바꿈
  → 혈당은 200~250 mg/dL로 유지 (∵ cerebral edema와 eventual hypoglycemia 방지 위해)

2) insulin
- 속효성 insulin (e.g., RI) 0.1 U/kg IV or 0.3 U/kg IM으로 initial bolus
  → 이후 0.1 U/kg/hr로 continuous IV → 2~4시간 뒤에도 반응이 없으면 2~3배 증량!
- initial serum K^+ <3.3 mEq/L면 K^+을 먼저 교정한 뒤에 insulin 투여
- 혈당을 낮추는 게 아니라, acidosis 교정 및 ketogenesis 억제가 목적
- 혈당이 정상화된 이후에도 계속 insulin + glucose 투여! (∵ acidosis와 대사이상 교정을 위해)
  (euglycemic DKA 환자의 경우는 처음부터 insulin + glucose 투여)
- 경구 섭취가 가능해지면 중간형/지속형 insulin + 속효성 insulin 피하주사로 치료

3) potassium
- 실제 total body K^+은 결핍 (약 3~7 mEq/kg)
  (∵ acidosis에 의한 K^+의 ECF로의 shift로 높아 보일 수 있음)
- DKA 치료하면 K^+ level이 빨리 감소하므로 조기에 K^+ 보충 필요
  (∵ acidosis 교정 & insulin → K^+를 ICF로 shift)
- **K^+ <3.3 mEq/L ⇨ K^+ 먼저 교정하고 insulin 투여!**
  ; serum K^+ 정상이(4~5 mEq/L) 될 때까지 K^+ (KCl) 20~40 mEq/hr 투여
- K^+ 3.3~5.3 mEq/L ⇨ 수액 1 L당 K^+ 20~30 mEq 섞어서 투여
- K^+ >5.3 mEq/L ⇨ 보충 필요×, F/U 하다가 K^+ 감소하면 K^+ 투여
- K^+ level은 4~5 mEq/L로 유지, 반드시 EKG monitoring

4) bicarbonate (HCO_3^-)
- routine으로 주지는 않음 (∵ DKA 치료하면 acidosis는 저절로 교정)
- acidosis 매우 심하면 (pH <6.9) 고려 → pH 7.0 이상으로 될 때까지 반복
  : 시간당 $NaHCO_3$ 50 mEq/L + sterile water 200 mL + KCl 10 mEq/L (2시간 동안)
- bicarbonate를 투여하여 acidosis를 급격히 교정한 경우 생길 수 있는 부작용
  ; 심장기능 장애, tissue hypoxia, hypokalemia 악화, overshoot alkalosis, cerebral edema

5) phosphate
- routine으로 투여×, 심한 hypophosphatemia (<1 mg/dL or 0.32 mmol/L) 때만 투여
  (특히 cardiac dysfunction, hemolytic anemia, respiratory depression 등 발생시)
  - 수액 1 L 당 phosphate (KPO_4 or $NaPO_4$) 20~30 mEq 섞어서 투여
  - 부작용으로 hypocalcemia 및 hypomagnesemia 발생 위험 → Ca & Mg monitoring 필요

- hypophosphatemia는 자주 발생하지는 않고, 발생하더라도 큰 지장은 없음
  - K^+과 마찬가지로 DKA 때 ECF shift됨 (serum phosphate 높아 보일 수 있음)
    → DKA 치료시 ICF로 shift되어 asymptomatic hypophosphatemia 발생 가능
  - 대개 서서히 호전되지만, 드물게 심각한 문제를 일으킬 수도 있음
    ; muscular weakness or paralysis (1 mg/dL 이하로 되면 호흡부전 발생 가능)

6) **DKA의 유발인자의 확인 및 교정**

7) **항생제** : 감염의 증거(e.g., fever)가 있으면 지체 없이 투여

■ **치료효과 판정**

① 정맥혈 pH, bicarbonate, anion gap 정상화 (AG <12 mEq/L)
  - monitoring 목적으로는 침습적인 ABGA 대신 정맥혈 pH (동맥혈보다 0.03 낮음) 권장

② serum or capillary β-hydroxybutyrate level (c.f., 혈당은 ketone보다 먼저 감소함)
  - nitroprusside 법 ketone 측정은 진단에는 쓰일 수 있지만 monitoring 목적으로는 안됨!

(6) 합병증

① cerebral edema
- 원인 : high osmolality로 평형을 이룬 상태에서, fluid를 너무 빨리 투여한 경우 ECF의 osmolality가 급격히 낮아져서, brain cells 내로 fluid가 이동하여 cerebral edema 초래
- 소아 or 청소년에서 주요 사망 원인 (성인에선 드물다)
- DKA 치료도중 acidosis 교정 뒤에도 coma가 계속되거나, secondary coma 발생시 의심
- Dx : CT
- Tx : mannitol, dexamethasone, hyperventilation
- 예방 : 첫 24시간 동안은 혈당을 200~300 mg/dL로 유지
  (혈당이 250 mg/dL 이하로 감소하면 5% DW 투여)

② 기타 ; venous thrombosis, UGI bleeding, ARDS ...

(7) 예후

- 적절한 치료시 사망률은 낮음 (<1%)
- 예후가 나쁜 경우 ; 고령, hypotension, azotemia (BUN↑), pH↓↓, deep coma,
  심한 동반 질환 (MI, CVA, infection 등)

2. Hyperglycemic hyperosmolar state/syndrome (HHS) 고혈당성고삼투압상태

(1) 개요

- 조절되지 않은 type 2 DM 환자에서 주로 발생 (대부분 고령에서)
- 병태생리
  - 수분섭취 부족, 체내 수분량 감소 (← 고령)
  - relative insulin deficiency → hyperglycemia → osmotic diuresis → 심한 dehydration
- ketoacidosis는 발생 안함 - 추정 원인
  ① DKA보다 insulin deficiency가 경미함
  ② DKA보다 counter-regulatory hormones 및 FFA level 낮음
  ③ 간의 ketone body 합성 능력 부족 or insulin/glucagon ratio↑

- 유발인자 ; 감염 (m/c, 특히 폐렴), AMI, stroke, 수술, 설사, GI bleeding, 화상, 투석, 고단백 섭취, high glucose IV, osmotic agent (mannitol), phenytoin, diazoxide, steroid, 면역억제제, K^+-wasting diuretics (hypokalemia는 insulin 분비를 억제함) ...
- 가장 중요한 유발 원인은 조절되지 않은 DM

(2) 임상양상

- insidious onset (수일~수주에 걸쳐 서서히 증상 발생)
- 심한 dehydration (구강점막 건조, 피부탄력↓, 안구함몰 등), hypotension, tachycardia
- 의식장애(lethargy, confusion, coma), seizure, weakness, polyuria, polydipsia ...
- 증상과 의식장애의 정도는 hyperosmolality의 정도 및 기간과 비례함
  - 의식장애 등의 신경증상은 DKA보다 흔하고/심하고 빨리 발생함 (∵ hyperosmolality 심함)
  - 일부에서는 hemichorea-hemiballism (HCHB)[편무도증] 발생 가능 ; 편측 불수의적/불규칙 운동, T1-weighted MRI에서 contralateral corpus striatum의 high signal intensity 보임
- DKA의 특징인 GI Sx. (N/V, 복통), 과호흡 (Kussmaul respiration)은 드묾!

(3) 검사소견

- 심한 hyperglycemia (>600 mg/dL, 1000 mg/dL 이상도 흔함)
- 심한 hyperosmolality (>320 mOsm/kg, 보통 >350 mOsm/kg)
- 심한 dehydration ⇨ Hct↑, prerenal azotemia (BUN↑↑, Cr↑, Na^+↑, Cl^-↑, K^+↑)
- pseudohyponatremia : 심한 hyperglycemia 때문 (corrected Na^+는 대개↑)

→ corrected Na^+ 이용 (= Na^+ 측정치 $+ \frac{\text{혈당} - 100}{62}$)

- 혈액 & 소변 ketone body (−) (기아에 의한 경미한 ketonuria는 발생 가능)
- acidosis는 없거나 경미(pH >7.3), bicarbonate >15 mEq/L, AG 정상(<12 mEq/L)

(4) 치료

* 치료방침 ; 탈수와 저혈압의 개선, 고혈당의 교정, 전해질 이상의 교정

① **fluid Tx.** (m/i) − 빨리 해야

- 평균 9~10 L의 free water 결핍 (DKA보다 결핍량 많음)
- N/S (0.9% NaCl : 초기엔 상대적으로 hypotonic함) 1~3 L/2~3 hr
  - serum Na^+ >150 mEq/L면 반드시 half saline (0.45% NaCl)으로 투여
  - 0.9% NaCl은 초기에만 사용 (∵ 더 위험한 hypernatremia 유발가능)

  → 혈역학적으로 안정되면 half saline 사용

  → 혈당이 250~300 mg/dL가 되면 5% DW 추가
- fluid 만으로도 hyperglycemia를 상당히 감소시킬 수 있음
- 부족한 free water는 1~2일에 걸쳐 보충 (hypotonic solution 200~300 mL/hr)
- 급격하게 삼투압을 감소시키면 뇌부종 같은 부작용 발생 위험

② **속효성 insulin** (e.g., RI)

- 0.1 U/kg initial dose IV → 0.1 U/kg/hr constant infusion, 반응이 없으면 2배로 증량
- 혈당이 250 mg/dL 이하로 떨어지면 0.05~0.1 U/kg/hr로 감량하고, glucose도 첨가
- 경구섭취가 가능해지면 SC insulindm로 전환

③ electrolytes 교정

- DKA 보다 early K^+ supply 필요 (∵ acidosis가 없어서 initial K^+ level이 높지 않고, insulin 치료시 K^+의 ICF로의 shift가 빨리 일어나므로)
- DKA보다 total potassium depletion은 적다
- 이뇨제 복용중이면 potassium 결핍양이 매우 많을 수 있으며, magnesium 결핍도 동반될 수

④ **항생제** : 감염의 증거가 있으면

■ **치료효과 판정** ; 의식 회복, effective plasma osmolality <315 mOsmol/L

(5) 예후

- DKA보다 훨씬 나쁘다 (사망률 약 15%)
- DKA와 함께 DM 환자의 주요 사망원인임 (“hyperglycemic emergencies”)

	DKA	HHS
역학	주로 type 1 DM <65세에서 흔함	주로 type 2 DM ≥65세에서 호발
주요 증상	-갑자기 발생- 구갈, N/V, 복통, 의식장애, 빠른호흡(Kussmaul resp.)	-서서히 발생- 심한 탈수증상, 체중감소, 심한 의식장애(~coma)
체온	정상~감소	약간 상승
수분결핍	4~8 L	8~12 L
혈당(mg/dL)	250~600	600~1200
삼투압(mOsm/kg)	300~320	320~380
Na^+ (mEq/L)	↓(125~135)	135~145
pH	6.8~7.3	>7.3
Anion gap (mEq/L)	↑(>12, 보통 >20)	<12 (참고치: 3~10)
Bicarbonate (mEq/L)	<15	>15~20
Ketones	++++	±
Pco_2 (mmHg)	↓(20~30)	정상
Phosphate	↓	정상
Creatinine	↑	↑↑
Mortality	1~2%	10~20% (주로 기저질환 때문)

c.f.) diabetic coma의 원인

- DKA (m/c), HHS → D/Dx : acidosis, anion gap, ketone body
- lactic acidosis
- hypoglycemia
- 기타 ; uremia, CVA ...

만성 합병증

1. 개요

(1) 분류

① microvascular : retinopathy, nephropathy, neuropathy (→ triopathy)
② macrovascular : accelerated atherosclerosis^AS (관상동맥, 뇌혈관, 말초혈관 질환)
③ 기타 : GI/GU dysfunction, infection, skin lesion

(2) microangiopathy의 pathogenesis

① 세포내 glucose 증가 (chronic intracellular hyperglycemia)
　ⓐ AGE (advanced glycation end products)^최종당화산물 ↑ (AGE serum level은 glycemia와 비례)
　　- protein glycation↑로 생성됨(e.g., pentosidine, glucosepane, carboxymethyllysine)
　　- 조직에 침착 → 세포기능 변화/이상, 조직손상(비가역적, hyperglycemic memory)
　　- AS 가속화, glomerular dysfunction, endothelial dysfunction, 세포외기질 변화 ...
　ⓑ polyol pathway 유입↑(활성화) ; 과잉의 glucose가 aldose reductase에 의해
　　sorbitol로 전환↑ (→ sorbitol dehydrogenase에 의해 fructose^과당로 전환 : 느림)
　　↳ 세포내 축적되어 toxin으로 작용 ; 세포 팽창, reactive oxygen species↑, AGEs↑ 등
　　(c.f., 정상적으로 glucose는 hexokinase에 의해 glycolysis pathway로 들어감)
　ⓒ DAG (diacylglycerol)↑ → PKC (protein kinase C) 활성화
　　→ fibronectin, type IV collagen, 수축단백, 세포외기질단백 등의 gene transcription 변화,
　　여러 enzymes의 기능 변화, growth factor 및 cytokines↑ (DM Cx 발생에 중요) 등
　　예) VEGF↑ → 혈관투과성↑, angiogenesis↑ … retinopathy (photocoagulation 뒤 감소)
　　　TGF-β↑, PAI-1↑ → 혈관 폐쇄↑ … nephropathy
　ⓓ hexosamine pathway 유입↑(활성화) → fructose-6-phosphate (F6P)↑
　　→ glucosamine-6-phosphate → 유전자 발현 및 단백질 기능 변화로 Cx 발생기전에 관여
　* reactive oxygen species 및 superoxide 생성↑ → 위의 4가지 경로를 모두 활성화 가능

② 혈역학적 변화 : 미세혈관의 압력과 혈류 증가 → 모세혈관 기저막 비후
　→ 동맥경화 (혈관 자동조절의 상실) (⋯ ACEi : 모세혈관압력↓, 혈관확장)
③ 개인의 유전적 감수성
④ growth factors (일부 합병증에서 중요한 역할)
　; VEGF-A (proliferative retinopathy), TGF-β (nephropathy), PDGF, EGF, IGF-1, GH ...

■ macrovascular Cx의 병인 ; 고혈당 이외에 전통적 심혈관위험인자(dyslipidemia, HTN) 및 insulin resistance (e.g., obesity)도 관여 → fatty acids의 간, 근육, 심장, 내피세포 등으로 전달 증가 → TG, diacylglycerol, ceramides 등의 조직 침착↑

■ pathology
　ⓐ 혈장단백이 유출되어 혈관내벽에 침착 → 동맥혈관벽의 내면 수축
　ⓑ extracellular matrix의 확장 → 기저막의 비후, mesangium의 확장, plaque 형성↑
　ⓒ endothelial cell, mesangial cell, 동맥 평활근의 비후와 증식

(3) 철저한 혈당 조절과 합병증 예방과의 관계 : 연구 결과

- DCCT (Diabetes Control & Complications Trial)
  - 철저한 혈당조절군은(HbA_{1c} 7.3%) 일반적인 치료군(HbA_{1c} 9.1%) 보다
    - retinopathy 47% 감소 (→ 7.7년 늦게 시력 손실)
    - microalbuminuria 39% 감소, nephropathy 54% 감소 (→ 5.8년 늦게 ESRD 발생)
    - neuropathy 60% 감소 (→ 5.6년 늦게 하지절단 필요)

    → 전체적으로 severe microvascular Cx 15.3년 늦게 발생 (→ 평균 수명 5.1년 연장)
  - 종료 후 혈당조절이 악화되어도 연구 중 향상된 혈당조절의 이득은 지속되었음(legacy effect)
  - HbA_{1c}를 최대한 정상화하는 것을 치료목표로 권장 (but, severe hypoglycemia 발생 2~3배↑)
- EDIC (DCCT 연구의 연장) : 철저한 혈당조절은 retinopathy, nephropathy, 심혈관질환 발생을 지속적으로 감소시킴 (→ 지속적인 혈당조절이 중요함을 확인)
  - 철저한 혈당조절군을 18년 F/U하니 심혈관 사건도(MI, stroke 등) 42~57% 감소
  - 자율신경병증, 심장자율신경병증, 방광/성기능장애 등 다른 합병증도 감소 (인지기능은 차이×)
- UKPDS (UK Prospective Diabetes Study)
  - HbA_{1c} 1% 감소할수록 microvascular Cx 35% 씩 감소
  - 철저한 혈당조절은 심혈관 사건 발생률 및 전체 사망률을 감소시킴
  - 철저한 혈압조절은 micro- & macrovascular Cx 모두 크게 감소시킴 → 혈압조절이 더 중요

결론 1. Hyperglycemia의 지속 기간과 정도는 합병증 발생과 비례함
2. 철저한 혈당조절은 모든 type의 DM에서 유익함
3. 혈압조절도 매우 중요함 (특히 type 2 DM에서)
4. type 1 DM 환자의 생존율이 향상되고, DM 합병증도 감소하고 있음
5. 모든 DM 환자에서 합병증이 발생하는 것은 아님

2. 당뇨병성 망막병증(diabetic retinopathy, DR)

(1) 개요

- 성인에서 실명의 m/c 원인 (비당뇨 환자보다 실명 위험 25배)
- type 1 DM 진단 후 3년에 8%, 5년에 25%, 10년에 30~60%, 15년에 80%에서 발생함
- type 2 DM 진단 당시에 20%에서 이미 retinopathy 발견되고, 20년 후에는 50~80%에서 발생
  ↳ 진단 전 선행 고혈당 기간에 retinopathy 발생 가능 (→ 첫 진단시 반드시 안저검사 시행)
- retinopathy가 있으면 대부분 nephropathy도 있음 (vice versa)
- 결국엔 DM 환자의 85% 이상에서 발생함
- 유병률(우리나라) ; DM 환자 중 약 16% (남 15.1%, 여 17.4%), 증식성 망막병증은 약 1.15%
- retinopathy 발생위험/악화인자 ; DM 유병기간 및 혈당조절 정도 (m/i), diabetic nephropathy, HTN, dyslipidemia, 흡연, 임신, 사춘기, 백내장수술 (유전적 영향도 있지만 덜 중요함)

(2) 병리/발생기전

- 초기 소견 ; 모세혈관 기저막의 비후, 모세혈관 주위 세포의 소실
- 혈류조절 기능의 소실, microaneurysm 출현, 혈액망막장벽의 파괴, 혈관 투과성의 증가
- retinal ischemia, blood viscosity 증가, hyperglycemia
- retinal hypoxia, vasoproliferative factor (e.g., VEGF↑) → neovascularization

(3) 분류/경과

• neovascularization 유무에 따라 크게 proliferative와 nonproliferative retinopathy로 분류

Severity에 따른 diabetic retinopathy (DR)의 분류		
NPDR (nonproliferative DR)	Mild	Microaneurysm (미세동맥류)만 한 개 이상 존재
	Moderate	Microaneurysms/hemorrhages (dot-blot hemorrhage, DBH) 증가 [≥SP #2A]* *or* Soft exudates (cotton wool spots, 면화반), hard exudates (경성삼출물), 정맥확장(venous beading), intraretinal microvascular abnormalities (IRMA) 모세혈관이 구불거리며 확장(abnormal branching, shunt 등) ↲
	Severe	4-2-1 rule (ETDRS) : 다음 중 1개 이상 존재시 (1) 4사분면 4개 모두에서 hemorrhages 20개 이상 [≥SP #2A]* *or* (2) 4사분면 2개 이상에서 severe venous beading *or* (3) 4사분면 1개 이상에서 severe IRMA [≥SP #8A]*
	Very severe	Severe NPDR의 소견 2개 이상 존재시
PDR (proliferative DR)	Early	Neovascularization (신생혈관)
	High-risk	시신경유두(disk area) 1/3 이상의 NVD (neovascularization of the disk) *or* NVD + 유리체 or 망막앞 출혈(vitreous or preretinal hemorrhage) *or* 시신경유두(disk area) 1/2 이상의 NVE (neovascularization elsewhere) + 유리체 or 망막앞 출혈(vitreous or preretinal hemorrhage)
	Severe	유리체/망막앞 출혈로 인해 안저 후극부(posterior fundus) 확인 불가능 *or* 황반중심(macular center)을 포함하는 망막박리(retinal detachment)
CSME (clinically significant macular edema)	황반중심(macular center)으로부터 500 μ 이내의 망막이 두꺼워짐(retinal thickening) *or* 황반중심으로부터 500 μ 이내에 hard exudates & 그 바깥에 망막이 두꺼워짐 *or* 황반중심으로부터 1500 μ (1 disc area) 이내에 1 disc area 이상의 망막이 두꺼워짐	

*참고: NPDR – ETDRS (Early Treatment Diabetic Retinopathy Study)의 standard photograph 예

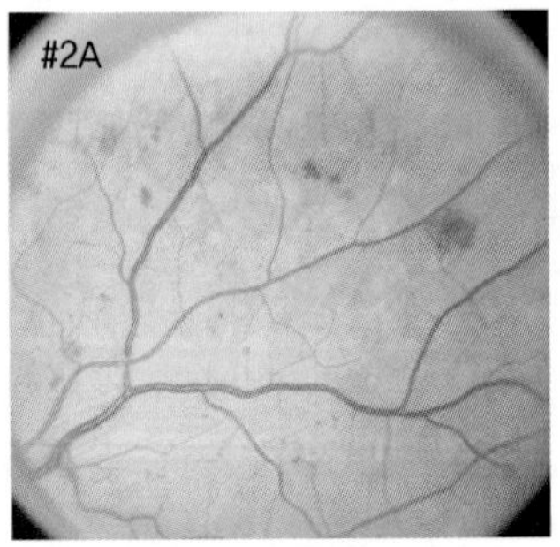

hemorrhages (dot-blot), microaneurysms

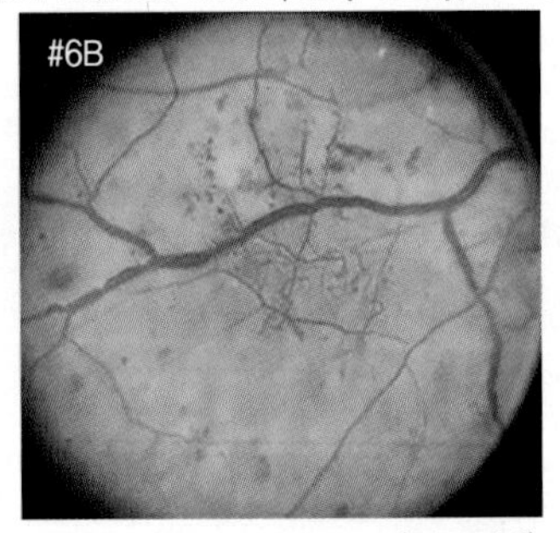

severe venous beading (염주정맥)

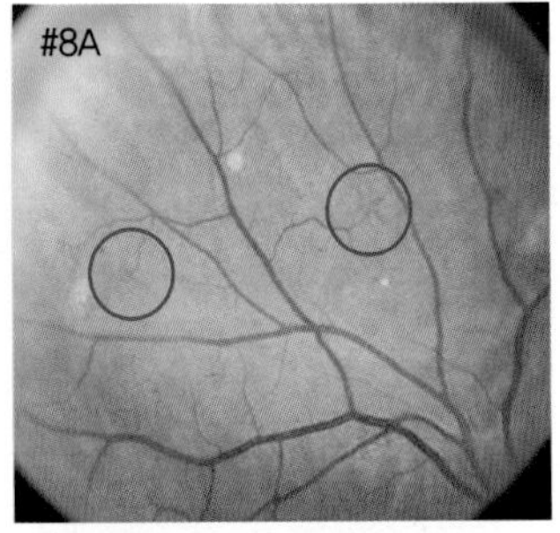

IRMA (e.g., shunt vessels), cotton wool spots (면화반)도 보임

*참고: PDR 예

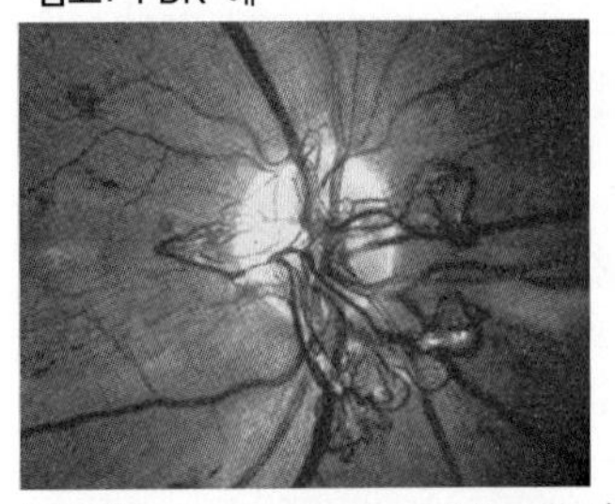
NVD (neovascularization of the disk)

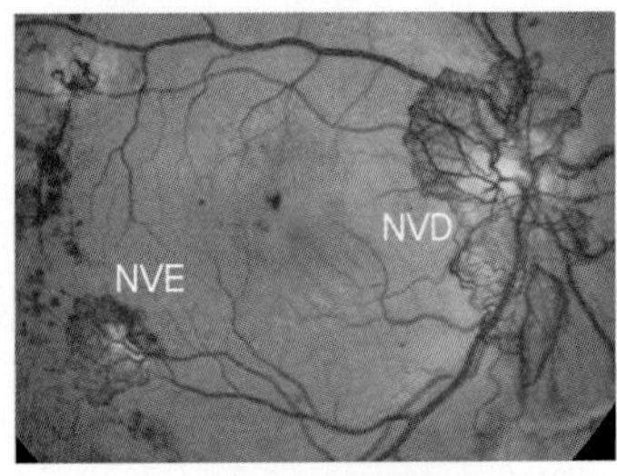

NVE & NVD

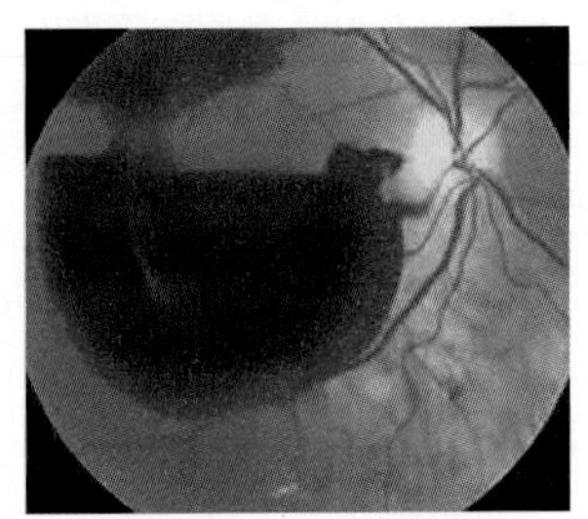
Preretinal hemorrhage

- Dx : 안저검사(ophthalmoscopy, fundoscopy), 형광안저혈관조영술(fluorescein angiography)
- 노인에서는 더 일찍 발생하나, proliferative retinopathy는 덜 흔하다
- nonproliferative retinopathy의 약 10~18%가 10년 뒤 proliferative retinopathy로 진행 (severe NPDR의 약 50%는 1년 이내에 proliferative retinopathy로 진행)
- proliferative retinopathy 환자의 1/2은 5년 이내에 <u>실명</u> (∵ 유리체 출혈, 망막 박리, 녹내장)

(4) diabetic retinopathy의 치료/예방

- 예방이 가장 효과적임 ; 철저한 혈당조절(intensive insulin therapy) 및 혈압조절
  - 철저한 혈당조절은 상대적으로 망막에 저혈당을 유발하여 일시적으로(6~12개월) retinopathy를 악화시킬 수도 있지만 이후에는 대부분 호전을 보임
  - advanced retinopathy 발생 이후엔 혈당조절의 효과는 제한적이므로 안과 치료가 중요함!

  c.f.) aspirin : retinopathy의 자연경과에 영향 없음, 출혈 발생 위험도 증가하지 않음
- nonproliferative retinopathy (NPDR) ; 대개 안과 치료 필요 없음 → F/U
  - 빠른 진행을 보이는 severe ~ very severe NPDR은 PRP 치료 권장
  - 황반부종(CSME) 동반시에는 치료 필요
- proliferative retinopathy (PDR) ; 즉시 안과 치료 필요 (PRP + anti-VEGF)
  - 범망막광응고술(panretinal photocoagulation, PRP) ; 신생혈관 감소, 시력소실 진행 지연
  - anti-VEGF (e.g., bevacizumab, ranibizumab, pegaptanib, aflibercept) intravitreal injection ; 신생혈관 감소, 시력소실 진행 지연, 일부 시력 향상도 가능 (PRP보다 효과 우수)
  - 유리체절제술(vitrectomy) : 위 치료에 반응 없을 때, 유리체 출혈이나 황반 박리 위험시
  - 기타 ; dyslipidemia 치료(<u>fenofibrate</u>), 고혈압 조절, 금연 등

    ↳ anti-inflammatory, antiangiogenic, antioxidant 효과 → retinopathy 지연

(5) diabetic macular edema (DME, 황반부종)

- 망막 모세혈관 내피세포 손상으로 혈장 단백, RBC 등이 빠져나와 발생 → 망막 두께↑, 시력↓
- retinopathy의 stage/severity와 관계없이 발생 가능, 3년 뒤 약 25%가 <u>심각한 시력소실</u>
- 임상적으로 유의한 황반부종(CSME) ; retinopathy 존재시에만 발생, 시력소실 위험↑
- Dx : fluorescein angiography, optical coherence tomography (OCT)
- Tx : anti-VEGF + focal photocoagulation가 주

  (기타 ; intravitreal steroid - 부작용 위험으로 권장×, vitrectomy - 위 치료에 반응 없을 때)

■ 기타 안과적 합병증

① 녹내장(glaucoma), 백내장(cataract)의 발생률 증가

② acute monocular visual loss ; hemorrhage, retinal detachment, embolic retinal infarction (central or branch retinal artery occlusion)

③ bilateral visual loss : stroke (cortical blindness)

④ blurring of vision

⑤ mononeuropathy - cranial nerve palsy (III, IV, VI)

  * oculomotor nerve (cranial nerve <u>III</u>) palsy가 m/c

  ; diplopia, unilateral ptosis, ophthalmoplegia (빛에 대한 <u>동공</u> 수축반응은 <u>정상</u>임!)

⑥ 각막손상 ; 각막 지각도 저하, 마비성 각막염, 각막 erosion (ulcer)

3. 당뇨병성 신증/콩팥병증(diabetic nephropathy[DN], diabetic kidney dz.[DKD])

(1) 개요

- CKD, ESRD, RRT의 m/c 원인 (국내 CKD 환자의 44% 차지, 비당뇨인의 약 3배)
- DM 환자의 20~30%에서 발생 ; type 1 DM의 30~40%, type 2 DM의 15~20%에서 발생하지만, type 2 DM의 유병률이 훨씬 높으므로, CKD/ESRD 환자의 대부분은 type 2 DM임 (c.f., type 2 DM은 대부분 고령으로 심혈관질환에 의한 사망이 많으므로 적은 %만 ESRD까지 생존해있음)
- 유병률(우리나라) ; 전체 DM 환자 중 약 12.4% (남 12.9%, 여 11.8%)
- DM 환자에서 장애 및 사망의 주요 원인, 5YSR도 non-diabetic nephropathy보다 짧음
- 위험인자 ; 고령, hyperglycemia 기간/정도, HTN, albuminuria, 신장질환(e.g., AKI), 흡연, 비만, 낮은 사회경제적수준, 유전적소인(e.g., 당뇨/비당뇨 신장질환의 가족력, 흑인/히스패닉/인디언, *ACE*, angiotensinogen (*AGT*), angiotensin II receptor type 1 (*AGTR1*) 등의 genes)

(2) 병인(pathogenesis)

① glomerular hyperfiltration/hyperperfusion, glomerular capillary pr.↑(intraglomerular HTN) → matrix 생산↑, GBM 변화, filtration barrier의 분열 (→ proteinuria), glomerulosclerosis
② mesangial cells에 대한 hyperglycemia의 직접 영향
③ soluble factors ; growth factors (e.g., TGF-β), angiotensin II, endothelin, AGEs

(3) 병리소견

: type 1과 type 2의 병리 소견은 거의 구별 안 됨 (but, type 2 DM은 훨씬 다양한 양상을 보임)

① 사구체 병변
- GBM thickening : 가장 초기 소견 (type 1 DM은 진단 2년 후부터도 발생 가능)
- mesangial expansion (∵ extracellular matrix 축적) ; 일부에서 glomerulosclerosis도 병발
  - diffuse (intercapillary) glomerulosclerosis (m/c) → 진행하면 사구체 전체를 침범
  - nodular glomerulosclerosis (Kimmelstiel-Wilson nodule) ; 사구체 주변부의 무세포 결절, light chain deposition dz., MPGN type Ⅱ, amyloidosis 등에서도 보임

② 혈관 병변 (전신적인 atherosclerosis 소견 동반)
; arteriolar hyalinosis & arteriosclerosis … chronic GN 및 TID와 관련

③ 세뇨관간질성 병변 ; 세뇨관 위축 및 기저막 비후, tubulointerstitial fibrosis
(사구체 병변 이후에 발생하여, 일반적으로 CKD/ESRD로 진행하는 중간 단계의 변화)

(4) 임상양상

		Type 1 DM	Type 2 DM
발생시기 (DM 진단 후)		13~23년 (평균 16.5년) 뚜렷하다	평균 9.5년 뚜렷하지 않다
자연경과		비교적 일정한 전형적인 경과	다양
CKD로 진행하는 비율		20~40%	10~20%
고혈압 유병률	단백뇨 발생 이전	19%	48%
	미세 단백뇨 시기	30%	68%
	현성 단백뇨 시기	56%	85%
Retinopathy 동반		90~100%	50~70%

■ DN의 classic natural history (type 1 DM)

: type 2 DM도 비슷한 경과를 보이기도 하지만, 훨씬 더 복잡/다양한 양상으로 나타남

① **제1기** (hyperfiltration)
- 신장 크기 20% 증가, 신혈류량 증가, GFR 증가 /type 2 DM에서는 안 나타나는 경우가 많음
- Bx ; 사구체 용적, 사구체내 모세혈관 표면적 증가(→ GFR↑)

② **제2기** (silent DN)
- DM 진단 후 2~3년 뒤 발생, 임상소견은 제1기와 비슷, GFR은 정상으로 돌아옴
- Bx ; 사구체 모세혈관 기저막(GBM) 비후, mesangial cells 증식

③ **제3기** (incipient DN) … **미세알부민뇨**(microalbuminuria) : ACR ≥30 mg/g Cr
- DM 진단 후 5~15년 뒤 발생 (25~40%에서), glomerular filtration barrier 손상을 의미
- GFR 대개 정상, 혈압 대개 정상(→ 수년 후부터 상승하기 시작)
- HTN의 유무에 관계없이 ACEi (or ARB)로 치료 시작!
- HTN 환자에서 심혈관계 위험 증가와 관련, type 1 DM에서는 overt DN으로의 진행을 시사
- 이 stage 까지는 혈당조절로 정상화 가능(reversible), 치료로 albuminuria 호전/관해 흔함!
- 최근 연구결과 severe albuminuria (과거 macroalbuminuria)도 호전 가능 → GFR↓가 더 중요!

④ **제4기** (overt DN) … **단백뇨**(overt proteinuria, macroalbuminuria, dipstick+) : ACR ≥300
- microalbuminuria 환자의 ~40% 정도가 약 10년 뒤에 overt proteinuria로 진행
- GFR 서서히 감소됨 (약 10~14 mL/min/yr) → 약 50%가 7~10년 뒤 ESRD로 진행
- 부종(NS)과 HTN 발생 증가, 조직학적 변화는 비가역적(irreversible)
- 혈당조절 만으로는 신기능의 저하를 지연시키지 못함!
- 혈압조절이 신기능의 악화를 지연시킬 수 있음 (ACEi/ARB가 m/g)

⑤ **제5기** (ESRD)
- overt protienuria →(평균 2.5년) azotemia →(평균 2.5년) ESRD (투석 필요)
- 부종과 HTN 악화, 다량의 proteinuria 지속 (→ 이후 감소)
- CKD가 발생해도 신장의 크기는 감소 안됨, 75% 이상의 환자가 10년 이내에 ESRD로 진행
- 대부분의 환자에서 retinopathy 동반, 동맥경화성 질환의 동반 흔함, 심혈관질환[CVD]으로 사망↑
- 신장에서의 insulin 대사 감소로 인해 저혈당이 발행하기 쉽다!

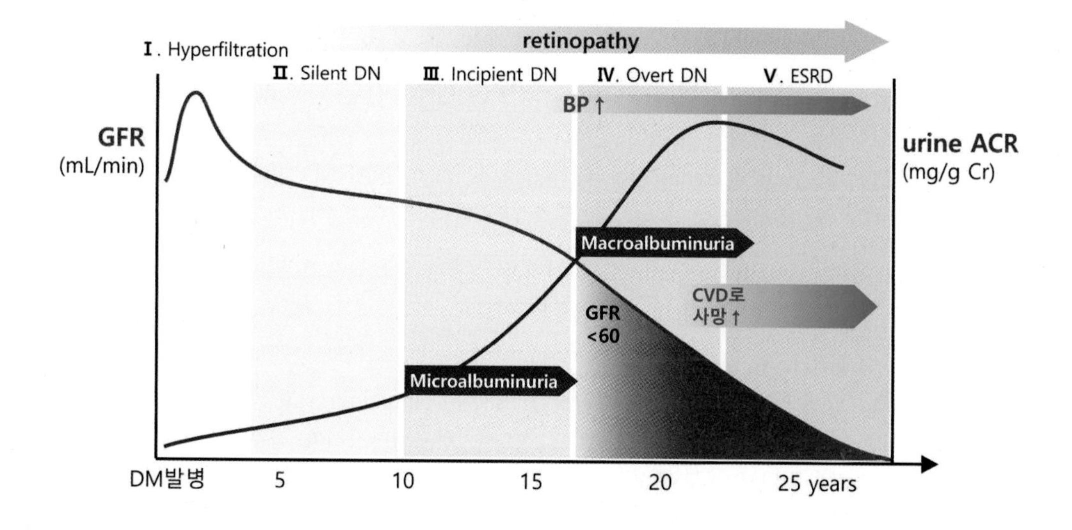

■ Albuminuria의 정의
- spot urine ACR (Albumin/Creatinine Ratio) ≥30 mg/g Cr (mg/day, 24hr 소변은 번거로워 권장×)
- 6개월 동안 3회의 검사에서 적어도 2회 이상 증가되어 있어야 확진
- Moderately increased albuminuria (과거 microalbuminuria) : 30~299 mg/g Cr
- Severely increased albuminuria (과거 macroalbuminuria) : ≥300 mg/g Cr … dipstick(+)
- 신장손상과 무관하게 ACR↑ 경우 ; 염증, 발열, 운동, 심부전, 급성 심한 고혈당 or 고혈압, 심부전 등

- type 2 DM이 type 1 DM과 다른 점 ★
  - DM 진단시 이미 albuminuria 동반이 흔함 (∵ 장기간의 무증상 시기)
  - HTN 더 일찍/흔하게 동반 (∵ 고령)
  - albuminuria가 overt nephropathy로의 진행을 예측하는 능력이 부족함!
  - 다른 원인에 의한 albuminuria도 흔함(약 ~30%) ; GN, HTN, CHF, 감염, 전립선질환 등
- **nonalbuminuric DKD (NADKD)** ; albuminuria는 없이 GFR이 감소된 경우(eGFR <60)
  - type 1 DM 환자의 7~24%, type 2 DM 환자의 39~52%는 nonalbuminuric
  - 고령, 여성, RAS 억제상태, HTN, dyslipidemia, 비만, 흡연자 등에서 흔함
  - albuminuric 환자보다 retinopathy 동반 적음, 병리소견과 macrovascular dz. 유병률은 비슷함
  - albuminuric 환자 대비 ESRD로의 진행 속도는 약간 느리지만, 결국에는 진행함
- 다른 신장질환도 동반될 수 있음
  ① type Ⅳ RTA (hyporeninemic hypoaldosteronism) : K^+↑, Cl^-↑, normal AG acidosis
  ② radiocontrast-induced nephrotoxicity : Cr >2.4 mg/dL시 발생 위험↑

(5) 진단

- **임상적 진단** (아래 사항 만족시) ⋯➝ 대개는 biopsy 필요 없다
  ① 지속적인 albuminuria (ACR ≥30 mg/g) *and/or* GFR↓(eGFR <60 mL/min/1.73m²)
  (c.f., albuminuria가 없는 diabetic nephropathy도 흔함 → 윗부분 참조)
  ② diabetic retinopathy 진단 *or* 긴 DM 유병기간(type 1은 5년 이상, type 2는 진단시도 가능)
  ③ 다른 원인에 의한 신장질환 R/O
- 선별검사(albuminuria test)는 type 1 DM은 진단 5년째부터, type 2 DM은 진단 시부터 시행!
- **diabetic nephropathy가 아닐 가능성이 높은 경우 ⇨ renal biopsy의 적응 ★**
  ① type 1 DM 진단 5년 이내에 (또는 type 2 DM 진단 수년 이전에) *or* 신기능 정상인데 *or* diabetic retinopathy는 없는데 severe albuminuria (≥300 mg/g Cr) 발생
  ② U/A에서 hematuria, RBC casts, dysmorphic RBCs, WBC casts ...
  ③ 급격히 albuminuria↑(1~2년에 5~10배 증가) or GFR↓(1년에 5 mL/min 이상 감소)
  ④ 다른 전신질환을 시사하는 소견의 존재(e.g., SLE)
- US ; 신장 크기 증가, RRI (renal resistive index)↑ 등 ⋯ NADKD 환자에서 유용

(6) 예방/치료

★ albuminuria에서 overt nephropathy로의 진행을 억제하거나 늦추기 위한 방법
; 혈당조절, 혈압조절, ACEi/ARB, 고지혈증의 치료

① 엄격한 혈당조절 (HbA_{1C} <6.5%[type 2], 7%[type 1])
- albuminuria 발생 및 GFR 감소를 지연시킴 (일부는 albuminuria 호전도 가능)
- 신기능 저하시 insulin (∵ 신장에서 분해) 및 상당수 경구혈당강하제 감량 → 신장내과 5장 참조
- 고도 신부전시에는 일부 경구혈당강하제(e.g., sulfonylurea, metformin) 금기

• 신장 보호효과가 있는 혈당강하제 (→ albuminuria 및 신장질환 진행 지연)
 - SGLT2i (e.g., canagliflozin, empagliflozin) ; CVD 사망률 감소 효과, GFR <30에선 금기
 - GLP-1 agonists (e.g., liraglutide, dulaglutide), DPP4i (e.g., gemigliptin) 일부 등

② 엄격한 혈압조절 (m/i)
 • 목표 : **<140/90** mmHg (CVD, CKD 등의 고위험군은 **<130/80** mmHg)
 • albuminuria or GFR↓ 환자에서 신장질환의 진행을 늦출 수 있음, albuminuria는 호전도 가능
 • ACEi or ARB : 신기능의 악화 지연에 가장 효과적!
 - angiotensin Ⅱ의 작용 억제 ; intraglomerular pr.↓ (∵ efferent vasodilation), 사구체 세포의 증식과 matrix 생산↓, systemic BP↓
 - 독립적 신장질환(GFR↓) 지연 효과, 혈압 정상이라도 지속적인 albuminuria 있으면 투여!
 - 치료시작 및 용량조절 1~2주 이내에 serum **Cr, K⁺** 검사! (고령 환자는 정기적으로)
 ┌ K⁺ ≤5.5 mEq/L면 ACEi/ARB 치료 계속
 └ hyperkalemia (>5.5) ⇨ K⁺ 제한, 이뇨제, bicarbonate 등 (심하면 ACEi/ARB 중단)
 - 투여 초기 sCr의 일시적 약간 상승(30%↑ or ~3 mg/dL)은 괜찮음 → 투약 계속
 • albuminuria 없고 신기능 정상인 DM 환자에서는 신장질환 예방 효과 없음 (권장×)
 • ACEi + ARB 병용, direct renin inhibitor (e.g., aliskiren)의 병용은 권장× (∵ 부작용↑)
 • ACEi/ARB 사용이 불가능하거나 혈압조절이 안 되면 non-dihydropyridine CCB, β-blocker, 이뇨제 등을 사용 (but, GFR 감소 지연 효과는 불확실)

③ dyslipidemia의 적극적인 치료 (∵ 동맥경화가 DM의 주요 사인)

④ 유발인자 (감염, 폐쇄성 요로병 등)의 조절, 금연

⑤ 단백 섭취 제한 : 소아/임산부를 제외한 모든 DKD 환자에서 **0.8 g/kg/day**로 유지
 • albuminuria 진행, GFR 감소, ESRD 발생 등의 지연에 도움
 • 0.8 g/kg/day 미만의 단백 제한은 GFR↓ 및 CVD 예방에 도움이 되지 않으므로 권장×

⑥ 신장내과 의뢰 : albuminuria 발생 or GFR <30 mL/min/1.73m²시
 • ESRD로 되면 장기 투석이 어렵고, non-DM ESRD보다 수명 짧다 (→ 신장이식이 TOC)
 • GFR <20 mL/min/1.73m²시 신장이식 평가 시작
 • 혈액투석시 합병증↑ ; hypotension (∵ autonomic neuropathy, reflex tachycardia loss), vascular access 어려움, retinopathy 진행 가속 등

4. 당뇨병 신경병증(diabetic neuropathy)

┌ DM 초기에는 약 8%, 25년 이후에는 ~50%에서 발생 (neuropathy 중 m/c)
│ 발생 위험인자 ; DM 유병기간↑, 혈당↑, BMI↑, 흡연, 심혈관질환, HTN, TG↑, retinopathy
└ 유병률(우리나라) ; DM 환자 중 약 21% (남 19.5%, 여 22.4%), 감소 추세

■ **진단/선별검사** … type 1 DM은 진단 5년 후, type 2 DM은 진단 시부터 시행, 이후 모두 매년
 • 감각신경 검사 ; 압력감각(10 g monofilament), 진동감각(128 Hz 진동자), 발목반사(DTR↓), 촉각(솜 등), 음차(tuning fork^소리굽쇠^), 통증유발(pinprick), 온도감각, 전류감각 등
 • 자율신경 검사 ; 심박수변이(HR variability), 호흡패턴(E:I ratio), Valsalva 반응, 기립반응 등
 • 발 검사 ; 근골격계 변형, 피부 변화, 맥박 등에 대해 검사
 • 임상증상이 비전형적인 경우를 제외하고는 전기생리학적 검사는 대개 필요 없음

1 Diffuse neuropathy

(1) distal symmetric polyneuropathy (DSPN)원위부대칭형다발성신경병증 ≒ **당뇨병성말초신경병증**

- diabetic neuropathy중 가장 전형적이고 m/c, axonal loss, ~50%는 무증상
- 감각신경, 운동신경, 자율신경을 모두 침범 (sensory가 주로 손상)
- "stocking-glove" sensory loss ; 주로 하지에서 (발가락부터) 발생 (∵ long nerve)
  → 점차 위로 진행 / 상지의 증상도 하지보다 드물지만 손끝에서 시작함
  - numbness무감각, tingling저림, sharpness/burning, paresthesia감각이상, hyperesthesia감각과민
  - pain도 발생 가능 (15~20%) ; deep-seated, severe, 휴식시에도 발생, 밤에 악화됨
    ↳ ~1/2은 self-limited, 1년 이내에 소실 (but, 감각장애는 지속되고, 운동장애 발생 가능)
- 진단 ; 전형적인 증상 + 감각신경검사(e.g., 10 g monofilament) + 다른 원인 R/O

  > * 10 g monofilament 검사 ; m/c 감각신경 검사
  >   - 발바닥, 발가락, 발등 등 10군데에서 피부에 monofilament가 굽어질 정도로 압력을 가함
  >   - 판정 ; 감각을 느끼지 못하는 곳이 ≤1곳 [정상], ≥2곳 [감각저하] ≥4곳 [족부궤양 위험]

- 치료 ; 엄격한 혈당조절로 예방이 최우선
  (↳ 신경전도속도는 향상되지만, 통증 등의 증상은 호전되지 않을 수도 있음)
  - 증상이 발생하면 대개 비가역적임 ⇨ 증상 조절, 악화 지연, 합병증(e.g., foot ulcer) 방지
  - 혈당 및 위험인자 관리 ; 운동, diet, HTN/dyslipidemia 조절, 금연, 절주, 영양소 보충 등
  - 통증 지속시(painful diabetic neuropathy) 약물치료
    ① 1차약제 ; TCA (e.g., amitriptyline), SSRI (e.g, duloxetine, venlafaxine), gabapentinoid antiepileptics (e.g., pregabalin, gabapentin) 등 → 효과 없으면 서로 변경 or 병합
    ② 2차약제(opioids) ; tapentadol, tramadol 등 … 부작용으로 가능하면 권장×
    ③ 기타 ; antioxidant (α-lipoic acidALA), γ-linolenic acidGLA, benfotiamine (vitamin B_1), aldose reductase inhibitorARI (e.g., sorbinil, tolrestat ; polyol pathway 억제) 등

(2) **자율신경병증**(diabetic autonomic neuropathy, DAN)

[DM 환자의 ~40%에서 발생하나 일부에서만 증상이 나타남, 말초신경병증의 ~50%에서 동반
[Hx & P/Ex이 중요 / 특별히 효과적인 치료법은 없고, 혈당조절이 1차 치료 목표

* counterregulatory H. (특히 catecholamines) 저하로 hypoglycemia 인지가 감소될 수 있음 (hypoglycemia unawareness, 저혈당 무감지증) → 너무 엄격한 혈당조절은 피함

1) **심혈관계** (m/c & m/i)

- 초기에는 부교감신경 손상(→ 교감신경↑)으로 HR↑ ⇨ 이후 교감신경 손상으로 HR↓, BP↓
- resting tachycardia (>100 bpm) : 가장 초기 증상
- heart rate variability↓ : HR variability를 정상적으로 증가시키는 활동(e.g., deep breath심호흡, Valsalva maneuver)시에도 variability가 저하됨
- orthostatic hypotension : 기립시 SBP 20 (DBP 10) mmHg 이상 감소, 증상도 잘 못느낌
  (기전: 중심 및 말초 심혈관 교감신경 손상 → 정상적인 반사성 혈관수축×, 혈압상승×)
- CVD 및 SCD 위험 증가 … 사망률↑ (∵ 심근허혈 인지↓, 자극에 대한 심혈관계 반응↓, QT interval↑ 및 교감/부교감신경 불균형에 의한 부정맥↑, 신경재분포 부위의 부정맥↑)
- 심혈관계 자율신경검사
  - 부교감신경 검사 ; 심호흡에 대한 HR variability 반응, 기립/Valsalva에 대한 HR 반응
  - adrenergic 교감신경 검사 ; 기립/Valsalva에 대한 BP 반응, head-up tilt table test 등

- cholinergic 교감신경 검사 ; quantitative sudomotor axon reflex testing (QSART), thermoregulatory sweat testing (TST), sympathetic skin response (SSR) 등
- 치료 ; 동반된 위험인자 관리도 매우 중요(e.g., 흡연, HTN, dyslipidemia)
  - orthostatic hypotension을 악화시킬 수 있는 약물 주의(e.g., 이뇨제, 항우울제)
  - 수분 섭취↑, 적절한 염분 섭취, 자세 변화는 천천히, 탄력붕대/스타킹, head elevation 등
  - 약물치료
    ① mineralocorticoid (e.g., fludrocortisone) + 염분 섭취 ; plasma volume↑
    ② midodrine (α-agonist) ; 기립성저혈압 증상↓ (but, supine HTN 발생 위험 → 취침시 금기)
    ③ droxidopa (NE prodrug) ; 기립성저혈압 증상↓
    ④ octreotide (somatostatin analogue) ; postural/postprandial hypotension에 효과적
  * resting tachycardia → β-blocker (hypoglycemia unawareness에 주의)

2) 위장관계

- esophageal dysmotility (GERD), gastroparesis, diarrhea, constipation, fecal incontinence 등
- diabetic gastroparesis[위마비]
  - hyperglycemia 자체 & 이로 인한 parasympathetic dysfunction, 위의 migrating motor complex 소실 → 위 배출 지연(delayed gastric emptying)
  - Sx : anorexia, N/V, early satiety, abdominal bloating (bezoar도 생길 수 있음)
  - 대개 microvascular Cx (retinopathy, nephropathy)도 존재함
  - Dx ; gastric emptying scintigraphy, radioisotope (^{13}C) breath test, manometry 등
  - Tx (→ 소화기내과 Ⅰ-1장도 참조)
    ① 혈당조절, 식사조절(소량으로 자주, 저지방/저섬유 식이, 유동식↑)
    ② 위장운동억제 약물 피함 ; opioids, TCA, GLP-1 agonist 등
    ③ 위장운동촉진제 ; metoclopramide, domperidone, erythromycin 등
- diabetic diarrhea (대개 watery, 흔히 nocturnal) : 소장의 연동운동 증가로 발생
  - Tx ┌ bacterial overgrowth 있으면 → 광범위 항생제
    └ 없으면 → loperamide, codeine, diphenoxylate 등
- 변비 or 대변실금 → biofeedback 등

3) 비뇨기계

- cystopathy (bladder dysfunction)
  - 방광 감각↓ & 방광의 수축력 저하 → 방광 용량 및 잔뇨 증가
    → 배뇨 지연, 배뇨 횟수 감소, 요실금, UTI 호발 ...
  - Dx ; cystometry, urodynamic study
  - Tx ; timed voiding (Crede maneuver 등), self-catheterization, bethanechol, doxazocin
- 발기부전(impotence) : 지속적인 것이 특징, 혈관(e.g., 동맥경화) 및 신경병증이 모두 관여
  - 매우 흔하며 (DM 남성의 35~75%), DM의 초기 증상으로 나타날 수도 있음
  - Tx ; PDE5 inhibitor (sildenafil [Viagra®]) (but, non-DM 환자보다는 효과 약간 낮음)
- 역행성 사정 (retrograde ejaculation)
- 여성의 생식기 장애 ; 성욕저하, 성교통, vaginal lubrication↓
  - Tx ; vaginal lubricant, vaginal infection 치료, systemic/local estrogen

4) 기타

- 발한기능장애 ; 상체의 다한증(hyperhidrosis) & 하지의 무한증(anhidrosis)이 특징
  - 다한증 ; 매운 음식이나 치즈 같은 유발 음식 피함, 심하면 glycopyrrolate
  - 발의 무한증 → 피부 건조 및 균열↑ → 궤양 발생↑ (∵ 감각 저하도 기여)
- 동공(pupil) 기능장애
- counter-regulatory hormones (e.g., epiN., glucagon) 분비 감소, 부신 자율신경 손상
  → hypoglycemia의 증상을 인지 못할 수 있음 (hypoglycemia unawareness[저혈당무감지증])
  → 심한 hypoglycemia에 빠질 위험

2 Mononeuropathy

; diffuse neuropathy보다는 드묾, 대개 고령, 예후는 양호한 편! (보통 6~12개월 뒤 자연 호전)

(1) cranial mononeuropathy

- Ⅲ (oculomotor) 뇌신경마비가 m/c ; diplopia, 일측성 ptosis, ophthalmoplegia (pupil은 정상)
- 기타 ; Ⅳ (trochlear), Ⅵ (abducens), Ⅶ (facial, Bell's palsy)

(2) peripheral mononeuropathy

- 갑자기 발생, 단일 신경 분포 부위의 pain or motor weakness
- median nerve 침범이 m/c (→ wrist drop), ulnar (→ elbow), peroneal (→ foot drop) 등

(3) mononeuropathy multiplex ; multiple mononeuropathies

3 Radiculopathy/polyradiculopathy

(1) diabetic amyotrophy (lumbar polyradiculopathy)

- acute, asymmetric, focal pain → progressive muscle weakness
  ; 주로 대퇴부(드물게 견갑부)에서 발생, 양측성인 경우도 있음, 체중감소 동반
- 예후는 양호한 편, DM 조절되면 6~24개월 내에 호전됨

(2) thoracic polyradiculopathy

- dermatome을 따라 severe asymmetric/abdominal pain or paresthesia 발생
- 대개 self-limited, 6~12개월 뒤 자연 호전됨
- herps zoster, acute abdomen, cardiac dz.와 감별해야 (EMG)

5. 심혈관질환(CVD, ASCVD, atherosclerosis) … macrovascular Cx.

(1) 개요

- 심혈관질환[CVD]은 DM 환자의 m/c 사망원인 (CVD 발생률 및 사망률은 일반인의 2[남자]~4[여자]배)
  ① 관상동맥질환(CAD) ; angina pectoris, AMI, SCD
  ② CHF (diabetic cardiomyopathy) ; AS로 인한 myocardial ischemia, HTN,
  만성 고혈당으로 인한 myocardial cell dysfunction 등 때문
  ③ 뇌혈관질환(CVA) ; ischemic stroke 증가 (hemorrhage는 오히려 감소)
  ④ 말초혈관질환(PVD) ; 하지의 atherosclerosis 등
  - 주 침범 동맥 ; tibial, peroneal artery와 그 분지 등의 소동맥
  - Sx ; intermittent claudication (m/c), cold feet, nocturnal or resting pain, pulse 감소/소실
  - 궤양 및 감염이 잘 생김, 외상 이외의 amputation의 m/c 원인

- DM 환자가 정상인보다 CAD 위험 2~4배 높고, 발생시 예후도 나쁨
  (DM 환자의 CAD 발생 위험은 MI 병력이 있는 non-DM 환자와 비슷함!)
- DM 환자의 AS 특징 ; 조기에 multiple vessels 침범, diffuse, 빠르게 진행
- 병인 ① PAI-1 및 fibrinogen 증가 → thrombosis 발생↑
  ② platelet, endothelial, 혈관평활근 등의 기능 이상

DM 환자에서 macroangiopathy (심혈관질환)의 위험인자
• Hyperlipidemia, HTN, obesity, 운동 부족, 흡연 • Microalbuminuria, macroalbuminuria, serum Cr↑, 혈소판기능장애 • Insulin resistance (serum insulin↑)

(2) 치료

- 심혈관계 위험인자의 조절이 중요함 (e.g., dyslipidemia & HTN 치료, 체중감량, 운동)
- **항혈소판제(antiplatelet therapy)** ↱ 망막출혈 위험을 높이지는 않음
  - 2차예방 ; CVD 병력이 있는 DM 환자는 aspirin 100 (75~162) mg/day 투여 권장
    (↳ MI, vascular bypass, stroke, TIA, PVD, claudication, angina 등)
    → 심각한 CVD 발생률 유의하게 감소 (but, 출혈 위험에는 주의 필요)
  - 1차예방 ; 50세 이상 CVD 고위험군 DM 환자는 "출혈 위험이 높지 않은 경우" aspirin 고려
    (↳ CVD 가족력, 흡연, HTN, 비만, albuminuria, dyslipidemia 등)
    (∵ CVD 예방 효과가 2차예방 만큼 크지 않고, GI 출혈 및 출혈성 stroke 위험은 증가됨)
  - aspirin allergy 등으로 복용 못하면 $P2Y_{12}$ inhibitor (clopidogrel 75 mg/day) 사용
  - ACS 발생 DM 환자는 이후 1년 동안 aspirin + $P2Y_{12}$ inhibitor 병합투여 권장
- 엄격한 혈당조절 : CVD 발생/사망률 예방효과 적거나 불확실하지만 권장됨 (∵ microvascular Cx↓)
  (CVD 병력/고위험군에서 너무 엄격한 혈당조절은 도움 안되고 오히려 해로울 수 있음)

■ 심혈관계 위험인자의 조절

(1) DM에서의 Lipid 대사 이상

- TG↑ & HDL↓ (m/c), LDL은 대개 정상임 (DM 자체는 LDL level을 안 높임!)
- VLDL↑, small dense LDL particles↑, apo-B↑
  (↳ glycation & oxidation 잘 됨 → more atherogenic)
- type 2 DM과 poorly controlled type 1 DM에서 흔하다
- 조절 목표치 (중요도 순)
  ① LDL <100 mg/dL (m/i)
  <70 mg/dL : CVD 동반 *or* albuminuria, CKD (eGFR <60) 등의 표적장기 손상, CVD 위험인자(e.g., HTN, 흡연, 조기 발병 CAD 가족력) 있는 경우
  ② HDL >40 mg/dL (남), >50 mg/dL (여)
  ③ TG <150 mg/dL
  * non-HDL (= total cholesterol − HDL) <130 mg/dL, apo-B <100 mg/dL도 목표로 사용 가능

c.f.) 미국 ADA : LDL에 관계없이 CVD 위험도에 따라 statin 치료 강도 권장 (우리나라에 적용은 무리)
- moderate-intensity statin therapy ; 40세 이상 모든 DM 환자, 40세 미만 CVD 위험 DM 환자
- high-intensity statin therapy ; 모든 CVD 동반 DM 환자, 40세 이상 CVD 위험 DM 환자

- 치료
  ① 생활습관개선 및 혈당조절
    - 식사조절, 운동, 금연, 체중감량, 혈압조절 등 (특히 hyperTG는 금주, 체중감량이 효과적!)
      ↳ 포화지방산, 콜레스테롤, 트랜스지방 섭취↓ / omega-3 fatty acid, 섬유소 섭취↑
    - 엄격한 혈당조절 → TG 감소, HDL은 약간 증가
  ② 약물치료 : HMG-CoA reductase inhibitor (statin) 우선!
    - LDL ≥100 mg/dL이면 바로 statin 치료 시작 (CVD 등 고위험군은 ≥70 mg/dL도 고려)
    - CVD 환자에서 최대내약용량의 statin에도 LDL 목표치에 도달하지 않으면 (≥70 mg/dL) ezetimibe or PCSK9 (proprotein convertase subtilisin/kexin type 9) 추가
      ↳ 비용을 고려하여 ezetimibe가 우선 선호됨
    - 고위험군이 아닌 환자에서 최대내약용량의 statin이 효과 없으면 ezetimibe 추가
    - statin은 type 2 DM 발생을 약간 증가시키지만, CVD 예방효과가 훨씬 더 크고 중요함
    - hyperTG ; 생활습관개선 후에도 TG ≥200 mg/dL이면 fibric acid derivatives (fibrates) or omega-3 FA 치료 고려 (≥1000 ⇨ 급성 췌장염 예방위해 즉시 fibrates 등 치료)

(2) DM with HTN

- HTN은 DM의 합병증 발생을 증가시킴 (특히 심혈관질환과 nephropathy)
- 혈압 조절의 효과 및 목표 연구
  - UKPDS (1998년) ; 엄격하게 혈압 조절시 DM 관련 사망률 32% 감소, CVA 44% 감소, microvascular Cx. 37% 감소 (통계적으로 의미는 없지만 MI 21%, MI 관련 사망 18% 감소)
  - HOT (1998년) ; 이완기혈압을 90 mmHg보다는 80 mmHg으로 낮추면 CVD, CVA 더 감소
  - ADVANCE (2007년) ; ACEi + 이뇨제 + 엄격한 혈당조절시 대/미세혈관 사건 9% 감소
  - ACCORD-BP (2007년) ; 표준치료군(<140 mmHg) 대비 집중치료군(<120 mmHg)에서 CVD 발생이 유의한 차이를 보이지 않고 오히려 저혈압 등 부작용이 증가, CVA는 감소
  - 미국/유럽 심장학회에서는 SPRINT 연구 등을 기반으로 목표혈압 <130/80 mmHg 제시
  - 미국당뇨학회(ADA2020) ; CVD 저위험군 <140/90 mmHg (CKD 등 HTN 치료 부작용 위험군 포함), CVD 고위험군 <130/80 mmHg, 이미 DM & HTN이 있던 임산부 ≤135/85 mmHg
- 목표혈압(우리나라) : <140/85 mmHg [CVD 동반/고위험군 및 CKD 환자는 <130/80 mmHg]
  - 이완기혈압의 연구는 부족하지만, non-DM 대비 이완기혈압이 낮을수록 CVD 예방 효과↑
  - 집중치료군에서 CVA 감소 효과는 확실하므로 CVA 고위험군은 이완기혈압 <80 mmHg 고려
- 치료 시작 혈압
  - ≥120/80 mmHg ⇨ 생활습관개선 ; 운동, 식사조절, 절주, Na 섭취↓, K 섭취↑, stress↓
  - ≥140/90 mmHg ⇨ 항고혈압제 / ≥160/100 mmHg ⇨ 처음부터 2제 이상 병용요법 고려
- 항고혈압제의 선택 (모든 약제가 1차 치료제로 가능, CVD 예방효과는 비슷함)
  ① ACEi/ARB (m/g) … 특히 albuminuria 동반시에는 choice!
    - insuline resistance 호전, cardiovascular risk 감소, LDL을 약간 낮추고, HDL은 약간 높임
    - 임산부 또는 임신을 원하는 여성은 금기, ACEi + ARB 병합은 권장×
  ② β-blockers, thiazide diuretics
    - insulin resistance 증가 (→ 혈당↑), lipid profile에 나쁜 영향
    - β-blocker : type 2 DM 발생 위험 약간↑, 저혈당 증상을 masking 가능, 발기부전 가능 (but, 대부분 DM 환자에서 안전하고, 이미 CVD 진단된 환자에서는 예방효과 m/g)

  - 이뇨제는 기립성저혈압을 유발할 수 있으므로 autonomic neuropathy가 있는 경우 주의
  ③ CCB : nondihydropyridine 계열(e.g., verapamil, diltiazem)을 선호, 혈당과 lipid에 영향 無
- 대개 목표 혈압에 도달하기 위해서는 병용요법 필요 ; ACEi/ARB + [이뇨제 or CCB] 등
  (∵ 단일 약제 용량↑보다는 다른 기전의 약물을 저용량으로 병용하는 것이 순응도↑, 부작용↓)
- 혈압 조절이 안 되면 renovascular HTN도 R/O (∵ DM 환자는 동맥경화성질환 흔함)

6. 당뇨병성 족부병변 (당뇨발, diabetic foot)

(1) 개요

- 정의 : DM 환자에서 신경병증과 말초혈관질환과 연관되어 궤양, 감염, 심부조직손상이 있는 발
- DM 환자의 15~25%에서 족부병변 발생 → 14~24%는 결국엔 절단(amputation) 필요
- 유병률은 약 1%, 우리나라는 0.4% (궤양 0.3%, 절단 0.1%)
- ulcer or amputation의 위험인사 ; 말초신경병증, 말초동맥질환, nephropathy (특히 투석 환자), DM 유병기간 10년 이상, 혈당조절 불량, 흡연, 남성, 이전의 ulcer or amputation 병력, 발의 구조적 이상 (e.g., 뼈 이상, 굳은살[callus], 두꺼워진 발톱)

(2) 원인/임상양상

① neuropathy
  - peripheral ┌ 보호감각↓ → 정상 방어기전↓ → 외상↑
                └ 고유감각 이상 → 보행시 체중지지 이상 → 굳은 살 or 궤양↑
  - autonomic → anhidrosis, 표재 혈류 이상 → 피부 건조 및 균열↑
② abnormal foot muscle biomechanics (∵ motor & sensory neuropathy)
  → 구조적 변화 ; hammer toe, claw toe deformity, prominent metatarsal bones, Charcot joint
③ peripheral arterial dz. (PAD) ; ischemia
④ 상처치유 지연 → 상처의 악화 및 이차 감염↑ (e.g., cellulitis, osteomyelitis)

(3) 진단

- 대개 일측성, ulcer는 엄지발가락 or MTP area의 발바닥 쪽에 호발
- 감각신경 검사 ; 10-g monofilament (m/g), 진동감각(128 Hz 진동자), 핀찌르기(pinprick) 등
- PAD 선별검사 ; ABI (ankle-brachial index) → 50세 이상 or 고위험군에서 시행
- osteomyelitis 여부 확인 ; foot X-ray, bone scan, MRI (가장 specific)
- blood flow study, angiography

분류 : University of Texas (UT) classification of diabetic foot ulcers

Stage \ Grade	0	1	2	3
A	궤양 無 (completely epithelialized)	표재성 궤양/상처	Tendon or capsule 까지 침범한 궤양	Bone or joint 까지 침범한 궤양
B	+ 감염	+ 감염	+ 감염	+ 감염
C	+ 허혈	+ 허혈	+ 허혈	+ 허혈
D	+ 감염 & 허혈	+ 감염 & 허혈	+ 감염 & 허혈	+ 감염 & 허혈

(4) 치료

• 당뇨병성 족부병변에 치료 효과가 증명된 6가지 방법 (ADA)

① 감압술(off-loading) ; bed rest, 맞춤 신발/안창 등

② 죽은조직제거술/변연절제술(sharp debridement) : 손상된 조직, 굳은살 제거 → 상처 치유↑

③ wound dressing (e.g., hydrocolloid dressing) : 습도 유지 & 보호 효과로 상처 치유 촉진

- dressing시 소독제(antiseptics)는 금기(∵ 상처치유 지연), 국소항생제 효과는 제한적임
- wound cleaning (e.g., enzyme, soaking, whirlpools)은 효과 불확실

④ 감염 (대개 임상적으로 판단) ⇨ 항생제 치료 (+ debridement, local wound care)

- 배양 : debrided ulcer base or pus (drainage)에서 권장 (ulcer 표면의 배양은 도움 안 됨)
  ↳ 배양 결과가 나오기 전까지는 경험적 항생제 사용

	위험인자	예상 원인균	경험적 항생제 예
Mild ⇨ oral 항생제	–	MSSA, Streptococci	1세대 cepha., dicloxacillin, flucloxacillin, ampicillin/sulbactam, amoxicillin/clavulanate
	β -lactam allergy	MSSA, Streptococci	Clindamycin, levofloxacin, moxifloxacin, DC
	최근의 항생제 노출	MSSA, Streptococci, GNB	Levofloxacin, moxifloxacin, 2/3세대 cepha.
	MRSA 위험	MRSA	Clindamycin, DC, TMP-SMX
Severe ⇨ IV 항생제	–	MSSA, Strepto. ± GNB	2/3세대 cepha. ± AG
	최근의 항생제 노출	MSSA, Strepto. ± GNB	3세대 cepha. ± AG, carbapenem, piperacillin/tazobactam, cefepime
	Ischemia, necrosis, gas	MSSA ± Streptococci ± GNB ± anaerobes	Piperacillin/tazobactam, carbapenem, 2/3세대 cepha. (or cefepime) + clindamycin (or metronidazole)
	MRSA 위험	MRSA ± Streptococci ± GNB	Vancomycin* + 3세대 cepha., (or cefepime, piperacillin/tazobactam, carbapenem)
	GNB [G(–) bacilli] 위험	ESBL, MDR G(–)	Piperacillin/tazobactam + AG, carbapenem (imipenem, mero–, erta– 등)

* Vancomycin 대신 daptomycin, ceftaroline, linezolid 사용 가능

- 심한 ulcer는 즉시 광범위 항생제 IV로 투여
- IV 항생제 치료로도 ulcer 주위 감염이 호전 안 되면 → 배양/항생제감수성 재검
  + surgical debridement or revascularization 고려
- 항생제 국소요법의 효과는 근거가 불확실함

⑤ revascularization ; ischemia 심한 경우, nonhealing ulcer 등 때 고려

⑥ limited amputation

• 기타 or 새로운 치료법

- negative pressure wound therapy (NPWT, 음압창상치료법, vacuum-assisted closure[VAC])
  ; wound perfusion↑, edema↓, 국소 세균↓, 육아조직 형성↓ 등으로 상처 치유 촉진
  → debridement or partial foot amputation 이후의 광범위한 open wounds에 고려
- 피부/피부대체재 이식, growth factors : 효과적일 수 있음 (특히 neuropathic ulcer에서)
- hyperbaric oxygen therapy (HBOT) : 효과적일 수 있으나 근거 부족
- shock wave therapy, low-level light (laser or LED) therapy ...

• osteomyelitis → 장기간의 항생제 ± 감염된 뼈의 debridement

(5) 예방

• 철저한 혈당조절 및 다른 위험인자의 조절 (금연, 혈압조절, 고지혈증 치료 등)
• 매일 발을 비눗물로 씻어 청결히 유지하고, 발가락 사이는 잘 건조시킴
• 피부는 습하거나 건조하지 않도록 함 (크림 바름)
• 발을 닦을 때는 발가락 끝에서 위로 문지름, 발톱은 일직선으로 깎음 (가장자리는 깍지 않음)
• 신발, 양말은 꼭 끼지 않고 통풍이 잘 되는 것으로 착용
• 밤에는 조금 큰 신발 사용 (∵ edema로 발 커져)
• 상처나 화상을 받지 않도록 주의 ; 맨발/슬리퍼로 다니지 않음, 특히 더운물 사용시 주의!
• 작은 상처가 있나 매일 주의 깊게 발 관찰 (but, 자가 치료는 금함)

7. DM의 피부 병변

① 상처치유의 지연 및 피부 궤양 (m/c)
② diabetic dermopathy ("shin spots", pigmented pretibial papules)
③ bullosis diabeticorum
④ necrobiosis lipoidica diabeticorum : 젊은 type 1 DM 환자에서, 드묾
⑤ acanthosis nigricans : severe insulin resistance
⑥ granuloma annulare
⑦ scleredema
⑧ xerosis, pruritus : 보습제로 호전됨

8. 감염

• 많은 감염이 더 흔히 발생하고(e.g., 폐렴, UTI, 피부/연조직 감염), 더 심함
• 폐 감염의 원인균은 non-DM 환자와 비슷하지만, G(−)균, *S. aureus, M. tuberculosis* 등이 non-DM 환자보다 더 호발
• UTI도 *E. coli*가 m/c 원인균이지만, 일부 진균 감염도 흔함 (e.g., *Candida, Torulopsis glabrata*)
• DM 환자에서 특징적으로 호발하는 드문 감염 (특히 HHS 환자)
  - malignant/invasive external otitis (*P. aeruginosa*) → osteomyelitis 및 meningitis로 진행 위험
  - rhinocerebral mucormycosis
  - emphysematous cholecystitis, pyelonephritis or cystitis
• 감염의 호발 원인
  ① cell-mediated immunity 및 phagocytic function 이상
  ② vascularization 감소
  ③ hyperglycemia → 다양한 미생물의 colonization 증가
  (e.g., *Candida* 등의 진균, 피부의 *S. aureus* ↑)

※ DM 환자의 사망원인 (우리나라, 2015년)
; 암(30.3%) 심장질환(10.5%), DM (10.5%), 뇌혈관질환(8.9%), 폐렴(1.5%), 고혈압성질환(1.5%)

수술 환자의 혈당 관리

1. 개요

- 수술 및 마취가 DM에 미치는 영향
  - 수술 → stress → counter-regulatory H. ↑
  - 마취제 → 혈당↑, insulin resistance 유발, lactate or ketone↑
- DM이 수술에 미치는 영향
  - 이화작용↑ → 단백 분해↑ → 상처치유 지연
  - 면역기능저하 → 감염↑
  - AS에 의한 심혈관계 위험 → 수술후 사망률 및 이환율↑

2. 치료

- 수술중 혈당 조절 목표 : 120~180 mg/dL (∵ 마취된 상태에서 저혈당 위험)
- 경구혈당강하제 복용중이던 환자는 수술당일 아침부터 중단, insulin으로 교체
- insulin therapy
  ① glucose와 insulin을 함께 또는 분리하여 IV (대부분) : RI continuous infusion (0.5~2 U/hr)
  ② glucose IV & insulin 피하주사 … 거의 이용 안됨
- 수술은 가능하면 오전에 시행, 수술 중에는 1~2시간마다 혈당 측정
  - 혈당이 200 mg/dL 이상으로 상승되면 insulin 증량
  - 혈당이 100 mg/dL 이하로 떨어지면 insulin 중단
- 수액제제는 glucose (100~150 g/day 정도)가 첨가된 N/S (normal saline)이 좋음

3. 실제 임상지침

- 보통 insulin IV 방법을 이용함
- K^+ 보충도 병용 (∵ insulin → serum K^+↓)

(1) GIK (glucose-insulin-potassium) 혼합수액 주입법

- 장점 : 간단하고, 안전하고, 재현성이 높음 (→ 가장 흔히 이용됨)
  Ⓐ protocol : RI 30U + KCl 20 mmol + 10% 포도당액 1L … 권장
  Ⓑ protocol : RI 15U + KCl 20 mmol + 5% 포도당액 1L
- 50~100 mL/hr씩 주입, 매시간 마다 혈당을 측정하여 insulin 용량 조절
- 단점 : insulin 용량 변화시 전체 주입액을 교체해야 됨, insulin이 주입용기나 주입선에 흡착됨

(2) insulin, glucose 분리 주입법

- 장점 : insulin 공급을 보다 정확하게 유지하고, 필요에 따라 insulin 주입량과 속도를 신속하게 변경 가능 (특히 소아 및 청소년에서 매우 효율적인 방법)
- 필요한 기기를 갖추고 숙련된 전문의가 있다면 더 바람직함

* 수술 후 식사시작 전까지도 계속 GIK 혼합수액 주입법 (또는 RI, glucose 분리 주입법) 시행

GIK 혼합수액 주입 protocol

혈장 glucose (mg/dL)	Insulin 용량 (U/L) Protocol Ⓐ	Protocol Ⓑ
<80	10 감량	5 감량
<120	5 감량	3 감량
120~180	변경하지 않음	
>180	5 증량	3 증량
>270	10 증량	5 증량

수술 중 insulin 요구량

조건	Insulin(U)/glucose(g)
정상 체중	0.25~0.35
비만	0.4
간질환	0.4~0.6
스테로이트 투여	0.4~0.5
패혈증	0.5~0.7
심폐우회술	0.9~1.2

■ 입원 환자의 혈당 관리

- 입원 환자에서의 정의 : 고혈당 ≥140 mg/dL, 저혈당 ≤70 mg/dL
  → 공복 혈당 <140 mg/dL, 비공복 혈당 <180 mg/dL로 유지
- 지속적인 ≥180 mg/dL 고혈당을 보이면 insulin 치료 시작
  → 혈당조절 목표 : 140~180 mg/dL

당뇨와 임신

: 임신 중 DM의 약 90%는 GDM, 약 10%는 임신 전 DM (pregestational diabetes)

1. 임신의 영향

① insulin resistance 증가 (→ type 2 DM 발병률 높다)

② nephropathy 환자는 신기능이 악화될 수 있음 (때로는 비가역적으로)

③ retinopathy도 임신 중 악화되나, 분만 후에는 어느 정도 회복됨
(고위험 환자는 prophylactic photocoagulation 시행)

④ uncontrolled DM (hyperglycemia)의 태아에의 영향

┌ 초기(특히 8주 이내) → 선천성 기형 및 자연 유산의 위험 3~4배 증가
└ 중후기 (∵ 태아의 hyperinsulinism → anabolic & growth effects)
→ 거대아(macrosomia), 분만손상, 견갑난산, 자궁내 태아사망 위험↑

(c.f. glucose는 태반을 통과하나 insulin은 통과하지 못함)

2. 임신중 DM의 치료원칙

① oral hypoglycemic agents와 ACEi/ARB는 금기!

② 체중 감량은 하지 않는다 (∵ 태아의 영양에 나쁜 영향을 줄 수 있으므로)

③ intensive insulin therapy & frequent blood glucose self-monitoring

* 혈당조절 목표 ; GDM과 동일함 (→ 뒷부분 참조)

3. 분만시기와 방법

① 혈당 조절이 잘 되고 있는 경우
- 32주부터 일주일에 2회씩 NST (non-stress test, 비수축검사, 태동검사) 시행
- 이상 소견 없을 경우 보통 38~40주에 분만

② 혈당 조절이 잘 안되고 있는 경우 (e.g., HbA_{1C} >10%)
→ 조기 분만 (37~38주에) (∵ large baby, hydramnios 동반되어 있을 수 있으므로)

4. 임신성당뇨병(Gestational DM, GDM)

(1) 개요
- 정의 : 임신중 처음 진단된 당뇨병
- 유병률(우리나라) ; 8~10%, 꾸준한 증가 추세 (∵ 가임기 여성의 비만↑)

GDM 발생의 위험인자
임신 전 비만 : BMI >30 kg/m^2 DM의 가족력 (특히 1차친족의) GDM, 공복혈당장애(IFG), 내당능장애(IGT), HbA_{1C} ≥5.7% 등의 과거력 기형아 및 거대아(≥4 kg) 출산의 과거력 Glycosuria, HDL >35 mg/dL, TG >250 mg/dL, 고령임신(>30세) DM 발생 위험군 ; metabolic syndrome, PCOS, steroid 사용, HTN, 심혈관질환, acanthosis nigricans

(2) 진단

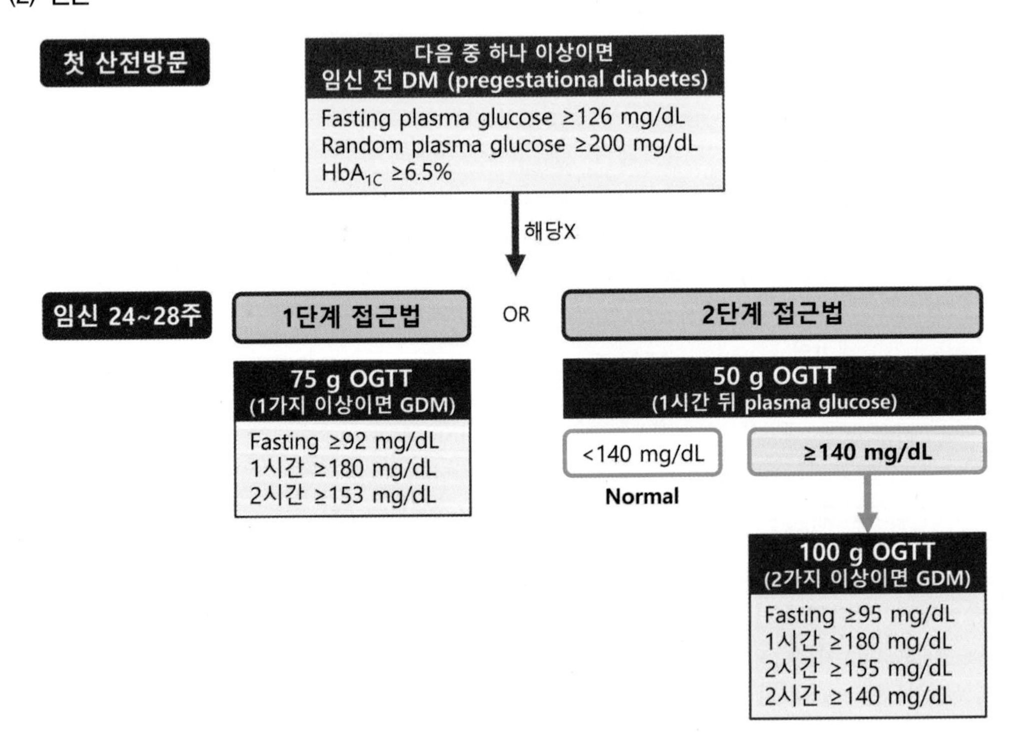

- 임신 24~28주의 모든 임산부에서 50 g OGTT (or 75 g OGTT) 시행
  (∵ 임산부의 90% 이상이 위험인자 한개 이상은 가짐)
- 50 g OGTT ; 식사와 관계없이 50 g의 glucose 투여
  ⇨ 1시간 후 plasma glucose ≥140 mg/dL면 (고위험군은 ≥130) ⇨ 100 g OGTT 시행
- 100 g OGTT ; overnight (8~14시간) fasting뒤 plasma glucose 측정

(3) 치료

- 혈당조절 목표 ; 공복혈당 <95 mg/dL, 식후 1시간 <140 mg/dL, 식후 2시간 <120 mg/dL
  - 임신 전 DM 환자도 동일함 / 공복보다 식후 혈당 조절이 더 중요함
  - HbA_{1C} : 임신 초기 <6.0~6.5%, 임신 중후기 <6.0% (but, 임신 중에는 원래 조금 낮아짐)
  - 저혈당이 발생하지 않도록 주의
- 임상영양요법(MNT) ; GDM 치료의 기본, 30~35 kcal/kg/day (IBW 기준)
  - 지나친 열량 제한은 ketonuria 발생 위험 → 1700~1800 kcal/day 이하로는 제한하지 않음
  - 식후 혈당 조절을 위해 탄수화물 제한 권장 (탄수화물 40%, 단백질 20%, 지방 40%)
- 운동 ; 적절한 강도의 운동 권장 (∵ insulin 치료 필요↓, 과도한 태아 성장 예방)
- 약물치료 ; MNT와 운동으로 혈당조절이 안되면 시행 (태아의 성장속도가 빠를 때도 고려 가능)
  - **insulin** (TOC) ; 초속효성(lispro, aspart), human insulin (RI, NPH), detemir^지속형^ 등이 안전
  - 경구혈당강하제 ; insulin을 사용할 수 없으면 glyburide or metformin은 고려 가능

(5) 출산후 관리/예후

- 혈당조절이 잘 되면, GDM 산모와 태아의 morbidity 및 mortality는 정상인과 차이 없음
- 모유 수유 : 산모와 신생아 모두에게 도움이 되므로 권장함
- 출산 1~2주 뒤 대부분 insulin resistance는 회복되므로, 치료 중인 경우는 저혈당 발생에 주의
- GDM의 50~70%는 15~25년 뒤 type 2 DM 발생 위험 → 분만 후 정기적인 검진과 관리 필요
  ; 출산 6~12주 뒤 75 g OGTT를 시행하여 (pre)DM 여부 확인 → 정상이면 매년 screening
- GDM 병력 여성에서 DM이 발생한 경우 GDM 없던 DM 환자에 비해 만성합병증의 발생 빈도 높음 (특히 심혈관계 합병증에 의한 사망률 매우 높음)
- GDM 산모에서 태어난 자녀들은 비만, glucose intolerance, DM 등의 발생 위험이 높음

11
저혈당(hypoglycemia)

개요

1. 정의

- hypoglycemia : 대개 fasting plasma glucose의 lower normal limit (70 mg/dL) 이하를 의미
- 임상상황에 따라 증상이 발생하는 최저 혈당치 및 생리학적 반응은 매우 다양하므로, hypoglycemia의 진단에는 대개 Whipple's triad를 이용함
- Whipple's triad ⇨ insulin, C-peptide 측정 등 hypoglycemia evaluation 시작
  - hypoglycemia에 의한 증상
  - plasma glucose level↓ (공복 **<55 mg/dL**, 식후 <60 mg/dL)
  - 당 섭취/투여로 plasma glucose level이 올라가면 증상이 사라짐

2. 저혈당에 대한 방어기전

호르몬	반응 혈당역치	반응 시작	작용
Insulin↓	80~85 mg/dL	Rapid	간에서 gluconeogenesis 촉진 간에서 glycogenolysis 촉진 근육에서 glucose 이용 억제 지방 및 단백 분해 증가
Glucagon↑	65~70 mg/dL	Rapid	간에서 glycogenolysis 촉진 간에서 gluconeogenesis 촉진
Epinephrine↑	65~70 mg/dL	Rapid	근육에서 glucose의 이용 억제 간에서 glycogenolysis 촉진 Gluconeogenesis (glucagon 분비 촉진) Insulin 분비 억제
Growth H.↑	65 mg/dL	Delayed	간에서 gluconeogenesis 촉진
Cortisol↑	55~60 mg/dL	Delayed	근육에서 glucose의 이용 억제

* 반응 순서대로 / 증상 발생 혈당역치는 대개 <55 mg/dL

3. 저혈당의 임상증상

(1) autonomic Sx. (**혈당** <60 mg/dL)
- adrenergic Sx. ; 손/발떨림(저림), 심계항진, 불안, 심박증가, 혈압상승
- cholinergic Sx. ; 발한, 공복감, 이상감각
- 혈당이 급격히 떨어지는 경우에 주로 발생 (e.g., reactive hypoglycemia)

(2) neuroglycopenic Sx. (혈당 <50 mg/dL)
- 두통, 어지러움, 졸림, 악몽, 집중력 저하, 운동실조, 구음장애, 시각장애 (시야혼탁, 복시), 행동이상, 경련, 의식장애(착란, 기면, 혼수) ...
- 저혈당이 오래 지속되거나, 혈당이 천천히 떨어지는 경우에 주로 발생 (e.g., insulinoma)
- 뇌세포가 정상 기능을 유지하기 위한 혈당치는 개인마다 차이가 있으나, 나이가 들수록 증가

* 심한 저혈당이 오래 지속되면 치명적이므로, 모든 의식저하 환자에서는 hypoglycemia의 가능성을 고려해야 됨

분류/원인

: 전통적으로 postabsorptive (fasting) ↔ postprandial (reactive)로 분류했었지만 두 가지 양상을 모두 보이거나, 분류 어려운 경우가 많으므로 참고로만 ...

1. Fasting (postabsorptive) hypoglycemia

- 대개 질환 상태를 의미 ; DM, 약물, 심한질환 등이 흔한 원인
- 주간, 특히 운동 이후 특징적으로 나타남 / 탄수화물 섭취에 의해서만 증상이 소실됨

Glucose의 생산 장애	
1. 호르몬 결핍 Hypopituitarism Adrenal insufficiency (cortisol 결핍) Glucagon 결핍 GH 결핍 (소아에서)	**3. Substrate 결핍** Ketotic hypoglycemia of infancy Maple syrup urine disease Severe malnutrition, muscle wasting Late pregnancy
2. 효소 결함 Glucose-6-phosphatase Liver phosphorylase Pyruvate carboxylase Phosphoenolpyruvate carboxykinase Fructose-1,6-bisphosphatase Glycogen synthetase	**4. 심한 질환** 간질환 (hepatic congestion, severe hepatitis, LC) 심부전 (→ hepatic congestion) Sepsis (cytokines이 glucose 생산 억제, 간/신부전) Uremia, Hypothermia, Starvation ... **5. 약물** Alcohol, Propranolol, Salicylates (aspirin)

* hypoglycemia를 일으키는 hormone deficiency중 가장 흔한 것은 hypopituitarism & adrenal insufficiency

Glucose의 이용 증가	
Insulin level 정상	Insulin level 증가
Non-β-cell tumors (대개 IGF-II 때문) Systemic carnitine deficiency Fat oxidation의 enzyme deficiency 3-Hydroxy-3-methylglutaryl-CoA lyase deficiency Fat depletion을 동반한 cachexia 운동	약물(m/c) ; **Insulin or insulin secretagogues** (대부분), Aspirin (고용량), Disopyramide, Gatifloxacin, Indomethacin, Pentamidine (β-cell toxicity → 나중에는 DM 유발), Quinine, Quinidine, Sulfonamides ... Insulinoma, β-cell hypertrophy/hyperplasia Insulin autoimmune syndrome (IAS) Ectopic insulin secretion (매우 드묾) 신부전 (→ insulin clearance ↓)

2. Postprandial (reactive) hypoglycemia

- 어떤 인지할 만한 질환이 없는 경우에 종종 발견 (과식 → insulin ↑ → hypoglycemia)
- 주로 autonomic Sx 발생, 저절로 증상이 소실됨
- 원인

Hyperalimentation (m/c)
: Alimentary hyperinsulinism (e.g., gastrectomy)
Ethanol-induced
Noninsulinoma pancreatogenous hypoglycemia syndrome (NIPHS)
Impaired glucose tolerance
Hereditary fructose intolerance
Galactosemia
Leucine sensitivity
Idiopathic reactive

진단

1. Blood assay

- plasma glucose, insulin, C-peptide, cortisol 등을 동시에 측정
- insulin/glucose ratio ; 정상 <0.4 (insulinoma >0.4)
- proinsulin
  - insulinoma : proinsulin의 분비가 증가
  - 정상 : 전체 insulin의 20% 미만

2. Prolonged (72hr) fasting test … "gold standard"

- fasting hypoglycemia (insulinoma) 진단에 매우 유용
- 증상이 발현될 때까지 혹은 72시간 동안 fasting
- 6시간 마다 plasma glucose, insulin, C-peptide, cortisol 측정
- 어느 때라도 plasma glucose <45 mg/dL면 hypoglycemia로 진단
  (insulinoma : plasma insulin ≥6 μU/mL, C-peptide ≥0.2 nmol/L)

3. Mixed meal test

- 식후 저혈당 (식후 5시간 이내에 neuroglycopenic Sx 발생) 환자에서 시행
- mixed meal 섭취후 neuroglycopenic Sx 발생시 혈당이 50 mg/dL 이하면 (+)

4. C-peptide suppression test

- exogenous insulin을 투여하여 hypoglycemia를 유발함
  - insulinoma : endogenous insulin과 C-peptide의 분비가 억제되지 않음
  - 정상 : 기저치의 50% 이하로 억제됨

공복 저혈당(Fasting hypoglycemia)

1. Insulinoma

(1) 개요/임상양상

- 드물다, 40~60세에 호발, 남≤여
- pancreatic β-cell의 종양으로 90%가 solitary, 99%가 췌장내에 존재
- 크기 작다(대부분 2 cm 이하), 췌장 전체에 균등히 분포
- 대부분 benign, 약 5~15%만 malignant (→ 대부분 간 전이 존재)
- 약 8%는 MEN-1 (Wermer's syndrome)과 관련 (→ 수술뒤 재발률도 높음)
  : + pituitary adenoma + parathyroid adenoma
- 경험적으로 저혈당을 피하기 위해 과식 → 보통 체중증가를 동반 (30%는 obesity)
- hypoglycemia unawareness

(2) 진단

① Whipple's triad

② hypoglycemia (<55 mg/dL)일 때 insulin 농도가 정상~증가 (≥3 μU/mL [18 pmol/L])
- insulin/glucose >0.4
- C-peptide↑ (≥0.6 ng/mL [0.2 nmol/L])
- proinsulin↑ (≥5.0 pmol/L)
- insulin에 대한 autoantibody는 음성

③ 불확실한 경우엔 48~72hr fasting test

(3) localization

- CT (70~80%), MRI (85%)에서 대개 발견되지만, 놓치는 경우도 많음 (∵ small tumor)
- somatostatin receptor scintigraphy : 50~80%에서 발견 가능
- 고해상도 EUS (endoscopic ultrasonography) : 최대 90%에서 발견 가능
- 침습적 진단법 (비침습적 검사로 대부분 발견 가능하므로, 거의 시행 안됨)
  (a) selective pancreatic arterial calcium injection (stimulation) test
  (b) transhepatic portal venous sampling
- 수술 전 검사들로도 발견 못하면 → intraoperative ultrasonography (거의 대부분 발견 가능)

(4) 치료

- 수술 (TOC) : 75~95%가 완치됨 (약 15%에서는 저혈당 지속)
- 내과적 치료 : 수술전 및 수술실패시
  ① diazoxide (m/g) → insulin 분비 억제 : 50~60%가 반응
  ② somatostatin analogue (e.g., octreotide) : 약 40%에서 효과적
  ③ 기타 ; verapamil, diphenylhydantoin, phenytoin, clorpromazine ...
  ④ metastatic carcinoma
  - 간 전이 → 수술적 절제 or hepatic arterial embolization, chemoembolization,
  - CTx. ; streptozocin ± 5-FU, doxorubicin, dacarbazine, IFN-β ...

(5) 심한 hypoglycemia 시의 initial Tx.

: 50% glucose solution IV (→ 입으로 식사할 수 있을 때까지)

2. Factitious hypoglycemia (인위적 저혈당)

- insulin or sulfonylurea의 인위적 투여에 의해 발생한 hypoglycemia
- insulinoma와의 감별

	Insulinoma	Exogenous insulin	Sulfonylurea	Insulin Autoimmune
Plasma insulin	↑	↑↑	↑	↑↑
Insulin/glucose ratio	↑	↑↑	↑	↑↑
Proinsulin	↑	↓	↑~N	↑↑
C-peptide	↑	↓	↑	↑↑
Insulin antibodies	−	−	−	+
Plasma or urine sulfonylurea	−	−	+	−

* 정상치
- insulin (fasting) : 2~20 μU/mL
- C-peptide (fasting) : 0.5~2.0 ng/mL [0.2~0.7 nmol/L]

3. Alcohol-related hypoglycemia

- 기전
  - alcohol에 의한 hepatic gluconeogenesis 억제
  - hepatic glycogen depletion (∵ starvation)
- 주로 영양실조인 알코올중독자에서 발생하지만, 과음 이후 vomiting 또는 gastritis로 굶은 경우 누구에서나 며칠 뒤 발생 가능

4. Insulin autoimmune syndrome (IAS)

- 자연적으로 자신의 insulin에 대한 자가항체를 생성하는 것 (주로 IgG)
- 원인 ; 약물, 자가면역질환(e.g., Graves's dz., RA, SLE), plasma cell d/o. 등 (but, 대부분 모름)
- 기전 ; 분비된 insulin이 anti-insulin Ab와 결합하고 있다가 (→ 초기에는 insulin 작용 부족으로 hyperglycemia 발생 → insulin 분비↑), 부적절한 시간에 분리되어 hypoglycemia 유발
- insulin, proinsulin, C-peptide level이 매우 높음
- 주로 아시아(특히 일본)에서 발생, 남=여, 대개 고령
- 치료는 어렵지만, 자연 관해가 흔함 (self-limited), 대부분 몇 달 이내에 호전됨

* Type B insulin resistance (드묾)
- insulin receptor Ab : 대개 insulin resistance를 일으키나, 일부에서 때때로 insulin receptor를 활성화하는 insulin과 같은 작용을 나타내어 hypoglycemia 발생
- insulin resistance & acanthosis nigricans를 가진 흑인 중년 여성에서 흔함

식후/반응성 저혈당 (Postprandial/reactive hypoglycemia)

1. Alimentary hyperinsulinism (m/c)

- upper GI 수술 (e.g., gastrectomy) 받은 환자에서 발생
- 병인 ; rapid gastric emptying → rapid glucose absorption (→ 혈당 빨리 상승)
  → insulin 분비 크게 증가 → hypoglycemia 발생
  - 장에서 GLP-1 분비 증가 → insulin 분비 촉진, glucagon 분비 억제
- 진단
  ① mixed meal test 후 Whipple's triad 증명
  ② nuclear gastric emptying study
  - 5hr oral glucose tolerance test는 도움 안됨
    (∵ 정상인의 상당수에서도 증상 없이 hypoglycemia (≤50 mg/dL)가 나타남)
- 치료 : 식이습관의 변화 (소량씩 자주 나누어 먹어)
  - 단순 또는 정제된 당질의 섭취 피함, 비만 환자는 체중감량
  - α-glucosidase inhibitor (e.g., acarbose, miglitol) : glucose의 장내 흡수를 지연시키므로 이론상 좋은 치료일 것 같으나, 실제 효과는 별로임

2. Noninsulinoma pancreatogenous hypoglycemia syndrome (NIPHS)

- islet (β-cells) hypertrophy ± hyperplasia가 원인, insulinoma보다 훨씬 드묾
- 식후 insulin 과다분비에 의한 hypoglycemia 발생이 특징적
- mixed meal test (+) & 72hr fasting test (−)
- 영상검사들에서는 발견 안됨
- Dx : selective pancreatic arterial calcium injection (stimulation) test
- Tx : partial pancreatectomy

3. Impaired glucose tolerance

* 식사 or 경구당부하검사 후 혈중 glucose 및 insulin 농도
- 정상 : 1~2시간에 최고
- 내당능장애 : 2시간 이후에 최고 → 음식 섭취가 없는 식후 3~5시간에 저혈당(late hypoglycemia) 발생

4. Idiopathic reactive hypoglycemia

(1) true idiopathic reactive hypoglycemia : 드물다, 논란

(2) pseudohypoglycemia (idiopathic postprandial syndrome)
- 검사상 hypoglycemia 없는데도, 식후 2~5시간에 hypoglycemia의 증상 발생
- D/Dx : Sx. 발생시에 low plasma glucose 증명해야

DM 환자의 hypoglycemia

1. 개요

- 실제 임상에서 hypoglycemia는 DM 치료 중 가장 흔히 발생
- serious hypoglycemia를 막는 것이 hyperglycemia를 막는 것보다 중요
  (∵ hypoglycemia는 생명을 위협할 수 있는 즉각적인 결과를 초래 가능)
- type 1 DM에서 더 흔히 발생 (2~4%는 hypoglycemia로 사망)
- type 2 DM에서는 덜 흔하지만 insulin or sulfonylurea 치료 중에 발생 가능
- hypoglycemia에 대한 정상적인 방어기전
  ① insulin 용량 감소/중단
  ② counterregulatory hormones 분비 (특히 glucagon)
  (→ hepatic glucose 생산↑, nonhepatic tissue에서 glucose 이용↓)

2. 일반적인 위험인자

: relative/absolute insulin excess의 원인

① insulin or oral hypoglycemic agents의 잘못된 선택, 용량 과다, 투여시간 부적절 등
② glucose 섭취 감소 (e.g., 식사를 거르거나 밤새 금식시)
③ insulin-dependent glucose utilization 증가 (e.g., 운동)
④ insulin sensitivity 증가 (e.g., 강력한 혈당조절, 한밤중, 운동, 체중감소 등)
⑤ endogenous glucose production 감소 (e.g., 음주)
⑥ insulin clearance 감소 (e.g., 신기능 저하)

* but, 이러한 원인들은 severe hypoglycemia의 일부에만 관여 → 대부분은 다른 기전이 원인

3. Hypoglycemia-associated autonomic failure (HAAF)

(1) defective glucose counterregulation

: type 1 DM 및 insulin이 결핍된 type 2 DM에서 나타남

① glucose level이 떨어져도 insulin level이 같이 떨어지지 않음 (∵ 외부에서 insulin 투여)
② glucagon deficiency
- β-cell에서 insulin 합성 소실시 α-cell의 glucagon 합성도 감소
- glucagon의 absolute deficiency가 아니라 functional abnormality
  (hypoglycemia 이외의 자극에 대해서는 반응함)

③ epinephrine deficiency (m/i)
- threshold abnormality : epinephrine이 분비되기 위한 glucose level↓
- hypoglycemia의 기간이 선행된 뒤 나중에 발생
- glucagon만 결핍되었을 때보다 severe hypoglycemia 발생

(2) hypoglycemia unawareness (저혈당 불감증/무감지증)

- chronic hypoglycemia에 적응 → BBB를 통한 glucose 투과도 증가
  → 혈당이 매우 낮아져도 모르게 됨
- warning Sx (conterregulatory hormonal response와 neurologic Sx) 결여
  → 저혈당 교정을 위해 식사하려는 인식을 방해 → 악순환 반복
  → severe hypoglycemic coma에 빠질 위험
- hypoglycemia의 첫증상이 neuroglycopenia로 나타나지만, 그때는 환자 스스로 해결하기에는 이미 늦은 경우가 흔함 (severe hypoglycemia 발생 위험 6배)
- 원인 ① chronic iatrogenic hypoglycemia (∵ insulin/glucagon ↑)
  ② autonomic neuropathy
  ③ β-blocker (glycogenolysis도 방해)
- counterregulatory hormone failure는 특히 intensive insulin Tx.시 위험
- counterregulatory hormone failure를 의심할 수 있는 임상소견
  → 식사 및 운동의 변화로는 설명되지 않는 frequent hypoglycemia
- 치료 [가역적] : (insulin 용량을 줄여서) <u>2~3주 정도 hypoglycemia 발생을 엄격히 예방</u>하면 counterregulatory glucose threshold가 다시 회복됨

* 다른 원인에 의한 hypoglycemia도 발생할 수 있음
① honeymoon period
② autoimmune adrenal insufficiency
③ high levels of circulatory insulin Ab.
④ insulinoma

4. Hypolycemia의 치료

- 의식이 있으면 → 설탕, 사탕, 당함유 음료
- 의식이 없으면 → IV glucose (50% DW), glucagon 1 mg IM

* glucose IV 후에도 의식이 회복 안되면 혈당을 200 mg/dL로 유지하면서 steroid를 투여 가능

12 고지혈증(Hyperlipidemia)/이상지질혈증(Dyslipidemia)

생리학

1. 2 main lipids

; 지질(lipid)은 不수용성으로 혈중에서는 지단백(lipoprotein) 형태로 운반됨

(1) cholesterol

- 세포막의 구성 성분, steroid 호르몬과 담즙산의 전구체, 주로 LDL의 형태로 운반됨
- 보통 lipoprotein 형태로 존재하기 때문에 체위나 정맥울혈의 영향을 받음
  (누우면 감소 → 앉은 자세에서 채혈하는 것이 원칙)
- 식사에 의한 cholesterol 농도의 변화는 거의 없다 (10% 이내)

(2) triglyceride (TG)

- 세포 내로의 energy transfer에 중요 (에너지원)
- 주로 VLDL or chylomicron (CM)의 형태로 운반됨
- 식후에 크게 증가하므로, 9시간 (원칙적으론 12시간) 이상 금식 후 검사

* FFA (free fatty acid)

- 혈중 지질의 2% 이하, albumin에 의해 운반, 심근 에너지의 60% 담당
- FFA의 20~40%는 간으로 섭취되어 TG, phospholipid 등의 합성 재료가 되고,
  일부는 산화되어 에너지원으로 쓰인다
- 지방조직으로부터의 FFA 동원 (lipolysis)
  - 촉진 : catecholamine, GH, glucocorticoid, thyroid hormone
  - 억제 : insulin, adenosine, PGE
- FFA level
  - ↑ : IHD, obesity, DM, Cushing's syndrome, acromegaly, hyperthyroidism, pheochromocytoma, hepatitis, LC, α_1-blocker
  - ↓ : NS (∵ albumin 감소로 FFA ↓), hypothyroidism, Addison's dz, panhypopituitarism, insulin (insulinoma), glucose, β-blocker, PGE, nicotinic acid, reserpine, clofibrate

* **트랜스지방(trans fat)** : 불포화 지방산의 하나로 튀김, 피자, 치킨, 치즈, 도넛, 팝콘 등에 많음

- 간세포에 작용하여 LDL을 증가시키고, HDL을 감소시킴 → 심혈관질환(CVD) 위험↑
- 포화지방산보다 더 LDL을 많이 증가시킴, 하루 총열량의 1% (2.2~2.5g) 이하로 섭취 제한

2. 지단백(lipoprotein, Lp)의 구조와 종류

Lipoprotein class	Major lipids	Apolipoproteins		EP상 이동
		Major	Minor	
CM & CM remnants	Dietary TG	B48	A Ⅰ, AⅣ, C Ⅰ, C Ⅱ, C Ⅲ, E	Origin slow Pre-β
VLDL	Endogenous TG	B100	A Ⅰ, A Ⅱ, A Ⅴ, C Ⅰ, C Ⅱ, C Ⅲ, E	Pre-β
IDL	TG, Cholesteryl esters	B100	C Ⅰ, C Ⅱ, C Ⅲ, E	slow pre-β
LDL	Cholesteryl esters	B100		β
HDL	Cholesteryl esters	A Ⅰ	A Ⅱ, AⅣ, C Ⅲ, E	α
Lp(a)	Cholesteryl esters	B100	apo(a)	pre-β

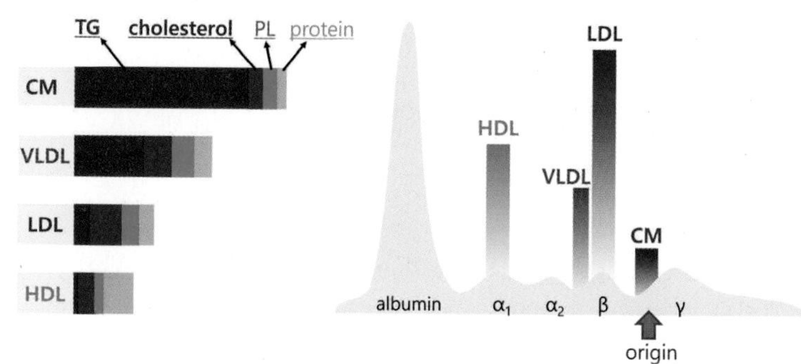

- density를 결정하는 인자
  - TG↑ → density↓ (VLDL, CM)
  - apoprotein↑ → density↑ (HDL)
- 혈장의 관찰
  ① CM ↑ → 원심분리 or standing 후 우유빛 상층액(creamy layer)
  * 아래층이 투명 → type Ⅰ (CM만↑), 혼탁 → type Ⅴ (VLDL도 ↑)
  ② TG (VLDL) ↑ → 탁한 혈장(turbid plasma) : type Ⅳ
  ③ cholesterol (LDL) ↑ → 투명! : type Ⅱa

3. 아포지단백(apolipoprotein)

(1) 기능

- lipoprotein 구조의 골격, lipoprotein 대사의 조절, lipoprotein immunogenicity의 표현
- lipophilic compounds와 결합/운반 (지용성 → 수용성), tissue receptor의 인식

(2) 종류

- Apo A-Ⅰ : HDL의 m/c 구조 아포지단백, 간과 장에서 생성, LCAT의 activator
- Apo A-Ⅱ : HDL의 2nd m/c 구조 아포지단백, hepatic lipase의 activator
- Apo B-100 : LDL, IDL, VLDL, Lp(a)의 주요 구조 아포지단백, 매우 큼, 간에서 생성
  - LDL receptor에 대한 ligand로 LDL의 조립과 분비에 필요, 한 개의 지단백 당 하나만 존재
  - 85%가 LDL에 존재 → Apo B-100으로 심혈관질환CVD을 예측 가능
- Apo B-48 : CM의 주요 구조 아포지단백, 장에서 생성, LDL receptor에 결합 안함

- Apo C-Ⅱ, apo C-Ⅲ, apo A-Ⅴ : TG-rich lipoproteins의 대사에 관여
- Apo E : TG-rich particles의 대사 및 제거에 중요

* 3개의 대립유전자(ε2, ε3, ε4)에 의해 3개의 isoforms (E2, E3, E4) 존재
  - E3 : 정상 (m/c)
  - E4 homozygote (E4/E4) : Alzheimer's disease
  - E2 homozygote (E2/E2) : familial dysbetalipoproteinemia (type Ⅲ hyperlipoproteinemia)

4. 지질단백(lipoprotein)의 대사

(1) chylomicron (CM)

- 소장에서 흡수된 dietary (exogenous) TG를 체내 조직 (지방조직)으로 운반 (이때 apo B-48이 관여)
- 식후 1시간에 가장 높고, 4~5시간 후면 거의 소실
- 공복시엔 거의 없다 (10시간 이상 금식후에도 존재하면 → type Ⅰ or Ⅴ)
- CM ↑↑시 흔히 pancreatitis를 합병

(2) VLDL (very low density Lp)

- 간에서 합성되는 (endogenous) TG는 VLDL의 형태로 말초조직으로 운반됨
  - 간에서 분비될 때는 apo B-100이 관여
  - 혈중에서는 여러개의 apo E와 apo C 들도 관여
  - 식사후 carbohydrate에서 얻어진 glucose로 부터 TG 합성
- 공복상태 or 과량의 지방섭취 후에는 말초에서 유리되는 FFA가 간으로 이동하여 TG로 전환됨

(3) LDL (low density Lp)

- cholesterol의 운반에 관여 (total plasma cholesterol의 70%를 수용) → AS의 risk 증가
- 크기/밀도에 따라 phenotype A (큼), B (작고 치밀), I (중간)로 구분
- LDL의 70~80%는 말초와 간세포(主)의 LDL receptor에 의해 세포내로 uptake됨, 나머지 20~30%는 receptor와 관계없이 RES (macrophage)에 의해 제거
- hepatic LDL receptor pathway가 plasma LDL 농도를 조절하는 주 기전
- small dense LDL (LDL phenotype B) … more atherogenic (but, 전체 LDL이 더 중요) ; plasma FFA↑ (→ TG↑), HDL↓와 관련

(4) HDL (high density Lp)

- cholesterol을 청소하는 역할 : 말초 조직의 excess cholesterol을 흡수한 뒤, 간으로 운반 (운반된 cholesterol은 bile acid로 배설)
- 동맥벽의 cholesterol 침착 방지에 매우 중요 : HDL↑ → AS↓ (AS의 "anti-risk factor")
- HDL 증가 ; 여자 (여자가 남자보다 25% 높다), estrogen, 체중감소, 운동, alcohol, chronic hepatitis, phenobarbital, phenytoin, clofibrate, nicotinic acid, genfibrozil ...
- HDL 감소 (대개 insulin resistance와 관련)
  ① 체중증가/비만, 고탄수화물(>60%) 저지방 식이, 흡연, DM, androgen, progesterone, β-blocker, coffee, 중증 간장애

② severe hypertriglyceridemia → very-low HDL (<20 mg/dL)
③ very-low HDL (<20 mg/dL) & TG <400 mg/dL은 대개 유전질환이 원인
; apo A-Ⅰ mutation, LCAT deficiency, Tangier dz.

(5) lipoprotein (a), Lp(a)

- LDL에 apo(a)가 결합된 complex (정상: <30 mg/dL)
- Lp(a) level은 대개 유전적으로 결정되며, 생활습관과는 관련 없음
- thrombogenic, atherogenic → 심혈관질환 환자에서 높음 (but, 독립적인 위험인자인지는 논란)
- AS의 다른 risk factors보다 more severe risk factor
  예) familial hypercholesterolemia의 IHD군과 non-IHD군 사이에 LDL은 별 차이 없으나, Lp(a)는 IHD군에서 크게 증가
- Lp(a) level 상승이 심혈관질환 발생 위험을 특히 높이는 경우 ; 남성, 심혈관질환의 가족력, high LDL 등 → 중~고강도 statin 치료 [Lp(a) 낮추는 niacin은 예후 개선 없고, 부작용↑]

(6) LPL (lipoprotein lipase)

- Apo C-Ⅱ에 의해 활성화, Apo C-Ⅲ에 의해 억제
- CM, VLDL 중의 TG를 가수분해하여 CM remnant, IDL 형성
- LPL에 의해 유리된 FFA는
  - 지방세포에서 TG로 저장
  - 골격근·심근의 에너지원으로 이용

(7) LCAT (lecithin cholesterol acyltransferase)

- HDL 중의 free cholesterol (수용성)을 cholesterol ester (지용성)와 lysolecithin으로 변환
- 말초에서 간으로의 reverse cholesterol transport에 중요 (조직의 과잉 cholesterol을 간에 전달)
- 간 장애시 LCAT 합성 감소 (→ 간질환의 severity, Px. 알 수 있음)

(8) Lipoprotein X (Lp-X)

- 비정상적인 LDL
- obstructive jaundice, LCAT deficiency 때 나타남

임상양상/진단

1. Screening

- 모든 21세 이상 성인은 매 4~6년마다 lipid profile 검사가 권장됨
  (premature CVD or severe dyslipidemia 가족력 등 다른 위험인자가 있으면 더 젊은 연령에서)
- 처음부터 total cholesterol, LDL, HDL, TG 모두 측정할 것을 권장 (12시간 overnight fasting 뒤)
- lipoprotein EP는 screening이나 management에는 별 도움이 안된다 (권장×)
- LDL ≥190 mg/dL이면, 모든 primary & secondary dyslipidemia의 원인을 R/O하기 위해 자세히 evaluation하는 것이 좋다
- severe dyslipidemia (cholesterol >300 mg/dL or TG >500 mg/dL)는 대개 genetic dyslipidemia를 시사함 (xanthoma → 모두 genetic dyslipidemia)

Friedewald equation ★

$$LDL = Total\ cholesterol - HDL - \frac{TG}{5}$$

- Total cholesterol = VLDL + LDL + HDL
- VLDL = TG/5

- 단, TG가 400 mg/dL 이하여야 됨!
  (TG가 400 이상이면 VLDL 내의 TG:cholesterol 비가 5:1을 초과하여 오차가 생기게 됨 → LDL 직접측정법 권장 or non-HDL을 치료 목표로)
- Friedewald 공식으로 계산한 LDL 값은 직접측정법에 비해 낮게 나옴 (평균 약 10 mg/dL) → CVD 위험 과소평가 가능

Non-HDL = VLDL + LDL = total cholesterol − HDL

Dyslipidemia 진단 기준 (참고치, mg/dL)		
LDL cholesterol	<100	Optimal
	100~129	Normal
	130~159	Borderline
	160~189	High
	≥190	Very high
Total cholesterol (TC)	<200	Optimal
	200~239	Boderline
	≥240	High
HDL cholesterol	<40	Low
	≥60	High
TG	<150	Optimal
	150~199	Borderline
	200~499	High
	≥500	Very high

*4가지 중 한가지만 이상이 있어도 dyslipidemia로 정의함

2. 이차원인의 R/O 및 동맥경화성심혈관질환(ASCVD) 위험도 평가

↳ 뒷부분 참조

* 이상지질혈증 (LDL↑) → atherosclerotic cardiovascular disease (ASCVD)의 주요 위험인자
  - cholesterol 1 mg/dL 상승할수록 CVD 위험도 2~3% 증가
  - TG↑도 CVD의 독립적인 위험인자이나, LDL↑ or HDL↓보다는 덜 중요함
  - apo B-100 (LDL에 풍부)↑도 ASCVD의 중요한 위험인자임 (apo A의 관련성은 덜 명확함)

c.f.) 우리나라 역학 (2016년)
- ASCVD ; 뇌혈관질환은 감소, 관상동맥질환은 증가 추세 … dyslipidemia 증가와 관련
- 유병률 ; 전체 dyslipidemia (TC, LDL, HDL, TG 중 하나 이상 증가 or 치료중) 40.5%, 남자 47.9%, 여자 34.3% … 모두 증가 추세 (with 고령화↑)
- TC, LDL, TG ; 남자가 더 높다가 60~65세 이후로는 여자가 더 높아짐
- HDL ; 전 연령에서 여자가 더 높지만, 노인에서는 차이가 줄어듦

3. 실용적 분류

(1) hypercholesterolemia : LDL↑ → type IIa

(2) hypertriglyceridemia : CM↑ or VLDL↑ → type I, IV, V

(3) combined dyslipidemia

- CM↑↑ or VLDL↑↑ → TG : cholesterol > 5 : 1 (심한 TG 증가는 cholesterol 증가도 동반 가능)
- VLDL↑ & LDL↑ → TG : cholesterol < 5 : 1 (type IIb)

c.f) 전기영동에 의한 WHO phenotypic classification (Frederickson)

Type	Lipoprotein↑	Cholesterol	TG	Primary Cause	Secondary Cause	CAD	PAD
I	CM	↑	↑↑↑	Familial LPL deficiency (Apo C-II defect)	pancreatitis, SLE, multiple myeloma	-	-
IIa	LDL	↑↑↑	N	Familial hypercholesterolemia (LDL receptor defect) Familial defective apoB100	NS, hypothyroidism, obstructive liver dz	+++	+
IIb	LDL & VLDL	↑↑	↑↑	?	DM, NS, renal failure, hypothyroidism	+++	+
III	IDL (β-VLDL)	↑↑	↑↑	Familial dysbetalipoprotein-emia (Apo E defect)	DM, renal failure, hypothyroidism, Ig이상	+++	++
IV (m/c)	VLDL	N	↑↑	Familial hypertriglyceridemia	DM, 비만, 음주, NS (severe), CKD hypothyroidism, Cushing	±	±
V	VLDL & CM	↑↑	↑↑↑	?	DM, NS, Cushing multiple myeloma, 알코올중독, pancreatitis, 이뇨제, 경구 피임약	±	±

* specific dz.를 의미하는 것이 아니라 abnormal lipoproteinemia의 pattern만을 기술한 것임

4. 임상양상

(1) CM or VLDL level이 매우 높은 경우

① TG >1000 mg/dL

- eruptive xanthomas (small orange-red papules) ; 체간과 사지에 발생
- pancreatitis

② TG >2000 mg/dL ; lipemia retinalis (cream-colored blood vessels in the fundus)

(2) LDL level이 매우 높은 경우

- tendon xanthomas ; Achilles, patella, 손등 → 대개 genetic dyslipidemia를 시사
- corneal arcus, xanthelasmata

이상지질혈증의 치료

1. 일반적 원칙 (우리나라, 2018)

■ 치료 목표치 (약물치료 시작점) ★

위험군		LDL (mg/dL)	Non-HDL
초고위험군	관상동맥질환 죽상경화성 허혈뇌졸중 및 일과성 뇌허혈발작 말초동맥질환	<70 *or* 기저치보다 50% 이상 감소	<100
고위험군	경동맥질환[1] 복부동맥류 당뇨병[2]	<100 *or* 기저치보다 30~40% 이상 감소	<130
중등도위험군	주요위험인자* ≥2개	<130	<160
저위험군	주요위험인자* ≤1개	<160	<190

[1]유의한 경동맥 협착이 확인된 경우
[2]표적장기손상(TOD) 혹은 심혈관질환(CVD) 주요위험인자를 가지고 있는 경우 목표치 하향 가능

*CVD 주요위험인자 (LDL을 제외한)
1. 연령(남≥45세, 여≥55세)
2. 관상동맥질환 조기발병 가족력
   ; 부모/형제/자매 중 남자 55세, 여자 65세 미만에서 CAD 발병
3. 고혈압
   ; ≥140/90 or 항고혈압제 복용중
4. 흡연
5. Low HDL (<40 mg/dL)

High HDL (≥60 mg/dL)은 negative 위험인자로 위험인자 수에서 하나 뺌

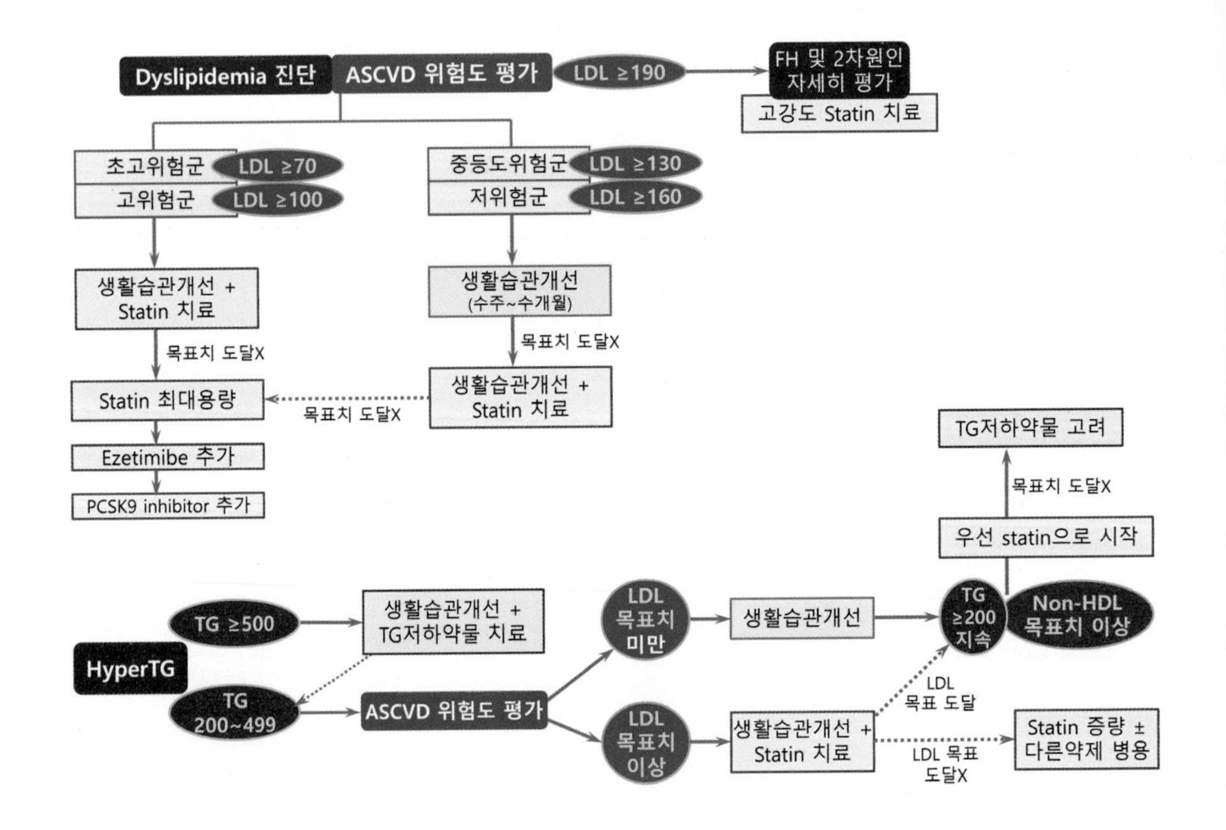

c.f.) 극초고위험군(extreme risk) ⇨ LDL 목표치 <55 mg/dL 권장 (우리나라는 아직 반영×)

AACE/ACE미국 (2018)	ESC/EAS유럽 (2019)
LDL 70 mg/dL 미만 달성 후에도 UA를 포함한 ASCVD가 진행하는 경우 DM CKD stage 3~4 이형접합 가족성 고콜레스테롤혈증(HeFH) ASCVD 조기 발병력 (남자 <55세, 여자 <65세)	Documented ASCVD (clinical/imaging) 10yr fatal CVD risk score ≥10% FH with ASCVD or with another major risk factor Severe CKD (eGFR <30 mL/min) DM with target organ damage, ≥3 major risk factors, 20년 이상 된 T1DM

- LDL level이 1차 치료목표임 (LDL 조절 이후 2차 목표로 non-HDL을 조절할 수 있음)
- 초고~고위험군은 LDL 목표치 이상이면 바로 statin 치료 시작
  - AMI가 발생한 경우 LDL level에 관계없이 바로 statin 치료 시작
    (c.f., 심부전증, 투석 환자는 statin의 예방 효과가 없으므로 새롭게 추가하는 것은 추천×)
  - 최대 용량의 statin으로 목표지 도달에 실패하면 ezetimibe, PCSK9 inhibitor 추가
- 중등도~저위험군은 수주~수개월의 생활습관교정 이후에도 목표치에 도달 못하면 statin 치료 시작
- statin 치료 후 lipid F/U은 4~12주 뒤 (만약 LDL <40 mg/dL이면 statin 감량 고려)
- LDL ≥190 mg/dL ⇨ dyslipidemia의 2차 및 유전적 원인 확인 및 교정
  e.g.) 담도폐쇄, NS, hypothyroidism, 임신, steroid, cyclosporin, familial hypercholesterolemia 등
  ⇨ 교정가능한 2차 원인이 없으면 위험정도와 관계없이 statin 치료 시작
- **hypertriglyceridemia** … CVD의 독립적인 위험인자임 (TG-rich lipoprotein → atherogenic)
  ① very high (≥500 mg/dL) ⇨ hypertriglyceridemia 먼저 치료!
    - hyperTG의 2차원인(e.g., 과체중, 음주, 탄수화물 섭취, CKD, DM, hypothyroidism, 임신, estrogen, tamoxifen, steroid) 및 유전질환 확인 필요
    - TG를 낮춰 acute pancreatitis를 예방하는 것이 일차 목표
    - TG-lowering drugs (fibric acid, omega-3 FAs) → 500 이하로 되면 다시 LDL을 치료목표로
  ② high (200~499 mg/dL)
    ┌ LDL도 높은 경우 (위험도에 따른 목표치보다) ⇨ 먼저 LDL을 치료목표로 statin 투여
    └ LDL이 목표치보다 낮은 경우 ⇨ 우선 생활습관개선 시행
    ⇨ 이후에도 TG ≥200 mg/dL 지속되면 위험도를 고려하여 우선 statin으로 치료!
      (∵ CVD 예방 효과가 statin은 확실하지만, fibrate 등은 불확실하고 연구 부족)
    - non-HDL을 치료목표로 함 (→ LDL 목표치 + 30 mg/dL)
      ↳ = total cholesterol − HDL (TG가 풍부한 VLDL, IDL이 포함됨)
    - 이후에도 TG ≥200 mg/dL *or* non-HDL이 목표치 이상이면 TG-lowering drugs (fibric acid, omega-3 FAs) 추가 고려
- **low HDL** (<40 mg/dL) … CVD의 강력한 독립적인 예측 인자임 (e.g., CAD 60%↑)
  - HDL의 특별한 치료목표/방법은 없음 → LDL이 주 치료목표
  - LDL이 목표치에 도달한 뒤에는 생활습관개선(e.g., 체중감량, 금연, 운동) → HDL 약 10%↑
  - 약물로(nicotinic acid [m/g], fibric acid)로 HDL level을 높여도 ASCVD 위험이 감소된다는 연구/근거는 없음 (CVD가 있는 초고~고위험군 환자에서는 고려해볼 수도 /but, nicotinic acid or fibric acid를 statin과 병용해도 추가적인 효과는 없음 → 권장×)

c.f.) 10년간 심혈관질환(CVD) 위험도/확률 모형

- Framingham risk score (1998년)
  - 10년 이내에 CHD가 발생할 위험도를 평가 (10-year CHD risk)
  - 평가항목(risk factor) ; 연령, 성별, total cholesterol, HDL, systolic BP (치료여부), DM, 흡연
- 2013 ACC/AHA … Pooled Cohort Equation ; 뇌혈관질환까지 포함하여 risk 계산
- 우리나라 ; 서구의 평가도구를 아시아인에 적용하면 위험도가 과대평가되므로 그대로 사용 못함, 여러 자체적인 평가도구도 연구되었지만 사용× (∵ 효용성, 근거 부족) → 4 위험군 분류만 사용

2. 생활습관개선(TLC, therapeutic lifestyle changes)

⇨ 모든 dyslipidemia 환자에서 시행!

(1) 운동 및 체중감량

- 비만인 경우 반드시 체중감량 ⇨ TG↓, LDL↓, HDL↑
- 유산소 운동 (많은 근육을 이용하는 반복 운동) … 중등도 강도 30분 이상 4~6회/주 권장
  ↳ 예 ; 빨리 걷기, 달리기, 계단오르기, 자전거, 줄넘기, 수영 ...
  ⇨ TG↓ / LDL↓ & HDL↑ 효과는 미미하지만, 독립적인 CVD 위험 감소 효과가 큼
- 저항성 운동도 2회/주 이상 권장됨
- BMI를 정상으로 유지하면 좋지만, 어려운 경우에는 현재보다 체중 3~5% 이상은 감량 권장

(2) 식이요법

- 적정 체중을 유지할 수 있도록 총에너지(칼로리) 제한
- 총 **지방** 섭취량 ⇨ 총에너지의 15~**30%**로 유지 권장
  - 고지방식(특히 포화지방산) → LDL↑ (포화지방 비율 1% 증가시 LDL 0.8~1.6 mg/dL↑)
  - 지나친 지방 제한으로 인한 탄수화물의 섭취 증가는 오히려 TG↑, HDL↓
  - 포화지방산(saturated FA)은 총에너지의 7% 이내로 제한
    (e.g., 육류의 지방, 가금류의 껍질, 버터, 치즈, 마요네즈, 야자유, 가공식품 등에 많음)
  - 대신 불포화지방산(unsaturated FA)으로 대체 권장
    ↳ monounsaturated FA (MUFA) / polyunsaturated FA (PUFA) ; omega-6 (n-6) → LDL 감소 효과
  - omega-6 PUFA는 10% 이내로 (e.g., 해바라기씨유, 옥수수기름, 콩기름 등)
    c.f.) omega-3 (n-3) PUFA : LDL에는 영향×, TG 감소 효과 (→ 뒷부분 참조)
    (e.g., 연어, 꽁치, 정어리, 고등어 등의 생선, 들기름, 카놀라유)
  - cholesterol 섭취를 줄이면 LDL이 낮아지는 지는 불확실함, 일괄적으로 제한할 필요는 없음
    ⇨ hypercholesterolemia인 경우에는 cholesterol 섭취량 300 mg/day 이내로 제한
    (e.g., 계란 노른자, 버터, 치즈, 초콜릿, 오징어, 장어, 조개, 생선알 등 [땅콩은 아님])
  - 트랜스지방산(trans fatty acid)은 최대한 피함 (∵ 포화지방산과 비슷한 수준으로 LDL↑)
    (e.g., 마가린, 쇼트닝 등의 경화유[가공유지식품] → 과자, 빵, 튀김 등)
- 총 **탄수화물** 섭취량 ⇨ 총에너지의 55~**65%**로 유지 권장
  - 전곡(whole grains), 채소, 과일, 콩류 등 권장
  - 수용성 식이섬유(→ LDL↓, TG↓) 풍부한 식품 권장 : 남자 >25 g (여자 >20 g)
  - 당류 섭취는 10~20% 이내로 제한 (∵ 단순당[포도당, 과당, 설탕 등] → TG↑)

• alcohol ⇨ 1~2잔/day 이내로 제한 (특히 TG↑↑면 췌장염 위험도 → 더 제한, 금주 권장)
  - alcohol → LPL activity↓ → CM 분해↓ → TG↑
  - light~moderate alcohol intake → HDL↑ (but, 심혈관 위험↓와는 관련×)
    ↳ 심혈관 위험 감소는 insulin sensitivity↑, 항혈전, 항염증, 항산화 기전 때문

3. 약물치료

(1) HMG-CoA reductase inhibitors (statins) … 1st line therapy

• 약제 : **atorvastatin**, fluvastatin, lovastatin, pitavastatin, pravastatin, **rosuvastatin**, **simvastatin**
• 기전 : hepatic HMG-CoA reductase 억제 (cholesterol 생합성의 rate-limiting step)
  → 간세포내 cholesterol↓ → 간세포 표면의 LDL receptor expression↑ → plasma LDL↓↓
  * 간에서 VLDL 합성↓, LDL receptor를 통해 VLDL도 제거 → plasma TG↓
• 효과 : LDL↓↓(30~63%, main target), TG↓(22~45%), HDL 약간↑(5~10%)
  - LDL 감소 효과는 대개 용량에 비례함! (용량 2배 증가시 LDL level 추가로 6% 감소)
  - rosuvastatin이 용량 대비 LDL 감소 효과 가장 크고, 반감기도 가장 길
  - TG 감소 효과는 atorvastatin과 rosuvastatin이 높음 (용량에 비례함)
  - HDL 증가 효과는 다양함 (e.g., simvastatin과 rosuvastatin는 용량에 비례해 증가, atorvastatin은 용량에 반비례, 일부 환자에서는 HDL 감소할 수도 있음)

■ LDL level 감소 효과 (평균)

Moderate-intensity statin	~30%
High-intensity statin	~50%
High-intensity statin + ezetimibe	~65%
PCSK9 inhibitor	~60%
High-intensity statin + PCSK9 inhibitor	~75%
High-intensity statin + ezetimibe + PCSK9 inhibitor	~85%

⇩ CVD 예방효과도 증가됨

• 다른 약제에 비해 부작용이 매우 적고 LDL 감소 효과가 우수해 1st line drug로 사용됨
• LDL 39 mg/dL 감소할 때마다 심혈관 사건 발생 23%, 심혈관 사망률 20%, 뇌졸중 17% 감소
• CKD → 용량조절 필요 없는 atorvastatin, fluvastatin 권장 (만성간질환 → 저용량 pravastatin)
• 경미한 부작용 ; 소화불량/속쓰림/복통, 두통, 피곤, 관절통, 근육통(5~7%) ...
• 심각한 부작용 … 드물다
  ① myopathy/rhabdomyolysis (0.1~0.01%) : 근육통, 근무력감, 갈색뇨, CK >1,000 U/L
    - 증상이 없는 경우 CK로 myopathy 발생 예측은 불가능 → routine monitoring은 불필요함

위험인자 (발생↑)	Lovastatin, simvastatin, atorvastatin이 더 위험 갑상선기능저하증(→ statin 시작 전 TSH 검사!) 신부전, 폐쇄성 간질환, 간부전, 신경근육질환, Vitamin D 결핍, 고령(특히 여성), 저체중 등	Statin 대사 방해 약물과 병용 ; fibric acid (특히 Gemfibrozil), nicotinic acid, macrolides (EM), 일부 항진균제, cycloporin, cytochrome P-450 (CYP3A4) 억제제 등

  ② hepatitis (0.5~2%) : 용량에 비례, 간독성 약제 병용시↑, statin 중단하면 회복됨 (가역적)
    - 치료 시작 전, 2~3개월 뒤, 이후에는 매년 AST & ALT 측정
    - ULN의 3배 이상 상승하거나, 간손상 증상이 발생하면 statin 중단
  ③ DM : statin 복용 전 preDM이었던 경우 발생↑ (용량에 비례), CVD 예방효과가 더 중요함
    → DM 발생해도 statin 중단보다는 DM에 대한 생활습관개선을 시행하면서 계속 복용
• 절대금기 ; 활동성/만성 간질환, 임신, 수유 / 상대금기 ; statin의 대사 방해 약물과 병용

(2) cholesterol absorption inhibitor [ezetimibe]

- 기전/효과 : 소장 융모막의 NPC1L1 (Niemann-Pick cell 1 like 1) 단백에 결합 & 억제
  → 소장에서 cholesterol (dietary 1/3, biliary 2/3) 흡수 억제 (cholesterol 흡수 ~60% 감소됨)
  → dietary sterols 운반 감소 → hepatic LDL receptor 발현↑
  → LDL↓(18~20%), TG↓(10%), HDL↑(3%)
- statin과 병용시 LDL 감소 효과가 증대되어 주로 병용요법으로 사용됨 → statin 용량 감소 가능 (c.f., ezetimibe 단독 사용 ; statin 복용×, sitosterolemia [phytosterolemia]의 경우)
- 약물상호작용 거의 없고, 대부분 대변으로 배설되어 신장애시에도 안전하고, 부작용 거의 없음
- 금기 ; 임신, 수유, 약물과민반응, 심한 간질환

(3) PCSK9 inhibitors (monoclonal Ab)

- 약제 : alirocumab, evolocumab
- 기전 : plasma PCSK9 (proprotein convertase subilisin/kexin type 9) 효소에 결합 & 억제
  (↳ LDL receptor를 분해함 → LDL receptor의 재활용↓ → 세포막의 LDL receptor↓)
  → PCSK9와 LDL receptor의 결합 차단 → 세포막 LDL receptor↑ → plasma LDL↓↓
- 효과 : LDL↓↓(45~70%), ApoB↓(40~50%), Lp(a)↓(30~35%), TG↓(8~10%), HDL↑(8~10%)
- 최대가용량(maximal tolerable dose) statin ± ezetimibe에도 LDL 목표치 도달에 실패한 FH or 초고위험군(CVD) 환자에서 2nd or 3rd line therapy로 추가 (→ 추가적인 CVD 예방/감소 효과)
- 2~4주마다 피하주사, 부작용 드묾 (주사부위 이상반응 정도), 약물과민반응 경우에만 금기

(4) bile acid sequestrants (binding resins)

- 약제 : cholestyramine, colestipol, colesevelam
- 기전 : 장내에서 bile acids와 결합하여 bile acids의 재흡수 억제 & 대변으로 배설↑
  → bile acid pools↓ → hepatocyte에서 cholesterol의 bile acid로의 합성 증가
  → hepatocyte 내 cholesterol↓ → hepatic LDL receptor↑ → plasma LDL↓
- 효과 : LDL↓(15~30%), HDL↑(3~5%), TG 약간↑/- (→ hypertriglyceridemia에는 투여×!)
- statin으로 LDL 목표 도달 실패한 (or statin 사용 못하는) severe hypercholesterolemia 환자에서 statin and/or ezetimibe에 병합으로 유용하지만, GI 부작용과 낮은 LDL↓ 효과로 사용에 제한!
- 체내 흡수× → 전신 부작용 거의 없고 매우 안전 → 소아, 가임기 여성 등에서 DOC
- 부작용 ; GI (복부팽만, 복통, 변비 등 심함), 다른 약물(e.g., digoxin, warfarin)의 흡수 방해
- 금기 ; TG↑(절대 금기 >400, 상대 금기 >200), biliary obstruction, gastric outlet obstruction

(5) fibric acid derivatives (fibrates)

- 약제 : gemfibrozil, fenofibrate, bezafibrate, ciprofibrate (1세대 clofibrate는 부작용으로 사용×)
- 기전 : liver transcription factor (PPARα) agonist
  → LPL activity↑, apo A-Ⅰ 합성↑, apo C-Ⅲ 합성↓, 지방산 β-oxidation↑, VLDL 합성↓
  ↳ TG (VLDL) 분해↑ ↳ lipoprotein remnant 제거↑
- 효과 : TG↓↓(25~50%, main target), HDL↑(10~15%), LDL↓(5~20%, LDL만 높은 경우)
  - TG만 높은 경우 오히려 LDL↑, TG & LDL 높은 경우 LDL 변화 없음 ⇨ statin과 병용
  - hypertriglyceridemia에 의한 급성 췌장염의 확실한 예방 효과
  - but, 전체 사망률은 약간↑ ; 심혈관 이외의 사망↑, 심혈관 사망률에는 영향 없음

- TG↑ and/or HDL↓ 환자에서는 CVD 감소 효과를 보임!
- severe hypertriglyceridemia (>500~1000 mg/dL) 환자에서 DOC (first-line Tx)
- 부작용 ; dyspepsia (m/c), gallstone (∵ 담도로 cholesterol 배설↑)
  - statin과 병용시 severe myopathy & rhabdomyolysis 발생↑ (특히 gemfibrozil은 30배↑)
    → statin과의 병용은 fenofibrate가 추천됨
  - serum Cr↑ → CKD 환자에서 주의, GFR <60 mL/min이면 용량 조절 필요
  - warfarin과 일부 혈당강하제의 효과를 증대시키므로 주의
- 금기 ; 심한 간질환 및 담낭질환, 약물과민반응 (신기능 저하시에는 주의 필요)

(6) fish oils : omega-3 fatty acids or n-3 PUFA (polyunsaturated fatty acids)

- n-3 PUFA : 생선 유래의 EPA (eicosapentaenoic acid)와 DHA (decohexanoic acid)가 대표적
- 기전/효과 : 지방산 분해↑, CM 및 VLDL 합성↓ → TG↓↓(25~50%), HDL↑/-, LDL-/↑
  - 중요 심혈관 사건↓(용량에 비례), 심부전 예후 개선 (∵ TG↓ 때문)
  - but, 최근에 AMI가 발생한 환자에서는 statin에 추가로 투여해도 유의한 예후 개선은 없음
- hypertriglyceridemia 환자에서 단독 or fibrate, statin 등과 병합으로 사용 가능
  (TG↑ & LDL↑ 환자에서 statin과 병합요법시 추가적인 CVD 감소 효과는 불확실함)
- TG 감소 효과를 보이려면 2~4 g/day 용량부터 / 특별한 금기는 없음
- 부작용 ; 다량 섭취시 LDL↑, dyspepsia, 구역시 생선비린내, BT↑(실제 출혈 증가는×)

(7) nicotinic acid (niacin, vitamin B_3)

- 기전 : nonesterified fatty acids (NEFAs)의 간으로의 유입 억제 (→ 간에서 TG 합성 및 VLDL 분비 감소), 지방조직에서 (지방세포에 GPR109A [niacin receptor] 존재) NEFAs의 분비 억제 (→ 혈청 FA↓ → 간의 VLDL 합성↓ → TG↓), cholesterol의 HDL→VLDL로 이동 억제 등
- 효과 : HDL↑(15~35%), TG↓↓(20~50%), LDL↓(5~25%) … 모든 지질 지표를 호전시킴
  - Lp(a)도 낮춤 : 고용량에서 약 30%까지, 이상지질혈증 치료제중 유일
  - but, statin에 niacin을 추가해도 CVD 예방효과 향상은 없고, 부작용이 심해 거의 안 쓰임!!
    → statin과의 병합요법은 권장× (우리나라에는 약제도 없음)
- 부작용 ; flushing (m/c, 서방정 or 복용 전 aspirin 투여로 예방 가능), 간독성 (가장 위험), glucose↑, uric acid↑, GI distress, tachycardia, atrial arrhythmia, 드물게 검은색 피부 변색
  - short-acting or 저용량 niacin 사용시는 혈당에 별 영향 없으므로 DM 환자에도 사용 가능
  - warfarin의 효과를 증대시킴 (→ 두 약제 병용시 주의 필요)
- 금기 ; 간질환, severe gout (∵ uric acid↑), peptic ulcer dz., arrhythmias

LDL⬇ ; PCSK9 inhibitor > statin > ezetimibe > bile acid sequestrant > nicotinic acid > fibric acid
TG⬇ ; fibric acid > nicotinic acid > statin, omega-3 FA (bile acid sequestrant는 TG↑ 가능)
HDL⇧ ; nicotinic acid (high-dose) > fibric acid > statin > bile acid sequestrant

c.f.) cholesteryl ester transfer protein (CETP) inhibitors ; HDL을 매우 많이 높이는 약제
- torcetrapib, evacetrapib, dalcetrapib → CVD 감소 효과가 없거나 부작용으로 연구 중단
- anacetrapib, TA-8995 → LDL도 감소시킴, CVD 감소 효과, 아직 연구중 (허가×)

■ 기타

- 운동 : VLDL↓, HDL↑, 일부 LDL↓
  (기타 BP↓, insulin resistance↓, cardiovascular function↑)
- 고지방식 : LDL↑, HDL↑
- 고탄수화물식 : VLDL↑, HDL↓
- 적당한 alcohol : VLDL↑, HDL↑ (다른 기전으로 CVD risk↓)
- estrogen (premarin, estradiol) : HDL↑, LDL↓ (폐경 여성에서 치료 보조요법으로 사용 가능)

4. Severe/resistant hypercholesterolemia의 치료

- LDL apheresis : 최대한의 약물 병합요법에도 효과 없는 hypercholesterolemia에서 사용 가능
  (CVD 없으면 LDL >300 mg/dL, CVD 존재시 LDL >200, 초고위험군은 LDL >160)
- lomitapide : small molecule MTP (microsomal TG transfer protein) inhibitor
  (MTP : 간에서 VLDL 생산의 일환으로 TG를 apo B로 전달하는 효소)
  → VLDL 생산↓, 혈중 apo B 함유 지단백↓, LDL↓
  - 부작용 ; GI Sx (심한 설사 등), 간독성(AST-ALT↑), 간의 지방 축적, 태아 독성
- mipomersen : antisense oligonucleotide (ASO), 주로 간의 apo B mRNA에 결합
  → apo B 합성↓, apo B 함유 지단백(e.g., LDL, VLDL, IDL) level↓
  - 부작용 ; 주사부위 이상반응, flu-like Sx., ALT↑
- lomitapide와 mipomersen의 적응 ; homozygous familial hypercholesterolemia (hoFH)에만
  - 최대한의 약물치료 후에도 CVD 없으면 LDL >200, CVD 존재시 LDL >160일 때 추가
  - LDL apheresis의 대상이 아니거나 거부할 때
- 간이식 : hoFH에서 효과적, 약물치료가 효과 없거나 지속적인 LDL apheresis가 불가능할 때 고려
- 수술(partial ileal bypass, portocaval shunt) : 다른 치료가 불가능할 때 마지막으로 고려

일차성(primary) 이상지질혈증

		Plasma lipids (mg/dL)		Clinical findings	Lipoproteins	
		Total chol.	TG		증가	EP
Chol. 만 증가	FH ─ Heterozygous (heFH)	275~500	–	Tendon xanthoma, Premature ASCVD (hoFH는 더 심하고 빠름)	LDL	IIa
	FH ─ Homozygous (hoFH)	>500	–			
	Familial defective apo B100	275~500	–			
TG만 증가	Familial hypertriglyceridemia	–	250~500	대개 무증상	VLDL	IV
	Familial lipoprotein lipase (LPL) deficiency	–	>1000	Pancreatitis Eruptive xanthoma, Hepatosplenomagaly, lipemia retinalis ...	CM, VLDL	I, V
	Familial apo C-II deficiency	–	>750			
Chol. & TG 모두 증가	Combined dyslipidemia	250~500	250~750	Premature ASVCD	VLDL, LDL	IIb
	Dysbetalipoproteinemia	250~500	250~500	Palmar & tuberoeruptive xanthoma, premature AS	CM, VLDL remnants	III

1. Familial hypercholesterolemia (FH)가족성 고콜레스테롤증

(1) 병인

- AD 유전, 표현율 매우 높음, 흔함(1/200~250명)
- LDL receptor (LDLR) activity의 감소 → LDL 제거↓ → plasma LDL↑↑

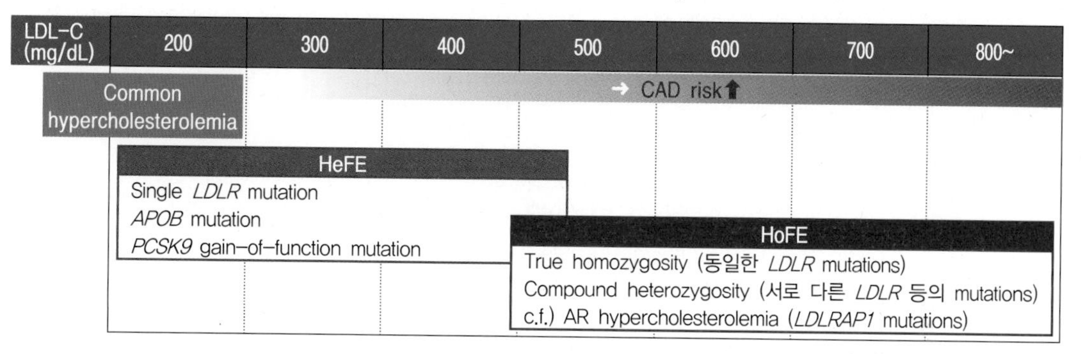

- LDL (apo B/E) receptor genetic defects (m/c, 60~80%) ; 1600개 이상의 mutations 존재
  - class Ⅰ : LDL receptor 합성 장애 (null)
  - class Ⅱ : 세포 내의 (endoplasmic reticulum → Golgi) 운반 장애
  - class Ⅲ : LDL과의 결합 장애
  - class Ⅳ : LDL internalization 장애
  - LDLR activity에 따라 receptor-negative (<2%), receptor-defective (2~25%)로도 분류
- *APOB* mutations (1~5%) : apo B-100은 LDL의 핵심 지단백으로 LDLR와의 결합에 필수임
  - apoB-100의 LDLR-binding domain mutations → LDL과 LDLR의 결합↓
  - familial defective apolipoprotein B-100 (FDB, FH type 2)로도 불림
- *PCSK9* "gain-of-function" mutations (1~3%) : FH type3로도 불림
  - ↳ PCSK9 activity↑ (PCSK9은 LDLR를 분해함) → LDLR↓

(2) 임상양상

① heterozygous FH (heFH) : 1/200~250명 (훨씬 흔함), LDL은 보통 200~400 mg/dL

- premature & accelerated ASCVD (m/i)
  - 남자 : 20대에 CVD 발생 시작, 30~40대에 peak (60세 이전에 약 50%에서 MI 발생)
  - 여자 : 남자보다 평균 10년 늦게 CVD 발생
- 건황색종(tendon xanthoma) ; Achilles (특징적!), 무릎, 팔꿈치, 손등 … FH 진단에 필수적
- 결절황색종(tuberous xanthoma) ; 팔꿈치, 엉덩이의 soft painless nodules
- 황색판종(xanthelasma), 각막륜(arcus corneae) (⋯ 정상인에서도 발생 가능)

② homozygous FH (hoFH) : 1/20~40만명, 출생시부터 LDL level 매우 높음 (>400 mg/dL)

- 편평 피부황색종(cutaneous xanthoma) ; 무릎, 팔꿈치, 엉덩이, 손가락 사이(특히 엄지·검지 사이)
- 현저한 tendon xanthoma, arcus corneae, large xanthelasma
- 치료 안하면 10세 이전에 CAD 및 aortic stenosis 발생, 20세 이전에 CVD의 합병증으로 사망

* obesity나 DM 동반은 드물고, 오히려 마른 편임!

(3) 진단

- 대개 임상적으로 진단함, cholesterol만 단독으로 증가 (TG는 정상) ⇨ LDL만 증가
  - <50세 남자 혹은 <60세 여자에서 조기 ASCVD or FH 가족력이 있으면 의심
  - 2ndary dyslipidemia R/O ; hypothyroidism, NS, obstructive liver dz. 등
- heFH의 진단기준 ; 몇 가지가 있음 (우리나라는 LDL >225 mg/dL면 유전자검사 권장)

Dutch Lipid Clinic Network diagnostic criteria (주로 미국)					Point
가족력	1차친족이 premature CVD (남<55세, 여<60세) or LDL level이 95th % 이상				①
	1차친족이 tendon xanthoma and/or arcus cornea or 18세 미만 자녀의 LDL level이 95th % 이상				②
과거력	Premature CAD (남<55세, 여<60세)				②
	Premature cerebral or peripheral vascular dz.				①
P/Ex	건의 황색종(tendon xanthoma)				⑥
	각막륜(arcus corneae)				④
LDL level (mg/dL)	155~190	191~250	251~325	≥325	
	①	③	⑤	⑧	
DNA 검사	*LDLR, APOB, PCSK9* gene의 functional mutation				⑧

Definite heFH : >8점
Probable heFH : 6~8점
Possible heFH : 3~5점

참고: Inclusion criteria for Korean Society of Lipid and Atherosclerosis FH registry (2015)	
1	1) Definite FH (콜레스테롤 기준*을 만족하면서, 아래 중 최소 한 가지를 만족할 때) ① 본인이나 1~2차친족에게 건황색종(tendon xanthoma)이 있는 경우 ② LDLR, APOB, PCSK9 등의 유전자 이상 2) Possible FH (콜레스테롤 기준*을 만족하면서, 아래 중 최소 한 가지를 만족할 때) ① CAD 가족력 : 1차친족 <60세, 2차친족 <50세 ② 고콜레스테롤혈증 가족력 : ≥16세 TC ≥290, <16세 TC ≥260 mg/dL
2	1에 해당하는 환자 중 CAD의 가족력은 있으나 진단시 나이가 불분명하거나, 콜레스테롤 수치 자료가 없는 경우라도 본인의 LDL >190 mg/dL인 경우
3	가족력 확인이 불가능한 경우, 본인의 LDL >225 mg/dL
4	1, 2, 3에 해당하는 환자의 부모, 형제, 자녀, 조부모, 부모의 형제

Simon Broome criteria
*콜레스테롤 기준
<16세 : TC >260 or LDL >155
≥16세 : TC ≥290 or LDL >190

- hoFH의 진단기준 … European Atherosclerosis Society[EAS] (2014) criteria를 주로 사용함
  ① *LDLR, APOB, PCSK9* or *LDLRAP1* gene locus의 2 mutant alleles 존재 *or*
  ② untreated LDL >500 mg/dL or treated LDL >300 + 10세 이전의 피부/건 황색종 *or*
  ③ 위의 LDL 수치 + 부모 모두 유전적인 heFH 진단
- 유전자검사는 mutations이 다양하기 때문에 DNA sequencing (e.g., targeted NGS)으로 시행

(4) 치료

- FH 환자는 비슷한 수준의 LDL level을 가진 사람보다 더 CVD 고위험군임 → 강력한 치료 필요
- TLC (diet와 금연이 중요), 지질강하제, ASCVD에 대한 evaluation 등
- 치료목표 : LDL 50% 이상↓ → 이후 ASCVD 및 고위험군은 LDL <70, 아니면 <100 mg/dL
- 고강도 statin → 목표 도달 실패시 ezetimibe, PCSK9 inhibitor, bile acid sequestrant 등 추가

• hoFH : 조기에 강력하게 치료 안하면 대부분 ASCVD로 사망
  - 고강도 statin + ezetimibe, PCSK9 inhibitor로 치료 시작 (but, 상당수가 목표 도달 실패함)
  - new drugs (lomitapide or mipomersen) 추가 고려
  - LDL apheresis (5세 전에 시작 권장), 간이식, 수술 등 → 앞부분 참조
  - LDL receptor gene에 대한 유전자치료도 연구중

2. Familial chylomicronemia syndrome (FCS)

• 대개 AR 유전, 대부분 유아 때 발병, 드묾(1~10/100만명)
• LPL (lipoprotein lipase) activity ↓↓ → CM 분해 장애 → CM level↑↑ (VLDL은 정상 or ↑)
• 원인 ; *LPL* gene homozygous mutations (m/c), *APOC2* homozygous mutations, *APOC5* ...
  ↳ LPL deficiency (LPLD) ↳ apo C-II (LPL의 cofactor) deficiency
• 임상양상 ; TG >1000 mg/dL (대개 >2000 mg/dL)
  - pancreatitis (→ 심한 복통), eruptive xanthoma, lipemia retinalis (망막 혈관이 흰색), hepatosplenomegaly, dyspnea ... / premature ASCVD는 일반적이지 않음!
  - plasma 상층의 creamy layer (CM)
• 진단 ; TG↑↑, pancreatitis 병력, DNA sequencing (e.g., *LPL, APOC* mutations)
• 치료
  - 식이요법(지방 섭취 크게 제한 <15 g/day), 일부에서는 fish oils or fibrates도 효과적
  - apo C-II deficiency에 의한 응급 상황 → FFP (apo C-II 함유)
  - plasmapheresis : diet 치료에 효과 없거나, 췌장염 발생시
  - antisense oligonucleotide[ASO] (volanesorsen) : apoC-Ⅲ mRNA translation 억제 → TG↓

3. Familial hypertriglyceridemia (FHTG)

• 대개 AD 유전, *LPL* gene 등의 heterozygous mutations, 2~3/1000명
  - 말초에서 VLDL 분해↓, 간에서 VLDL 생산↑ → TG만 중등도로 상승(200~500 mg/dL)
  - LDL은 정상 or ↓, HDL↓, CVD 위험이 크게 증가하지는 않음
  - apo B level은 증가 안됨
• eruptive xanthoma 등의 증상은 대개 없음
• obesity, insulin resistance (DM), HTN, hyperuricemia 동반 흔함
• 심한 TG 상승은 다른 유발원인이 동반된 경우 ; 조절 안 되는 당뇨, 고탄수화물 식이, 과도한 음주, estrogen (피임약, HRT), drugs, hypothyroidism 등
  → TG가 1000 mg/dL까지도 상승 가능 → pancreatitis 발생 위험
• 진단 ; TG↑, hypertriglyceridemia의 가족력 有, 2ndary hypertriglyceridemia R/O
• 치료 ; 식이요법 등의 TLC가 중요
  - TLC 이후에도 TG가 500 mg/dL 이상이면 약물치료 시작 (fibrate, fish oil)
  - 다른 위험인자로 인한 CVD 고위험군은 statin으로 치료

4. Familial combined hyperlipidemia (FCHL)

- m/c primary dyslipidemia (1/100~200명), 대개 AD 유전, 원인 유전자 아직 모름 (→ polygenic)
- apoB 생산↑↑ → VLDL↑ and/or LDL↑ … small dense LDL particles↑
  - TG (VLDL)↑, LDL↑, HDL↓ … non-HDL↑ (>220 mg/dL)가 특징
  - type IIa (LDL↑), IIb (LDL & TG↑), IV (TG↑) 3가지 표현형으로 발현 (서로 전환도 가능)
  - 발현 양상에는 다른 요인도 관여 가능(e.g., diet, 운동, 체중, insulin sensitivity)
- dyslipidemia는 mild (소아 때는 잘 나타나지 않고 성인 때 현저해짐) / xanthoma는 없음
- premature CAD (FH보다는 늦음) ; 60세 이전 CAD의 ~20%, 모든 MI의 10%에서 발견
- 임상적으로 진단
  - TG 200~600 mg/dL, total cholesterol 200~400 mg/dL, HDL <40 (50여성) mg/dL
  - dyslipidemia and/or premature CAD의 가족력
- premature CAD 위험이 높으므로 적극적으로 치료해야 됨
  - 식이요법(e.g., 단순당 섭취↓), 유산소 운동, 체중감량, type 2 DM이면 철저한 혈당조절
  - TG 상승 여부에 상관없이 statin으로 치료 시작 → 목표치 도달 못하면 ezetimibe 등 추가 고려 (∵ apoB↓에 효과적, TG저하약제보다 ASCVD 예방 효과가 확실함)
  - TG 상승(≥400 mg/dL)시 계산된 LDL 값은 부정확 → non-HDL을 target으로!

5. Familial dysbetalipoproteinemia (FDBL, type III hyperlipoproteinemia)

- 대개 AR 유전, 혈장에 remnant lipoprotein particles이 축적되는 mixed hyperlipidemia
- 원인 : apoprotein E defect (apo. E : CM remnant와 IDL이 liver의 LDL receptor에 결합되도록 하는 역할)
  ⇨ CM remnant, VLDL remnant, IDL ↑ → cholesterol & TG 모두↑ (type III pattern)
- genotype E^2/E^2에서만 발생 (but, E^2/E^2의 1%에서만 발생) → dyslipidemia 발생에 2차 요인도 필요 ; 고지방식, 비만, DM, hypothyroidism, renal disease, HIV 감염, estrogen 결핍, alcohol, drugs
- 임상양상 ; 20세 이후에 나타남 (남>여 [폐경전 여성은 드묾]), 1/2 이상에서 xanthoma 관찰됨
  - palmar striated xanthoma (xanthomata striata palmaris) : 손금의 편평 황색종 … 특징!
  - tuberous or tuberoeruptive xanthoma (무릎, 팔꿈치) / tendon xanthoma는 드묾
  - premature ASCVD (말초동맥질환PAD 위험은 FH보다 높음) → 적극적인 치료 필요
- 치료 ; 대사 조건의 영향을 많이 받으므로 동반 대사질환(e.g., 비만, DM)의 치료도 열심히
  - 식이요법에 반응이 매우 좋음(low-cholesterol, low-fat), 금주!, 운동, 체중감량
  - 약물치료 필요시 statin으로 치료 시작 → 목표치 도달 못하면 ezetimibe, fibrate, PCSK9i 등

c.f.) tendon xanthomata와 premature atherosclerosis가 발생할 수 있는 드문 유전질환
- sitosterolemia (phytosterolemia) ; AR 유전, 장에서 cholesterol과 식물성 sterols 흡수↑, FH와 달리 혈장 plant sterols↑↑, 식이요법에 반응 좋음
- cerebrotendinous xanthomatosis ; FH와 달리 신경, 인지, 안과 장애도 동반 (cholesterol 정상)
- lysosomal acid lipase 결핍 (cholesterol ester storage dz.) ; AR 유전, LDL↑, TG↑, HDL↓

이차성(secondary) 이상지질혈증

Secondary dyslipidemia의 원인 ★

LDL↑	TG (VLDL)↑	HDL↓	Cholesterol↓
Hypothyroidism Obstructive liver dz. (cholestasis) NS 신장이식 Anorexia nervosa Porphyria Drugs ; carbamazepine, cyclosporine, thiazides 고지방식	비만, type 2 DM, NS (severe), 신부전, 신장이식 Alcohol, 스트레스, 임신, 활동 부족 Cushing 증후군, Acromegaly, SLE Hypothyroidism (mild, LDL이 더 증가) Hepatitis, Pancreatitis, Sepsis Ileal bypass surgery Monoclonal gammopathy Lipodystrophy Glycogen storage dz. Drugs: 경구피임약(estrogen), isotretinoin, β-blockers, corticosteroids, retinoids, bile acid-binding resins, thiazides	흡연, 비만 type 2 DM CKD 영양실조 Gaucher's dz. β-blockers Steroids 심한 TG↑ **HDL↑** Alcohol, 운동 Estrogen	영양실조 흡수장애 만성 간질환 골수증식종양 (MPN) Monoclonal gammopathy Hyperthyroidism 만성 감염증 ; 결핵, AIDS

1. 비만(obesity)

- 지방조직↑ & insulin sensitivity↓
- 간에서의 VLDL 생산↑ & 단순당 섭취↑ → TG↑ and/or LDL↑, HDL↓

2. 당뇨병(DM)

(1) type 1 DM

- 혈당조절이 잘 되면 dyslipidemia는 드묾
- DKA는 흔히 hypertriglyceridemia를 동반 (→ insulin에 잘 반응)

(2) type 2 DM

- 혈당조절이 잘 되어도 dyslipidemia 동반이 흔함
- insulin deficiency or resistance
  - ① LPL activity↓ → CM과 VLDL의 분해↓
  - ② 지방조직에서 FFA 유리↑
  - ③ 간에서 fatty acid 합성↑ ④ 간에서 VLDL 합성↑
  - ⇨ TG↑ (∵ VLDL↑), small dense LDL↑, HDL↓
- LDL의 증가는 대개 DM 자체보다는 다른 lipoprotein 대사이상 존재 or diabetic nephropathy의 합병 때문

3. 갑상선질환

- thyroid hormone : LDL receptor 유지에 중요
- hypothyroidism
  - ① 간의 LDL receptor↓ → LDL clearance↓ → LDL↑ (m/c) & total cholesterol↑
  - ② mild TG↑(<300 mg/dL), IDL↑, apo A1↑, apo B↑ 동반도 흔함

③ HDL은 ↓~↑ 다양

- hypothyroidism 환자에서 CAD 증가는 여러 요인들 때문 (∵ dyslipidemia, diastolic HTN, 혈관내피 기능이상 [→ 말초혈관저항↑], CRP↑ 등)

• hyperthyroidism ; total, LDL, HDL cholesterol↓

4. 신장질환

(1) NS (nephrotic syndrome)

• albumin >2 g/dL → LDL과 cholesterol 증가
 (∵ 간에서 apo B 포함 lipoproteins 및 cholesterol 합성 증가 때문 ;
 ① plasma oncotic pr.↓ → 간의 apo B gene 전사 자극, ② lipoproteins catabolism 감소)

• albumin <1~2 g/dL → hypertriglyceridemia도 발생 (mixed dyslipidemia)
 (∵ 주로 LPL에 의한 VLDL→IDL로의 대사 감소 때문)

• chronic NS & dyslipidemia는 CVD 위험을 높이므로 사구체 손상을 촉진하므로 lipid-lowering drugs 치료 필요 (NS 호전되면 dyslipidemia도 호전됨)

(2) CKD

• 신기능이 저하됨에 따라 TG-rich lipoproteins 생산↑ & 제거능력↓
 - mild TG↑ (150~400 mg/dL) & HDL↓ (→ non-HDL↑, apoB↑), small dense LDL↑
 - ESRD 단계에 이르면 LDL 분해↓ → total cholesterol & LDL↑, Lp(a)↑

• ESC/EAS[유럽] (2019)에서는 severe CKD (eGFR <30)은 초고위험군, moderate CKD (eGFR 30~59)는 고위험군으로 보고 각각 LDL을 70, 55 mg/dL 미만으로 유지하도록 권장함
 - 아직 투석 이전이면 statin ± ezetimibe 권장
 - 투석 환자 ; 이전부터 statin ± ezetimibe 사용 중이었으면 계속 사용 (특히 ASCVD 환자), ASCVD가 없는 환자에서 새롭게 시작은 권장× (∵ 사망률↓ 효과 無)

• NS 동반시 : combined dyslipidemia

• 신장이식 환자 : 면역억제제로 인한 dyslipidemia (LDL↑, TG↑) 발생 흔함 (→ 치료 어려움)

5. 간질환

• 간 : lipoprotein의 합성 및 배설의 주요 장소

• hepatitis (e.g., viral, alcoholic, drugs) : VLDL 합성↑
 → mild~moderate hypertriglyceridemia (m/c)

• severe hepatitis, liver failure → cholesterol & TG ↓↓

• cholestasis (e.g., PBC, 간외담도폐쇄)
 ① plasma cholesterol & phospholipid 증가 (∵ 배설장애)
 ② abnormal lipoprotein 출현 → lipoprotein X (m/c) → xanthomas

• hepatoma : paraneoplasstic syndrome의 일종으로 cholesterol↑
 (∵ tumor cells에서 cholesterol 합성의 feedback 장애로)

6. Alcohol

- hypertriglyceridemia (m/c) : type IV pattern
  - ① TG 합성↑ : 간에서 FA의 산화 억제, FA의 합성 촉진
    - → 여분의 FA는 TG로 ester화
    - → VLDL로 분비 (hypertriglyceridemia) / 간에 침착되어 fatty liver 유발 가능
  - ② LPL activity 억제
- familial hypertriglyceridemia, multiple lipoprotein-type dyslipidemia 등의 기저질환이 있을 때 음주하면 → VLDL↑↑ & CM↑↑ (type V pattern)
- 적당량의 alcohol 섭취는 HDL level ↑

7. Estrogen (경구피임약, HRT)

- 간에서 VLDL 및 HDL 생산↑ (TG는 약 15% 정도까지만 상승시킴)
- 간의 LDL receptor↑ → LDL clearance↑ → LDL↓
  - 폐경후 여성에서 estrogen 치료는 LDL을 15% 낮춤
  - progesterone은 반대로 LDL↑, HDL↓
- familial hypertriglyceridemia, multiple lipoprotein-type dyslipidemia 등의 기저질환이 있을 때, estrogen 투여하면 → VLDL↑↑, CM↑↑, 심한 췌장염 등 유발 가능 (type IV → V로 전환)
- 젊은 여성(특히 hypercholesterolemia)에게 투여시 thromboombolism 위험 증가

8. Cushing's syndrome

- glucocorticoid↑ → VLDL↑ → TG↑, HDL↑
- LDL cholesterol도 약간 증가됨

9. 항고혈압제

- thiazide diuretics (용량에 비례)
  - 매우 고용량에서 total cholesterolemia↑, LDL↑(5~10%), TG 약간↑
  - 일반적인 용량에서는 거의 영향 없거나 미미함
- β-blockers
  - 주로 오래된 약제들에서 TG↑(20~40%), HDL↓(약 10%) /cholesterolemia과 LDL 영향은 적음 (e.g., atenolol, metoprolol, and propranolol)
  - labetalol, ISA+ (e.g., acebutolol, pindolol), vasodilating β-blockers (e.g., carvedilol) 등은 지질에 영향 적음
- 다른 항고혈압제들은 지질에 영향이 없거나 유익한 영향을 끼침

Metabolic Syndrome (MS, syndrome X, insulin resistance syndrome)

1. 개요

- type 2 DM 및 CVD의 metabolic risk factors 군집을 질환으로 개념화한 것
- 진단기준 (metabolic syndrome) : NCEP-ATP Ⅲ 등

Risk factors ★
1. Abdominal obesity : 허리둘레 ┌ 남자 >102 cm (40 inch) [우리나라 >90 cm] └ 여자 >88 cm (35 inch) [우리나라 >85 cm] 2. Hypertriglyceridemia : TG ≥150 mg/dL 3. HDL 감소 (남자 <40 mg/dL, 여자 <50 mg/dL) 4. HTN : BP ≥130/85 mmHg or 고혈압 약물치료중 5. FBS ≥100 mg/dL or type 2 DM 진단/약물치료중

* 이중 3가지 이상을 만족하면 진단 (대개 1은 기본)

- BMI보다 abdominal obesity가 더 metabolic risk factor와 관련

2. 특징/병태생리

① insulin resistance : 가장 기본
- 식후 hyperinsulinemia → 공복 hyperinsulinemia → hyperglycemia로 진행
- 초기에는 혈중 FFA 증가가 insulin resistance 발생에 크게 기여
  - FFA↑ → 간에서 glucose, TG, VLDL의 생산 증가 (HDL↓, small dense LDL↑도),
    근육에서 insulin-induced glucose uptake 억제 및 TG로 축적↑, glycogen 합성↓
  - FFA의 유래 ; 증가된 지방조직의 TG store가 세포내 lipases에 의해 분해 (主),
    조직의 TG-rich lipoprotein이 lipoprotein lipase (LDL)에 의해 분해
- insulin resistance 발생시 지방에서 FFA 유리 더욱↑, 혈당 증가시 insulin 분비 더욱↑ → 악순환

② abdominal obesity
- 내장 지방이 복부 피하지방보다 MS에 더 중요함 (→ 허리둘레보다는 CT/MRI 검사 필요)
  ↳ 지방조직 유래 FFA 등이 간으로 바로 전달
- 증가된 지방조직에서 pro-inflammatory cytokines (e.g., IL-1, IL-6, IL-18, resistin, TNF-α), CRP 등의 분비 증가도 insulin resistance 발생에 관여
- adiponectin (anti-inflammatory cytokine) 분비는 감소됨
- leptin resistance : 비만 → leptin↑ & leptin resistance → 염증, insulin resistance, dyslipidemia
  (↳ 정상적으로는 식욕 억제, 에너지 소비 촉진, insulin sensitivity 향상)

③ atherogenic dyslipidemia : **TG↑, HDL↓, small dense LDL↑**
- 간으로의 FAA 유입↑ → apoB-containing, TG-rich, VLDL 생산↑
  ⋯→ hypertriglyceridemia는 insulin resistance의 우수한 marker임!
- apoC-Ⅲ↑ → LPL 억제 → TG 더욱↑, ASCVD 위험 더욱↑
- TG↑에 의한 지단백 대사/조성 변화 → HDL↓, small dense LDL (more atherogenic)↑

④ glucose intolerance : IFG and/or IGT → type 2 DM으로 진행

⑤ 고혈압
- insulin resistance시 insulin의 혈관확장 작용은 상실되고, 신장에서 sodium 재흡수 작용은 보존됨 (백인에서는 sodium 재흡수 증가, 흑인/동양인에서는 변화×)
- insulin은 또한 sympathetic nervous system의 활성을 증가시킴
- 지방조직 내 angiotensinogen gene 발현↑ → 혈중 angiotensin Ⅱ↑ → 혈관 수축
- 지방조직의 paracrine effects ; 활성 산소↑(→ 혈관내막 기능장애 → 국소 혈관 수축), leptin, pro-inflammatory cytokines (e.g., TNF-α) 등
- 종합적으로 insulin resistance는 MS 환자에서의 HTN 증가에 부분적으로 기여함

⑥ prothrombotic state
- cytokines과 FFA에 의해 간에서 fibrinogen 생산↑, 내장지방에서 PAI-1 생산↑ 때문
- metabolic syndrome의 risk factor가 많아질수록 혈전(clot)은 더 조밀해짐

⑦ oxidative stress ; mitochondrial oxidative phosphorylation 장애 → TG 및 관련 lipids 축적

⑧ 장내 세균총(gut microbiome)도 비만과 대사이상 발생에 기여함

3. 임상양상

- metabolic syndrome은 기본적으로 증상은 없음
- CVD 1.5~2배↑ (개별 CVD 위험인자들의 합보다 위험이 더 증가되는지는 논란)
- type 2 DM 3~5배↑
- NAFLD (~25-60%), NASH (~35%), cirrhosis ⋯▸ ESLD, HCC
- polycystic ovary syndrome[PCOS] : 40~50%에서 MS 동반 → 9장 참조
- hyperuricemia : insulin resistance로 인해 신장에서 uric acid 재흡수↑, HTN 발생에도 기여
- 기타 ; obstructive sleep apnea[OSA] 동반 흔함, CKD↑(eGFR↓, albuminuria↑) ...

4. 치료

① 생활습관개선 (m/i) ; 체중감량, physical activity 증가, 식이요법
- 대개 장기간 비만 상태였으므로, 급하게 체중감량을 시도하는 것보다는 서서히 꾸준하게 실천
- 저탄수화물식이 초기 체중감량 및 TG↓ 효과는 크지만, 1년 이후에는 별 차이가 없어지므로 총에너지 섭취를 줄이는 것만이라도 꾸준하게 실천
- 과일, 채소, 전곡(whole grains), 살코기, 생선 등의 건강한 식사패턴 유지
- physical activity : 60~90분/day 이상이 좋지만, 최소한 30분/day 이상의 중강도 활동 권장 (꼭 운동은 아니라도 에너지 소비를 위한 걷기, 청소 등 일상활동이라도 필요함)

② 기타 ; aspirin (Framingham 10yr risk 6 이상이면 권장), HTN 치료 (ACEi/ARB 권장), dyslipidemia 교정(e.g., statin), 혈당조절(e.g., prediabetes → metformin), 비만치료(→ 다음 장 참조)

③ insulin sensitivity 증가(e.g., metformin, TZDs) ; MS, NAFLD, PCOS 등에서 효과적

* (개별 위험인자가 아닌) metabolic syndrome 전반이 치료되면 CVD 발생도 감소됨

13
비만(Obesity)

정의 및 측정

- 가장 흔히 쓰이는 index 3가지
  ① average weight table
  ② IBW (ideal body weight) table : 120% 이상이면 obesity
  ③ 신체질량지수(body mass index, BMI) : m/c

  c.f) 브로카 공식에 의한 표준체중 = (신장 − 100) ×0.9
- 신체질량지수 : BMI (kg/m^2) = 체중(kg)/(키:m)^2
  - 평균 BMI ; 남자 22.4, 여자 22.5 (한국의 표준 BMI : 남자 22, 여자 21)
  - 건강 위험 증가 ; BMI 25 이상시

BMI에 의한 비만의 분류

	WHO	아시아(한국)
저체중	<18.5	<18.5
정상	18.5~24.9	18.5~22.9
과체중	25~29.9	23~24.9
비만 (1단계)	30~34.9	25~29.9
비만 (2단계)	35~39.9	30~34.9
비만 (3단계)	≥40	≥35

→ severe/extreme/massive obesity

- 복부비만 (체지방 분포도)
  - 심혈관질환, DM, dyslipidemia 등과 더 관련, 위험도 예측에 m/g!
  - <u>허리둘레</u> (더 선호됨), waist/hip ratio (허리둘레에 비해 장점이 없어 잘 안 쓰임)
    ↳ 한국 기준 : 남자 ≥90 cm (35 inch), 여자 ≥85 cm (33.5 inch)
- 체형별 비만의 분류
  - 복부비만 (남성형, 사과형) : 성인병 위험 훨씬 높음
  - 하체비만 (여성형, 서양배형) : 엉덩이와 허벅지에 지방 증가

  - 내장지방형 : 복부비만이 많고, 더 위험
  - 피하지방형

• 생체전기저항(bioelectrical impedence) 측정법 : 체성분 & 체지방량 측정
• CT/MRI : 복부 피하지방과 내장지방의 분리 측정 가능!
• DXA : 체지방, 수분, 골밀도 등을 측정 가능

원인

1. **유전적 요인** (40~70%)
   • 비만과 관련된 유전자 이상
   - *Lep (ob)* : leptin
   - *LepR (db)* : leptin receptor
   - *POMC* : proopiomelanocortin
   - *MC4R* : type 4 receptor for MSH (melanocortin)
   - *PC-1* : prohormone convertase 1
   - *TrkB* : neurotrophin receptor
   - *PPARγ* : peroxisome proliferator activated receptor
   • 비만을 일으키는 유전질환(syndrome) ; Prader Willi, Laurence-Moon-Biedl, Ahlstrom, Cohen, Carpenter, Edward ...
2. **활동부족, 칼로리 과다 섭취, 심리적 요인**
3. **기타 2차성 비만의 원인** ; Cushing's syndrome, hypothyroidism, insulinoma, PCOS, CNS 이상 (e.g., craniopharyngioma, 외상, 염증), 약물 ...

■ 시상하부에서 식욕조절에 관여하는 물질

① 식욕촉진 (orexigenic)
- NPY (neuropeptide Y)
- MCH (melanin concentrating hormone)
- AgRP (Agouti-related peptide)
- orexin, galanin, endocannabinoid

* GI peptides ; Ghrelin (대부분 위에서 합성됨; fundus의 P/D1 cells)
↳ 음식 섭취에 중요한 역할 (배고픔^hunger^과 식사 개시를 조절)

② 식욕억제 (anorexigenic)
- α-MSH (melanocyte stimulating hormone), CRH, TRH
- CART (cocaine & amphetamine-related transcript)
- pro-opiomelanocortin (POMC), serotonin, oxytocin, melanocortin 4 receptor

* hormones ; leptin (지방세포에서 분비), insulin, cortisol
* GI peptides ; PYY (peptide YY) & CCK (소장에서 합성), pancreatic polypeptide (PP), GLP-1 (glucagon-related peptide-1) & oxyntomodulin (장관 L세포에서 식후 분비됨)

■ adipocytokines : 지방세포에서 분비되는 단백질성 호르몬

- anti-hyperglycemic ; leptin, adiponectin, visfatin, omentin
- pro-hyperglycemic ; resistin, TNF-α, IL-6, RBP4 ...

* leptin : 지방세포의 에너지 저장 정도를 hypothalamus에 전달

- leptin↑ → 식욕저하, 에너지(fat) 소비 촉진 (but, 대부분의 비만 환자는 functional leptin resistance를 보임 ; leptin or leptin receptor gene의 이상은 없고 leptin level은 증가)
- leptin or leptin receptor 결핍 → 과식, 비만, central hypogonadism (성분화 장애)

* adiponectin : anti-inflammatory cytokine

- 작용 ; insulin sensitivity 향상, inflammation 억제, 간에서 glucose 합성 억제, 근육에서 glucose 생산 증가 및 fatty acid 산화 촉진
- metabolic syndrome, type 2 DM, NAFLD 환자에서는 감소됨!

비만 환자의 생리적 변화

- insulin 감수성 저하 → hyperinsulinemia
- GH↓, IGF-1 정상, adiponectin↓, leptin↑(∵ leptin resistance)
- 남성에서 testosterone↓
- thyroid H. ; 고탄수화물식이시 ↑, 저탄수화물식이시 ↓
  - TSH는 식이에 영향을 받지 않는다
- 혈중 cortisol level ; 정상 (cortisol 생산은 증가 될 수도 있음)
  - CRH or ACTH에 대한 반응 정상
  - 1 mg overnight DMST도 90%에서 정상
- 혈중 지질 농도↑

비만과 관련된 증상/질환

남녀 모두에서	여성에서만
2형 당뇨병, insulin 저항성 이상지질혈증, 대사증후군 담석 및 담낭/담관 질환 정맥류, GERD, 식도 hernia, 지방간, 변비 호흡곤란, 수면무호흡증, hypoventilation, 천식 관상동맥질환, 고혈압, 심부전, 뇌졸중 골관절염(무릎, 고관절), 요통 고요산혈증/통풍, 신장질환, 긴장성 요실금 수술 후 감염 및 창상 지연 심리적 장애, 신체상 왜곡, 사회 낙인, 치매 식도암, 위암, 대장암, 간암, 담낭/담도암, 췌장암, 신장암	월경이상, 성조숙증 PCOS, 조모증 자궁내막암, 자궁경부암 난소암, 유방암 *남성 ; 여성형유방, 발기부전, 전립선암

치료

- 1차 목표 : 치료전 체중의 5~10%를 6개월 내에 감량
- 치료전 체중의 3-5%만 감량해도 심혈관질환의 위험인자를 개선 가능

1. 식이요법

- low calorie diet : 800~1,200 kcal/day (대부분의 환자에 시행)
- very low calorie diet (VLCD) : ≤800 kcal/day
  - 심한 (BMI >30) 환자에서 단기간만 시행
  - 장점 ; 빠른 체중감소, ketone 생산에 의한 배고픔 억제
  - 효과 ; 혈압/혈당/cholesterol/TG 감소, 폐기능/운동능력 향상
  - 금기 ; 임신, 암, 최근의 MI, CVA, 간질환, 치료안된 정신질환
- low-energy density 음식 : 물이나 fiber가 많이 함유된 음식은 같은 양으로 calorie 감소 효과 (e.g., 수프, 과일, 채소, 오트밀, 근육질의 고기)
- 7500 kcal의 열량 부족시 → 체중 약 1 kg 감소
  - 1년동안 하루 100 kcal 씩 적게 섭취 → 약 5 kg 감소
  - 1주일동안 하루 1000 kcal 씩 적게 섭취 → 약 1 kg 감소
- low-carbohydrate, high-protein diet
  - 6개월째 체중감량 효과는 최대, CAD 위험 감소 효과 (HDL↑, TG↓)
  - 장기적인 효과는 논란 (1년 이후에는 차이 없음)
- 1주일에 1.5 kg 이상씩 체중을 감량하면 gallstone 발생 위험 증가 (→ UDCA로 예방)

2. 운동요법

- 생활의 일부로 즐길 수 있는 운동(유산소 및 근력 운동)을 규칙적으로 하는 것을 권장
- 유산소 운동 : 중강도 30~60분/day (or 20~30분씩 2회), 주당 5회 이상 권장 (≥150분/week)
- 근력 운동 : 8~12회 반복할 수 있는 중량으로 8~10 종목을 1~2세트, 주당 2회 권장

운동강도	%HR_{max}	예
저강도	50~64	천천히 걷기
중강도	64~74	보통~약간 빠르게 걷기, 자전거, 탁구, 수영
고강도	≥75	조깅, 축구, 계단오르기, 등산, 에어로빅, 근력운동

3. 인지행동요법

- self-monitoring, stress 관리, 자극 조절, 사회적 지원, 문제 해결 등
- 자신을 직시하고 보다 긍정적으로 발전하도록 돕는 인지 구조조정

4. 약물요법

■ 적응 ┌ BMI ≥30 or
└ BMI ≥27이면서 비만관련 질환 동반 (e.g., HTN, DM, dyslipidemia)
or 식이/운동요법으로 체중감량 실패시

* 우리나라 : BMI ≥25 환자에서 비약물치료로 체중감량에 실패한 경우
(약물치료 시작 후 3개월 내에 5% 이상 체중감량이 없으면 약제 변경 or 중단)

* (1)은 단기간만 사용 / 나머지는 장기간 사용 가능
(6)은 말초(위장관)에 작용하는 지방 흡수억제제 / 나머지는 central-acting anorexiant[식욕억제제]

(1) Sympathomimetic adrenergic agents
- 약제 ; phentermine (m/c), phendimetrazine, benzphetamine, diethylproprion, mazindol
- NE 분비 자극 or reuptake 억제 → 식욕저하
- CVD의 병력이 있거나 조절되지 않는 HTN 환자에게는 금기
- 부작용 및 남용 위험으로 <u>단기간</u>만 사용 (~12주까지만), 효과는 별로임

(2) PHEN/TPM (phentermine/topiramate) **서방형**(CR)[controlled-release] [Qsymia®]
- topiramate : anticonvulsant로 시험 중 체중감소 효과가 발견되어 비만치료제가 됨 (기전은 모름)
→ phentermine과 병합 사용시 체중감소 효과↑(7~9%) … 현재 비만치료제 중 가장 효과적
- 부작용 ; 두근거림, 두통, paresthesia[감각이상], 구강건조, 변비, 미각이상, 불면, 녹내장
- topiramate는 태아의 구순구개열 유발 위험이 있으므로 임산부는 금기

(3) Lorcaserin (selective 5-HT2_C receptor agonist) [Belviq®]
- 시상하부의 식욕억제중추(pro-opiomelanocortin, POMC) 신경세포를 통해 식욕을 억제함
- 체중감소 효과는 적음 (약 3%)
- 부작용 ; 두통, 어지럼, 구역 (과거 serotonin계 약물들의 부작용이었던 심장판막질환은 없음)

(4) Naltrexone SR/bupropion SR (NB) [Contrave®]
- bupropion : dopamine과 NE 재흡수 억제, POMC 신경세포 활성화 → 식욕억제
(내인성 opioid인 β-endorphin은 POMC에 autoinhibition 작용을 하므로 naltrexone을 병합)
- naltrexone : 체중감소를 억제하는 opioid 수용체에 대한 길항제, POMC 활성화 증대
- 체중감소 효과는 4~5%
- 부작용 ; N/V/C/D (구역이 가장 문제), 두통, 어지럼, 불면, 구강건조
- 금기 ; seizure 병력, uncontrolled HTN (∵ 초기 3개월에는 pulse & BP 상승 가능)

(5) Liraglutide (GLP-1 agonist) [Victoza®]
- type 2 DM 치료제 : 포만감 유도, 배고픔↓, 위배출시간 지연 → 음식 섭취량↓, 대사량↑
→ DM이 없는 비만 환자에서도 체중감소 효과(5~6%), 혈압/혈당/지질도 개선
- 체중감량 목적으로는 DM (~1.8 mg/day)보다 고용량을 사용함 (~3.0 mg/day)
- 부작용 ; N/V/C/D (구역이 문제 : 용량에 비례하므로, 저용량으로 시작해 단계적으로 용량↑),
- 동물실험에서 thyroid C-cell tumors 발생 사례 → MTC 및 MEN 가족력/과거력시에는 권장×

(6) Orlistat [Xenical®]

- 최초로 FDA 승인을 받은 비만치료제, 약 4% 체중 감소
- intestinal lipase inhibitor → fat 흡수 감소 (하루 3회 투여시 30%↓)
- LDL cholesterol과 insulin level도 감소됨
- 부작용 ; steatorrhea, 기름이 새어나오는 방귀, 변실금, 대변 횟수↑, 복통 등의 GI 증상
  (대개 초기에 나타나 시간이 지나면 자연 호전됨, fat 섭취를 조절하면 금방 호전됨)
  - 장기 복용시 지용성 vitamins (e.g., D, E, β-carotene)의 흡수도 감소
  - 전신적인 부작용과 약물상호작용은 적음

* metformin : 비만한 type 2 DM or prediabetes 환자의 치료에 효과적

* 갑상선호르몬 : lean body mass 감소 및 갑상선기능항진 상태의 부작용을 일으키므로 권장 안됨

5. 수술요법(bariatric surgery)

- 적응 ; 고도비만(BMI ≥40, 합병증이 존재시 BMI ≥35) 환자에서, 내과적 치료로 체중감량이 어렵고, 약물남용이나 전신질환이 없을 때
  *우리나라 ; BMI ≥35 *or* 비만관련 질환을 가진 BMI ≥30 환자에서
  비수술치료로 체중감량에 실패한 경우
  (BMI ≥50인 병적 비만환자는 1차 수술로 위소매절제술 시행 가능)
- 특히 type 2 DM, HTN, OSA, dyslipidemia, NAFLD 등을 동반한 비만 환자에서 매우 유용
- restrictive op. : 위 내용물의 양을 제한하여 음식 섭취를 감소시킴
  ① laparoscopic adjustable gastric banding (AGB, 조절형위밴드술)
  - 수술 후 지속적인 관리가 중요하며, 환자의 증상/체중/포만감 등에 따른 밴드 조절이 필요함
  - 5년 뒤 20~25% 체중↓, 30~70%는 밴드를 제거하게 됨(∵ 밴드 미끄러짐, 밴드에 의한 미란)
  - 장기적인 효과가 적고 밴드 제거율이 높아 점점 시행 감소

  ② laparoscopic sleeve gastrectomy (SG, 위소매절제술) … 현재 m/c 시행
  - greater curvature의 ~80%를 절제하고 lesser curvature를 따라 바나나 모양의 잔위를 남김
  - 음식 섭취 제한 + 호르몬 변화 효과(e.g., 위 기저부에서 분비되는 ghrelin↓ → 식욕↓)
  - RYGB 만큼 우수한 체중↓ & 동반질환 호전 효과
    (5년 뒤 type 2 DM 관해율 66%, HTN 50%, dyslipidemia ~100%)
  - 간단하고 잔위의 내시경검사도 가능, 체중 감소에 실패해도 다른 수술로 전환 가능
  - Barrett's esophagus가 있는 경우에는 금기

  ③ intragastric balloon placement or aspiration therapy ; 효과 적고, 단기간만 사용 가능
- restrictive-malabsorptive bypass op. : 위 내용물의 양을 제한하면서 흡수도 줄임, 더 효과적임
  ① Roux-en-Y gastric bypass (RYGB) … 현재 2nd m/c 시행
  - 30~35% 체중감량 효과 (5년 뒤 ~60%에서 유지됨), 생존율↑ … 가장 효과적!
  - 호르몬 변화 효과 ; ghrelin↓, PYY↑ → 식욕↓ / GLP-1 & CCK↑ → anorectic state↑
  - 수술 후 혈당 조절 효과가 매우 우수함 → type 2 DM을 동반한 비만환자에게 추천
  - 우회된 위는 내시경검사가 어려우므로 환자에게 설명하고, 수술 전 내시경검사 시행
  - 수술 뒤 Cx ; stomal stenosis, marginal ulcers, dumping syndrome 등

② biliopancreatic diversion (BPD)
③ biliopancreatic diversion with duodenal switch (BPDDS)

- 수술 뒤 미세영양소 결핍 발생 위험 (e.g., zinc, vitamin B_{12}, folate, iron, calcium, vitamin D)
  ; RYGB에서 심하고, SG는 경미함 → 수술전 미세영양소 상태 검사 & 평생 보충 필요